KB054931

新編高麗史全文

세가6책

신종-고종

目　次

『高麗史』 卷二十一 世家卷二十一

[輔國崇祿大夫·議政府左贊成·知集賢殿經筵春秋館成均事·世子賓客·臣金宗瑞奉敎撰]

正憲大夫·工曹判書·集賢殿大提學·知經筵春秋館事兼成均大司成·臣鄭麟趾奉敎修

神宗

神宗·靖孝·□□[敬恭]大王,[1] 諱晫, 古諱旼, 字至華. 仁宗第五子, 明宗母弟, 仁宗二十二年甲子七月庚申[11日]生, 及長, 封爲平涼公.

明宗二十七年九月癸亥[23日] [左承宣·大將軍]崔忠獻廢明宗, 迎王, 卽位于大觀殿. [忠獻奏黜內侍[~~前禮部侍郎~~]閔湜等七十餘人. 毁炟艾井, 以廣明寺井爲御水. 俗傳言, 君王飮炟艾井, 則宦者用事, 故廢之:節要轉載].

[→忠獻奏, 黜內侍[~~前禮部侍郎~~]閔湜等七十餘人. 又以俗傳, 王飮炟艾井, 則宦者用事, 乃毁之, 以廣明寺井爲御水, 俚語藤梨, 謂之炟艾:列傳42崔忠獻轉載].[2]

乙丑[25日], 御大觀殿, 受群臣賀, 移御儀鳳樓, 親勞毬庭宿衛軍, 仍命罷歸.

翼日[丙寅26日], 忠獻兄弟, 亦出自樞密院, 歸第.

丁卯[27日], 以崔忠獻爲[~~靖國功臣·三韓大匡·大中大夫~~]·上將軍·柱國,[3] 忠粹爲[~~輸誠濟亂功臣·三韓正匡·中大夫~~]鷹揚軍大將軍[~~衛尉卿~~]知都省事·柱國, 朴晋材爲刑部侍郎, [門下侍郎平章事?]趙永仁△[爲]判吏部事, 奇洪壽△[爲]參知政事·判兵部事, [~~贈忠獻父元浩, 爲英烈佑聖功臣·三重大匡·門下侍中~~]].[4]

[是月某日, [左承宣·上將軍崔]忠獻, 流樞密院事[~~樞密院使~~]崔璉于昇州:節要轉載].[5]

---

1) 이에서 神宗은 廟號이고, 靖孝大王은 諡號인데, 이는 1204년(희종 즉위년) 2월 神宗의 陵[陽陵]이 마련될 때 붙여진 것이다. 그런데 신종은 1253년(고종40) 10월 3일(戊申) 敬恭이 덧붙여졌으나, 이 기사에 반영되어 있지 않다.

2) 이와 같은 기사가 『신증동국여지승람』 권4, 開城府上, 山川, 炟艾井에도 수록되어 있다. 여기에서 俗語[俚語]로 藤梨를 달애[炟艾]라고 하였다고 하는데, 이는 현재의 말로 다래를 가리키는 것 같다.

3) 이때 崔忠獻은 大中大夫·上將軍·柱國에 임명되었다고 한다(崔忠獻墓誌銘).

4) ~~添字~~는 節要13과 열전42, 崔忠獻에 의거하였는데, 原文에는 崔忠獻과 忠粹의 官銜이 三韓大匡, 三韓正匡으로 되어 있는 것이 특이하다.

5) 樞密院事는 樞密院使의 오자일 것인데, 열전42, 崔忠獻에는 바르게 되어 있다. 또 崔璉(蔡謨의 外祖父)의 最終官職은 銀青光祿大夫·樞密院使·戶部尙書·上將軍이었다(蔡謨墓誌銘).

[秋某月, 曦陽山鳳巖寺僧承迵赴廣明寺選佛場, 擢爲上上品:追加].[6)]

冬十月[庚午朔大盡,辛亥], 乙亥[6日], 王改名晫. 嘗在潛邸, 夢, 人命名曰千晫, 未幾卽位. 至是, 以與金主[阿骨打·旻]同名, 欲改之, 令宰相擬進, 參知政事崔讜進晫字. 王心異之, 遂改□[~~禑~~].[7)]

丙子[7日], 遣考功員外郞趙通如金,[8)] 前王表曰, "鶴鳴于皐, 尙有可聞之響, 葵傾於日, 豈無委照之私. 敢殫懇疑之誠, 仰瀆高明之鑑. 伏念, 某猥將綿力, 叨襲藩封, 表東海之濱, 久陶於聲敎. 迫西山之日, 忽染於病痾, 一脚偏枯, 而行必借於人扶, 兩眼並昏, 而視不過於步內. 自年齡, 馴致若此, 非藥餌所可能爲. 且當國政之堆前, 意亦迷於去取, 如或皇華之臨境, 禮必闕於將迎. 念玆雖謂之小邦, 厥位難虛於一日. 顧父言之在耳, 湏[須]弟及而傳家. 故臣曩曾受付託於臣兄, 今宜畀重艱於臣弟. 况臣兄有元子臣某[孝靈太子祈], 嘗傳聞於遺訓, 亦承順於臣心, 因謂大叔之賢, 非所跂及, 願付延陵之節. 固欲退藏. 而臣母弟晫, 德服人心, 名高戚里, 非特能保乂於下國, 亦可以藩宣於上朝. 乃於九月二十三日, 以弟晫, 權守軍國事務, 敢布腹心之微, 用祈覆載之惠".

○新王表曰, "覆物無私, 帝王之至德, 仗信以事, 臣子之良規, 敢吐忱辭, 冒干

---

6) 이는「淸河寶鏡寺住持大禪師贈諡圓眞國師塔碑銘」에 의거하였다.

7) ~~添字는~~『고려사절요』권13에 의거하였다.

8) 趙通은 다음의 자료를 통해 볼 때 金에 들어가서 1년 6개월 정도 滯在하였던 것 같다. 곧 明年(承安3) 3월 29일(丙寅)에 이르러 章宗에게 高麗國王 王晧(明宗)가 동생 晫(神宗)으로 하여금 임시로 國事를 맡게 하였음[權國事]을 보고하고 晫(神宗)을 책봉해 줄 것을 요청하였다.

· 『금사』권10, 본기10, 章宗2, 承安 2년 10월, "庚辰[11日], 尙書省奏, 高麗國牒報, 其王以老疾, 令母弟晫權國事"; 承安 3년 3월, "丙寅, 高麗王王晧以弟晫權國事, 遣使奉表來告".

· 『금사』권62, 表4, 交聘表下, 承安 3년, "三月丙寅, 王晧以國讓其弟晫, 禮賓少卿趙通來奏告, 求封册晫. 遣使宣問".

· 『금사』권208, 열전95, 外夷1, 高麗, "承安三年, 晧表自陳衰病, 以國讓其弟晫. 晫權國事. 是歲[前歲], 晧廢, 晫嗣立". 이에서 是歲는 前歲로 고쳐야 옳게 되는데, 活字本『金史』에서 原本의 承安三年을 承安二年으로 修正하였으나(中華書局, 1975年 2888面), 적절하지 못하다.

· 열전15, 趙通, "累遷正言, 轉考功郞中[~~考功員外郞~~]·太子文學. 奉使如金, 會有徵詰, 拘留三年[~~二年~~], 金人愛其才, 遣還". 여기에서 考功郞中(정5품)으로 되어 있으나 世家篇과『고려사절요』의 내용과 같이 考功員外郞(정6품)으로 고쳐야 옳게 될 것이다. 일반적으로 正言(종6품)에서 郞中을 轉職할 수는 없다. 또 三年은 二年으로 고쳐야 옳게 될 것이다(그는 신종 즉위년 10월 7일에 파견되어 明年 5월 9일에 歸還하였다).

· 『신증동국여지승람』권39, 玉果縣. 人物, "趙通, 軀幹魁梧, 經史百家無不貫穿. 擢進士第, 累遷考功郞中·太子文學. 奉使如金, 會有徵詰, 羈留三年[~~二年~~]. 金人愛其才, 嘉其節, 乃令歸報. 未幾出知西京留守事".

聰聽. 伏念, 舊邦遺胤, 荒服曾臣, 遭逢解網之時, 涵泳垂衣之化. 伏見, 臣兄國王臣晧, 逮事先帝, 至于聖朝, 述職僅三十年, 禮無所失, 享壽餘六十載, 病莫能興. 藥乏萬金之良, 疾同二竪之苦, 欲釋重負, 庶保殘齡. 追述臣父國王楷遺囑, 以九月二十三日, 令臣權守軍國事務, 而臣迫此懇辭, 避將何計, 顧負托之大重, 將籲呼以上聞. 然念宗廟不可以乏祠, 黎元不可以無主, 勉從誠請, 假守繁機. 若臨淵而履冰, 或至隕越, 儻回霜而收電, 永荷生成, 區區之誠, 實天所鑒".

[戊寅[9日], 月暈, 東北有背氣, 內靑外赤:天文2轉載].

[庚辰[11日], 月暈, 南北有珥:天文2轉載].

[甲申[15日], 月掩畢大星:天文2轉載].

[乙酉[16日], 歲星犯大微[~~太微~~]左執法:天文2轉載].

[庚寅[21日], 流星·騰蛇入河大星:天文2轉載].

[壬辰[23日], 月犯大微[~~太微~~]右執法:天文2轉載].

[丁酉[28日], 熒惑犯氐星:天文2轉載].

[是月, 初[~~先是~~], 太子娶昌化伯祐之女, 爲妃. 至是, [大將軍·衛尉卿]崔忠粹欲以其女配太子, 固請于王. 王不悅, 忠粹佯謂內人曰, "上已出太子妃否?". 內人以告. 王不得已出之, 妃嗚咽不自勝, 王后亦流涕, 宮中皆抆淚不已[~~宮中莫不垂淚~~]. 妃遂微服出外, 忠粹卽定期, 聚工大備粧具. 忠獻聞之, 携酒至忠粹家, 從容與飮, 酒酣, 忠獻曰, "似聞君欲納女東宮, 有諸?". 對曰, "有之". 忠獻曉譬之曰, "今, 我兄弟, 雖勢傾一國, 然系本寒微, 若以女配東宮, 得無譏乎?, 況夫婦之間, 恩義有素, 太子配耦有年, 一朝離之, 其於人情何? 古人曰, '前車覆後車戒', 向者, 李義方以女配太子, 卒死人手, 今欲踵其覆轍, 可乎?". 忠粹仰天太息, 良久曰, "兄言有理, 敢不從". 遂罷遣工匠. 旣而, 翻然改圖曰, "大丈夫行事, 當自斷耳". 復集工人, 督辦如舊. 其母謂之曰, "汝從兄言, 予實喜幸[之], 又何如此耶?". 忠粹怒曰, "非婦人所知". 以手推之, 母仆地. 忠獻聞之曰, "罪莫大於不孝, 辱母如此, 況於我乎? 必不可以言語諭之. 明朝, 當令吾衆, 候廣化門, 其女入, 則拒而不納". 人以告忠粹, 忠粹亦謂其徒曰, "人於吾行止, 莫敢誰何, 兄獨欲制我者, 恃其[~~有~~]衆也. 詰旦, 吾當掃除其徒, 爾等努力". 人又犇告忠獻. 忠獻泣謂其衆曰, "忠粹欲以女配東宮者, 無他, 欲以圖不軌也. 明朝欲掃吾徒, 事已急矣, 計將安出?". 衆答曰, "請與朴晋材謀", 忠獻卽召晋材及金躍珍·盧碩崇, 以告. 晋材曰, "公兄弟, 均吾舅也, 有何厚薄? 然國

家安危，係此一擧，與其助弟而爲逆，孰若右兄而從順？且大義滅親，我當與躍珍·碩崇等，各率衆助之”．忠獻大悅．○夜三鼓，忠獻率衆兵千餘，由高達坂，至廣化門，告門者曰，“忠粹明朝欲作亂，吾將衛社稷，亟以此，達于王所”．守者因門隙以聞，王大驚，卽命開門納之，使屯於毬庭．又發武庫兵仗，授禁軍以備．諸衛將軍，亦率兵爭赴．忠粹聞之，懼，謂其衆曰，“以弟攻兄，是謂悖德，吾欲奉母入毬庭，見兄乞罪，汝等宜各遁去”．將軍吳淑庇·俊存深·朴挺夫等曰，“僕等所以遊公之門者，以公有蓋世之氣，今反怯懦如此，是，族僕等也．請一戰，以決雌雄”．忠粹許之，黎明，率衆兵千餘人，屯十字街，約曰，“當僇力以戰，苟殺彼黨者，當授以所殺者之職”．忠粹軍，聞諸將皆歸忠獻，自知寡助，稍稍遁去．於是，忠獻出廣化門，向市街而下，忠粹向廣化門而上，遇於興國寺南，交戰，晋材·躍珍·碩崇，各率徒衆，分爲掎角，一踰泥峴，一踰沙峴，一踰高達坂，首尾相應，腹背攻之．忠獻以御庫大角弩縱射，矢下如雨，忠粹之徒，取步廊扉板爲楯，禦之不克，遂大潰．忠粹曰，“今日之敗，天也，兄居臨津以北，則我居臨津以南”．卽與淑庇·存深等，馳至保定門，斬關而出，渡長湍，至坡平縣金剛寺．追者斬之，傳首于京．忠獻哭之，謂追者曰，“我欲生擒爾擒耳，何遽殺邪?”，乃遣人收葬之:節要轉載]．[9]

[是月頃，上聞平章事金純卒，追悼而命有司，以公禮葬之，其諸子以國家多事，固辭焉．故不賜勅弔·誄書，但贈謚曰元平，不視朝三日:追加]．[10]

十一月庚子朔小盡,壬子，御儀鳳樓，詔曰，“朕因臣民之推戴，承祖宗積累之基，夙夜祗懼，無安厥位．庶幾中興，馴致大平太平，雖至憂勤，罔知攸濟．視古哲王，寬刑宥罪，崇德報功，輕徭薄賦，爲理之要，莫過於此．故欲於中外，普被恩澤，與民更始．自今月初一日昧爽前，內外斬絞以下，至於贖銅徵瓦，咸赦除之．

□一．國內名山·大川及耽羅神祇，各加號．

□一．祖聖及歷代名王，加上尊諡．[11]

---

9) 添字는 열전42, 崔忠獻에 의거하였다.

10) 이는 다음의 자료에 의거하였다.

· 「金純墓誌銘」，“… 以九月十七日，端坐而卒，殯于私第，公金純之在殯 不十日，今上始踐祚焉，聞而追悼，特降明命勑有司，欲以公禮葬之，諸子以國家鼎新，多事牢辭焉．故諸勑吊·誄書不加，而但贈謚曰元平，不視朝三日”．

11) 이때 덧붙여진[加上] 尊號는 『고려사』에 반영되어 있지 않다.

□⁻. 年八十以上及篤癈疾·僧俗男女·鰥寡·孤獨, □□□□~~賜物有差~~, 義節·孝順, 旌表門閭, 許加<u>分職</u>.[12)]

□⁻. 登極日, 侍衛宰樞以下及軍卒, 加爵號分職, 子孫加蔭職, 其餘不應受職者, 各賜物有差.

□⁻. 文武兩班, 各許散職一級田柴.

□⁻. 東堂監試人吏動靜, 並許一度.

[□⁻. 太祖苗裔·太祖同産兄弟·正統君王子孫, 並許入仕:選擧3祖宗苗裔轉載].

[□⁻. □[聖]祖代六功臣·三韓功臣子孫, 並許入仕:選擧3功臣子孫轉載].

[□⁻. 貢賦徵輸, 公私息利, 不便於民者, 並放":食貨3恩免之制轉載].

○前中書令杜景升□□□□~~憂忿嘔血~~, 卒□□□□~~於紫燕島~~.[13)] [景升, 萬頃縣人, 性質直寬厚, 少文有勇力, 爲厚德殿牽龍. 庚寅之變, 武人多劫奪人財, 景升獨不離殿門, 秋毫不犯, 及金甫當·趙位寵之役, 征戰有功, 封爲功臣, 掌吏部銓注, 雖內寵權貴, 莫敢撓之. 舊制三品以上, 每遷級, 例上讓表, 降詔不允, 然後表謝上官. 景升獨曰, 內不欲讓, 而假人筆, 以飾外禮, 予不忍爲也, 其直類此:節要轉載].

[→景升在島, 憂憤嘔血卒. 或云, "景升有金, 其奴欲盜, 密毒之":列傳13杜景升轉載].

[癸卯[4日], 熒惑犯氐星:天文2轉載].

[辛亥[12日], 月掩畢星:天文2轉載].

壬子[13日], 改天祐門爲應明.

癸丑[14日], 設八關會, 幸法王寺.

[乙卯[16日], 月暈, 內靑外赤, 四方有赤白氣, 如杵, 長十尺許. 西南方, 有珥:天文2轉載].

[庚申[21日], 月犯<u>大微</u>~~太微~~左掖:天文2轉載].

[癸亥[24日], □[月]入氐星:天文2轉載].

---

12) 이 구절은 原文에는 "年八十以上及篤癈疾·僧俗男女·鰥寡·孤獨·義節·孝順, 旌表門閭, 許加分職"으로 되어 있으나 적절하지 않아 修正하였다(→원종 1년 6월 1일).

13) ~~添字~~는 『고려사절요』 권13에 의거하여 추가한 것이다. 이날은 율리우스曆으로 1197년 12월 11일(그레고리曆 12월 18일)에 해당한다. 또 紫燕島(現 仁川廣域市 中區 永宗洞 永宗島)에 관한 자료로 다음이 있다.

· 『신증동국여지승람』 권9, 인천도호부, 山川, "紫燕島, 在府西二十七里. 周五十五里. 有牧場. '大明一統志'舊有客館, 曰慶源亭".

[乙丑26日, 熒惑犯房上相:天文2轉載].

[丙寅27日, □□熒惑犯鉤鈐:天文2轉載].

[某日, 以文武官子弟三十餘人, 充春坊侍學公子給使~~侍衛公子及給使~~?:節要轉載].[14)]

[十二月己巳朔大盡,癸丑:追加][15)], [辛巳13日, 月犯東井:天文2轉載].

[壬午14日, 流星入天際, 大如缶, 聲如鼓:天文2轉載].

[丁亥19日, 月犯左執法:天文2轉載].

[庚寅22日, 歲星犯大微太微左執法, 月入氐:天文2轉載].

癸巳25日, 以宗室坏△爲守太尉·上柱國·延昌公,[16)] 洒△爲守司空·上柱國·廣陵侯,[17)] 縝△爲守司徒·上柱國·寧仁伯, 祐△爲守司徒·上柱國·昌化伯,[18)]沆△爲守司徒·上柱國, 趙永仁△爲守太師·門下侍郎平章事·監修國史·判吏部事,[19)] 奇洪壽△爲守司徒·中書侍郎平章事·監修國史·判兵部事·太子太傅, 任濡·崔讜並爲中書侍郎平章事, 李文中△爲參知政事, 于述儒△爲守司空·左僕射·判刑部事, 崔詵△爲知樞密院事·太子少師,[20)] 金晙△爲同知樞密院事·太子賓客, 蔡順禧·車若松並爲樞密院副使,[21)] 金彦爲尙書左僕射, 林惟謙爲尙書右僕射·判三司事, 左承宣·知御史臺事·上將軍崔忠獻爲樞密院知奏事[·知御史臺事:節要轉載].[22)]

[→王論崔忠獻功, 詔有司圖形, 加父母爵號, 陞知奏事·知御史臺事:列傳42崔忠獻轉載].[23)]

---

14) 여기에서 ~~添字~~는 1054년(문종8) 12월 22일에 의거하였다(蔡雄錫教授의 教示).

15) 11월의 癸巳는 이달에 없고, 12월 25일이다. 이날은 人事行政[銓注]이 이루어진 大政이기에, 癸巳의 앞에 十二月이 탈락되었음을 알 수 있고, 『고려사절요』 권13에도 12월로 되어 있다.

16) 延昌公 坏에 관한 기사는 열전3, 顯宗王子, 平壤公基에도 수록되어 있다.

17) 廣陵侯 洒에 관한 기사는 열전3, 文宗王子, 朝鮮公燾에도 수록되어 있다.

18) 昌化伯 祐에 관한 기사는 열전3, 肅宗王子, 帶方公俌에도 수록되어 있다.

19) 이때 趙永仁이 門下侍郎平章事·判吏部事임을 보아 冢宰임이 분명하고, 그가 冢宰였음은 다른 자료에서도 확인된다. 또 이때 趙永仁이 神宗과 함께 國策을 결정하였다고 한다.

· 『동국이상국집』 권7, 上趙令公永仁幷引[注, 上卽祚, 公與定策].

20) 이때 崔詵은 知樞密院事兼御史大夫였다(『동국이상국집』 권7, 上崔樞密詵).

21) 蔡順禧(光州人)는 高宗代에 中書侍郎平章事·太子少師에 이르렀다고 한다(『동국이상국집』 권36, 蔡順禧誄書).

22) 이때 崔忠獻은 銀青光祿大夫·樞密院知奏事·吏部尙書에 임명되었다고 한다(崔忠獻墓誌銘).

23) 原文에는 "王論功, 詔有司圖形, 加父母爵號, 陞知奏事·知御史臺事"로 되어 있다.

[是年, 以永嘉郡, 輔佐南賊討伐之功, 陞安東府爲安東都護府. 又陞寶城郡任內他州部曲, 爲道化縣:轉載].[24)]

[○以[中戶部侍郎]田元均爲西京副留守:追加].[25)]

[○以[工部郎中]趙冲爲太僕少卿·太子宮門郎:追加].[26)]

[○以[將軍]吳倖爲攝大將軍:追加].[27)]

[○以[戶部員外郞]廉克髦爲都官郎中:追加].[28)]

[增補].[29)]

[是年頃, □[王]問宰輔云, "嗣王謁太廟, 例乘上國所賜象輅. 今未受賜, 而卜禘有日, 將修舊耶, 抑新製乎?". 宰輔曰, "宜用仁宗舊物", 從之:輿服1王輿輅轉載].

---

24) 이는 다음의 자료를 전재하였다.

- 『경상도지리지』, 安東道, 安東大都護府, "古籍內, 神宗, 永安[承安]丁巳, 金三[金沙彌]·孝心倘謀叛, 以輔佐功, 改安東都護府".
- 지11, 지리2, 安東府, "明宗二十七年, 南賊金三·孝心等, 剽略州郡, 遣使討平之, 以府有功, 陞爲都護府".
- 『謙菴集』 권2, 請安東復號疏, "… 高麗明宗時, 南賊剽掠, 佐師討平, 陞爲都護府".
  以上에서 永安은 承安으로, 金三은 金沙彌로 고쳐야 옳게 될 것이다. 또 金三[김삼]은 金沙彌[김사미]를 빠르게 읽은 當時人의 譯音일 것이다.
- 지11, 지리2, 寶城郡, "宣宗五年, 陞他州部曲, 爲道化縣". 여기에서 宣宗五年은 當時의 紀年方式으로 표기된 것으로 宣宗五年丁卯를 가리키지만, 明宗二十七年丁巳의 오류일 것이라는 지적이 있다(尹京鎭 2012년 53面).
- 『세종실록』 권151, 지리지, 寶城郡, "道化縣, 本高麗他州部曲, 明宗二十七年丁巳[大金承安三年], 改道化縣".

25) 이는 「田元均墓誌銘」에 의거하였다.

26) 이는 「趙冲墓誌銘」에 의거하였다.

27) 이는 「吳倖墓誌銘」에 의거하였다.

28) 이는 「廉克髦墓誌銘」에 의거하였다.

29) 이해에 金의 進士試에 급제한 王若虛(1174~1243)가 蔡松年(1107~1159)의 '使高麗詞'에 대한 詩評도 찾아진다(『滹南遺老集』 권40, 詩話, 張東翼 1997년 349面).

戊午[神宗]元年, 金承安三年, [南宋慶元四年], [西曆1198年]

1198년 2월 8일(Gre2월 15일)에서 1199년 1월 27일(Gre2월 3일)까지, 354일

春正月己亥朔大盡,建甲寅, 日食.[30)]

庚子2日, 放朝賀.

壬子14日, 燃燈, 王如奉恩寺.

[甲寅16日, 月食. 又月犯大微太微右執法:天文2轉載].[31)]

甲子26日, 以上將軍白存濡白存儒爲西北面知兵馬事, 大府卿太府卿文侯軾爲東北面知兵馬事.

[○長興庫香爐足獅子, 鳴如狗吠:五行1鼓妖轉載].

[乙丑27日, 流星入文昌:天文2轉載].

[某日, 置山川裨補都監, 知奏事崔忠獻會宰樞·重房及術士, 議國內山川裨補延基事, 遂置之:節要轉載].[32)]

---

30) 이날 宋과 金에서도 일식이 예고되었으나 구름[露]으로 인해 보이지 않았다고 한다(『송사』 권52, 지5, 천문5, 日食 ; 『금사』 권11, 본기11, 章宗3, 承安 3년 1월 己亥, 권20, 지1, 天文, 日薄食煇珥雲氣). 또 이날 日本의 京都에서도 日食이 있었다(高麗曆과 同一, 日本史料4-5册 553面). 그리고 이날은 율리우스력의 1198년 2월 8일이고, 개경에서 일식 현상이 심했던 시간은 6시 38분, 食分은 0.76이었다(渡邊敏夫 1979年 308面).

- 『百練抄』제10, 後鳥羽, 建久 9년 1월, "一日己亥, 依日蝕, 不被行節會也".
- 『猪猥關白記』, 建久 9년 1월, "一日己亥, 天晴, 鷄鳴殿下有四方拜事, 如例, 此日々蝕也, 正見也, 日光不臨之所上格子, 依正朔也, 依正見不被行節會云々, 殿下無御出, 余同之, 依蝕也".
- 『玉葉』 권66, 建久 9년 1월, "一日己亥, 天晴, 萬福可樂春也, 寅刻水手, 依可有日蝕也, … 日帶蝕出山, 巳刻復本畢, …".
- 『明月記』, 建久 9년 1월, "一日己亥, 日蝕, 天晴, 日帶蝕出, 十四分可缺之由, 雖有兼日之聞, 其光如例, 於蝕者現顯, 巳時許復例了".

31) 이날 金에서도 월식이 있었고(『금사』 권20, 지1, 天文, 月五星凌犯及星變), 일본의 京都에서도 월식이 있었다(高麗曆과 同一, 日本史料4-5册 613面). 그리고 이날은 율리우스력의 1198년 2월 23일이고, 월식 현상이 심했던 때의 世界時는 11시 10분, 食分은 0.52이었다(渡邊敏夫 1979年 478面).

- 『猪猥關白記』, 建久 9년 1월, "十六日甲寅, 天晴, 月蝕也, 正見云々, 請三口僧, 有一字金輪念誦事".
- 『三長記』, 建久 9년 1월, "十六日甲寅, 晴, … 今夜月蝕, 雲晴正現, 內裏院無殊御祈等, 未被始行御祈之故云々".
- 『明月記』, 建久 9년 1월, "十六日, 陰, 月蝕也, …".

32) 이와 관련된 기사로 다음이 있다.

[某日, 以金晋爲慶尙道按察使:慶尙道營主題名記].

[二月[己巳朔小盡,建乙卯], 丙子[8日], 月犯東井:天文2轉載].

[乙酉[17日], 雨土:五行3轉載].[33]

[己丑[21日], 月犯建星. 流星入積率[~~積卒~~]:天文2轉載].[34]

[庚寅[22日], 淸明. 流星出大角, 入氐:天文2轉載].

三月戊戌□[朔大盡,建丙辰], 王以仁宗忌晨道場[~~忌辰道場~~], 將如靈通寺, 卽位未久, 疑有變, 不果行.[35]

乙巳[8日], [穀雨]. 元子始開書筵於寶文閣.

丙午[9日], 分遣中使, 省州縣寃獄.

[己酉[12日], 月犯大微[~~太微~~]右掖門:天文2轉載].

[乙卯[18日], 流星出軒轅, 入北河:天文2轉載].

丁巳[20日], 幸王輪寺. [自是, 數幸寺院:節要轉載].

[壬戌[25日], 流星出河鼓, 入天梧[~~天棓~~]:天文2轉載].

甲子[27日], 幸妙通寺.

乙丑[28日], 重房奏, "闕西之地, 武官位也, 請禁人家安碓".

夏四月[戊辰朔大盡,建丁巳], [辛未[4日], 月入東井:天文2轉載].

癸酉[6日], 謁顯陵[太祖].

[己卯[12日], 熒惑入壘壁陣西端. 自三月至是月,歲星入大微[~~太微~~]:天文2轉載].

[癸未[16日], 白虹見於乾方:五行2轉載].

乙酉[18日], 謁昌陵[世祖].

[是月, 秘書監金平, □□□□□[掌國子監試], 取詩賦智大成等十九人, 十韻詩叚世儒

· 지31, 백관2, 山川裨補都監, "神宗元年, 宰樞及重房·崔忠獻等, 集術士, 議國內山川裨補延基事, 遂置都監".

33) 이날 일본의 교토[京都]에서는 맑았으나 저녁에 이슬비가 뿌렸다고 한다.

· 『三長記』, 建久 9년 2월, "十七日乙酉, 晴, 及夕微雨灑, 腦發聲".

34) 積率은 積卒[積卒星座]의 오자일 것이다(孫曉 等編 2014年 1424面).

35) 戊戌에 朔이 탈락되었다. 또 仁宗의 忌日은 2월 28일이다.

等七十二人, 明經七人:選擧2國子試額轉載].[36)]

五月戊戌朔[小盡,建戊午], 謁長[仁宗]·純[仁宗妃任氏]二陵.

[○陞兩界兵馬判官爲副使, 防戍中郎將, 許著有角幞頭. 初, 防戍將軍不帶兵馬之職, 庚寅以後, 始兼兵馬判官. 至是, 遂陞爲副使, 防戍中郎將, □[本]非使命, 故無角, 至是, 幷許□[插]角:節要·輿服1轉載].[37)]

己亥[2日], 有司請避上嫌名, 令諸姓卓者, 從外家姓, 若內外姓同, 則從內外祖母之姓.[38)]

[辛丑[4日], 流星出天市, 入大微[太微]:天文2轉載].

丙午[9日], [夏至]. [考功員外郞]趙通還自金, 答前王表詔曰, "卿嗣爵遐陬, 撫封歲久, 遽退讓以去位, 疑事變之非常. 迨閱奏緘, 備形懇切, 自以衰疾之逼, 難任機務之繁, 且述父言, 欲令弟及, 久曠藩宣之寄, 已從權攝之宜. 雖若出於卿誠, 顧未孚於朕聽, 續遣信使, 往咨其詳".

[戊申[11日], 熒惑入羽林:天文2轉載].

[己酉[12日], 太白入軒轅大星, 次紀星間:天文2轉載].

[某日, 私僮萬積·味助伊·延福·成福·小三·孝三等六人, 樵于北山, 招集公私奴隷, 謀曰, "國家自庚癸以來, 朱紫多起於賤隷, 將相寧有種乎? 時來則亦可爲也. 吾輩安能勞筋苦骨, 困於箠楚之下?".[39)] 諸奴皆然之, 乃翦黃紙數千, 皆鈒丁字爲識, 約

---

36) 이때 白賁華·李世華도 선발되었는데, 前者의 묘지명에는 5월로 되어 있다(白賁華墓誌銘 ; 李世華墓誌銘).

37) 添字는 지26, 輿服, 冠服通制에 의거하였다. 또 兵馬副使와 관련된 기사로 다음이 있다.
- 지31, 백관2, 兵馬使, "神宗陞爲副使".

38) 이때 明宗(神宗의 兄)의 옛 이름[舊名]인 昕과 같은 글자인 醴泉昕氏가 權氏로 改姓되었던 것 같다.
- a 『세종실록』 권150, 지리지, 禮泉郡, "土姓三, 林·尹·權[權本昕氏, 神宗元年, 避明宗舊諱, 改賜權".
- b 『신증동국여지승람』 권24, 醴泉郡, "姓氏, 林·尹·權[權本昕氏, 高麗神宗元年, 避明宗諱, 改賜權".
- c 『草澗集』附錄, 權文海行狀, "公諱文海, 字灝元, 號草澗, 江左醴泉人也. 其先本昕姓, 七世祖諱邏, 當高麗季, 以昕爲穆王[明王]諱, 故從母姓, 更賜權氏, 而官至禮賓卿, …". 여기에서 穆王은 忠穆王 昕을 指稱하는 것 같지만, a, b를 통해 볼 때 明王[明宗]으로 고쳐야 옳을 것 같다.
- d 『草澗集』附錄, 權文海墓碣銘, "公諱文海, 字灝元, 醴泉人. 醴泉之權本昕氏, 勝國時, 避君諱賜姓權 …".

以甲寅[17日]，聚興國寺，同時鼓噪，趣毬庭作亂，內外相應．先殺崔忠獻等，仍格殺其主，焚其賤籍，則公卿將相，皆可得矣．及期皆集，以衆不滿數百，恐不濟事，更約戊午[21日]，會於普濟寺，令曰，“事不密則不成，愼勿泄”．律學博士韓忠愈家奴順貞，告變於忠愈，忠愈以告忠獻，遂捕萬積等百餘人，投之江．拜忠愈閤門祗候[閤門祗候]，賜順貞白銀八十兩，免爲良，餘黨不可悉誅，詔置不問:節要轉載]．

[→[明宗]元年□□[~~五月~~]，私僮萬積等六人，樵北山，招集公私奴隷謀曰，“國家自庚癸以來，朱紫多起於賤隷，將相寧有種乎? 時來則可爲也．吾輩安能勞筋骨，困於捶楚之下?”．諸奴皆然之．剪黃紙數千，皆鈒丁字爲識，約曰，“吾輩自興國寺步廊，至毬庭，一時群集鼓噪，則在內宦者必應之，官奴等誅鋤於內．吾徒蜂起城中，先殺崔忠獻等，仍各格殺其主，焚賤籍，使三韓無賤人，則公卿將相，吾輩皆得爲之矣”．及期皆集，以衆不滿數百，恐不濟事，更約會普濟寺，令曰，“事不密則不成，愼勿泄”．律學博士韓忠愈家奴順貞，告變於忠愈，忠愈告忠獻．遂捕萬積等百餘人，投之江．授忠愈閤門祗候[閤門祗候]，賜順貞白金八十兩，免爲良．以餘黨不可悉誅，詔不問:列傳42崔忠獻轉載]．

己未[22日]，幸外帝釋院．

[某日，壞李義旼沙堤．初，義旼自駱駝橋至猪橋築堤，夾堤種柳，人不敢斥言，稱爲新道宰相．後，東南盜賊大起，又奴隷謀逆．術家指以爲說，故壞之:節要轉載]．[40)]

六月丁卯朔[大盡,建己未]，太白晝見．

辛未[5日]，再雩．

[○月犯大微[~~太微~~]右執法:天文2轉載]．

[壬申[6日]，[月]又犯大微[~~太微~~]東藩上相:天文2轉載]．

癸酉[7日]，賜田敏儒等及第．[41)]

---

39) 여기에서 이용된 成語의 典故는 다음과 같다.

· 『사기』 권48, 陳涉世家第18, “陳勝者，陽城人也，字涉．吳廣者，陽夏人也，字叔．… [秦]二世元年七月，… [陳勝·吳廣,] 召令徒屬曰，‘公等遇雨，皆已失期，失期當斬．藉弟令毋斬，而戍死者，固十六七，且壯士不死卽已，死卽擧大名耳．王侯·將相寧有種乎?’．徒屬皆曰，敬受命”．

· 『한서』 권64下，王褒傳第34下，“王褒，字子淵，蜀人也，… 夫賢者，國家之器用也．所任賢，則趨舍省，而功施普．器用利，則用力少，而就效衆，故工之用鈍器也，勞筋苦骨”．

40) 이 기사의 冒頭와 같은 내용이 열전41, 李義旼에도 수록되어 있다(“[門下侍郎平章事~~李義旼~~,] 嘗自駱駝橋，至猪橋，築堤高數尺，挾堤種柳，人稱爲新道宰相”).

○金遣宣問使·大理卿孫俣來,[42] 俣詰前王遜位事由. 對如前王表意, 俣曰, "有詔, 必見前王親授". 朝議難之. 門下侍郎平章事趙永仁曰, "前王養疾南州, 計程三十日,[43] 乃至, 必欲親授詔, 請留待二三月, 然後可". 俣曰, "苟如是, 不必親授也".[44]

翼日甲戌8日, 傳詔于王, 詔曰, "久撫海邦, 遽形誠懇, 自以嬰疾, 難于奉藩, 乃追述於父言, 且幷陳其子讓. 欲令母弟, 傳受爵封, 謂其能事於上朝, 已俾攝行於國政. 驟達予聽, 未察所從, 特命使以卽諏, 庶得卿之誠素, 具詳奏牘, 無或隱情".[45]

[乙酉19日, 流星出天津, 入天市:天文2轉載].

[某日, 以柳光植爲工部員外郞:追加].[46]

秋七月丁酉朔小盡,建庚申, 丁未11日, [處暑]. 以王生日爲咸成節.[47]

[庚戌14日, 月食:天文2轉載].[48]

乙卯19日, 遣禮部郞中白汝舟如金, 請封册,[49] □□侍郞鄭邦輔, 進方物.

---

41) 이와 관련된 기사로 다음이 있다. 이때 田敏儒·崔宗梓·新進士白賁華(白賁華墓誌銘) 등이 급제하였다(『등과록』, 朴龍雲 1990년 ; 許興植 2005년).
- 지27, 선거1, 科目1, 選場, "神宗元年六月, 中書侍郞平章事任濡知貢擧, 國子祭酒崔孝著同知貢擧, 取進士, 癸酉, 賜田敏儒等三十三人及第".
- 「白賁華墓誌銘」, "年十九, 擧省試中之, 是戊午夏之五月也. 至六月, 又擧春官擢第, 大抵連月再, 士所難得, 而君又年少, 故人益異焉".

42) 金帝國은 孫俣를 4월 29일(丙申)에 宣問使로 임명하였고, 이때 崔孝思가 國境[關]에 파견되어 金의 宣問使를 案內하였다고 한다.
- 『금사』 권11, 본기11, 章宗3, 承安 3년 4월 丙申, "以侍御史孫俣爲宣問高麗王王晧使".
- 「崔孝思墓誌銘」, "明年, 王太弟平凉公, 自代邸入踐大寶, 大金遣宣問使察具變, 爰命公到關伴行, 使還稱旨, 自中書舍人遷戶部侍郞".

43) 東亞大學本에는 三十日이 一十日과 같이 보이지만(東亞大學 2008년 6책 584面), 이는 板刻의 잘못이 아니라 印刷의 잘못에 의한 것이다.

44) 이와 같은 기사가 열전12, 趙永仁에도 수록되어 있다.

45) 이때의 형편은 다음의 자료에 반영되어 있다.
- 「金鳳毛墓誌銘」, "神宗之受內禪也, 金國宣問使扺此傳, 以先謁前國王, 然後致命於新君. 朝議難之. 時以公昔於恭睿大后升遐時, 大金勅祭使有所詰, 譯官·行人莫能措辭, 而公能辨對議者, 以公爲請. 於是, 承上命到舘, 諭以便宜, 隨問酬詰, 彼皆釋然, 從之. 由是, 朝廷益重焉".

46) 이는 「柳光植墓誌銘」에 의거하였다.

47) 神宗의 誕日은 7월 11일이다. 咸成節에 올린 賀表로 『동문선』 권31, 咸成節日賀表(金克己 撰)가 있다.

48) 이날 宋과 金에서도 월식이 있었다(『송사』 권52, 지5, 천문5, 月食 ; 『금사』 권20, 지1, 天文, 月五星淩犯及星變). 이날은 율리우스력의 1198년 8월 18일이고, 월식 현상이 심했던 때의 世界時는 14시 16분, 食分은 0.60이었다(渡邊敏夫 1979年 478面).

[某日, 以起居舍人張允文爲慶尙道按察使:慶尙道營主題名記·墓誌].[50)]

八月丙寅朔大盡,建辛酉, 壬午17日, 太白經天.

[丁亥22日, 月入東井:天文2轉載].

九月丙申朔小盡,建壬戌, [己未24日, 太白犯大微太微左執法. 月入大微太微:天文2轉載].

[某日], 遣戶部侍郞鄭世沖如金, 賀天壽節.

冬十月乙丑朔小盡,建癸亥, 癸酉9日, 太白經天, 二日.

[十一月甲午朔大盡,建甲子:追加].

十二月甲子朔小盡,建乙丑, [某日, 起居舍人張允文, 謂同舍曰, "門下錄事及堂後官, 趍日私辦直宿郞舍·承宣供億, 競事豊侈, 從人假貸. 及拜參補外, 歛斂民償債, 恬不爲愧. 冒進者, 或於參外赴任時, 預爲聚歛斂, 以資後用. 是故, 從事之吏, 率皆貪汙, 鮮有廉謹, 若除直宿供億, 但供燃燈·八關宴會, 則糜費太減矣. 然後, 可責吏之淸節也". 宰臣·郞舍, 皆以爲可, 獨□右散騎常侍閔湜·右左諫議□□大夫李桂長, 執不可. 議遂寢:節要轉載].[51)]

[→神宗初, 爲右散騎常侍, 同舍起居舍人張允文, 謂諸郞曰, "門下錄事及堂後官, 趍日私辦直宿郞舍·承宣供億, 競事豊侈, 從人假貸. 及拜叅補外, 科歛於民, 以償宿債, 恬不爲愧, 冒進者, 或以叅外補外, 豫聚歛, 以爲他日計. 故吏皆貪汚, 鮮有廉謹. 若除直宿官供億, 但供燃燈·八關宴會, 則糜費太減, 然後可責吏淸節". 宰臣·郞舍, 皆以爲可, 獨湜與□左諫議□□大夫李桂長, 執不可, 議遂寢:列傳14閔湜轉載].

---

49) 白汝舟는 12월 23일(丙戌) 金에 들어가 책봉을 요청하였으나 『금사』交聘表의 편찬자는 毅宗의 訃音을 전한 告奏·承襲使로 잘못 기록하였다.
· 『금사』 권11, 본기11, 章宗3, 承安 3년 12월 丙戌, "高麗權國事王晫遣使, 奉表來告".
· 『금사』 권62, 表4, 交聘表下, 承安 3년, "是歲, 晧蕘廢, 晫嗣位, 遣禮賓少卿白汝舟來, 奏告". 여기에서 蕘은 廢로 고쳐야 옳게 된다[校正事由].

50) 張允文은 『慶尙道營主題名記』에는 張元文으로 되어 있으나 오자일 것이다.

51) 이때 閔湜은 右散騎常侍, 李桂長은 左諫議大夫, 李世長은 右諫議大夫였다(『동국이상국집』 권8, 呈內省諸郞幷敍, 戊午年). 또 이때 李奎報는 右散騎常侍 閔湜을 閔常侍로 표기하였는데(권9, 閔常侍令賦雙馬圖), 이를 통해 볼 때 常侍는 散騎常侍의 약칭임을 알 수 있다.

戊寅[15日], 以崔忠獻爲樞密院知奏事.[52)]
[癸未[20日], 大將軍致仕宋子清卒:追加].[53)]
[是年, 以王胎, 藏於金浦縣, 陞爲縣令官:地理1轉載].
[增補].[54)]

己未[神宗]二年, 金承安四年, [南宋慶元五年], [西曆1199年]

1199년 1월 28일(Gre2월 4일)에서 1200년 1월 17일(Gre1월 24일)까지, 355일

春正月癸巳朔大盡, 丙寅, 放朝賀.[55)]
○遣禮賓卿白元軾如金, 賀正.[56)]
[某日, 以佼利弼爲慶尙道按察使:慶尙道營主題名記].[57)]

---

52) 최충헌은 前年(신종 즉위년) 12월 25일에 이미 知奏事兼知御史臺事에 임명되었는데, 이때 다시 임명된 것은 知奏事兼□□□□로서 『고려사』의 편찬자가 새로 임명된 兼職을 생략한 것으로 추측된다.

53) 이는 「宋子淸墓誌銘」에 의거하였는데, 이날은 율리우스曆으로 1199년 1월 18일(그레고리曆 1월 25일)에 해당한다.

54) 이해에 中書門下省에는 右散騎常侍 閔湜·直門下省 金迪侯·左諫議大夫 李桂長·右諫議大夫 李世長·中書舍人 高瑩中·起居郎 尹威·左司諫 金冲·右正言 崔光遇 등이 在職하였고, 承宣은 閔湜의 弟인 閔公珪였다(『동국이상국집』 권8, 呈內省諸郎幷叙戊午年).

55) 이날 宋에서는 日食을 陰雲으로 볼 수 없었다고 하고(『송사』 권52, 지5, 천문5, 日食), 日本의 京都에서는 日食을 둘러싼 두 見解가 있었다고 한다(高麗曆과 同一, 日本史料4-6册 1面). 그렇지만 이 날(율리우스력의 1199년 1월 28일)의 일식은 북동아시아 3국이 中心食帶에서 벗어나 있었기에 관측될 수 없었다(渡邊敏夫 1979年 308面).
· 『百練抄』제11, 正治 1년, "正月一日, 雨降, 申時雷鳴, 今日可有日蝕之由, 曆道載御曆, 以算道行衡·長衡等申不可正現之由. 兩道申狀, 眞僞難決, 隨蝕之現否, 加行節會之由, 被仰下之處, 終日雨降, 入夜天晴, 有節會".

56) 白元軾은 明年(神宗3, 承安5) 1월에도 禮賓少卿을 띠고서 賀正使로 파견되었는데, 이에 對應한 a 『금사』交聘表에도 明年(承安5)의 賀正使로 되어 있음이 확인된다. 그렇지만 b 『금사』本紀篇에는 是年(신종2, 承安4)에는 고려의 賀正使가 賀禮를 드린 기사가 없다.
· a 『금사』 권62, 表4, 交聘表下, 承安 5년, "正月戊子朔, 高麗禮賓少卿白元軾來, 賀正旦".
· b 『금사』 권11, 본기1, 章宗3, 承安 4년 1월, "癸巳朔, 宋·夏遣使來賀".

57) 佼利弼의 姓氏가 특이하다.

二月[癸亥朔大盡,丁卯, 禁工匠著幞頭:節要·刑法2禁令轉載].[58)]

甲子2日, 禮部郎中白汝舟還自金, 詔曰, "卿比飾使騑, 肅馳緘奏, 備敘兄讓, 兼徵父言, 慮有曠於撫封, 迺從權而攝事. 詰其端緒, 亦即合符. 玆復貢於款誠, 冀獲承於世爵, 載稽公義, 爰畀兪音, 續當遣使册命".

○盜起溟州, 陷三陟·蔚珍二縣. 盜又起東京, 與溟州賊合, 侵掠州郡. 遣郎將吳應夫·借閤門祗候閤門祗候宋公綽于溟州道, 將作少監趙通·郎將韓祗于東京, 招撫之.

[戊子26日, 流星出北斗, 入太一:天文2轉載].

壬辰30日, 王如靈通寺, 駕經圜扉, 勑刑部, 減囚徒.

三月癸巳朔小盡,戊辰, [戊申16日, 月入氐星:天文2轉載].

[甲寅22日, 雨雹:五行1雨雹轉載].

戊午26日, 慮囚.

○借閤門祗候宋公綽招諭東京賊魁金順·蔚珍賊魁今草等來降. 王賜酒食衣服, 遣還.

夏四月壬戌朔大盡,己巳, 癸酉12日, 親禘于大廟太廟, 赦.

乙酉24日, 金遣封册使·大理卿完顏愈, 尙書兵部侍郎趙琢等來.[59)] 上節十八人·散上節十四人·中節二十七人·下節一百人·車二十一兩·馬一十四匹·綱擔夫一百人.[60)]

[○月與鎭星相犯. 鄭通元云, 六月下旬, 當有女主喪. 至六月未23日, 壽安公主壽安宮主卒, 果驗:天文2轉載].[61)]

[是月, 秘書監李桂長, □□□□□掌國子監試, 取詩賦陸永儀等二十人, 十韻詩李唐仁等七十五人, 明經五人:選擧2國子試額轉載].

---

58) 『고려사절요』 권14에서 이날의 日辰이 기록되어 있지 않으나 甲子(2日) 앞에 있는 기사이므로 朔日에 일어난 사건임을 알 수 있다.

59) 이 구절은 지19, 禮7, 賓禮에도 수록되어 있다.

60) 完顏愈 등의 册封使 파견은 3월 7일(己亥)에 결정되었다. 또 이때 金의 封册使가 100여 인에 달했다는 자료도 있는데, 여기에서 判讀의 글자[添字]는 筆者가 유추한 것이다.

- 『금사』 권11, 본기11, 章宗3, 承安 4년 3월 己亥, "遣使册王晫爲高麗國王".
- 『금사』 권62, 表4, 交聘表下, 承安 4년, "三月, 遣使册高麗王王晫".
- 「柳光植墓誌銘」, "戊午夏神宗1年, 累遷工部員外郞, 歷左□□司諫, □□□己未夏, 金國□封册使百餘人至, 國家以重地□之, 命公爲都指揮使, □□□□, 事無不辨".

61) 壽安公主는 그의 열전에는 壽安宮主로 되어 있다(열전4, 明宗公主).

五月[壬辰朔小盡,庚午], 戊戌[7日], 命[中書侍郎]平章事奇洪壽, 改寫大觀殿無逸篇.

辛丑[10日], 王受金詔於大觀殿, 詔曰, "胙土尙規, 所以就傳於國政, 象賢立德, 亦惟安享於世封. 粤箕子之故區, 寔卞韓之舊壤, 根本固而所庇者久, 枝葉茂而其承者蕃. 享玆世及之休, 卒自慶流之永, 載敷新渥, 庸煥異恩. 咨爾暐, 禀性安和, 持心恊[協]睦, 賢明素出於天性, 名譽寖稱於國人. 屬其兄病且日加, 捨其子, 位將汝畀, 露章來上, 誠意可嘉. 肆朕聽之具孚, 管邦儀而往代. 今遣使大將軍·大理卿完顔愈, 持節册命, 爾爲開府儀同三司[·高麗國王:節要轉載], 永爲藩輔. 於戲, 俎豆遺俗, 尙循舊者有年, 昆弟傳家, 復聯芳而累葉. 宜克念於緜遠, 以無忘於寵綏, 往敬乃心, 其服朕命".

○又詔云, "分命侯邦, 是維屛翰, 嗣膺世緖, 厥有故常. 玆臨遣於使駢, 往就如於典册, 其承恩數, 益懋忠勤. 今差使某官, 往彼册命, 仍賜卿車服·金印·匹叚[匹段]·弓箭·鞍馬等物, 具如別錄, 至可領也".

[→辛丑, 王乘輦出, 至昇平門, 入幄次. 有司以侍立員少, 聚文武散職員, 具冠服, 立毬庭. 愈等入廣化門, 詔函至御史臺前, 王出昇平門外, 望詔, 還入門, 乘輦, 入大觀殿庭. 愈等奉詔函及禮物, 入自昇平門, 升殿, 王行受册禮:禮7賓禮轉載].[62)]

[是月, 南部北井水, 赤沸, 聲如牛鳴, 凡十餘日. 占曰, "賤人將貴":五行1·節要轉載].[63)]

[○知奏事崔忠獻第, 千葉榴花盛開. 忠獻招集翰林李仁老·金克己, 御書留院李湛之, 司直咸淳, 及第李奎報, 請賦之:追加].[64)]

[○金剛山鉢淵寺僧瑩岑等建新羅眞表律師藏骨塔碑:追加].[65)]

---

62) 原文에서는 辛丑의 앞에 五月이 탈락되었다.

63) 이 구절은 『開元占經』 권100, 水沸, "京房易候曰, 泉水沸, 此謂賤人將貴"에 의거한 것 같다.

64) 이는 다음의 자료에 의거하였는데, 咸淳은 咸有一의 아들이다.

· 『보한집』권중, "己未[神宗2年]仲夏, 晋康公[晋康侯]第, 千葉榴花盛開. 公邀致李翰林仁老, 金翰林克己, 李留院湛之, 咸司直淳, 李先達奎報, 請賦之. …". 이때 崔忠獻은 晋康侯인데, 이보다 後世에 기록되었기에 晋康公으로 表記되었을 것이다.

· 『신증동국여지승람』 권8, 陽根郡, 人物, "咸淳, 有一之子. 登第, 以文章·節行名於世".

65) 이는 다음의 자료에 의거하였다.

· 『삼국유사』 권4, 義解第5, 關東楓岳鉢淵藪石記[注, 此記乃寺主瑩岑[瑩岑]新撰, 承安四年己未立石].

· 「鉢淵寺新羅僧眞表律師靈骨塔碑」 末尾, "高□□[麗國]太子諱□[悳] 刻□[瑕]名,鉢淵寺接比丘瑩岑 撰,」 □□□[~~承安四~~]年己未五月日,翼崖縣[~~翼嶺縣~~]在京近事人李子琳□□□書, □荘□願立石書刻字□□」"(金石總覽 430面 ; 李智冠 2004년 4册 47面). 여기에서 ~~添字~~는 筆者가 추가한 것이고, '刻□[瑕]名'

六月辛酉朔大盡,辛未, 壬戌2日, 王如奉恩寺.

○中書□省奏, ["舊制, 帶學士職者, 非臺諫·知制誥, 則不得與近臣之列. 請自今, 凡帶學士者, 並許從侍臣之列, 又:節要轉載], 賊臣前工部尙書致仕曹元正·石冲□之餘黨, 雖被德音, 已免流放, 請勿復給職田, 以懲亂賊". □皆從之.[66)]

癸酉13日, 以崔讜爲門下□□侍郞平章事,[67)] △△仍令致仕, 于逑儒爲中書□□侍郞平章事, △△仍令致仕. 凡不請, 而仍令致仕者二十人.

[○頒政, 以李奎報爲全州牧司錄兼掌書記:追加].[68)]

[○□□是時, 知奏事崔忠獻, 以兵部尙書·知吏部事, 摠文武銓注.[69)] 出入禁闥, 以兵自衛:節要轉載].

[→□□是時, 明年明宗2年, 知奏事崔忠獻, 以兵部尙書·知吏部事, 朝往兵部, 晝入吏部, 注擬文武官. 又出入禁闥, 以兵自衛:列傳42崔忠獻轉載].

乙亥15日, 王受菩薩戒.

[○月食:天文2轉載].[70)]

은 '書題名'의, 翼崖縣은 翼嶺縣의 誤刻인 것 같다.

· 『秋江集』 권5, 遊金剛山記(1485년), "… 過鉢淵, 又行半里, 至鉢淵庵, 僧傳云, 新羅時有僧律師眞表入此山, 鉢淵龍王獻可居之地, 於是創社曰鉢淵庵云, … 社主竺明來, 引余南孝溫入社, 使見社後碑石, 乃律師藏骨之碑, 高麗僧瑩岑所撰, 時承安五年四年己未五月也, 碑側有枯松二株, 自律師碑立五百餘年, 三枯三榮, 而今復枯矣". 여기에서 添字와 같이 고쳐야 옳게 될 것이다.

· 『耻齋遺稿』 권3, 關東錄(1553년), "明宗8年4月己亥24日, … 抵鉢淵寺, 是日, 行約六十餘里. 庚子25日晩朝, 住持性空, 引余洪仁祐至寺後岩, 岩上有碑, 乃新羅僧律師藏骨之碑, 高麗僧瑩岑撰, 承安五年四年五月建. 碑側有枯松, 一根二株, 今見一枝枯, 一枝生". 여기에서 添字와 같이 고쳐야 옳게 될 것이다.

66) 添字는 『고려사절요』 권14에 의거하였다. 또 이와 같은 기사로 다음이 있다.

· 지30, 백관1, 諸館殿學士, "神宗二年, 凡帶學士職者, 並許參侍臣之列. 舊制, 雖帶學士, 非臺諫·知制誥, 則不得與侍從, 至是, 中書□省奏改之".

67) 이때 崔讜은 金紫光祿大夫·門下侍郞平章事·上柱國·集賢殿大學士·監修國史·判戶部事·權判兵部事에 임명되었던 것 같다(崔讜墓誌銘). 또 崔瀣는 崔讜이 神宗 戊午年(1년)에 致仕하였다고 하였는데(『졸고천백』 권2, 海東後耆老會序), 착오일 것이다.

68) 이는 『동국이상국집』年譜에 의거하였다. 이를 통해 볼 때, 13일의 人事는 6월에 이루어지던 頒政[小政]인데, 이때 李奎報가 全州牧司錄兼掌書記에 임명되었다고 함을 보아 이 기사의 내용은 전체 頒政의 극히 일부만을 나타낸 것이라고 할 수 있다.

69) [禁, 闥]은 宮中의 小門 또는 門屛을 指稱한다.

· 『자치통감』 권12, 漢紀4, 高帝 11년(BC196) 5월, "帝有疾, 惡見人, 臥禁中, 詔戶者無得入群臣[胡三省注, 戶者, 謂守門戶者], 群臣絳絳侯周勃·灌將軍灌嬰等莫敢入, 十餘日. 舞陽侯樊噲排闥直入[注, 師古曰, 闥, 宮中小門也, 一曰, 門屛也], 大臣隨之, …".

[癸未23日, 壽安公主~~壽安宮主~~卒:天文2轉載].[71]
[丁亥27日, 月犯東井:天文2轉載].

秋七月辛卯朔大盡,壬申, 乙未5日, 遣大將軍金陟候~~金陟侯~~·禮部侍郎王儀如金, 謝册命.[72]
戊戌8日, 以蝗虫·風災, 分遣近臣, 慮中外囚.
辛丑11日, 遣戶部侍郎鄭邦輔如金, 進方物.
[辛丑11日, 遣戶部侍郎劉公順如金, 賀天壽節←9월에서 옮겨옴].[73]
[庚戌20日, 流星出五車, 入天節:天文2轉載].
[甲寅24日, 月入東井:天文2轉載].
[乙卯25日, 流星出虛, 入九坎:天文2轉載].
戊午28日, 太白晝見.
[○流星出胃, 入天際:天文2轉載].
[某日, 以李侑爲慶尙道按察使:慶尙道營主題名記].
[庚申30日, 流星出天倉, 入天際,:天文2轉載].

---

70) 이날 일본의 京都에서는 월식에 대한 상반된 기록이 있지만(高麗曆과 同一, 日本史料4-6册 145面), 이날은 율리우스력의 1199년 7월 9일로서 월식에 관련된 각종의 정보가 없다(渡邊敏夫 1979年 478面).
· 『猪猥關白記』, 正治 1년 6월, "十五日乙亥, 淸陰不定, 午時許地震, … 月蝕不正見".
· 『明月記』, 正治 1년 6월, "十五日, 天晴, 月蝕巳時云々".
· 『業資王記』, 正治 1년 6월, "十月乙亥, … 月蝕巳剋云々"[筆者未見].

71) 壽安公主는 明宗의 次女로서 昌化伯 祐의 婦人이다(열전4, 明宗公主). 이날은 율리우스曆으로 1199년 7월 17일(그레고리曆 7월 24일)에 해당한다.

72) 金陟候는 金陟侯의 誤字일 것이다. 金陟侯와 王儀는 12월 27일(乙酉) 神宗에 대한 책봉을 사례하였다고 한다.
· 『금사』 권62, 表4, 交聘表下, 承安 4년, "十二月乙酉, 高麗知樞密院事金陟侯·太府監王儀謝封册".

73) 進奉使 鄭邦輔는 節日使 劉公順과 같은 시기에 金에 들어갔다가, 8월 29일(己丑)에 方物을 바쳤고, 劉公順은 8월 29일(己丑) 이전 金에 도착하였고, 9월 1일(庚寅) 賀禮를 드렸다. 이에서 劉公順과 劉元順은 같은 인물의 다른 표기일 것이고, 公과 元은 行書에서 비슷하게 보일 수도 있다.
· 『금사』 권62, 表4, 交聘表下, 承安 4년, "八月己丑, 高麗王晫遣戶部侍郎劉元順劉公順賀天壽節, 戶部侍郎鄭邦輔進奉".
· 『금사』 권11, 본기11, 章宗3, 承安 4년 9월, "庚寅朔, 天壽節, 宋·高麗·夏遣使來賀".
이들 자료를 통해 볼 때, 節日使 劉公順의 파견이 결정된 것은 9월 辛亥가 아니라 7월 辛亥임을 알 수 있다[校正事由].

[八月辛酉朔小盡,癸酉, 甲子4日, 月犯亢第二星:天文2轉載].

[乙丑5日, □月入氐星:天文2轉載].

[○鵩鳴于棣通門及大定門:五行1轉載].

[丙寅6日, 流星出五諸侯:天文2轉載].

[壬申12日, 月入壘壁陣西端第五星:天文2轉載].

[丁丑17日, □鵩又鳴于儀鳳門儀鳳樓門:五行1轉載].

[己卯19日, □月又掩畢星. 流星出五諸侯, 入柳:天文2轉載].

[某日, 知奏事崔忠獻殺黃州牧守金俊琚. 初忠獻疑俊琚兄弟有異志, 貶俊琚爲黃州牧守, 弟俊光爲尙州牧守. 俊琚之任, 不恤民事, 召募勇士, 恒事遊畋. 時, 將軍朴晋材門客, 無慮數百, 有神騎指諭李勣中者, 最親昵, 勣中密召俊琚, 欲作亂. 會~~時~~, 俊光, 移任守安邊府, 俊琚陰與通謀, 乃率黃州民驍勇者, 潛入京. 俊琚妻父郞將金純永告忠獻, 忠獻遣門卒, 捕俊琚, 斬之, 分捕其黨, 或殺或流, 悉籍妻子爲奴婢:節要轉載].[74]

[○遣人捕俊光于安邊, 殺之. 父門下侍郞?平章事永存,[75] 以老免死, 配黃驪縣, 純永以其功, 拜將軍:節要轉載].[76]

[→俊琚父門下侍郞?平章事永存, 以老免死, 配黃驪縣. 遣御史中丞康純義·內侍丁公弼等, 捕俊光于安邊. 俊光到白嶺驛, 聞事敗乃還, 公弼詐稱祈恩別監, 至安邊. 俊光備公服出迎, 公弼令抄奴縛之以來, 栲問, 不服殺之. 勣中逃匿, 後被執見殺. 純永以□共功, 拜將軍, 公弼等五人, 皆拜官有差:列傳42崔忠獻轉載].

九月[庚寅朔大盡, 甲戌, 歲星與太白, 同舍于亢. 流星出騰蛇, 入奎:天文2轉載].

壬辰3日, 賜崔得儉等及第.[77]

---

74) ~~添字~~는 열전42, 崔忠獻에 의거하였다.

75) 平章事 金永存은 武將 출신으로 1190년(명종20) 12월 28일(戊申) 同知樞密院事에, 다음 해 12월 30일(甲辰) 知樞密院事에 임명되었음을 보아 이때 門下侍郞平章事였을 것으로 추측된다. 한편 이 시기에 門下侍郞平章事[門下相公]로 金永□가 찾아지는데(金瑞□墓誌銘」, 1200年神宗3年刻石), 같은 인물로 추정된다.

76) 神宗代에서 1204년(희종 즉위년) 2월 이전에 別將에서 郞將으로 승진한 金仲龜는 이 기사에 나오는 將軍 金純永의 麾下일 것으로 추측된다.

·「金仲龜墓誌銘」, "尋轉爲別將, 加將軍純永下郞將".

77) 이와 관련된 기사로 다음이 있다.

[丙申[7日], 月入建星:天文2轉載].

[己亥[10日], □[月]入壘壁陣·羽林閒:天文2轉載].

[辛丑,遣戶部侍郎劉公順如金,賀天壽節→7월로 옮겨감].[78]

[辛丑[12日], 流星出南河, 入天苑:天文2轉載].

[丙午[17日], 月犯畢右股:天文2轉載].

[丁未[18日], 流星出天市垣, 入天際:天文2轉載].

[戊申[19日], 流星, 一出天紀, 入宗人. 一出天囷, 入天苑:天文2轉載].

[己酉[20日], 月入東井:天文2轉載].

[辛亥[22日], □[月]犯輿鬼西南星:天文2轉載].

[癸丑[24日], 霜降. □[月]犯軒轅大星:天文2轉載].

[丙辰[27日], 流星, 一出坐旗, 入東井. 一出參旗, 入參:天文2轉載].

[冬十月庚申朔[小盡,乙亥], 大霧:五行3轉載].

[辛酉[2日], 雷, 俄而有怪氣赤黑, 從鵠嶺出, 漸大, 彌滿京都. 遂雨雹, 黑氣下地, 咫尺不見人:節要轉載].

[→雷, 俄而有氣, 中黑邊赤, 從鵠嶺出, 漸大, 彌滿京都, 遂雨雹, 黑氣下地, 咫尺不見人:五行1黑眚黑祥轉載].

[壬戌[3日], 流星出軒轅, 入大微[太微]:天文2轉載].

[乙丑[6日], 雷電:五行1雷震轉載].

[丁卯[8日], 月入羽林. 流星出軒轅, 入大微[太微]:天文2轉載].

[己巳[10日], 亦如之[雷電]:五行1雷震轉載].

[甲戌[15日], 月犯畢大星. 太白犯南斗第二星:天文2轉載].

[壬午[23日], 月入大微[太微]西藩上將. 流星出左角, 入天際:天文2轉載].

[丁亥[28日], 熒惑犯氐:天文2轉載].

冬十一月[己丑朔[大盡,丙子], 流星, 一出天際, 入天苑. 一出左旗, 入內平:天文2轉載].

· 지27, 선거1, 科目1, 選場, "[神宗]二年九月. 參知政事崔詵知貢擧, 秘書監金平同知貢擧, 取進士, [壬辰], 賜崔得儉等三十三人及第".

78) 이 기사의 이동事由는 이해[是年] 7월 11일의 각주에서 제시하였다.

[乙未7日, 月入羽林:天文2轉載].

壬寅14日, 設八關會, 幸法王寺.

[癸卯15日, 日有珥, 艮方, 有背氣:天文1轉載].

[是月, 遣禮賓少卿白元軾如金, 賀正←神宗 3年 1월에서 옮겨옴].[79)]

十二月己未朔小盡,丁丑, 壬戌4日, 太白經天.

[庚午12日, 太白與鎭星, 同舍于危:天文2轉載].

[甲戌16日, □□太白犯壘壁陣第五星:天文2轉載].

[丁丑19日, 月入大微太微:天文2轉載].

[庚辰22日, 歲星守房, 凡六十餘日:天文2轉載].

乙酉27日, 以奇洪壽△爲守大尉·門下侍郎平章事, [崔忠獻爲開府儀同三司, 依前知奏事:節要轉載].[80)]

[是年, 以嘗陷賊, 降義城縣令官爲監務官:追加].[81)]

[○置輸養帳都監:百官2輸養帳都監轉載].

[○置五家都監:百官2五家都監轉載].

[○長女興德宮公主卒, 年十七. 王及后悼甚, 追封爲興德宮主:列傳4神宗公主轉載].

[○册次女爲敬寧宮公主:列傳4神宗公主轉載].

[○以兵部侍郎高瑩中爲禮賓卿:追加].[82)]

---

79) 白元軾은 明年(承安5) 正旦에 章宗 完顔麻達葛에게 賀禮를 드렸으므로 例年의 사례와 같이 이해의 11월에 파견되었을 것이다[校正事由].

· 『금사』 권62, 表4, 交聘表下, 承安 5년, "正月戊子朔, 高麗禮賓少卿白元軾來, 賀正旦".

· 『금사』 권11, 본기11, 章宗3, 承安 5년 1월, "戊子朔, 宋·高麗·夏遣使來賀".

80) 이때 崔忠獻의 임명은 그의 열전에도 수록되어 있다.

81) 이는 다음의 자료에 의거하였다.

· 지11, 지리2, 義城縣, "神宗二年, 以嘗陷賊, 降爲監務".

82) 이는 「高瑩中墓誌銘」에 의거하였다.

庚申[神宗]三年, 金承安五年, [南宋慶元五年], [西曆1200年]

1200년 1월 18일(Gre1월 25일)에서 1201년 2월 4일(Gre2월 11일)까지, 13개월 384일

春正月戊子朔小盡,戊寅, 放朝賀.

[○遣禮賓少卿白元軾如金,賀正→神宗 3년 11월로 옮겨감].

[戊戌11日, 日暈, 東西有珥, 北有背氣:天文1轉載].

[甲辰17日, □日又暈珥:天文1轉載].[83]

[○月暈有珥, 色黃白:天文2轉載].

己酉22日, 知奏事崔忠獻奏減中外獄囚, 又計流人年月久近及老少, 原免.[84]

[某日, 以孫公禮爲慶尙道按察副使:慶尙道營主題名記].[85]

三月~~二月于巳朔~~大盡,己卯,[86] 甲子8日, 太白經天.

[己卯23日, 月犯南斗:天文2轉載].

[是月, 重房奏, "門下錄事·中書注書·堂後官二員, 並令周年拜參職. 然唯注書與堂後之文官者, 周年":選擧3選法轉載].

閏[二]月丁亥朔小盡,己卯, [乙未9日, 月犯輿鬼,:天文2轉載].

[丁酉11日, □月犯軒轅大星:天文2轉載].

[己亥13日, □月入大微~~太微~~右執法:天文2轉載].

[癸卯17日, □月入氐星:天文2轉載].

戊申22日, 元子謂僚屬曰, "人皆不知其過, 吾亦安能自知, 請卿輩, 悉陳無隱". 朝野嘉歎.

[○四方昏濛, 雨土二日:五行3轉載].

[庚午~~庚戌~~24日?, 雨土, 四方昏濛, 竟日:五行3轉載].[87]

---

83) 이때 일본의 京都에서는 16일 이후 눈이 많이 내렸다고 한다(高麗曆과 同一).
· 『明月記』 第1, 目錄, 正治 2년 1월 16일, "大雪數日".

84) 이 기사의 流人은 流配人을 指稱한다.

85) 이때 孫公禮가 按察副使였음은 是年 4월 某日을 통해 알 수 있다.

86) 여러 판본의 『고려사』에서 三月로 되어 있으나 二月의 오자일 것이다(東亞大學 2008년 6책 588面). 『고려사절요』 권14에는 옳게 되어 있다.

[是月，禮賓卿高瑩中，□□□□□掌國子監試，取詩賦陳準等二十二人，十韻詩魯元規等七十三人，明經七人:選擧2國子試額轉載].[88)]

三月丙辰朔大盡,庚辰，[壬戌7日，歲星犯房北第一星:天文2轉載].

癸亥8日，改元子淵名，爲悳.

[丙寅11日，月入大微太微:天文2轉載].

丁卯12日，中書□□侍郎平章事李文冲李文中卒.[89)]

戊寅23日，太白經天，二日.

[乙酉30日，監門衛大將軍致仕朴康壽卒，年八十六:追加].[90)]

夏四月丙戌朔小盡,辛巳，癸巳8日，册元妃金氏江陵公溫之女爲宮主.[册曰，"朕聞，自古有國有家，立政立事，非獨咨謀於外輔，亦先求助於中閨.咨爾金氏，星婺分精，銀潢聯派，貞明之性，本自天成，柔靜之儀，不煩姆訓.動而中節於環佩，居則專精於組紝.緊朕躬之在藩，以淑質而作配，早協坤貞之吉，不顯丕顯其光，果符震長之尊，則篤其慶.豈獨室家之正始.實惟社稷之延休.共潛光於二十年，聿修婦道，今踐祚於九五位，盡贊皇猷.今遣使某官某，持節册命爲宮主.於戱，能以儉約率其身，克紹關雎之化，亦以法度供其職，遠頒彤管之風.祗服訓辭，永膺天祿":列傳1神宗妃宣靖太后金氏轉載].

乙未10日，幸普濟寺.

戊戌13日，雨雹.[91)]

庚子15日，册[元妃金氏爲宮主:節要轉載]，元子悳爲王太子，教曰詔曰，[92)] "元子悳，

---

87) 이달에는 庚午가 없고, 庚午는 庚戌(24日)의 오자일 가능성이 있다.

88) 이와 관련된 자료로 다음이 있다.

·「高瑩中墓誌銘」，"明年，掌南省試，得陳準等二十三人，皆當世知名文士".

89) 李文冲은 李文中의 오자 또는 改名일 것이다. 이날은 율리우스曆으로 1200년 4월 26일(그레고리曆 5월 3일)에 해당한다.

90) 이는 「朴康壽墓誌銘」에 의거하였는데, 이날은 율리우스曆으로 5월 14일(그레고리曆 5월 21일)에 해당한다.

91) 이와 같은 기사가 지7, 五行1, 水, 雨雹에도 수록되어 있다.

92) 教曰은 詔曰의 誤字인데,『고려사』를 편찬할 때 원래의 詔를 教로 고쳤다가 다시 還元할 때 原狀復舊가 이루어지지 못한 글자이다.

天資偉麗，本性靈明．以長子之賢，莫若主器，在聖人之訓，必也正名．玆率彝儀，特頒異渥，今遣使賫詔，持節册命，爾爲王太子”．□[册]曰，“立子以長，自古而然，況漢史[漢書]有早定之言，商史載以貞之義．宜乎崇主鬯之位，於以固立邦之基．咨爾元子悳，以岐嶷之姿，禀溫慈之性，讀書著文，操筆吮墨，皆若夙習，決非偶然．德旣茂於元良，分亦當於儲副．非特有龜筮恊[協]從之吉，抑亦塞中外徯望之誠，肆擇良辰，俾加顯册．今遣使，特[持]節修禮，[93] 册命爾爲王太子．於戲，非仁，無以堪繼體之重，非義，無以制有衆之心，樂聽正言．務修諸善，以對邦家熾昌之慶，勿墜祖先積累之休，可不勉乎?”.[94]

癸卯[18日]，封子恕爲德陽侯.[95]

[辛亥[26日]，御儀鳳門[儀鳳樓門]，大赦天下，受中外賀表:追加].[96]

癸丑[28日]，幸妙通寺.

[某日，晉州公私奴隸，群聚作亂，屠燒州吏家五十餘，延爇倉正鄭方義家．州吏告牧官，追捕之．方義手弓矢，入謁司錄全守龍．守龍詰曰，“何爲持弓矢，拜乎? 汝必作亂也”．卽加栲問．方義款無他，釋之．牧使李淳中聞之，枷鏁方義，下獄．翼日，方欲更鞫，方義弟昌大，突入庭，脫去枷鏁，扶出之．因嘯聚群不逞，隳突州里，殺素所仇怨者六千四百人．於是，淳中等懼，閉閤不出，方義脅令視事，旣而，方義多歛[斂]邑內銀甁，賂京中權貴，規免其罪．按察副使孫公禮行部，至州按問，吏民多畏方義，皆曰，“無罪”．淳中竟坐，流草島:節要轉載].[97]

---

93) 여러 판본의 『고려사』에서 特으로 되어 있으나 持의 오자일 것이다(東亞大學 2008년 6책 588面).

94) 이때 吏部侍郞·右諫議大夫 崔孝思가 讀册使에 임명되었다고 한다.

· 「崔孝思墓誌銘」, “會上策王太子, 以公充讀册使, 恩例尤厚, 卽除國子祭酒·翰林學士”.

95) 이 기사는 열전4, 神宗王子, 襄陽公恕에도 수록되어 있다.

96) 이는 『동문선』 권31, 賀册王太子表(金克己 撰)에 의거하였다.

97) 孫公禮는 이해의 春夏番[春夏等]按察使로 되어 있다(『慶尙道營主題名記』). 行部는 管轄區域을 巡察한다는 의미를 지니고 있다. 또 草島는 현재의 全羅南道 麗川郡 三山面의 草島, 또는 泗州(現 경상남도 泗川市) 管內의 草島(『신증동국여지승람』 권31, 泗川縣, 山川, 현재의 草梁島로 추정됨) 중에서 이 記事와 연결시켜 볼 때 後者일 가능성이 높다(→인종 5년 3월 25일의 脚注).

· 『한서』 권83, 朱博傳第53, “遷冀州刺史, 博本武吏, 不更文法, 及爲刺史行部, 吏民數百人遮道自言, 官寺盡滿, 從事白請且留此縣錄見諸自言者, 事畢乃發, 欲以觀試博. 博心知之, 告外趣駕. 旣白駕辨, 博出就車見自言者, 使從事明敕告吏民, 欲言縣丞·尉者, 刺史不察黃綬, 各自詣郡, 欲言二千石墨綬長吏者, 使者行部還, 詣治所, …”.

· 『자치통감』 권269, 後梁紀4, 均王上, 貞明 3년(919), “五月, [吳鎭海軍節度使]徐溫行部至昇州, [注, 吳以昇·常·宣·歙·池爲徐溫巡屬, 行, 下孟翻], 愛其繁富, 潤州司馬陳彦謙勸溫, 徙鎭海軍治所

[→鄭方義, 晋州吏也. 神宗三年□□四月, 晋州公私奴隷, 群聚作亂, 屠燒州吏家五十餘, 延爇方義家. 州吏告牧官, 追捕之. 方義手弓矢, 入謁司錄全守龍. 守龍詰曰, "何爲持弓矢, 拜乎?" 方義曰, "欲捕賊魁, 他人已擒, 敢入賀耳." 守龍曰, "不然. 汝持弓矢, 亦必作亂也." 即栲問, 方義款無他, 釋之. 太守李淳中聞之曰, "方義正欲作亂, 司錄放之, 非也". 遂枷鎖方義, 下獄. 翌日, 欲更鞫, 方義弟昌大, 突入庭, 脫去枷鎖, 扶出. 因嘯聚群不逞, 隳突州里, 殺素所仇怨者, 牽連被殺, 至六千四百人. 於是, 淳中等懼, 閉閤不出, 方義脅令視事, 多斂邑內銀瓶, 欲賂朝中權貴, 以自免. 按察副使孫公禮行部, 至晋, 按問之. 吏民畏方義, 皆曰, "無罪". 淳中竟坐, 流草島:列傳41鄭方義轉載].

五月乙卯朔大盡,壬午, [丁巳3日, 夏至. 流星出紫微, 入騰蛇, 大如缶:天文2轉載].
己巳15日, 遣少府監趙通·中郎將李唐績, 安撫晋州.
[○太白犯東井北轅第二星:天文2轉載].
[庚午16日, 月入羽林:天文2轉載].
[甲戌20日, □月亦如之月入羽林:天文2轉載].
[○鵂鶹鳴于儀鳳儀鳳樓·棣通·大定等門:五行1轉載].
是月, 密城官奴五十餘人, 盜官銀器, 投雲門賊.

[六月乙酉朔大盡,癸未:追加].

[秋七月乙卯朔小盡,甲申, 己卯25日, 流星出紫微, 入天際, 大如木瓜, 尾長十尺許:天文2轉載].
[某日, 以田元均爲慶尙道按察使:慶尙道營主題名記].[98]
[某日, 遣戶部侍郎池資深如金, 賀天壽節, 戶部侍郎申周錫等, 獻方物:追加].[99]

於昇州, [注, 鎭海軍本治潤州], 溫從之".

98) 原文에는 田乙均으로 되어 있으나 田元均의 오자일 것이다. 이때 田元均은 春州, 全羅, 慶尙道의 按察使를 역임하였다고 한다(→是年 8월 某日).
· 「田元均墓誌銘」, "凡按廉春州·全羅·慶尙等三道".

99) 이는 다음의 자료에 의거하였다.
· 『금사』 권62, 표4, 交聘表下, 承安 5년, "八月壬子29日, 高麗戶部侍郎池資深賀天壽節, 戶部侍郎申周錫等進奉".

[○是月某日，淸州牧斤孟與郞將順太造成靑銅盤子一座，重七斤四兩:追加].[100)]

秋八月[甲申朔大盡,乙酉，歲星犯房鉤鈐．流星入輿鬼:天文2轉載].

癸巳10日，[日有黑子，大如李:節要轉載].

[某日]，慶州李義旼族人，旣放還，與州吏搆隙，角鬪相殺，義旼族人不克．時，按察使田元均入州不能制．於是，房守·別將·通引，皆見殺，元均懼，卽避去他邑．

[某日，少府監趙通等至晋州，方義虐焰甚熾．通等罔知所圖，但拱手而已．時，陜州有賊，曰光明·計勃，亦豪橫，爲一方鉅害，晋人有與方義仇隙者二十餘人，往投陜州賊，請兵欲擊方義．賊從之，至晋州，方義出擊破之，乘勝，至□奴兀部曲，盡殺其黨:節要轉載].[101)]

[→王遣少府監趙通·中郞將唐績，安撫晋州．鄭方義鍊兵，擅生殺，虐焰甚熾，通等至，但拱手而已．時，陜州賊光明·計勃亦豪橫，爲一方巨害．晋之與方義有隙者二十餘人，往投陜州賊黨之居奴兀部曲者，請兵欲擊方義，賊從之．方義出擊走之，乘勝至奴兀部曲，盡殺其黨:列傳41鄭方義轉載].

[某日]，金州雜族人，群聚謀亂，殺豪族人，豪族奔避城外，乃以兵，圍副使衙，副使李迪儒登屋，射首謀者，應絃而倒，其黨四散．已而還告曰，"我等欲除强暴貪汚者，以淸我邑，何故射我?"．迪儒陽驚曰，"吾未嘗料此，誤謂外賊耳"．乃密諭城外豪族，夾擊盡殺之．

[丙申13日，月犯羽林:天文2轉載].

[九月甲寅朔大盡,丙戌，癸亥10日，白氣如匹練，從午向艮:五行2轉載].

[丁丑24日，月入大微太微:天文2轉載].

[冬十月甲申朔小盡,丁亥，庚寅7日，月宿羽林:天文2轉載].

[丙申13日，□月犯畢:天文2轉載].

· 『금사』 권11, 본기11, 章宗3, 承安 5년 9월, "甲寅朔，天壽節，宋·高麗遣使來賀".

100) 이는 出處가 불분명한 淸州牧 飯子의 銘文에 의거하였다(湖林博物館 所藏 ; 文明大 1994년 3책 279面).

· 銘文, "庚申年七月日,淸州牧棟梁斤孟,郞將順太之納飯子,入重七斤四兩印".

101) 添字는 『고려사절요』 권14에서 탈락된 글자이다. 열전41, 반역2, 鄭方義에는 옳게 되어 있다.

[戊戌15日, □月犯東井鉞:天文2轉載].

[甲辰21日, 大雪. □月入大微太微:天文2轉載].

冬十一月癸丑朔大盡,戊子, [戊午6日, 月又宿羽林:天文2轉載].

[壬戌10日, □月入天囷:天文2轉載].

丙寅14日, 設八關會, 今用十四日者, 避卯日也.102)

[丙子24日, 月入大微太微端門:天文2轉載].

辛巳29日, 金遣禮部侍郎劉公憲來, 賀生辰.103) 咸成節, 本在七月, 依前朝大定甲午年明宗4年例, 以十二月初一日爲節, 遂爲常例.104)

[癸未12月1日, 宴金使于大觀殿→12월로 옮겨감].

[是月, 遣禮賓少卿李惟卿如金, 賀正:追加].105)

十二月[癸未朔小盡,己丑, 宴金使于大觀殿←11월에서 옮겨옴].106)

[癸巳11日, 月入東井:天文2轉載].

[己亥17日, □月入大微太微:天文2轉載].

[某日, 全州牧司錄兼掌書記李奎報免職:追加].107)

丁未25日, 以崔詵△爲守大尉·門下侍郎同中書門下平章事·判吏部事, 門下侍郎平章事奇洪壽△爲守大師守太師·柱國, 任儒任濡△爲守大傅·門下侍郎平章事,108) 崔忠獻△爲[三重

---

102) 이달[是月]의 15일이 丁卯이다. 이는 『禮記』檀弓下第4에 "子·卯不樂, 子日과 卯日은 좋지 않다"에 의거하여 이날을 避하는 風習도 있었던 것 같다. 또 高麗前期에 日辰 중에서 辰日과 巳日을 싫어하는 날[拘忌日]로 생각하여 忌避하는 風俗[世俗]이 있었다고 한다(海東廣智大禪師之印墓誌銘).

103) 劉公憲은 10월 18일(辛丑) 파견이 결정되었다.
· 『금사』 권11, 본기11, 章宗3, 承安 5년 10월 辛丑, "以禮部郎中劉公獻爲高麗生日使".

104) 神宗의 誕日은 7월 11일인데, 이 기사와 같이 1174년(명종4) 12월의 前例에 의거하여 12월 1일로 再指定하였음을 알 수 있다(→명종 4년 12월 是月).

105) 이는 다음의 자료에 의거하였다.
· 『금사』 권62, 표4, 交聘表下, 泰和 1년, "正月壬子朔, 高麗禮賓少卿李惟卿賀正旦".
· 『금사』 권11, 본기11, 章宗3, 泰和 1년 1월, "壬子朔, 宋·高麗·夏遣使來賀".

106) 11월의 癸未는 宋曆·日本曆에서 12월 1일이고, 高麗曆에서도 다음 해 1월의 朔日이 壬子이므로 癸未는 12월 朔日이어야 한다. 그러므로 12월 丁未(25일)의 앞에 있는 十二月을 癸未의 앞으로 移動시키고 朔을 붙여야 한다[校正事由].

107) 이는 『동국이상국집』年譜에 의거하였다.

大匡·:節要轉載]守大尉·上柱國[·依前知奏事:節要轉載],[109] 安有孚爲右副承宣·中書舍人, 趙準爲戶部侍郞·右諫議大夫. [準, 忠粹女壻也. 忠獻欲官淸要, 特除是職. ○忠獻自知縱恣, 恐其變生不測, [凡]大小文武官吏·閑良之士, 至於軍卒, 强有力者, 竝皆招致, 分爲六番, 更日直宿其家, 號都房, 及其出入, 合番擁衛, 如赴戰鬪[戰陣]焉:節要轉載].[110]

[史臣曰, "崔忠獻, 擅廢立作威福, 附己者超遷, 異己者流竄, 招納賄賂, 鬻賣官爵, 召募勇士, 引以自衛, 權勢益熾, 王室日微. 自古, 君弱臣强, 未有甚於此時. 嗚呼痛哉, 當時撰實錄者, 恐其語洩, 皆諱而略之, 史臣之罪也":節要轉載].

○慶州副留守房應喬免, 以郞中魏敦謙代之. 初, 忠獻之夷義旼族也, 慶州別將崔茂, 承州官之命, 捕義旼族思敬等數人, 抵罪, 於是, 思敬族伯瑜·直才等, 怨之, 訴應喬曰, "茂欲作亂". 應喬信而囚之, 伯瑜·直才, 夜入獄殺茂. 應喬不問擅殺之罪, 反欲捕殺茂族用雄·大義等, 州人憤怨, 旣而, 用雄·大義, 殺伯瑜·直才, 而用雄亦爲人所殺. 至是, 大義等, 集州中無賴, 縱暴甚, 應喬又不能制, 朝廷聞之, 故有是命.

[○月犯歲星:天文2轉載].

[是年, 中書侍郞平章事任濡知貢擧, [翰林學士]白光臣同知貢擧, 取趙文拔等:選擧1選場轉載].[111]

[○禮部尙書致仕崔証卒, 年八十□[某]:追加].[112]

---

108) 任儒는 任濡의 오자일 것이다.

109) 이때 武臣執政 崔忠獻의 官職이 무엇인지를 분명히 알 수 없으나 아직 樞密院副使 이상의 宰相에 임명되지는 않았던 것 같고, 金紫光祿大夫·開府儀同三司·守太尉·上柱國·三重大匡·上將軍·樞密院知奏事·兵部尙書·知吏部·御史臺事로 추정된다(崔忠獻墓誌銘).

110) 趙準 이하의 기사는 열전42, 崔忠獻에 수록되어 있는데, ~~添字~~는 이에 의거하였다. 또 趙準은 趙永仁의 長子이고 趙冲의 兄으로, 承宣에 이르렀다고 한다(열전12, 趙永仁, "… 子準·冲, 準, 登第, 仕至承宣").

111) 이는 지27, 선거1, 科目1, 選場에서 轉載하였다. 이때 급제한 諸生들이 白光臣을 위해 祝壽하였고 小宴을 베풀었다고 한다.

· 『파한집』 권하, "白學士光臣, 掌貢籍, 及解鏁, 新榜諸生共設齋筵, 祝壽祺. 便謁學士於玉筍亭, 設小飮, 以一絶示之, 壽夭由來稟自天, 不因祈禱更延年, 醉眠昨夜有奇夢, 知是叢誠所感然".

· 열전15, 趙文拔, "擢魁科, 補南京司錄, 其父年踰六十, 文拔作詩遺崔怡[崔瑀]求官. 怡告忠獻曰, 子擢狀元, 父爲州吏, 非國家重儒之意. 且趙生才氣必遠到, 盍免其父鄕役, 以勵爲人父者. 忠獻然之, 遂聞于王授職. 時人美之".

[○靜州謀亂, 以左司諫柳光植爲宣諭別監:追加].[113]

[○南原府有群不逞, 嘯聚黨與, 屯山自固, 圖爲叛逆, 守倅不得制, 奔報按察使. 是日, 國子司業·全羅道按察使尹威, 以單騎入府, 諭以禍福, 賊徒無不感泣聽命, 於是誅首謀者二三人, 餘皆赦之, 便致安定:追加].[114]

[○以[監察御史]崔甫淳爲右正言·知制誥:追加].[115]

[○僧知訥率門徒, 自公山, 移定慧結社於順天曹溪山, 尋受宣旨改稱修禪社. 是時, 南京留守判官兼勸農使·保勝郎將李光甫開板'定慧結社文':追加].[116]

辛酉[神宗]四年, 金泰和元年,[117] [南宋嘉泰元年], [西曆1201年]

1201년 2월 5일(Gre2월 12일)에서 1202년 1월 25일(Gre2월 1일)까지, 355일

春正月壬子朔[大盡,庚寅], 放朝賀.

[丁巳[6日], 熒惑犯天街:天文2轉載].

[戊午[7日], 月犯畢右股第二星:天文2轉載].

---

112) 이는 「崔証墓誌銘」에 의거하였는데, 그는 崔惟淸의 長子로서 初名은 崔詡였다(崔惟淸墓誌銘).

113) 이는 다음의 자료에 의거하였다. 또 近代社會 以前에는 臨時官廳을 □□都監이라고 하였고, 그 長官을 □□別監, □□使로 呼稱하였으나 兩者를 모두 □□都監로 부르는 경우도 없지 않았다(事例, 敎定都監←敎定別監, 大藏都監←大藏都監使).

· 「柳光植墓誌銘」, "明年, 靜州謀亂, □□[以公]爲□[宣]諭都監[別監], 公至諭以□□[威福], □□, 夏轉都官郎中".

114) 이는 다음의 자료에 의거하였다.

· 『동국이상국집』 권19, 尹司業威安撫南原頌并序[注, 文以類附, 無所述先後], "承安五年, 予[李奎報]理完山, 司業尹公, 出爲廉察, 一方畏敬, 時南原有群不逞, 嘯聚黨與, 屯山自固, 圖爲叛逆, 守倅慴不得制, 奔報廉察使. 是日, 公以單騎入府, 喩以禍福, 賊徒無不感泣聽命, 於是誅首謀者二三人, 餘皆赦之, 便致安定, 闔境慶抃. 予聞之嗟嘆不足, 謹成短訟一首, 遙獻于行軒. …".

115) 이는 「崔甫淳墓誌銘」에 의거하였다.

116) 이는 다음의 자료에 의거하였다.

· 『禪門撮要』, 結社末尾(「定慧結社文」 序文), "… 至承安五年庚申, 自公山移社於江南曹溪山, 以鄰有定慧社, 名稱混同, 故受朝旨, 改定定慧社爲修禪社. 然勸修文旣流布, 故仍其舊名, 彫板印施耳」. 南京留守判官兼勸農使·保勝郎將李光甫施財刊板印行」 大明萬曆卅六年戊申[光海君卽位年]六月日順天府松廣寺重刊. 山人學明 書」".

117) 이해[是年]을 承安六年으로 表記한 고려 측의 자료도 찾아진다(→是年 2월 某日의 脚注, 是年 是年條의 脚注).

[庚申[9日], [雨水]. □[月]犯東井鉞, 又犯南轅西第一星:天文2轉載].

[辛未[20日], 月犯氐星:天文2轉載].

[某日, [門下侍郞平章事]奇洪壽·[參知政事]車若松坐中書省. 若松問於洪壽曰, "孔雀好在否?". 答曰, "食魚, 鯁咽而死". 因問養牧丹之術, 若松具道之. 聞者曰, "宰相之職, 在於論道經邦, 但論花鳥, 何以儀表百僚":節要轉載].[118]

[某日, 門下侍郞[平章事]趙永仁, 以眼昏乞退, 加守太師[~~門下侍中~~], 仍令致仕:節要轉載].[119]

[某日, 以康純義爲慶尙道按察使:慶尙道營主題名記].

[是月壬子朔, 南宋改元嘉泰, 金改元泰和:追加].

二月[壬午朔小盡,辛卯], [甲午[13日], 月入大微[~~太微~~]:天文2轉載].

[壬寅[21日], □[月]犯歲星:天文2轉載].

[○廣明寺南池水, 赤:五行1轉載].[120]

甲辰[23日], 太白晝見.

[是月, 某等造成天井寺金堂金鍾壹口, 入重四十斤半:追加].[121]

三月辛亥朔[小盡,壬辰], 王如靈通寺.

[壬子[2日], 日中有黑子, 大如李:天文1·節要轉載].

[甲寅[4日], 月犯天關:天文2轉載].

[乙卯[5日], □[月]入東井. 流星出小微[~~少微~~], 入翼:天文2轉載].

[庚申[10日], 熒惑犯東井北轅西第一星:天文2轉載].

[辛酉[11日], 穀雨. □□[熒惑]入大微[~~太微~~]:天文2轉載].

[丁丑[27日], 雨雹:五行1雨雹轉載].

[某日, 晋州人誅鄭方義, 其弟昌大率二百餘人登城, 州人攻之, [方義弟]昌大遁去, 其黨亦散:節要轉載].

[→明年□□[~~三月~~], 晋人討[鄭]方義殺之, 昌大率二百餘人登城. 州人攻之, [方義弟]昌大

118) 이 기사는 열전14, 車若松 ;『櫟翁稗說』前集1에도 수록되어 있다.

119) 이 기사는 열전12, 趙永仁에도 수록되어 있는데, ~~添字~~는 이에 의거하였다.

120) 이달의 2월 17일(戊戌) 일본의 京都에서 지진이 있었다(高麗曆과 同一, 日本史料4-7册 304面).
· 『猪隅關白記』 권12, 建仁 1년 2월, "十七日戊戌, 天晴, 亥時許地震".

121) 이는 다음의 자료에 의거하였다(許興植 1984년 937面).
· 「天井寺鍾銘」, "承安六年辛酉」 二月 日,造」 天井寺金堂懸徘」 入重四十斤半」".

遁去, 其黨亦散, 晋州平:列傳41鄭方義轉載].

[是月, 禮部侍郞崔弘胤崔洪胤, □□□□□掌國子監試, 取詩賦鄭公扎等二十二人, 十韻詩朴維弼等七十人, 明經五人:選擧2國子試額轉載].[122)]

[夏四月庚辰朔大盡,癸巳, 雨土:五行3轉載].

[癸未4日, 月入東井. 歲星守南斗:天文2轉載].

[戊子9日, 月入大微太微:天文2轉載].

[辛卯12日, 小滿. 太白犯東井, 二日:天文2轉載].

[癸巳14日, 月入氐星:天文2轉載].

[辛丑22日, □月入羽林:天文2轉載].

[癸卯24日, 開國寺南池水, 赤:五行1轉載].

夏五月庚戌朔小盡,甲午, [壬子3日, 月犯輿鬼, 又犯太白:天文2轉載].

[癸丑4日, 太僕卿致仕尹東輔卒:追加].[123)]

[甲寅5日, 太白犯輿鬼:天文2轉載].

[丁巳8日, 月入大微太微:天文2轉載].

庚申11日, 雨雹.[124)]

[○太白·熒惑同舍. 月入氐星:天文2轉載].

[乙丑16日, 日暈:天文1轉載].

庚午21日, 賜崔宗俊崔宗峻等及第.[125)]

---

122) 崔弘胤은 崔洪胤의 다른 표기일 것이다. 또 이때 羅州 和順縣 출신의 崔寔(鄕貢進士 琬의 子)도 합격하여 太學에 입학하였다고 한다.

· 「昇州月南寺眞覺國師圓炤塔碑」, "國師諱慧諶, 字永乙, 自號無衣子, 俗姓崔氏, 名寔, 羅州和順縣人也. 考諱琬, 鄕貢進士, 母裴氏. … 承安六年辛酉, 擧司馬試, 中之. 是年, 入大學, 聞母病, 遂還鄕, …".

123) 이는 「尹東輔墓誌銘」에 의거하였는데, 이날은 율리우스曆으로 1201년 6월 6일(그레고리曆 6월 13일)에 해당한다.

124) 이와 같은 기사가 지7, 五行1, 水, 雨雹에도 수록되어 있다.

125) 崔宗俊은 『고려사절요』 권14에는 崔宗峻으로 표기되어 있다. 『고려사』世家篇에는 崔宗俊, 崔宗峻이 並用되었는데, 그의 열전(권99, 열전12, 崔惟淸, 宗峻)과 『동국이상국집』에는 崔宗峻으로 되어 있다. 또 이와 관련된 기사로 다음이 있다. 이때 崔宗俊·陳澕(乙科2人) 등이 급제하였다고 한다(許興植 2005년). 또 金平은 이해의 6월에 正議大夫·國子監大司成·翰林學士·知制誥

六月[己卯朔大盡,乙未, 馬市池水, 赤:五行1轉載].

辛巳3日, 再雩.

壬辰14日, [大暑]. 金遣橫宣使·吏部侍郞劉頍來, 賜羊.126)

[丁酉19日, 月入羽林:天文2轉載].

[丙午28日, 流星出奎, 入羽林, 大如梧, 尾長十尺許:天文2轉載].

秋七月己酉朔小盡,丙申, 辛亥3日, 太白晝見.

○遣工部侍郞太守正如金,127) 謝橫宣, 衛尉卿秦彦匡, 謝賀生辰.

[癸亥15日, 處暑. 月入羽林:天文2轉載].

[辛未23日, 月食東井:天文2轉載].

[壬申24日, □月犯天樽:天文2轉載].

[○遣吏部侍郞鄭公順如金, 賀天壽節←9월에서 옮겨옴].128)

甲戌26日, 都齋庫御史·郞將盧彦叔, 詐稱權貴干請, 出庫米許多石, 欲與庫員吏, 分之. 直庫將校, 奔告□右承宣于承慶, 事下憲臺. 徵所盜米, 流彦叔及胥吏等二十餘人于海島.

○遣禮賓□少卿趙淑如金, 進方物.129)

[某日, 以崔輔淳崔甫淳爲慶尙道按察使:慶尙道營主題名記].130)

로 在職하고 있었다(尹東輔墓誌銘).

· 지27, 선거1, 科目1, 選場, "神宗四年五月, 簽書樞密院事閔公珪知貢擧, 翰林學士·國子大司成金平同知貢擧, 取進士, 庚午, 賜崔宗俊崔宗峻等三十三人及第".

·『東人之文五七』, 陳司諫澕一十八首, "澕, 清州麗陽籍, … 至孫澕, 兄弟三人, 皆登科. … 澕, 神王辛酉, 崔宗湜崔宗峻牓第二人, 是其仲也".

126) 劉頍(유규)는 5월 29일(戊寅) 파견이 결정되었다.

·『금사』 권11, 본기11, 章宗3, 泰和 1년 5월 戊寅, "以直東上閤門劉頍爲橫賜高麗使".

127) 太守正은『고려사절요』권14에는 大守正으로 表記되어 있으나 印刷의 잘못일 것이다.

128) 節日使 鄭公順은 進奉使 趙淑과 같은 시기에 金에 들어갔다가 9월 1일(戊申) 天壽節을 賀禮드렸다.

·『금사』 권62, 表4, 交聘表下, 泰和 1년, "八月, 高麗戶部侍郞鄭公順賀天壽節, 禮賓少卿趙淑進奉, 衛尉□少卿秦彦匡謝賜生日".

·『금사』 권11, 본기11, 章宗3, 泰和 1년 9월, "戊申朔, 天壽節, 宋·高麗·夏遣使來賀".
이들 자료를 통해 볼 때, 節日使 鄭公順의 파견이 결정된 것은 9월 壬申이 아니라 7월 壬申임을 알 수 있다[校正事由].

129) 衛尉卿은 衛尉少卿에서 少가 탈락되었을 것이다(위의 注釋 참조).

[八月[戊寅朔大盡,丁酉], 己卯[2日], 流星出天市垣, 入心, 大如梧:天文2轉載].

[庚寅[13日], 月入羽林:天文2轉載].

[辛丑[24日], □[月]犯輿鬼東北星:天文2轉載].

[癸卯[26日], 太白犯房星:天文2轉載].

[乙巳[28日], 月入大微[~~太微~~]端門:天文2轉載].

[○日暈, 白氣貫日:天文1轉載].[131]

九月[戊申朔大盡,戊戌], [辛亥[4日], 月犯玄閉:天文2轉載].

[壬子[5日], 流星出天倉, 入蒭蕘[~~蒭藁~~],[132] 大如木瓜:天文2轉載].

[乙未[~~己未~~12日], 月入羽林:天文2轉載].[133]

[某日, 有人貼匿名榜云, "將軍朴晋材謀去舅崔忠獻". 由是, 兩家構隙:節要轉載].

丁卯[20日], 令參外群官, 習射于西郊.

[戊辰[21日], 流星出壘壁陣, 入胃, 大如梨, 月犯輿鬼:天文2轉載].

[壬申,遣吏部侍郎鄭公順如金, 賀天壽節→7월로 옮겨감].

[○壬申[25日?], 月犯大微[~~太微~~]屛星:天文2轉載].

[丙子[29日], 流星出奎, 入天津, 大如缶, 尾長十尺許:天文2轉載].

冬十月[戊寅朔大盡,己亥], [乙酉[8日], 月犯羽林:天文2轉載].

[癸巳[16日], □[月]犯東井鉞:天文2轉載].

[丁酉[20日], □[月]犯軒轅大星:天文2轉載].

己亥[22日], 設百座會于毬庭.

[○月入大微[~~太微~~]:天文2轉載].

[甲辰[27日], □[月]入氐星:天文2轉載].

---

130) 이후 崔甫淳은 全羅道按察使에도 임명되었다고 한다.
· 「崔甫淳墓誌銘」, "凡兩爲廉按使[按察使], 前則慶尙, 後則全羅, 憂國如家, 愛民若子, 皆□德之星, 出於南方矣".

131) 이날 일본의 교토[京都]에서 晴陰이 不分明하였다고 한다(『三長記』, 建仁 1년 8월, "廿八日乙巳, 晴陰不定").

132) 蒭蕘(추요)는 蒭藁[蒭藁變星]의 오자일 것이다(孫曉 等編 2014年 1477面).

133) 9월에는 乙未가 없으므로 己未(12일)의 오자일 것이다.

十一月戊申朔小盡,庚子, 日食, 隱不見.[134)]
[己酉2日, 大雪. 流星出天囷, 入天倉:天文2轉載].
辛亥4日, 太白晝見, 五日.
[壬子5日, 月入壘壁陣西第五星:天文2轉載].
[庚申13日, 月暈三重:天文2轉載].
[辛酉14日, 月食:天文2轉載].[135)]
[丙寅19日, 月入大微太微:天文2轉載].
[是月, 遣禮賓少卿崔南敷如金, 獻方物, 司宰少卿文孝軾, 賀正:追加].[136)]

十二月丁丑朔大盡,辛丑, 金遣工部侍郎納合鉉來, 賀生辰.[137)]
[○流星出南河, 入天狗, 大如杯:天文2轉載].
[戊寅2日, 太白犯東咸北第一星:天文2轉載].
[庚辰4日, 小寒. 日有兩珥, 北有背氣:天文1轉載].
[○月犯羽林:天文2轉載].
[丙戌10日, □月犯畢右股第二星:天文2轉載].
戊子12日, 刑部尙書閔湜卒.[138)] [湜, 平章事令謨之子, 性豁達, 有大度, 雖貴顯, 視故舊, 無貴賤, 一如平日, 人以是多之. 明宗諸小君, 招權納賂, 朝士爭附, 獨湜

---

134) 이날 일본의 京都에서는 일식에 대한 기사가 찾아지지 않는다(高麗曆과 同一, 日本史料4-6册 195面). 또 이날(율리우스력의 1201년 11월 28일)의 일식은 북동아시아 3국이 中心食帶에서 벗어나 있었기에 관측될 수 없었고, 전일(27일)에 일식이 있었다고 한다(渡邊敏夫 1979年 308面).

135) 이날 金에서도 월식이 있었고(『금사』 권20, 지1, 天文, 月五星凌犯及星變), 日本의 京都에서도 月食이 있었다(高麗曆과 同一, 日本史料4-6册 201面). 이날은 율리우스력의 1201년 12월 11일이고, 월식 현상이 심했던 때의 世界時는 12시 31분, 食分은 0.71이었다(渡邊敏夫 1979年 478面).
· 『猪猥關白記』, 建仁 1년 11월, "十四日辛酉, 晴, … 月蝕正見".

136) 이는 다음의 자료에 의거하였다. 여기에서 門孝軾은 文侯軾의 事例와 같이 文孝軾의 誤字일 것이다(→명종 23년 7월 7일).
· 『금사』 권62, 표4, 交聘表下, 泰和 1년, "十二月乙巳29日, 高麗禮賓少卿崔南敷進奉".
· 『금사』 권62, 표4, 交聘表下, 泰和 2년, "正月丁未朔, 高麗司宰少卿門孝軾文孝軾賀正旦".
· 『금사』 권11, 본기11, 章宗3, 泰和 2년 1월, "丁未朔, 宋·高麗·夏遣使來賀".

137) 納合鉉은 10월 21일(戊戌) 파견이 결정되었다.
· 『금사』 권11, 본기11, 章宗3, 泰和 1년 10월, "戊戌, 以武衛軍都指揮使司判官納合鉉爲高麗生日使".

138) 이날은 율리우스曆으로 1202년 1월 7일(그레고리曆 1월 14일)에 해당한다.

不往. 其弟嗣忠曰, "兄盍往焉". 湜曰, "亦吾志也". 一日, 嗣忠請與俱往, 酒酣, 忽曰, "虹沙彌輩, 敗國家". 嗣忠愕然流汗. 蓋以虹, 一端接地, 一端屬天, 喩小君. 王子而母賤也, 湜之放曠, 多類此:節要轉載].[139]

[己丑[13日], 歲與熒惑, 同舍于斗:天文2轉載].

[壬辰[16日], 月犯軒轅北第一星:天文2轉載].

[乙未[19日], 大寒. □[月]入大微[太微]右掖:天文2轉載].

[丙申[20日], 日北, 有抱氣, 內赤外靑:天文1轉載].

[丁酉[21日], 月又入大微[太微]:天文2轉載].

壬寅[26日], 以[門下侍郞同中書門下平章事]崔詵△[爲]開府儀同三司·上柱國, 奇洪壽爲門下侍郞同中書門下平章事, [門下侍郞平章事]任儒[任濡]△[爲]守大尉·柱國, 金晙爲中書侍郞平章事, 車若松△[爲]守司空·參知政事, 崔忠獻爲樞密院使·吏·兵部尙書·御史大夫.[140]

[癸卯[27日], 月與太白, 同舍于斗:天文2轉載].

[是年, 次女敬寧宮公主適始興伯侹:列傳4神宗公主轉載].

[○西京副留守尹尙季卒:列傳9尹商季轉載].

[○以[衛尉少卿]田元均爲御史雜端, 尋爲刑部侍郞:追加].[141]

[○以[尙藥侍御醫]尹應瞻爲尙藥奉御·醫官:追加].[142]

[○司空琮侍衛房侍衛張裕造成金鼓壹副納于景禪寺:追加].[143]

---

139) 이 기사는 열전14, 閔令謨, 湜에도 수록되어 있는데, 여기에는 諸小君은 孼子僧小君洪機等으로 달리 표기되어 있고, 嗣忠은 閔湜의 弟인 閔公珪에 해당한다.

140) 「崔忠獻墓誌銘」에도 이해의 겨울[冬]에 이들 官職에 임명되었다고 되어 있다. 이를 통해 고려시대의 각종의 묘지명에 반영된 6월과 12월의 人事移動은 각각 小政과 大政 때에 이루어진 것임을 類推할 수 있다.

141) 이는 「田元均墓誌銘」에 의거하였다.

142) 이는 「尹應瞻墓誌銘」에 의거하였다.

143) 이는 다음의 자료에 의거하였는데(許興植 1984년 938面), 守司空 琮은 宗室로 추측된다. 곧 琮을 어떠한 人物로 特定하기 어렵지만, 崔氏政權의 第2代 執政者인 崔瑀의 弟인 崔珦의 妻男인 守司空 琮(壽春侯 沆의 子)일 가능성이 높다(蔡雄錫敎授의 敎示).

· 「景禪寺金鼓銘」, "奉佛弟子南贍部洲高麗國琮司空房侍衛親侍張裕,」 特爲我司空兩主,災厄除,壽祿延長兼及兩親父母,無病長壽,流其弟珦, 珦婦翁壽春侯沆, 沆子司空琮, 承宣申宣胄及忠獻家臣崔思謙, 婢桐花·成春·獅子等于諸島, 尋召還沆及琮, 量移珦于洪州,國土安靜,普及」 法界迷倫,同霑法雨之願,謹造納于景禪寺,承安六年辛酉日」"

· 열전42, 崔忠獻, 怡, "… [高宗7年, 樞密院副使崔瑀], 流其弟珦, 珦婦翁壽春侯沆, 沆子司空琮, 承宣申

壬戌[神宗]五年, 金泰和二年, [南宋嘉泰二年], [西曆1202年]

1202년 1월 26일(Gre2월 2일)에서 1203년 2월 13일(Gre2월 20일)까지, 13개월 384일

春正月丁未朔[小盡,壬寅], 放朝賀.

[甲子[18日], 歲星與熒惑·太白, 同舍于南斗:天文2轉載].

[某日, 以鄭良臣爲慶尙道按察使:慶尙道營主題名記].

二月[丙子朔大盡,癸卯], [戊寅[3日], 木稼:五行2轉載].

辛巳[6日], 放中外輕繫.

[壬寅[27日], 熒惑·太白入羽林:天文2轉載].

[某日, 忠州判官崔孝基, 因忠獻嬖妾[~~丹符~~], 賂粧金犀帶, 忠獻悅, □[~~特~~]徵還屬內侍:節要轉載].[144]

三月[丙午朔小盡,甲辰], 丁巳[12日], 冢宰[門下侍郎平章事]崔詵·□[~~右~~]承宣于承慶坐禮賓省, 試取譯語.

壬申[27日], 慮囚.

[某日, 龍虎□[~~衛~~]軍□[~~卒~~]仲美, 詐稱忠獻所遣, 持兵[~~刃~~], 往鳳州[~~日興倉, 侵割百姓~~], 歛[~~斂~~]聚銀帛, 驛輸于家. 有人執以告, 忠獻[~~付街衢所按問~~], 梟市三日, 仍禁內外[~~挾~~]持兵[~~刃~~]者:節要轉載].[145]

[某日, [樞密院使·吏·兵部尙書·御史大夫崔]忠獻自兼吏·兵部之後, 常往來二部, 銓注. 至是, 在私第, 與吏部員外郎盧琯, 注擬文武官以奏, 王頷之, 二部判事, 但檢閱而已. 琯, 忠獻外戚, 起市井, 性巧黠, 善承迎, 忠獻甚愛之, 氣勢日熾, 賄賂公行, 及出補安西都護副使, 以[閤門祗候]琴克儀代之:節要轉載].

[→[明宗]五年□□[~~三月~~], [樞密院使·吏·兵部尙書·御史大夫崔]忠獻, 始在私第, 與內侍·吏部員外郎盧琯, 注擬文武官以奏. 王頷之, 二部判事坐政堂[~~政事堂~~], 但檢閱而已.[146] 忠獻獨專政

宣胄及~~忠獻~~家臣崔思謙, 婢桐花·成春·獅子等于諸島, 尋召還沆及琮, 量移珦于洪州".

144) ~~添字~~는 열전42, 崔忠獻에 의거하였다.

145) ~~添字~~는 열전42, 崔忠獻에 의거하였는데, 그중에서 日興倉은 逸興倉의 오자일 것이다(『신증동국여지승람』 권41, 鳳山郡, 土山, "黃玉, 出逸興倉").

146) 여기에서의 政堂은 中書·門下省의 宰臣이 合坐하여 政事를 의논했던 政事堂의 誤謬 또는 脫字가 발생한 것 같다(李貞薰 1999년).

柄, 或因左右所托, 或納賂稱意者, 皆得拜官. 嘗會客, 設宴, 使重房有力者手搏, 勝者卽授校尉·隊正, 以賞之. 琯, 忠獻外親, 起市井, 性巧黠, 善承迎, 忠獻甚寵愛. 由是, 不數年, 驟遷吏部郎中, 車馬輻湊, 氣勢日熾, 親戚皆顯, 賄賂公行. 後出補安西都護府使, 以琴儀代之:列傳42崔忠獻轉載].[147)]

[是月, 重大師某等鑄成飯子壹副, 入重捌斤二量印:追加].[148)]

夏四月乙亥朔小盡,乙巳, 壬午8日, 雨雪.[149)]

[癸未9日, 月入大微太微:天文2轉載].

[是月, 始令文班五六品丞·令, 帶犀爲參秩:輿服1冠服通制轉載].

[→門下侍郞平章事·式目都監使崔詵等奏, "文班參外五六品, 並令帶犀, 爲參秩". 王曰, "員數大多, 豈可一時陞秩?". 乃增參秩六七人:選擧3選法轉載].

[→從6品監察御史二人, 閤門祗侯文·吏各三人, 從5品太廟署令, 從5品諸陵令, 陞爲參秩:百官1司憲府·通禮門·百官2太廟署·諸陵署轉載].

[○左承宣安有孚, □□□□□掌國子監試, 取詩賦秦陽胤等十四人·十韻詩宋咸等七十三人, 明經五人:選擧2國子試額轉載].

[○蒲溪寺住持著觀造成靑銅盤子一座, 重十斤:追加].[150)]

五月甲辰朔大盡,丙午, 丁未4日, 雨雹.[151)]

---

147) 이 기사에서 "嘗會客, 設宴, 使重房有力者手搏, 勝者, 卽授校尉·隊正, 以賞之"는 다음의 기사와 관련이 있는 것 같다.
- 『고려사절요』 권14, 희종 5년 9월 某日, "崔忠獻會賓客, 設重陽宴, 使都房有力者手搏, 勝者, 卽授校尉·隊正, 以賞之". 여기에서 重房이 都房으로 달리 표기되어 있지만, 같은 사실일 것이다(→희종 5년 9월 某日).

148) 이는 泰和貳年銘飯子의 銘文에 의거하였다(許興植 1984년 938面).

149) 이와 같은 기사가 지7, 五行1, 水, 雨雪에도 수록되어 있다.

150) 이는 出處가 불분명한 蒲溪寺 飯子[盤子]의 銘文에 의거하였다(梨花女子大學博物館 所藏, 文明大 1994년 3책 278面 ; 洪榮義 2016년b).
- 銘文, "泰和二年壬戌四月日,蒲溪寺新造盤子,重十斤,棟梁同寺住持比丘著觀,懸排此寺,京良工韓宗守".

151) 이와 같은 기사가 지7, 五行1, 水, 雨雹에도 수록되어 있다. 일본의 교토[京都]에서는 5월 23일 降雹이 있었다고 한다(中央氣象臺 1941年 2册 617面).
- 『皇代略記』, 建仁 2년 5월 23일, "寒氷降, 其勢寸餘云々"(筆者 未確認).
- 『皇年代略』, 建仁 2년, "五廿三, 寒降, 尺餘".

[辛亥[8日], 熒惑·鎭星, 同舍于奎:天文2轉載].

乙丑[22日], 賜黃克中等及第.[152)]

[○忠獻女壻任孝明, 中第, 卽屬內侍, 權補閤門祗候, 以寵之:節要轉載].

[→忠獻女壻任孝明, 登第. 王卽屬內侍, 下宣旨, 權補閤門祗候. [將軍朴]晋材爲□□[孝明], 設賀宴, 盛陳羅綺, 忠獻引賓客赴之. 新及第過者, 輒邀致, 杯盤極侈. 又自高達坂至加造里, 連亘結彩棚, 大張伎樂雜戲, 觀者如堵:列傳42崔忠獻轉載].[153)]

[六月[甲戌朔小盡,丁未]:追加],[154)] 丁亥[14日], 再雩.

[是月頃, 以[將軍]丁彦眞爲大將軍:列傳13丁彦眞轉載].

秋七月[癸卯朔小盡,戊申], [甲辰[2日], 鵩鳴于宣慶殿:五行1轉載].

丙午[4日], 遣將軍韓抵如金, 謝賀生辰, 史祐[史洪祐], 賀天壽節.[155)]

[○月入大微[太微]:天文2轉載].

[某日, 以池資深爲慶尙道按察使:慶尙道營主題名記].

[八月[壬申朔大盡,己酉], 某日, [樞密院使崔]忠獻, 會文武三品以上於私第, 議慶州事. 皆曰, "遣使諭之, 而後可出兵". 迺以吏部郎中宋孝成·刑部員外郎朴仁碩爲宣諭使:節要轉載].[156)]

---

152) 이와 관련된 기사로 다음이 있다. 이 기사에서 樞密院使는 樞密院副使의 오류이다. 金平은 이 해의 12월 19일 樞密院副使에 임명되었다. 또 이때 黃克中·任孝明(改孝順, 『고려사절요』 권14)·李世華(丙科, 李世華墓誌銘) 등이 급제하였다(『등과록』; 『전조과거사적』, 朴龍雲 1990년; 許興植 2005년).

· 지27, 선거1, 科目1, 選場, "[神宗]五年五月, 樞密院使[樞密院副使]金平知貢擧, 右承宣趙準同知貢擧, 取進士, ~~乙丑~~, 賜黃克中等三十三人·明經四人及第".

153) ~~添字~~가 追加되어야 理解하기 쉬울 것이고, 任孝明은 후일 孝順(任濡의 3子)으로 개명하였던 것 같다(→강종 1년 3월 13일).

· 「崔忠獻墓誌銘」, "… 夫人宋氏, 知樞密院事·尙書左僕射·上將軍致仕宋清之女也, 柔範有則, 婦道無違, 生二子一女, 先公[崔忠獻]而卒. 長子則今任銀青光祿大夫·樞密院副使·兵部尙書·上將軍[瑀], 次子則今任守司徒·上柱國·寶城伯[珦], 女則適平章事任濡之子[孝明?], 亦先公而夭. …".

154) 5월 丁亥는 이달에 없고 6월(甲戌朔) 14일이기에, 丁亥의 앞에 六月이 탈락되었다.

155) 史祐는 다음의 자료를 통해 볼 때 史洪祐의 脫字로 추측된다.

· 『금사』 권62, 表4, 交聘表下, 泰和 2년, "八月庚子[29日], 高麗戶部侍郎史洪祐賀天壽節, 禮賓少卿韓氏謝賜生日".

· 『금사』 권11, 본기11, 章宗3, 泰和 2년 9월, "壬寅朔, 天壽節, 宋·高麗·夏遣使來賀".

156) 宋孝成의 官職이 崔忠獻의 열전에는 달리 표기되어 있고, 또 그는 1210년(희종6) 6월에는 宋孝

[→慶州反[~~叛~~], [樞密院使崔]忠獻, 會文武三品以上於其第, 議之, 皆曰, “遣使諭之, 然後可出兵.” 乃遣兵部郎中宋孝成·刑部員外郎朴仁碩, 諭之:列傳42崔忠獻轉載].

[丙子[5日], 日中有黑子, 大如梨:天文1·節要轉載].

甲午[23日], 月食東井北轅西第一星:天文2轉載].

九月[壬寅朔大盡,庚戌], [乙巳[4日], 熒惑犯司怪南第二星:天文2轉載].

丙午[5日], 門下侍中□□[~~致仕~~]趙永仁卒, [年七十. 輟朝三日, 王悼甚, 贈謚文景:列傳12趙永仁轉載].[157)] [永仁, 博學, 善屬文, 少時, 魁然有宰相器. 明宗命輔導太子, 及爲承宣, 多所匡救, 物論歸重, 後配享王廟:節要轉載].

[某日, 前王[明宗]患痢疾, 王遣中使, 請曰, “欲遣醫進藥, 誰其可者”. 前王曰, “我忝位二十八年, 享壽七十二歲, 豈希延生?”, 遂不聽:節要轉載].

[是月, 取□□□[升補試]崔天祐等四十三人:選擧2升補試轉載].

冬十月[壬申朔大盡,辛亥], [某日], 耽羅叛, 遣小府少監張允文·中郎將李唐績, 安撫之.[158)]

○慶州別抄軍與永州, 素有隙. 是月, 乃引雲門賊及符仁·桐華兩寺僧徒, 攻永州. 永州人李克仁·堅守等率精銳, 突出城與戰, 慶州人敗走. 忠獻聞之, 會宰相·諸將於大觀殿, 議曰, “慶州人恣行不義, 今又聚黨, 攻伐隣邑, 宜發兵討之”.[159)]

[甲午[23日], 月入大微[~~太微~~]:天文2轉載].

誠으로 되어 있다(盧明鎬 等編 2016년 370面).

157) 門下侍中은 門下侍中致仕의 잘못이다. 趙永仁은 1198년(신종1) 6월 7일(癸酉) 이후에 눈이 어두워져서 門下侍中으로 致仕하였고(열전12, 趙永仁), 이때의 首相[冢宰]은 門下侍郎同中書門下平章事 崔詵이었다. 이날은 율리우스曆으로 1202년 9월 22일(그레고리曆 9월 29일)에 해당한다.

158) 이와 관련된 기사로 다음이 있다.
· 「張允文墓誌銘」, “遷少府少監, 以公嘗莅耽羅縣有恩威, 出爲安撫使, 及還拜刑部侍郎”.

159) 이와 관련된 자료로 다음이 있는데, 後者는 글자 그대로 鄕里에서 전해진 逸話일 것이지만, 일부의 내용은 ~~添字~~와 같이 고쳐야 할 것이다. 李克仁은 1217년(고종4) 7월 契丹殘黨이 침입하였을 때 將軍으로 참전하였고, 1224년(고종11) 7월 대장군으로 재직하면서 執權者인 崔瑀를 제거하려다가 피살되었다(열전16, 金就礪 ; 열전42, 崔忠獻, 怡).
· 지11, 지리2, 東京留守官, “神宗五年, 東京夜別抄作亂, 攻劫州郡, 遣師討平之”.
· 『경상도지리지』, 永川郡, “李克仁, 本郡吏也. 高麗太祖統合之初[~~神宗即祚之時~~], 慶州吏民起兵謀叛, 來侵郡境. 克仁, 時爲都軍[~~抄軍~~]之首, 唱義募兵, 以遏其衆, 執其魁吏, 斷手懸于路傍樹, 至今有枯槎. 人相傳云, 手懸樹. 克仁, 初拜上將軍[~~別將~~?], 位至平章事[~~大將軍~~], 此諺傳也”.

[庚子[29日], 流星出北河, 指北入天際, 大如缶, 尾長七尺許:天文2轉載].

[某日, 司宰主簿同正金永濟筆寫'高僧傳序錄':追加].[160)]

[是月頃, 慶州與永州作亂. 議遣安撫使, 而難其人, 聞慶州人思晋州牧副使蔡靖不已, 乃拜東京留守副使. 靖單騎之任, 慶州人聞其至, 反側悉安:列傳16蔡靖轉載].[161)]

十一月[壬寅朔小盡,壬子], [戊申[7日], 月入羽林:天文2轉載].

丙辰[15日], 設八關會, 幸法王寺.

戊午[17日], 前王[明宗]薨于昌樂宮.[162)]

[○宰樞及常參官以上, 皆皂帶, 詣闕陳慰:節要轉載].

[→戊午, 明宗薨于昌樂宮. 宰樞及常參官以上, 皂帶, 詣闕陳慰. 宗室·百官及士·庶人, 玄冠素服三日. 唯葬禮都監, 服至葬日:禮6國恤轉載].

[○大霧竟日, 咫尺不辨人:五行3轉載].

[某日, 慶州人謀叛, 密遣郎將同正裵元祐, 往前將軍石成柱配所古阜郡, 說曰, "高麗王業幾盡, 新羅必復興, 以公爲主, [漢江]沙平渡爲界,[163)] 如何?". 成柱佯喜, 留元祐于家, 潛詣郡守□惟貞告之, 惟貞捕送于按察使, 以聞誅之:節要轉載].[164)]

己巳[28日], 金遣戶部侍郎李仲元來, 賀生辰.[165)]

---

160) 이는 京都市 左京區 南禪寺 福地町 南禪寺에 소장되어 있는『高僧傳序錄』의 제기에 의거하였다(張東翼 2004년 706面).
- · 題記, "泰和二年壬戌十月日 書」將仕郞·司宰主簿同正金永濟」".

161) 이는 다음의 기사를 전재하여 적절히 變改하였다.
- · 열전16, 蔡靖, "神宗朝, 出牧晋陽, 東都與永州作亂. 議遣安撫使, 而難其人, 聞東都人思[前東都掌書記蔡]靖不已, 乃拜留守副使. 靖單騎之任, 東都人聞其至, 反側悉安".

162) 이날은 율리우스曆으로 1202년 12월 3일(그레고리曆 12월 10일)에 해당한다.

163) 沙平渡는 漢江(漢水)의 別稱이었던 것 같다.
- · 지10, 지리1, 南京留守官 楊州, "… 漢江[卽沙平渡], 楊津[新羅時, 北瀆漢山河, 躋中祀]".
- ·『신증동국여지승람』권3, 漢城府, 山川, 漢江, "在木覓山南, 古稱漢山河, 新羅時, 爲北瀆, 載中祀. 高麗, 稱沙平渡, 俗號沙里津".
- ·『여유당전서』詩集권4, 沙坪別[注, 別妻子也, 沙坪村在漢江之南]. "明星出東方, 僕夫喧相呼. 山風吹小雨, 似欲相踟躕. …".

164) 이와 같은 기사가 열전13, 丁彦眞에도 수록되어 있다. 知古阜郡事 惟貞은 姓氏가 탈락되었을 것이다.

165) 李仲元은 10월 21일(壬辰) 파견이 결정되었다.
- ·『금사』권11, 본기11, 章宗3, 泰和 2년 10월, "壬辰, 遣尙輦局副使李仲元爲高麗國生日使".

十二月[朔辛未[~~辛未朔~~大盡,癸丑], 王受詔于大觀殿. 先遣左承宣于承慶, 謂金使[李仲元]曰, "前王在殯, 迎詔及宴, 不得擧樂". 金使曰, "迎天子之命, 豈可以私喪徹樂乎?". 遂用之:禮6國恤·節要轉載].[166)]

[甲戌[4日], 赤氣, 從艮至乾, 如火:五行1轉載].[167)]

乙亥[5日], 耽羅安撫使張允文·李唐績奏, 賊魁煩石·煩守等, 皆伏誅.

丙子[6日], 慶州賊孛佐等起,[168)] 遣金陟侯·崔匡義·康純義等, 分道討之.[169)]

[→慶尙道按察使池資深奏,[170)] "慶州請降, 不必發兵". [樞密院使]崔忠獻怒, 以大將軍·直門下省□[事]金陟候爲招討處置兵馬中道使, 刑部侍郞田元均副之, 大將軍崔匡義爲左道□□[~~兵馬~~]使, 兵部侍郞李頤副之, 攝大將軍康純義爲右道□□[~~兵馬~~]使, 知閣門事[知閣門事]李維城副之, 促發兵往討. 賊聞之, 募集雲門山及蔚珍·草田賊, 分爲三軍, 自稱正國兵馬□[使], 誘脅州郡.[171)] 陟候等行, 忠獻與子瑀·甥晋材, 登[~~路傍~~]樓觀之, 各大陳兵衛, 以示威[武]:節要轉載].[172)]

[→東都叛, 命將討之, 以及第未官者充修製. 人皆以計避, [前全州牧司錄李]奎報慨然曰, 予雖怯懦, 避國難, 非夫也. 遂從軍, 爲兵馬錄事兼修製:列傳15李奎報轉載].[173)]

---

166) 朔辛未는 乙亥字로 組版할 때 辛未朔이 흐트러졌을 가능성이 있지만, 그보다는 禮志를 작성했던 史官의 개인적인 趣向에 의해 그렇게 표기하였을 가능성도 있다.

167) 原文에는 "十二月甲戌, 赤氣, 從艮至乾, 如火"로서 神宗 4년에 연결되어 있지만, 이해의 12월에는 甲戌이 없다. 十二月의 앞에 '[神宗]五年'이 탈락되었을 가능성이 있다.

168) 이는 利備와 孛佐의 亂을 稱하는 것인데,『동국이상국집』권35, 田元均墓誌銘·권38, 東京西岳祭文·東岳祭文·戒邊天神前復祭文·東西兩岳合祭文 등에 利備는 義庇로, 孛佐는 勃左·勃佐로 달리 표기되어 있고, 이들을 合稱하여 裨·佐로 稱하였다(권25, 答朴郞中仁碩手書).

169) 이때 起居舍人 崔甫淳이 中道[中軍]兵馬判官으로, 刑部員外郞 朴仁碩이 招討判官으로 大將軍 金陟侯의 麾下에서 參戰하였고, 이규보가 兵馬錄事兼修製(參謀兼書記)로 從軍하여 田元均의 麾下에 있었다(崔甫淳墓誌銘 ; 朴仁碩墓誌銘 ;『동국이상국집』권12, 壬戌冬十二月,從征東幕 … ; 권35, 田元均墓誌銘).

170) 池資深은 이해의 秋冬番[秋冬等] 慶尙道按察使였다(『경상도영주제명기』).

171) 誘脅은 다음과 같은 의미를 지니고 있다.
· 『자치통감』권228, 唐紀44, 德宗建中 4년(783) 1월, "甲午[17日], 命[顔]眞卿詣許州宣慰[前淮寧節度使·僞建興王李]希烈, … [顔]眞卿叱之曰, '何謂宰相? 汝知有罵安祿山而死者顔杲卿乎? 乃吾兄也. 吾年八十, 知守節而死耳, 豈受汝輩誘脅乎[胡三省注, 史炤曰, 以利動之曰誘, 以威迫之曰脅]? 四使不敢復言".

172) ~~添字~~는 열전42, 崔忠獻에 의거하였다. 또 이와 같은 기사가 열전13, 丁彦眞에도 수록되어 있다.

173) 이때 李奎報가 從軍한 토벌부대는 12월에 淸州를 거쳐 尙州에 도착하였다고 한다.
· 『동국이상국집』年譜, "壬戌泰和二年, … 冬十二月東京叛, 與雲門山賊黨擧兵, 朝廷出三軍征之. 軍幕逼散官及第等, 充修製員, 歷三人, 皆以計避不就, 至公慨然曰. '予雖懦怯, 亦國民也,

[丙辰[不明], 宴金使, 先遣人告曰, “前王在殯, 未敢宴於正殿”. 金使不聽. 再告, 乃許之:禮6國恤轉載].[174)]

[庚寅[20日], 太白入羽林. 月犯大微[太微]東藩上相:天文2轉載].

[是月, 遣禮賓少卿宋洪烈進奉, 又遣使如金, 賀正:追加].[175)]

[○東京招討處置左道兵馬錄事兼修製李奎報撰‘告奉恩寺太祖眞殿文’:追加].[176)]

閏[十二]月[辛丑朔小盡,癸丑], 壬寅[2日], 葬明宗于智陵.[177)] [上謚[諡]光孝, 廟號明宗. 王初欲葬以王禮. [樞密院使]崔忠獻堅執不可, 降從其妃景順王后葬儀, 宗室·百官及士庶人, 玄冠素服三日. 時, 太子斥在江華, 未得與喪事, 國人哀之:節要轉載].[178)]

[→壬寅, 葬明宗于智陵. 王初欲葬以王禮, 崔忠獻堅執不可, 降從其妃景順王后葬儀, 間用仁廟葬禮. 時, 太子斥在江華, 未得襄事, 國人哀之:禮6國恤轉載].

甲辰[4日], 太白晝見.

[○月入羽林:天文2轉載].

避國難非夫也’, 遂從軍. 於是幕府欣然, 奏爲, 盖暢其情也. 是月, 行次淸州, … 又次尙州, …”.

174) 이달에는 丙辰이 없으므로 丙辰은 丙子(6日) 또는 庚辰(10日)의 오자로 추측된다.

175) 이는 다음의 자료에 의거하였는데, 일반적으로 進奉使와 明年의 賀正使를 11월에 파견하였으나 이해는 閏12月이 있어 12월에 편성하였다. 또 d와 같이 고려의 사신 尹公直을 師公直으로 改姓한 것은 당시의 皇帝인 章宗의 父의 이름이 允恭(世宗의 2子, 皇太子로 죽었는데, 後日 顯宗으로 追尊됨)이었기에 尹氏를 師氏로 代用하였던 것 같다.

· a 『금사』 권62, 表4, 交聘表下, 泰和 2년, “閏十二月己巳[29日], 高麗禮賓少卿宋洪烈進奉”. 여기서 宋洪烈은 崔忠獻의 丈人인 宋淸의 弟인데, 최충헌을 緣故로 樞密院副使에 이르렀다고 한다(→고종 3년 7월 某日, 6년 9월 20일).

· b 『금사』 권62, 表4, 交聘表下, 泰和 3년, “正月辛未朔, 高麗戶部侍郞郭公儀賀天壽節, 禮賓少卿師[尹]公直謝賜生日”.

· c 『금사』 권11, 본기11, 章宗3, 泰和 3년 1월, “辛未朔, 宋·高麗·夏遣使來賀”.

· d 『금사』 권108, 열전46, 師安石, “師安石, 字子安, 淸州人, 本姓尹氏, 避國諱, 更焉”.

이들 기사(a~c)는 脫落이 있으므로 e와 같이 고쳐야 옳게 될 것이고, 이에 脫落이 있다는 見解가 『金史』, 中華書局, 1985年 1493面에 제시되었다[校正事由].

· e “正月辛未朔, [高麗□□□□[官職]□□□[人名]賀正旦. 八月甲子[29日]], 高麗戶部侍郞郭公儀賀天壽節, 禮賓少卿尹公直謝賜生日”[校正].

176) 이는 『동국이상국집』 권38, 奉恩寺告太祖眞前文에 의거하였다.

177) 이때의 謚册文이 『동문선』 권28, 明王哀册文인데, 약간의 오자가 있다. 그중에서 “維泰和三年~~二年~~壬戌十一月□□~~壬寅~~朔 … 閏十一月~~十二月~~初二日壬寅”은 ~~添字~~와 같이 고쳐야 옳게 될 것이다.

178) 여기에서 景順王后는 明宗의 后妃로 되어 있음을 보아 康宗(明宗의 子)의 母后인 金氏(江陵公 溫의 女)가 그의 아들로부터 光靖太后라는 尊號를 받기 이전에 呼稱했던 妃主 名號였던 것 같다.

[甲申[14日], 日北, 有朱暈, 如斷虹, 外有直氣, 東西有珥:天文1轉載].

己未[19日], 以[樞密院使]崔忠獻△[爲]守大[太]傅·參知政事·吏·兵部尙書·判御史臺事, [知樞密院事?]王珪爲御史大夫,[179] 白存濡[白存儒]△[爲]同知樞密院事, 金平·李自貞並爲樞密院副使, 于承慶爲樞密院知奏事, 安有孚·李抗爲左·右承宣, 金陟候[~~金陟候~~]△[爲]知御史臺事, 崔奕爲殿中少監·御史雜端, 鄭德宇爲右司諫, 朴得文·[刑部員外郞]朴仁碩△[並]爲殿中侍御史, [內侍·權補閤門祗候]任孝明爲殿中內給事, 李承白·李得紹爲左·右正言.

[是年, 還東南海都部署使本營於金州:追加].[180]

[○禮賓卿·東宮侍講學士高瑩中上表, 請致仕, 依允:追加].[181]

[○以[大將軍]吳倚爲監門衛攝上將軍:追加].[182]

[○命修補興國寺內外寶典. 時, 吏部員外郞盧琯妻鄭氏施納白銀十斤, 充其費:追加].[183]

癸亥[神宗]六年, 金泰和三年, [南宋嘉泰三年], [西曆1203年]

1203년 2월 14일(Gre2월 21일)에서 1204년 2월 2일(Gre2월 9일)까지, 354일

春正月辛未朔[小盡,甲寅], [雨水]. 放朝賀.

[癸酉[3日], 月與太白·鎭星, 同舍于奎:天文2轉載].

[戊寅[8日], 月與熒惑, 同舍于參:天文2轉載].

己丑[19日], 幸神衆院.

乙未[25日], 親設帝釋道場於修文殿.

---

179) 이때 王珪는 知樞密院事일 가능성이 있다.

180) 이는 다음의 자료에 의거하였다.

· 『경상도지리지』, 晋州道, 金海都護府, "神宗泰和壬戌還爲[東南海都部署使]本營".

181) 이는 「高瑩中墓誌銘」에 의거하였다.

182) 이는 「吳倚墓誌銘」에 의거하였다.

183) 이는 다음의 자료에 의거하였다.

· 「盧琯妻鄭氏墓誌銘」, "… 夫人, 性柔順貞淑, 去華從儉, 尤信內教, 越壬□[戌], 嘗遘疾發大願, 時國家修補興國寺□□[內外?]寶典, 夫人施納白銀十斤, 以充其費. 或製□□伽□□□□□, 獻于普濟寺□[阿]羅漢".

[某日, 慶州賊入基陽縣, 左道兵馬使崔匡義率兵急擊, 殺獲甚多. 參知政事崔忠獻奏, "遣中使, 賫詔賜藥, 以奬之":節要轉載].

[某日, 以盧軾爲慶尙道按察使:慶尙道營主題名記].[184]

二月庚子朔大盡,乙卯, [癸卯4日, 月與太白, 同舍于昴:天文2轉載].

乙巳6日, 幸法雲寺.

[○監門衛攝上將軍吳倩卒, 年六十二:追加].[185]

[丙午7日, 月與熒惑, 同舍于井:天文2轉載].

[某日, 賊掠杞溪縣, 右道兵馬副使李維城進兵擊之. 賊魁孛佐, 乘高望見, 將遁. 將軍房秀精率二子, 先登奮擊, 士卒乘之, 斬首一千餘級, 虜二百五十餘人:節要轉載].[186]

[某日, 省臺劾奏, "中道兵馬使金陟侯, 師老不戰, 使賊勢日盛, 罷之". 遣大將軍丁彦眞, 代之:節要轉載].

[→陟侯, 師老不戰, 使賊勢日盛. 明年神宗6年, 徵陟侯以私騎還京, 遣彦眞代之. 臺省劾罷陟侯職:列傳13丁彦眞轉載].

戊午19日, 設壓兵無能勝道場于修文殿.

壬戌23日, 幸普濟寺, 設五百羅漢齋, 以祈滅賊.

己巳30日, 王如靈通寺. 時, 御輦軸頭忽折, 王乘馬, 至選軍門, 尙乘局改軸以進, 王復乘輦. 太子扈行, 馬且逸, 易以他馬.

三月庚午朔小盡,丙辰, [己卯10日, 月入大微~~太微~~端門:天文2轉載].

戊子19日, 幸王輪寺.

[辛卯22日, 熒惑入輿鬼. 歲星與月, 同入羽林:天文2轉載].

[癸巳24日, 熒惑入輿鬼, 犯積尸:天文2轉載].

乙未26日, 幸妙通寺.

丙申27日, 慮囚.

---

184) 이와 같은 기사가 열전13, 丁彦眞에도 수록되어 있다.

185) 이는 「吳倩墓誌銘」에 의거하였는데, 이날은 율리우스曆으로 1203년 3월 20일(그레고리曆 3월 27일)에 해당한다.

186) 이 기사는 열전13, 丁彦眞에도 수록되어 있으나 該當 時期가 4월로 記述되어 있다.

夏四月[己亥朔小盡,丁巳]，[辛丑[3日]，月食太白于井:天文2轉載].

丁未[9日]，太白晝見.

[○月犯大微[~~太微~~]:天文2轉載].

甲寅[16日]，設消災道場于宣慶殿.

[某日，慶州賊徒都領利備父子，潛禱城隍祠．有覡紿之曰，“都領擧兵，將復新羅，吾屬，喜悅久矣．今日幸得見，請獻一杯”．邀至其家，飮而醉，執之，獻于[中道]兵馬使丁彦眞，實彦眞之謀也:節要轉載].

[→[中道兵馬使丁]彦眞旣至，因祈恩詣城隍祠，密以捕賊之謀授覡．一日，賊徒都領利備父子至祠潛禱，覡紿曰，“都領擧兵，將復新羅，吾屬，喜之久矣．今幸得見，請獻一盃”．邀至其家，飮之醉，遂執送彦眞:列傳13丁彦眞轉載].

[某日，諸家僮，因樵蘇，分隊習戰於東郊，[參知政事]崔忠獻□□[~~開之~~]，遣人捕之，皆遁，只獲五十餘人，掠問，投于江:節要轉載].[187]

[五月[戊辰朔大盡,戊午]，壬申[5日]，夏至．鵬鳴于宣慶殿:五行1轉載].

[乙亥[8日]，亦如之[鵬鳴于宣慶殿]:五行1轉載].

[○月入大微[~~太微~~]:天文2轉載].

[壬午[15日]，□[月]入南斗:天文2轉載].

[是月，國子祭酒·[翰林學士]崔孝思，□□□□□[掌國子監試]，取詩賦金命予等二十一人，十韻詩李世興等七十二人，明經七人:選擧2國子試額轉載].[188]

六月戊戌朔[小盡,己未]，王如奉恩寺.

[庚子[3日]，大雨，松嶽山松樹，多漂流:五行1水潦轉載].[189]

癸丑[16日]，太白晝見.

[丙寅[29日晦]，□□[太白]入東井:天文2轉載].

---

187) ~~添字~~는 열전42，崔忠獻에 의거하였다.

188) 이와 관련된 자료로 다음이 있다.

· 「崔孝思墓誌銘」，“即除國子祭酒·翰林學士，仍掌司馬試”.

189) 이날 일본의 교토[京都]에서는 날씨는 흐렸다고 한다(日本曆은 六月丁酉朔).

· 『吾妻鏡』第17，建仁 3년 6월，“四日庚子，陰”.

秋七月[丁卯朔小盡,庚申], 戊辰[2日], 以王玹△[爲]守司空, 李椿老△[爲]參知政事, 仍令致仕, 康碩侯爲右正言.

[某日, 陞春州爲安陽都護府. 春州舊隷安邊□[府], 州人以道途艱險, 厚賂忠獻故也:節要轉載].[190)]

辛未[5日], 設消災道場于宣慶殿.

○遣將軍尹公直如金, 謝賀生辰.[191)]

[某日, [中道兵馬使]丁彦眞遣隊正咸延壽·康淑淸, 往雲門山, 誘賊魁孛佐以安業, 不聽. 賊副屢目延壽, 延壽知其意, 乍出, 持劍入斬, 傳首于京. 賊麾下欲刺延壽等, 賊副呵禁之:節要轉載].

[→[中道兵馬使丁]彦眞又遣隊正咸延壽·康淑淸, 往雲門山, 誘孛佐使安業, 不聽. 賊副屢目延壽, 延壽知其意, 出持劒, 入擊孛佐. 孛佐奮起, 淑淸擊斬之, 傳首于京. 賊麾下欲刺延壽等, 賊副呵禁之, 得免:列傳13丁彦眞轉載].

戊寅[12日], 遣左司郎中郭公義[郭公儀]如金, 賀天壽節.[192)]

辛巳[15日], 太白晝見.

[某日, 參政[參知政事]車若松畜妓, 生二子, 長入國學, 補服膺齋生, 次拜流品職事. [參知政事]崔忠獻陰嗾御史臺, 奏屬伶官, 限以七品, 又削學籍:節要轉載].

乙酉[19日], 中書□□[侍郞]平章事金晙卒.[193)]

[某日, 以白汝舟爲慶尙道按察使:慶尙道營主題名記].

190) 이 기사와 관련된 자료로 다음이 있다.

· 지12, 지리3, 春州, "州人, 以道塗艱險, 難於往來. 至神宗六年, 賂崔忠獻, 陞爲安陽都護府. 後降知春州事".

· 열전42, 崔忠獻, "[神宗]六年, … 春州, 舊隷安邊, 州人以道途艱險, 厚賂忠獻, 乃陞春州爲安陽都護府".

191) 尹公直은 8월 20일(甲子) 謝禮를 올렸는데, 이는 前年 11월에서 校正된 내용이다.

· 『금사』 권62, 表4, 交聘表下, 泰和 3년, "八月甲子[29日], 高麗戶部侍郞郭公儀賀天壽節, 禮賓少卿師公直[尹公直]謝賜生日". 여기에서 尹公直이 師公直으로 표기된 것은 몽골제국 시기의 避諱가 아니다.

192) 郭公義는 郭公儀의 오자일 것이다. 郭公儀는 8월 20일(甲子) 이전에 金에 도착하여 9월 1일(丙寅) 天壽節을 賀禮드렸다.

· 『금사』 권62, 表4, 交聘表下, 泰和 3년(→위의 脚注 148과 같음).

· 『금사』 권11, 본기11, 章宗3, 泰和 3년 9월, "丙寅朔, 天壽節, 宋·高麗·夏遣使來賀".

193) 이날은 율리우스曆으로 1203년 8월 27일(그레고리曆 9월 3일)에 해당한다.

八月[丙申朔大盡,辛酉], [戊申[13日], 月入羽林. 太白犯軒轅大星:天文2轉載].

[某日, 左道兵馬使[崔匡義]執太白山賊魁阿之, 械送于京, 瘦死獄中:節要轉載].[194)]

辛亥[16日], 參知政事鄭國儉卒.[195)]

癸丑[18日], 幸晋濟寺, 設五百羅漢齋.

[甲寅[19日], 太白犯軒轅左角:天文2轉載].

九月[丙寅朔大盡,壬戌], [庚午[5日], 太白入大微[太微]右掖:天文2轉載].

[辛未[6日], [太白]又入大微[太微]天庭, 犯左執法:天文2轉載].

[丙子[11日], 月入羽林, 與歲星同舍:天文2轉載].

[戊寅[13日], 太白犯左執法:天文2轉載].

[辛卯[26日], 月與太白, 同舍于軫:天文2轉載].

[壬辰[27日], 大霧, 不辨人:五行3轉載].[196)]

甲午[29日], [參知政事]崔忠獻詣奉恩寺, 祭太祖眞殿, 仍獻衣襯.

[某日, [左道兵馬使]崔匡義馳奏, "興州浮石·□□[大丘]符仁等寺及松生縣雙岩寺僧徒謀亂". 命兵馬使推鞫, 配島:節要轉載].[197)]

[秋某月, 以柳光植爲太府少卿:追加].[198)]

冬十月[丙申朔小盡,癸亥], 辛丑[6日], 設消災道場于宣慶殿.

乙卯[20日], 幸王輪寺.

[丁巳[22日], 月入大微[太微]端門:天文2轉載].

十一月[乙丑朔大盡,甲子], 丁卯[3日], 幸妙通寺.

[庚午[6日], 月犯壘壁西端:天文2轉載].

---

194) 이와 같은 기사로 다음이 있다.

· 열전13, 丁彦眞, "… [左道兵馬使崔]匡義執太白山賊魁阿之, 械送于京, 瘦死[瘦死]獄中".

195) 이날은 율리우스曆으로 9월 22일(그레고리曆 9월 29일)에 해당한다.

196) 原文의 "九月壬辰, 大霧, 不辨人"의 앞에 六年이 탈락되었다.

197) 이와 같은 기사가 열전13, 丁彦眞에도 수록되어 있다.

198) 이는 「柳光植墓誌銘」에 의거하였다.

辛未[7日], 設佛頂道場于宣慶殿.

戊寅[14日], 設八關會, 幸法王寺.

戊子[24日], 王以恭睿太后忌晨[忌辰], 將如靈通寺, 日官奏, "天文有警, 不宜出". 不果行.[199)]

[某日, [參知政事]崔忠獻詣闕, 御史臺官, 迎候於麗景門. 及還第, [御史]雜端琴克儀立語馬前, 人譏其謟[諛]:節要轉載].[200)]

壬辰[28日], 金遣兵部侍郎尹孝來, 賀生辰.[201)]

[是月, 遣禮賓少卿林德元如金獻方物, 司宰少卿李延壽, 賀正:追加].[202)]

十二月乙未朔[大盡,乙丑], 宴金使于大觀殿.

[辛亥[17日], 月入大微[~~太微~~]:天文2轉載].

戊午[24日], 以[參知政事]車若松△[爲]守大尉·中書□□[侍郎]平章事,[203)] [參知政事]崔忠獻爲[守太師:追加]·中書侍郎平章事·吏部尙書·判御史臺事·太子少師,[204)] [樞密院使?]王珪△[爲]參知政事, 丁光敍·金鳳毛並爲樞密院副使,[205)] [大將軍?]朴晋材爲尙書左丞, 張允文△[爲]試大府卿[~~試太府卿~~]·右諫議大夫·知制誥,[206)] 李端林爲右正言·知制誥.

---

199) 仁宗妃인 恭睿太后 任氏의 忌日은 11월 22일이다.

200) 琴克儀는 1203년(신종6) 11월에서 1208년(희종4) 윤4월 사이에 琴儀로 改名하였다. 또 ~~添字~~는 열전42, 崔忠獻에 의거하였다.

201) 尹孝는 『금사』에는 師孝로 되어 있고, 그는 10월 21일(丙辰) 파견이 결정되었다. 또 『금사』에서 尹孝가 師孝로 改姓된 것은 신종 5년 12월 是月의 脚注에서 설명되었다.

· 『금사』 권11, 본기11, 章宗3, 泰和 3년 10월 丙辰, "以尙食局使師孝[~~尹孝~~]爲高麗生日使".

202) 이는 다음의 자료에 의거하였다. 이때 金克己가 賀正使 李延壽의 書狀官[修製]으로 참여하였던 것 같다(『동문선』 권35, 癸亥年入北朝賀一[正]使修製,本國朝謝日,謝表, 金克己 撰). 또 이때 파견된 使臣團의 傔從이 皇宮 內에서 小刀를 지참하고 있다가 문책을 받았던 것 같다.

· 『금사』 권62, 表4, 交聘表下, 泰和 3년, "十二月癸亥[29日], 高麗禮賓少卿林德元進奉".

· 『금사』 권62, 表4, 交聘表下, 泰和 4년, "正月乙丑朔, 高麗司宰少卿李延壽賀正旦".

· 『금사』 권12, 본기12, 章宗4, 泰和 4년 1월, "乙丑朔, 宋·高麗·夏遣使來賀".

· 『금사』 권208, 열전95, 外夷1, 高麗, "泰和四年正月乙丑朔, 高麗傔人以小佩刀割梨廡下巡廊, 奉職見而糾之, 詔館伴官自今前期移文禁止".

203) 이때 車若松은 開府儀同三司·守大尉·中書平章事에 임명되었다고 하는데(열전14, 車若松), 中書平章事는 中書侍郎同中書門下平章事의 약칭일 것이다.

204) 이는 「崔忠獻墓誌銘」에 의거하였다.

205) 丁光敍는 그의 外孫인 崔珙의 묘지명에 의하면 樞密院副使가 最終官職이었다. 또 金鳳毛는 이때 樞密院副使·刑部尙書에 임명되었다(金鳳毛墓誌銘).

庚申[26日], 王發背疽,
辛酉[27日], [立春]. [中書侍郎平章事]崔忠獻入內問疾.

[是年, 以[招討處置中軍兵馬副使]田元均爲吏部侍郎. 是時, 元均在慶尙道軍中:追加].[207)]
[○以[禮部員外郞]李仁老爲知孟州事:追加].[208)]

甲子[神宗]七年, 金泰和四年, [南宋嘉泰四年], [西曆1204年]

1204년 2월 3일(Gre2월 10일)에서 1205년 1월 21일(Gre1월 28일)까지, 354일

春正月[乙丑朔[大盡,丙寅], 日中有黑子, 大如李, 凡三日. 太史, 以[東]晋咸康八年正月, 日中有黑子, 夏帝崩. 惡其徵, 不敢斥言, 但奏, "日者, 人君之象, 若有瑕, 必露其慝":天文1·節要轉載].[209)]

丁卯[3日], [中書侍郎平章事]崔忠獻又問疾, 王謂曰, "寡人由藩邸, 卽寶位, 公之力也. 年旣老矣, 加以彌留, 不能聽朝, 欲傳位於太子". 忠獻對曰, "願上善自攝養, 禪位之命, 非臣所敢從也". 遂出.

戊辰[4日], [中書侍郎平章事崔]忠獻邀冢宰[門下侍郎平章事]崔詵·[門下侍郞]平章事奇洪壽于私第, 密議內禪之事.

[○[崔]忠獻, 以[左道兵馬使]崔匡義·[左道兵馬副使]李頤·[右道兵馬使]康純義·[右道兵馬副使]李維城等, 平慶州, 功最多, 奏令先還, 竝加爵秩, 寮佐以下諸軍, 賞賚有差:節要轉載].[210)]

己巳[5日], [崔]忠獻復入問疾. 王□[又]語以內禪, 意甚繾綣. 忠獻以告太子, 太子涕泣

---

206) 이때 張允文은 大僕卿[太僕卿]·右諫議大夫·知制誥에 임명되었다고 한다(張允文墓誌銘).

207) 이는「田元均墓誌銘」에 의거하였다.

208) 이는 다음의 자료에 의거하였다. 여기에서 珎洞은 珍同縣의 다른 표기일 것이다
- 『고려사』권11, 지리2, 全羅道 珍同縣, "同一作洞".
- 『파한집』권중, "神王七年, 僕出守孟城, 兒子阿大赴官珎洞".

209) 이 구절은 다음의 자료를 인용한 것이고,『고려사절요』권14에는 咸康이 成康으로 되어 있는데 오자이다(盧明鎬 等編 2016년 372面).
- 『晋書』권12, 지2, 天文中, 天變史傳事驗, "[咸康]八年正月壬申[14日], 日中有黑子, 丙子18[日]乃滅, 夏帝崩".

210) 이와 같은 기사가 열전13, 丁彦眞에도 수록되어 있다.

固辭. 王移御于千齡殿, 詔太子曰, “朕以凉德, 謬襲丕基, 年旣衰耄, 病且彌留, 不敢聽政. 眷爾元子, 學就光明, 德孚民望, 肆以大寶, 用付于爾”. 忠獻白太子曰, “君父之命, 不宜固辭”. □[乃]引□□[太子]入康安殿, 進御服. 北面再拜, □[因]奉出大觀殿, 受□□[文武]百官朝賀. 王扶起, 謂忠獻曰, “今日, 朕之志願已畢, 病亦隨愈. 卿於朕之父子, 功德不淺, 無以爲報”. 遂泣下. 忠獻再拜而出. 王謂承宣及重房等曰, “今日以後, 不復見卿等矣, 宜各善輔嗣君, 以臻至理”. 聞者莫不流涕.[211]

丁丑[13日], 王移御德陽侯邸, 遂薨. 遺詔, 勿殯乾始殿.[212]

戊寅[14日], 殯于內史洞靖安宮. 在位七年, 壽六十一, 諡曰靖孝, 廟號神宗, 葬于城南, 陵曰陽陵.[213] 高宗四十年加諡敬恭.

史臣贊曰, “神宗爲崔忠獻所立, 生殺廢置, 皆出其手. 徒擁虛器, 立于臣民之上, 如木偶人耳, 惜哉”.

---

211) 添字는 『고려사절요』 권14에 의거하여 추가한 것인데, 원래 『신종실록』에 있었던 글자로 추측된다.

212) 이날은 율리우스曆으로 1204년 2월 15일(그레고리曆 2월 22일)에 해당한다.

213) 陽陵은 開城市 開豊郡 古南里 龍水山 南麓에 있으나 이민족의 침입 때에 盜掘되어 중요한 유물은 대부분 없어졌고, 殘片의 유물만이 남아 있었다고 한다. 그중에서 3cm, 23cm, 2cm 크기의 大理石 33개에 個當 6字의 銘文이 있는 유물도 발견되었다고 한다. 이는 74字 정도 판독이 가능하다고 하는데, 諡冊으로 추정된다(보존급유적 553호, 김종혁 1986년 ; 張慶姬 2013년 ; 洪榮義 2018년).

熙宗

熙宗·成孝·□□[仁穆]大王,[1)] 諱韺, 字不陂,[2)] 古諱悳, 神宗長子, 母曰靖宣太后金氏, 明宗十一年辛丑五月癸未[8日]生, 神宗三年四月, 册封太子.

七年正月己巳[5日], 受內禪卽位.

丁丑[13日], 神宗薨,

[戊寅[14日], [中書侍郞平章事]崔忠獻會宰樞於其第, 議减禮司所奏服喪二十六日, 爲十四日:禮6國恤·節要轉載].

[某日, 以[殿中丞·中軍判官]朴仁碩爲尙·晋州道按察副使:慶尙道營主題名記].[3)]

二月[乙未朔小盡,丁卯], 庚申[26日], 葬于陽陵, [上諡[謚]靖孝, 廟號神宗:節要轉載].[4)]

□□[是月], 遣□□[禮部]郞中任永齡如金, 告喪.[5)]

[是月頃, 以[國子祭酒·翰林學士]崔孝思爲知東北面兵馬事:追加].[6)]

---

1) 이에서 熙宗은 廟號이고, 成孝大王은 諡號이다. 熙宗은 1237년(고종24) 8월 10일(戊子) 崩御하였고, 같은 해 10월 王陵[碩陵]이 마련될 때의 廟號는 貞宗, 諡號는 誠孝라고 하였다. 後日 熙宗으로 改稱되었다고 하며, 1253년(고종40) 10월 3일(戊申) 仁穆이 덧붙여졌으나 이 기사에는 반영되어 있지 않다.

2) 『익재난고』 권9상, 忠憲王世家에는 熙宗의 字가 不坡로 되어 있다.

3) 朴仁碩의 官銜은 그의 墓誌銘에 의거하였다.

4) 이 구절은 지18, 禮6, 國恤에도 수록되어 있다.

5) 任永齡은 3월 27일(庚寅) 金에서 喪을 告奏하였다고 한다. 또 1월 27일(辛卯) 使臣이 도착하여 喪을 告하였다고 하지만, 이는 고려의 寧德城(寧德鎭의 改稱)이 來遠軍에 移牒한 邊報가 東京留守官→尙書省→章宗의 段階로 보고되었을 것이다.
· 『금사』 권62, 表4, 交聘表下, 泰和 4년, "三月庚寅, 禮部侍郞王任永齡[任永齡]來告哀".
· 『금사』 권62, 表4, 交聘表下, 泰和 3년, "是歲, 王晫薨, 子韺嗣位". 여기에서 神宗이 泰和 3년에 逝去한 것처럼 처리하였으나 잘못이다[繫年錯誤].
· 『금사』 권208, 열전95, 外夷1, 高麗, "泰和四年 … 是歲, 王晫薨, 子韺嗣立".
· 『금사』 권12, 본기12, 章宗4, 泰和 4년 1월, "辛卯, 高麗國王王晫沒, 嗣子韺遣使來, 告哀".
· 『신증동국여지승람』 권53, 義州牧, 古跡, "古寧德鎭, 在州東南四十里. 高麗顯宗二十一年築土城, 周四千十二尺, 內有十二井. 文宗避契丹興宗諱[耶律宗眞], 改稱寧德城, 以鎭字從眞也. 本朝改定寧縣, 後罷縣來屬".

6) 이는 「崔孝思墓誌銘」, "明年春, 出鎭東陲"에 의거하였다.

三月[甲子朔大盡,戊辰]，丁卯[4日]，釋奠于文宣王[孔子]，以國恤，用是月.

[某日，招討使[招討處置 中道兵馬使]丁彦眞·副使田元均等<u>還</u>. 忠獻奏曰，“賊未盡除，宜留中軍判官<u>朴仁碩</u>爲按察□[副]使，率京兵二百，以<u>鎭之</u>”:節要轉載].[7)]

[是月，烏巢于大觀殿榜:五行1轉載].

夏四月甲午朔[小盡,己巳]，尊母金氏爲王太后，[府號慶興，殿號長秋，俄改府號爲錫慶，殿號爲綏福:列傳1神宗妃宣靖太后金氏轉載].

己未[26日]，赦.

[是月，廣州扶金港人<u>林寵</u>造成香垸一副，入重壹斤七兩:追加].[8)]

五月[癸亥朔小盡,庚午]，庚午[8日]，改王生日<u>壽祺節</u>，爲壽成.[9)]

[丙子[14日]，熒惑·鎭星，同舍于胃:天文2轉載].

[某日，[慶尙道]<u>按察使</u>[按察副使]<u>朴仁碩</u>擒餘賊金順等二十餘人，遣兵馬錄事皇甫經以聞. 王以經屬內侍，加八品職:節要轉載].[10)]

[○是時，以朴仁碩之子犀爲內侍:追加].[11)]

---

7) 이때 中道兵馬副使 田元均 예하의 兵馬錄事兼修製 李奎報도 귀환하였지만 論功行賞에 빠져 관직을 얻지 못하였다고 한다(『동국이상국집』年譜 ; 열전15, 李奎報). 또 이때 朴仁碩은 慶尙道春夏番[春夏等]按察使였다고 하지만(『慶尙道營主題名記』), 그는 경상도의 민란을 토벌하기 위해 파견된 招討處置兵馬中道使 金陟侯의 휘하에서 招討判官으로 참전하다가 尙晋州道按察副使에 임명되어 京軍 300餘人을 이끌고 殘賊을 토벌하고 있었다고 한다(朴仁碩墓誌銘). 그리고 이와 같은 기사가 열전13, 丁彦眞에도 수록되어 있다.

8) 이는 다음의 자료에 의거하였는데(許興植 1984년 941面), ~~添字~~와 같이 고쳐야 옳게 判讀이 바르게 될 것이다. 또 『고려사』에서 ‘港口’라는 用語가 찾아지지 않음을 고려할 때, 향후 再調査가 요청되는 遺物이다.

· 「<u>嘉泰</u>[泰和]四年銘香垸」, “泰□[和]四年甲子四月日,廣州扶金港道梁<u>林寵</u>次知造納大」 垸壹坐,入重壹斤柒兩印,亦<u>乃今</u>同師納往生淨界之愿」”.

9) 壽祺節은 熙宗의 太子時節의 節日(5월 8일)이다.

· 『동문선』 권31, 壽祺節日賀牋, “臣某等言，伏審<u>王太子</u>[皇太子]殿下，以今月八日壽祺節，受中外來賀者，…”.

10) 이와 같은 기사가 열전13, 丁彦眞에도 수록되어 있다.

11) 이는 다음의 자료에 의거하였다.

· 「朴仁碩墓誌銘」, “公以尙晋州道按察副使率留兵三百人，還屯暮梁驛，討平餘盜，而賊首<u>金順</u>脫身遁山谷間. 至是，果獲獻俘闕下，優詔奬諭，爰召公之子<u>犀</u>入侍內庭”.

六月壬辰朔大盡,辛未, 己亥8日, 金遣祭奠使·小府監張僴, 大理少卿梅瓊, 慰問使·工部侍郎石懿, 起復使·吏部侍郎朮甲晦等來, 三使間一日, 入京, 分處仁恩·迎恩·宣恩三館.[12]

乙卯24日, 王服皀衫, 引祭奠使, 迎詔于延慶宮.

[丁巳26日, 流星出王良, 入危, 大如木瓜, 尾長十尺許:天文2轉載].

庚申29日, 宴金使, 舊例, 當客使宴日, 內侍一人承命, 出右倉乾餱十五石, 分給侍衛軍人. 是日, 軍人怒不均分, 毆殺抄一人, 內侍逃免. 刑部囚繫軍人, 鞫問拷掠, 死者數人, 終不得殺抄者.

[某日, 降東京留守爲知慶州事, 陞安東都護□府爲大都護府, 以慶州管內州府郡縣鄕部曲, 分隷安東·尙州, 又改慶尙道爲尙晋安東道. 有人, 言於忠獻曰, "東京古之國都, 實南方巨鎭, 降爲知官, 無乃不可乎?". 忠獻曰, "東京人造新羅復興之言, 傳檄州郡, 謀逆扇亂, 不可不懲. 安東當盜賊合攻之日, 一心捍禦, 以全忠義, 不可不勸":節要轉載].[13]

秋七月壬戌朔小盡,壬申, 金遣橫宣使·兵部侍郞完顔立來.[14]

[乙酉24日, 熒惑入東井, 與月同舍:天文2轉載].

[某日, 有人三十餘, 夜會給事同正池龜壽家, 謀殺崔忠獻. 事覺, 龜壽逃, 有人,

---

12) 張僴·石懿 등은 4월 25일(戊午) 파견이 결정되었다.
- 『금사』 권12, 본기12, 章宗4, 泰和 4년 4월, "戊午, 以西上閤門使張僴等爲故高麗國王王晫勅祭使, 東上閤門使石懿等爲高麗國王王韺慰問·起復·橫賜使".

13) 이와 관련된 자료로 다음이 있다. 또 尙晋安東道가 어느 시기에 慶尙道로 還元되었는지는 알 수 없으나 邑格의 降等에서 復原이 5년 정도 소요됨을 보아 1209년(희종5) 무렵에 환원되었을 것으로 추측된다. 그렇지 않으면 다음 해인 1210년(희종6) 6월 慶尙晋安東道按察副使에 임명된 金仲龜를 통해 볼 때(金仲龜墓誌銘), 이 時期 이전에 환원되었던 것 같다. 그리고 知慶州事는 1219년(고종6) 東京留守官으로 復元되었다.
- 『경상도지리지』, 安東道, 安東大都護府, "定宗熙宗, 泰和甲子, 以遮折南賊功, 升爲安東大都護府". 여기에서 定宗은 熙宗의 誤字이다.
- 지11, 지리2, 東京留守官慶州, "神宗七年, 以東京人造新羅復盛之言, 傳檄尙淸忠原州道, 謀亂, 降知慶州事, 奪管內州府郡縣鄕部曲, 分隷安東·尙州".
- 지11, 지리2, 安東府, "神宗七年, 東京別抄孛佐等, 聚衆叛, 以府有捍禦功, 陞爲大都護府".
- 『謙菴集』 권2, 請安東復號疏, "… 神宗時, 孛佐構逆, 以捍禦功, 陞爲大都護府".
- 지11, 지리2, 경상도, "神宗七年, 爲尙晋安東道, 其後, 又改爲慶尙晋安道".
- 지11, 지리2, 東京留守官慶州, "高宗六年, 復爲留守".

14) 橫賜使(高麗에서는 橫宣使로 불림) 完顔立는 4월 25일(戊午) 파견이 결정되었다(『금사』 권12, 본기12, 章宗4, 泰和 4년 4월 戊午).

執其弟龜永, 告忠獻. 忠獻鞫之, 龜永曰, "將軍李光實爲謀主". 忠獻捕詰之曰, "吾素知爾不肖, 但以故舊, 拜爲將軍, 何敢爾耶?". 光實不能對, 乃流海島:節要轉載].[15)]

[某日, 以郭公儀爲楊廣道按察使, 金光麗爲尙晋安東道按察使:慶尙道營主題名記].[16)]

[某日, 遣戶部侍郞曹光壽如金, 賀天壽節, 戶部侍郞李徹謝賜生日:追加].[17)]

八月[辛卯朔小盡,癸酉], 戊午[28日], 遣將軍金慶夫·禮部侍郞崔光遇如金, 謝賜祭.[18)]

○參知政事車若松卒.[19)]

九月[庚申朔大盡,甲戌], 辛未[12日], 燃燈, 幸法王寺.

壬申[13日], 設大會, 今用九月者, 以正月方初喪也.

[庚辰[21日], 熒惑入輿鬼:天文2轉載].

是月, 遣使如金, 謝慰問·起復·橫宣.

[→遣衛尉少卿門存[文存]如金, 謝慰問, 禮賓少卿黃孝卿, 謝起復, 司宰少卿車富民, 謝橫賜:追加][20)].

冬十月[庚寅朔小盡,乙亥], 癸巳[4日], 賜印得侯等及第.[21)]

---

15) 이 기사는 열전42, 崔忠獻에도 수록되어 있다.

16) 郭公儀의 임명은 是年 12월 某日에 의거하였다.

17) 이는 다음의 자료에 의거하였다. 또 李徹(?~1221)은 李藏用(李子淵의 5세손)의 父로서 추밀원사에 이르렀다고 한다(열전15, 李藏用→고종 8년 6월 28일).
- 『금사』 권62, 표4, 交聘表下, 泰和 4년, "八月癸丑[23日], 高麗國王韺遣戶部侍郞曹光壽賀天壽節, 戶部侍郞李徹謝賜生日".
- 『금사』 권12, 본기12, 章宗4, 泰和 4년 9월, "庚申朔, 天壽節, 宋·高麗夏遣使來賀".

18) 金慶夫와 崔光遇는 12월 29일(丁巳) 고려가 파견한 餘他 使節과 함께 謝禮를 드렸다.
- 『금사』 권62, 表4, 交聘表下, 泰和 4년, "十二月丁巳, 高麗 … 司宰少卿車富民, 謝橫賜, 戶部尙書金慶夫·禮部侍郞崔克遇[崔光遇]謝勅祭, 衛尉少卿門存[文存]謝慰問, 禮賓少卿黃孝卿謝起復".

19) 이 기사에서 參知政事는 中書侍郞平章事의 오류일 가능성이 없지 않는데, 그의 열전에는 中書侍郞平章事로 逝去하였다고 되어 있다. 또 車若松은 1203년(신종6) 12월 24일(戊午) 中書侍郞同中書門下平章事에 임명되었는데, 이때 參知政事로 記載된 것은 오류이거나 아니면 그때 執權者 崔忠獻의 使嗾에 의한 臺諫의 署經을 받지 못했을 가능성, 또는 左遷되었을 가능성도 있다. 그리고 이날은 율리우스曆으로 1204년 9월 23일(그레고리曆 9월 30일)에 해당한다.

20) 8월 28일(戊午)과 같다.

21) 이와 관련된 기사로 다음이 있다. 이때 印得候·金鼎立·金宜 등이 급제하였다(『登科錄』, 許興植 2005년). 또 閔公珪는 이후 門下侍郞平章事·修文殿大學士·判兵部事에 이르러 定懿라는 諡號

十一月己未朔大盡,丙子，甲子6日，立元子祉爲王太子，年八歲.[22)]

[是月，遣禮賓少卿姜植材如金，獻方物，司宰少卿朴仁碩，賀正:追加].[23)]

十二月己丑朔大盡,丁丑，癸丑25日，以崔忠獻△爲守太師·門下侍郎同中書門下平章事.

[→熙宗立，進壁上三韓三重大匡·開府儀同三司·守太師·門下侍郎同中書門下平章事·上將軍·上柱國·判兵部御史臺事·太子太師. 王以忠獻，有擁立功，待以殊禮，常呼爲恩門相國:列傳42崔忠獻轉載].[24)]

[○時有韓惟漢者，世居京都，見忠獻擅政，曰，"難將至矣". 遂携妻子，隱于智異山，朝廷徵之，不就，遂終身:節要轉載].[25)]

[某日，楊廣道按察使郭公儀貪鄙，民多怨之，有司執其陪吏鞫之. 公儀嘗以博戱，內交忠獻，故不窮治，止笞其吏:節要轉載].

를 받았다고 한다(열전14, 閔令謨, 湜 ; 閔宗儒墓誌銘).

· 지27, 선거1, 科目1, 選場, "神宗七年十月，樞密院使閔公珪知貢擧，右承宣安有孚同知貢擧，取進士，癸巳，賜印得俟等三十人及第".

22) 이때의 册文이 『동문선』 권28, 熙宗册爲太子文으로 추측된다.

23) 이는 다음의 자료에 의거하였다.

· 『금사』 권62, 표4, 交聘表下, 泰和 4년, 5년, "閏十二月己巳29日，高麗禮賓少卿姜植材進奉", "五年, 正月己未朔，高麗司宰少卿林仁碩朴仁碩賀正旦".

· 『금사』 권12, 본기12, 章宗4, 泰和 5년 1월, "己未朔，宋·高麗·夏遣使來賀".

· 「朴仁碩墓誌銘」, "俄以賀正使入北朝，還授大府少卿兼三司副使".

24) 이때 崔忠獻은 壁上三韓·三重大匡·門下侍郎平章事·判兵部事에 임명되었다고 한다(崔忠獻墓誌銘).

25) 韓惟漢에 관한 기사는 그의 열전과 『신증동국여지승람』 권30, 晋州牧, 山川, 智異山에도 수록되어 있으나 字句에 출입이 있다.

· 열전12, 韓惟漢, "… 史失其系. 世居京都，不樂仕進. 見崔忠獻擅政賣官曰，難將至矣. 挈妻子，入智異山，淸修苦節，不與外人交，世高其風致. 徵爲西大悲院錄事，終不就，乃移居深谷，終身不返. 未幾，果有契丹之難，蒙古兵繼至".

· 『錦溪集』外集권1, 遊頭流山紀行篇(1545年), "… 千秋一人韓錄事，快如騏馬不受絡頭絨[注，高麗韓惟漢棄官，携家入此終焉，以避崔忠獻之禍，累徵不見]，老賊門前拜卿相，獨擧物外妻孥共，飛書誰起避地龐，閉戶還如推印龔，丘壑無人水空咽".

· 『息山集』別集권3, 智異古事, "岳陽古縣，在山之南，江上有臼，錘巖，卽韓錄事舊居也. 錄事名惟謹，見麗氏將亂，携妻子，隱于此. 徵爲大悲院錄事，一夕遁去云. 迎勝南，有一洞，深絶難入，俗稱高士洞，洞中有石室·石牀，或以爲惟謹避隱處".

· 『春洲遺稿』 권2, 南遊記(1727年), "… 九月十七日庚午，日出，騎馬出花開洞，行十里，過鈒巖，是麗朝韓錄事惟漢之所棲也. 嗟乎，國之將亂，賢者必先避世，惟漢見崔忠獻之貪賄賣爵，已知竊弄廢立之擧，遂拂衣來，隱此巖之下. 其高風敻識，可以頑千古之鄙夫也夫".

· 『凌虛集』 권1, 錘巖[注，麗末，有韓錄事惟漢，隱居於此].

[→楊廣道按察使郭公儀貪鄙, 民多怨之, 有司執其從吏鞫之. 公儀嘗以博奕[博弈]善忠獻[26], 故止笞其吏:列傳42崔忠獻轉載].

[是年, 改稱慶尙州道爲尙晋安東道, 陞基陽縣令官爲知甫州事官:地理2慶尙道轉載].[27]

[○以[招討處置中軍兵馬副使·吏部侍郎]田元均爲判將作監事兼太子中舍人:追加].[28]

[○以[起居舍人·中軍兵馬判官]崔甫淳爲起居郎·直寶文閣·知制誥·太子文學司經:追加].[29]

[○以盧琯爲安西都護副使:追加].[30]

[○以[郎將]金仲龜爲知永州事:追加].[31]

[○以金仲文爲章山·慈仁縣監務:追加].[32]

[○以僧志謙爲大禪師:追加].[33]

---

26) ~~添字~~와 같이 고쳐야 옳게 될 것이다. 그렇지만 『조선왕조실록』에서는 博弈, 博奕, 博戱가 並用되었다.
- 『한서』 권92, 游俠傳第62, 陳遵, "陳遵, 字孟公, 杜陵人也. 祖父遂, 字長子, 宣帝微時與有故, 相隨博弈[師古曰, 博, 六博. 弈, 圍碁也], 數負進".

27) 이와 관련된 자료로 다음이 있다.
- 지11, 지리2, 慶尙道, "神宗七年, 爲尙晋安東道".
- 지11, 지리2, 基陽縣, "神宗七年, 南道招討兵馬使崔匡義, 與東京賊, 戰于縣地, 大捷, 陞知甫州事".

28) 이는 「田元均墓誌銘」에 의거하였다.

29) 이는 「崔甫淳墓誌銘」에 의거하였다.

30) 이는 다음의 자료에 의거하였다.
- 「盧琯妻鄭氏墓誌銘」, "甲子年隨公赴安西□[都]督府, …".

31) 이는 다음의 자료에 의거하였다.
- 「金仲龜墓誌銘」, "泰和四年甲子, 貞宗[熙宗]嗣位, 知公有撫綏之德, 命守永州, 々々巨邑也".

32) 이는 다음의 자료에 의거하였다. 이때 章山(現 慶山市)과 慈仁(慶山市 慈仁面)은 別個의 縣이었고, 章山이 1172년(명종2)에 監務官으로 승격된 이후 章山監務가 慶州의 속현이었던 慈仁도 함께 管轄하게 되었던 것 같다(監務官의 兼任, 지11, 지리2, 章山郡, 慈仁縣). 後者가 慶州府에서 독립되어 縣監이 처음으로 縣監이 부임한 것은 1633년(인조11)이었다.
- 「金仲文墓誌銘」, "至二十九歲甲子初, 宰慈仁·章山二縣, 淸白理民, 採訪使奏褒擧者, 前後三度".

33) 이는 『동국이상국집』 권35, 故華藏寺住持·王師定印大禪師追封靜覺國師塔碑銘에 의거하였다. 또 이 탑비의 행방은 1403년(태종3) 10월 20일(甲子) 이후 參贊議政府事 權近이 草稿를 撰한 太祖妃 神懿王后 韓氏[鄕妻]의 神道碑文(齊陵)을 刻字할 때, '華藏寺[華莊寺]의 舊碑文을 갈아버리고[磨去] 다시 刻字하였다'는 사실과 관련이 있는 것 같다(姜好鮮 2011년 265面).
- 『태종실록』 권7, 4년 2월 己丑[18日], "立齊陵碑, 碑文曰, … 碑文, 乃權近去年所製也, 磨去華莊寺[~~華藏寺~~]舊碑而刻之".

乙丑[熙宗]元年, 金泰和五年,[34] [南宋開禧元年], [西曆1205年]

1205년 1월 22일(Gre1월 29일)에서 1206년 2월 9일(Gre2월 16일)까지, 13개월 384일

[春正月(己未朔大盡,戊寅), 某日, 賜(門下侍郎平章事)崔忠獻內莊田一百結:節要轉載].[35]

[某日, 以趙晋公爲尙晋安東道按察使:慶尙道營主題名記].

[是月己未朔, 南宋改元開禧:追加].

[二月(己丑朔小盡,己卯), 丙申(8日), 驚蟄. 日暈, 北有抱, 東有直氣, 西有背:天文1轉載].

[三月戊午朔(大盡,庚辰), 是月, 前掾史楊朴珍施納香垸一副於思腦寺禪院, 入重二斤七兩:追加].[36]

夏四月(戊子朔小盡,辛巳), 辛亥(24日), 樞密院使(~~樞密院副使~~)金平卒.[37] [平, 早有文名, 金甫當之亂, 其外舅韓彥國被戮. 平携妻子, 隱於昇平郡, 及奇卓誠秉政, 以才擢用:節要轉載].[38]

[某日, 簽書樞密院事李桂長知貢擧, 判禮賓省事崔洪胤同知貢擧, 取進士:選擧1選場轉載].[39]

[是月, 判小府監事李頤, □□□□□(掌國子監試), 取李葳等九十人:選擧2國子試額轉載].

---

34) 이해[是年]를 '承安乙丑'으로 표기한 기록도 찾아진다.
- 『眞覺國師語錄』, 示衆, "到白雲庵, 請示衆, 記得, 承安乙丑, 在轉物庵過夏".

35) 이와 같은 기사가 열전42, 崔忠獻에도 수록되어 있다.

36) 이는 국립청주박물관에 소장된 靑銅香垸銘에 의거하였으나 아직 판독에 문제가 있을 수 있다고 한다(國立淸州博物館 2014년 92面 ; 윤희봉 2019년).
- 銘文, 「禪院寺泰和五年銘香垸」, "太和(泰和)五年乙丑三月日,禪院寺良中前史楊朴珎,施納香垸一,入重二斤七兩,納三宝印".

37) 이날은 율리우스曆으로 1205년 5월 14일(그레고리曆 5월 21일)에 해당한다.

38) 이 기사는 열전13, 奇卓誠에도 수록되어 있다. 또 樞密院使는 樞密院副使의 오류일 것이다(→신종 5년 12월 19일). 金平(?~1205)은 李勝章(1138~1192)의 벗[友人]으로서 1193년(명종23) 4월에 起居郞·知制誥를, 1201년(신종4) 正議大夫·大司成·翰林學士·知制誥를 역임하였던 인물이다(李勝章墓誌銘 ; 尹東輔墓誌銘).

39) 이는 지27, 선거1, 科目1, 選場에서 전재하였다. 이에는 科擧의 실시가 7월로 되어 있으나 7월 1일(丙辰)에 급제가 下賜되었음을 보아 그 이전인 4월의 오류일 것이다(→是年 7월 1일의 脚注).

[夏五月丁巳朔大盡,壬午, 某日, 門下侍郎平章事崔忠獻作茅亭于男山里第旁, 蒔雙松. 及第崔頤爲賦雙松詩, 兩制文士皆和. 忠獻招集耆儒白光臣等, 使第之, 及第鄭公賁詩爲魁, 忠獻奏其詩, 王召公賁, 屬內侍. ~~于卯年熙宗3年~~李奎報作亭記, 以美之:節要轉載].[40)]

六月丁亥朔小盡,癸未, 甲午8日, 弘文公徒諸生, 訴忠獻曰, 本徒及第林得侯附勢,[41)] 賣我宣聖堂于將軍金俊, 請罪之, 數日. 憲臺囚得侯獄, 徵白銀十斤.

[某日, 以禮賓少卿廉克髦爲羅州牧副使:追加].[42)]

[是月, 門下侍郎同中書門下平章事奇洪壽鑄成寶嵓寺鍾一口.[43)]

秋七月丙辰□~~朔~~大盡,甲申, 賜馬仲奇等及第.[44)]

---

40) 이와 같은 기사가 열전42, 崔忠獻에도 수록되어 있으나 字句에 出入이 있다. 또 李奎報가 지은 茅亭記는 『동국이상국집』 권23, 晋康侯茅亭記이고, ~~添字~~는 『동국이상국집』年譜에 의거하였다.
 · 『보한집』권중, "… 崔忠獻 後於南山里第北園小峰上, 別開一閣, 以白茅爲帡幪, 命之曰茅亭, 又請李仁老·李奎報, 及金君綏·李公老·金良鏡·李允甫作記. 皆當時名儒. 以李公奎報所述爲最, 遂勒板于亭上".

41) 林得侯는 前年 10월 4일(癸巳)에 급제한 印得侯일 가능성이 있다.

42) 이는 「廉克髦墓誌銘」에 의거하였다.

43) 이는 다음의 자료에 의거하였는데, 幸州奇氏가 平章事에 임명된 인물은 武臣執權期의 奇卓誠(?~1179), 奇允肅(?~1257, 奇轍의 高祖父), 奇洪壽(1148~1209)의 3인이 찾아진다. 이중에서 乙丑年(1205년熙宗1年과 1265년元宗6年)에 평장사로 재직한 인물은 1205년 前後에 門下侍郎同中書門下平章事로 재직했던 奇洪壽이다(→下記의 脚注, 張良守紅牌).
 · 「乙丑銘寶嵓寺銅鍾」, "伏爲先亡父母, 亡男奇福, 法界迷倫, 咸等樂岸, 夫婦福壽延長, 後世同證菩提, 謹捨家財鑄成, 安于寶嵓寺, 因无法眞者. 時乙丑六月日誌, 平章事奇"(許興植 1984년 1280面).

44) 丙辰에 朔이 탈락되었다. 또 이와 관련된 기사로 다음이 있다.
 · 지27, 선거1, 科目1, 選場, "熙宗元年七月~~四月~~, 簽書樞密院事李桂長知貢擧, 判禮賓省事崔洪胤同知貢擧, 取進士, ~~七月丙辰朔~~, 賜馬仲奇等三十人及第".
 이때 馬仲奇·張良守(丙科, 「張良守紅牌」)·閔仁鈞 등이 급제하였는데(『등과록』, 朴龍雲 1990년), 張良守紅牌는 慶尙北道 蔚珍郡 蔚珍邑 古城 2里 708 月溪書院에 所藏되어 있다(國寶 第181號, 張良守及第牒 ; 『惕齋集』 권2, 觀高麗張良守賜第牒 ; 『研經齋全集』冊12, 記張良守賜第牒). 이 牒의 내용은 다음과 같다.
 "右人張良守」貢院所□□大定?」判乙以點」敎可丙科」及第牒至准」敎故牒」泰和五年乙丑四月日牒」 金紫光祿大夫·參知政事·太子小傅王手決珪」 門下侍郎平章事·寶文閣太學士·同修國史·柱國·判戶部事任手決濡」 門下侍郎同中書門下平章事·吏部尙書·上柱國·上將軍·判兵部·御史臺事崔手決忠獻」 門下侍郎同中書門下平章事·上柱國·上將軍·監修國史·判禮部事奇手決洪壽」 門下侍郎同中書門下平章事·修文殿太學士·監修國史·上柱國·判吏部事崔手決詵」". 이 문서에서 四月은 科擧가 시행된 시기이고, 이것이 下賜된 것이 7월 1일이었을 것이다(張東翼 1982년b ; 盧明鎬 等編

[某日, 以孔永弼爲尙晋安東道按察使:慶尙道營主題名記].

八月[丙戌朔小盡,乙酉], [某日], 宋商船將發禮成江, 監檢御史安琓, 行視闌出之物, 得犯禁宋商數人, 笞之太甚. 忠獻聞之, 罷琓, 又論不擇遣御史, 罷侍御[侍御史]朴得文.

[是月, 遣司宰少卿崔義如金, 賀天壽節:追加].[45)]

[閏八月乙卯朔[小盡,乙酉]:追加].

[增補].[46)]

[九月甲申朔[大盡,丙戌]:追加].

[冬十月甲寅朔[小盡,]:追加].

[是月, 僧知訥與天眞·廓照開設重創吉祥寺落成法會:追加].[47)]

2000년 54面 ; 朴宰佑 2010년).

· 『研經齋全集』續集12冊, 記張良守賜第牒, "余年八歲, 從先君子蔚珍任所, 縣中有張氏, 自言張樞密良守之裔, 而樞密入宋朝中第, 有賜牒試, 展之, 字體非篆非隷, 若竹葉密排, 多剝落不可辨, 安硃印數顆, 亦銷蝕, 後署泰和五年乙丑四月, 卽金章宗年號也. 牒末有參知政事王, 同中書門下平章事任·崔·奇·崔, 凡五人, 似是知貢擧人也. 盖高麗用金源號, 良守中高麗科也, 是時, 宋朝遠在錢塘, 雖可以海舶由明州以達, 而海路艱險, 難以歲貢, □宋哲□□高麗□許高麗□應□□, 而不聞其時有中科者, 齊東之諺, 固可破也".

45) 이는 다음의 자료에 의거하였다. 通常 節日使는 7월에 파견되는데, 이해[是年]에는 閏8月이 있어 8月에 편성하였다.

· 『금사』 권62, 표4, 交聘表下, 泰和 5년, "閏八月辛巳[27日], 高麗司宰少卿崔義賀天壽節".

· 『금사』 권12, 본기12, 章宗4, 泰和 5년 9월, "甲申朔, 天壽節, 宋·高麗·夏遣使來賀".

그런데 이와 관련된 자료로 다음이 있는데, 이를 보아 崔義는 宰相의 아들로서 明宗의 어느 後宮所生의 女人과 혼인하였던 것 같다.

· 「崔義墓誌銘」, "判閤門事崔義, 僧嶺縣人靖懿公之胤子□, 有父風, 年十九始拜職於司儀, 明宗愛公風度, 擢尙已子, 產一男一女, 其飛榮翔貴, 爲時所瞻頌. 本朝臣事結丹, 公以賀正使, 承命入丹, 天子以公, 爲我皇親眷, 又容儀脫俗, 爲使符命, 別賜飮筵, 丹人稱美. 於度于春夏按廉西海, … 後娵洞陰郡君夫人". 여기에서 崔義(諡號가 靖懿인 崔某의 子)는 明宗이 사위로 삼아 아들같이 待遇[擢尙已子]하였고, 후일 洞陰郡君夫人을 娶하였다고 한다. 또 여기에서 女眞 를 契丹[結丹]·丹人으로 表記한 것이 異色的이다.

46) 이달의 16일(庚午, 日本曆의 8월) 일본의 京都에서 月食이 있었던 것 같다.

· 『師守記』, 康永 4년 8월 10일, 駒遣當月蝕例, "元久二年八月十六日, 被行駒牽并復任除目事, 今夜月蝕也, … 十四日乙丑, … 元久二年八月十六日, 月蝕, 九分".

47) 이는 「曹溪山修禪社重創記」(崔詵 撰)에 의거하였다.

[十一月[癸未朔大盡,戊子], 某日, 遣衛尉□[少]卿吳應夫如金, 獻方物, 禮賓少卿崔甫淳, 賀正:追加].[48]

[是月, 修禪社僧知訥撰'誡初心學人文'序:追加].[49]

冬十二月[癸丑朔[大盡,己丑], 國子祭酒崔婁伯卒:追加].[50]

丁卯[15日], 以崔忠獻爲[~~特進 訐謨逸德安社濟世功臣~~]門下侍中·晉康郡開國侯[~~食邑三千戶 食實封三百戶~~]:節要轉載,[51] [門下侍郎平章事]奇洪壽△[爲]判吏部事, [柳光植爲太府少卿:追加].[52] [○洪壽以吏部掌銓選, 讓于忠獻:節要轉載].

[是年, 門下侍郎同中書門下平章事王珪, 年六十四, 有微疾乃曰, 知足不殆. 遂上章乞退. □□[~~允之~~]:列傳14王珪轉載].

[○以[判將作監事]田元均爲西北面兵馬使:追加].[53]

---

48) 이는 다음의 자료에 의거하였다.

- 『금사』 권62, 표4, 交聘表下, 泰和 5년, "十二月辛巳[29日], 衛尉□[少]卿吳應天[~~吳應夫~~]進奉".
- 『금사』 권62, 표4, 交聘表下, 泰和 6년, "正月癸未朔, 高麗禮賓少卿崔甫淳賀正旦".
- 『금사』 권12, 본기12, 章宗4, 泰和 6년 1월, "癸未朔, 宋·高麗·夏遣使來賀".
- 「崔甫淳墓誌銘」, "乙丑[熙宗1年]冬, 爲入丹[女眞]大使, 酋長聚看曰, '東國有賢人矣', 還爲禮部郞中·起居注".

  이때 崔甫淳은 1年前에 起居郞(從5品)·直寶文閣에 임명되었고, 이 관직을 띠고서 金에 파견되었다가 귀국 후에 禮部郞中(正5品)·起居注(從5品)에 승진하였다. 이로 보아 그가 금에서 띠고 있던 禮賓少卿(從4品)은 사신으로 파견될 때 一時 昇級된 借職일 것이다. 이는 금의 사신의 경우에도 마찬가지여서 『금사』에 보이는 관직은 實職, 『고려사』에 보이는 관직은 借職이었음을 알 수 있다.

49) 『誡初心學文』序, "… 泰和乙丑冬月,海東曹溪山老衲知訥誌".

50) 이는 「崔婁伯墓誌銘」에 의거하였다. 또 崔婁伯의 孝行에 관한 기사도 있다. 그리고 이날은 율리우스曆으로 1206년 1월 11일(그레고리曆 1월 18일)에 해당한다.

- 열전34, 孝友, 崔婁伯 , "… 水原吏尙翥之子. 尙翥獵, 爲虎所害, 婁伯, 時年十五, 欲捕虎. 母止之, 婁伯曰, 父讎可不報乎, 卽荷斧跡虎, 虎旣食飽臥. 婁伯直前, 叱曰, '汝食吾父, 吾當食汝', 虎乃掉尾俛伏, 遽斫而刳其腹, 盛虎肉於瓮, 埋川中. 取父骸肉, 安於器, 遂葬弘法山西, 廬墓. 一日假寐, 尙翥來, 詠詩云, 披榛到孝子廬, 情多感淚無窮. 負土日加塚上, 知音明月淸風. 生則養死則守, 誰謂孝無始終. 詠訖, 遂不見. 服闋, 取虎肉, 盡食之. 登第, 毅宗朝, 累遷起居舍人·國子司業·翰林學士". 이 기사는 『고려사절요』 권11, 의종 9년 8월에도 수록되어 있다.
- 『세종실록』 권148, 지리지, 水原都護府, "人物, 翰林學士·國子祭酒崔婁伯, 高麗仁宗時人".

51) ~~添字~~는 열전42, 崔忠獻과 『고려사』 권14에 의거하였다.

52) 이는 「柳光植墓誌銘」에 의거하였다.

53) 이는 「田元均墓誌銘」에 의거하였다.

丙寅[熙宗]二年, 金泰和六年, [南宋開禧二年], [蒙古太祖元年], [西曆1206年]

1206년 2월 10일(Gre2월 17일)에서 1207년 1월 29일(Gre2월 5일)까지, 354일

[春正月癸未朔小盡,庚寅, 某日, 詔曰, "門下侍中·晋康侯忠獻, 當先君卽政之時, 及寡人繼統之初, 至于今日, 竭誠夾輔, 有大功業, 可降使立府, 以崇賞典". 乃命禮司及樞密院, 立都監:節要轉載].[54)]

[某日, 以蔡靖爲尙晋安東道按察使:慶尙道營主題名記].

[是月, 金遣刑部員外郞李元忠來, 賀生辰:追加].[55)]

[○興威衛大將軍·知工部事金躍珍及其妻上黨郡夫人韓氏造成臨江郡善慶院金鍾一副, 入重七十五斤:追加].[56)]

[是月丙申14日, 日本國使介明頼等四十人, 乘船三艘, 來泊於金州南浦. 使譯語問其所以來者, 號稱進奉, 兼獻文牒. 牒道其文甚爲擾雜, 其語過勿恭, 非進奉之禮:追加].[57)]

---

54) 이와 같은 기사가 열전42, 崔忠獻에도 수록되어 있으나 字句에 出入이 있다.

55) 이는 다음의 자료에 의거하였다.

· 『금사』 권12, 본기12, 章宗4, 泰和 5년 10월, "庚申, 以刑部員外郞李元忠爲高麗生日使".

56) 이는 善慶院鍾의 銘文에 의거하였다(許興植 1984년 942面).

57) 이는 다음의 자료에 의거하였다(張東翼 2004년 131~132面).

· 『平戶記』, 延應 2년 4월 17일(辛亥), "… 泰和六年高麗國牒狀, 自故中納言 藤原親經卿家文書之中所見出云々彼外孫俊國撰給云々, 是進奉事載此狀, 已爲往年之證歟, 仍爲見合持來也. 此子細一日粗記了, 爲補窮屈之飢, 聊羞杯酒湯漬等, 秉燭之程謝遣了. 維泰和牒狀, 爲後鑒書留之, 仍續之. 高麗國金州防禦使, 牒是印也, 日本國對馬嶋.」 當使淮越, 今年正月十有四日」 貴國使介明頼等四十人, 乘船三艘, 來泊□於?州南浦, 使譯語問其所以來者, 號稱進奉, 兼獻文牒. 牒道其文甚爲擾雜, 其語過勿恭, 非進奉之禮也. 大抵兩國相通文牒, 必指於某國某州, 例有恒矣. 往年秋八月, 恒平等十一人賚來文牒, 徒以讒諛之事, 直指牒京朝禮賓省, 其可以任意而交受, 平具, 事申申報朝庭. 朝庭之議, 不上於一, 而使之遣還. 金□此一字通不見賚來, 此亦失禮之甚矣, 當劵廉察使, 更傳報于」 朝庭廷, 朝庭廷共不許其交接, 使之解纜發遣故所, 賚來文牒及進奉方物, 率皆還給, 以送其數目錄于後. 想宜知悉右事, 須牒」 泰和六年二月 日 牒」 官 □直 □非 □二」 牒後還送」 進奉物目」 圓鮑貳仟帖」 黑蚫貳仟果」 鹿皮三拾枚」 原」.

件年號非高麗國, 唐朝年號歟云々. 以是案, 進奉船事, 已對馬嶋文牒依無禮之狀, 還送進奉物了. 件進奉物事, 自往代已有其號, 彼嶋人之約子細不審, 彌尤可尋問事旨歟. 一夜定之時, 進奉事未曾聞之由, 故宰相定申, 人々多同之, 予不同, 不進存問記, 貽不審之故也. 賢ク愚不同也, 大府卿云, 同藤相公有後悔云々, 仍申詞改之, 又捧此狀, 欲謝申上彼怠云々".

春二月[壬子朔大盡,辛卯]，己未[8日]，祔神宗于大廟[~~太廟~~].[58] [本朝廟制，九室，而有新祔之主，則奉出主，安於本陵．[門下侍中]崔忠獻與宰樞議，據古典有功者不遷，親盡者毁之，以爲順宗親盡無嗣，當出，以神宗，祔于第九室，太祖在西東向，惠·顯同爲第一昭，宣·肅同爲第二昭，仁宗爲第三昭，文宗爲第一穆，睿宗爲第二穆，神宗爲第三穆:節要·禮3吉禮大祀轉載].

[是月，金州防禦使逐日本國使介明賴等四十人，而移牒日本國對馬嶋，叱非進奉之禮，還牒及進奉方物:追加].[59]

[三月[壬午朔大盡,壬辰]，某日，册[門下侍中]崔忠獻爲晋康侯，立府曰興寧，置僚屬，以興德宮屬之．忠獻迎命于男山第，諸王皆詣其門，禮畢，宴册使，贈犀帶·白金·綾絹·鞍馬，甚厚．其餘執事，亦贈白金·綾絹有差．夜，更宴諸王，因奏留使·副，其帳具·花果·絲竹·聲伎之盛，自三韓以來，人臣之家，所未有也．自後，忠獻出入宮禁，便服張蓋，侍從·門客，殆三千餘人:節要轉載].[60]

夏四月[壬子朔小盡,癸巳]，甲子[13日]，金遣大理卿移剌光祖[~~移剌光祖~~]·小府監馬黯來，册王.[61] 宣慶·大觀兩殿倚屏，久爲塵汚，王命忠獻子將軍瑀，書洪範于宣慶殿，無逸于大觀殿，以迎北使.

---

58) 이 기사는 지18, 禮6, 國恤에도 수록되어 있다.

59) 이는 1월 是月丙申의 脚注와 같다.

60) 이와 같은 기사가 열전42, 崔忠獻에도 수록되어 있다.

61) 移剌光祖는 移剌光祖의 오자이고, 移剌은 耶律의 다른 표기이다. 契丹帝國에서 王族 또는 貴族이었던 契丹·奚의 집단의 姓氏가 耶律(皇族)과 蕭氏(后妃族)였는데, 이들은 金帝國의 시기인 1192년(明昌3) 무렵에 각각 移剌[Yeri], 石抹[Shih-mo]氏로 改稱하였다가 蒙古帝國時期에 환원되었다고 한다(愛新覺羅 烏拉熙春 2012年 ; 吉野正史 2014年). 또 이때의 책봉문서가 다음의 자료인 것 같다(張東翼 1997년 345面).

· 『閑閑老人滏水文集』 권10, 封册高麗王韺册文, "皇帝若曰，分封樹屛，實賴幹臣，繼世象賢，以崇有德，率由彝憲，懋明至公．惟我祖宗，經畧臣夏，亦大啓夫土宇，用綏懷於遠人．朕若，昔大猷紹休，先緒乃睠東土，惟我世臣，宜加錫命之榮，庸展幹方之寵，啓爾起復．知高麗王國事王韺，受材明敏，賦性中庸，有肅恪以禔，身資忠信以行道．惟乃先世，荒于東陲，象輅介圭，啓封圻於大國，彤弓錫盾，作藩屛於王朝，踐修厥猷，不顯亦世爾．暨汝父克成，厥終肇敏，戎公嘉召公之．是似女有良翰，命申伯以于宣．是用畀爾苴茅纘我祖考，以永爲我藩輔，用追配於前人．嗚呼，惟有德可以和人民，惟謹度可以保富貴，罔曰弗克惟旣厥心，罔曰孔艱惟敬厥事，愼乃服命，律乃有民，往盡乃心，典聽朕命".

癸酉[22日], [芒種]. 王將受冊, 遣左承宣鄭叔瞻, 議行禮所於金使, 答曰, "受冊宣慶殿, 設宴大觀殿, 行望詔拜於昇平門外". 王以問忠獻, 對曰, "前王時, 宣慶殿災, 故受冊於大觀, 而望詔於昇平門外, 今正殿已成, 豈可苟循一時之制, 而便失舊規耶". 遂從之.

[五月辛巳朔[大盡,甲午]:追加].

六月[辛亥朔小盡,乙未], 甲寅[4日], 賜庾亮才等及第.[62)]
丙寅[16日], 震大將軍朴挺謨, 挺謨爲人, 貪婪詐僞.[63)]

[秋七月[庚辰朔大盡,丙申], 某日, 以譯語·內殿崇班于光儒△[爲]權知閤門祗候[閤門祗候]. 省郎議, "光儒以南班, 拜參職, 非也". 遂不署告身. [門下侍中崔]忠獻謂省郎曰, "光儒, 頃者與北朝冊使, 有專對之能, 特授參職, 何堅執常制耶?". 省郎卽署之:節要轉載].[64)]

[某日, 以朴敦美爲尙晋安東道按察使:慶尙道營主題名記].

[某日, 遣衛尉少卿李迪儒如金, 賀天壽節, 衛尉卿金升, 謝賜生日, 禮賓卿[禮賓少卿]李份, 謝起復, 知樞密院事韓奇·太府卿李承白等, 謝封冊:追加].[65)]

---

62) 이와 관련된 기사로 다음이 있다.
- 지27, 선거1, 科目1, 選場, "[熙宗]二年六月, 門下侍郞[平章事]任濡知貢擧, 右承宣崔坦[崔孝思]同知貢擧, 取進士, □□[甲寅], 賜庾亮才等三十三人及第".
- 「崔孝思墓誌銘」, "遂貳春司, 典貢士籍, 所取多知名士".

63) 이와 같은 기사가 지7, 五行1, 水, 雷震에도 수록되어 있다. 또 이날 일본의 京都에서는 흐렸다고 하며, 18일(戊辰), 19일(己巳)에 落雷가 있었다고 한다(日本史料4-9冊 459面 ; 中央氣象臺 1941年 2冊 427面).
- 『三長記』, 建永 1년 6월, "十六日丙寅, 陰, 今日被行臨時除目, … 十九日己巳, 終日雷雨, 雷落二ヶ所云々, 一所錦小路町, 一所二條河原云々".
- 『明月記』, 建永 1년 6월, "十八日, 天晴, 申時許雷鳴·大雨, 卽休".

64) 이와 같은 기사가 열전42, 崔忠獻에도 수록되어 있으나 字句에 出入이 있다.

65) 이는 다음의 자료에 의거하였다. 여기에서 李份의 관직인 禮賓卿은 禮賓少卿(從4品)의 오자일 가능성이 있고, 이 조차 사신으로 파견될 때 한 階級을 올린 借職일 것이다. 李份은 明年(희종 3) 1월 尙晋安東道按察使에 임명되었다.
- 『금사』 권62, 표4, 交聘表下, 泰和 6년, "八月丙子[27日], 高麗衛尉少卿李迪儒賀天壽節, 衛尉卿金升謝賜生日, 禮賓卿李份謝起復, 知樞密院事韓奇·太府卿李承白等謝封冊".
- 『금사』 권12, 본기12, 章宗4, 泰和 6년 9월, "己卯朔, 天壽節, 高麗遣使來賀".

秋八月[庚戌朔小盡,丁酉], 甲戌[25日], 謁顯陵[太祖].

[是月庚午[21日], 僧戒安·了閑等造成忠州德周寺飯子一副, 入重十三斤:追加].[66]

九月[己卯朔小盡,戊戌], 乙酉[7日], 謁昌陵[世祖].

甲午[16日], 謁陽陵[神宗], 重營陵傍彰信寺, 改額曰孝信, 以資冥福. 內侍崔正份監其役, 欲媚於王, 窮極侈麗, 糜費甚廣.

冬十月[戊申朔大盡,己亥], 辛酉[14日], 親祫大廟[太廟].

[十一月[戊寅朔小盡,庚子], 某日, 遣衛尉少卿慶裕升如金, 獻方物, 戶部侍郞尹應瞻, 賀正:追加].[67]

[十二月[丁未朔大盡,辛丑], 某日, 以[門下侍中·晋康侯]崔忠獻爲中書令·晋康公, 忠獻辭, 不拜:節要轉載].[68]

[是年, 門下侍郞平章事崔詵致仕:追加].[69]

[○以吳闡猷爲博州判官:追加].[70]

---

66) 이는 德周寺 禁口의 명문에 의거하였다(許興植 1984년 942面).

67) 이는 다음의 자료에 의거하였다. b에서 師應瞻은 尹應瞻을 改姓한 것인데, 尹應瞻이 金에 파견된 것은 e에서 희종 2년의 내용이 탈락되었지만, 끝의 두 글자[二字]인 復歸를 감안하면 金에 파견되었던 것을 類推할 수 있다. 또 尹氏가 『금사』에서 師氏로 改姓된 것은 神宗 6년 12월 是月의 脚注에서 설명되었다.
- a 『금사』 권62, 표4, 交聘表下, 泰和 6년, "十二月乙亥, 高麗衛尉少卿慶裕升進奉".
- b 『금사』 권62, 표4, 交聘表下, 泰和 7년, "正月丁丑朔, 高麗戶部侍郞師應瞻[尹應瞻]賀正旦".
- c 『금사』 권12, 본기12, 章宗4, 泰和 7년 1월, "丁丑朔, 高麗·夏遣使來賀".
- d 『금사』 권208, 열전95, 外夷1, 高麗, "泰和七年正月, 是時, 用兵伐宋, 夏亦有故, 獨高麗遣正旦使, 詔不賜曲宴. 及天壽節, 夏·高麗使者皆在. 有司奏, '大定初, 宋未請和, 夏·高麗使者賜曲宴, 今請依大定故事'. 詔從之".
- e 「尹應瞻墓誌銘」, "丙寅[熙宗2年]□月詔□□□□□□□□□□□□復歸, 至戊辰[熙宗4年]自太僕少□[卿]□□州牧副使, 未赴".

68) 이와 같은 기사가 열전42, 崔忠獻에도 수록되어 있다.

69) 이는 『졸고천백』 권1, 海東後耆老會序에 의거하였다.

70) 이는 「吳闡猷墓誌銘」에 의거하였다.

[○以白貫華爲內侍:追加].[71)]

[○孛兒之斤鐵木眞建大蒙古國於斡難河上流, 是爲成吉思汗, 後推尊太祖:追加].[72)]

丁卯[熙宗]三年, 金泰和七年, [南宋開禧三年], [西曆1207年]

1207년 1월 30일(Gre2월 6일)에서 1207년 1월 18일(Gre1월 25일)까지, 354일

春正月[丁丑朔大盡,壬寅], 自前年冬, 山西達官多死, 武班疑東班祝之, 往往有不平之語, 以內侍員, 行祈禳道場於重房·將軍房.

[某日, 以[禮賓少卿]李佾爲尙晋安東道按察使:慶尙道營主題名記].

[是月甲申[8日], 修禪社僧知訥撰'華嚴論節要'三卷序文:追加].[73)]

二月丁未朔[小盡,癸卯], [鶩騺]. [門下侍中]崔忠獻奏, 諸道流配者, 量移放免, 幾三百人.

[是月, 玄化寺大師大公造成楊根縣奉日鄉資福寺飯子, 入重十斤:追加].[74)]

三月[丙子朔大盡,甲辰], 庚子[25日], 御宣慶殿, 使晋康侯崔忠獻, 奉上册寶於王太后, 賜忠獻犀帶·金銀·綾絹·鞍馬等物. 遂宴諸王·宰樞·文武常參以上官, 賜廐馬人一匹.[75)]

---

71) 이는「白貫華墓誌銘」에 의거하였다.

72) 成吉思汗[Genghis Khan]으로 불린 孛兒之斤 鐵木眞[Borjigin temujin]은 斡難河(鄂嫩河) 上流下半(現 蒙古 蒙古古園 東部地域)에서 즉위하였다고 한다.

73) 이는 다음의 자료에 의거하였다. 자료 b는 이 책이 고려에서 간행된 지 88년 후인 1295년(충렬왕21, 永仁3) 승려 圓種에 의해 筆寫되고 訓點을 붙여졌다고 한다.

· a『華嚴論節要』序, "… 丁卯正月八佾, 海東曹溪山沙門知訥序"

· b 권3의 題記, "海東曹溪山修禪社道人冲湛」 募工彫板印施无窮者」 同社道人慧湛[慧諶]書」 施主社內道人湛靈」 施主羅州戶長直升妻珎衣金」 永仁三年十一月十八日終當卷,」 點畢 佛子圓種」 同年十二月十八日再反刊誤之畢,」 一部上中下點句畢矣」"(金澤文庫所藏, 張東翼 2004년a 424面).

74) 이는 楊根縣 奉日鄉 資福寺의 飯子[鉡子]의 명문에 의거하였다(許興植 1984년 942面 ;『韓國金石文集成』35책 61面). 이 飯子銘은 誤刻, 또는 誤讀이 있을 것이다.

75) 이와 같은 기사가 지19, 禮7, 册太后儀에도 수록되어 있다("王御乾德殿, 遣使, 上册寶於王太后, 遂宴諸王·宰樞").

夏四月丙午朔大盡,乙巳，己酉4日，赦.

[乙亥30日，流星出北斗，入文昌，大如缶，尾長十尺許，其尾化爲白氣，如龍形，須臾滅:天文2轉載].

[五月丙子朔小盡,丙午，某日，門下侍中崔忠獻流大將軍朴晋材于白翎鎭．晋材門客之多，幾於忠獻，而率皆勇悍，得官者少．晋材怏怏不平，或酒酣，輒言忠獻無狀，且自謂，“若無忠獻，自可專國”，常欲圖之．至是，流言曰，“舅氏將有無君之心”．每語門客曰，“寧無一日之榮乎?”．忠獻知其必害己，召晋材，晋材謁於階下，忠獻呼使前曰，“汝何欲害我?”．遂令左右縛之，斷其脚筋流之，尋死．分配門客勇悍者于遠島:節要轉載].

[→先是神宗4年9月，有人帖匿名牓云，“將軍朴晋材，謀去舅崔忠獻.” 由是，兩家構隙．至是，晋材爲大將軍，門客幾於忠獻，而率皆勇悍．晋材恨門客除官者少，常怏怏不平，酒酣，輒言忠獻無狀．且自謂，“若無忠獻，可專國柄，欲圖之”，流言曰，“舅氏有無君心.” 每語門客曰，“寧無一日之榮乎?” 忠獻知其必害己，召晋材．晋材謁於階下，忠獻呼使前曰，“汝何欲害我?”．遂命左右縛之，斷其脚筋，流白翎鎭，居數月病死．分配門客勇悍者于遠島:列傳42崔忠獻轉載].

[是月，大司成張允文，□□□□□掌國子監試，取詩賦金南石，十韻詩權時偉等九十餘人:選擧2國子試額轉載].[76]

[六月乙巳朔大盡,丁未:追加].

[夏某月，以戶部侍郎朴仁碩爲南京留守:追加].[77]

[秋七月乙亥朔小盡, 戊申，某日，金遣橫宣使·宮籍副監楊序來:追加].[78]

---

76) 이와 관련된 자료로 다음이 있다.

· 「張允文墓誌銘」, “今上踐祚，素聞其名，拜國子監大司成，遂掌司馬試，頓革文場舊弊人，皆稱之”.

77) 이는 「朴仁碩墓誌銘」에 의거하였다.

78) 이는 다음의 자료에 의거하였다.

· 『금사』 권62, 표4, 交聘表下, 泰和 7년, “四月壬子7日，以昭勇大將軍·宮籍副監楊序爲橫賜高麗使”.

· 『금사』 권12, 본기12, 章宗4, 泰和 7년 4월, “壬子，遣宮籍副監楊序爲橫賜高麗王使”.

[某日, 遣衛尉少卿徐珖如金, 賀天壽節, 衛尉少卿金義元, 謝賜生日:追加].[79]

[某日, 以李積爲尙晋安東道按察使:慶尙道營主題名記].

[八月甲辰朔大盡,己酉:追加].

[九月甲戌朔小盡,庚戌:追加].

[冬十月癸卯朔大盡,辛亥:追加].

[是月, 門下侍郎同中書門下平章事致仕崔詵撰'曹溪山修禪社重創記'追加].[80]

[十一月癸酉朔小盡,壬子, 某日, 遣使如金, 賀正:追加].[81]

[冬十二月壬寅朔小盡,癸丑, 某日, 復以門下侍中·晋康侯崔忠獻爲中書令·晋康公. 忠獻曰, "公者, 五等之首, 中書令, 人臣之極". 遂辭, 不拜:節要轉載].[82]

[某日, 以柳光植爲戶部侍郎, 李奎報爲權直翰林院:追加].[83]

[是月, 修禪社僧知訥撰'六祖法寶壇經'跋:追加].[84]

[是年, 參知政事·判工部事金鳳毛爲中書侍郎平章事·太子太傅:追加].[85]

---

79) 이는 다음의 자료에 의거하였다.
- 『금사』 권62, 표4, 交聘表下, 泰和 7년, "八月壬申29日, 高麗遣衛尉少卿徐珖賀天壽節, 衛尉少卿金義元謝賜生日". 여기에서 金義元은 軍人[卒伍]으로 入仕하여 門下侍郎同中書門下平章事에 오른 인물인 것 같다(열전14, 金義元).
- 『금사』 권12, 본기12, 章宗4, 泰和 7년 9월, "甲戌朔, 天壽節, 高麗·夏遣使來賀".

80) 이는 「曹溪山修禪社重創記」에 의거하였다(『曹溪山松廣寺史庫』소수).

81) 이는 다음의 자료에 의거하였다.
- 『금사』 권12, 본기12, 章宗4, 泰和 8년 1월, "辛未朔, 高麗·夏遣使來賀".

82) 이와 같은 기사가 열전42, 崔忠獻에도 수록되어 있다.

83) 이는 「柳光植墓誌銘」; 『동국이상국집』연보에 의거하였다.

84) 이는 다음의 자료에 의거하였는데(尹炳泰 1969년 ; 崔然柱 2005년b, 筆者未確認).
- 『六祖法寶壇經』跋, "泰和七年十二月 日,寺內道人湛默持一卷文到室中曰, '近得法寶記壇經,將重刻之,以廣其傳,師其跋之', 予欣然 … 默曰, '唯唯', 於是乎書, 海東曹溪山修禪社沙門知訥跋".

85) 이는 「金鳳毛墓誌銘」에 의거하였다.

[○大司成張尹文請致仕, 依允:追加].[86)]

[○以金元義爲上將軍·刑部尙書, 仍兼選軍別監:追加].[87)]

[○以右承宣田元均爲判太僕寺事·知御史臺事:追加].[88)]

[○以前羅州牧副使廉克髦爲左司郞中:追加].[89)]

[○某等建珍島縣碧波亭:追加].[90)]

[○長興府管內遂寧縣某等發送田租·蟹醢·末醬等物於在京大將軍金純永·檢校大將軍尹起華·校尉尹邦俊等私邸:追加].[91)]

戊辰[熙宗]四年, 金泰和八年, [南宋嘉定元年], [西曆1208年]

1208년 1월 19일(Gre1월 26일)에서 1209년 2월 5일(Gre2월 12일)까지, 13개월 384일

[春正月辛未朔大盡,甲寅, 某日, 金遣武庫令朮甲法心來, 賀生辰:追加].[92)]

[某日, 以國子祭酒·知尙書都省事趙冲爲東北面兵馬使,[93)] 李儀爲尙晋安東道按察使:慶尙道營主題名記].

[是月辛未朔, 南宋改元嘉定:追加].

---

86) 이는 「張允文墓誌銘」에 의거하였다.

87) 이는 「金元義墓誌銘」에 의거하였다.

88) 이는 「田元均墓誌銘」에 의거하였다.

89) 이는 「廉克髦墓誌銘」에 의거하였다.

90) 이는 다음의 자료에 의거하였는데, 이 시기의 海南縣 三堅院은 三岐院, 三枝院으로도 불리었던 것 같다.
- 『沃州誌』, 渡津, 碧波津, "南宋開禧十三年丁卯[高麗熙王三年]創設亭院, 置使客行廚公須所, 而水路十里, 在治東三十里, 濟通海南三堅院[今三枝院], 抵南利驛十里, 自是抵京大路也".
- 『霽峯集』 권5, 送知行南遊[注, 沃州, 指珍島, 康津萬德寺山茶, 當冬盛發云].

91) 이는 泰安 馬島 1號船의 木簡 貨物票에 의거하였다(林敬熙 등 2010년 ; 文敬鎬 2011년 ; 金琪燮 2020년).

92) 이는 다음의 자료에 의거하였다.
- 『금사』 권12, 본기12, 章宗4, 泰和 7년 10월, "辛亥9日, 以遣武庫令朮甲法心爲高麗生日使".

93) 이는 다음의 자료에 의거하였다.
- 「趙冲墓誌銘」, "戊辰春, 以兵馬使出鎭東北路, 革弊興利, 剖決如流, 甚得將吏之心".

春二月辛丑朔小盡,乙卯, [壬寅2日, 木冰:五行2轉載].

[癸卯3日, 沉霧:五行3轉載].

乙卯15日, 太白晝見, 經天. 太史奏, "辰巳之歲, 明堂水流, 破巽方, 商音尤忌, 又有向成門重營之役, 不可留御闕內".

丙寅26日, 移御梨坂大將軍崔瑀第.[94] [門下侍中崔忠獻迎駕, 獻壽于闊洞之私第, 諸王·宰樞皆侍宴:節要轉載].

[翼日~~壬卯~~27日春分, 乃罷. 錦繡·綵棚·胡漢雜戲, 窮極侈異, 不可言狀:節要轉載].[95]

三月庚午朔大盡,丙辰, 壬申3日, 王曲宴于中書令忠獻茅亭, 唱和, 終夜劇飮.

甲戌5日, 還御梨坂宮.

[是月頃, 全羅道漕運船漂沒於貞海縣安興亭下海道:追加].[96]

[夏四月庚子朔大盡,丁巳, 戊辰29日, 小滿. 歲星入輿鬼:天文2轉載].

閏[四]月庚午朔小盡,丁巳, 乙亥6日, 召德陽侯恕·寧仁侯稹·始興伯璡·侍中崔忠獻·門下□□侍郎平章事奇洪壽·任濡, 樞密使于承慶, 同知樞密事盧孝敦, 宴於樓上, 觀擊毬. [賜忠獻玉帶一腰·通天袴帶二腰~~一腰~~·南鋌十五斤~~盛香金鏤銀盤三~~. 又:節要轉載]. 賜打毬者綵帛, 有差.[97]

---

94) 崔瑀는 前年(희종3, 1207) 10월 以前에 內侍·將軍(a보물 제691호), 入內侍·通議大夫·尙書右丞·興威衛大將軍·知禮部事 등을 歷任하였다.

· a 『小字本佛頂心觀世音菩薩大陀羅尼經合刻本』題記, "普門品」 特爲晋康侯崔□□嚴威,兼□共男」 入內侍·將軍瑀,殿中內給事珦,」 危難頓消,福壽,無疆之願"(郭丞勳 2021년 135面). ~~添字~~는 筆者가 任意로 推測해 본 것이다.

· b 『曹溪山松廣寺史庫』, 曹溪山修禪寺重創記, "入內侍·通議大夫·尙書右丞·興威衛大將軍·知禮部事臣崔瑀奉 敎監集". 일반적으로 13세기 후반 몽골제국의 압제를 받기 이전의 고려왕조에서 帝王의 命을 받들어 편찬된 각종 자료에서 制命(詔勅)을 '奉」 勅撰」', '奉」 勅雕造」'로 表記하였지만, 中原에서 파견되어 온 使臣의 視線이 미칠 수 있는 지역의 石刻에서는 '奉」 敎撰」 으로 改書하기도 하였다.

95) 이상과 같은 기사가 열전42, 崔忠獻에도 수록되어 있다.

96) 이는 2008년 이래 忠淸南道 泰安郡 近興面 馬島附近의 海域에서 발견된 泰安 馬島 1號船의 木簡 貨物票를 통해 類推하여 추가하였다(→인종 12년 7월 是月, 林敬熙 等 2010년).

97) 南鋌(南錠)은 精製하여 만든 金塊를 指稱한다. 그런데 일본에서 1362년(공민왕11, 貞治1) 3월 中巖圓月·實田元穎 등이 古今事를 閑談하는 가운데, "高麗人은 銀을 南音이라고 하므로 銀

丁酉[28日], 賜皇甫瓘等及第.[98)]

[○新及第等, 謁忠獻于私第. 忠獻贈隨從坊廂, 銀甁各一事, 其子[大將軍]瑀亦贈銀甁:節要轉載].

[五月[己亥朔大盡,戊午], 某日, [新及第等]詣梨坂宮, 王出御外樓, 賜酒果, 仍觀各坊廂歌吹, 皇甫瓘等七人, 命屬內侍. 時人謂同知貢擧琴儀乃忠獻所昵, 故待以厚禮如此:節要轉載].

[丙午[8日], 西京重興寺塔, 雲霧籠其上, 電光繞三日, 遂震寺柱:五行1雷震轉載].[99)]

六月己巳朔[小盡,己未], [大暑]. 王如奉恩寺.

의 音은 南이다. 高麗人呼銀爲南音, 故謂銀音南"이라고 하였다고 한다(『空華日用工夫略集』 권1, 貞治 1年, 壬寅). 또 ~~添字~~는 열전42, 崔忠獻에 의거하였다.

98) 이와 관련된 기사로 다음이 있다. 이때 皇甫瓘·金孝印 등이 급제하였는데(『등과록』, 朴龍雲 1990년 ; 許興植 2005년), 皇甫瓘은 이보다 먼저 國子監試[成均試]에서 2等[副元, 亞元]으로 합격하였다고 한다.

· 지27, 선거1, 科目1, 選場, "[熙宗]四年閏四月, 參知政事李桂長知貢擧, 右副承宣琴儀同知貢擧, 取進士, [于晋], 賜皇甫瓘等三十三人·明經六人·恩賜二人及第". 이때 琴儀가 同知貢擧의 임명을 謝禮한 表가 『동문선』 권36, 琴諫議謝同知貢擧表일 것이다(李奎報 撰).

· 열전15, 琴儀, "熙宗四年, 以右副承宣, 掌試, 取皇甫瓘等. 瓘等謁忠獻, 忠獻贈隨從坊廂銀甁各一事, 怡亦贈銀甁. 又謁王, 親賜酒果, 仍觀各坊廂歌吹, 命瓘等七人屬內侍. 儀爲忠獻所昵, 故待以厚禮如此".

· 『보한집』권하, "崔相國保淳[甫淳]爲省郎時, 措大皇甫瓘往謁, 相國以畵松詩卷子示之, 皇卽次韻聯寫曰, '蒼髯一叟老雲峰, 水墨傳眞號是松. 無限子孫今滿洞, 大夫餘蔭有誰蒙'. 相國驚曰, '此郎必占龍頭'. 後果作成均試副元, 未幾, 又作金榜第一人".

99) 이때 일본의 교토[京都]에서는 5월 15일 雷火가 있어 法勝寺의 九層塔이 燒失되었다고 한다(高麗曆과 同一, 日本史料4-10冊 104面, 中央氣象臺 1941年 2冊 428面 ; 權藤成卿 1984年 306面).

· 『明月記』, 承元 2년 5월, "十五日天晴, 午時許, 大雨雷鳴猛烈, … 靜律師來, 談之間, 雷冥晦, 大雨如灑, 此間東方煙忽見, 人云九重塔也, … 鎭護國家之道場, 海內無雙之寶塔, 爲雷火滅亡, 可悲可怖".

· 『猪猥關白記』, 承元 2년 5월, "十五日癸丑, 午時許雷雨, 有暫共止, 東方有火事, 法勝寺九重塔爲雷火燒失云々. 或人云, 御幸已成了云々".

· 『帝王編年記』 권22, 承元 2년, "五月十五日, 法勝寺九重塔, 爲雷火燒失, 執行章玄見之, 顚倒逝去, 年八十六".

· 『武家年代記裏書』, "承元二、五、十五、午剋, 法勝寺九重塔爲雷燒亡".

· 『一代要記』, 承元 2년 5월, "十五日午時, 法勝寺九重塔燒失, 爲雷火炎上, 仍上皇臨幸寺門".

· 『百練抄』제11, 土御門, 承元 2년 5월, "十五日午時, 俄雷鳴雨降, 雷落法勝寺九重塔燒失, 仍上皇御幸寺門, 執行法印章玄見炎上, 於金堂前絶入, 歸住房入滅了".

[某日, 以[權直翰林院]李奎報爲直翰林院:追加].[100)]

[→後禁省諸儒上書交薦, 權補直翰林院. 崔忠獻使作茅亭記, 覽之嘉賞, 遂爲眞:列傳15李奎報轉載].

秋七月[戊戌朔大盡,庚申], 丁未[10日], 改營大市左·右長廊, 自廣化門至十字街, 凡一千八楹. 又於廣化門內, 構大倉南廊·迎休門等七十三楹. 凡五部坊里兩班, 戶斂[斂]米粟, 就[僦]賃供役. 兩班坊里之役, 始此.[101)]

[○是時, 以宰樞爲行廊都監別監, 又置使·副使·錄事:百官2行廊都監轉載].

[某日, 以全千存爲尙晋安東道按察使:慶尙道營主題名記].

八月[戊辰朔大盡,辛酉], 庚寅[23日], 遣起居郞林永軾如金, 賀天壽節.[102)]

甲午[27日], 幸法雲寺. [自是, 數幸寺院:節要轉載].

丙申[29日], 盜發武陵[安宗]. 王命禮部·諸陵署, 巡審諸陵, 又有盜發者五六, 卽命中使, 令願刹僧修之. 有司劾罷諸陵直, 配陵戶人于遠島.[103)] 明年, 獲盜數人, 誅之. [武陵, 卽安宗陵也:節要轉載].

九月[戊戌朔小盡,壬戌], 己亥[2日], 幸王輪寺.

[某日, 禮賓卿·東宮侍講學士致仕高瑩中卒:追加].[104)]

---

100) 이해의 6월 頒政[小政] 때에 李奎報가 權職[權直翰林院]에서 승진하여 直翰林院에 임명되었던 것 같다(『동국이상국집』연보).

101) 就는 『고려사절요』 권14에는 僦(추)로 되어 있는데, 후자로 하여야 옳게 될 것이다. 또 이날 일본의 교토[京都]에서는 아침에 비가 내리다가 저녁에 개였다고 한다(『猪隅關白記』, 承元 2년 7월, "十日丁未, 朝雨降, 夕天晴").

102) 林永軾은 10월 15일(辛巳) 天壽節을 賀禮하였는데, 이해부터 天壽節을 10월 15일로 개정하였다.
- 『금사』 권62, 表4, 交聘表下, 泰和 8년, "十月己卯[13日], 高麗禮部侍郞林永祖[林永式]賀天壽節, 禮賓卿池利中謝賜生日".
- 『금사』 권12, 본기12, 章宗4, 泰和 8년 5월, "癸亥[25日], 詔移天壽節於十月十五日".
- 『금사』 권12, 본기12, 章宗4, 泰和 8년 10월, "辛巳, 宋·高麗·夏遣使來賀".

103) 이날(丙申, 29일) 일본의 교토[京都]에서는 맑았으나 전날(28일)은 비가 내렸다고 하는 점을 보아 盜掘이 일어난 날의 開京의 날씨는 비 또는 잔뜩 흐렸을 가능성이 있다.
- 『猪隅關白記』, 承元 2년 8월, "廿九日丙申, 天晴, 去夜雨下".

104) 이는 「高瑩中墓誌銘」에 의거하였다.

冬十月[丁卯朔大盡,癸亥], 乙亥[9日], 饗國老·庶老·孝順·義節, 王親巡侑之.[105]

丙子[10日], 又大餔鰥寡孤獨·篤癈疾, 賜物有差. 州·府·郡·縣, 亦依此例. 近因國家多難, 饗禮久廢. 至是, 詔立都監, 復遵舊制.[106]

[→又大餔鰥寡孤獨·篤廢疾, 賜物有差, 州·府·郡·縣, 亦倣此例. 比因國家多難, 饗禮久廢, 至是, 詔立都監, 復遵舊制. 未八十歲宰臣·樞密·三品員, 八十歲以上, 宰樞·三品員母妻, 三品員節婦, 有司, 於禮賓省主廳, 設王幄. 命宰樞, 坐於左俠廳, 各賜酒十盞, 果十五楪, 味十三器, 宴幣, 幞頭紗二枚, 生紋羅一匹, 厚羅一匹, 衣綾二匹, 鄕大絹二匹, 鍊緜二斤, 腰帶銀一斤, 金一目五刀, 紅鞓皮一腰, 人參[大蔘]十兩, 花八枝, 紅蠟燭三丁, 包裹黃絹複子五. 三品員, 坐於左俠連廊, 各賜酒十盞, 果十四楪, 味十三器, 宴幣, 幞頭紗二枚, 生紋羅一匹, 厚羅一匹, 衣綾一匹, 鄕大絹二匹, 鍊緜一斤, 腰帶銀十二兩, 金一目, 紅鞓皮一腰, 人參[大蔘]十兩, 花六枝, 燭二丁, 包裹黃絹複子五. 宰樞三品員母妻·三品員節婦, 坐於右俠廳, 酒果味, 與三品員廳同. 各賜宰樞母妻及節婦, 衣綾二匹, 鄕大絹四匹, 鍊緜二斤, 人參[大蔘]十兩, 花六枝, 燭二丁, 包裹黃絹複子各三. 賜三品員母妻, 衣綾二匹, 鄕大絹三匹, 鍊緜一斤, 人參[大蔘]十兩, 花六枝, 燭二丁, 包裹黃絹複子三. 又命八十歲未滿四品員, 八十歲以上參上員·參外, 有無職僧俗·孝子, 坐於左同樂亭. 各賜四品參上員, 酒六盞, 果九楪, 味六器, 廣平布十匹, 緜子十兩. 參外有無職僧俗, 酒六盞, 果五甌, 味六器, 有職, 小平布五匹, 緜子十兩, 無職, 小平布五匹, 緜子六兩. 孝子, 酒果味, 與僧俗同, 有職, 廣平布十匹, 小平布十匹, 無職, 小平布十匹, 造米[糙米]二石. 八十以上有職女, 有無職節婦, 坐於右同樂亭, 酒果味, 並與左同樂亭同, 鰥寡孤獨·篤廢疾·僧俗男女, 男坐於左同樂亭, 女坐於右同樂亭, 各給酒四盞, 果五甌, 味四器, 米一石, 命都監員吏, 監賜. 西京, 八十歲男女·孝子·順孫·鰥寡孤獨·篤廢疾, 各給酒果味各三器. 八十男女, 布三匹, 孝子順孫, 布七匹, 鰥寡孤獨·篤廢疾, 租一石. 東北西南界, 孝子·順孫, 租六石, 八十男女·鰥寡孤獨·篤廢疾, 租一石, 其酒果味, 與西京同:禮10老人賜設儀轉載].

[某日, 詔曰, "往年, 聖考祔廟之日, 改定昭穆位序, 有所乖戾, 令宰樞·侍臣·禁

105) 이 기사는 지22, 禮10, 老人賜設儀에도 수록되어 있다.

106) 이때 이루어진 9일, 10일의 기사를 인용한 자료로 다음이 있다.

· 『익재난고』 권9상, 忠憲王世家, "[熙宗]四年十月乙亥, 饗國老·庶老·孝子·順孫·義夫·節婦·鰥寡孤獨·篤疾·癈疾, 賜物有差".

官·國學·致仕文儒等, 據典籍, 與本朝禮制參酌, 各上封事". 於是, 衆論紛紜, 然竟不改焉. 史臣識者曰,[107] '漢書云, '父昭子穆, 孫復爲昭',[108] 公羊傳曰, '父爲昭, 子爲穆, 孫從王父'.[109] 則昭穆之序, 一定不易者明矣, 豈可隨時而變易乎? 今遷第一穆位顯宗於第一昭位, 與惠宗同一位, 遷第二昭位, 文宗於第一穆位, 遷第二穆位宣·肅二室於第二昭位, 遷第三昭位睿宗於第二穆位, 遷第三穆位, 仁宗於第三昭位, 而以神宗祔第三穆位, 國無恒典, 而昭穆之序大紊矣. 況惠·顯二主, 皆有功德, 若周之文武, 故太祖東向, 惠爲太宗, 顯爲世宗, 百世不遷, 其餘則昭常爲昭, 穆常爲穆, 庶合於禮矣":節要·禮3吉禮大祀轉載].

乙酉19日, 幸將軍大將軍崔瑀第, 命牽龍擊毬.

十一月丁酉朔小盡,甲子, 辛丑5日, [冬至]. 遣鄭光習如金, 進方物, 林柱材, 賀正.[110]

庚戌14日, 設八關會, 幸法王寺.[111]

甲寅18日, 金遣戶部侍郞郭郛來, 賀生辰.[112]

[是月丙辰10日, 金章宗崩, 衛紹王完顔永濟卽位:追加].

[十二月丙寅朔小盡,乙丑, 辛巳16日, 月食, 密雲不見:天文2轉載].[113]

---

107) 添字는 지14, 禮2, 吉禮大祀에서 달리 表記된 것인데, 이것이[識者] 더 적합할 것이다.

108) 이 구절은 다음의 자료에서 따온 것이다.
- 『한서』 권73, 韋賢傳第43, 附玄成(韋賢의 第4子), "… 玄成等四十四人議奏曰, … 父爲昭, 子爲穆, 孫復爲昭, 古之正禮也".
- 『國語韋氏解』 권3, 國語夏, 簡王 12년, 晋孫談之子, …의 注疏인 "父昭子穆, 孫復爲昭, 一穆一昭, 相次而下".

109) 이 구절은 다음의 자료에서 따온 것 같다. 이에서 鄕은 向과 같은 의미를 지니고 있다.
- 『春秋公羊傳注疏』 권13, 文公 2년 8월, "…, 太祖東鄕東向, 昭南鄕, 穆北鄕, 其餘孫從王父, 父曰昭, 子曰穆, 昭取其鄕明, 穆取其北面, 尙敬".

110) 鄭光習와 林柱材의 파견은 『금사』에는 前年(泰和7)에 時期整理[繫年]되어 있으나 오류일 것이다.
- 『금사』 권62, 표4, 交聘表下, 泰和 7년, 8년, "十二月壬寅朔, 高麗遣戶部侍郞鄭光習進奉", "八年, 正月辛未朔, 高麗戶部侍郞林柱材賀正旦".
- 『금사』 권12, 본기12, 章宗4, 泰和 8년 1월, "辛未朔, 高麗·夏遣使來賀".

111) 일본의 교토[京都]에서는 이날(14일, 小會)과 明日(15日, 大會)의 天氣[氣象]는 모두 맑았다고 한다(『猪隅關白記』, 承元 2년 11월 14, 15일).

112) 郭郛는 10월 5일(辛未) 파견이 결정되었다.
- 『금사』 권12, 본기12, 章宗4, 泰和 8년 10월, "辛未, 以吏部郞中郭郛爲高麗生日使".

[是年, 仁宗四女永和宮主卒, 年六十八, 諡敬和:列傳4仁宗公主轉載].

[○以中書侍郎平章事金鳳毛爲門下侍郎同中書門下平章事·判兵部事·太子太傅, 仍令致仕:追加].[114)]

[○以上將軍·刑部尙書金元義爲樞密院副使·左散騎常侍:追加].[115)]

[○以判太僕寺事·知御史臺事田元均爲樞密院副使·御史大夫·太子賓客, 尋以親嫌改臺銜, 爲左散騎常侍:追加].[116)]

[○以太僕少卿尹應瞻爲工部侍郎·□州牧副使:追加].[117)]

[○旱甚, 召禪師志謙, 迎入內道場說法:追加].[118)]

己巳[熙宗]五年, 金泰和九年→2月大安元年[高麗2月稱大安元年], [南宋嘉定二年], [西曆1209年]

1209년 2월 6일(Gre2월 13일)에서 1210년 1월 26일(Gre2월 2일)까지, 355일

春正月乙未朔大盡,丙寅, 丁酉3日, 王聞金主章宗崩.[119)] 遣奉慰使史洪紀·祭奠使李淳中, 如金.[120)] 淳中請祭器於金, 有司不許, "淳中曰, 道途遼遠, 聞訃最晩, 騰裝速赴,

---

113) 宋에서는 하루 전인 庚辰(15日)에 月食이 이루어졌고(『송사』 권52, 지5, 천문5, 月食), 일본의 京都에서도 庚辰(15日)에 월식이 있었다(高麗曆과 同一, 日本史料4-10册 329面). 그리고 이날(辛巳, 16일)은 율리우스력의 1209년 1월 23일이고, 월식 현상이 심했던 때인 15일(1월 22일)의 世界時는 18시 58분, 食分은 0.37이었다(渡邊敏夫 1979年 479面).

· 『猪隈關白記』, 承元 2년 12월, "十五日庚辰, 終日天陰, 雨不降, 入夜天晴, … 今□夜月蝕正現也, 余請六口僧, 有藥師經讀經事, 以蝕也. 十六日辛巳, 降雨, 天文博士安倍資元持來昨日月蝕奏, 見了取留□案文, 返給奏料如例. 十七日壬午, 天晴, … 權□天文博士安倍廣基·大舍人頭安倍泰忠等, 持來一昨日月蝕奏, 見了返給, 留案文如例".

· 『明月記』, 承元 2년 12월, "十五日, 月蝕. 溫氣相加, 心神如已".

114) 이는 「金鳳毛墓誌銘」에 의거하였다.

115) 이는 「金元義墓誌銘」에 의거하였다.

116) 이는 「田元均墓誌銘」에 의거하였다.

117) 이는 「尹應瞻墓誌銘」에 의거하였다.

118) 이는 『동국이상국집』 권35, 故華藏寺住持·王師定印大禪師追封靜覺國師塔碑銘에 의거하였다.

119) 章宗 完顔麻達葛은 11월 20일(丙辰)에 崩御하고(41歲), 그의 庶叔父인 完顔允濟(世宗의 子, 衛紹王)가 즉위하였다.

120) 이 기사는 지18, 禮6, 上國喪에도 수록되어 있다.

未暇賫來, 大國何責人以細故, 而吝惜此器耶?". 乃許之, 及祭, 奠具精腆, 金人嘉其至誠.

辛丑[7日], 金遣孫居寬來, 告喪.

己酉[15日], 王以神考忌辰道場,[121] 如龍興寺.

壬子[18日], 幸法王寺.

[丙辰[22日], 月犯心大星, 又犯心後星:天文2轉載].

[某日, 以白守貞爲尙晋安東道按察使:慶尙道營主題名記].

[是月壬戌[28日], 金改元大安:追加].

二月[乙丑朔小盡,丁卯], 戊寅[14日], 燃燈, 王如奉恩寺.

[癸未[19日], 熒惑犯大微[太微]東藩上相:天文2轉載].

甲申[20日], 幸王輪寺.

辛卯[27日], 行金國大安年號.[122]

三月[甲午朔大盡,戊辰], 丁酉[4日], 移御柳井洞[門下侍中]崔忠獻第.

癸卯[10日], [穀雨]. 幸普濟寺.

辛亥[18日], 設消灾道場于宣慶殿.

甲寅[21日], 遣上將軍金元傑·禮部侍郞房應喬如金, 賀卽位,[123] [表曰, "五馬渡江, 表晋朝之開新主, 六龍御極, 符羲易之見大人". 少府監崔甫淳辭也. 金主兄弟爭位, 惡其觸實, 中書省詰云, "我聖上龍飛, 非若晋朝渡江之比, 何用比語". 甫淳坐免:節要轉載].[124]

---

121) 神宗의 忌日은 1월 13일이다.

122) 金에서 衛紹王이 1월 28일(壬戌)에 年號를 大安으로 바꾸었다.

123) 金元傑·房應喬는 5월에 衛紹王의 즉위를 하례하였다. 이후 『금사』交聘表는 매우 疏略하여 金을 중심으로 하였던 宋·高麗·夏의 外交關係가 제대로 반영되어 있지 못하다. 또 房應喬의 官職이 禮部侍郞인 점을 보아 禮部試에 及第하여 國子博士兼直史館, 監察御史, 侍御史·知制誥 등을 역임하고 1195년(명종25)에 起居舍人으로 在職하였던 人物(房淸璉의 子)일 가능성이 높다(房淸璉妻皮氏墓誌銘).
· 『금사』 권13, 본기13, 衛紹王, 大安 1년 5월, "高麗賀卽位".
· 『금사』 권62, 表4, 交聘表下, 大安 1년, "五月, 高麗來賀卽位".

124) 이때 崔甫淳은 小府監으로 知制誥를 兼職하였다고 한다(「崔甫淳墓誌銘」, "… 又遷小府監, 皆兼制誥").

辛酉[28日], 慮囚.

[夏四月[甲子朔小盡,己巳], 戊寅[15日], 日有重暈, 東有兩背:天文1轉載].

[○月掩心大星:天文2轉載].

[某日, [門下侍中]崔忠獻殺右僕射韓琦·將軍金南寶等九人, 分配從者于遠島. 初, 青郊驛吏三人, 謀殺忠獻父子, 詐爲公牒, 召募諸寺僧徒, 牒至歸法寺, 寺僧執賫牒者, 以告忠獻. 忠獻卽別立敎定別監[~~敎定都監~~]于迎恩館,[125] 閉城門, 大索其黨. 青郊人因讒構琦, 故幷三子被殺:節要轉載].[126]

夏五月[癸巳朔大盡,庚午], 戊戌[6日], 守大師[~~守太師~~]·門下侍郎平章事[~~門下侍郎同中書門下平章事致仕~~]崔詵卒,[127] [輟朝三日, 諡文懿:列傳12崔詵轉載].[128] [詵, 惟淸之子, 以文學聞於世, 恬淡寡言, 不以門地自負, 禮賢下士. 王以詵年高有德, 自參知政事, 超拜冢宰. 旣而, 引年致政:節要轉載].

六月癸亥朔[小盡,辛未], 日食.[129]

辛卯[29日晦], 門下侍郎平章事[~~門下侍郎同中書門下平章事致仕~~]金鳳毛卒,[130] [輟朝三日, 諡靖平:轉載].[131] [鳳毛, 美風儀, 且解胡漢語, 每金使至, 必令儐接:節要轉載].

[某日, 國子祭酒趙冲, □□□□□[掌國子監試], 取詩賦秋永壽等十六人, 十韻詩申季伯等五十人:選擧2國子試額轉載].[132]

---

125) 이때 敎定別監은 敎定都監의 오자일 가능성이 있다(金庠基 1966년 444面).

126) 이와 같은 기사가 열전42, 崔忠獻에도 수록되어 있으나 字句에 出入이 있다.

127) 이날은 율리우스曆으로 1209년 6월 9일(그레고리曆 6월 16일)에 해당한다.

128) 崔詵은 1207년(희종3) 10월 이전에 特進·三韓三重大匡·金紫光祿大夫·開府儀同三司·守太師·門下侍郎同中書門下平章事·修文殿大學士·上柱國·判吏部事·太子太師로 致仕하였다(『曹溪山松廣寺史庫』, 曹溪山修禪寺重創記).

129) 이날(율리우스력의 1209년 7월 4일)의 일식은 북동아시아 3국이 中心食帶에서 벗어나 있었기에 관측될 수 없었다(渡邊敏夫 1979年 308面).
· 『猪隅關白記』, 承元 3년 6월, "一日癸亥, 天晴, 去夜[壬戌30日]大雨".

130) 이날은 율리우스曆으로 8월 1일(그레고리曆 8월 8일)에 해당한다.

131) 이는 열전14, 金台瑞 ; 「金鳳毛墓誌銘」에 의거하였다.

132) 이와 관련된 자료로 다음이 있는데, 秋永壽의 표기가 달리되어 있다.
· 「趙冲墓誌銘」, "己巳, 主□□□□[司馬試], □[取]秋穎秀等六十六人".

[夏某月，僧智訥撰'法集別行錄節要并入私記':追加].[133]

[秋七月壬辰朔大盡,壬申，某日，以玄君悌爲尙晋安東道按察使:慶尙道營主題名記].
辛亥20日，幸法雲寺，設仁王道場.[134]

[八月壬戌朔大盡,癸酉:追加].

[九月壬辰朔小盡,甲戌，庚子9日，門下侍中崔忠獻會賓客，設重陽宴，使都房有力者手搏，勝者，卽授校尉·隊正，以賞之:節要轉載].[135]

[史臣任翊曰，"按國家頒政例，六月謂權務政，十二月謂大政．吏·兵判事，與諸同寮，會坐于各部，功者陟之，罪者黜之，一陟一黜，皆承上命．過此時，雖有所缺，未嘗差授，况無功者乎?．忠獻威傾一國，獨專政柄，若有所缺，則不顧官爵之爲公器，乃以眼前小戲，亂其邦憲．又因左右所托，或授東班權務之職，若納賂稱意者，卽許之．其頒政無常，專恣弄法，未有甚於此者矣":節要轉載].

[→熙宗時，崔忠獻專權，頒政無常．舊例，頒政六月謂權務，十二月謂大政，吏·兵部判事，與諸僚，會本部，陟功黜罪，皆禀王命，過此時，雖有闕，不補．又吏部，每歲調選百司胥吏，有仍有徙，名爲動靜:選擧3選法轉載].

庚申29日晦,[136] 門下侍郎同中書門下平章事□□~~致仕~~奇洪壽卒,[137] [年六十二，輟朝三日，謚景懿:列傳14奇洪壽轉載]. [洪壽，自少善書工文，及壯，投筆從武班，積官至平章□事, 嘗引年勇退，琴書自娛:節要轉載].

冬十月辛酉朔大盡,乙亥，[乙丑5日，天狗墮地，月食熒惑:天文2轉載].

---

133) 이는 다음의 자료에 의거하였다.
· 『盧應堂集』, 法集別行錄節要并入私記, "… 大安元年己巳夏月日, 海東曹溪山牧牛子知訥私記".

134) 世家篇에서 己亥(7월 혹은 9월 20일) 앞에는 秋七月 혹은 秋九月(兩者는 壬辰朔)이 탈락되었는데, 여기서는 暫定的으로 前者에 비정하였다. 그 事由는 7월의 辛亥는 明宗의 本命이기 때문에 仁王道場을 設行하였던 것 같다(→명종 3년 7월 20일).

135) 이날의 日辰은 重陽節에 의거하였다. 이 기사는 열전42, 崔忠獻에는 神宗 5년에 수록되어 있는데, 편찬자가 年代整理[繫年]를 잘못한 것 같다.

136) 世家篇에서 庚申의 앞에 九月이 脫落되었다.

137) 이날은 율리우스曆으로 1209년 10월 29일(그레고리曆 11월 5일)에 해당한다.

丁卯7日，幸妙通寺，設摩利支天道場.

丙子16日，[小雪]. 設佛頂道場於內殿.

十一月辛卯朔大盡,丙子，乙未5日，還御延慶宮. [日將晡，乘輿未駕，左御史崔傳·右御史尹世儒，飢甚，入路傍家飮酒，不覺駕出，傳犯馳道，世儒泥醉，使人控馬，言語狂亂. 憲府劾奏，左遷傳△爲安東都護府判官，世儒△爲梁州副使:節要轉載].[138]

[→熙宗時，爲右御史. 一日，王移御延慶宮，世儒與左御史崔傳，當扈駕. 二人凌晨詣闕，日將晡，乘輿未駕，飢甚，入路傍家飮酒，不覺駕出. 傳犯馳道，世儒泥醉，使人控馬，言語狂亂. 憲府劾奏，左遷傳安東判官，世儒梁州副使. 其後，世儒答傳賀冬至狀云，駕後一樽，二人同醉，嶺南三載，千日未醒:列傳9尹世儒轉載].

己亥9日，遣閤門閣門通事舍人徐延如金，賀正.[139]

甲辰14日，設八關會，幸法王寺.

○金遣戶部侍郞幹勤正來，[□□□~~賀生辰~~:追加].[140]

○參知政事□□~~致仕~~李椿老卒,[141] [年七十七，諡貞肅:列傳12李椿老]. [椿老，以淸謹稱:節要轉載].

[十二月辛酉朔小盡,丁丑，甲戌14日，月犯輿鬼:天文2轉載].

[是年，以柳光植爲禮賓卿:追加].[142]

[是年頃，復稱尙晋安東道爲慶尙晋安道:追加].[143]

---

138) 이에서 崔傳와 尹世儒가 띠고 있는 左御史와 右御史가 무슨 직책인지는 알 수 없으나 尹世儒가 지방관에 좌천된 후 禮部員外郞(정6품)에 임명된 점을 보아 殿中侍御史(정6품, 2人)의 左·右 2人을 지칭하는 것 같다.

139) 徐延의 賀正은 『금사』에 반영되어 있지 않다.

140) 熙宗代의 11월에 到着한 金의 使臣은 高麗生日使이므로 '賀生辰'이 탈락되었음을 알 수 있다.

141) 參知政事는 參知政事致仕로 고쳐야 옳게 된다. 李椿老는 1203년(神宗6) 7월 2일에 致仕하였다. 또 諡號는 李椿老의 壻인 金仲龜의 묘지명에도 확인된다. 그리고 이날은 율리우스曆으로 1209년 12월 12일(그레고리曆 12월 19일)에 해당한다.

142) 이는 「柳光植墓誌銘」에 의거하였다.

143) 慶尙道의 復稱은 희종 즉위년 6월 某日의 脚注에서 설명하였다.

庚午[熙宗]六年, 金大安二年, [南宋嘉定三年], [西曆1210年]

1210년 1월 27일(Gre2월 3일)에서 1211년 1월 16일(Gre1월 23일)까지, 355일

[春正月庚寅朔大盡,戊寅, 壬子23日, 無雲而雷:五行1雷震轉載].

[某日, 以李延壽爲尙晋安東道按察使:慶尙道營主題名記].

春二月庚申朔小盡,己卯, 癸酉14日, 燃燈, 王如奉恩寺.

[庚辰21日, 日暈, 有兩珥, 北有白氣, 交暈貫日:天文1轉載].[144)]

丁亥28日, 幸王輪寺.

三月己丑朔小盡,庚辰, 甲午6日, 幸普濟寺.

[己酉21日, 三角山中峯崩:五行3轉載].[145)]

[乙卯27日, 修禪社住持知訥入寂:追加].[146)]

[某日, 有人, 投匿名書于門下侍中崔忠獻家曰, "直長同正元諝, 與宰相于承慶, 謀殺崔忠獻". 忠獻捕諝問之, 諝仰天歎曰, "此必我仇人庾益謙所爲也, 益謙嘗貸我銀甁, ~~積年,~~ 未償亡去, 予屢責妻子, 納其家舍, 益謙讎之, 誣陷我也". 忠獻遣人, 搜益謙家, 果得其草, 乃流于島:節要轉載].[147)]

夏四月戊午朔大盡,辛巳, 己巳12日, 幸妙通寺, 設摩利支天道場.

癸酉16日, 太史請祓妖言. [先是, 忠獻營第于闊洞里, 毁人家百餘, 務爲宏麗, 延袤數里, 擬於禁掖, 北臨廛市市廛, 構別堂, ~~號十字閣~~. 土木役劇, 國內嗷嗷, 訛言, "密

---

144) 이날 일본의 교토[京都]에서 晴陰이 交差하였던 것 같다(『吾妻鏡』第19, 承元 4년 2월, "廿一日庚辰, 晴陰").

145) 이때 교토에서 3월 23일(辛亥) 지진이 있었다고 한다(高麗曆과 同一, 日本史料4-10册 982面). ·『承元四年具注曆』, 承元 4년 3월, "廿三日辛亥, 地震".

146) 이는 『동문선』 권117, 曹溪山修禪寺普炤佛日國師塔碑銘(金君綏 撰) ; 「順天曹溪山松廣寺普照佛日國師塔碑銘」에 의거하였다. 이날은 율리우스曆으로 1210년 4월 22일(그레고리曆 4월 29일)에 해당한다. 또 普照國師 知訥의 眞影은 桐華寺 聖寶博物館에 소장되어 있고(보물 제1639호, 大邱文化藝術會館 2009년), 18세기 후반까지 和順縣 萬淵寺에도 봉안되어 있었던 것 같다(『여유당전서』 권12, 普照國師畫像贊[注, 在和順萬淵寺]).

147) ~~添字~~는 열전42, 崔忠獻에 의거하였다.

捕童男女，衣以五色，埋宅四隅，以禳土木之氣". 故凡有兒者，皆深匿之，至有抱負遠遁. 或無賴輩詐捕小兒，其父母驚懼失措，賂以厚幣，然後乃棄去. 忠獻令御史臺，榜于市街曰，"人命至重，豈有埋地禬禳之理，如有捕兒者，執之以告". 自後，妖言稍息:節要轉載].[148]

[五月戊子朔小盡,壬午:追加].

六月丁巳朔大盡,癸未，戊午2日，王如奉恩寺.
乙丑9日，賜金泓等及第.[149]
○金遣橫宣使移剌答貞~~移剌答貞~~來.[150]
是月，遣于龍奕如金，賀萬春節，宋孝誠，謝賀生辰.

秋七月丁亥朔小盡,甲申，丙午20日，遣郎將池方淑如金，謝橫宣.
[某日，以郎將·知永州事金仲龜爲慶尙晋安東道按察副使:慶尙道營主題名記].[151]

八月丙辰朔大盡,乙酉，壬申17日，幸法雲寺，設仁王道場.
丙子21日，幸外帝釋院.
[丁丑22日，戶部侍郞盧琯妻金浦郡君鄭氏卒於奉香里私第:追加].[152]

九月丙戌朔大盡,丙戌，[某日]，幸門下侍中崔忠獻內史洞第，留三日，移御壽昌宮.

---

148) ~~添字~~는 열전42, 崔忠獻에 의거하였다.

149) 이와 관련된 기사로 다음이 있다.
· 지27, 선거1, 科目1, 選場, "熙宗六年六月，樞密院副使崔洪胤知貢擧，秘書監柳澤同知貢擧，取進士，~~乙丑~~，賜金泓等三十三人·明經七人·恩賜七人及第".

150) 移剌答貞은 移剌答貞의 오자이고, 이의 다른 표기는 耶律答貞이다.

151) 이때 金仲龜는 慶尙晋安東道按察副使에 임명되었다고 한다(金仲龜墓誌銘). 이를 통해 볼 때, 이보다 먼저 1204년(희종 즉위년) 尙晋安東道로 改稱된 慶尙道가 慶尙晋安東道로 復原되었음을 알 수 있다.

152) 이는 「金浦郡君鄭氏墓銘」(盧琯妻鄭氏墓誌銘)에 의거하였는데, 이날은 율리우스曆으로 1210년 9월 11일(그레고리曆 9월 18일)에 해당한다.

[冬十月丙辰朔小盡,丁亥:追加].

冬十一月乙酉朔大盡,戊子, 丁酉13日, 設八關會, 幸法王寺.
[己亥15日, 月食:天文2轉載].[153)]
壬寅18日, 金使來, [賀生辰:追加].
[是月, 遣使如金, 賀正:追加].[154)]

十二月乙卯朔大盡,己丑, 日食.[155)]
是月, 召明宗太子璹于江華.

辛未[熙宗]七年, 金大安三年, [南宋嘉定四年], [蒙古太祖六年], [西曆1211年]

1211년 1월 17일(Gre1월 24일)에서 1212년 2월 4일(Gre2월 11일)까지, 13개월 384일

春正月乙酉朔小盡,庚寅, 癸巳9日, 封璹△爲守司空·上柱國·漢南公, 改名貞, 令赴燃燈宴.
[某日, 門下侍中崔忠獻權傾人主, 威振中外, 人有違忤, 卽見誅戮, 故皆鉗口, 莫敢誰何. 盧仁祐, 以姻戚昵比,[156)] 佯狂, 屢陳直語. 忠獻惡之, 出爲仁州守, 秩滿還朝.

---

153) 이날 宋에서도 월식이 이루어졌다(『송사』 권52, 지5, 천문5, 月食). 이날은 율리우스력의 1210년 12월 2일이고, 월식 현상이 심했던 때의 世界時는 10시 30분, 食分은 0.44이었다(渡邊敏夫 1979年 479面).

154) 이는 다음의 자료에 의거하였다.
· 『금사』 권62, 표4, 交聘表下, 大安 3년, "正月乙酉朔, 高麗使賀正旦".
· 『금사』 권12, 본기12, 章宗4, 大安 3년 1월, "宋·高麗·夏遣使來賀".

155) 이날 金에서도 일식이 있었고(『금사』 권13, 본기13, 衛紹王, 大安 2년 12월 乙卯), 일본의 京都에서는 氣象이 흐려서 觀測되지 않았던 것 같다. 그리고 이날은 율리우스력의 1210년 12월 18일이고, 開京에서 일식 현상이 심했던 시간은 7시 16분, 食分은 0.58이었다(渡邊敏夫 1979年 308面).
· 『吾妻鏡』 第19, 承元 4년 12월, "一日乙卯, 辰剋, 日蝕不見, 法橋隆宣御祈".

156) 昵比[親近, 親昵]에 대한 주석으로 다음이 있다.
· 『자치통감』 권243, 唐紀59, 敬宗寶曆 1년(825) 1월 乙卯11日, "… 上遊幸無常, 昵比群小[胡三省注, 昵, 尼質翻, 狎也, 近也. 比, 毗至翻, 黨也], 視朝月不再三, 大臣罕得進見".

時，忠獻營三第，皆多藏金玉·錢穀，謂左右曰，“除府庫所藏外，金銀珍寶，欲獻王府，以助國用，何如?”．衆皆曰善，仁祐曰，“未若留爲經費，更不歛民歛民之爲愈也”．忠獻慚赧:節要轉載].

[→□□七年，門下侍中崔忠獻權傾人主，威振中外，人有違忤，卽見誅戮，故皆鉗口，不言．盧仁祐，大將軍俊之子也．以其姻戚，昵居左右，佯狂屢直語，忠獻惡之，謫守仁州．秩滿還朝，忠獻營三第，多藏金玉錢穀，謂左右曰，“除府庫所藏外金銀珍寶，欲獻王府，以助國用，何如?”．衆皆曰，“善”．仁祐曰，“未若留爲經費，更不歛民之爲愈也”．忠獻慚赧:列傳42崔忠獻轉載].

[己酉25日，大雪寒甚，小雀入城市，皆墮地而死．雀黃而小，前所未見:五行1恒寒轉載].

[某日，以安琄爲慶尙道按察使，金仲龜爲西海道按察副使:慶尙道營主題名記·墓誌].[157)]

[癸丑頃29日晦?，刑部郎中咸脩卒，年五十七:追加].[158)]

[二月甲寅朔大盡,辛卯，癸亥10日，月犯東井鉞星，又犯南轅:天文2轉載].

[甲子11日，禁內應明門南，有犬吠聲，搜而不得:五行2轉載].

閏[二]月甲申朔小盡,辛卯，乙酉2日，幸王輪寺.

[三月癸丑朔小盡,壬辰，某日，大司成蔡靖，□□□□□掌國子監試，取詩賦鄭宗諝等二十人，十韻詩鄭弘柱等六十九人:選擧2國子試額轉載].

夏四月壬午朔大盡,癸巳，癸未2日，册元妃任氏爲咸平宮主.[159)] [册曰，“朕聞易贊坤元，所以配乾剛之道，詩稱后德，所以明王化之基．故塗山適而夏業興，大任歸而周室

---

157) 이때 金仲龜는 明年(희종7) 西海道按察副使에 임명되었다고 한다(金仲龜墓誌銘).

158) 이는「咸脩墓誌銘」에 의거하였는데, 1월 29일(癸丑)은 율리우스曆으로 1211년 2월 14일(그레고리曆 2월 21일)에 해당한다.

159) 이때의 册文이『동문선』권28, 熙宗封任氏爲咸平宮主 ; 열전1, 후비1, 熙宗, 成平王后任氏이다. 또 이때 金紫光祿大夫·門下侍郞平章事·寶文閣大學士·判戶部事·太子太保 李某(李桂長?)와 金紫光祿大夫·守司徒·中書侍郞平章事·判刑部事·太子少保 盧某(盧孝敦?)가 각각 正·副使로 파견되어 册封을 擧行하였다(『동국이상국집』권30 :『동문선』권37, 王妃受册後謝太后表, 李奎報 撰).

盛，盖賴內助之美，以臻外理之功．布在前書，貽爲後範．朕祗承景命，纘守宏啚，理國先家，所重人倫之本．自天作合，豈無君子之逑．咨爾元妃任氏，婺宿分輝，天漢毓粹，夙著肅雍之德，而無險詖之心．朕初在藩，乃爲嘉耦，比登大寶，益贊洪猷．允協斯干之吉夢，長發其祥，果符純震之得男，克昌厥後，豈特室家之慶，實惟邦國之光．既婦德之若斯，宜恩章之特厚，肆頒爵號，俾正宮庭．今遣某宮某，持節備禮，冊命爾爲王妃咸平宮主．於戱，躬勤儉以保身，循法度以供祀，宜思厥服，罔或不祗":列傳1熙宗妃成平王后任氏轉載].

辛卯10日，太子祉，加元服，受冊．[冊曰，"昔者，聖人之作易也，震以一索而爲長男，離以重明而照四方，故先王之有天下，莫不立元嗣，以定群黎咸仰之懷，以承萬世不朽之業．咨爾元子祉，素稟聰靈之性，夙凝岐嶷之姿，寬博而謹愼，恭敬而溫文．肆朕稽諸方冊之訓言，兼聽士夫之僉議，爰擇良辰，俾加寶冊，今遣某官某等，持節備禮，冊命爾爲王太子．嗚呼，勉玆諸善，允蹈丕彝，踈斥憸佞之人，樂聞方正之言，上念祖宗積累之休，永享富貴康寧之慶，豈不偉歟?":列傳4熙宗王子昌原公祉轉載].

乙未14日，冊子禕△爲檢校大尉·守司徒·上柱國·始寧侯．[冊曰，"封立皇親，藩屛王室，蓋古今之常典，亦邦國之宏規．朕纘守丕圖，欲光先業，爰擧褒崇之禮，大開冊命之儀．咨爾禕毓德謙勤，秉心恭儉，弱不好弄，但將書史以爲娛，居無求安，自得威儀之卒度．學有緝熙之美，志存忠孝之全，定省不怠於親闈，信厚見稱於公族．德行既著，容止可觀，肆布寵靈，特頒爵號，今遣某官某等，持節備禮，冊命爾爲檢校太尉·守司徒·上柱國·始寧侯．於戱，驕奢淫佚，勿虧戒愼之心，富貴功名，善保久長之慶，祗承厥服，永孚于休":列傳4熙宗王子始寧侯禕轉載].

丙子25日，赦.

[是月頃，冊王女爲承福宮主:列傳1高宗妃安惠太后柳氏轉載].

五月壬子朔小盡,甲午，[丁巳6日，夜，白氣從星張·翼·軫·大微太微·北斗，起而滅:五行2轉載].

[某日]，金遣完顔惟孚來，賀生辰.

○王遣將軍金良器，回謝．良器至通州，遇蒙古兵，中矢而死，下節九人亦遇害，金收骨以送.[160]

160) 이 구절에서 王은 굳이 들어갈 필요가 없는 글자[衍字]이다. 또 通州는 현재의 北京市 通州區

六月辛巳朔[小盡,乙未]，王如奉恩寺.

[某日，以[國子祭酒·知尙書都省事]趙冲爲大司成·寶文閣學士·知制誥:追加].[161)]

[秋七月[庚戌朔大盡,丙申]，某日，以林光柱爲慶尙道按察使，旣而有故，以宋安國代之:慶尙道營主題名記].

秋八月[庚辰朔大盡,丁酉]，壬午[3日]，幸王輪寺.

癸巳[14日]，門下侍郎平章事盧孝敦卒，[年六十二．謚懿貞:列傳13盧孝敦轉載]．[孝敦，累立戰功，事有利國，知無不爲:節要轉載].[162)]

[某日，禮部侍郞·東宮侍讀學士金冲卒:追加].[163)]

九月[庚戌朔小盡,戊戌]，丁卯[18日]，門于侍郎平章事致仕崔讜卒,[164)]［年七十七．輟朝三日，謚靖安:列傳12崔讜].[165)]［讜，善屬文，敭歷中外，皆有聲績，名重一時，年未衰耄，上章乞退，扁所居齋，曰雙明，與弟[守太傅]詵及張自牧[大司成致仕張允文]，[守司空·左僕射致仕]李俊昌，[判秘書省事·翰林學士致仕]白光臣，[禮賓卿·太子侍講學士致仕]高瑩中，[守司空致仕]李世長，[兵部尙書致仕]玄德秀，[右諫議大夫·大司成致仕]趙通等，爲耆老會，逍遙自適，圖形刻石，傳於世．時人謂之地上仙:節要轉載].[166)]

乙亥[26日]，幸妙通寺.

○遣李孝全如金，賀萬春節，道梗而還.

冬十月[己卯朔大盡,己亥]，戊子[10日]，賜姜昌瑞等及第.[167)]

지역이다.

161) 이는「趙冲墓誌銘」에 의거하였다.

162) 열전13, 盧永淳[盧永醇], 孝敦에는 1208년(희종4)에 逝去하였다고 되어 있으나 오류일 것이다. 이날은 율리우스曆으로 1211년 9월 22일(그레고리曆 9월 29일)에 해당한다.

163) 이는「金冲墓誌銘」에 의거하였다.

164) 이날은 율리우스曆으로 10월 26일(그레고리曆 11월 2일)에 해당한다.

165) 이는「崔讜墓誌銘」에서도 확인된다.

166) 雙明齋에 모인 耆老會에 대한 記文으로『졸고천백』권1, 海東後耆老會序가 있다.

167) 이와 관련된 기사로 다음이 있으나 선발된 인원에 차이를 보이고 있지만, 添字와 같이 고쳐야 옳게 될 것이다.

十一月[己酉朔大盡,庚子], [某日], 金遣權止文牓來, 賀生辰.

壬戌[14日], 設八關會, 幸法王寺.

[癸酉[25日], 國子監大司成·知制誥致仕張允文卒, 年七十三:追加].[168]

是月, 遣李實椿如金, 賀正, 道梗而還.[169]

十二月[己卯朔大盡,辛丑], 庚子[22日], 內侍王濬明等,[170] 謀誅[門下侍中]崔忠獻, 不克. [崔忠獻, 以銓注, 詣壽昌宮, 方在王前. 有頃, 王入內, 中官紿忠獻從者曰, “有旨賜酒食”. 乃引深入廊廡間, 俄有僧俗十餘人, 持兵突至, 擊從者數人. 忠獻知有變, 倉皇奏曰, “願上救臣”. 王默然, 閉戶不納. 忠獻無以爲計, 匿於知奏事房紙障間, 有一僧三索, 竟不獲. 時, 忠獻族人上將軍金躍珍·[上將軍?]瑀舅知奏□[事]鄭叔瞻在重房, 聞變, 卽入內, 扶忠獻以出. 其黨指諭申宣冑·奇允偉等, 與僧徒相格鬪. 忠獻都房六番, 皆集宮城外, 不知忠獻生死, 有茶捧盧永儀者, 初隨忠獻入內, 登屋大呼曰, “吾公無恙”. 於是, 都房爭入救之, 僧徒敗走. 躍珍謂忠獻曰, “我將率兵入宮, 盡殺無遺, 且行大事”. 忠獻曰, “如此, 則國將何如? 恐爲後世口實, 我當推鞫, 爾無輕往”. 使上將軍鄭邦輔等, 捕司鑰鄭允時及中官, 囚于仁恩館, 鞫之. 乃內侍·郎中王濬明, 爲謀主, 參政[參知政事]于承慶·樞密史弘績·將軍王翊等, 皆知其謀. 忠獻怨王: 節要轉載].[171]

癸卯[25日], [立春].[172] [門下侍中崔]忠獻廢王, 遷于江華縣, 尋遷[仁州]紫燕島.[173] 放太子

· 지27, 선거1, 科目1, 選場, “[熙宗]七年十月, 門下侍郎[平章事]李桂長知貢擧, 大司成·[知禮部事]趙冲同知貢擧, 取進士, [~~戊子~~], 賜姜昌瑞等三十八人[~~二十八人~~]·明經五人及第”.

· 『고려사절요』 권14, “冬十月. 賜姜昌瑞等二十八人·明經五人及第”.

· 「趙冲墓誌銘」, “是年秋, 同知禮部貢擧, 得姜□□[昌瑞]等二十八人”.

168) 이는 「張允文墓誌銘」에 의거하였는데, 이날은 율리우스曆으로 1211년 12월 31일(그레고리曆 1212년 1월 7일)에 해당한다.

169) 이때 南宋에서는 刑部員外郎·賀金國正旦國信使 程卓과 忠州防禦使·國信副使 趙師嵒이 11월 5일(癸未)에 출발 인사를 올리고 臨安府(杭州)에서 출발하여 12월 27일(乙巳) 金의 首都인 中都(燕京)의 會同館에 도착하였다고 한다(『使金錄』).

170) 당시 王濬明의 관직은 內侍·郎中이었는데(『고려사절요』 권14, 희종 7년 12월), 이는 □□郎中으로 宮闕에 들어가 宿衛하였기에[入內侍] 일반적으로 內侍라고 칭한 것이었다.

171) 이와 같은 기사가 열전42, 崔忠獻에도 수록되어 있으나 字句에 出入이 있다.

172) 이날 燕京에서 가까운 涿州(現 河北省 保定市 管內 涿州市)에서 맑았다고 한 점을 보아 開京에서도 맑았을 것으로 추측된다.

· 『使金錄』, 嘉定 4년 12년, “二十五日癸卯, 立春, 晴. [國信使程卓]尙在涿州, …”.

祉于仁州,[174) [德陽侯㬠于喬桐縣,[175) 始寧侯禕于白翎縣~~白翎鎭~~.[176) 遣[上將軍?]瑀及[門下侍郞]平章事任濡:列傳42崔忠獻轉載], 奉漢南公貞, 立之. 高宗二十四年八月戊子[10日], 王薨于法天精舍, 移殯于樂眞宮. 在位七年, 壽五十七, 諡曰誠孝, 廟號貞宗, 後改熙宗, 陵曰碩陵, 高宗四十年, 加諡仁穆.[177)

史臣贊曰, "是時, 忠獻執國命, 已有年矣. 廣植黨與, 專擅威福. 熙宗雖欲有爲, 何以哉. 爲王之計, 當以正自處, 任賢使能, 王室自强. 雖有跋扈之臣, 無由肆其惡矣. 王不知此, 聽用輕薄之謀, 欲快一時之忿, 卒見放黜, 噫".

---

173) 熙宗이 江華縣에서 仁州 紫燕島로 옮겨졌다가 다시 喬桐縣(현 仁川廣域市 江華郡 喬桐面)으로 옮겨진 것은 1215년(고종2) 8월 12일이고, 이곳에서 다시 開京으로 奉還된 것은 1219년(고종6) 3월 1일 이후였다.

174) 太子 祉에 대한 기사는 열전4, 熙宗王子, 昌原公祉에도 수록되어 있다.

175) 德陽侯 㬠에 관한 기사는 열전4, 神宗王子, 襄陽公㬠에도 수록되어 있다. 또 德陽侯는 後日 襄陽公으로 승격하였다고 하는데, 그 사유는 알 수 없다. 다만 武臣執權者 崔瑀(崔怡로 改名)의 外孫子인 金敉(金若先의 子)가 그의 壻이기 때문일 것이다(→고종 34년 6월 某日). 또 原文에는 瑀가 怡로 되어 있다.

176) 始寧侯 禕의 기사는 다음의 기사에도 수록되어 있으나 ~~添字~~와 같이 고쳐야 옳게 될 것이다.
· 열전4, 종실2, 熙宗王子, "始寧侯禕, … 崔忠獻放于白翎縣~~白翎鎭~~, 子宏□[守]司空".

177) 碩陵은 現在 仁川市 江華郡 良道面 吉亭里 산182번지 鎭江山 山麓에 있다(史蹟 第369號, 李亨求 2003년 74面 ; 仁川廣域市立博物館 2003년, 張慶姬 2013년).

康宗

康宗·濬哲·文烈·亶聰·明憲·貽謀·穆淸·元孝大王,[1] 諱祦, 字大華, 一字法柱, [古諱璹:追加].[2] 明宗長子, 母曰光靖太后金氏,[3] 毅宗六年壬申四月乙巳[己巳5日]生,[4] 明宗三年四月, 冊太子, 賜名璹, 二十七年九月, 崔忠獻放于江華, 熙宗六年十二月, 召還京.

明年正月, 封漢南公, 改名貞.

十二月癸卯[25日], 忠獻廢熙宗, 奉王于私第, 卽位於康安殿, 改名祦.

[某日, 忠獻流[內侍·郎中]王濬明·[參知政事]于承慶·[樞密]史弘績·[將軍]王翊等于外:節要轉載].

[是年, 以耽羅縣之石淺村, 爲歸德縣:轉載].[5]

[○以[知樞密院事·吏部尙書]田元均爲金紫光祿大夫·守司空·尙書左僕射:追加].[6]

[○以[前小府監]崔甫淳爲吏部侍郎·右諫議大夫:追加].[7]

[○以尹應瞻爲戶部侍郎:追加].[8]

[○以任益惇爲戶部員外郎兼三司判官:追加].[9]

[○以[前章山監務]金仲文爲宣慶殿直:追加].[10]

---

1) 이에서 康宗은 廟號이고, 濬哲·文烈·亶聰·明憲·貽謀·穆淸·元孝大王은 諡號이다. 『고려사』에서 歷代 帝王의 諡號가 비교적 간략하게 제시되어 있는데 비해 7개가 수록되어 있어 이례적이다.그 중에서 元孝는 1213년(고종 즉위년) 9월에 康宗의 陵[厚陵]이 마련될 때 붙여진 것이고, 明憲은 1253년(고종40) 10월 3일에 덧붙여진 것이다. 그 이후의 것은 1218년(고종5) 11월 5일에 올린 시호를 위시하여 元宗代 이후에 追尊된 것일 것이다.

2) 이는 명종 3년 4월 19일에 의거하였다.

3) 明宗妃 金氏는 宗室 守司徒·江陵公 溫의 女로서 毅宗妃인 莊敬王后 金氏의 동생인 것 같다(열전1, 明宗妃, 光靖太后金氏).

4) 乙巳는 己巳의 오자이다. 康宗의 誕日은 4월 5일이다(『고려사』세가21, 강종 1년 4월 5일).

5) 이는 다음의 기사를 전재하였다.

· 지11, 지리2, 耽羅縣, "熙宗七年, 以縣之石淺村, 爲歸德縣".

6) 이는 「田元均墓誌銘」에 의거하였다.

7) 이는 「崔甫淳墓誌銘」에 의거하였다.

8) 이는 「尹應瞻墓誌銘」에 의거하였다.

9) 이는 「任益惇墓誌銘」에 의거하였다.

10) 이는 「金仲文墓誌銘」에 의거하였다.

[是年頃, 琴儀[琴儀,] 尋遷知奏事·知吏部事. 儀, 久典機要, 奏對稱旨, 王倚以爲重. 儀頗恃勢驕恣, 皇甫[皇甫]瓘詣儀直廬, 作詩諷休官. 儀以告忠獻, 流瓘于島, 時議薄之:列傳15琴儀轉載].

壬申[康宗]元年, 金崇慶元年[←10月高麗行大安四年], [南宋嘉定五年], [西曆1212年]

1212년 2월 5일(Gre2월 12일)에서 1213년 1월 23일(Gre1월 30일)까지, 354일

春正月己酉朔[小盡,壬寅], 放朝賀.[11)]

辛亥[3日], 王子瞋, 自[西海道]安岳縣還京.

[某日, 制, 改崔忠獻興寧府爲晋康府:節要轉載].[12)]

乙卯[7日], 設灌頂道場於宣慶殿.

丙寅[18日], 制, "登極之初, 例覃恩宥, 當於二月下旬, 擇吉頒赦, 西京及諸路州牧, 進奉方物, 一皆除之".

○設延生經道場于內殿三日.

[某日, 以[吏部侍郞·右諫議大夫]崔甫淳爲尙書左丞·知制誥, 李奎報爲千牛衛錄事兼參軍事:追加].[13)]

[某日, 以[慶尙晋安東道按察副使]金仲龜爲全羅道按察使, 慶尙道按察使宋安國, 仍番:慶尙道營主題名記·金仲龜墓誌].[14)]

[是月己酉朔, 金改元崇慶:追加].

---

11) 이날 燕京의 天氣가 몹시 寒冷하였던 것 같다.
· 『使金錄』, "嘉定五年正月一日己酉, 晴, 寒甚. [未明國信使程]卓等率官屬就館設香案, 望南闕[臨安府]先遙拜訖. 同館伴上馬, 馳道柳木皆凝霜如積雪, 至如前下馬處, 步入應天門, 其門有五, 由東偏入幕次, 閤門置酒如前, 訖. 引班自左掖龍門, 過大宴殿門右月華門入門內, …".

12) 이 기사는 열전42, 崔忠獻에도 수록되어 있지만, 原文의 冒頭에 元年이 탈락되었다.

13) 이는 「崔甫淳墓誌銘」; 『동국이상국집』 年譜에 의거하였다.

14) 金仲龜는 1211년(희종7) 12월 25일 康宗이 즉위한 후 全羅道按察使에 임명되었다고 한다.
· 「金仲龜墓誌銘」, "大安三年辛未, 康宗承寶圖, 又詔爲全羅州道按察使".

二月戊寅朔大盡,癸卯, 庚辰3日, 遣告奏使·中書舍人李儀如金, 表曰, "伏見國王祿, 早傳先業, 恪守外藩, 忽嬰疾病以彌留, 浸致形骸之甚弱, 攻療無効, 顚仆是憂. 庶因脫釋於繁機, 姑欲保全於餘喘, 蓋由承禀臣仲父先國王臣晫遺囑, 以臣親則猶子, 理合承家, 如有遞更, 必先推與, 迺於前年十二月二十五日, 令臣權國事務, 而臣祺, 辭不獲已, 受亦難堪. 顧付畀之非輕, 將籲呼而遙達, 然念黎元不可一日而無主, 祊社不可曠時而乏祠, 勉副群情, 假司重寄. 跼天蹐地, 寔深隕越之懷, 剖心拆肝, 仰告端倪之實, 儻迴淵聽, 深荷鴻恩".

壬辰15日, 燃燈, 王如奉恩寺.

己亥22日, 御儀鳳樓, 赦.

三月戊申朔小盡,甲辰, 庚申13日, 門下侍郞平章事任濡卒,[15] [年六十四, 諡良淑. □濡, 性恬淡慈和, 不以家世勢位驕人, 雖臧獲賤隷, 未嘗詬罵, 歷事五朝, 居官勤恪, 處決明允. 掌制誥十六年, 一時高文大册, 皆出其手. 四闢文闈, 所擧皆當世名士, 若趙冲·李奎報·金敞·兪承旦兪升旦, 其尤者也. 晩年, 奉佛彌篤, 金書大藏經幾半, 識者譏之. 配享熙宗廟庭. 子景肅·景謙·孝順·景恂. 景肅, 官至同中書門下平章事·修文殿大學士·判吏部事. 景謙, 同知樞密□院事·翰林學士承旨. 孝順, 樞密□院副使 景恂, 判司宰□寺事. 景謙子翊:列傳8任濡轉載].[16]

夏四月丁丑朔小盡,乙巳, 辛巳5日, 以王生日爲光天節.

[壬午6日, 戶部尙書致仕朴仁碩卒, 年六十九:追加].[17]

乙巳29日, 李儀還自金, 詔曰, "朕惟爾國, 世篤忠勤. 意前王, 遽以病讓, 謂爾迺仲父之子, 而素有□好賢之稱,[18] 徵遺訓於先臣, 俾攝行於機務. 以頒答詔, 特示矜從. 玆重閱於來章, 宜明諭於朕指, 其承恩許, 益謹藩儀, 續當遣使册命".

---

15) 이날은 율리우스曆으로 1212년 4월 16일(그레고리曆 4월 23일)에 해당한다.

16) 兪承旦은 兪升旦의 오자이고, 孝順은 任孝明(崔忠獻의 壻)의 改名으로 추측된다.

17) 이는 「朴仁碩墓誌銘」에 의거하였는데, 이날은 율리우스曆으로 5월 8일(그레고리曆 5월 15일)에 해당한다.

18) 여러 판본의 『고려사』에서 한 글자[一字]가 脫落되어 있는데, 같은 해 7월 28일(壬申)에 수록되어 있는 金의 册文에 好賢之望이 있음을 보아 好字가 탈락되었을 것이다(東亞大學 2008년 6책 618面).

五月丙午朔大盡,丙午, [某日], 追尊王妣懿靖王后金氏, 爲光靖太后. [冊曰, "貴以子, 春秋之成式, 謚謚知行, 戴禮之格言. 欲伸永慕之懷, 須擧追尊之典. 恭惟, 我聖母, 姿凝偃月, 慶洽玄雲. 妙齡作配於先皇, 婦道正儀於中饋. 謂當眉壽以長生, 坐膺至理, 乃乘莽渺而奄棄, 已積流年. 而臣今居莫大之崇高, 實本難名之鞠育. 雖殫九州之富, 而無以致養, 唯極天下之美, 而庶幾薦名. 謹遣某官某, 奉玉冊, 追尊爲太后, 謚謚曰光靖, 俯納丕稱, 曲垂陰援":列傳1明宗妃光靖太后金氏轉載].[19]

[是月, 右諫議大夫崔甫淳, □□□□□掌國子監試, 取詩賦閔櫶等二十八人, 十韻詩魏大輿等六十二人, 明經二人:選擧2國子試額轉載].[20]

六月丙子朔小盡,丁未, 王如奉恩寺.

戊子13日, 賜田慶成等及第.[21]

庚寅15日, [大暑]. 王受菩薩戒于內殿.

[某日, 以千牛衛錄事兼參軍事李奎報爲兼直翰林院:追加].[22]

秋七月乙巳朔小盡,戊申, 辛酉17日, 金封冊使大理卿完顔惟基·翰林直學士張翰來.[23]

乙丑21日, 冊子瞋爲王太子, 加元服, 立府.[24]

---

19) 明宗妃인 懿靖王后 金氏는 그의 열전에는 義靜王后로 달리 표기되어 있다.

20) 이와 관련된 기사로 다음이 있다.
 ·「崔甫淳墓誌銘」, "是年春, 爲監試座主, 考閱精强, 拔犀角, 擢象齒. 時無倒牓之誚".

21) 이와 관련된 기사로 다음이 있다. 이때 田慶成·崔宗裕(改安·滋, 沃溝郡夫人宋氏準戶口)·康疏屬·孫抃·洪鈞·趙脩·李淳牧·尹有功·宋國瞻·河千旦·趙貢·崔璘 등이 급제하였다(『등과록』, 朴龍雲 1990년 ; 許興植 2005년 ; 東亞大學 2006년 22책 184面).
 · 지27, 선거1, 科目1, 選場, "康宗元年六月, 政堂文學崔洪胤知貢擧, 知奏事·知吏部事琴儀同知貢擧, 取進士, 戊子, 賜田慶成等二十九人·明經六人及第".
 ·『東人之文五七』, 崔平章滋三首, "… 滋, 天資淳訥, 不以表表爲能, 康王壬申1年, 田慶成牓登科, 滯於學官, 十年不遷, …".

22) 이는『동국이상국집』年譜 ;「李奎報墓誌銘」에 의거하였는데(金龍善 2006년, 373面), 이날은 6월의 頒政[小政] 以前에 이루어진 것이다.

23) 張翰(生沒年不明)은 字는 林卿이고, 1188년(大定28) 進士試에 급제하여 감찰어사·한림직학사 등을 거쳐 貞祐(1213~1216) 초에 호부시랑에 임명되었고, 이어서 河平節度使·호부상서 등을 역임하였다. 그가 이해에 고려에 파견되어와 지은 詩文 2首가 찾아진다(『中州集』 권8, 張戶部翰, 奉使高麗過平州館·金郊驛, 張東翼 1997년 358·359面).

24) 瞋(後日의 高宗)이 皇太子[王太子]에 책봉된 것이 7월 23일이라는 기록도 있다.
 ·『익재난고』 권9상, 忠憲王世家, "子高王高宗立, … 崇慶元年康宗1年七月二十三日, 冊爲王太子".

丁卯[23日], 遣戶部侍郎李實椿如金, 賀萬春節.

[辛未[27日], 大風拔木:五行3轉載].

壬申[28日], 王受册, 詔曰, "邇者, 前王乃以國讓, 謂卿賢淑, 祈授世封. 肆臨遣於使軺, 俾就加於錫命, 益思忠恪, 茂對寵光. 今差使明虎[昭武]大將軍·大理卿完顔惟基副使翰林直學士·大中大夫張翰, 往彼册命, 仍賜卿車服·金印·~~西~~段[匹段]·弓箭·鞍馬等物, 具如別錄".[25)]

○册曰, "朕操馭貴之資, 職代天之命, 凡預疏榮之例, 必崇過厚之恩. 矧惟東藩, 謹乃侯度, 頃屬授承之際, 克敦揖讓之風, 載閱控章, 特從開許. 權高麗國事王祦, 性資愷悌, 學問淵源, 內推樂善之誠, 外蔚好賢之望. 稽之理命則有恊[協], 假以政權則克勝, 使付囑者, 得稱知人, 傳授者, 果爲有託. 顧玆一擧, 豈匪兩全. 是用, 正爾眞封, 豊斯新渥. 於戱, 揔山海五部, 畀之茅社, 加車服九命, 煥其旗章. 尙肩忠藎之心, 益體寵綏之意, 勉修爾職, 祇服朕言. 可特授開府儀同三司·上柱國·高麗國王·食邑一萬戶·食實封一千戶, 仍令有司, 擇日, 備禮册命".

○所賜象輅, 高十九尺, 廣化門高, 纔十五尺, 請裁損入門. 金使答曰, "象輅之制, 皆有定式, 不可增損". 乃掘閾下地, 去頂三輪, 挽入.

[→金使, 欲入自儀鳳[儀鳳樓]正門, 王命知奏事·[知吏部事]琴儀, 往諭曰, "天子之巡狩方嶽, 自古有之, 若大國枉蹕小國, 當入自何門耶?". 惟基答曰, "天子出入, 捨中門而何?". 儀曰, "然則人臣由正門, 可乎?". 惟基大服其言, 乃入自西門:節要轉載].[26)]

[某日, 以丁公壽爲慶尙道按察使:慶尙道營主題名記].

八月[甲戌朔大盡,己酉], 丁亥[14日], 設星變消災道場于內殿.

○遣使如金, 謝封册賜物.

[九月甲辰朔[小盡,庚戌]:追加].

冬十月癸酉朔[大盡,辛亥], 行金崇慶元年.[27)]

---

25) 明虎大將軍은 昭武大將軍(正4品上)을 惠宗[武]과 光宗[昭]의 御諱를 避하여 改字한 것인데, 『고려사』의 편찬자가 인식하지 못하여 환원하지 못하였을 것이다.

26) 이때 金 使臣의 入闕과 관련된 기사가 열전15, 琴儀 ; 「琴儀墓誌銘」 등에도 수록되어 있다.

27) 金에서 1월 1일(己酉) 崇慶으로 改元하였다.

[己卯[7日], 雷, 大倉[太倉]災:五行1雷震轉載].

[壬午[10日], 有石, 自移於敦化門內:五行2轉載].

[戊子[16日], 月食:天文2轉載].[28)]

甲午[22日], 冊王妃柳氏爲延德宮主. [詔曰, "爲君克艱, 理內尤劇. 大舜之化天下也, 盖賴娥皇之釐降, 王季之肇邦基也, 亦因摯仲之思齊. 顧予天匹之賢明, 有古后妃之輔弼, 盍加顯册, 以答潛功. 今遣某宮某, 持節備禮, 冊命爾爲王妃延德宮主, 兼賜印綬·衣襨·金銀器·匹段·布穀·奴婢·鞍馬".

○冊曰, "后妃之德, 王化所基. 周文迎渭水以立嬪, 本支益茂, 夏禹娶塗山而作匹, 曆數遐昌. 宜用前規, 特擧彝典. 咨爾王妃柳氏, 天生淑質, 玉潤奇姿, 內無險陂之心, 外有柔嘉之行. 感赤龍之入寢, 誕得元良, 翫黃鳥之集林, 廣施仁惠. 顧陰功之既著, 合徽號之優加, 玆擇蕙時, 載頒竹册. 今遣某官某, 持節備禮, 冊命爾爲王妃延德宮主. 於戱, 能循厥度, 淑愼其身":列傳1康宗妃元德太后柳氏轉載].

乙未[23日], 醮于內庭, 以禳星變.

十一月[癸卯朔大盡,壬子], 丙辰[14日], 設八關會, 幸法王寺.

十二月[癸酉朔大盡,癸丑], 乙未[23日], [賜[門下侍中]崔忠獻, 文經武緯[虎緯]嚮理措安功臣號:節要轉載].[29)] 以[守司空·左僕射·判三司事]金元義△[爲]參知政事·判禮部事, 崔洪胤爲政堂文學, 鄭克溫△[爲]守司空·左僕射·判三司事.

[是年, 冊長女爲壽寧宮公主:列傳4神宗公主轉載].

· 『금사』 권13, 본기13, 衛紹王, 崇慶 1년 1월, "己酉朔, 改元".

28) 이날 宋에서도 월식이 이루어졌고(『송사』 권52, 지5, 천문5, 月食), 일본의 京都에서도 월식이 있었다(高麗曆과 同一, 日本史料4-11册 912面). 이날은 율리우스력의 1212년 11월 10일이고, 월식 현상이 심했던 때의 世界時는 16시 34분, 食分은 0.79이었다(渡邊敏夫 1979年 479面).

· 『百練抄』제12, 順德, 建曆 2년 10월, "十六日, 月蝕".

· 『明月記』 권38, 建曆 2년 10월, "十六日, 天晴, 月蝕, 丑時云々".

· 『玉蘂』, 建曆 2년 10월, "十六日戊子, 今日有月蝕事, 十五分, 予行祈, 金輪念誦, 成圓於本房, 又有北斗念誦"(筆者 未確認).

29) 崔忠獻이 中書令에 임명된 기사는 확인되지 않는데, 功臣號를 下賜받은 이 시기로 추측된다. 또 최충헌의 묘지명에는 惠宗의 御諱[武]를 피하여 ~~添字~~로 되어 있다.

[○改慶尙道才山縣, 還爲德山部曲:追加].[30)]

[○以柳光植爲左承宣·知兵部事:追加].[31)]

[○以崔義爲尙書左丞:追加].[32)]

[○以戶部侍郞尹應瞻爲工部侍郞:追加].[33)]

[○以戶部員外郞任益惇爲安東大都護府判官:追加].[34)]

癸酉[康宗]二年, 金崇慶二年→5月至寧元年→9月貞祐元年[高麗行大安五年], [南宋嘉定六年], [西曆1213年]

1213년 1월 24일(Gre1월 31일)에서 1214년 2월 11일(Gre2월 18일)까지, 13개월 384일

春正月癸卯朔小盡,甲寅, 放朝賀.

[某日, 以李大明爲慶尙道按察使:慶尙道營主題名記].

二月壬申朔大盡,乙卯, 乙酉14日, 燃燈, 王如奉恩寺.

[是月, 西京楊命浦, 水中石, 大如瓮, 自出陸, 移一百二十尺許:五行2轉載].

[○修禪社僧慧諶撰'宗鏡撮要'跋:追加].[35)]

三月壬寅朔大盡,丙辰, 甲子23日, [穀雨]. 羅州地震.

[是月, 東海水, 赤如血:五行1轉載].

[增補].[36)]

---

30) 이는 다음의 자료에 의거하였는데, 여기에서 定宗은 康宗으로 고쳐야 옳게 된다.

· 『경상도지리지』, 安東道, 安東大都護府, 才山縣, "古之德山部曲, 太祖時, 改才山縣, 定宗康宗崇慶壬申, 還爲德山部曲".

31) 이는 「柳光植墓誌銘」에 의거하였다.

32) 이는 「崔義墓誌銘」에 의거하였다.

33) 이는 「尹應瞻墓誌銘」에 의거하였다.

34) 이는 「任益惇墓誌銘」에 의거하였다.

35) 이는 『宗鏡撮要』跋에 의거하였다(尹炳泰 1969년 ; 南權熙 2002년 50面).

· 跋文, "… 得此本於天眞上人,囑道者正宣,募」 工重雕,印施,崇慶癸酉二年仲春,修禪社」 無衣子慧諶 誌」".

夏四月[壬申朔小盡,丁巳], [某日, 秘書監李淳中, □□□□□[掌南省試], 取詩賦陳璬, 十韻詩金革良等八十一人, 明經十五人:選擧2國子試額轉載].

甲午[23日], [小滿]. 謁智陵[明宗].

○中書省劾秘書監李淳中, 掌南省試, 誤解試題, 貶爲南京副留守, 削進士籍.

[是月, [西海道]白州樹僵自起:五行2轉載].[37)]

五月[辛丑朔小盡,戊午], 丙寅[26日], 以旱, 再雩.

[是月, [開城府]東林寺北嶺石墮:五行3轉載].

[○金改元至寧:追加].

六月[庚午朔大盡, 己未], 辛未[2日], 王如奉恩寺.

甲申[15日], 王受菩薩戒於內殿, 以僧至謙[志謙]爲王師.[38)]

秋七月[庚子朔小盡,庚申], 壬寅[3日], 賜許受[許綏]等及第.[39)]

[某日, 以李陽升爲慶尙道按察使:慶尙道營主題名記].

---

36) 이달[是月]에 金帝國 禮部가 鑄造한 官印 1点에 대한 記錄과 이것과 같이 만들어진 行軍萬戶印이 찾아진다. 이들 官印의 유래는 大遼收國[契丹殘黨], 蒙古軍, 哈丹軍 등의 침입 때에 발생한 遺留品으로 추정되는데, 이때 침략군에 편입되었던 女眞軍[金軍]이 소유하고 있었던 것으로 추측된다.

· 『성종실록』 권118, 11년 6월, "丁卯[18日], 永安道觀察使李克墩, 得古印一顆進之, 刻其背曰, '崇慶二年三月日, 禮部所造', 乃金年號也. 其文'都統所印', 命下禮曹".

· 行軍萬戶印 銘文, 印面·側面 '行軍万」 戶傍字」 号之印」', 上面 '崇慶二年三月'(忠北大學博物館 所藏, 筆者未見). 이는 忠淸北道 忠州市 可金面 可興里에서 출토되었다고 하며, 크기는 가로 세로 각각 6.5cm의 方形이라고 한다(국립중앙박물관, 『고려시대를 가다』, 2009, 111面).

37) 原文에는 "康宗二年四月, 白州有樹, 三年自起"로 되어 있다.

38) 至謙은 志謙의 오자일 것이다(『동국이상국집』 권35, 故華藏寺住持·王師定印大禪師追封靜覺國師塔碑銘).

30) 이와 관련된 기사로 다음이 있다. 이때 許受(許綏)·陳澕·金闕 등이 급제하였다고 한다(許興植 2005년).

· 지27, 선거1, 科目1, 選場, "[康宗]二年七月, 同平章事[門下侍郎同中書門下平章事]李桂長知貢擧, 左諫議大夫崔甫淳同知貢擧, 取進士, [壬寅], 賜許受等三十一人·明經五人及第".

· 『東人之文五七』, 陳司諫澕一十八首, "澕, 淸州麗陽籍, … 至孫澕, 兄弟三人, 皆登科. … 溫, 忠憲王癸酉, 許綏牓".

八月[己巳朔小盡,辛酉], 癸酉[5日], 王不豫.

丁丑[9日], 詔曰, "朕以不類, 叨承大寶, 于今數載. 德薄負重, 疾漸惟幾, 粤惟天位, 不可暫虛. 太子瞋, 德足以升聞于上, 明足以丕冒于下. 乃命以位, 遺大投艱, 凡爾百僚, 各執爾事, 以聽嗣王. 山陵制度, 務先儉約, 易月之服, 三日而除".

○是日, 暮, 有星大如日, 見於乾方, 俄而墮地.[40] 夜二鼓, 王薨于壽昌宮和平殿, 在位二年, 壽六十二, 諡曰元孝, 廟號康宗, 陵曰厚陵, 高宗四十年, 加諡明憲.

史臣贊曰, "康宗, 在位之日, 凡所施爲, 皆受制於强臣, 遽罹疾病, 享國日淺, 悲夫".

[仁同人 張東翼 校注, 增補].

---

40) 지2, 天文2에는 流隕이 癸酉(5일)에 이루어진 것으로 되어 있는데, 날짜(日辰) 정리에 실패하였을 것이다[繫年錯誤].

『高麗史』卷二十二 世家卷二十二

[輔國崇祿大夫·議政府左贊成·知集賢殿經筵春秋館成均事·世子賓客·臣金宗瑞奉教撰]

正憲大夫·工曹判書·集賢殿大提學·知經筵春秋館事兼成均大司成·臣鄭麟趾奉教修

高宗 一

高宗·安孝·□□[忠憲]大王,[1)] 諱皞, 字大明, 一字天祐, 舊諱瞋. 又改晊, 康宗元子, 母曰元德太后柳氏, 明宗二十二年壬子正月壬戌[18日]生, 康宗元年七月, 册爲太子,

二年八月丁丑[9日], 康宗薨.

戊寅[10日], 受遺詔, 卽位於康安殿.

[是月癸巳[25日], 金帝衛紹王遇弑:追加].

九月[戊戌朔大盡,壬戌], [癸卯[6日], 上謚元孝, 廟號康宗:節要轉載].[2)]

丙午[9日], 葬康宗于厚陵.[3)]

是月[甲辰6日], 金昇王珣, 卽皇帝位[宣宗], [壬子14日], 改元貞祐, 遣使來告.[4)]

[○修禪社僧正宣重刊'正法眼藏':追加].[5)]

---

1) 이에서 高宗은 1259년(원종 즉위년) 9월 太孫이 올린 廟號이고, 安孝는 謚號인데(『고려사절요』 권17, 고종 46년 9월), 1310년(충선왕2) 7월 20일(乙未)에 大元蒙古國으로부터 받은 시호인 忠憲이 탈락되었다.

· 『익재난고』 권9상, 忠憲王世家, "… 子高王立, 諱皞, 字大明, 寔忠憲王".

2) 이때의 尊謚册文이 『동문선』 권28, 康王謚册文이다.

3) 이 기사는 지18, 禮6, 國恤에도 수록되어 있고, 厚陵은 失傳되어 현재 어디에 있는지를 알 수 없다(洪榮義 2018년).

4) 金에서는 이해의 8월 25일(癸巳) 皇帝 衛紹王이 右副元帥 紇石烈胡沙虎(紇石烈執中)에 의해 廢位되었다가 피살되었다. 9월 6일(甲辰) 帝室의 傍系인 完顏吾睹補(完顏珣, 衛紹王의 甥姪, 章宗의 異母兄, 宣宗)가 즉위하여 14일(壬子) 年號를 至寧에서 貞祐로 바꾸었다(『금사』 권13, 본기13, 至寧 1년 8월 癸巳, 9월 甲辰·권14, 본기14, 宣宗上, 至寧 1년 9월 壬子).

5) 이는 다음의 자료에 의거하였는데, 傳寫에서 차이가 있다(南權熙 2002년 50面 ; 崔然柱 2005년b ; 郭丞勳 2021년 143面).

· 『正法眼藏』권상, 刊記, "… 崇慶二年癸酉九月日,修禪寺道人正宣,重板印施」 青蓮」".

閏[九]月戊辰朔小盡,壬戌, 某日, 遣郞將盧育夫如金, 進奉, 金蘊珠, 告哀.[6)]

[冬十月丁酉朔大盡,癸亥, 是月, 晋州牧使兼兵馬鈴轄·左右衛精勇將軍奇若冲開板 '三家錄':追加].[7)]

[十一月丁卯朔大盡,甲子, 某日, 尙書禮部員外郞李瑞林卒, 年六十:追加].[8)]

[十二月丁酉朔大盡,乙丑, 某日, 以大司成·知禮部事趙冲爲翰林學士·□部尙書, 千牛衛錄事兼參軍事李奎報爲司宰丞兼直翰林院:追加].[9)]

[是年, 以參知政事·判禮部事金元義爲門下侍郞平章事·判兵部事:追加].[10)]
[○以光祿大夫·尙書右僕射庾資諒爲銀靑光祿大夫·尙書左僕射, 仍令致仕:追加].[11)]
[○以知奏事·知吏部事琴儀爲銀靑光祿大夫·簽書樞密院事·左散騎常侍·翰林學士承旨:

---

6) 이때 金에서는 帝位의 교체 과정에서 致祭·慰問·封册 등의 사신을 파견하지 못했는데, 고려의 告哀使가 도착하면 이들을 파견하기로 결정하였다. 그렇지만 明年 5월 金이 南京(北宋의 首都인 汴京, 開封府)으로 천도하기 시작하여 7월에 宣宗이 도착하였기에 사신의 파견이 어떻게 되었는지 알 수 없다.

· 『금사』 권208, 열전95, 外夷1, 高麗, "至寧元年八月, 王祦薨, 嗣子未行起復. 九月, 宣宗卽位, 邊吏奏, '高麗牒稱, 嗣子未起復, 不可以凶服迎吉詔, 又不可以草土名銜署表'. 禮官議, '人臣不以私恩廢公義, 宜權用吉服迎詔, 署表用權國事名銜. 俟高麗告哀使至闕, 然後遣使致祭·慰問及行封册', 制可. 明年, 宣宗遷汴, 遼東道路不通".

7) 이는 다음의 자료에 의거하였는데, 내용과 간행시기가 부합되지 않는 것 같다(筆者未見, 郭丞勳 2021년 145面).

· 『三家錄』, 卷末刊記, "唐四家錄[注, 馬祖·百丈·黃蘗·臨濟], 黃龍長老所流通, 宋三家錄[大慧·高峯·蒙山], 休々庵主蒙山所流通, 此二本 錫齡社主所持, 齡一日開鉢囊, 出示余, 余一覽而生信曰, '此二錄使人袪文字, 而發傳心之妙', 斬荊林而登活路之要 深欲流通願矣, 愈切. 余今幸任晋陽牧伯, 下車之月, 山翁永瑞之徒, 聞余願意, 助緣重彫, 以廣其傳焉. 時大金[注, 至寧元年]癸酉十月日, 晋州牧□使兼兵馬□□鈴轄·左右衛精勇將軍奇若冲誌」 萬曆丙戌宣祖19年夏鷄龍山上院庵刊板,東鶴寺留鎭」". 添字는 筆寫, 刻字, 判讀 과정에서 탈락되었을 것이다.

8) 이는 「李瑞林墓誌銘」에 의거하였다.

9) 이해의 12월 頒政[大政] 때에 李奎報가 司宰丞에 임명되었고(『동국이상국집』 연보 ; 李奎報墓誌銘), 겨울[冬]에 趙冲이 翰林學士·□□尙書에 임명되었는데(趙冲墓誌銘), 동시에 이루어진 것으로 추측된다.

10) 이는 「金元義墓誌銘」에 의거하였다.

11) 이는 「庾資諒墓誌銘」에 의거하였다.

追加].[12]

[○以柳光植爲知奏事·知吏部事:追加].[13]

[○以^尙書左丞^崔甫淳爲太僕卿:追加].[14]

[○以^工部侍郎^尹應瞻爲兵部侍郎·知茶房事:追加].[15]

[○命千牛衛大將軍金就礪巡撫邊境:追加].[16]

[○以^桂陽府使^廉克髦爲衛尉少卿:追加].[17]

[○以^前南京司錄^兪升旦爲守宮署丞, 仍爲師傅:列傳15兪升旦轉載].

[○僧玄規與廣陵侯沔造成開天寺靑石塔於天安府豊歲縣:追加].[18]

[○以承逈爲三重大師:追加].[19]

[○某等重修師子山興寧禪院:追加].[20]

---

12) 이는「琴儀墓誌銘」;『동문선』 권25, 琴儀爲銀靑光祿大夫·簽書樞密院事·左散騎常侍·翰林學士承旨官誥 ; 열전12, 琴儀에 의거하였다.

13) 이는「柳光植墓誌銘」에 의거하였다.

14) 이는「崔甫淳墓誌銘」에 의거하였다.

15) 이는「尹應瞻墓誌銘」에 의거하였다.

16) 이는 다음의 자료에 의거하였는데, 以下에서 '威烈公金公行軍記'를 略稱하여「金就礪行軍記」로 표기한다.

· 『익재난고』 권6, 威烈公金公行軍記, "以功拜千牛衛大將軍, 康王二年癸酉, 巡撫塞上, 邊民畏而愛之"(以下「金就礪行軍記」를 本文에 追加할 때 字句를 적절히 變改하였다).

17) 이는「廉克髦墓誌銘」에 의거하였다.

18) 이는 다음의 자료에 의거하였다. 현재 開天寺址는 忠淸南道 天安市 東南區 廣德面 寶山院里 開天마을에 있다고 한다(趙源昌 2017년)

· 『동국이상국집』 권24, 開天寺靑石塔記銘, "宗室廣陵侯沔, 軒裳中, 有出塵之想, 淡如也. 方外之交, 有高僧某者, 就豊歲縣之南壤, 得古寺曰開天, 方創而新之也. 侯爲之檀越, 尤有力焉. 師之高弟弟子玄規見之, 乃嘆曰, '師所樹立如此, 吾居其門, 無一事有所措焉, 則亦一恥也'. 於是, 遂立梵所謂窣堵波者, 悉用靑石爲之, 展轉盤互, 凡十有三級. 旣成, 遂報於侯, … 且重違侯請, 敢受而銘之, 時皇上卽祚之元年某月日也".

19) 이는「淸河寶鏡寺住持大禪師贈諡圓眞國師塔碑銘」에 의거하였는데, 그 시기는 康宗이 崩御한 9월 以前이다.

20) 이는 江原道 寧越郡 武陵桃源面 法興里 興寧禪院址에서 발견된 기와[瓦]의 刻字에 의거하였다.

· 銘文, "… 四僧 … 五年下 … 大匠僧」"(鄭永鎬 1969년).

· 銘文, "大安五年下 … 大□^匠?^ …」"(江原文化財硏究所 2002년).

甲戌[高宗]元年, 金貞祐二年[高麗, 金崇慶三年], [南宋嘉定七年], [西曆1214年]

1214년 2월 12일(Gre2월 19일)에서 1215년 1월 31일(Gre2월 7일)까지, 354일

春正月丁卯朔小盡,丙寅, [壬午16日, 行金吾衛錄事兼參軍事金允濟卒, 年六十餘:追加].[21]
[甲申18日:比定], 以王生日爲慶雲節.
[某日, 以翰林學士·□部尙書趙冲爲東北面兵馬使, 金公亮爲慶尙道按察使:慶尙道營主題名記].[22]

[二月丙申朔大盡,丁卯, 是月, 晋陽府乳母某氏開板'六祖壇經':追加].[23]

[三月丙寅朔小盡,戊辰, 是月庚午5日, 楊州高嶺寺住持惠成與壽寧宮房侍衛軍公節·仲敍鑄成飯子1口, 入重三十斤:追加].[24]

[春某月, 以三重大師承逈爲禪師:追加].[25]

[夏四月乙未朔大盡,己巳, 壬子18日, 月犯牽牛大星:天文2轉載].
[是月, 左諫議大夫朴玄圭, □□□□□掌國子監試, 取詩賦尹得之等二十五人, 十韻詩張貂等六十二人, 明經十人:選擧2國子試額轉載].

---

21) 이는「金允濟墓誌銘」에 의거하였는데, 이날은 율리우스曆으로 1214년 2월 27일(그레고리曆 3월 6일)에 해당한다.

22) 趙冲은 그의 墓誌銘에 의거하였다.

23) 이는 다음의 자료에 의거하였다(筆者未見, 朴相國 1989년 ; 郭丞勳 2021년 146面).
· 『法寶壇經』刊記, "高麗國晋陽府乳母,特爲晋康公及妃主王氏,福壽無疆,厄會頓除,…募工彫板,印施無窮,良緣者.貞祐二年甲戌 二月日誌".

24) 이는 다음의 자료에 의거하였다(東京國立博物館 所藏, 許興植 1984년 959面).
「高嶺寺飯了」, "崇慶三年甲戌三月五日,壽寧宮土房侍衛軍公節亦 壁壽天長,國泰民安,兩主各保千秋,兼及亡妻聰明女,離苦得樂,聞聲悟」 道之願, 鑄成飯子一隻,重三十斤,懸於高嶺寺,永充功德者,同願同寺住持惠成」 同房侍衛軍仲敍」". 여기에서 貞祐二年을 崇慶三年으로 표기한 점이 주목되는데, 이때 金帝國이 蒙古軍의 침입으로 인해 高麗에 改元을 제때 通報되지 못한 결과로 추측된다.

25) 이는「清河寶鏡寺住持大禪師贈諡圓眞國師塔碑銘」에 의거하였다.

夏五月乙丑朔小盡,庚午, 丙寅2日, 賜金莘鼎等及第.[26]

[庚辰16日, 西京法器寺屋一間, 地陷, 周八十二尺, 深二十尺許:五行3轉載].

辛卯27日, 幸魂堂, 行四虞祭.

[是月乙亥11日, 金帝宣宗決意南遷, 詔告國內. 壬午18日, 車駕發中都大興府, 至秋七月, 車駕至南京開封府, 以避蒙古軍侵略:追加].[27]

[六月甲午朔大盡,辛未, 某日, 以翰林學士·□部尙書·東北面兵馬使趙冲爲禮部尙書:列傳16趙冲轉載].

[秋七月甲子朔小盡,壬申, 甲戌11日, 月掩牽牛:天文2轉載].

[某日, 以禮部尙書趙冲爲西北面兵馬使, 安石貞~~安碩貞~~爲慶尙道按察使:慶尙道營主題名記].[28]

[八月癸巳朔小盡,癸酉:追加].

秋九月壬戌朔大盡,甲戌, 日食.[29]

[冬十月壬辰朔小盡,乙亥, 某日, 群生寺住持·重大師探古開板'金剛般若波羅密經':

---

26) 이와 관련된 기사로 다음이 있다.

· 지27, 선거1, 科目1, 選場, "高宗元年五月, 簽書樞密院事琴儀知貢擧, 右散騎常侍蔡靖同知貢擧, 取進士, □□丙寅, 賜金莘鼎等二十二人·明經五人·恩賜三人及第".

27) 이는 다음의 자료에 의거하였다.

· 『금사』 권14, 본기14, 宣宗上, 貞祐 2년, "五月乙亥11日, 上宣宗決意南遷, 詔告國內. … 壬午18日, 車駕發中都大興府. … 秋七月, 車駕至南京".

28) 趙冲은 그의 묘지명에 의거하였다. 또 安石貞은 1225년(고종12) 私奴의 아들로서 崔瑀에 의해 御史中丞에 발탁된 安碩貞일 것으로 추측된다(열전42, 崔忠獻, 怡).

29) 이날 宋에서는 角星(luckycyan)에 일식이 있었다고 하며, 金에서도 일식이 있었다(『송사』 권52, 지5, 천문5, 日食 ; 『금사』 권14, 본기14, 宣宗上, 貞祐 2년 9월 壬戌 ; 권20, 지1, 天文, 日薄食煇珥雲氣). 또 이날 일본의 京都와 鎌倉에서도 일식이 있었다(高麗曆과 同一, 日本史料4-11冊 247面). 그리고 이날은 율리우스曆의 1214년 10월 5일이고, 開京에서 일식 현상이 심했던 시간은 12시 52분, 食分은 0.68이었다(渡邊敏夫 1979年 308面).

·『百練抄』 제12, 順德, 建保 2년 9월, "一日, 日蝕".

·『吾妻鏡』 권22, 建保 2년 9월, "一日壬戌, 晴, 巳午兩時日蝕正見, 五分".

追加].[30)]

[十一月辛酉朔[大盡,丙子]:追加].

[冬十二月[辛卯朔大盡,丁丑], 某日, 以[知奏事]柳光植爲銀靑光祿大夫·樞密院副使·判閤門事:追加].[31)]

[是年, 以[衛尉少卿]廉克髦爲工部侍郞:追加].[32)]
[○以[知平州事]李侃爲起居舍人·知制誥:追加].[33)]
[○封[中書令崔]忠獻妻任氏爲綏成宅主, 王氏爲靜和宅主. 任氏本將軍孫洪胤妻也, [明宗26年4月]忠獻殺洪胤, 聞其美, 私之:列傳42崔忠獻轉載].

乙亥[高宗]二年, 金貞祐三年, [南宋嘉定八年], [西曆1215年]

1215년 2월 1일(Gre2월 8일)에서 1216년 1월 20일(Gre1월 27일)까지, 354일

[春正月[辛酉朔小盡,戊寅], 辛未[11日], 地震:五行3轉載].
[某日, 以[太僕卿]崔甫淳爲東北面兵馬使, 金周鼎爲慶尙道按察副使:慶尙道營主題名記].[34)]

---

30) 이는 다음의 자료에 의거하였다(海印寺 所藏, 국보 제206-5호, 藤田亮策 1994年 ; 林基榮 2009년 ; 崔然柱 2015년 ; 崔永好 2015년b).
· 『金剛般若波羅蜜經』題記, "上祝」 皇齡萬歲,國泰民安,兵戢年豊,法輪常轉」 先亡父母·妹氏·女子兼及法界生亡同生,淨」 土之願,特雕金剛般若,印行廣布者,」 貞祐二年甲戌十月日,道人迅機誌,」 無求居士周通富書,」 群生寺住持·重大師探古」 施財刊板,」 符仁寺大師淸守, 孝如刻」".

31) 이는 「柳光植墓誌銘」에 의거하였다.

32) 이는 「廉克髦墓誌銘」에 의거하였다.

33) 이는 「李侃墓誌銘」에 의거하였다.

34) 崔甫淳은 그의 묘지명에 의거하였다. 또 金周鼎은 거의 1년 이후인 1216년(고종3) 12월에 侍御史(종5품)로 재직하고 있었음을 보아 按察副使였을 것이다. 이때의 金周鼎은 1264년(원종5) 5월 25일(戊戌) 製述業에 급제한 金周鼎과는 別個의 인물이다(東亞大學 2006년 28책 171面).

春二月庚寅朔大盡,己卯, [某日], 參知政事鄭克溫卒, [輟朝三日, 諡翼烈:追加].[35)] [克溫, 初以戰功顯, 凡所莅不露圭角, 故去必見思, 配享康宗廟庭:節要轉載].

[→高宗二年卒, 輟朝三日, 諡翼烈. 性溫仁謹愿, 不露圭角, 凡所莅, 威惠得宜. 當時無赫赫大名, 及去, 皆有遺愛. 無子, 配享康宗廟庭. 教曰詔曰, "卿昴躔毓粹, 崧嶽降精. 氣雄韓信之登壇, 早紆將印, 略邁張良之借筯, 密轉軍籌. 當寧考之承啚, 掌中樞而佐命, 曁忝大政, 逮事寡人. 故及見爾之平生, 眞可謂古之遺直. 朕曩遭憂釁, 深軫哀傷. 地隔九天, 雖未還於仙馭, 禮終三載, 將入奉於宗枋. 顧侑位之難虛, 與群僚而洒議, 當伐之佐, 未必乏其人焉, 衆論所歸, 固無易於卿者. 爰擧追崇之典, 俾躋與享之聯. 朕將嘉乃丕績, 誓萬世之不忘, 卿亦相我先君, 佑三韓之永固":列傳14鄭克溫轉載].

[三月庚申朔大盡,庚辰:追加].

夏四月庚寅朔小盡,辛巳, 辛卯2日, 幸外帝釋院. [自是, 屢幸寺院:節要轉載].

[癸巳4日, 雨雪:五行1雨雪轉載].

丙申7日, 設消災道場于宣慶殿五日.

[庚子11日, 大風拔木:五行3轉載].

[翼日辛丑12日, 亦如之大風拔木:五行3轉載].

[某日, 中書侍郞平章事崔洪胤知貢擧, 左諫議大夫朴玄圭同知貢擧, 取進士:選擧1選場轉載].[36)]

[是月, 旱:五行2轉載].

[○大司成任永岭任永齡, □□□□□掌國子監試, 取金文老等八十六人, 明經六人:選擧2國子試額轉載].[37)]

---

35) 鄭克溫은 그의 묘지명에도 逝去日이 기재되어 있지 않고, 이때 그의 관직은 參知政事·判禮部事였다고 한다(『동국이상국집』 권35, 鄭克溫墓誌銘).

36) 이는 지27, 선거1, 科目1, 選場에서 전재하였다. 이에 의하면 과거 실시가 5월로 되어 있으나 及第의 下賜가 5월 1일(己未朔)이므로 실제 실시된 날짜는 4월 또는 그 이전일 것이다. 또 朴玄圭는 『동국이상국집』에는 朴玄珪로 달리 표기되어 있다(권33, 樞密院副使朴玄珪乞退,不允敎書).

37) 任永岭은 任永齡의 誤字로 추측되는데, 여타의 기사에서도 후자로 되어 있다.

五月己未□[朔大盡,壬午], 賜廉珝等及第.[38)]

[某日, [中書令崔]忠獻移入別第, 劍戟兵衛, 彌滿數里, 朝士追隨者甚衆, 前此, 無宰相從之者. 至是, 簽書樞密院事琴儀·樞密院副使鄭邦輔, 始從之□[行]. 時人鄙之:節要轉載].[39)]

[某日, 西京副留守李維城卒. 維城, 遇事剛果, 王濬明之被禍也, 弟正言景儀, 緣坐配流, 親舊畏之, 莫敢有送者. 維城, 時爲□[左]散騎常侍, 以故舊, 獨遣人餞之, 仍贐銀三十兩, 令遺押吏, 得寬陵逼. 景儀, 感極哽咽. 時人多之:節要轉載].

[→[李維城]累拜左常侍[左散騎常侍]. 王濬明之被禍也, 其弟正言景儀, 緣坐配流. 親舊畏崔忠獻, 莫有送者. 維城, 以故舊, 遣人餞之, 贐白金三十兩, 遺押吏, 得寬陵逼. 景儀感泣哽咽, 時人多之. 高宗初, 爲西京副留守, 以絃歌自娛, 惑於官妓, 因得疾卒:列傳13李維城轉載].

壬午[24日], 兵部尙書致仕玄德秀卒.[40)] [德秀, 鐵面犀骨, 有膽略, 以意氣自高, 言笑夸大, 人或有譏之者. 嘗調安南都護府使, 政廉明, 吏民敬畏, 尤惡淫祀, 巫覡不得入境. 有吏, 執女巫幷其夫, 德秀訊問, 顧謂同僚曰, "此巫非女也". 同僚笑曰, "若非女, 安有夫乎?". 德秀卽令審視, 果男子也. 先是, 巫假活人之術, 出入士家, 潛亂婦女, 其被汚者亦羞赧, 不敢以告人, 故所至多有穢行. 至是, 一方服其神明:節要轉載].

[是月, 修禪社僧慧諶撰'圓頓成佛論'·'看話決疑論'跋:追加].[41)]

---

38) 己未에 朔이 탈락되었다. 또 이와 관련된 기사로 다음이 있는데, 여기에서 廉珝(염후)는 後日 廉守藏으로 改名하였다(父인 廉克髦의 墓誌銘에는 前者로 되어 있다).

· 지27, 선거1, 科目1, 選場, "[高宗]二年 五月[四月], [中書侍郞]平章事崔洪胤知貢擧, 左諫議大夫朴玄圭同知貢擧, 取進士, ~~五月己未朔~~, 賜廉珝等三十一人·明經七人·恩賜五人及第".

· 「廉守藏墓誌銘」, "首登金榜, 公之所起也".

39) 이때 鄭邦輔의 官銜은 銀靑光祿大夫·樞密院副使·右散騎常侍였다(鄭邦輔墓誌銘). 또 ~~添字~~는 열전42, 崔忠獻에 의거하였는데, 여기에서는 冒頭에 '二年'이 탈락되었다.

40) 이날은 율리우스曆으로 1215년 6월 22일(그레고리曆 6월 29일)에 해당한다.

41) 이는 다음의 사료에 의거하였는데(崔然柱 2005년b ; 郭丞勳 2021년 148面), 이들 책자는 1253년(고종40) 2월 이후에 간행되었다(→고종 40년 2월 某日의 脚注).

· 『圓頓成佛論』; 『看話決疑論』跋(『한국불교전서』4책 737面), "噫, 近古已來, 佛法衰廢之甚, … 時有錫齡社主希蘊」 聞之大悅, 力請流通, 仍勸洪州居士李克材, 施財」 刊板, 印施無窮, 所冀」 聖壽天長, 邦基地久, 宗風不斷, 佛日永明, 法界含靈,」 了心成佛耳, 時貞祐三年乙亥五月, 無衣子慧諶跋」 …".

[六月己丑朔小盡,癸未, 某日, 以司宰丞兼直翰林院李奎報爲右正言·知制誥:追加].[42]

[→高宗初, 司宰丞李奎報, 以詩贄中書令崔忠獻, 求叅職階除, 忠獻以其詩, 示其府典籤宋恂曰, "此子高亢, 意不止此, 若直除叅官, 則亦人望也". 乃拜右正言·知制誥:列傳15李奎報轉載].

秋七月戊午朔大盡,甲申, [辛酉4日, 立秋. 大雨:五行2轉載].

[戊辰11日, 月掩主星柱星:天文2轉載].[43]

[壬午25日, □月入井:天文2轉載].

[某日] 有人言於重房曰, "尙藥局在闕西, 常擣杵, 恐損山西旺氣" 乃擅毁尙藥局·尙衣局·禮賓省凡四十餘楹, 移構, 重房又開新路於千齡殿側, 以通往來.

[某日, 以黃龍弼爲慶尙道按察使:慶尙道營主題名記].

八月戊子朔小盡,乙酉, [庚寅3日, 大風, 拔木傷禾:五行3轉載].

己亥12日, 中書令崔忠獻[遣將軍李光裕:節要轉載], 遷前王熙宗于喬桐縣. [光裕還言, "前王驚愕失措, 且供頓之費, 只有米六石耳". 忠獻變色, 厲聲曰, "非我仁恕, 王之父子, 得保首領, 以至今日乎? 追思濬明之事, 使我毛髮盡竪":節要轉載].[44]

辛丑14日, 知門下省事丁彥眞卒.[45]

己酉22日, 奉安康宗神御于景靈殿, 王出儀鳳門儀鳳樓門外, 拜迎, 群臣或有流涕嗚咽. 都人瞻望者, 皆曰, "先王曩爲太子, 播遷島嶼, 窮居踰紀, 社稷臣民, 盡爲他有, 豈期終膺寶位. 雖享國日淺, 能傳聖嗣, 遺弓之後, 入安四親之殿, 眞天命也".

[丙午19日, 月犯畢:天文2轉載].

[己酉22日, □月入東井:天文2轉載].

九月[丁巳朔小盡,丙戌, 雨雹, 大如李·梅:五行1雨雹轉載].[46]

---

42) 이해의 6월 頒政[小政] 때에 李奎報가 右正言·知制誥에 임명되었다(『동국이상국집』年譜). 이때 李奎報가 謝禮한 表가 『동문선』 권36, 謝右正言·知制誥表이다.

43) 主星은 柱星의 오자로 추측된다(東亞大學 2011년 13책 258面).

44) 이와 같은 기사가 열전42, 崔忠獻에도 수록되어 있으나 字句에 出入이 있다.

45) 이날은 율리우스曆으로 1215년 9월 9일(그레고리曆 9월 16일)에 해당한다.

46) 原文에는 "高宗元年九月丁巳朔"으로 되어 있으나 "高宗二年九月丁巳朔"의 오류일 것이다.

戊午[2日], 幸王輪寺.

[壬戌[6日], 寒露. 雨雹, 大如梅:五行1雨雹轉載].

丁卯[11日], 附康宗于太廟, 出文宗主, 藏于景陵[文宗].[47)]

[○月與歲星, 同舍于危:天文2轉載].

[己巳[13日], □[月]與熒惑, 同舍于奎:天文2轉載].

庚午[14日], 王奉太后, 移御淸州洞宮.

壬申[16日], 謁顯陵[太祖].

[丁丑[21日], 霜降. 月犯東井:天文2轉載].

壬午[26日], 幸妙通寺.

乙酉[29日晦], 謁昌陵[世祖].

[是月, 淸州牧司錄葛南成重刻'注金剛般若婆羅密經':追加].[48)]

[秋某月, 門下侍郎平章事·判兵部事金元義請致仕, 依允:追加].[49)]

[○以承逈爲大禪師, 詔住淸河縣寶鏡寺:追加].[50)]

冬十月[丙戌朔大盡, 丁亥], 辛卯[6日], 謁厚陵[康宗].

乙未[10日], 親祫于大廟[太廟], 奉玉册, 追上尊號,[51)] 第一太祖室册云, "提漢祖[漢高祖]之三尺劍, 我武惟揚, 統殷湯之九有師, 其興也勃, 皡皡不可尙已, 蕩蕩無能名焉".

第二惠宗室册云, "躬擐甲胄, 助成王業之艱難, 望極雲霄, 率致民心之傾附".

第三顯宗室册云, "當王室亂離之際, 戡定厥功, 革邦人澆薄之風, 同歸于理. 外則定州牧之舊制, 內則立社稷之新圖. 掃敵國之百萬兵, 霈然莫禦, 築邊城者十八

---

47) 이곳에서는 大廟가 아니라 원래의 글자인 太廟로 인쇄되어 있는데, 이러한 현상은 충목왕 2년 5월 7일(乙酉) 이후에 자주 나타난다. 또 이날 右拾遺 李奎報가 「聖皇朝享太廟頌」을 修撰하였다(『동국이상국집』 권19, 聖皇朝享太廟頌幷序).

48) 이는 다음의 자료에 의거하였다(보물 제1507호, 이는 2004년 慈雲寺에서 발견되어 寫本이 松廣寺에 소장되었다. 宋日基 2004년).

· 『注金剛般若婆羅密經』題記, "予得此木於松廣社□□□[本主無]衣大和尙處,募工」 重雕,印施無窮,□□□□□」 聖筭無疆邦□□□□□□□□□□[眷]屬皆得解」 脫,三世饈□□□□□□□□□無餘涅槃耳」 時,貞祐三年乙亥九月日淸州牧司錄兼掌書記葛南成誌」".

49) 이는 「金元義墓誌銘」에 의거하였다.

50) 이는 「淸河寶鏡寺住持大禪師贈諡圓眞國師塔碑銘」에 의거하였다.

51) 이때 덧붙여진[加上] 尊號는 『고려사』에 반영되어 있지 않다.

邑，備其不虞．終致大平[太平]之基，故號中興之主”．

第四宣宗室册云，“纘父兄緖，握軍國權，嗣子早讓，雖未逮於後昆，餘烈獨多，故首敍於穆位”．

第五肅宗室册云，“卜文帝[漢文帝]龜横之兆，再造漢家，應元皇[東晋中宗]龍化之謠，中興晋室”．

第六睿宗室册云，“歷先王三五代[15代]．纘承祖業之瓜緜，莅寶位二九年[18年]．撫育黎元之子慕．南巡西狩，而觀風設敎，北伐東征，而偃武修文．幸學以養人才，施藥以救民病”．

第七仁宗室册云，“葺內闕以示重威，征西都而新汚俗，親耕帝籍，勸民稼穡以厚生，幸御賢闕，論古訓謨而敦化”．

第八神宗室册云，“夙鍾睿哲之資，久服公侯之度，聖德不可掩，洛水應符．神器固有歸，咸池出日．軫高祖倦勤之意，無樂乎君，念周王遺大之艱，乃禪于位”．

第九康宗室册云，“本有龍飛之表，不湏[須]鴻擧之資．曆數在躬，將以重明而繼照，國家多難，確乎無悶以潛藏．然天授而神扶，故聖作而物覩，奄臨皇極，大統緜區，遂傳神器於後侗，丕顯遺風於先祖”．

○禮訖，至高達坂，[中書令]崔忠獻結綵棚，迎賀．王命參乘，還御儀鳳樓，赦．

[某日，以[樞密院副使]柳光植爲西京八關齋祭使:追加].[52]

[是月，優婆夷金春造成灌佛松蘿一座，入重五斤十二兩:追加].[53]

[十一月[丙辰朔小盡,戊子]，某日，禮部員外郞尹世儒，謁[中書令]崔忠獻，請命題賦詩．忠獻卽幷召正言李奎報·直翰林□[院]陳澕，同賦詩四十餘韻，使[簽書樞密院事·]翰林□□[學士]承旨琴儀考閱，奎報爲首，澕次之．世儒，自見忠獻，得意猖狂，期於柄用，素與右僕射鄭稹，有憾，誣告於王曰，“稹與弟樞密叔瞻，將圖不軌，若以臣爲敎定別監，付以一番巡檢，則可以掃除矣”．王遣承宣車倜，密諭忠獻，執世儒鞫之，依違如醉，未能出語，遂坐誣配島．世儒瓘之孫也，尋召還，道死．世儒，以文學名世，喜酒色，朝政有不稱意者，輒托詩謗訕，時號狂人:節要轉載].[54]

---

52) 이는「柳光植墓誌銘」에 의거하였다.

53) 이는 灌佛松蘿의 銘文에 의거하였다(許興植 1984년 962面).

54) 이와 같은 기사가 열전9, 尹瓘, 世儒에도 수록되어 있으나 자구에 출입이 있다. 또 陳澕(陳俊의 孫)는 이후 右司諫·知制誥를 역임하고 知公州事가 되었으나 재직 중에 逝去하였다고 한다(열전

[十二月[乙酉朔大盡,己丑], 戊申[24日], 大寒. 月犯氐星:天文2轉載].

[某日, 降授[右僕射]鄭稹△[爲]工部尙書. 稹, 性本貪鄙, 占奪人田, 又使妻妾爭競, 不能正家故也:節要轉載].[55)]

[某日, 以[工部侍郎]廉克髦爲戶部侍郎·安南大都護府副使·兵馬鈐轄兼勸農使:追加].[56)]

[是年, 改安南都護府爲桂陽都護府:地理1轉載].

[○以琴儀爲金紫光祿大夫·政堂文學·左僕射·寶文閣大學士·修國史:追加].[57)]

[○以[兵部侍郎]尹應瞻爲中大夫·判小府監事:追加].[58)]

[○[以大將軍文漢卿]爲西北面兵馬使. □□[漢卿], 論軍卒爵賞, 多受賂金, 又徵求州郡無厭, 因失人心:列傳14文漢卿轉載].

[○以[安東大都護府判官]任益惇爲兵部員外郞:追加].[59)]

丙子[高宗]三年, 金貞祐四年, [南宋嘉定九年], [蒙古太祖十一年], [西曆1216年]

1216년 1월 21일(Gre1월 28일)에서 1217년 2월 7일(Gre2월 14일)까지, 13개월 384일

春正月[乙卯朔小盡,庚寅], 辛未[17日], 地震.

丁丑[23日], 親設帝釋道場于修文殿.

辛巳[27日], [仁宗三女]昌樂公主卒.[60)]

13, 陳俊, 澕).

· 『東人之文五七』, 陳司諫澕一十八首, "澕, 淸州麗陽籍, … 少與李奎報齊名, 時號李正言·陳翰林, 官至右司諫·知制誥, 出知公州□[事]而卒".

55) 이와 같은 기사가 열전13, 鄭世裕, 叔瞻에도 수록되어 있다.

56) 이는「廉克髦墓誌銘」에 의거하였다.

57) 이는「琴儀墓誌銘」; 열전15, 琴儀에 의거하였다.

58) 이는「尹應瞻墓誌銘」에 의거하였다.

59) 이는「任益惇墓誌銘」에 의거하였다.

60) 이와 관련된 기사로 다음이 있다. 昌樂宮主는 弟인 永和宮主가 8年前인 1208년(희종4)에 68歲로 逝去하였음을 감안하면 약 78歲 정도로서 長壽하였던 것으로 추정된다. 또 이날은 율리우스曆으로 1216년 2월 16일(그레고리曆 2월 23일)에 해당한다.

壬午[28日], 諸王·宰樞·常參官以上, 詣闕陳慰.

[某日, 以修禪社主慧諶爲大禪師:追加].[61)]

[某日, 以金蘊珠爲慶尙道按察使:慶尙道營主題名記].

二月甲申朔[大盡,辛卯], 日食.[62)]

己丑[6日], 日本國僧來, 求其法.

[癸巳[10日], 月入東井:天文2轉載].

丁酉[14日], 燃燈, 王如奉恩寺.

[戊戌[15日], 熒惑入天衢:天文2轉載].

[某日, 王爲昌樂公主之葬, 素服減膳. 禮部奏, "上旣素服, 百僚亦當縞素一日", 從之:節要轉載].

· 열전4, 公主, 仁宗, 昌樂公主, "仁宗三女, 昌樂宮主. … 高宗三年卒, 及葬, 以王外祖母, 素服減膳, 百官縞素一日".

61) 이는 「慧諶大禪師告身」에 의거하였다. 또 慧諶은 僧科에 급제하지 아니하고 僧階를 부여받은 첫 번째의 인물이었다고 하는데, 그가 임명된 大禪師告身의 내용은 다음과 같다(松廣寺 所藏, 국보 제43호, 張東翼 1981년).

· 『동국이상국집』 권35, 慧諶墓誌銘, "今上卽位, 制授禪師, 又加大禪師, 其不經選席, 直登緇秩, 自師始也".

· 大禪師 告身, "門下, 秦后尊羅什之說法, 奉」 待以師禮, 隋皇重靈幹之禪」 定, 召主於道場, 惟帝王之尊」 僧, 在古今而同軌, 苟有離倫,」 開士盍頒進律之異恩, 禪師」 堪戒行氷淸, 襟靈玉潔, 早脫」 煩惱之縛, 高參覺苑之遊, 不由」 靈山之拈花, 得法眼藏, 不假」 少林之立雪, 傳自心燈, 拭明鏡之光, 垢」 無塵區侵, 觀止水之淵, 而波浪」 不動, 專提祖印, 開示妙門, 德馨」 薝蔔之林, 行副苾蒭之範, 淡泊」 如瀉水, 洋洋乎盈耳哉, 待問而」 憧憧, 循々然誘人也. 實謂三刦之,」 鴻願豈惟一世之儀型, 雖眞人」 □無名焉, 遠在兒孫之香火, 遺」 命依必有尊也, 特加緇袟之丕模,」 可特授大禪師. 於戱, 崇眞所謂爲」 邦, 示賞所以勸善, 尊行慕道, 朕」 盡禮以命師, 弘法利人, 師乃竭力,」 而護朕, 佳諸乃職, 永孚于法,」 主者施行」 貞祐四年正月日」 金紫光祿大夫·門下侍郞同中書門下平章事·修文殿大學士·監修國史·判兵部事臣崔弘胤」 朝散大夫·尙書兵部侍郞·充史舘修撰官·知制誥臣李得根」 門下侍郞平章事」 給事中玄君弟等言」 制書如右請奉」 制附外施行謹言」 貞祐四年正月日」 制可」 禮部尙書」 □[禮]部侍郞」 尙書左丞」 告大禪師奉被」 制書如右符到奉行」 禮部郞中」 主事朴」 令史韓」 書令史黃」 乙亥九月十二日下」".

62) 이날 宋에서는 室星에 日食이 있었다고 하며, 金에서도 일식이 있었다(『송사』 권52, 지5, 천문5, 日食 ; 『금사』 권14, 본기14, 宣宗上, 貞祐 4년 2월 甲申·권20, 지1, 天文, 日薄食輝珥雲氣). 일본의 京都에서는 일식이 예측되었으나 흐려서 관측되지 못했던 것 같다. 그리고 이날은 율리우스력의 1216년 2월 19일이고, 開京에서 일식 현상이 심했던 시간은 17시 13분, 食分은 0.33이었다(渡邊敏夫 1979年 308面).

· 『吾妻鏡』第22, 建保 4년 2월, "一日甲申, 陰, 日蝕不正見. … 入夜甚雨".

三月[甲寅朔大盡,壬辰], 戊辰[15日], 始幸乾聖寺, 行帝釋齋, 又設藏經會於宣慶殿. [[右僕射·翰林學士]柳澤製疏云, "雖自篤克勤之念, 莫敢怠荒, 不幸遭多難之時, 未能制御". □[左]諫議大夫朴玄圭曰, "所謂未能制御者, 指晋康公而言也." 使吏告于[中書令]崔忠獻. 忠獻卽呼澤問之, 澤大笑自若. 時人以爲玄圭有宿憾於澤, 故告此以激之:節要轉載].

[→官至尙書右僕射·翰林學士承旨. 高宗嘗設藏經會於宣慶殿, 澤製曰, 雖自篤克勤之念, 罔敢怠荒, 不幸遭多難之時, 未能制御. □[左]諫議大夫朴玄圭曰, "所謂未能制御者, 必指晋康公". 使告崔忠獻. 忠獻呼澤問之, 澤大笑自若. 人以爲玄圭與澤有宿憾, 以此激之:列傳12柳澤轉載].

辛未[18日], 幸普濟寺.

[某日, [中書令]崔忠獻祀松嶽還, 重房及將軍房結綵棚于山腰以迎, 大設宴會. 又祭功臣于彌勒寺, 傾都迎迓:節要轉載].

[→忠獻, 時有出入, 重房·將軍房, 必結綵棚以迎, 大設宴會, 其還亦如之:列傳42崔忠獻轉載].[63)]

[是月, 國子祭酒李得紹, □□□□□[掌國子監試], 取文昌瑞等五十八人, 明經六人:選擧2國子試額轉載].

[○優婆塞<u>大㓜</u>等造成半子一座, 入重六斤:追加].[64)]

夏四月[甲申朔小盡,癸巳], [某日, 樞密院使文惟弼妻, 私通家臣, 事覺. 忠獻配家臣於遠島:節要轉載].

癸巳[10日], 雨雪.

[□□[是月]],[65)] 旱.

五月[癸丑朔大盡,甲午], 甲寅[2日], 賜庾碩等<u>及第</u>.[66)]

---

63) 이 기사는 崔忠獻列傳에는 端午에 연결되어 있으나 『고종실록』의 時期整理[繫年]을 그대로 踏襲했을 『고려사절요』 권14와 같이 3월로 移動해오는 것이 좋을 것이다(蔡雄錫教授이 教示)

64) 이는 貞祐四年銘 飯子의 銘文에 의거하였다(許興植 1984년 966面).

65) 是月이 탈락되었을 것으로 추측되는데, 지8, 오행2, 金行에도 "[高宗]三年四月, 旱"으로 되어 있다.

66) 이와 관련된 기사로 다음이 있다. 이 시기에 蔡靖은 樞密院副使·左散騎常侍·翰林學士承旨였다(『동국이상국집』 권33, 蔡靖讓樞密院副使·左散騎常侍·翰林學士承旨不允教書).

[丁巳[5日]:比定, [中書令]崔忠獻以端午, 設鞦韆戲于柏子井洞宮, 宴文武四品以上三日:節要轉載].[67)]

丁丑[25日], 禱雨于諸神祠.

六月癸未朔[大盡,乙未], 王如奉恩寺.

○□[守]司徒·柱國璿卒.[68)] [璿, 性好佛, 不營產業家貧, 未能襄事. [中書令]崔忠獻聞于王, 官庀葬事:節要轉載].

[→璿, 守司徒·柱國, 爲人寡慾, 佞佛, 不營產業. 高宗三年卒, 有二女, 家貧未嫁, 不克襄事. 崔忠獻聞于王, 官庀葬事.:列傳3肅宗王子帶方公俌轉載].

癸卯[21日], 禱雨. [自四月至是月, 不雨:節要轉載].

[是月, 安城縣戶長李某鑄成鳳安寺鍾一口, 入重三斤餘:追加].[69)]

秋七月[癸丑朔小盡,丙申], [己未[7日], 起居郞·知制誥李侃卒, 年五十:追加].[70)]

辛酉[9日], 大雨.

[某日, 樞密院副使致仕宋洪烈卒. 洪烈, 以忠獻姻戚, 恃勢驕橫, 性又滑稽, 每至諸王第, 見珍玩, 必丐奪而後已. 故諸王聞洪烈至, 急令左右, 收藏珍寶, 然後見之. 凡有求於忠獻者, 必附洪烈乃成. 由是, 諸王·貴戚, 爭先交結:節要轉載].[71)]

[某日, 以[龍虎軍攝中郞將兼三司判官]金叔龍爲慶尙道按察副使:慶尙道營主題名記].

[是月, 開城府慈孝寺住持某鑄成靑銅香垸一座, 入重六斤十兩:追加].[72)]

· 지27, 선거1, 科目1, 選場, "[高宗]三年五月, 樞密院副使蔡靖知貢擧, 殿中監任永齡同知貢擧, 取進士, [甲寅], 賜庾碩等三十人及第".

· 지34, 良吏, 庾碩, "高宗初, 擢魁科, 籍內侍".

67) 이날 조선시대에는 平壤[西京]에서 獅子舞·鶴舞가 設行되었다고 한다.

· 『鳴巖集』 권3, 端陽日, 與晦甫兄及鄭季深, 泛舟浿江, "… 乃箕城絶唱. 是日, 有獅子舞·鶴舞, 故篇中及之".

68) 王璿의 열전에는 守司徒·柱國으로 옳게 되어 있다(열전3, 宗室1, 肅宗王子, 帶方公俌, 璿). 이날은 율리우스曆으로 1216년 6월 17일(그레고리曆 6월 24일)에 해당한다.

69) 이는 鳳安寺鍾의 銘文에 의거하였다(許興植 1984년 965面).

70) 이는 「李侃墓誌銘」에 의거하였다.

71) 宋洪烈(宋淸의 弟)은 崔忠獻의 妻三寸이다(→고종 6년 9월 20일).

72) 이는 乾鳳寺 靑銅香垸의 銘文에 의거하였다(許興植 1984년 962面).

閏[七]月壬午朔大盡,丙申, 甲申3日, 分遣諸道察訪使, 問民疾苦, 察吏淸濁.

[○時, 朝臣出使者, 容或有貪冒侵漁者, 民多怨咨. 察訪李宗揆等十人, 皆以黜陟不精見貶, 惟雲中道崔正份, 激揚得宜, 爲時所稱:節要轉載].[73)]

[→時, 朝臣出使, 或有貪冒侵漁者, 民多怨咨. 侍郞金君綏與李宗揆·宋安國·前慶尙道按察使金周鼎·崔正份等十一人, 被選爲諸道察訪使, 問民疾苦, 察吏淸汚. 適有契丹兵, 未遑廉按, 宗揆·安國·周鼎, 皆以黜陟不精, 見貶, 獨正份激揚得宜:列傳11金君綏轉載].

丙戌5日, 北界兵馬使獨孤靖奏, "金東京總管府奉聖旨移牒, 略曰, '昔有韃靼, 恃兇入京, 已與大軍年前~~已於年前與大軍~~講好去訖而後,[74)] 契丹嘯聚, 蠹耗邊方, 殺戮我生靈, 焚燒我倉廩. 致皇天之厭穢, 歛斂衆怨以同歸, 脅從者倒戈而攻, 同謀者傾軍而服. 旣人心之戴舊, 全遼海以如初.[75)] 唯叛賊浦鮮萬奴,[76)] 弃一方之重委, 忘皇國之大恩, 用心不臧, 爲天不祐. 近被隆安府行省移剌全~~移剌全~~, 擧大軍征討, 旋不三月, 應有賊徒盡行殺滅, 雖有殘零餘黨, 逃在山林, 亡無日矣. 旣此賊之失利, 捨貴邦以何之. 竊恐巧言詐諜, 間諜兩國, 旁生侵擾. 若或過界, 嚴設除虞, 就便捉拿, 牒送前來. 近者, 契丹餘寇, 西欲渡河, 聞知韃靼約會本朝大軍, 挾攻掩殺, 自知無所歸, 而奔

73) 이때 1214년(고종1) 秋冬番 西北面兵馬使에 파견되었던 趙冲의 治積이 으뜸으로 보고되어 樞密院副使에 발탁되었다고 한다(趙冲墓誌銘).

74) 已與大軍年前은 『고려사절요』 권14에는 已於年前與大軍으로 되어 있는데, 후자로 고쳐야 옳게 된다. 이는 처음 『고려사』를 乙亥字로 組版할 때 글자가 흐트러진 결과일 것이다.

75) 遼海에 대한 注釋으로 다음이 있다.
· 『增定吏文輯覽』 권3, 遼海, "謂遼東沿海等處"(21面左1行).

76) 浦鮮萬奴(布希萬奴·完顔萬奴, ?~1233?)는 女眞族 출신의 武將으로 1214년(貞祐2, 고종1) 東京에서 반란을 일으켜 자립하여 咸平(現 遼寧省 開原)·東京·瀋州 等地를 점령하였다. 이어서 婆速府路(現 遼寧省 丹東市)·上京城(現 內蒙古 巴林左旗 林東鎭) 등지를 확보하고 10월에 大眞을 건립하고 연호를 天泰라고 하였다. 1216년(貞祐4) 木華黎(Muqali)가 이끈 몽골군의 공격을 받아 패배하여 渤海의 海島로 도망하였다가 木華黎가 錦州를 공격하자 일시 투항하였으나 몽골군이 철수하자 다시 반란을 일으켰다.
1218년(興定2, 고종5) 浦鮮萬奴는 海島에서 나와 曷懶路(現 咸鏡北道 吉州)에 근거하여 국호를 東眞(혹은 東夏)으로 바꾸고 南京(現 吉林省 延吉의 城子山 古城)을 治所로 삼았다. 이때 江東城에 집결해 있던 大遼收國[契丹殘黨]의 군대를 격파하기 위해 파견된 몽골군에 합세하기도 하였다. 이후 遼東의 東部地域을 장악하고서 고려왕조와 연계하여 몽골제국에 대해 일면 戰爭, 일면 講和를 하다가 1233년(天興2, 고종20) 무렵 太宗 우구데이[窩闊台]의 명령을 받은 皇子 孛兒只斤貴由[Güyuk]·諸王 孛兒只斤按赤帶 등의 공격을 받아 피살되고 東眞國은 멸망하였다(黃鍾東 1967년).

波逃去, 潛犯婆速[婆娑府]境.[77)] 自今, 已遣大軍句當外, 分頭, 差有心力能幹官, 會合諸道大軍, 指日來到. 一行軍數浩大, 竊恐闕誤糧食, 幷馬軍亟戰, 致馬匹瘦弱. 以此, 今移牒前去, 借糧儲馬匹, 貴國宜量力, 起送前來, 患難相救, 憂樂相同. 設有安危, 難分彼此, 願慮遠以信從, 使回牒以速到'".

○時, 金宣撫蒲鮮萬奴, 據遼東, 僭稱天王, 國號大眞.

○先是, 金再牒乞糴, 國家令邊官, 拒而不納. 自去年, 金人因兵亂資竭, 爭賚珍寶, 款義·靜州關外, 互市米穀. 至以銀一錠, 換米四五石, 故商賈爭射厚利, 國家雖嚴刑籍貨, 然猶貪瀆無厭, 潛隱互市不絶.

○金將率兵到關, 責云, "何棄舊好, 不通告糴乎?". 乃擄十餘人而去, 中道脫還.

戊子[7日], 設消災道場于宣慶殿.

[乙未[14日], 月食. 司天官不奏:天文2轉載].[78)]

[某日, 北界兵馬使獨孤靖奏, "金兵三萬, 與契丹戰于開州館, 不克奔潰, 退守大夫營". 初, 契丹遺種金山王子·金始王子,[79)] 以其黨鵝兒·乞奴二人爲將, 脅河朔之

---

77) 婆速은 婆娑府(元代의 婆速路)라고도 표기하는데, 현재의 遼寧省 丹東市 동북쪽의 振安區 九連城鎭 九連城村에 있었다. 金代의 婆速總管府와 曷懶路總管府에는 각각 高麗語通譯官[高麗通事] 1人이 설치되어 있었다(『금사』 권57, 지38, 백관3, 諸總管府).

78) 이날 宋에서는 월식이 예측되었으나 구름으로 인해 보이지 않았다고 하며, 金에서는 월식이 있었다(『송사』 권52, 지5, 천문5, 月食 ; 『금사』 권20, 지1, 天文, 月五星凌犯及星變). 또 일본의 鎌倉에서 7월 15일(丙申)에 월식이 있었다고 하는데(日本曆은 閏6月이 있었으므로 7월이 高麗曆의 閏7月에 해당되며 朔日은 同一함, 日本史料4-14册 119面), 이는 宋과 高麗 보다 1일 늦게 월식이 있었던 셈이 된다. 그리고 이 날(14일)은 율리우스력의 1216년 8월 28일이고, 월식 현상이 심했던 때의 世界時는 21시 41분, 食分은 0.71이었다(渡邊敏夫 1979年 479面).
· 『吾妻鏡』第22, 建保 4년 7월, "十五日丙午[丙申], 陰, 月蝕不正見".

79) 金山王子는 金帝國의 支配下에 있던 契丹人[契丹殘黨]이 건립한 大遼收國의 國王이다. 大遼收國은 1212년(金崇慶1, 康宗1) 金이 蒙古族의 침입을 받아 혼란해지자 거란의 宗室인 耶律留哥(1165~1220)가 隆安(현 吉林省 農安縣), 韓州(吉林省 梨樹縣) 일대에서 거병하여 金에 저항하였는데, 이때 그에 추종한 거란인이 10餘萬이었다고 한다. 1313년 야율유가는 금의 군사적 압박을 받아 몽골제국에 投降하여 그들의 지원받게 되자, 3월 遼王을 自稱하고 年號를 元統이라고 하였는데(東遼, 1213~1227), 이를 契丹遺種이라고도 부른다. 1314년에 金이 야율유가를 招諭하였으나 응하지 아니하자, 遼東路宣撫使 蒲鮮萬奴가 파견되어 토벌하였으나 패하여 북쪽으로 移動하였다. 같은 해 9~10월경에 耶律留哥가 遼東의 州郡을 領有하고 咸平(中京, 現 遼寧省 開原)을 수도로 정하였다.
1215년(貞祐3, 고종2) 야율유가가 몽골제국의 成吉思汗에게 入覲하고 있을 때, 대부분의 거란인들이 離叛하여 1216년 초에 耶律乞奴·金山(耶律金山)·青狗(金의 將軍 出身)·統古輿(耶律統古輿) 등이 澄州(遼陽의 西南, 現 海城)에서 耶律厮不(耶厮不, 留哥의 弟)을 皇帝로 옹립하고 國號를 遼, 연호를 天威라고 하였다(後遼). 곧 야시불이 피살되고(在位 70餘日) 丞相 乞奴가 監國

民, 自稱大遼收國王, 建元天成. 蒙古大擧伐之, 二王子席卷而東:節要轉載],[80) [與金兵三萬, 戰于開州館. 金兵不克, 退守大夫營, 二王子進攻之:列傳16金就礪轉載].

[□□□[是月頃], 以文漢卿爲西北面兵馬使:列傳14文漢卿轉載].[81)]

八月[壬子朔小盡,丁酉], 壬戌[11日], 王如玄化寺.

[先是[癸亥12日], 丹兵來攻大夫營. 遣人告北界兵馬使云, "爾不送粮助我, 我必侵奪汝疆, 我於後日樹黃旗, 汝來聽皇帝詔, 若不來, 將加兵于汝":節要轉載].[82)]

이 되었으나 金軍 및 耶律留哥의 공격을 받아 遼東으로 도망하다가 金山에 의해 피살되었다. 이후 야율유가는 上京臨潢府로 이동하였으나 무리의 1/10정도를 거느리고 있었다고 한다.

金山은 그의 동생 金始와 함께 鵝兒(鴉兒)·乞奴 2人을 將帥로 삼아 9萬餘 정도의 遺衆을 거느리고 河朔地域을 위협하다가 大遼收國王이라고 稱하고 年號를 天成(혹은 天德)으로 하였다(在位 2年). 이후 몽골군을 방어하기 위해 高麗에 토지·군사를 요청하였으나 거절되었고, 1216년(고종3) 8월 몽골군에 밀려 고려에 침입하였으나 전쟁 중에 금산은 統古與에게, 통고여는 喊舍(耶律喊舍)에게 피살되었다(統古與·喊舍 在位 約2年,).

喊舍는 1218년(고종5) 12월 이래 江東城을 점거하고 있다가 다음 해 1월 고려군과 몽골군에 의해 포위되어 自盡하고, 휘하의 군인들과 그 가족은 모두 포로가 되어 大遼收國은 멸망하게 되었다(以上『원사』권149, 열전36, 耶律留哥, 구체적인 典據는 張東翼 2009년 該當年度 參照). 한편 以下의 記事에서 수록된 대요수국의 王子는 國王을 指稱하였는데, 이는 합법적인 국가로 인정하지 않은 국가[未册封國]의 國王을 王子로 표기하던 中原의 慣例에 의거한 것이다.

그리고 大遼收國에서 收國은 契丹語의 阿輦(혹은 遙輦)인데, 이의 의미는 苦難한 環境에서 해방된 自由라는 의미를 가지고 있다고 한다(何光岳 2004年 314面).

· 『續資治通鑑』권160, 宋紀 寧宗 嘉定九年, "是歲, 奇努[乞奴]·金山·青狗·統古與等, 推耶斯布[耶廝不], 僭帝號于澄州, 國號遼, 改元天威, 以遼王瑠格[留哥]兄通喇[通剌]爲平章□□[政事], 置百官. 方閱月, 其元帥青狗叛歸于金, 耶斯布[耶廝不]爲其下所殺, 推其丞相奇努[乞奴]監國, 與共行元帥錫兒, 分兵民爲左右翼, 屯開保州關, 金蓋州守將重嘉努[衆家奴], 引兵敗之. 留哥引蒙古軍數千適至, 得兄通剌并妻姚里氏戶二千. 錫兒引敗軍東走, 留哥追擊之, 渡遼河, 招撫懿州·廣寧, 徙居臨潢府. 奇努[乞奴]走高麗, 爲金山所殺, 金山又自稱國王, 改元天德, 統古與復殺金山而自立, 赫舍[喊舍]殺之, 亦自立". 여기에서 ~~添字~~는 清代에 北方民族의 名稱을 새롭게 표기한 것을『원사』의 方式대로 還元한 것이다.

· 『요사』권106, 國語解第46, 營衛志, "算斡魯朶, 算, 腹心拽剌也, 斡魯朶, 宮也. 已下國阿輦至監母, 皆斡魯朶名. … 國阿輦, 收國也".

80) 이와 같은 기사가 열전16, 金就礪 ;「金就礪行軍記」에도 수록되어 있다.

81) 열전12, 文漢卿에는 1215년(고종2)에 임명된 사실이 기록되어 있으나("高宗二年, 出爲西北面兵馬使") 이해[是年]의 前半期에는 獨孤靖이 在職하고 있음으로 보아 이때는 再任되었을 것이다(→是年 9월 某日).

82) 黃旗를 標式으로 내세운 契丹人의 集團이 어떠한 部類인지를 알 수 없으나 金末에 등장한 契丹人 叛亂의 첫 段階에 나타난 集團으로 추측된다(黃旗子, 黃旗子軍, 黃色旗子軍, 契丹殘黨, 大

[是日, 王命上將軍盧元純爲中軍兵馬使, 吳應夫爲右軍兵馬使, 而金就礪以攝上將軍爲後軍兵馬使:金就礪行軍記].

[甲子13日, 果樹黃旗, 北界兵馬使不往:節要轉載].

[○大閱于順天館:金就礪行軍記].

乙丑14日, 契丹遺種金山·金始二王子, 遣其將鵝兒·乞奴二人,[83] 引兵數萬, 渡鴨綠江, 侵寧朔·定戎之境.[84]

[翼日乙丑14日, 丹兵渡江, 攻寧朔等鎭, 掠城外財穀畜產而去:節要轉載].

[→明日乙丑14日, 使其將鵝兒·乞奴, 引兵數萬, 渡鴨綠江, 攻朔寧等鎭, 掠城外財穀畜產而去:列傳16金就礪轉載].

[丙寅15日, 闌入義·靜·朔·昌·雲·燕等州, 宣德·定戎·寧朔諸鎭. 皆以妻子自隨, 瀰漫山野, 恣取禾稼·牛馬, 而食之, 居月餘食盡, 移入雲中道:節要轉載].[85]

己巳18日, 以上將軍盧元純爲中軍兵馬使, [知御史臺事白守貞△爲知兵馬事, 左諫議大夫金蘊珠爲副使:節要轉載], 上將軍吳應富吳應夫爲右軍兵馬使,[86] [崔宗俊崔宗峻

遼收國). 또 이때 西北面兵馬使 獨孤靖은 다음의 기록과 같이 契丹人이 入境한 날짜를 8월 12일(癸亥)로 기록하였던 것 같다. 이날은 율리우스曆으로 1216년 9월 25일(그레고리曆 10월 2일)에 해당한다.

그리고 李齊賢은 「金就礪行軍記」를 찬할 때 당시 고려에서 사용되었을 卽位年稱元(高王四年丙子)을 몽골제국의 방식에 따라 踰年稱元(高王三年丙子)으로 바꾸어 기록한 것 같다.

· 「金就礪行軍記」, "高王三年丙子八月, 契丹入境, 西北面知兵馬使獨孤靖以聞, 書以是月十二日至". 여기에서 知字는 잘못 들어간 글자인 것 같다[衍字].

83) 열전16, 金就礪에 의하면, 鵝兒(鴉兒)는 1216년(高宗3) 契丹軍이 처음으로 고려를 공격할 때 寧邊에 위치한 藥山의 寺刹[藥山寺]에 들어가 被殺되어 只奴(乞奴)가 그 軍士를 兼領하였고, 只奴(乞奴)는 같은 해 9월 妙香山戰鬪[香山戰]에서 전사하여[賊將只奴中箭死], 金山이 무리를 摠領하였다고 한다(『신증동국여지승람』 권54, 寧邊大都護府, 山川, 藥山). 이날은 율리우스曆으로 9월 27일(그레고리曆 10월 4일)에 해당한다.

84) 이는 지18, 禮6, 軍禮의 "閏七月, 契丹寇西北境, 轉掠州郡"과 같은 범주이지만, 실제는 8월에 침입하였던 것 같다. 또 이때 고려에 들어온 契丹人은 軍士와 그 家族을 합하여 9萬餘人이었다고 한다.

· 『원사』 권208, 열전95, 外夷1, 高麗, "太祖十一年, 契丹人耶律金山·元帥耶律六哥等, 領衆九萬餘, 竄入其國".

· 『元高麗紀事』, 本文, 太祖, "太祖皇帝十一年丙子, 契丹人金山·元帥耶律六哥等, 領九萬餘衆, 竄入高麗侵擾". 여기의 '元帥六哥'는 처음 金帝國에 叛起를 든 거란의 首長이었던 耶律留哥의 다른 표기로 추측되지만, 그는 고려에 침입한 大遼收國[契丹殘黨]의 지휘관은 아니었다.

85) 이상의 大遼收國軍[契丹遺種]의 침입에 대한 내용은 열전16, 金就礪에도 수록되어 있다.

86) 吳應富는 吳應夫의 오자일 것이다. 그는 이 시기의 前後에 모두 吳應夫로 나오고, 吳應富는 이때만 찾아진다.

△爲知兵馬事, 侍郞庾世謙爲副使:節要轉載], [兵部郞中李勣爲兵馬判官:轉載],87) ~~攝上將軍~~大將軍金就礪爲後軍兵馬使, [崔正華△爲知兵馬事, 陳淑爲副使:節要轉載], [十三領軍及神騎, 屬焉:列傳16金就礪轉載], 拱禦之.88)

辛未20日, 北界邊報, 再至, "丹兵已屠寧德城, 進圍安·義·龜三州, 又有兵, 自麟·龍兩州界來, 攻鐵·宣二州".89)

[癸酉22日, 右軍駐于西普通, 中軍于樓橋院, 後軍于苽田, 信宿啓行:金就礪行軍記].

乙亥24日, [三軍啓行. 先是, 崔忠獻自謂國富兵强, 每有邊報, 輒罵之曰, "何以此等小事, 煩驛騎, 驚國家朝廷乎?", 輒流其告者. 故邊將解體曰, "必待賊兵來, 陷兩三城然後, 乃可飛報". 至是, 京城無備, 人情恟懼, 皆怨忠獻:節要轉載].90)

○以朔州分道將軍盧仁綏·昌州分道將軍車德威, 不能禦丹兵, 削職. 以中郞將李希柱·金公奭, 皆借將軍, 而遣之.91)

[→盧仁綏, 高宗三年, 爲朔州分道將軍. 金山王子兵數萬來侵, 仁綏唯事奉佛在山寺. 邏卒報, 賊已闌入我境. 仁綏曰, "契丹亦人耳, 可忍殺耶". 留寺三日, 賊橫行州境, 無敢誰何. 仁綏棄城逃, 身中數矢, 僅免還京. 中書令崔忠獻怒奪其職, 仁綏有老母, 卽棄之, 被緇投邊山僧舍:列傳14文漢卿轉載].92)

○契丹兵馳書報曰, "大遼開國二百餘年, 中被女眞侵犯, 又將百年, 其女眞所陷

---

87) 이는 열전15, 李勣 ; 「李勣墓誌銘」(『동국이상국집』 권36)에서 전재하였다.

88) ~~添字~~는 『고려사절요』 권14에 의거하여 추가한 것이다.

89) 여기에서 屠寧德城은 契丹의 殘黨이 寧德城을 함락하고 '人民들을 모두 죽였다[屠戮]'는 말이다.
· 『자치통감』 권5, 周紀5, 赧王 49년(BC266), "魏王使須賈聘於秦, … 使歸告魏王曰, '速斬魏齊頭來, 不然, 且屠大梁[胡三省注, 屠, 殺也. 自古以來, 以攻下城而盡殺城中人謂屠城, 亦曰洗城]'. 須賈還, 以告魏齊. 魏齊奔趙, 匿於平原君趙勝家".

90) ~~添字~~는 열전42, 崔忠獻에 의거하였다.

91) 金公奭은 그의 壻인 韓光衍의 墓誌銘에 의하면, 淸州人[上黨郡人]으로 兵部郞中에 이르렀다고 한다.

92) 盧仁綏는 崔瑀에 의해 復職되어 大將軍에 이르렀다고 한다. 또 그는 1120년대 초반에 上將軍에 승진한 후 盧之正으로 改名하였으나 崔瑀에 의해 피살되었던 것 같다(→고종 14년 3월 6일 ; 「修禪寺檀越及維持費」).
· 열전14, 盧仁綏, "… 仁綏有老母, 卽棄之, 被緇投邊山僧舍. 居數年, 崔怡寄書曰, '若來, 當復舊職.' 仁綏大喜, 卽還京, 遂復職. 俄遷大將軍, 因得幸於怡. 好論人長短爲禍福, 人皆側目. 左僕射崔允匡, 素以謇直稱, 一日謁怡, 仁綏在側. 允匡呼而數之曰, '汝何時拜大將, 帶紅鞓耶. 汝鎭朔州, 契丹兵入寇, 棄城逃奔, 不忠也, 棄老母, 遊方外, 不孝也. 不忠不孝, 天地所不容, 汝有何功, 位至三品耶. 正己而後正人, 何不自揣, 妄談人得失耶. 若爾者, 宜竄遐裔, 以戒後來.' 仁綏俯伏, 汗流洽背, 聞者快之".

諸邑，盡行收復．惟婆速路一城，不下，累次攻討，方得乞降．官吏依舊任使，百姓亦依舊安業，爾若不降附，即遣大軍殺戮，的無輕恕”．

[是月，尙晋安東道按察副使金叔龍開板‘佛說熾盛光大威德金輪王消災吉祥陀羅尼經’:追加].[93)]

九月辛巳朔小盡,戊戌，壬午2日，以大將軍李溥爲西海道防護使，大將軍崔愈恭爲東界兼春州道防護使．

○朝陽鎭奏，契丹兵至鎭，“甲仗別監·東大悲院錄事劉性臧，副將李純老等，擊殺二十九人，取旗幟鉦鼓”．乃拜性臧△爲司宰注簿，純老△爲大悲院錄事．[○復朝陽前號，爲連州防禦使:節要轉載].[94)]

[某日，北界兵馬使文漢卿，與丹兵戰，擒八人:節要轉載].

[→明年高宗3年，金山王子兵入寇，漢卿與戰，擒八人:列傳14文漢卿轉載].

[某日，三軍各發別抄一百·神騎四十人，行至朝陽阿爾川邊，與契丹兵戰．我兵稍却，後軍□□□□□□~~軍候員吳應儒~~·□□~~神騎~~郎將丁純祐，突入賊中，斬持纛者，丹兵奔潰，乘勝斬馘八十二級~~八十餘級~~，擄十人~~三十餘人~~幷獲楊水尺一人，得牛馬數百匹，符印·器仗甚衆．乃拜純祐爲將軍.[95)] ○初，李義旼之子至榮，爲朔州分道將軍．楊水尺多居興化·雲中道，至榮曰，“汝等本無賦役，可屬吾妓紫雲仙”．遂籍其名，徵貢不已．至榮死，崔忠獻又以紫雲仙爲妾，計口徵貢滋甚．楊水尺等大怨，及丹兵至，迎降鄕導~~嚮導~~,[96)] 故山川要害，道路遠近，悉知之．○楊水尺者，太祖攻百濟時，所難制之遺種

93) 이는 다음의 자료에 의거하였다(桐華寺 所藏，大邱市有形文化財 第63號).

· 『佛說熾盛光大威德金輪王消災吉祥陀羅尼經』跋，“奉佛弟子高麗國尙晋安東道按察副使·龍虎軍攝中郎將兼三司判官金叔龍,」 伏爲」 聖壽天長,邦基永固,」 晋康公寶體,福壽無疆,」 淸河·知奏事,壽考維祺,天災不顯,國泰民安,玆發」 弘願,募工刻成此經,印施無窮者.」 時貞祐四年丙子八月日 謹誌」”.

94) 이는 다음의 기사를 전재하였는데, 이에서 二年은 三年의 오자일 것이다.

· 지12, 지리3, 朝陽鎭, “後更今名, 爲鎭. 高宗二年~~三年~~, 以禦丹兵有功, 復稱連州防禦使”

· 『신증동국여지승람』 권54, 价川郡, 建置沿革, “本高麗安水鎭, 顯宗九年, 改連州防禦使, 後改朝陽鎭.高宗二年~~三年~~, 以禦丹兵有功, 復稱連州防禦使”.

95) 이 기사는 열전16, 金就礪；「金就礪行軍記」에도 수록되어 있는데, ~~添字~~는 이에 의거한 것이다.

96) 여기에서 鄕導는 嚮導를 가리키는데, 後者를 木版을 刻字할 때 각 行의 字數를 同一하게 만들기 위해 劃數가 많은 글자의 경우 缺劃하였던 결과이다. 또 兩者는 通用되기도 하였다.

· 『한서』 권48, 열전18, 賈誼, “… 夫移風易俗, 使天下回心而鄕道, 類非俗吏之所能也[師古注, 鄕, 讀曰嚮]”.

也. 素無貫籍·賦役, 好逐水草, 遷徙無常, 唯事田獵, 又編柳器, 販鬻爲業. 凡妓種, 本出於柳器匠家:節要轉載].[97)]

[某日, 三軍又與丹兵, 戰于連州東洞, 斬首百餘級:節要轉載].[98)]

戊子[8日], 金來遠軍移牒寧德城, 約與夾攻契丹, 仍索兵馬·芻糧.

壬辰[12日], 昌州分道將軍金公奭, 與丹兵, 戰于昌州, 斬首四十二級. 延州郎將玄章等, 屢戰, 斬殺七十餘級, 獲牛馬八十. 雲州副使薛得儒再戰, 殺五十餘級.

[某日, 丹兵三百餘人來, 屯龜州直洞村, [後軍]裨將~~軍候員~~吳應儒, 率步卒三千五百人, 銜枚擊之, 散員咸洪宰·甄國寶·李稷·校尉任宗庇等, 突入賊中, 斬二百五十餘級, 虜三十三人~~三千餘人~~, 獲牛馬·戰具·銀牌·銅印甚多:節要轉載].[99)]

· 『자치통감』 권4, 周紀4, 赧王 36년(BC279), "… 田單令城中人食, 必祭其祖先於庭, … 田單起引還, 坐東鄕, 師事之[胡三省注, 鄕, 讀曰嚮]".

97) 이와 같은 기사가 열전42, 崔忠獻에도 수록되어 있으나 字句에 出入이 있다. 여기에서 楊水尺의 由來에 대한 說明도 주목되는데, 이에 의하면 고려왕조에 끝까지 저항하던 後百濟의 遺民이 楊水尺(혹은 禾尺)으로 지위 격하되어 編籍과 賦役의 負擔이 없이 떠돌아다니면서 水草採取, 田獵, 柳器製造 등을 營爲하거나 그리 좋게 보이지 않은 일에 參與[販鬻]하기도 하였다고 한다. 이어서 妓生[妓種]의 出自도 柳器匠家였다고 하였는데, 楊水尺의 出自와 그들의 生業에 대한 敍述이 단순할 뿐만 아니라 적절해 보이지 않는다. 곧 다음과 같은 後世의 기록을 통해 다른 의견도 제시될 수 있을 것이다(李丙燾 1961년 346面 ; 金賢羅 2006년 88面).
이에 의하면 楊水尺(조선시대의 白丁)은 禾尺, 才人, 韃靼水尺[韃靼] 등으로도 불리면서 그 出自가 어느 한 種族에 限定되지 않다고[種類非一] 하며, 그 중에 韃靼人으로 불리는 外來人도 있었다고 한다. 이들 外來人은 이미 고구려시대부터 각종 曲藝에 능했던 西域人(回鶻·回回로 불리는 畏吾兒人)이었는데, 고려시대에는 거란인[契丹, 契丹遺種], 回回人으로 불리었다. 이들은 戰爭으로 인한 捕虜·罹災民으로, 曲藝의 演出이라는 生業으로 각각 韓半島에 流入되었다.
또 그들은 生活基盤이 劣惡했기에 自活을 위해 輾轉하면서 온갖 힘든 일에 종사하지 않을 수 없을 것이고, 그것이 當時人들에게 좋게 받아들여지지 않아 賤視되었던 것 같다. 그렇지만 그들이 지닌 각종 技藝는 한민족의 문화 발전에 기여한 点이 적지 않았을 것이다.

· 열전31, 趙浚, "[恭讓王1年12月], 大司憲趙浚等上疏曰 … 韃靼水尺, 以屠牛, 代耕食, 西北面尤甚. …".

· 『세조실록』 권3, 2년 3월 丁酉[28日], "集賢殿直提學梁誠之上疏曰, … 一. 區處白丁. 蓋白丁或稱禾尺, 或稱才人, 或稱韃靼, 其種類非一, 國家憫其不齒於齊民也. 稱白丁以變舊號, 屬軍伍以開仕路, 然而至今,遠者五百餘年, 近者數百年. 本非我類, 遺俗不變, 自相屯聚, 自相婚嫁, 或殺牛, 或訴乞, 或行盜賊. 且前朝之時, 契丹來侵 最先鄕導~~嚮導~~. 又詐爲倭形, 始起於江原道, 蔓延丁慶尙道, 至遣將以討平之".

98) 이와 같은 기사가 열전16, 金就礪에도 수록되어 있다.

99) 이와 관련된 기사로 다음이 있다. 또 이 기사는 열전16, 金就礪에도 수록되어 있는데, 添字는 이에 의거한 것이다. 그런데 「金就礪行軍記」에는 斬二百級, 擒三十五人으로 되어 있는데, 餘他의 경우도 內容 및 數値에서 三者의 사이에 차이가 있으므로 함께 검토하여야 할 것이다.

· 지12, 지리3, 龜州, "高宗三年, 丹兵來寇, 州人拒戰, 斬獲甚多".

己亥[19日], 西京兵與契丹, 戰于朝陽豊端驛, 斬一百六十餘級, 溺江死者, 亦衆.

[某日, 三軍又戰于龜州三歧驛二日, 斬馘二百一十餘級, 虜三十九人:節要轉載],[100)][後軍將軍李陽升, 亦破賊于長興驛:列傳16金就礪轉載], [皆金就礪麾下也:追加].[101)]

[某日, 以左承宣車倜爲前軍兵馬使, 大將軍李傳△[爲]知兵馬事, 禮部侍郎金君綏爲副使, 上將軍宋臣卿爲左軍兵馬使, □[大]將軍崔愈恭△[爲]知兵馬事, 刑部侍郎李實椿爲副使, 從中軍[兵馬使盧元純]之請也:節要轉載].

[→初, 中軍奏請濟師, □□[是時], 以左承宣車倜爲前軍兵馬使, 大將軍李傳□[爲]知兵馬事, 禮部侍郎金君綏爲副使, 上將軍宋臣卿爲左軍兵馬使, □[大]將軍崔愈恭□[爲]知兵馬事, 刑部侍郎李實椿爲副使, 幷前三軍爲五軍:列傳16金就礪轉載].

[甲辰[24日]:追加],[102)] 丹兵自昌州, 移屯延州之開平·原林兩驛, 終日絡繹不絶. 三軍遣神騎將追之, □□[遇賊], 與戰于新里, 斬一百九十級. 三軍進次延州, 以□[李]光裕·□[李]延壽·□周氏·□光世·□[玄?]君悌·趙雄等六將, 守獅子岾, □[安]永麟·□迪夫·[將軍]□[朴]文備三將, 守楊州[楊卅]:節要轉載].[103)]

[翼日[乙巳25日]:追加],[104)] 九將, 戰于朝宗戍, 斬獲共七百六十餘人, 得馬·騾·牛及牌印·兵仗, 不可殫記. 契丹不復分兵, 聚屯開平驛, 三軍旣至, 皆莫敢前, 右軍據西山之麓, 中軍受敵于野, 小退屯獨山, 後軍兵馬使金就礪, 拔劍策馬, 與將軍奇存靖, 直衝賊圍, 出入奮擊, 丹兵潰, 追過開平驛, 賊設伏驛北, 急擊中軍, 就礪回擊之, 契丹又潰. 中軍兵馬使盧元純, 夜謂就礪曰, 彼衆我寡, 右軍又不至, 始齎三日糧耳, 今已盡, 不如退據延州城, 以俟後便. 就礪曰, 我軍屢捷, 鬪志尙銳, 請乘其鋒, 一戰而後議之. 賊布陣墨匠之野, 軍勢甚盛. 元純馳召就礪, 且揚黑幟爲信, 士卒冒白刃爭赴, 無不一當百. 就礪與[將軍]□[朴]文備, 橫截賊陣, 所向披靡, 三合三克. 就礪

---

100) 이와 같은 기사가 열전16, 金就礪에도 수록되어 있다.

101) 이는「金就礪行軍記」에 의거하였다.

102) 이날의 日辰은 乙巳(25일)의 前日에 해당한다.

103) 文備는『고려사』를 편찬하면서『고종실록』을 縮約할 때, 朴文備에서 朴이 탈락된 것 같다. 곧 文備는 당시의 전쟁에서 3년에 걸쳐 1百餘回의 苦戰을 겪고서 大將에 승진한 朴文備일 것이다. 이처럼『고려사』에서 武官의 姓氏가 탈락된 것이 더러 발견되는데, 편찬자의 誠意가 부족했음을 보여주는 사례의 하나가 될 것이다. 또 楊州는 楊川이 옳을 것이다(金就礪行軍記).
· 『동국이상국집』 권34, 朴文備上將軍兼戶部尙書官誥, "及得補將軍之任, 痛欲成蓋代之功. 督戎兵而鎭邊, 頑戎不敢窺塞. 從帥府而征虜, 勍敵無與抗衡. 跨歷三年辛勤百戰, 俄拜登壇之命. 累提杖鉞之權, 或迎勞達旦, 而俾遄復其居. 或交好東眞, 而使一依所敎".

104) 이날의 日辰은「金就礪行軍記」에 의거하였다.

長子□[某]死:節要轉載].[105)]

[某日, 賊奔入香山[妙香山], 燒普賢寺. 三軍追擊之, 斬獲摠二千四百餘人, 溺死南江者, 亦以千數. 餘衆夜遁於昌州, 婦女小兒, 委棄路旁, 號哭聲, 如萬牛之吼. 有一人棄兵, 自稱官人直前, 請曰, “我等擾貴國邊疆, 固有罪矣. 婦子何知? 請無庸盡殺, 且無薄我, 我則刻日自返矣”. 就礪使謂之曰, “汝言, 何可信?”, 與之酒, 快飮而去, 俄而, 鵝兒·乞奴送符文, 陳乞如其所言. 三軍各遣二千人, 躡其後, 見賊所棄資糧·器仗, 狼藉於道, 牛馬則或斫其腰, 或刺其後, 蓋使得之, 不可復用也. 所遣六千人, 戰于淸塞鎭, 擒殺過當, 平虜鎭都領祿進, 亦擊殺七十餘級, 賊遂踰淸塞鎭, 遁去:節要轉載].[106)] [或云, “香山之戰, 賊將只奴中箭死, 金山摠領其衆”. 或云, “擒一婦人云, 我是鵝兒妻, 吾夫初入藥山寺, 見殺, 只奴領其軍”:列傳16金就礪轉載].

[某日, 昌州分道將軍金公奭, 飛報, “契丹後至兵, 自前月大入境, ~~部金山·金始之兵也~~”. 三軍次延州, 唯留內廂自衛, 其餘悉發. 後軍獨遇于楊州, 擒殺數十百級, 兩軍先回博州. 就礪護輜重徐行, 至沙現浦, 賊突出狙擊, 就礪告急於兩軍, 兩軍守便宜不出, 就礪力戰却之, 卒護輜重而至. 盧元純出迎西門外, 賀曰, “卒[猝]遇强敵, 能摧其鋒, 使三軍負荷之士, 無一毫之失, 公之力也”. 馬上酌酒爲壽, 兩軍將士及諸城父老, 皆扣頭曰, “今者, 與强寇角立, 而自戰其地, 可謂難矣. 而於開平·墨匠·香山·原林[元林]之役, 後軍每爲先鋒, 以少[小]擊衆, 使我老弱, 存其性命, 顧無以報, 但祝壽而已”:節要轉載].[107)]

[是月頃, 以[前禮部尙書]趙冲爲樞密院副使·翰林學士承旨·上將軍:追加].[108)]

[→文臣兼上將軍, 自文克謙始, 中廢已久, 王以冲才兼文武, 特授之:列傳16趙冲轉載].

[冬十月[庚戌朔大盡, 己亥]],[109)] [某日, 契丹復聚衆, 連日, 耀兵於昌州門外, [賊]百五十

---

105) 이와 같은 기사가 열전16, 金就礪에도 수록되어 있다.

106) 이와 같은 기사가 열전16, 金就礪에도 수록되어 있다.

107) 이와 같은 기사가 열전16, 金就礪 ; 「金就礪行軍記」에도 수록되어 있는데, ~~添字~~는 이에 의거하였다.

108) 이는 열전16, 趙冲 ; 「趙冲墓誌銘」에 의거하였는데, 그 시기를 異例的으로 9월로 추정한 것은 趙冲이 10월에 樞密院副使를 띠고 있기 때문이다.

人犯昌州門，官軍擊走之:節要轉載].[110)]

[癸丑[4日]，小雪．內莊宅火:五行1火災轉載].

乙卯[6日]，西京兵，至成州之狗淺，遇丹兵二千餘人，交戰，斬獲共一百十五人.

[某日，以參知政事鄭叔瞻爲行營中軍元帥，樞密院副使趙冲副之，□[右]承宣李延壽△[爲]都知兵馬事[都知兵馬使?]，以五領軍馬屬焉．又括京都人，不論職之有無，凡可從軍者，皆屬部伍．又抄僧爲軍，共數萬:節要轉載].[111)]

[某日，丹兵屯於藥山南，石牛·新豊·玉兒等驛之野，營主[北界兵馬使]文漢卿，會諸城兵，戰于渭州城外，殺五百七十餘級，我軍死者三十餘人:節要轉載].

[→賊屯藥山南石牛·新豊·玉兒等驛之野．[西北面兵馬使]文漢卿會諸城兵，戰于渭州城外，斬五百七十餘級，我軍死者三十餘人:列傳14文漢卿轉載].

[己巳[20日]:追加]，三軍屯博州，夜遣卒，襲賊于興郊驛，虜四十餘人:節要轉載].[112)]

[翼日[庚午21日]，夜，戰于洪法寺，克之:節要轉載].

[□□[明日辛未22日]，[昌州分道將軍]金公奭與賊百餘人，戰於州城門外，殺獲五十四人，公奭□□□□□□[手斬帶銀牌者]，~~三軍~~入城休卒．○賊夜涉淸川江，指西京:節要轉載].[113)]

[某日，三軍□□~~[與賊]~~，戰于渭州城外，敗績，將軍李陽升等千餘人死．京都聞之，哭者滿城:節要轉載].[114)]

---

109) 乙卯(10월 6일)의 앞에 冬十月이 탈락되었다.『고려사절요』권14에는 옳게 되어 있다.

110) 이와 같은 기사가 열전16, 金就礪에도 수록되어 있는데, ~~添字~~는 이에 의거하였다.

111) 이와 관련된 기사로 다음이 있다.
- 지35, 兵1, 五軍, “以鄭叔瞻爲行營元帥，率五領軍馬，以禦丹賊．又括京都□[大]，不論職之有無，凡可從軍者，皆屬部伍．又抄僧爲軍，共數百”. 이 기사에서 京都 다음에 一字가 비어 있는데[空欄], 이는 京都人에서 人字가 탈락되었을 것이다(東亞大學 2012년 19책 527面).
- 지18, 禮6, 軍禮, “命參知政事鄭叔瞻，爲行營中軍元帥，樞密院副使趙冲，爲副，往擊之”.
- 열전16, 趙冲, “時金山兵闌入北鄙，以參知政事鄭叔瞻爲行營中軍元帥，冲副之，右承宣李延壽□[爲]都知兵馬事[都知兵馬使?]，五領軍屬焉．又括京都人，不論職之有無，凡可從軍者，皆屬部伍，又發僧爲軍，共數萬”. 여기에서 ~~添字~~가 추가되어야 할 것이다.

112) 이날의 日辰은「金就礪行軍記」에 의거하였다.

113) 이 기사는 열전16, 金就礪 ;「金就礪行軍記」에도 수록되어 있는데, ~~添字~~는 이에 의거하였다.

114) 이와 같은 기사가 열전16, 金就礪에도 수록되어 있는데, ~~添字~~는 이에 의거하였다. 그런데「金就礪行軍記」에는 李陽升이 渭州에서 戰死한 날은 1217년(고종4) 10월 29일로 기록되어 차이를 보이고 있다. 이 戰爭에 관한 記述에서『고려사절요』; 열전16, 金就礪 ;「金就礪行軍記」의 모두가 時期整理[繫年]에 약간씩 오류가 있기에, 그 判別이 어려워 兩者를 함께 수록하였다. 또 李陽升은 興陽人 李塽(1558~1648)의 先祖라고 하지만, 官職이 부합되지 않는다.
- 『月澗集』附錄, 世系圖, “陽升，衛尉寺丞同正，高麗高王三年，戰死渭州”.

[某日，右軍兵馬判官李勣，與賊戰於貫花驛之南壤，賊乘勝進擊，我軍皆奔北，無一人反顧者，李勣獨瞋目直前，手殺數虜，然後遂叱衆俱進，賊遂却．是日，微李勣，官軍幾殆矣:追加].[115]

[→右軍兵馬判官李勣與賊戰于豢猳驛．賊乘勝而進，我軍奔北．勣獨瞋目直前，手斬數級，遂叱衆俱進，賊乃退．拜將作□少監:列傳16李勣轉載].[116]

冬十一月庚辰朔小盡,庚子，庚寅11日，金移牒曰，"韃靼兵來，攻大夫營，乘間入城，然已盡殺．尙恐餘黨，逃入貴邦，煩請照會，堤防掩殺".

[某日，宰樞·重房奏，"勿論太祖苗裔及文科出身，悉令充軍"，王從之．○元帥鄭叔瞻·趙冲等，點兵於順天館．驍勇者，皆爲崔忠獻及子上將軍?瑀門客，所點官軍，皆老弱羸卒，元帥心懈:節要轉載].[117]

[→時，遣將禦契丹兵，驍勇者，皆忠獻父子門客，官軍，羸弱不可用:列傳42崔忠獻轉載].

[某日，西京留守奏，"賊屠安定·林原等驛及昆華·妙德·花原等寺，三軍不能沮遏".時，賊氷渡大同江，遂入于西海道:節要轉載].[118]

十二月己酉朔大盡,辛丑，[某日，中書令崔忠獻閱家兵，自左梗里至右梗里，軍士成列數重，連亘二三里，槍竿懸銀甁，誇示國人，以募來附者．子上將軍·承宣?瑀家兵，自選地橋，過梨嶺，至崇仁門，用旗鼓習戰．門客，有請從軍北征者，卽流遠島:節要轉載].

[→忠獻閱家兵，自左梗里至右梗里，作隊數重，連亘二三里．槍竿懸銀甁，或三

115) 이는 다음의 자료에 의거하였는데，貫花驛은 渭州 貫化驛을 가리키는 것 같다.
· 「李勣墓誌銘」，"越貞祐五年丙子，契丹犯境，上命三軍討之，以公爲右軍兵馬判官，及與虜戰於貫花驛之南壤，虜乘勝進擊，我軍皆奔北，無一人反顧者，公獨瞋目直前，手殺數虜，然後遂叱衆俱進，賊遂却．是日微公，官軍幾殆矣".
· 『신증동국여지승람』 권54，寧邊大都護府，古跡，"官化驛，舊址，在古鐵州".

116) 환가역(豢猳驛)은 이 기사에서만 찾아지는데，豢猳縣(現 江原道 高城郡)이 東北界에 있음을 보아 이면 錯誤일 것이다. 또 李勣은 明年(고종4) 4월 12일 이후에 將作監에 임명된 점(李勣墓誌銘)을 감안하면 이때는 將作少監이 더 적절할 것이다.

117) 王從之까지의 구절은 지35，兵1，五軍에도 수록되어 있다. 또 이와 같은 기사가 열전16，趙冲에도 수록되어 있다.

118) 賊氷渡大同江은 賊渡大同江氷과 같은 의미일 것이다.
· 「金就礪行軍記」，"丹兵，天寒履氷，渡大同入于西海道".

或四，誇示國人，以募兵．[上將軍·承宣?]<u>怡</u>[~~稱~~]兵，自<u>選地橋</u>，至崇仁門，用旗鼓習戰．門客，有請從官軍者，卽流遠島:列傳42崔忠獻轉載].[119)]

[某日，國家復以參知政事<u>鄭叔瞻</u>爲元帥，樞密院副使趙冲爲副，并前三軍爲五軍:金就礪行軍記].

[己未[11日]，幸順天館，御<u>文德殿</u>[~~修文殿~~]，群臣入謁，分立左右．[元帥]叔瞻·[副元帥]冲以戎服，率<u>諸惣管</u>，[120)] 入庭行禮，王親授鈇鉞，遣之:禮6軍禮轉載].

[→幸順天館，御<u>崇文殿</u>[~~修文殿~~]，鄭叔瞻·趙冲，以戎服，率諸摠管，入庭行禮．王親授鉞，出師，自保定門，循城南，宿[開城府]狻猊驛，其不由大路者，蓋日官諂忠獻，而避拘忌也．是日，忠獻父子，恐變生，以兵自衛．會大雪，軍屯于廣野，士卒，凍縮不能前．及霽，行兵，至興義驛，會平州防禦軍還，前軍望見槍旗，誤擬丹兵，遂奔潰．唯趙冲勒兵肅整:節要轉載].[121)]

丙寅[18日]，丹兵屠[西海道]黃州.[122)]

[某日，[中書令]崔忠獻又閱戰于其家，門階高峻，馬不得上，以人作馬□[狀]，進退相戰，又假作契丹將軍，佩金牌形，擒斬之，奏凱班師．又令群妓，作蓬萊<u>仙娥</u>[~~仙女~~]來賀之狀．忠獻樂甚，賞以銀甁·紬布．侍御史<u>金周鼎</u>，著黃背衫，入卒伍中，踊躍進退．識者<u>鄙之</u>:節要轉載].[123)]

[某日，[元帥]鄭叔瞻·[副元帥]趙冲等，聞契丹至鹽·白二州，退屯于興義·金郊兩驛之間，又退屯于<u>國淸寺</u>:節要轉載].[124)]

[→金山王子兵，闌入北鄙，□[鄭]叔瞻爲中軍元帥，行至興義驛，軍中自驚奔．還屯國淸寺，號令不行，部伍無紀律，人皆缺望:列傳13鄭叔瞻轉載].

[某日，平州擒送契丹軍二人．其人云，“我軍約於今月晦日，將犯京城”．[中書令]崔

---

119) 이 기사에서 左梗里，右梗里，選地橋는 각각 左京里，右京里，善竹橋(북한의 국보유적 제159호)를 가리키는 것으로 추측된다.

120) 諸惣管은 諸兵馬使로 바꾸어야 옳게 될 것이다. 總管[惣管]職은 몽골제국으로부터 압제를 받은 시기에 등장한 名稱이다.

121) 위의 기사에서 文德殿과 崇文殿은 修文殿으로 고쳐야 옳게 될 것이다. 文德殿은 1138년(인종16) 5월 26일 수문전으로 改稱되었고，崇文殿은 수문전의 別稱 또는 別個의 殿閣으로 추측된다. 또 이와 같은 기사가 열전16，趙冲에도 수록되어 있다.

122) 이날은 율리우스曆으로 1217년 1월 26일(그레고리曆 2월 2일)에 해당한다.

123) ~~添字~~는 열전42，崔忠獻에 의거하였다.

124) 이와 같은 기사가 열전16，趙冲에도 수록되어 있다.

忠獻聞之, 使將軍申宣胄·奇允偉等, 勒兵市街. 忠獻父子, 擁兵數萬, 以自衛. [上將軍·承宣?]瑀又耀兵于宣義門外:節要轉載].

[某日, 以[神虎衛保勝郎將·刑部侍郎]金仲龜爲權知右副承宣:追加].[125)]

[是年, 守司空<u>瑋</u>卒. 性溫裕, 相貌奇厖, 有文雅, 好賢樂士, 諡懷敬:列傳4神宗王子襄陽公恕轉載].[126)]

[○以柳光植爲金紫光祿大夫·知門下省事·尙書右僕射·判三司事:追加].[127)]

[○以[兵部員外郎]任益惇爲殿中侍御史:追加].[128)]

[○以[見州監牧]李世華爲都兵馬錄事:追加].[129)]

[○以薛愼爲咸豊縣監務:追加].[130)]

丁丑[高宗]四年, 金貞祐五年→9月興定元年,[131)]

[南宋嘉定十年], [蒙古太祖十二年], [西曆1217年]

1217년 2월 8일(Gre2월 15일)에서 1218년 1월 27일(Gre2월 3일)까지, 354일

春正月[己卯朔小盡,壬寅], [中書令]崔忠獻父子在其第, 盛陳<u>私兵</u>[~~兵甲~~], 戒嚴. 時, 丹兵逼近, 令百官, 皆出城守[~~守城~~], 又毁城底人家, [~~開~~]鑿隍塹:節要轉載].[132)]

庚辰[2日], 樵人斫<u>大廟</u>[~~太廟~~]松樹. 幾赭, 乃命軍士禁之, 亦不能止.

[某日, [開京]<u>興王</u>·弘圓·景福·王輪·安養·修理等寺, 僧之從軍者, 謀殺忠獻, 佯若奔潰[~~者~~],

---

125) 이는「金仲龜墓誌銘」에 의거하였다.

126) 이때 守司空 瑋(神宗의 次子, 熙宗의 弟)에게 내려진 誄書가『동국이상국집』권36에 수록되어 있다.

127) 이는「柳光植墓誌銘」에 의거하였다.

128) 이는「任益惇墓誌銘」에 의거하였다.

129) 이는「李世華墓誌銘」에 의거하였다.

130) 이는「薛愼墓誌銘」에 의거하였다.

131) 이해의 9월 8일(壬午) 金이 改元하여 興定元年으로 하였으나 契丹遺種[大遼收國]의 侵入으로 인해 통보를 받지 못했던 것 같다. 이로 인해 고려는 1225년(고종12, 正大2, 貞祐13)까지 貞祐를 사용하였다.

132) ~~添字~~는 열전42, 崔忠獻에 의거하였다.

曉至宣義門, 急呼曰, “丹兵已至矣”. 門者不納, 僧徒鼓譟, 斬關而入, ~~殺門者五六大~~. 有郎將金德明者, 嘗以陰陽之說, 阿附忠獻, 數興徭役, 侵耗諸寺, 故僧徒怨之, 先毁其家, 將指~~然後向~~忠獻家. 纔至市街, 爲巡檢軍所逐, 奔至新倉館, 與戰. 忠獻遣家兵, 夾擊之, 僧魁中流矢而仆. 其徒, 奔至宣義門, 懸門下,[133] 不得出, 遂皆散走. 忠獻軍, 追斬三百餘僧, 擒其黨, 鞠之, 辭連元帥鄭叔瞻:節要轉載].[134]

[~~明日~~, 忠獻閉城門, 大索僧徒之逃者, 皆殺之, 會大雨, 流血成川. 又斬僧三百餘人於南溪寺川邊, 前後所殺, 幾八百餘, 積尸如山, 人不得過者, 數月:節要轉載].[135]

[○發大倉, 給留京五領軍及忠獻家兵, 五日粮, 晝夜戒嚴:節要轉載]. [天甚寒, 士卒斫路傍柳, 又竊公家材木, 爇以自溫:列傳42崔忠獻轉載].

[○召還鄭叔瞻, 以知門下省事鄭邦輔, 代之:節要轉載].[136]

[→從軍僧徒, 謀殺崔忠獻, 忠獻捕鞠之, 辭連□□□元帥鄭叔瞻, 乃罷還:列傳13鄭叔瞻轉載].

[→元帥鄭叔瞻逗留失律, 知門下省事鄭邦輔代之:追加].[137]

甲申6日, [雨水]. 金來遠城移牒寧德城曰, “叛賊萬奴, 本與契丹同心, 若併軍, 往侵貴邦, 其患不小. 且爲貴邦所擊, 則必奔還我國, 苟犯貴邦, 宜急報之, 我卽出軍掩擊”. 寧德城回牒曰, “丹兵曾入我疆, 屢致摧挫, 若萬奴繼至, 恐分我軍力, 以致丹寇復振. 若侵上國, 事在俄頃, 未可及報, 請預設兵馬, 遮阻萬奴, 使不至於弊邑. 弊邑亦堤防丹兵, 無使至於上國”.

---

133) 懸門은 窓戶 또는 城門의 外壁에 再次 설치한 방패막이 門[保護門, 重門, 門閘]을 가리킨다.
- 『구당서』 권2, 본기2, 太宗上, 總書, “… 太宗自南原率二騎馳下峻坂, 衝斷其軍, 引兵奮擊, 賊衆大敗, 各捨仗而走. 懸發, 隋將宋老生引繩欲上, 遂斬之, 平霍邑”.
- 『자치통감』 권223, 唐紀39, 代宗廣德 1년(763) 11월, “… 吐蕃還至鳳翔, 節度使孫志直閉城拒守, … 明日, 虜福逼城請戰, 鎭西節度使馬璘開懸門以待之[胡三省注, 杜預曰, 懸門, 施於內城門. 按今邊城之門, 設扉以啓閉. 而懸門者, 設於門闑之外, 常懸而不下, 寇至則下之塞門, 以爲重閉之固], 虜引退, 曰, ‘此將軍不惜死, 宜避之’, 遂去”.

134) 興王寺를 위시한 여섯 寺院은 모두 開城府에 위치한 사찰이다.

135) ~~添字~~는 열전42, 崔忠獻에 의거하였는데, 여기에는 南溪寺가 南溪로 되어 있다. 또 南溪寺는 南溪院의 다른 표기일 수도 있을 것이다.
- 世家29, 충렬왕 9년 7월 6일, “命廉承益·孔愉, 修玄化寺, 又修南溪院·王輪寺石塔”.
- 『목은문집』 권18, 竘聰首座新入南溪院.

136) 이때 鄭邦輔는 金紫光祿大夫·知門下省事·尙書左僕射·判戶部事였다(鄭邦輔墓誌銘).

137) 이는 다음의 자료에 의거하였다.
- 「金公行軍記」, “鄭元帥逗留失律, 樞密院使鄭方甫鄭邦輔代之”.

[○城[宮城?]廊廡灾:五行1火災轉載].

[某日, 流[參知政事]鄭叔瞻于河東. 叔瞻, [上將軍·承宣?]崔瑀妻父也, 恃勢驕恣, 大起第宅三四區, 彌滿數里, 及爲元帥, 多受軍卒賄賂, 放歸其家. 又嘗語軍中曰, "崔忠獻斲喪王室, 自招寇賊, 而反遣我禦賊耶". 及是, 忠獻欲殺之, 賴瑀營救, 免死:節要轉載].[138)]

[→[鄭]叔瞻, 以忠獻子怡爲壻, 恃勢頗驕橫, 大起第宅三四區, 彌滿數里. 及爲元帥, 多受軍卒賄, 放遣之. 常語軍中曰, "崔忠獻斲喪王室, 自招寇賊, 反遣我討賊, 諺所謂人則食醢, 我反飮水者也". 至是, 忠獻欲殺之, 賴怡營救, 流河東:列傳13鄭叔瞻轉載].

庚寅[12日], 全羅抄軍別監洪溥馳報, 全州軍馬, 年前十二月二十六日, 催發, 行五日, 而還州作亂, 殺逐長吏, 因留住, 由是, 羅界軍[~~羅州界軍~~?]亦不發.

癸巳[15日], 遣大將軍吳壽祺, 以步卒數千, 防守東界, 兼領其界諸軍.[139)]

甲午[16日], 塩州人擊走丹兵, 獻俘數十人.

丙申[18日], 遣[監門衛攝大將軍·]右副承宣金仲龜, 以南道軍馬, 往擊丹兵.[140)]

丁酉[19日], 親設無能勝道場於宣慶殿三日.

○安西都護府與丹兵戰, 斬首百餘級來獻.

[某日, 振威縣人□□令同正李將大·直長同正李唐必, 乘國家有事[~~契丹之亂~~], 乃與同縣人別將同正金禮, 謀不軌. 嘯聚徒衆, 刦奪縣令符印, 發倉賑貸, 村落飢民多附. 移牒旁郡, 自稱靖國兵馬使, 號義兵, 行至[水州管內]宗德·[牙州管內]河陽二倉, 發粟啗士, 恣其所取, 將寇廣州. 王遣郎將權得材·散員金光啓等, 與按察使崔博, 發廣·水二州軍, 討之. 不勝, 更徵忠淸楊州道兵, 攻之, 獲唐必及禮, 賊徒潰散. 將大奔尙州,

---

138) 이때 鄭叔瞻(崔瑀의 丈人)이 그의 鄕里인 河東에 流配되었으나 비교적 자유롭게 살아가고 있었던 것 같다. 이는 그가 1222년(고종9, 壬午) 9월 13일(甲寅) 斷俗寺(現 慶尙南道 山淸郡 丹城面 雲里)에 住席하고 있던 大禪師 慧諶을 방문하여 說法을 청한 것을 통해 짐작할 수 있다(『眞覺國師語錄』, 上堂). 또 그는 후일 平章事에 승진하였다고 한다(열전13, 鄭世裕, 叔瞻).

139) 이때 吳壽祺의 職責은 交州防護兵馬使였다(→是年 8월 7일).

140) 이때 金仲龜는 西海道加發兵馬使가 되었다고 한다. 이후 孫抃이 金仲龜의 묘지명을 지었는데, 그는 金帝國의 隷下에 있던 契丹人의 蹶起[大遼收國의 侵入]를 金人의 침입으로 기술하였다.
· 「金仲龜墓誌銘」, "仍除監門衛攝大將軍, 遷左承宣. 時金人犯境, 王師在邊, 以衆寡不同相持, 而久未決勝, 其風塵幾及西海. 上憂之, 詔公爲西海道加發兵馬使".
· 「金就礪行軍記」, "…又遣承宣金仲龜. 領南道兵以會". 이 자료는 1216년(고종3, 丙子) 12월 무렵에 수록되어 있으나 時期整理[繫年]에 실패하였다.

按察使[金叔龍]擒之, 械送于京, 皆伏誅:節要轉載].[141)]

[某日, [元帥·參知政事]鄭邦輔·趙冲等, 耀兵鹽州, 丹兵遁去:節要轉載].[142)]

庚子[22日], 幸法王寺.

丙午[28日], 遣將軍奇允偉, 率本領軍卒及神騎二班, 與忠淸按察使, 追捕南賊.

[某日, 以慶尙道按察使金叔龍, 仍番, 崔博爲楊廣道按察使, 魯周翰爲交州道按察使:慶尙道營主題名記].[143)]

二月[戊申朔大盡,癸卯], 戊午[11日], 定州分道將軍朴儒馳報, 丹兵三萬許來, 寇燒柵.

[某日, [右副承宣]金仲龜與契丹, 戰于陶公驛, 敗績:節要轉載].[144)]

[某日, 以知門下省事柳光植爲守司徒·參知政事·判□部事, 崔甫淳爲判秘書省事·知制誥, [右正言]李奎報爲右司諫·知制誥:追加].[145)]

[某日, 以[大將軍·後軍兵馬使]金就礪爲金吾衛上將軍·後軍兵馬使:追加].[146)]

三月[戊寅朔小盡,甲辰], [庚辰[3日], 月犯畢星:天文2·節要轉載].

[壬午[5日], 天狗隕于五軍營中:天文2·節要轉載].

[○九曜堂十一曜藏內, 有聲如奏樂:五行1鼓妖轉載].

[○乾方有赤氣:五行1轉載].

[○狐鳴御果園:五行2轉載].

[某日, 五軍元帥,[147)] 聞丹兵屯安州, 往擊之, 行至太祖灘, 遇雨留止, 置酒宴樂, 不設備. 有一人乘白馬, 突入陣中, 擧旗而麾. 俄而賊兵大至, 急圍五軍. 前軍先潰,

---

141) ~~添字~~는 열전43, 韓恂·多智에 의거하였다. 또 이때 慶尙道按察使는 金叔龍이었다.

142) 이와 같은 기사가 열전16, 趙冲에도 수록되어 있다.

143) 崔博은 是年 1월 某日에, 魯周翰은 5월 某日에 의거하였다.

144) 이와 같은 기사가 열전16, 金就礪에도 수록되어 있다.

145) 이는「柳光植墓誌銘」;「崔甫淳墓誌銘」;『동국이상국집』年譜에 의거하였다. 前者 2人의 任命時期는 月次가 없고 春으로만 되어 있으나, 당시의 관료 임명[頒政]이 특정 시기에 이루어지지 않았기에(→희종 5년 9월 某日) 2월의 이규보와 함께 임명되었을 것이다.

146) 이는 다음의 자료에 의거하였다.
- 열전16, 金就礪, "明年, 就拜就礪金吾衛上將軍, 又遣□□[右副]承宣金仲龜, 領南道兵以會".
- 「金就呂墓誌銘」, "丁丑[高宗4年]一月, 上命行營元帥將五軍, 授公以金吾衛上將軍, 仍領後軍".
- 「金就礪行軍記」, "丁丑二月, 就拜公爲金吾衛上將軍".

147) 五軍元帥는 五軍兵馬使로 고쳐야 옳게 될 것이다.

遂薄中軍, 縱火燒壘, 諸軍士卒散走. 唯左軍拒戰, [元帥·參知政事]鄭邦輔·趙冲奔左軍, 左軍亦敗, 五軍皆潰. 大將軍李義儒·白守貞·將軍李希柱□[等]戰死, 軍士死者, 不可勝紀, 輜重·資粮·器仗, 皆爲所奪. 邦輔·冲, 奔還于京, 潰卒絡繹於道. ○賊追至宣義門, 焚[午正門外]黃橋而退, 朝野大震:節要轉載].[148]

[→至是, 五軍次于安州太祖灘, 與戰大敗奔還. 賊乘勝馳突. 就礪與□[朴]文備·□[~~姓氏脫落~~]仁謙, 逆擊之, 仁謙中流矢死, 就礪奮劒獨拒, 槍矢交貫于身, 病瘡而還. 賊追官軍, 至宣義門而退:列傳16金就礪轉載].

[→三月, 五軍次于安州大棗灘, 戰不利, 賊氣得馳突. 就礪與□[朴]文備·□[~~姓氏脫落~~]仁謙, 逆擊之, 仁謙中流矢死, 就礪奮劒獨拒, 槍矢交貫于身, 病瘡如京. 忠憤之氣, 猶形言色, 聞者壯之:金就礪行軍記].

[○先是, 郎將金德明, 告崔忠獻曰, "顯宗葬安宗, 以致庚戌年[顯宗1年]丹兵之禍, 今葬厚陵[康宗]於其側, [~~契~~]丹兵又來, 恐風水使然, 宜速改葬". 忠獻然之, 欲改葬, 令卜日. 司天臺持疑, 不卽涓吉[~~十日~~], 乃擅流判事崔季良于高鸞島:節要轉載].[149]

丙戌[9日], 遣東面都監判官李唐必, 遷大廟[~~太廟~~]神主于大常府[~~太常府~~].

○遣將軍奇允偉, 詣顯陵[太祖], 奉遷太祖梓宮于奉恩寺.

○丹賊六人入國淸寺, 僧擒殺一人, 餘皆散走. 又諜者三人入宣義門, 門卒捕訊之, 乃楊水尺及我降卒也. 丹兵五六人又至, 殺門卒三人, 擄門外良家女一人而去.

[丁亥[10日], 白虹貫北斗第五星:天文2轉載].

戊子[11日], 遣將軍申宣冑, 奉遷昌陵[世祖]梓宮于奉恩寺. 又立改葬厚陵都監[康宗], 尋罷.[150]

[○赤氣見于東西:五行1轉載].

己丑[12日], 丹兵寇牛峯縣, 遂趣臨江·長湍.

○奉遷玄化寺安·顯·康三宗神御于崇敎寺.

庚寅[13日], 命將軍申宣冑·奇允偉·崔俊文等, 各帥其軍, 備丹兵于崇仁·弘仁二門外.

○丹兵至白領驛.

---

148) 安州에서의 敗北와 관련된 자료로 다음이 있고, 이와 같은 기사가 열전16, 趙冲에도 수록되어 있다.

· 「金就礪墓誌銘」, "… 仍領後軍, 公□□[隨至]行營□[之]屯, 至安州境, 見行營失利奔潰, 公獨奮力抗戰, 不知槍矢之貫體, 僅不殞命, 而還于國".

149) ~~添字~~는 열전42, 崔忠獻에 의거하였다.

150) 申宣冑는 본관은 天安府이며 僉議贊成事 申思佺의 父로서 正議大夫·右承宣·千牛衛上將軍에 이르렀던 것 같다(閔漬妻申氏墓誌銘).

○盜發純陵[仁宗妃任氏].

[辛卯[14日], 月與鎭星同舍:天文2轉載].

[○赤氣橫亘四方:五行1轉載].

[壬辰[15日], 日赤無光:天文1轉載].

[○月赤黃無光, 犯氐星:天文2轉載].

[某日[15日?], [中書令]崔忠獻, 流大將軍李孚于島, 孚有智勇, 善射御, 得士卒心, 可屬大事. 聞者惜之:節要轉載].[151]

[某日[15日?], 省樞兩府, 議立祈恩都監, 抽斂[斂]祿科米, 設齋醮, 以禳丹兵:節要轉載].[152]

癸巳[16日], 幸乾聖寺, 命將軍崔孝文·金陽與·申宣冑等, 合兵備禦,

丙申[19日], [將軍申]宣冑等五將軍, 不戰奔還.

丁酉[20日], 幸妙通寺.

[某日, 楊水尺等帖匿名書云, "我等, 非故叛逆也, 不堪妓家侵奪, 故投丹賊爲鄕導[嚮導], 若朝廷殺此妓輩及順天寺主, 則可倒戈輔國矣". [中書令崔]忠獻聞之, 乃歸其妓紫雲仙·上林紅于其鄕. 順天寺主, 亦恃勢自恣, 與妓爲亂者也. 聞之亡去:節要轉載].[153]

[某日, 樞密院副使致仕蔡靖卒. 靖, 少力學, 擢第爲東都掌書記, 有淸績, 後牧晉陽. 東都與永州, 作亂, 議遣安撫使, 而難其人, 聞東都人思靖不已, 乃拜靖, □[爲]留守副使. 靖單車之任, 東都人聞其至, 反側悉安. 及卒, 官庀葬事, 賞平賊之功也:節要轉載].[154]

夏四月[丁未朔大盡,乙巳], 己酉[3日], 移御竹反宮[竹坂宮],[155] 乃忠獻所營也. 時, 術士云,

---

151) 이와 같은 기사가 열전42, 崔忠獻에도 수록되어 있다.

152) 이와 관련된 기사로 다음이 있다.

· 지31, 百官2, 別例祈恩都監, "高宗四年, 丹兵來侵, 省樞兩府議, 立祈恩都監, 抽斂祿科米, 設齋醮, 以禳之".

153) 이와 같은 기사가 열전42, 崔忠獻에도 수록되어 있다.

154) 이와 관련된 기사로 다음이 있다.

· 지18, 禮6, 諸臣喪, "三月, 樞密副使蔡靖卒. 官庀葬事, 以賞平賊之功".

· 열전16, 蔡靖, "高宗初, 留守西都, 入拜樞密副使, 尋致仕卒. 以平賊功, 官庀葬事".

155) 여러 판본의 『고려사』에서 竹反宮으로 되어 있는데, 竹坂宮의 오자일 것이다.

"松山王氣將盡, 宜御別宮, 以禳之", 從之.

庚戌4日, 丹兵五千餘人至金郊驛.

[○日傍, 有赤氣, 大如車輪, 南北射氣如日:天文1轉載].

壬子6日, 親設無能勝道場于宣慶殿.

戊午12日, 更閱五軍, 以上將軍吳應夫爲中軍兵馬使, [大將軍李茂功△爲知兵馬事, 少府監權濬爲副使:節要轉載], 上將軍崔元世爲前軍兵馬使, [郭公儀△爲知兵馬事, 戶部侍郞金奕輿爲副使:節要轉載], 借將軍借上將軍貢天源爲左軍兵馬使, [前司宰卿崔義△爲知兵馬事,[156] 將作□少監李績李勣爲副使:節要轉載],[157] 借將軍借上將軍吳仁永爲右軍兵馬使,[158] [借衛尉卿宋安國△爲知兵馬事, 侍郞秦世儀爲副使:節要轉載],[159] 上將軍柳敦植爲後軍兵馬使, [司宰卿崔宗峻△爲知兵馬事, 將作監陳淑爲副使:節要轉載], 各率師, 出崇仁門, 以禦之.

己未13日, 金萬奴兵來, 破大夫營.[160]

---

156) 이때 崔義는 嚴正하게 軍士를 통솔하여 전공을 세웠다고 한다. 이에서 正色은 '莊重하게', '嚴整하게'라는 의미로 사용되었던 것 같다.

· 「崔義墓誌銘」, "丁丑年高宗4年, 以左軍知兵馬使事, 正色率軍禦敵于境, 有大功列".

· 『書經』, 畢命(僞古文), 冒頭, "… 惟公懋德, 克勤小物, 弼亮四世, 正色率下, 罔不祗師言, 嘉績多于先王, 予小子垂拱仰成".

· 『春秋公羊傳注疏』 권4, 桓公 2년 春正月, "… 孔父正色, 而立於朝, 人莫敢過, 而致難於其君者".

157) 李績은 李勣의 오자이며, 이때의 戰功으로 將作監에 임명되었다고 한다(열전16, 李勣).

· 「李勣墓誌銘」, "明年, 轉左軍兵馬副使, 復與虜, 戰於廣灘, 公先登大捷, 俘獲甚衆, 上奇其勇, 除左右衛將軍, 公固辭不受, 尋改將作監".

158) 借將軍吳仁永爲右軍兵馬使는 借上將軍吳仁永爲右軍兵馬使로 고쳐야 옳게 될 것이다. 곧 吳仁永은 世家에는 借將軍으로, 金就礪列傳에는 借上將軍으로 되어 있는데, 兵馬使는 3品職임으로 借上將軍이 옳을 것이다. 이와 함께 借將軍貢天源爲左軍兵馬使의 경우 世家 및 金就礪列傳에 모두 借將軍으로 되어 있으나 이 역시 借上將軍으로 해야 옳을 것이다. 이는 같은 달 19일에 貢天源이 大卿(3품)으로 降等되었음을 통해 알 수 있다.

한편 고려시대의 七寺·三監은 中原의 九寺·五監을 축소한 것인데, 이들 관서의 長은 宋代에 大卿이라고 불려졌다[俗稱].

· 『賓退錄』 권3, "世俗稱列寺卿曰大卿, 諸監曰大監, 所以別於少卿·監".

159) 秦世儀는 이후 尙書에 승진하여 樞密 林千美, 大卿 梁棟材 등을 위시한 退職者 40餘人과 함께 保定門 인근 德山의 賁岩寺에서 法華社라는 結社를 맺어 『법화경』을 연마하며 수행하였다고 한다(『法華靈驗傳』권하, 保岩徒之,或講或疑, 金英美 2012년).

160) 이해에 蒲鮮萬奴가 遼東에 雄據하면서 婆速路(現 遼寧省 丹東市 九連城) 地域을 侵掠하자 高麗가 이를 두려워하여 糧穀 8萬石을 주었다고 한다.

· 『금사』 권103, 열전41, 完顔阿里不孫, "興定元年, … 是時, 浦鮮萬奴據遼東, 侵掠婆速之境, 高麗畏其强, 助糧八萬石". 이것이 사실이라면 위의 기사와 같이 이해의 4월에 일어난 사건일

[庚申14日, 月犯氐星:天文2轉載].

辛酉15日, 奉遷九室神主于工部廳, 諸陵神主于考功廳.

[甲子18日, 太白犯東井, 又犯北轅:天文2轉載].

戊辰22日, 金兵九十餘人渡鴨綠江, 入義州, 分道將軍丁公壽出兵禦之, 有虎頭金牌官人, 棄兵跪曰, "我元帥亐哥下也, 夜與黃旗子軍戰, 不克來奔, 願將軍活我".161)

[○月犯羽林:天文2轉載].

癸酉27日, 幸賢聖寺, 設文豆婁道場.

五月丁丑朔大盡,丙午, [某日, 五軍不發, 唯後軍兵馬使柳敦植, 發向交河. 中軍兵馬使吳應夫使人沮之曰, "丹兵在積城場, 可回軍". 敦植不聽曰, "請四軍, 宜合攻賊". 四軍從之, 行至積城, 不見賊:節要轉載].162)

庚辰4日, 丹兵陷東州. 罷中軍兵馬使吳應夫, 以上將軍·前軍兵馬使崔元世代之, 上將軍金就礪爲前軍兵馬使.

[→丹兵陷東州, 中書令崔忠獻奏曰, "□契丹兵過東州, 勢將南下, 五軍逗留不戰, 徒費粮餉, 非委任閫外之意也. 請罷應夫幷奪子壻職, 以前軍兵馬使崔元世代之, 上將軍金就礪爲前軍兵馬使", 王從之:節要轉載].163)

[□□某日, 賊指交河, 過澄波渡, 官軍與戰于楮村, 却走之:列傳16金就礪轉載].

壬午6日, 丹兵數十騎寇城東籍田里.

癸未7日, 丹兵掠桃源驛. 吏得其文牒, 略曰, "兩國相戰, 徒殺無辜之民, 宜遣信實大臣, 奉表歸款".

甲申8日, 以大將軍池允深爲揚廣楊廣·忠淸道防禦使, 率道內兵及僧軍, 以禦丹賊.164)

乙酉9日, 幸王輪寺, 設神衆道場.

[某日, 命賜將軍崔瑜·申宣胄·奇允偉·朴世通·崔俊文等五領軍, 米人一碩·布一匹.

것이다.

161) 金의 元帥 亐哥下는 계속 같은 글자로 표기되다가 1232년(고종19) 11월에는 于加下로 달리 표기되어 있다. 亐는 于의 본래의 글자[本字]이다.

162) 이의 縮約이 열전16, 金就礪에 수록되어 있다.

163) 이와 같은 기사가 열전16, 金就礪에도 수록되어 있다.

· 「金就礪行軍記」, "五月, 以上將軍崔元世將中軍, 以公金就礪將前軍, … 公瘡未合, 力疾受命".

164) 여러 판본의 『고려사』에서 揚廣으로 되어 있으나 楊廣의 오자인데, 楊字의 行書는 揚字와 같다.

[中書令]崔忠獻集諸軍，賜之．允偉軍，無故呼噪，忠獻擅令停賜:節要轉載].

[→王賜忠獻子將軍[崔]瑀及[申]宣胄·[奇]允偉·朴世通·崔俊文等五領軍，　米人一石·布一匹，忠獻集諸軍，賜之．允偉軍卒，無故呼喊，忠獻擅令停賜:列傳42崔忠獻轉載].

[某日，五軍奏捷云，“丹兵至豊壤縣曉星峴，我師欲戰，將渡橫灘，賊尾擊之，左軍先戰，敗走，中軍·後軍，自山外出賊背，擊却之，追至盧元驛宣義場，斬馘甚多，牛馬·衣物，悉棄而去”．時有隊正安彭祖，中矢還京云，“丹兵被殺，唯二人，餘死者，皆我軍也”:節要轉載].[165]

[某日，前軍·右軍與丹兵，戰于砥平縣，敗之，獲馬千餘匹:節要轉載].[166]

[某日，丹兵陷安陽都護府[春州]，執[交州道]按察使魯周翰，殺之，官屬亦多被害:節要轉載].

癸巳[17日]，丹兵入原州，州人力戰却之，丹兵退屯于橫川．

乙未[19日]，以中軍兵馬使崔元世爲兵部尙書·鷹揚軍上將軍，後軍兵馬使柳敦植爲監門衛上將軍，左軍兵馬使貢天源降爲大卿，以鄭有鱗代之．

丁酉[21日]，幸妙通寺，設摩利支天道場，以禳丹兵．遣內侍，賫詔，往慰軍中，各賜衣一領·銀甁二口．

己亥[23日]，丹兵陷原州．[州人，久與賊相持，凡九戰，食盡力窮，且無外援，遂陷:節要轉載].[167]

[某日，詔西京兵馬使·上將軍崔愈恭，判官·禮部郎中金成等，率軍，令援五軍．有卒崔光秀，不肯行，竪纛，召集軍士，還西京．愈恭倉皇失措，金成醉臥不省．時，愈恭好侵漁士卒，以致怨叛:節要轉載].

[某日，前軍·右軍敗績，以大將軍任輔爲東南道加發兵馬使，選城中公私奴隷，以充部伍:節要轉載].[168]

[→以大將軍任輔爲東南道加發兵馬使，選城中公私□[奴]隷，充部伍，以遣之:兵1五軍轉載].[169]

---

165) 이와 같은 기사가 열전16, 金就礪에도 수록되어 있다.

166) 이와 같은 기사가 열전16, 金就礪에도 수록되어 있다.

167) 이와 같은 기사가 열전16, 金就礪에도 수록되어 있다.

168) 이와 같은 기사가 열전16, 金就礪에도 수록되어 있다.

169) 이와 자료로 다음이 있는데, 任甫는 任輔의 오자일 것이다.

· 「金就礪行軍記」, “五月, … □[以]大將軍任甫[任輔]將新定五領, 號加發兵, 遣詣忠州”.

[某日, 前軍·右軍與丹兵, 遇于楊根·砥平兩縣, 屢戰, 取金銀牌·傘子等物. 忠獻褒之, 以右軍兵馬使吳孝貞爲上將軍, 前軍知兵馬事郭公儀爲衛尉卿:節要轉載].[170)]
[公儀, 曾坐贓免, 以功復職:列傳16金就礪轉載].

六月丁未朔[小盡,丁未], 王如奉恩寺.
[庚戌[4日], 月與太白, 同舍于張:天文2轉載].
甲寅[8日], 遣刑部郎中金周鼎, 安撫西京.
[某日, [成州人軍卒]崔光秀據城作亂, 自稱句高麗[高句麗]興復兵馬使·金吾衛攝上將軍,[171)] 署置僚佐, 召募精銳, 傳檄北界諸城, 將擧大事, 禱諸神祠. 分臺錄事鄭俊儒, 素與光秀同里閈,[172)] 相善, 率校尉金億·白儒等十餘人, 袖斧, 就光秀所, 與語因擊殺之, 又殺其黨八人, 餘置不問, 城中遂安. 王大喜, 超授俊儒, △[爲]攝中郎將, 屬內侍, 賜衣冠·鞍馬, 億·儒, 加別將, 其餘, 賞職有差. 俊儒後改顗:節要轉載].
[→鄭顗, 淸州人, 初名俊儒. 高宗四年, 顗以臺吏, 分司西京. 契丹兵入寇, 詔西京兵馬使·上將軍崔兪恭, 判官·禮部郎中金成等, 率西京兵, 令援五軍擊之. 時, 兪恭好侵漁, 士卒離叛, 有卒崔光秀不肯行, 竪纛, 召集軍士, 還向西京. 兪恭倉黃失措, 成醉臥不省. 光秀遂據城作亂, 自稱勾高麗興復兵馬使·金吾衛攝上將軍, 署置僚佐, 召募精銳. 傳檄北界諸城, 將擧大事, 禱諸神祠. 顗素與光秀同里閈, 相善, 乃憤其所爲, 率校尉金億·白濡·畢玄甫[畢賢甫]·申竹等十餘人,[173)] 袖斧, 就光秀所, 與語

---

170) 이와 같은 기사가 열전16, 金就礪에도 수록되어 있다.

171) 句高麗는 처음 『고려사』를 乙亥字로 組版할 때 잘못된 採字로 인해 발생한 高句麗의 오류였으나 後世에 木板本으로 覆刻할 때 校正하지 않고서 그대로 刻字한 것으로 추측된다(東亞大學 2006년 27책 26面, 468面). 또 興復은 恢復을 가리킨다.
· 『후한서』 권1下, 光武帝紀第1下, 建武 15년 3월, "大司空融, … 太常登等奏議曰, … 陛下德橫天地, 興復宗統, 褒德賞勳, 親睦九族, 功臣·宗室, 咸蒙封爵, 多受廣地, 或連屬縣. …".
· 『삼국지』 권35, 諸葛亮傳第5, "[章武]五年, [諸葛亮]率諸軍北駐漢中, 臨發, 上疏曰, … 今南方已定, 兵甲已足, 當奬率三軍, 北定中原, 庶竭駑鈍, 攘除姦凶, 興復漢室, 還于舊都. 此臣所以報先帝, 而忠陛下之職分也"[前出師表].

172) 同里閈는 '같은 마을에서[同里閭]'와 같은 의미인데, 이 用語를 사용했던 史官은 史傳에 該博했던 인물이었을 것이다.
· 『자치통감』 권11, 漢紀3, 高帝 5년(BC202) 9월, "壬子, 立太尉長安侯盧綰爲燕王. 綰家與上[劉邦]同里閈[胡三省注, '閈, 音汗, 閭也, 里門曰閈'], 綰生又與上同日, 上寵幸綰, 群臣莫敢望, 故特王之".

173) 畢玄甫는 畢賢甫의 오자일 것이다.

因斫殺之. 誅其黨八人, 餘置不問, 城中遂安. 王大喜, 超授顗攝中郎將, 仍屬內侍, 賜衣冠鞍馬, 加億·儒別將, 其餘賞爵有差:列傳34鄭顗轉載].[174)]

丙辰[10日], [大暑]. 幸王輪寺.

壬戌[16日], 幸法王寺.

[戊辰[22日], 有星, 疾流北斗武曲, 入攝提間, 大如木瓜, 尾長一丈許. ○月與歲星, 同舍于畢:天文2轉載].

[庚午[24日], □[月]入東井南轅第二星:天文2轉載].

[辛未[25日], 立秋. □[月]犯東井南轅第二星:天文2轉載].

[某日, 御史臺上疏曰, "[元帥·參知政事]鄭邦輔·趙冲, 望賊畏縮, 莫有鬪心, 棄軍驚走, 以致士卒陷沒, 又歷代所傳兵書文籍, 以至器仗, 盡爲敵奪, 未副推轂之意, 請免其職". 王不允. 御史臺復上疏, 請罷, 從之:節要轉載].[175)]

甲戌[28日], 幸外帝釋院.

○清塞鎭執丹人王侯烈來, 尋斬之.

[戊子[某日], 紫氣漫天:五行1轉載].[176)]

秋七月丙子朔[大盡,戊申], 日食.[177)]

丁丑[2日], 西北面兵馬使奏, "契丹二百餘人寇清塞鎭, 判官周孝嚴·京將韓貂出戰, 擒男女二人·馬十匹·鐵甲·朱記·銀牌等物". 王以孝嚴爲興王都監判官, 貂爲郎將.

○以前樞密院使趙冲爲西北面兵馬使.

[□□[戊寅3日?], 至黃驪縣法泉寺之南川上, 五軍爭舟, 公[金就礪]退須諸軍畢濟, 然後乘

174) 이와 같은 기사가 『목은문고』 권20, 鄭氏家傳에도 수록되어 있다.

175) 이때 고려군의 형편은 다음과 같이 기술되어 있고, 이와 같은 기사가 열전16, 趙冲에도 수록되어 있다.

· 「趙冲墓誌銘」, "丙子冬, 以副元帥出征契丹賊, 訓練齊整成軍, 而出然, 而時元帥, 剛愎自專, 公性寬廓, 不甚力校, 故以失□□績, 俱罷職".

176) 이달에는 戊子가 없다.

177) 이날 宋에서는 張星에 일식이 있었다고 하며, 金에서도 일식이 있었다(『송사』 권52, 지5, 천문5, 日食 ; 『금사』 권15, 본기15, 宣宗中, 興定 1년 7월 丙子 ; 권20, 지1, 天文, 日薄食煇珥雲氣). 또 일본의 교토[京都]에서도 日蝕이 있었다(高麗曆과 同一, 日本史料4-14冊 396面) 이날은 율리우스력의 1217년 8월 4일이고, 開京에서 일식 현상이 심했던 시간은 12시 31분, 食分은 0.40이었다(渡邊敏夫 1979年 309面).

· 『百練抄』제12, 順德, 建保 5년 7월, "一日, 日蝕".

舟. 忠州城壞於水, 木石崩蕩, 公舟爲巨石所轠, 柂櫓俱脫, 板漏水湧, 同載者三百餘人, 面若死灰, 公堅坐不移, 神色自若. 俄而, 有三人乘筏, 截流相救, 舟人連斷繩擲之, 三人者牽以登岸. 問之, 原州村居人奴也, 與其尤壯者偕行:金就礪行軍記].

庚辰5日, 中軍兵馬使崔元世·前軍兵馬使金就礪追丹兵于忠·原二州間, 戰于麥谷, 追至朴達峴, 大敗之. 賊踰大關嶺而遁.

[→中軍·前軍, 追丹兵于忠原兩州間, 戊寅3日?, □□□□~~至黃驪縣~~法泉寺, 移次禿岾. 崔元世曰, "明日之路有二岐, 吾行何如則可?". 金就礪曰, "分軍掎角, 不亦可乎?". 元世從之:節要轉載].

[→再宿會本軍于法泉寺, 移次禿岾. 中軍兵馬使崔元世曰, "明日之路有二岐, 吾行如何則可?", 金就礪曰, "分軍掎角, 不亦可乎?", 崔元世從之:金就礪行軍記].

辛巳6日, 設消災道場于宣慶殿.

[翼日辛巳6日, ~~中前兩軍~~會于麥谷, 與賊戰, 斬獲三百餘級, 迫于堤州之川, 流屍蔽川而下:節要轉載],[178] [搜山谷, 得老弱男女, 送于忠州, 牛馬與獲者, □□□□~~收歸麾下~~:追加].[179]

[壬午7日, 太白犯左角. 熒惑·歲星同舍于昴:天文2轉載].

[越三日甲申9日?, 中·前兩軍, 追至朴達峴. 加發兵馬使任輔亦將兵來會, 元世謂就礪曰, "嶺上, 非大軍所止, 欲退屯山下". 就礪曰, "用兵之術, 雖貴人和, 地利亦不可輕, 賊若先據此嶺, 我在其下, 猿猱之捷, 亦不得過, 况於人乎?". 三軍遂登嶺而宿, 質明乙酉10日?, 賊果進軍于嶺之南, 先使數萬人, 分登左右峯, 欲爭要害. 元世等, 使將軍申德威·李克仁當左, 崔俊文·周公裔當右, 元世·就礪從中鼓之, 士皆殊死戰, 三軍望之, 亦大呼爭前, 賊大潰, 老弱男女, 兵仗輜重, 狼藉委棄, 賊由是不果南下, 皆東走, 追至溟州大關山嶺大關嶺?, 將卒怯弱, 退屯旬日, 乃進, 賊已踰嶺矣:節要轉載].[180]

戊子13日, 復以西北面兵馬使趙冲爲樞密院使·吏部尙書·上將軍·翰林學士承旨.

[○門下侍郎平章事致仕金元義卒, 年七十一. 輟朝三日, 謚景簡:追加].[181]

---

178) 이와 같은 기사가 열전16, 金就礪에도 수록되어 있는데, ~~添字~~는 이에 의거하였다. 또 이에는 堤州가 提州로 잘못 採字(혹은 刻字)되었다.

179) 이 기사는 「金就礪行軍記」에 의거하였는데, ~~添字~~는 筆者가 추가하였다(혹은 '歸于麾下').

180) 이 기사는 「金就礪行軍記」에도 수록되어 있는데, 字句의 出入이 있어 함께 살펴보아야 할 것이다.

181) 이는 「金元義墓誌銘」에 의거하였는데, 이날은 율리우스曆으로 1217년 8월 16일(그레고리曆 8월

癸巳[18日], 幸王輪寺.

[乙未[20日], 月犯畢星:天文2轉載].

丙申[21日], 王改名晊.

[○月犯畢, 與熒惑同舍:天文2轉載].

[己亥[24日], □[月]入東井:天文2轉載].

癸卯[28日], 加發兵馬使任輔病, 以大將軍奇允偉代之.

甲辰[29日], 幸佛恩寺.

[某日, 中軍·左軍·前軍. 復追丹兵, 至溟州毛老院, 敗之, 獲玉帶·金銀牌·器仗:節要轉載].[182)]

[某日, 以金君綏爲慶尙道按察使:慶尙道營主題名記].

八月丙午朔[小盡,己酉], 奉遷崇教寺康宗神御于王輪寺.

○復史館宣飯. 先是, 某王欲見史臣記事, 潛至史館, 直館預知, 匿不現. 王怒曰, "直館不直宿, 停賜食". 至是, [中書令]崔忠獻奏云, "禁內官皆賜食, 唯史館獨無, 未合於理. 命復之".

戊申[3日], 赦死罪十五人, 配島.

[某日, 以朝陽·淸塞兩鎭及安州, 禦賊有功, 陞淸塞爲威州防禦使, 朝陽爲翼州防禦使,[183)] 安州監務爲載寧縣令, 又以黃州牧陷賊, 降爲固寧郡:節要轉載].[184)]

[某日, 諫官奏曰, "趙冲昨以敗軍, 被劾免官, 今無功可賞, 復除舊職, 乞收成命, 待其功成, 方許拜官", 從之:節要轉載].[185)]

[某日, 丹兵圍溟州, 翼日, 四軍追之, 後軍不及, 屯于剛州:節要轉載].[186)]

23일)에 해당한다.

182) 이와 같은 기사가 열전16, 金就礪에도 수록되어 있다.

183) 朝陽鎭은 前年(고종3) 9월 이후에 朝陽鎭에서 以前의 邑號인 連州防禦使로 還元되었는데, 이 해[是年]에 여전히 朝陽으로 表記된 것이 特異하다.

184) 이와 관련된 기사로 다음이 있다.

· 지12, 지리3, 朝陽鎭, "[高宗]四年, 改爲翼州防禦使".

· 지12, 지리3, 淸塞鎭, "高宗四年, 以禦丹兵有功, 陞威州防禦使".

· 지12, 지리3, 安州, "高宗四年, 以禦丹兵有功, 陞爲載寧縣令官".

· 『세종실록』 권152, 지리지, 載寧郡, " 高宗四年丁丑, 以禦丹兵有功, 陞爲載寧縣令".

· 지12, 지리3, 黃州牧, "高宗四年, 以不能禦丹兵, 降知固寧郡事".

185) 이와 같은 기사가 열전16, 趙冲에도 수록되어 있다.

壬子[7日], 交州防護兵馬使吳壽祺與丹兵戰, 敗績.

[某日, 右軍與丹兵, 戰于登州, 敗績, 陣主[東北面兵馬使?]吳守貞, 死之:節要轉載].[187)]

癸亥[18日], [中書令]崔忠獻奏, "後軍兵馬使柳敦植遇賊, 逗留不戰, 請罷敦植及軍內諸將軍職, 終身不敍", 王從之, 以敦植忠獻外甥, 赦之.

庚午[25日], 還御本闕.

[某日, 丹兵趣咸州, 遂入女眞地. 我軍退縮, 莫有追躡者:節要轉載].[188)]

九月[乙亥朔[大盡,庚戌], 安南大都護府副使·兵馬鈐轄兼勸農使廉克髦卒, 年六十五:追加].[189)]

辛巳[7日], 西北面兵馬使[趙冲]報, "女眞黃旗子軍, 自婆速府, 渡鴨綠江來, 屯古義州城".

辛卯[17日], 震麗正宮.

[→大風雨雹, 震麗正宮:五行3轉載].[190)]

甲午[20日], 幸王輪寺.

丁酉[23日], 丹兵入義·靜·麟三州及寧德城之界.

戊戌[24日], 親設消災道場於宣慶殿.

○丹兵移諜[移牒]請糧.[191)]

---

186) 이와 같은 기사가 열전16, 金就礪에도 수록되어 있다.

187) 이때부터 『고종실록』 또는 『고려사』의 撰者가 大遼收國軍[契丹殘黨]·蒙古軍 등을 防禦하던 3軍 또는 5軍의 指揮官인 兵馬使를 陣主라고 改書한 이유를 알 수 없다. 병마사 예하의 知兵馬事·判官 등은 名稱을 그대로 유지하고 있다. 또 이때 陣主였던 吳守貞은 東北面兵馬使로 추측된다. 그리고 이와 같은 기사가 열전16, 金就礪에도 수록되어 있다.

188) 이와 같은 기사가 열전16, 金就礪에도 수록되어 있다. 또 다음의 자료에 의하면 7월 10일(乙酉) 무렵의 朴達峴戰鬪 이후에 적을 추격하여 溟州의 橀嶺·大峴 等地에서 6차에 걸친 전투가 이루어졌다고 한다. 또 上記의 記事에서 追躡은 追踪, 追從, 追擊으로 사용되었다.
· 「金就礪行軍記」, "追至溟州, 戰于橀嶺, 于大峴, 于丘山驛, 于燈臺壤, 于惡坂, 于登州之東壤. 凡六戰. 賊莫能枝梧, 奔還女眞地".

189) 이는 「廉克髦墓誌銘」에 의거하였는데, 이날은 율리우스曆으로 1217년 10월 2일(그레고리曆 10월 9일)에 해당한다.

190) 일본의 京都에서는 9월 4일 밤중에 大風이 있었던 것 같다[高麗曆과 同一]. 毘沙門堂은 現在 京都市 山科區(야마시나구) 에 위치해 있다.
· 『武家年代記裏書』, "[建保]五年, 九、四、夜、大風, 北野社一夜吹顚, 今毘沙門堂本尊御木也,云々".

191) 이달에 契丹兵이 江東城을 根據地로 삼았다고 한다. 또 여러 판본의 『고려사』에서 移諜으로 되어 있으나 移牒의 오자일 것이다. 『고려사절요』 권15에는 옳게 되어 있다.
· 『원사』 권208, 열전95, 外夷1, 高麗, "[太祖]十二年九月, [契丹人,] 攻拔江東城, 据之".

辛丑[27日], 以吳壽祺爲東北面兵馬使.

[某日, 前軍兵馬使金就礪, 承中軍牒, 移兵定州, 使覘賊. 返曰, "賊在咸州, 與我比境, 雞犬之聲相聞". 就礪築鹿角垣, 三周其隍, 留李克仁·盧純祐·申德威·朴蕤等四將, 守之, 移據興元鎭[元興鎭]:節要轉載].[192)]

[是月壬午[8日], 金改元興定:追加].

[秋某月, 以[都兵馬錄事]李世華爲定戎鎭分道官:追加].[193)]

[○竹州奉業寺居僧粲謙等造成本寺飯子一座:追加].[194)]

冬十月乙巳朔[大盡,辛亥], 親設佛頂道場於修文殿.

庚戌[6日], 幸普濟寺.

癸丑[9日], 幸妙通寺.

丁巳[13日], 幸乾聖寺.

[某日, 黃旗子軍來, 屯麟·龍·靜三州之境, 西北面兵馬使趙冲與戰, 斬獲五百十餘級.[195)] 卽復冲舊職:節要轉載].

庚申[16日], 趙冲□[又]與黃旗子軍, 戰于麟州[暗林平:節要轉載], 大敗之, [擒殺, 溺江者不可勝數, 僅三百餘騎遁去:節要轉載].[196)]

· 『元高麗紀事』, 本文, 太祖, "十二年丁丑九月, [契丹人,] 攻拔江東城池, 拒守".

192) 이와 같은 기사가 열전16, 金就礪에도 수록되어 있는데, 添字와 같이 고쳐야 옳게 될 것이다. 여러 기록에서 興元鎭은 이곳에서만 찾아진다.

193) 이는 「李世華墓誌銘」에 의거하였다.

194) 이는 京畿道 安城市 竹山面 竹山里 145-2番地 奉業寺址에 출토되었다는 飯子의 銘文에 의거하였다(보물 제576호, 延世大學博物館 所藏, 蔡雄錫 編 2013년).

· 銘文, "貞祐五年歲在丁丑秋,名字沙門粲謙住于此竹州奉業寺,發愿[發願]鑄成印,上大匠夫金,大匠阿角,三大匠景文,都色·大師洪植".

195) 五百十餘級은 열전16, 趙冲에는 五百一十餘級으로 되어 있다(盧明鎬 等編 2016년 394面).

196) 이와 같은 기사가 열전16, 趙冲에도 수록되어 있다. 또 이때 趙冲은 金의 殘黨인 黃色旗子[黃旗, 黃旗子軍]·黑紺 등의 여러 도적을 소탕하였다고 한다. 이에서 黃色旗子와 黑紺은 어떤 집단인지를 알 수 없으나 1218년(興定2) 4월 26일(丁卯) 東平行省이 黑旗賊을 膠西縣(現 山東省 東部에 위치한 膠州市)에서 격파하였다고 한다.

· 「趙冲墓誌銘」, "由是, 黃旗·黑紺等群賊鎖沮".

· 『금사』 권15, 본기15, 宣宗中, 興定 2년 4월 丁卯, "東平行省敗黑旗賊, 拔膠西縣, 渠賊李全來援, 併破之".

[某日，丹兵得女眞兵，復振，長驅而來. 前軍兵馬使金就礪回軍，遇於豫州□之栍川，交綏而退，忽遘疾□□未瘳，將佐請歸就醫藥，答曰，“寧爲邊城鬼，豈可輿疾，求安於家乎?”. 疾甚，□□□□□~~水漿不入口~~，□□□□□□目視不辨人物，□有勅歸京理疾，□□□□□□□~~兵馬錄事洪昌衍~~.□□□□□□~~將軍李中立等~~，以肩輿至京，累月乃瘳:節要轉載].[197]

丙寅22日，親設無能勝道場于宣慶殿.

○遣使於安東·慶州·晋陜州·尙州·靈岩·羅州·全州·楊廣州·淸州·忠州等十道,[198] 督諸州土貢. 又軍士有因取冬衣，請告歸鄕，久不番上者，督令赴京.

[癸酉29日，大雪. 前軍兵馬使金就礪所留兵，與丹兵戰于渭州，敗績:節要轉載].[199]

[→於是，賊破數十城，如踏無人之境. 是月二十九日癸酉，所留兵與賊戰于渭州，敗績，李陽升死之:金就礪行軍記].[200]

[○古阜郡卯寺住持玄智等造成本寺飯子一座，入重六斤五兩:追加].[201]

十一月乙亥朔小盡,壬子，丙子2日，丹兵復聚寇高州·和州，以上將軍文漢卿爲中軍兵馬使，大將軍柳敦植爲後軍兵馬使，大將軍奇允偉爲加發兵馬使，禦之.

[某日，置五部判官·錄事各二員，搜檢亡卒:節要轉載].[202]

丙申22日，丹兵陷寧仁鎭.

己亥25日，陷長平鎭.

庚子26日，朔州分道將軍白胤誘引丹兵二十餘人，飮之酒，乘其醉，盡殲.

壬寅28日，[罷五軍及加發兵，置三軍:節要轉載]. 以上將軍文漢卿爲中軍兵馬使，刑部侍郞?[李實椿[203]△爲知兵馬事，　李得喬爲副使:節要轉載]，　貢天源爲左軍兵馬使,

---

197) 이와 같은 기사가 열전16, 金就礪 ;「金就礪行軍記」에도 수록되어 있는데, ~~添字~~는 後者에 의거한 것이다.

198) 이때의 10道는 行政區域인 5道가 아니라 軍事道 또는 方面을 나타내는 道일 것이다.

199) 이와 같은 기사가 열전16, 金就礪에도 수록되어 있다.

200) 열전16, 金就礪에는 李陽升이 渭州에서 戰死한 것은 前年(고종3) 10월 某日이었다고 한다(→고종 3년 10월 某日). 이날은 율리우스曆으로 1217년 11월 29일(그레고리曆 12월 6일)에 해당한다.

201) 이는 古阜郡 卯寺 飯子의 銘文에 의거하였다(許興植 1984년 970面).

202) 이와 관련된 기사로 다음이 있다.

· 지31, 百官2, 五部, “高宗四年, 改置判官二人, 錄事二人, 搜檢亡卒”.

203) 李實椿(李純孝의 父)은 衛尉卿을 거쳐 東界兵馬使에 이르렀던 것 같다(열전15, 李純孝 ;『남양시집』권상, 次韻寄東界營主李尙書實椿).

[宋安國△[爲]知兵馬事, 金奕興爲副使:節要轉載], 李茂功爲右軍兵馬使, [權濬△[爲]知兵馬事, 金沿亮爲副使:節要轉載].[204]

○丹兵陷豫州.

十二月[甲辰朔小盡,癸丑], 丁未[4日], [中書令]崔忠獻信□[用]術人李知識之言, 壞乾元寺, 以禳北兵. 移成宗神御于開國寺.[205]

戊申[5日], 設消災道場于宣慶殿五日.

庚戌[7日], 始營新闕于白岳, 從[李]知識之言也.

[戊午[15日], 月食:天文2轉載].[206]

庚申[17日], 親設四天王道場于宣慶殿.

壬戌[19日], 幸賢聖寺, 設文豆婁道場.

戊辰[25日], 宣州防戍將軍趙敦·朴蕤等, 棄城而還, 流于島.

壬申[29日晦], 移御賢聖寺, 盖信術者之說, 欲以延基也.

[是年, 禦丹兵有功, 陞塩州爲永膺縣令官:轉載].[207]

[○以[參知政事?]琴儀爲守太尉·中書侍郎平章事:追加].[208]

[○以[殿中侍御史]任益惇爲侍御史:追加].[209]

---

204) 이와 같은 기사가 열전16, 金就礪에도 수록되어 있다. 또 金沿亮(金沿亮)은 1250년(고종37) 4월에 건립된 康津 月南寺의 慧諶塔碑에 '司宰少卿金沿亮'으로 刻字되어 있다(張東翼 2019년).

205) 添字는 『고려사절요』 권15에 의거하였다.

206) 이날 宋과 金에서도 월식이 이루어졌다(『송사』 권52, 지5, 천문5, 月食 ; 『금사』 권20, 지1, 天文, 月五星凌犯及星變). 이날은 율리우스력의 1218년 1월 13일이고, 월시 현상이 신했던 때의 世界時는 13시 24분, 食分은 0.40이었다(渡邊敏夫 1979年 479面).

207) 이는 다음의 기사를 전재하였다.

· 지12, 지리3, 鹽州, "高宗四年, 以禦丹兵有功, 陞爲永膺縣令官".

208) 이는 「琴儀墓誌銘」 ; 열전15, 琴儀에 의거하였다.

209) 이는 「任益惇墓誌銘」에 의거하였다.

戊寅[高宗]五年，興定二年[高麗，金貞祐六年]，[210)]
[南宋嘉定十一年]，蒙古太祖十三年，[西曆1218年]

1218년 1월 28일(Gre2월 4일)에서 1219년 1월 17일(Gre2월 24일)까지，355일

[春正月癸酉朔大盡,甲寅，某日，知太史局事金德明，進新曆．德明，嘗爲僧，妄以陰陽之說，媚崔忠獻得官，所進新曆，率皆任意，變更古法．日官及臺諫，心知其非，皆畏忠獻，莫有言者:節要轉載]．

[→有郎將金德明，嘗以陰陽之說，媚忠獻，官至知太史局事．所進新曆皆變舊法，日官及臺諫，心知其非，畏忠獻，莫敢言者:列傳42崔忠獻轉載]．[211)]

[某日，開都目政．舊例，都目政在歲杪，崔忠獻秉政，鬻爵，比因兵禍，人無行貨求官者，故忠獻託賊遷延．至是，皆以不次□除官，其賂者曰，"有戰功也"．雖有功者，非賂，終不得職:節要轉載]．[212)]

[→舊例，都目政在歲抄，忠獻，以兵禍，人無行貨求官者，乃託賊遷延．至明年正月．始開都目，多受人賂，托以戰功，不次除官，雖有功，非賂，終不得職:列傳42崔忠獻轉載]．

[○以參知政事柳光植爲中書侍郞平章事，金吾衛上將軍金就礪爲神虎衛上將軍·判禮賓省事，右司諫·知制誥李奎報爲左司諫·知制誥:追加]．[213)]

[某日，以將作監李勣爲慶尙道按察使:慶尙道營主題名記]．

---

210) 이해의 7월에 金山寺의 僧侶인 大師 惠謹이 梵文으로 쓴 다라니[摠持]를 모은『梵書摠持集』1部를 刊行하였는데，1년 전에 바뀐 金의 年號인 貞祐六年을 사용하였다(仍舊，閔泳珪 所藏 梵書摠持集刊記；延世大學中央圖書館編 2007년 46~49面).

211) 이 기사는 原文에서 고종 4년 1월 某日의 金德明에 관한 내용과 함께 수록되어 있는데，적절한 按配라고 할 수 없다.

212) 添字가 追加되어야 옳게 될 것이다. 또 都目政에 대한 설명으로 다음이 있고，歲杪는 歲末，곧 年末[年底]을 가리킨다.

- 『아언각비』 권2，都目政，"都目者，百官考功之都錄也．今以六月·十二月序陞之籍，謂之都目，非矣．按高麗之制，六月謂之權務，十二月謂之大政，吏·兵部分掌，凡九品以上及府衛·隊正·府史·胥徒，皆著其年月，錄其功過，每於歲杪陞黜，謂之都目．李齊賢疏云'置考功司，標其功過，論其才否，每年六月·十二月，受都目考政案，用以黜陟'．今以注擬之籍，名曰都目，誤"．
- 『예기주소』 권12，王制，"冢宰制國用，必於歲之杪，五穀皆入然後制國用[注，制國用，如今度支經用．杪，末也]，…(四庫全書本11右4行).

213) 이는「柳光植墓誌銘」；「金就礪墓誌銘」；『동국이상국집』年譜에 의거하였다.

[二月癸卯朔小盡,乙卯, 月入東井:天文2轉載].

[庚申18日, 春分. □月與鎭星, 同舍于亢:天文2轉載].

[三月壬申朔大盡,丙辰, 甲戌3日 熒惑犯東井第一星:天文2轉載].

[乙亥4日, 月犯畢大星:天文2轉載].

[甲申13日, □月犯大微太微左執法:天文2轉載].

[丁亥16日, □月與鎭星同舍于亢:天文2轉載].

[戊子17日, □月入氐:天文2轉載].

[某日, 中書令崔忠獻, 以年滿七十, 告老, 陽欲致政. 王知其意, 命有司備禮儀, 賜几杖, 令出視事:節要轉載].[214]

[○京都人廉贍造成靑銅香爐一合, 施資福寺, 祈福:追加].[215]

夏四月壬寅朔小盡,丁巳, 乙卯14日, 納熙宗女承福宮主爲妃.[216]

丙寅25日, 中軍兵馬使文漢卿報丹兵大至.

[□□是後, 賊闌入東界, 中軍兵馬使文漢卿擁兵宜州, 逗遛不戰, 聚百工營中, 造私物, 利盡錐刀. 及賊來圍, 棄城潛逃, 我軍大敗. 以罪流海島:列傳14文漢卿轉載].

丁卯26日, 以左諫議大夫金君綏, 代趙冲爲西北面兵馬使, [召冲還京:節要轉載].[217]

[→以西北面兵馬使趙冲爲金紫光祿大夫·守司空·左僕射, 召還:追加].[218]

[某日, 中書令崔忠獻遣其子上將軍·知奏事瑀, 巡閱城廊兵器, 以私卒自衛, 帶甲者連亘數里:節要轉載].[219]

[是月, 樞密院使·禮部尙書致仕崔孝思卒, 年七十九:追加].[220]

---

214) 이와 같은 기사가 열전42, 崔忠獻에도 수록되어 있다.

215) 이는 湖巖美術館에 所藏된 靑銅香爐(높이 31.9cm, 口徑 29.2cm, 內口徑 20.6cm)의 銘文에 의거하였다(曺成鉉 1996년). 여기에서 社福寺는 資福寺의 誤刻, 또는 製作者의 回避로 인해 고쳐진 글자[避諱, 敬諱]일 가능성이 있다.

· 銘文, "貞祐六年戊寅三月吉日謹記,香爐合社福寺資福寺喜捨,國泰民安,世子壽命延長,合祈佛,弟子王都廉贍,子女平安,家淸萬事成,百日祈祭".

216) 이 기사는 열전1, 高宗妃, 安惠太后柳氏에도 수록되어 있다.

217) 이후 金君綏는 淸白하고 백성을 사랑하여 稱頌을 받았다고 한다.

· 열전11, 金富軾, 君綏, "… 君綏, 後拜左諫議大夫, 代趙冲, 爲西北面兵馬使, 以淸白愛民稱".

218) 이는 「趙冲墓誌銘」에 의거하였다.

219) 이와 같은 기사가 열전42, 崔忠獻에도 수록되어 있다.

五月[辛未朔大盡,戊午], 壬申[2日], 赦二罪以下.

癸酉[3日], 幸王輪寺.

甲申[14日], 廣陵公沔卒.[221)] [沔, 爲人純厚沈靜, 工筆札, 多技能. 尤精醫術, 以畜藥活人爲事, 凡有疾瘇者, 皆造其門, 略無憚色, 人皆歎服:節要轉載].

[→子沔, 尙毅宗女和順宮主, 神宗授守司空·上柱國·廣陵侯, 後進爲公.高宗五年卒, 性純厚沈靜, 工筆札, 多技能. 尤精醫術, 以蓄藥活人爲事. 凡有疾瘇者, 皆造其門, 略無憚色, 人皆歎服:列傳3文宗王子朝鮮公燾轉載].

己丑[19日], 幸賢聖寺.

丁酉[27日], 幸妙通寺.

[某日, [中書令]崔忠獻欲得武士心, 以郞將大集成[太集成]等五人,[222)] 爲借將軍. 集成等以無本領, 不問僧徒及奴隷, 脅爲屬卒, 中外大擾, 家家杜門, 至有不得樵牧者. 忠獻聞之, 怒奪職, 其亂乃止:節要轉載].[223)]

六月辛丑朔[小盡,己未], 王如奉恩寺.

[辛亥[11日], 虹霓環日:天文1轉載].[224)]

己未[19日], 北界分道將軍丁公壽報, "女眞叛賊黃旗子□[軍]賈裕來, 屯大夫營, 請與相見, 邀致鴨江賓館, 宴慰, 乘其醉, 擒裕等七人, 又殺麾下二十餘人. 金元帥亐哥下, 聞裕被擒, 親詣公壽, 謝之, 欲結和親, 因請糧及馬".[225)] 公壽遂聞于朝, 給米三百斛.[226)]

---

220) 이는 「崔孝思墓誌銘」에 의거하였다. 그는 崔坦으로 改名하였다고 하며, 이해의 여름[夏]에 逝去하였고 5월 15일(乙酉)에 安葬하였다고 한 점을 보아 서거는 夏四月임을 알 수 있다.

221) 이날은 율리우스曆으로 1218년 6월 8일(그레고리曆 6월 15일)에 해당한다.

222) 大集成은 太集成인데, 餘他의 事例와 같이 太字가 大字로 잘못 인쇄되었을 가능성이 있다. 고종 15년 1월 8일에는 太集成으로 인쇄되어 있다.

223) 이와 같은 기사가 열전42, 崔忠獻에도 수록되어 있으나 字句에 出入이 있다.

224) 이날 일본의 鎌倉에서도 무지개[虹霓]가 형성되었던 것 같다.

· 『吾妻鏡』第23, 建保 6년 6월, "十一日辛亥, 陰, 卯剋, 西方見五色虹, 上一重黃, 次五色尺餘隔赤色, 次靑, 次紅梅也. 其中間又赤色甚廣厚兮, 其色映天地. 小時銷, 則雨降".

225) 이때의 형편은 『동국이상국집』 권34, 丁公壽爲神虎衛上將軍官誥에 반영되어 있는데, 이후 丁公壽는 將軍[千人之尹]으로 승진하여 御史臺의 관직을 겸직하였고, 다시 3품으로 승진하여 中書省의 관직을 겸직한 후 1219년(고종6) 10월 이전에 西北面兵馬使로 출진하였던 것 같다(→고종6년 10월 某日).

秋七月庚午朔[大盡,庚申], 日食.[227)]

[癸酉[4日], 歲星犯東井·鉞:天文2轉載].

[甲申[15日], 月入壘壁陣西端第二星:天文2轉載].

[乙酉[16日], 歲星犯東井:天文2轉載].

庚寅[21日], 幸王輪寺.

[某日, 中軍·宰樞議, 試生徒以詩, 選取八十人, 其不中者, 皆令從軍:節要轉載].

[→中軍·宰樞議, 生徒未登仕版者, 試以詩, 選取八十人, 其不中者, 皆令從軍:選擧2學校·兵1五軍轉載].

辛卯[22日], [□□[先是], 丹兵又大至:列傳16金就礪轉載],[228)] 以守司空·[左僕射]趙冲爲西北面元帥, [神虎衛上將軍]金就礪爲□□[中軍]兵馬使,[229)] [借□[士]將軍鄭通寶[鄭通輔]爲前軍,[230)]

---

226) 이때 고려와 金의 接觸이 어떠한 內容인지는 알 수 없으나 『금사』에는 4월에 다음과 같은 기사가 있다. 4월 1일(壬寅) 金上京[會寧府]行省의 權參知政事 蒲察五斤이 表를 올려 遼東便宜(前遼東行省 權參知政事·權右副元帥) 完顔阿里不孫이 高麗에 糧穀을 빌려줄 것을 요구하다가 고려가 不應하자 兵을 동원하여 고려의 邊境을 虜掠하였다고 報告하였다. 宣宗 完顔珣이 蒲察五斤에게 명하여 사람을 보내어 고려를 타이르게 하고 군대를 일으킨 것은 金의 뜻이 아님을 전달하게 하였다. 4월 12일(癸丑) 蒲鮮萬奴의 動態를 살피기 위해 遼東에 파견된 侍御史 完顔素蘭이 高麗를 타일러 互市를 다시 열기를 要請하자 이를 따랐다. 이어서 詔勅을 내려 遼東行省 權參知政事·翰林學士 夾谷必蘭으로 하여금 高麗를 타일러 貸糧·開市를 요청하게 하고, 典客署書表 劉丙을 從行하게 하였다고 한다.

· 『금사』 권15, 본기15, 宣宗中, 興定 2년 4월, "壬寅朔, 蒲察五斤表, 遼東便宜完顔阿里不孫貸高麗糧穀不應, 輒以兵掠其境, 上命五斤遣人以詔往諭高麗, 使知興兵非上國意.", "癸丑[12日], [侍御史]完顔素蘭請宣諭高麗復開互市, 從之".

· 『금사』 권62, 表4, 交聘表下, 興定 2년, "四月癸丑, 以詔付遼東行省夾谷必蘭, 出諭高麗貸糧·開市二事, 遣典客署書表劉丙從行".

· 『금사』 권109, 열전47, 完顔素蘭, "興定二年四月, 以蒲鮮萬奴叛, 遣[侍御史完顔]素蘭與近侍局副使內族訛可同赴遼東, … 素蘭將行, 上言曰, 臣近請諭高麗復開互市事, 聞以詔書付行省必蘭出. 若令行省就遣諭之, 不過鄰境領受. 恐中間有所不通, 使聖恩不達於高麗, 高麗亦無由知朝廷本意也. 況彼世爲藩輔, 未嘗闕臣子禮, 如遣信使明持詔諭之, 貸糧·開市二者必有一濟. 苟俱不從, 則其曲在彼, 然後別議圖之可也. 上是其言, 於是, 遣典客署書表劉丙從行. 及還, 授翰林待制".

227) 이날 宋·金에서도 일식이 있었다(『송사』 권52, 지5, 천문5, 日食 ; 『금사』 권15, 본기15, 宣宗中, 興定 2년 7월 庚午 ; 권20, 지1, 天文, 日薄食煇珥雲氣). 또 이날 일본의 京都에서도 일식이 있었다고 한다(高麗曆과 同一, 日本史料4-14冊 713面). 그리고 이날은 율리우스력의 1218년 7월 24일이고, 개경에서 일식 현상이 심했던 시간은 12시 42분, 食分은 0.23이었다(渡邊敏夫 1979年 309面).

228) 이는 열전16, 金就礪, "明年[高宗5年], 賊又大至"를 전재하였다.

229) 이때 趙冲은 守司空·左僕射·寶文閣學士였고, 金就礪는 神虎衛上將軍·判禮賓省事였다(열전16, 趙冲 ; 『익재난고』 권9상, 忠憲王世家 ; 金就礪墓誌銘).

借上將軍?吳壽祺爲左軍, 借上將軍?申宣冑爲右軍, 借上將軍?李霖爲後軍, 李迪儒△爲知□□中軍兵馬事:節要轉載],[231] [前國子祭酒韓光衍爲知□□左軍兵馬事:追加].[232]

[癸巳24日, 月與歲星, 同舍東井:天文2轉載].

[某日, 以西北面兵馬使金君綏仍番, 慶尙道按察使李勣仍番:慶尙道營主題名記].[233]

[是月, 金山寺僧惠謹開板'梵書摠持集'·'梵字大藏經':追加].[234]

[○龍虎軍隊正李仁幹·鷹揚軍隊正金白齡等鑄成景禪寺鐥口一座,入重三十斤:追加].[235]

[○大興郡北禪院寺住持·重大師文奧與直長同正韓大育等鑄成同寺飯子一座:追加].[236]

八月庚子朔大盡,辛酉, [甲辰5日, 月與鎭星, 同舍于亢:天文2轉載].

[乙巳6日, □月入氐:天文2轉載].

戊申9日, 賜戰沒孤兒爵.[237]

[○守司空·尙書左僕射致仕田元均卒, 年七十五:追加].[238]

[○月掩南斗:天文2轉載].

[己酉10日, □月犯津星:天文2轉載].

---

230) 鄭通寶는 鄭通輔의 오자일 것이다.

231) 이 기사는 「金就礪行軍記」에도 수록되어 있는데, 添字는 이에 의거하였다.

232) 이는 「韓光衍墓誌銘」에 의거하였다.

233) 金君綏는 是年 11월 某日에 의거하였다.

234) 이는 다음의 자료에 의거하였다(延世大學 所藏, 尹炳泰 1969년 ; 千惠鳳 1990년 83面 ; 郭丞勳 2021년 152面).

· 『梵書摠持集』, 卷末刊記, "奉佛弟子高麗國金山寺大師」 僧惠謹發誠心奉祝我,」 皇齡永固,國土恒安,隣兵」 永息,百穀成登,法界生」 亡,離苦得樂之原.爰請巧手彫板梵字大藏一部,」 安于金山寺,印施無窮者,」 時貞祐六年七月日誌,」 刻手開泰寺大師仁赫」".

235) 이는 다음의 자료에 의거하였다(許興植 1984년 961面).

· 「景禪寺金口」,"高麗國龍領隊正李仁幹爲棟梁,與同領隊正鄭儒·卜希載·李孝清·盧廷傑,鷹揚府隊正金白齡等,同誠發願,今生則皆得長壽,位至公卿,來生則共證菩薩,親見」 阿彌陀佛之願,鑄成鐥口一,入重三十斤,納景禪寺,時貞祐六年戊寅七月 日勤記,」 棟梁僧敦惠」".

236) 이는 大興郡 北禪院寺 飯子의 銘文에 의거하였다(許興植 1984년 971面).

237) 이 기사는 지35, 兵1, 五軍에도 수록되어 있다.

238) 이는 「田元均墓誌銘」에 의거하였는데, 이날은 율리우스曆으로 1218년 831월 일(그레고리曆 9월 7일)에 해당한다.

庚戌[11日], 幸王輪寺.

[壬子[13日], 月入羽林:天文2轉載].

[戊午[19日], □[月]犯畢岐:天文2轉載].

[辛酉[22日], □[月]犯東井, 又與歲星同舍. 有流星出五車, 入紫微, 大如缶:天文2轉載].

癸亥[24日], 丹兵寇楊州.

[○月犯輿鬼:天文2轉載].

[丁卯[28日], 震西面隍城:五行1雷震轉載].

己巳[30日], 西海道防守軍, 與丹兵戰于谷州, 斬首三百餘級.

九月[庚午朔小盡,壬戌], [乙亥[6日], 日暈:天文1轉載].

[○[元帥]趙冲等陛辭, 王御大觀殿, 授鉞遣之. 初, 冲恨敗軍, 嘗作詩自勵,[239] 至是, 部伍整齊, 號令嚴肅, 諸將莫敢以書生易之. 冲等道長湍, 指洞州, 遇丹兵于東谷, 擒其毛克[謀克]高延·千戶阿老,[240] 次于成州, 以待諸道兵. 慶尙道按察使李勣引兵來,[241] 遇賊不得前, 遣將軍李敦守·金季鳳擊之, 以迎勣□□[之兵]. 既而賊從二道, 俱

239) 시문의 내용은 "萬里霜蹄容一蹶, 悲鳴不覺換時節. 儻敎造父更加鞭, 踏躪沙場摧古月"이다(열전16, 趙冲).

240) 毛克은 謀克[muke]의 다른 표기이다. 謀克은 金帝國의 社會編制單位인 軍·政一致의 基礎單位 또는 그것을 主管하던 官職名(從5品)이다. 일반적으로 謀克은 300戶로 구성되었고, 7~10개의 謀克이 1개의 猛安(miŋgan, 從4品)으로 編制되었다. 후일 25人이 하나의 謀克이 되고 4개의 謀克이 1猛安을 형성하였는데, 후자는 蒙古帝國의 百戶와 비슷한 위상을 지니고 있었다(『금사』 권57, 지38, 百官3, 諸猛安).

241) 이때 李勣의 활약상에 대한 기록으로 다음이 있다.

- 「李勣墓誌銘」, "尋改將作監, 出爲慶尙道按廉使. 會朝廷勑諸道按廉使, 各率管內軍士, 赴三軍爲羽翼. 三軍亦欲待以爲援. 屢督促之. 時, 虜兵遮屯要會, 元帥[趙冲]密傳, 以勿由其路. 公曰, '所以赴戰, 固敵是求, 避敵非勇也. 行由徑路, 似怯也'. 遂直衝虜屯, 而行. 虜果出圍之, 公與戰大勝, 斬馘不可數. 獻俘于元帥府, 元帥大加咨賞. 未幾, 又命公以所部軍士, 押轉軍資於順州. 虜自殷州, 出於不意, 公唯與麾下百餘人, 與戰却之. 元帥自城上望之, 嗟嘆至垂涕".
- 열전12, 李勣, "出爲慶尙道按察使. 明年, 賊又大至, 勅令諸道按察使, 率兵赴援. 時賊遮屯要害, 元帥密諭避之, 勣曰, '握兵赴戰, 惟恐不遇賊, 遇而避之, 非勇也'. 直衝賊屯而行. 果遇賊, 與戰大勝, 虜獲無算. 勣轉軍餉于順州, 賊自殷州, 出其不意, 急擊之. 麾下士不滿百人, 死戰却之. 元帥登城望之, 嘆賞至垂涕".

  또 이 기사는 열전13, 김취려에는 크게 축약되어 있다("王親授鉞遣之. 冲·就礪等, 數與賊戰敗之, 賊勢窮, 入保江東城").

指中軍，我張左右翼,[242] 鼓而前，賊二軍望風而北，敦守等與勣來會，錄事申仲諧，分其兵輸軍食．賊又要之．將軍朴義隣敗之于禿山．賊散而復集，騎數萬盡銳來攻，我又敗之．亞將脫刺[脫剌]逃歸，賊魁亦欲引還，慮我要其歸路，入保江東城:節要轉載].[243]

[丙子[7日]，月犯建星:天文2轉載].

[庚辰[11日]，雷電:五行1雷震轉載].

[辛巳[12日]，□[月]入羽林:天文2轉載].

[○亦如之[雷電]:五行1雷震轉載].

癸未[14日]，幸王輪寺.

[丙戌[17日]，流星出羽林，入壘壁，大如木瓜．月入畢星:天文2轉載].

[戊子[19日]，□[月]掩東井，又與歲星同舍:天文2轉載].

己丑[20日]，王施內帑腰帶·羅衫·戎衣·紫衫于神祠，以禳丹兵.

[○雷電，雨雹:五行1雷震轉載].

[庚寅[21日]，月犯輿鬼:天文2轉載].

[壬辰[23日]，□[月]入軒轅:天文2轉載].

癸巳[24日]，[霜降]．幸妙通寺.

[甲午[25日]，月入大微[太微]:天文2轉載].

乙未[26日]，幸賢聖寺.

冬十月[己亥朔大盡,癸亥]，[癸卯[5日]，雷:五行1雷震轉載].

[丁未[9日]，月入羽林壘壁:天文2轉載].

己酉[11日]，幸外帝釋院.

---

242) 여기에서 '左右翼을 펼쳐(張左右翼)'는 左右兵士를 鳥類가 날개를 펼치듯이 展開하여 鶴翼陣列로 前進하였다는 의미일 것이다.
· 『자치통감』 권19, 漢紀11, 武帝元狩 4년(BC119) 春, "… 大將軍[衛靑]出塞千餘里，度幕，見單于兵陳[陣]而待．於是大將軍[衛靑]令武剛車自環爲營，而縱二千騎往當匈奴，匈奴亦縱加萬騎．會日且入，大風起，砂礫擊面，兩軍不相見，漢益縱左右翼繞單于[師古曰，翼，謂左右舒引其兵，如鳥之張翼]，單于視漢兵多而士馬尙强，自度戰不能如漢兵，單于遂乘六騾，壯騎可數百，直冒漢圍，西北馳去".

243) 이와 같은 기사가 열전16, 趙冲에도 수록되어 있고, 趙冲이 鈇鉞을 받은 날짜는 6일(乙亥)이다.
· 「金就礪行軍記」, "九月六日，元帥袍笏，承命出，具戎服，再見大觀殿受鉞".

[庚戌[12日], 雷電:五行1雷震轉載].

辛亥[13日], 幸法雲寺.

癸丑[15日], 設神衆道場于內殿.

[丙辰[18日], 月與歲星, 同舍東井:天文2轉載].

[戊午[20日], 大雷電:五行1雷震轉載].

十一月[己巳朔大盡,甲子], 癸酉[5日], 加上王考妣謚[諡].

甲戌[6日], 幸王輪寺.

[丙子[8日], 鎭星入氐:天文2轉載].

[辛巳[13日], 月入畢星:天文2轉載].

[壬午[14日], 設八關會, 是夜, 召宰相·侍臣, 賜曲宴:追加].[244)]

[某日, 西北面兵馬使金君綏奏, "丹兵在肅州·永淸之境, 率諸城軍擊之, 斬首四百三十餘級, 虜男女二十一人, 獲馬五十三匹":節要轉載].[245)]

十二月己亥朔[小盡,乙丑], 蒙古元帥哈眞及札剌[~~札剌~~],[246)] 率兵一萬, 與東眞□□[浦鮮]萬奴所遣完顔子淵兵二萬,[247)] 聲言討丹賊. 哈眞及札剌等:追加], 攻和·猛·順·德四城, 破

---

244) 이는 다음의 자료에 의거하였다.

· 「李奎報墓誌銘」, "戊寅, 於八關會□[之]御宴, 禮數□[未]半, 而有一宰相促罷之, 公曰, '君賜也, 不可取次處分', 雖因此而被流, 此公之執法不撓也".

245) 이와 같은 기사가 열전11, 金富軾, 君綏에도 수록되어 있다.

246) 이와 관련된 기사로 다음이 있다. 또 哈眞[Qachin]과 札剌[Jala]은 당시에 蒙古國 行尙書省의 각각 元帥·副元帥로서(『익재난고』 권9상, 忠憲王世家) 韓·中의 여러 자료에서 人名의 표기가 달리되어 있다. 前者는 河稱·合臣·合珍·合車·哈只吉·合赤吉·合齊齊·何稱 등으로도 表記되고, 後者는 察剌·扎剌·札臘·箚剌·箚剌答 등으로도 표기되며 후일 고려에 침입해 온 사르타이[撒禮塔], 또는 잘라이르타이[車羅大, 札剌兒帶]와 別個의 人物로 추측된다(周采赫 2009년 83~120面 ; 崔允精 2011년).

· 『元高麗紀事』, 序, "太祖之十三年[高宗5年], 天兵至高麗, □□[~~明年~~,] 其王降, 通使歲貢". 여기에서 ~~添字~~가 덧붙여져야 옳게 될 것이다.

· 『元高麗紀事』, 本文, 太祖, "十三年戊寅, 上遣哈只吉·箚剌等, 領兵征之. 高麗人洪大宣詣軍降, 與哈只吉等, 一同圍攻. 高麗王瞰奉牛酒, 出迎王師, 始行歸行之禮. 且遣樞密院使·吏部尙書·上將軍·翰林學士承旨趙冲來助, 拼力攻滅. 箚剌與冲, 約爲兄弟, 以結世好, 請歲輸貢賦. 箚剌曰, 爾國道遠, 難于往來, 每年可遣使十人, 賫特赴上. ○是年十二月二日, 箚剌移文, 取兵糧, 高麗王送米千斛".

247) 完顔子淵은 『원사』 권149, 열전36, 耶律留哥에는 '東夏國元帥完顔胡土'로 달리 표기되어 있다

之, 直指江東城.

[庚子2日, 蒙古·東眞軍:追加],248) [會天大雪, 餉道不繼. 哈眞遣通事趙仲祥, 與我德州進士任慶和來,249) 牒元帥府曰, "皇帝以丹兵, 逃在爾國, 于今三年, 未能掃滅, 故遣兵討之. 爾國惟資糧是助, 無致欠闕". 仍請兵. 其詞甚嚴, 且言, "帝命破賊之後, 約爲兄弟". 我以尙書省牒, 答曰, "大國興兵, 救患弊封, 凡所指揮, 悉皆應副".

[→會天大雪, 餉道不繼, 賊堅壁以疲之, 哈眞患之. 使者十二人與我德州進士任慶和來, 請兵與糧, 且言帝命破賊之後, 約爲兄弟. 我元帥以聞, 王許之:金就礪行軍記].

[某日], 西北面元帥趙冲卽輸米一千碩, 遣中軍判官金良鏡·□□晋錫, 率精兵一千護送.250)

[某日], 蒙古·東眞兩元帥, 攻丹兵于岱州, 屯城西禿山. 良鏡領兵, 往見之, 兩元帥張樂宴慰, 極歡而罷. 良鏡就州西門外結方陣, 兩元帥登高而望, 蒙古兵四十六人, 被甲帶劍, 相對而立, 良鏡使才人, 列軍前鼓譟, 作雜戲, 又使善射者二十餘人, 一時俱射, 矢入州城, 賊登城望者, 皆奔避. 兩元帥歎其軍容整肅, 復邀良鏡, 置之上座, 更宴, 張樂, 慰之曰, "請兩國約爲兄弟, 當白國王, 受文牒來則, 我且還奏皇帝". ○時蒙古·東眞, 雖以破賊救我爲名, 然蒙古於夷狄, 最凶悍, 且未嘗與我, 有舊好, 以故, 中外震駭, 疑其非實, 朝議亦依違, 未報, 遂稽往犒. 冲獨以爲, 勿疑, 馳聞不已, 蒙古怒其緩, 呵責甚急, 冲隨勢從宜, 輒和解之:節要轉載].251)

(陳述 1960年 196面).

248) 이날의 日辰은 몽골 측의 자료에 의거하였다.

· 『元高麗紀事』, 太祖, "是年13年, 十二月二日, 箚剌移文, 取兵糧, 高麗王送米千斛".

249) 이때 任慶和는 蒙古人 12人과 함께 왔다고 한다.

· 『익재난고』 권9상, 忠憲王世家, "… 哈眞遣使者十二人, 與我德州進士任慶和偕來, 投書于我, 欲與共滅丹賊, 結爲兄弟之國".

250) 이 기사는 「金就礪行軍記」에도 수록되어 있는데, ~~添字~~는 이에 의거하였다.

251) 이와 같은 기사가 열전16, 趙冲에도 수록되어 있다. 또 이때의 사정은 다음과 같이 기록되어 있다(金龍善 2006년 335面).

· 「趙冲墓誌銘」, "時會蒙古國軍帥合珎·札剌等率勝兵万餘人, 自東鄙入, □欲?拔岱州, 只□請?和我國, 復讎契丹之□辭, 請於公軍□營?, 公卽奏聞. 先是, 蒙古國遣四十餘人, 齎牒乘船□□□定州, 請如今日講和事. 朝廷議以爲莫是契丹遺種, 一般人僞作蒙古文字, 名復讎契丹, 實欲□□□偵探我?耶, 遂不報. 及是□□之馳聞方棘, 而朝臣猶執前議, 依違未決者久矣. 唯今樞密使崔公曰, '以元帥□□□□□□□□□□彼□□贋而妄奏如是耶', 力開說□會群公, 然後□稍解且許講如. 然乞粮草事, 未□□□, 公以便□□宜從事, 故得與蒙古和好, …".

[→高宗初[5年], 趙冲討契丹兵于江東城, 辟[起居舍人金]仁鏡[良鏡]爲[中軍]判官. 時蒙古元帥哈眞·東眞元帥完顔子淵, 請兵粮, 冲欲詗之, 難其人. 仁鏡請行, 冲曰, "幕中籌策, 君所職耳, 冒險往諜, 非素習也. 何敢請爲". 仁鏡曰, "嘗聞蒙古布陣, 取法孫吳. 予少讀六書, 熟知之, 故敢請". 冲乃許之, 卽遣仁鏡, 率精兵一千, 輸米一千石與之. 會哈眞·子淵, 攻契丹兵于岱州, 屯州西禿山. 仁鏡領兵往見之, 兩元帥張樂宴慰, 極歡而罷. 仁鏡就州西門外, 結方陣, 兩元帥登高而望, 蒙古四十六人, 被甲帶劍, 相對而立. 仁鏡使才人列軍前, 鼓噪作雜戲, 又使善射者二十餘人, 一時俱射. 矢入州城, 契丹登城望者, 皆奔避. 兩元帥歎軍容整肅, 復邀仁鏡, 置之上座, 更宴慰:列傳15金仁鏡轉載].[252)]

[□□[是時], 麟州都領洪大純, 迎降哈眞·扎剌[扎剌]軍前, 嚮導于江東城:列傳43洪福源轉載].[253)]

[壬子[14日], 月食:天文2轉載].[254)]

甲寅[16日], 幸王輪寺.

[是月, 有不進呈外方八關賀表者, 左補闕李奎報欲彈之, 門下侍郞平章事琴儀止之:追加].[255)]

[→[前年]八關會有闕賀表者, [左司諫李]奎報欲彈, [門下侍郞平章事]琴儀固止, [中書令崔]忠獻聞而劾之, 貶奎報爲桂陽副使:列傳15李奎報轉載].

[○以[迎恩館直兼五軍錄事]金仲文爲大盈署丞:追加].[256)]

[是年, 以[中書侍郞平章事]琴儀爲門下侍郞平章事·修文殿大學士:追加].[257)]

---

252) 金良鏡이 金仁鏡으로 개명한 것은 1225년(고종15) 12월 19일에서 1232년(고종19) 5월 이전이다.
· 『東人之文五七』, 金平章仁鏡一首, "仁鏡, 始名良鏡, … 忠憲王戊寅, 利起居注出左趙冲幕, 與皇元帥將合臣·扎臘合力, 攻破遼賊于江東城, 遂結懽盟".

253) 原文에는 "洪福源, 初名福良, 本唐城人, 其先徙居麟州, 父大純, 爲麟州都領. 高宗五年, 元遣哈眞·扎剌[扎剌], 攻契丹兵于江東城, 大純迎降"으로 되어 있다.

254) 이날 宋과 金에서는 既月食이 이루어졌다(『송사』 권52, 지5, 천문5, 月食 ; 『금사』 권20, 지1, 天文, 月五星凌犯及星變). 이날은 율리우스력의 1219년 1월 2일이고, 월식 현상이 심했던 때의 世界時는 13시 57분, 食分은 1.71이었다(渡邊敏夫 1979年 479面).

255) 이는 다음의 자료에 의거하였다.
· 『동국이상국집』연보, 己卯貞祐七年, "前年十二月, 外方八關賀表, 有不及進呈者, 左補闕李奎報欲彈之, 琴相國固止之".

256) 이는 「金仲文墓誌銘」에 의거하였다.

[○以[判秘書省事]崔甫淳爲右承宣·翰林學士:追加].[258]

[○以[判小府監事]尹應瞻爲太府卿:追加].[259]

[○以[侍御史]任益惇爲戶部郞中:追加].[260]

[○以[前博州判官]吳闡猷爲延禧宮錄事:追加].[261]

[○金之岱, 初名仲龍, 淸道人. 風姿魁梧, 倜儻有大志, 力學能文. 高宗四年[五~~年~~],[262] 江東之役, 代其父, 隷軍隊以行. 隊卒皆於楯頭畫奇獸, 之岱獨作詩, 書之曰, “國患臣之患, 親憂子所憂. 代親如報國, 忠孝可雙修”, 元帥趙冲點兵, 見之驚問, 召入內廂, 器使之:列傳15金之岱轉載].

[增補].[263]

---

257) 이는「琴儀墓誌銘」; 열전15, 琴儀에 의거하였다.

258) 이는「崔甫淳墓誌銘」에 의거하였다.

259) 이는「尹應瞻墓誌銘」에 의거하였다.

260) 이는「任益惇墓誌銘」에 의거하였다.

261) 이는「吳闡猷墓誌銘」에 의거하였다.

262) ~~添字~~와 같이 고쳐야 옳게 될 것이다.

263) 이해(태조13, 고종5)에 몽골제국에서 일어난 고려와 관계된 기사로 다음이 있다.

- 『원사』 권1, 본기1, 太祖 13년, “是年, 契丹六哥[耶律留哥]據高麗江東城, 命哈眞·札剌率師平之. 高麗王瞰遂降, 請歲貢方物”.
- 『원사』 권154, 열전41, 洪福源, “戊寅十二月, 太祖命哈赤吉[哈眞]·扎剌[箚剌]將兵討, 大宣迎降, 與哈赤吉[~~哈眞~~]等共擊之, 降其元帥趙忠[~~趙冲~~]”. 여기에서 ~~添字~~와 같이 고쳐야 옳게 될 것이다.
- 『원사』 권208, 열전95, 外夷1, 高麗, “[太祖]十三年, 帝遣哈只吉[哈眞]·箚剌等領兵征之. 國人洪大宣詣軍中降, 與哈只吉等同攻圍之. 高麗王名缺, 奉牛酒出迎王師, 且遣其樞密院使·吏部尙書·上將軍·翰林學士承旨趙冲共討滅六哥[六哥]. 箚剌與冲約爲兄弟. 冲請歲輸貢賦. 箚剌曰, ‘爾國道遠, 難于往來, 每歲可遣使十人入貢’. 十二月, 箚剌移文取兵糧, 送米一千斛”.
- 『國朝文類』 권41, 雜著, 政典總序, 征伐, 高麗, “太祖皇帝之十三年, 天兵至高麗, [~~明年~~], 其王降, 通使歲貢”. 여기에서 ~~添字~~가 추가되어 옳게 될 것이다.
- 『국조문류』 권41, 雜著, 政典總序, 征伐, 高麗[注, 太祖十三年, 天兵討契丹叛人, 至高麗, 國人洪大宣降爲鄕導[~~鄕導~~], 共攻其國. 其王迎王師降, 自後歲貢, 交通使命往來不絶]. 여기에서 ~~添字~~와 같이 고쳐야 옳게 될 것이다.

己卯[高宗]六年, 金興定三年[高麗行貞祐七年],[264)]
[南宋嘉定十二年], [蒙古太祖十四年], [西曆1219年]

1219년 1월 18일(Gre1월 25일)에서 1219년 2월 5일(Gre2월 12일)까지, 13개월 384일

春正月[戊辰朔大盡,丙寅], [己卯[13日], 立春. 遣權知閤門祗候尹公就·中書注書崔逸, 以結和牒文, 送札剌行營:追加].[265)]

[○初[高宗5年12月初], 哈眞屢責添兵, 諸將皆憚於行, [兵馬使]金就礪曰, "國之利害, 正在今日, 若違彼意, 後悔何及?". [西北面元帥]趙冲曰, "是吾意也, 然此大事, 非其人不可遣". 就礪曰, "事不辭難, 臣子之分, 吾雖不才, 請爲公一行". 冲曰, "軍中之事, 徒倚公重, 公去可乎?". □□□□[~~明年正月~~], 就礪乃與知兵馬事韓光衍, 領十將軍兵及神騎大角·內廂精卒, 往焉. 哈眞使通事趙仲祥, 語就礪曰, "果與我結好, 當先遙禮蒙古皇帝, 次則禮萬奴皇帝". 就礪曰, "天無二日, 民無二王, 天下安有二帝耶?". 於是, 只拜蒙古皇帝, 不拜萬奴. 就礪身長六尺五寸以長, 而鬚過其腹, 每盛服, 必使兩婢子, 分擧其鬚而後束帶. □□[~~及是~~], 哈眞見狀貌魁偉, 又聞其言, 大奇之, 引與同坐, 問年幾何, 就礪曰, "近六十矣". 哈眞曰, "我未五十, 旣爲一家, 君其兄而我其弟乎?", 使就礪東向坐. 明日, 又詣其營, 哈眞曰, "吾嘗征伐六國, 所閱貴人多矣, 見兄之貌, 何其奇歟, 吾重兄之, 故視麾下士卒, 亦如一家". 臨別, 執手出門, 扶腋上馬. 數日, 趙冲亦至. 哈眞問, "元帥年, 與兄孰長?". 就礪曰, "長於我矣". 乃引趙冲, 坐上座曰, "吾欲一言, 恐爲非禮, 然於親情, 不宜自外, 吾其坐兩兄之間, 如何?". 就礪曰, "是誠吾等所望, 但未敢先言耳". 坐定, 置酒作樂. 蒙古之俗, 好以銛刀刺肉, 賓主相啗, 往復不容瞥. 我軍士素號勇者, 莫不有難色. 就礪與冲, 跪起承迎, 甚熟, 哈眞等極歡. 哈眞又善飮, 將與冲, 校優劣, 約不勝者罰之. 冲引滿輒嚼, 雖多, 略無醉色, 及闋, 擧一盃, 不飮曰, "非不能飮, 若勝而如約, 則公必受罰矣, 寧我見罰耳, 主人而罰客, 可乎?". 哈眞重其言而大悅, 約詰朝會江東城

264) 이해를 貞祐七年으로 표기한 자료도 찾아진다(→是年 4월 是月癸酉[8日]).

265) 이는 다음의 자료에 의거하였는데, ~~添字~~로 고쳐야 옳게 될 것이다.
- 『원사』 권208, 열전95, 外夷1, 高麗, "[太祖]十四年正月, 遣其權知閤門祗候尹公就·中書注書崔逸, 以結和牒文, 送箚剌行營. 箚剌遣使報之, 高麗王以其侍御史朴時允爲接伴使, 迎之".
- 『원고려기사』, 本文, 太祖, "十四年己卯正月十三日, 高麗遣知權[權知]閤門祗侯尹公就·中書注書崔逸, 奉結和牒文, 送箚剌行營".

下:節要轉載].

[→[高宗5年12月初], 哈眞·札剌與完顔子淵, 追討契丹, 直指江東, 遣人來請兵糧. 諸將皆憚於行, 就礪曰, "國之利害, 正在今日. 若違彼意, 後悔何及?". 冲曰, "是予意也. 然此大事, 非其人不可遣". 就礪曰, "事不辭難, 臣子之分. 吾雖不才, 請爲公一行". 冲曰, "軍中之事, 徒倚公重, 公去可乎?". 明年□□[~~正月~~], 就礪乃與知兵馬事韓光衍, 領十將軍兵及神騎·大角·內廂精卒, 往焉. 哈眞使通事趙仲祥, 語就礪曰, "果與我結好, 當先遙禮蒙古皇帝, 次則禮萬奴皇帝". 就礪曰, "天無二日, 民無二王, 天下安有二帝耶". 只拜蒙古帝. 就礪身長六尺五寸以長, 而鬚過其腹, 每盛服, 必使兩婢子, 分擧其鬚, 而後束帶. 哈眞見狀貌魁偉, 又聞其言, 大奇之, 引與同坐, 問年幾何. 就礪曰, "近六十矣". 哈眞曰, "我未五十, 旣爲一家, 君其兄而我其弟乎?". 使就礪東向坐. 明日, 又詣其營, 哈眞曰, "吾嘗征伐六國, 所閱貴人多矣, 見兄之貌, 何其奇歟. 吾重兄之, 故視麾下士卒, 亦如一家". 臨别, 執手出門, 扶腋上馬. 數日, 冲亦至, 哈眞問, "元帥年, 與兄孰長". 就礪曰, "長於我矣". 乃引冲坐上座曰, "吾欲一言, 恐爲非禮. 然於親情, 不宜自外, 吾其坐兩兄之間, 如何?". 就礪曰, "是吾等所望, 但未敢先言耳". 坐定, 置酒作樂. 蒙古之俗, 好以銛刀刺肉, 賓主相啗, 往復不容瞥. 我軍士素號勇者, 莫不有難色, 冲·就礪, 跪起承迎甚熟, 哈眞等極歡. 哈眞善飮, 與冲校優劣, 約不勝者罰之. 冲引滿輒釂, 雖多無醉色. 及闋, 擧一杯不飮曰, "非不能飮, 若勝而如約, 則公必受罰矣. 寧我見罰耳, 主人而罰客, 可乎?". 哈眞重其言而大悅, 約詰朝會江東城下:列傳16金就礪轉載].

[○□□□□□[~~趙冲·哈眞等~~], 去城三百步而止, 哈眞自城南門至東南門, 鑿池廣深十尺, 西門以北, 委之完顔子淵, 東門以北, 委於就礪, 皆令鑿隍, 以防逃逸:節要轉載].[266)]

辛巳[14日], [西北面元帥]趙冲·[兵馬使]金就礪與哈眞·子淵等, 合兵, 圍江東城, 賊開門出降. [江東城丹賊降:節要轉載].[267)]

[○至是[~~14日~~], 丹兵勢窘, 賊軍四十餘人, 踰城, 降於蒙古軍前, 賊魁喊捨王子, 自

---

266) 이와 같은 기사가 열전16, 金就礪에도 수록되어 있다.

267) 이날은 율리우스曆으로 1219년 1월 31일(그레고리曆 2월 7일)에 해당한다. 또 江東城은 趙冲의 墓誌銘에는 岱州城으로 표기되어 있는데, 이때의 勝戰으로 인해 江東縣이 岱州로 승격되었을 가능성이 있다. 또 이 戰鬪에 禮部郎中 李公老가 참전하였다고 한다.

· 열전15, 李公老, "高宗初, 以禮部郎中, 爲趙冲兵馬判官, 獻擒賊之策, 多有中者".

縊死，其官人·軍卒·婦女幷五萬餘人，開城門出降．哈眞與冲等，行視投降之狀，王子妻息及僞丞相·平章平章政事以下百餘人，皆斬於馬前，其餘悉寬其死，使諸軍守之:節要轉載].[268)]

[某日，中書門下省致書蒙古兵馬元帥幕曰，“早春，伏惟，鈞候動止何若? 我國久爲契丹侵擾，病在腹心，不能自除，豈意元帥閣下，將爲小邦，掃淸醜穢，擧義遠來，暴露草莽? 其在小邦，職宜早致犒師之禮，少慰勤苦，然初不知大軍入境之日，且係寇賊梗道．由是稽延，不以時修問於左右，竊思無狀，良用兢慙，惟大度寬之．始聞賊徒入江東城自保，小國乃以爲此已圈牢中物耳，不足患也，方遣人致謝，兼問起居，其使人未及上道，續有急報，果聞其黨出城自降，咸就梟俘．擧國快心，異手同抃，此實大邦扶弱·恤隣之義，而小國萬世一遇之幸也，感荷大恩，罔知所報．今者，伏承王旨，略備不腆酒果·儀物等事，特差某某官等，賫押奉送，其數目具在別牋，幸勿以微薄却之，亦不以遲緩罪之也”:追加].[269)]

[某日，哈眞曰，“我等來自萬里，與貴國合力破賊，千載之幸也，禮當往拜國王，吾軍頗衆，難於遠行，但遣使陳謝耳”:節要轉載].[270)]

[丁亥20日，哈眞與札剌札剌，請冲及就礪，同盟曰，“兩國永爲兄弟，萬世子孫，無忘今日”．冲設犒師之宴，哈眞以婦女·童男七百口及吾民爲賊虜掠者二百口，歸于我，以女子年十五左右者，遺冲及就礪各九人·駿馬各九匹，其餘，悉令自隨:節要轉載].[271)]

[○趙冲，以契丹俘虜，分送各道州縣，擇閑曠之地，俾之聚居，量給土田，業農爲

---

268) 이와 같은 기사가 열전16, 金就礪；「金就礪行軍記」에도 수록되어 있다. 날짜[日辰]는 後者에 의거하였다.

269) 이는 다음의 자료에 의거하였다.

- 『동국이상국집』 권28, 蒙古兵馬元帥幕，送酒果書，都省行，“某月日，右謹致書于某官幕下．早春，伏惟鈞候動止何若，瞻企瞻企．我國久爲契丹侵擾，病在腹心，不能自除，豈意元帥閣下，將爲小邦，掃淸醜穢，擧義遠來，暴露草莽? 其在小邦，職宜早致犒師之禮，少慰勤苦，然初不知大軍入境之日，且係寇賊梗道．由是稽延，不以時修問於尤右，竊思無狀，良用兢慙，惟大度寬之．始聞賊徒入江東城自保，小國乃以爲此已圈牢中物耳，不足患也，方遣人致謝，兼問起居，其使人未及上道，續有急報，果聞其黨出城自降，咸就梟俘．擧國快心，異手同抃，此實大邦扶弱恤隣之義，而小國萬世一遇之幸也，感荷大恩，罔知所報．今者，伏承王旨，略備不腆酒果·儀物等事，特差某某官等，齎押奉送，其數目具在別牋，幸勿以微薄却之，亦不以遲緩罪之也．惶恐惶恐”.

270) 이와 같은 기사가 열전16, 金就礪；「金就礪行軍記」에도 수록되어 있다.

271) 이와 같은 기사가 열전16, 金就礪；「金就礪行軍記」에도 수록되어 있다. 날짜[日辰]는 後者에 의거하였다. 이날은 율리우스曆으로 2월 6일(그레고리曆 2월 13일)에 해당한다.

民, 俗呼契丹場者, 是已:節要轉載].[272)]

庚寅[23日], 哈眞遣蒲里帒完等十人, 賫詔來, 請講和. 王遣侍御史朴時允, 迎之, 命文武官, 具冠帶, 自宣義門至十字街, 分立左右. 蒲里帒完等至館外, 遲留不入曰, "國王須出迎". 於是, 使譯者再三詰之, 遂乘馬入館門.[273)]

辛卯[24日], 王引見于大觀殿, 皆毛衣冠·佩弓矢, 直上殿, 出懷中書, 執王手授之, 王乃變色, 左右遑遽, 莫敢近. 侍臣崔先旦泣曰, "豈可使醜虜近至尊耶? 設有荊軻之變, 必不及矣". 遂請出, 蒲里帒完等更服我國衣冠, 入殿行私禮, 但揖而不拜. 及還, 贈金銀器·紬布·水獺皮, 有差.[274)]

[某日, 以李勣爲東北面兵馬使, 崔宗蕃爲慶尙道按察使:慶尙道營主題名記].[275)]

[→是時, 賊入保江東城, 復以[前慶尙道按察使李]勣爲兵馬使, 選精銳屬之, 勣辭, 以單騎赴之. 及賊平, 仍留爲東北面兵馬使:列傳16李勣轉載].

[增補].[276)]

---

272) 이와 같은 기사가 열전16, 金就礪 ; 「金就礪行軍記」에도 수록되어 있는데, 다음의 자료에서는 달리 설명되어 있다.

- 「趙冲墓誌銘」, "… 故得與蒙古和好, 攻破契丹, 及平蒙古以俘獲婦女·孩童六百餘口付公, 揮涕叙□□□□□, 公乃□[分]配佛寺·官廨, 以充驅役云". 여기에서 添字는 實物 判讀에서의 추정이 아니고, 筆者가 文脈을 통해 추측한 것이다.

273) 이때의 모습을 몽골 측의 자료에서는 다음과 같이 서술하였지만, 蒲里帒完(Burideiqan, 蒲里帒也)을 고려에 파견한 主體가 달리 서술되어 있다.

- 『원사』 권208, 열전95, 外夷1, 高麗, "箚剌遣使報之, 高麗王以其侍御史朴時允爲接伴使, 迎之. 帝又遣蒲里帒也持詔往諭之, 高麗王迎拜設宴".
- 『원고려기사』, 本文, 太祖 14년 1월, "十四日, 箚剌遣人答謝, 以固和意. 高麗王以侍御史朴時允爲接伴使, 迎之. 二十四日, 遣蒲里帒也, 持詔使高麗宣諭, 國王迎拜設宴".

274) 이때의 모습은 다음과 같이 描寫되기도 하였다.

- 「崔義墓誌銘」, "是後, 蒙古國使九人入朝, 人面獸心, 人皆諱近, 公承命處置, 無不畏伏, 滿朝冠□率, 皆嘆伏, 別有功績".

275) 李勣은 그의 묘지명에 의거하였다.

276) 이달[是月]의 正旦에 金의 遼東行省이 고려가 表를 받들어 朝貢을 바치려고 한다고 보고하자, 行省으로 하여금 그 表章을 받아 朝廷에 보고하게 하고 朝貢의 禮는 후일 기다려 천천히 議論하기로 하였다고 한다.

- 『금사』 권62, 表4, 交聘表下, 興定 3年, "正月戊辰朔, 遼東行省報, '高麗有奉表朝貢之意'. 詔行省受其表章以聞, 朝貢之禮, 俟他日徐議".
- 『금사』 권135, 열전73, 外國下, 高麗, "興定三年, 遼東行省奏, '高麗復有奉表朝貢之意'. 宰臣奏, '可令行省受其表章, 其朝貢之禮, 俟他日徐議'. 宣宗以爲然".

二月戊戌朔小盡,丁卯, 己未22日, 哈眞等還, [西北面元帥趙冲送至義州. 蒙軍將還, 奪我諸將馬, 以行. 冲詰之曰, "此皆官馬, 雖死納皮, 不可奪也". 蒙軍信之. 有一將軍, 受銀給馬, 蒙軍以冲言爲誣, 復多奪馬而去:節要轉載]. 且哈眞, 以東眞官人及傔從四十一人, 留義州曰, "爾等習高麗語, 以待吾復來".

[→哈眞等還, 冲送至義州, 哈眞執冲手, 泣下不能別. 蒙古軍奪我諸將馬以行, 冲詰之曰, "此皆官馬, 雖死納皮, 不可奪也". 蒙古信之, 有一將軍, 受銀給馬, 蒙古以冲言爲誣, 復多奪馬去. 子淵頗知人, 謂我人曰, "汝國帥, 奇偉非常人也. 汝國有此帥, 天之賜也". 冲嘗被酒, 枕其膝而睡, 子淵恐其驚寤, 略不動. 左右請易以枕, 子淵終不肯. 其忠義恩信之感動人者, 如此:列傳16趙冲轉載].

[→元帥送哈眞至義州, 公與扎剌至朝陽, 會有西京齋祭使之命, 上將軍吳壽祺代公送之:追加].[277]

三月丁卯朔小盡,戊辰, 遣郎中李世芬奉迎前王于喬桐縣.

[某日, 賜中書令崔忠獻, 姓王氏:節要轉載].[278]

[某日, 元帥趙冲凱還. 中書令崔忠獻忌功, 停迎迓禮. 時, 冲欲留西京, 第軍功, 忠獻恐變生不測, 飛書促還. 及論功, 忠獻主之, 有功者無賞, 人多怨之. 忠獻私宴北征將帥于竹坂宮, 斂斂銀百官, 以供其費:節要轉載].

[→時, 趙冲破契丹兵凱還, 忠獻忌功, 停迎迓禮. 私宴將帥于竹坂宮, 斂銀百官, 以供其費. 初, 冲欲留西京, 第其軍功, 忠獻恐生變, 飛書趣還. 及論軍功, 忠獻主之, 有功者無賞, 人多怨之:列傳42崔忠獻轉載].

乙酉19日, 王子倎生.[279]

[某日, 以東北面兵馬使李勣爲尙書左丞:追加].[280]

[增補].[281]

---

277) 이는 「金就礪行軍記」에 의거하였다.

278) 이와 같은 기사가 열전42, 崔忠獻에도 수록되어 있다.

279) 倎은 後日의 元宗(改名 植)이다.

280) 이는 「李勣墓誌銘」에 의거하였다.

281) 이달[是月]의 3월 8일(甲戌) 高麗가 朝貢을 하려고 要請함에 金이 使臣을 보내 이를 타이르려고 하였지만, 道路의 不通으로 이루지지 못했고, 이후 兩國의 관계는 끊어졌다고 한다.
· 『금사』 권15, 본기15, 宣宗 興定 3년 3월, "甲戌, 高麗先請朝貢, 因遣使撫諭之. 使還, 表言道路不通, 俟平定後議通款. 命遼東行省姑示羈縻, 勿絶其好".

[閏三月丙申朔大盡,戊辰, 壬寅7日, 有石, 出西京長命浦水中, 登陸向北, 轉行一百六十七尺. 又有二石, 出多慶樓南淵中, 轉沙石間, 宛然成蹊. 始則竝行百步許, 終則一石向北, 行八十三步. 一石向東南, 行八十三步:五行2轉載].

[夏四月丙寅朔小盡,己巳, 壬辰27日, 虎入賞春亭:五行2轉載].

[癸巳28日, 白氣亘天:五行2轉載].

[是月, 衛尉卿崔宗靜, □□□□□掌國子監試, 取詩賦金守堅, 十韻詩蘇文悅等六十七人, 明經五人:選擧2國子試額轉載].

[○以左司諫·知制誥?李奎報爲桂陽都護副使·兵馬鈐轄:追加].[282)]

[是月癸酉8日, 修禪社僧夢如開板國師志謙編'宗門圓相集':追加].[283)]

夏五月乙未朔小盡,庚午, 丙申2日, [夏至]. 賜金仲龍金之岱等及第.[284)]

[辛丑7日, 月入大微太微左執法:天文2轉載].

[庚戌16日, 月食:天文2轉載].[285)]

· 『금사』 권135, 열전73, 外國下, 高麗, "興定三年三月, 乃遣使撫諭高麗, 終以道路不通, 未遑迎迓. 詔行省且羈縻勿絶其好, 然自是不復通問矣".

282) 이는 『동국이상국집』 연보 ; 권1, 祖江賦 ; 권24, 桂陽自娛堂記 등에 의거하였는데, 이때 이규보가 자신의 관직을 左補闕, 또는 左司諫으로 달리 기재하고 있어 어느 것이 옳은 것인지를 判別하기가 어렵다.

· 『동국이상국집』 권24, 桂陽自娛堂記, "貞祐七年孟夏, 予自左司諫·知制誥謫守桂陽. 州之人, 以深山之側·萑葦之間一穎然如蝸之破殼者, 爲太守之居. 觀其節度, 則抛梁架棟, 强名屋耳, 仰不足以擡頭, 俯不足以橫膝. 當暑處之, 如入深甑中而遭蒸灼也. …".

283) 이는 『宗門圓相集』 跋에 의거하였다(黃壽永 編 1985년 158面 ; 柳田聖山·椎名宏雄 編 1999年 6册上).

· 跋, "… 時貞祐七年己卯四月八日妙峰庵 夢如 跋".

284) 이와 관련된 기사로 다음이 있다. 이때 金仲龍(改之岱)·許邃(5人)·朱慶餘(恩賜) 등이 급제하였다(『등과록』 ; 『전조과거사적』, 朴龍雲 1990년 ; 許興植 2005년).

· 지27, 선거1, 科目1, 選場, "高宗六年五月, 政堂文學趙沖知貢擧, 國子祭酒李得紹同知貢擧, 取進士, 丙申, 賜金仲龍等二十八人·明經一人·恩賜七人及第".

· 「趙沖墓誌銘」, "又知貢擧得金仲龍等二十八人".

· 열전15, 金之岱, "明年高宗6年, 趙沖知貢擧, 之岱擢第一名. 例補全州司錄, 恤孤寡, 抑强豪, 發摘如神, 吏民敬畏".

285) 이날 宋에서는 旣月食이 豫測되었으나 구름으로 인해 보이지 않았다고 하고, 金에서는 旣月食이었다고 한다(『송사』 권52, 지5, 천문5, 月食 ; 『금사』 권20, 지1, 天文, 月五星凌犯及星變). 또 일본의 교토에서는 종일 비가 내렸다고 한다. 그리고 이날은 율리우스력의 1219년 6월 29일이고,

是月，旱，禱雨于諸神祠.

辛酉[27日]，大雨.

六月[甲子朔大盡,辛未]，乙丑[2日]，太白晝見，經天，十四日乃滅.

[辛未[8日]，有氣如煙，生于藿井宮鴨脚樹:五行2轉載].

[壬申[9日]，月入氐星，又與鎭星，同舍:天文2轉載].[286)]

[戊寅[15日]，太白入東井:天文2轉載].

[某日，郎將奇仁甫，謀誅[中書令]崔忠獻，不克見殺:節要轉載].[287)]

[某日， 以趙冲爲金紫光祿大夫·守司空·尙書左僕射·政堂文學·上將軍·判禮部事·寶文閣大學士:追加].[288)]

[是月，浮石寺願堂主·重大師知□[某]刊'吉凶逐月橫看':追加].[289)]

秋七月[甲午朔大盡,壬申]，[某日]，遣戶部侍郞崔正芬[崔正份]等八人，分巡北界興化道諸城，檢閱兵器·儲偫軍資，幷諸小城，入保大城. 時，諜者有蒙古乘秋復來之語，故備之.[290)]

[戊申[15日]，歲星犯輿鬼:天文2轉載].

[辛亥[18日]，月入畢:天文2轉載].

[癸丑[20日]，歲星入積屍:天文2轉載].

[己未[26日]，月入歲星:天文2轉載].

[某日，[中書令]崔忠獻以其子城，尙前王女. 初[明宗26年4月]，忠獻殺將軍孫洪胤，聞其妻任氏美，私之，封綏城宅主，生城，爵永嘉伯. 親迎之日，諸王·宰樞·百官具公服，以

월식 현상이 심했던 때의 世界時는 9시 59분, 食分은 1.41이었다(渡邊敏夫 1979年 479面).

·『猪隅關白記』，承久元年具注曆，5월, "[斗土]十六日庚戌，金定望，月蝕十五分之十四半强，虧初申一刻十七分半，加時酉一刻廿九分，復末戌二刻四十分半. 大歲對，天恩(以上은 曆日의 製作者가 記錄한 것임)」. 終日降雨(이는 曆日의 餘白에 他人이 記錄한 것이다)".

286) 여기의 與는 原文에서 輿으로 잘못 植字，刻字되어 있다.

287) 이와 같은 기사가 열전42, 崔忠獻에도 수록되어 있다.

288) 이는 「崔忠獻墓誌銘」；「趙冲墓誌銘」에 의거하였는데, 後者에는 이해[是年]에 政堂文學·判禮部事에 임명되었다고 되어 있고, 전자는 12월 24일(丙戌)에 만들어진 것이다. 그러므로 前者에 기록된 趙冲의 官銜은 6월의 權務政(小政)에서 임명된 것임을 알 수 있다.

289) 이는 「吉凶逐月橫看高麗木板」(보물 제1647호, 慶尙北道 星州郡 修倫面 百雲里 65-1 深源寺 所藏)에 의거하였다(魏恩淑 2012년).

290) 崔正芬은 崔正份의 오자일 가능성이 있다.

從:節要轉載].

[某日, 校尉孫永等十人, 醵飮於市, 酒酣嘆曰, "頃與丹兵戰, 有功, 反以無賂, 不得爵[官]". 有坐中人, 以告忠獻, 忠獻遣家兵, 捕之, 幷其黨[同類]百餘人, 斬於保定門外:節要轉載].[291]

[某日, 以金克脩爲慶尙道按察使:慶尙道營主題名記].

八月[甲子朔小盡,癸酉], 庚午[7日], 地震.[292]

壬午[19日], 親設消災道場于宣慶殿.

[己丑[26日], 流星出艮, 曆箕斗, 貫南斗而墮, 大如牛, 長三百尺許:天文2轉載].

壬辰[29日晦], 東北面兵馬使報云, "蒙古與東眞國, 遣兵來, 屯鎭溟城外, 督納歲貢".

九月[癸巳朔[大盡,甲戌], 太白入大微[~~太微~~]:天文2轉載].[293]

[某日, [中書令]崔忠獻有疾, 上表辭職及賜姓:節要轉載].

[→忠獻有疾, 上表辭職, 還几杖, 又請還賜姓, 悉放內外囚, 以至配島者:列傳42 崔忠獻轉載].

[因密謂子[樞密院副使]瑀曰, "吾病, 將不起, 恐有蕭墻之患, 汝不復來". 瑀遣其壻將軍金若先, 侍病, 稱疾不就. 初, 忠獻有婢曰, 桐花, 有姿色, 里人多通, 忠獻亦嘗私之. 一日, 戲曰, "汝以誰爲適夫耶?". 婢以興海貢生崔俊文對, 忠獻卽召俊文, 畜於家, 奴使之. 遂補隊正, 日見寵任, 凡請謁者, 皆附, 累遷至大將軍, 又於忠獻家側, 大營私第, 交結勇士, 與上將軍池允深·將軍柳松節·郎將金德明, 爲忠獻羽翼. 及忠獻疾病, 四人謀曰, "公若棄世, 吾輩必爲瑀虀粉, 季子珦, 膽氣過人, 可屬大事". 因瞯瑀候疾, 欲除之. 遣人報瑀曰, "令公病篤, 急欲見公". 如是者, 再三, 瑀愈疑不至. 德明反, 以其謀告瑀, 瑀慰諭留匿, 俄而, 俊文·允深, 偕進曰, "公疾甚, 宜速往候". 瑀卽捕二人, 幷松節, 分配遠島, 道殺俊文:節要轉載].[294]

辛丑[9日], 蒙古使[~~宣差大使慶都虎思等~~]十一人·東眞國[~~懷遠大將軍紇石烈等~~]九人來.[295]

---

291) 이와 같은 기사가 열전42, 崔忠獻에도 수록되어 있으나 자구에 출입이 있다.

292) 이날 일본에서는 地震에 대한 情報가 보이지 않는다(『猪隅關白記』, 承久元年具注曆, 8월, "七日庚午, 陰晴不定時々小雨").

293) 癸巳에 朔이 탈락되었다.

294) 이와 같은 기사가 열전42, 崔忠獻, 怡에도 수록되어 있으나 字句에 出入이 있다.

[○太白犯左執法:天文2轉載].

壬子[20日], [晋康公·中書令:追加]崔忠獻死, [年七十一. 輟朝三日, 諡景成:追加].[296)]

[○月犯熒惑, 日官奏, "貴人死". 崔忠獻果死:天文2轉載].

[→月犯熒惑, 日官奏, "貴人死". 忠獻聞之, 召集樂工數十, 奏樂竟日, 至夜, 三鼓樂未闋, 忠獻果死. 諡景成, 百官縞素, 會葬, 秘器·羽葆·鼓吹·旗常, 擬於王喪:節要轉載].

[史臣曰, "忠獻起於微賤, 專執國命, 貪財好色, 鬻爵賣獄, 至於放逐二主, 多殺朝臣. 元惡太憝, 上通於天, 而得保首領, 死於牖下, 天道之不可知, 乃如此耶":節要轉載].

[○忠獻, 初娶上將軍宋淸女, 生怡·珦, 任氏生瑊,[297)] 王氏生球. 珦娶宗室壽春侯沆女, 封寶城伯. 瑊後改㻶, 尙熙宗女, 齒宗室. 親迎日, 諸王·宰樞·百官, 具公服以從. 初封永嘉伯, 後進封爲侯, 子諒, 封宜春侯. 高宗四十五年, 㻶死, 中書省奏"㻶以父勢, 强尙公主, 不可葬以諸王", 制可. 球, 官至守司空·柱國, 忠獻死, 降授球工部侍郞. 宋淸弟洪烈, 藉忠獻, 拜樞密副使, 恃勢驕橫. 凡有求忠獻者, 必因洪烈乃成, 由是, 諸王貴戚, 爭先交結. 性又滑稽, 每至諸王第, 見珍玩, 必丐奪而後

---

295) 이때의 몽골 사신은 慶都虎思(Hindu-gus, 印度人으로 추측됨)였다. 또 이때의 皇太弟는 太祖 테무진(鐵木眞, 成吉思汗)의 同父異母弟 鐵木哥斡赤斤(帖木格斡赤斤, Temuge otchingin, 1168~1246, 烈祖의 4子)을 가리킨다. 그리고 몽골 사신이 고려에 도착한 것이 9월 9일(辛丑)인데, 이를 『원사』에서도 9월에 수록시킨 것은 『원사』의 底本이 된 『經世大典』을 편찬할 때 蒙古初期의 兩國에 대한 자료를 고려가 제공하였기 때문일 것이다(→참고자료 『元高麗紀事』의 脚注).

· 세가31, 충렬왕 20년 5월, "翌日[乙卯6日], "高王[高宗]聞之, 遣趙冲·金就勵, 濟兵犒師, 殲其醜虜. 因奉表, 請爲東藩, 太祖遣慶都虎思, 優詔荅之, 大加稱賞, 于今七十有六年矣".

· 『원사』 권208, 열전95, 外夷1, 高麗, "[太祖十四年]九月, 皇太弟·國王[斡赤斤]及元帥合臣·副元帥箚剌等各以書, 遣宣差大使慶都忽思等十人, 趣其入貢, 尋以方物進". 여기에서 宣差는 宣撫委差官을 指稱하는 것 같은데, 이는 使臣, 使行, 行人의 의미를 지니고 있는 것 같다.

· 『원고려기사』本文, 太祖 14년, "九月十一日, 皇大弟[皇太弟]·國王及元帥合臣·副元帥箚剌等, 各以書令宣差大使慶都忽思, 與東眞國懷遠大將軍紇石烈等十人, 抵高麗, 促其入貢. 高麗尋以方物來進". 여기에서 ~~添字~~와 같이 고쳐야 옳게 될 것이다.

· 『원사』 권107, 表2, 宗室世系表, "烈祖神元皇帝, 五子, 長太祖皇帝, 次二搠只哈撒兒王, 次三哈赤溫大王, 次四鐵木哥斡赤斤, 所謂皇太弟國王斡嗔那顔者也, 次五別里古台王".

296) 이는 「崔忠獻墓誌銘」에 의거하였는데, 이날은 율리우스曆으로 1219년 10월 29일(그레고리曆 11월 5일)에 해당한다

297) 任氏의 前夫는 將軍 孫洪胤이다(→고종 1년 是年, 6년 7월 某日).

已. 故諸王聞洪烈至, 則趣左右收珍寶, 乃出迎:列傳42崔忠獻轉載].

己未[27日], 放囚.

[是月, 義州郎將多智·別將韓恂, 殺守將, 連諸城以叛:追加].[298)]

[→韓恂·多智, 皆義州戍卒, 恂爲別將, 智爲郎將. 高宗六年, 二人反[~~叛~~], 殺其防戍將軍趙宣及其守李棣, 自稱元帥, 署置監倉使及臺官. 擅發國倉, 諸城響應:列傳43韓恂·多智轉載].

冬十月癸亥□[~~朔~~大盡, 乙亥], 西北面兵馬使金君綏奏, 義州別將韓恂·郎將多智, 殺守將, 以叛. 遣將軍趙廉卿·[~~禮部郎中李公老~~]等, 招撫之, 又以上將軍吳壽祺, 代□□[~~君綏~~]爲兵馬使.[299)]

[丁卯[5日], 太白入亢:天文2轉載].

[丙子[14日], 月入畢:天文2轉載].

[己卯[17日], 太白犯房上相:天文2轉載].

[某日, 崔瑀, 以父所畜金銀·珍玩, 獻王:節要轉載].[300)]

[某日, 朔州分道將軍黃龍弼, 性貪暴, 用刑慘酷, 州人知龍弼意在求貨, 賂以官中銀酒器, 龍弼受之. □□[~~至是龍弼~~], 巡至安北都護府, 適義州逆卒來攻其城, 齊聲唱曰, "寧朔銀器, 宜速還之". 龍弼, 慚憤自刎:節要轉載].[301)]

[→先是, 朔州分道將軍黃龍弼, 性貪暴, 用刑慘酷, 州人知龍弼意在求貨, 賂以官藏銀器, [龍弼受之.]. □□[~~至是~~], 龍弼巡至安北都護府, 恂·智黨來攻其府, 齊聲唱曰, "朔州銀器, 宜速還之." 龍弼慚憤自刎:列傳43韓恂·多智轉載].

[某日, 義州宣諭使趙廉卿等還言, 義州叛民五十餘人, 至嘉州曰, "兵馬使趙冲·金君綏·丁公壽等, 淸白愛民. 餘皆貪殘, 厚歛[斂]於民, 剝膚槌髓, 不堪其苦, 有此叛也". 崔瑀聞其言, 以安永麟·柳庇·□俊弼·李貞壽·崔守雄·李世芬·高世霖·洪文敍·李允恭·崔孝全·宋自恭·李元美·崔諡等, 嘗諂事忠獻, 或爲按察使, 或爲分道□□[~~將軍~~]·分臺

298) 이는 「金就礪行軍記」에 의거하였다("是年, 義州賊韓恂·多智, 殺守將, 連諸城以叛").

299) 癸亥에 朔이 탈락되었다. 또 ~~添字~~는 『고려사절요』 권15와 李公老의 열전에 의거하여 추가한 것이다.

· 열전15, 李公老, "韓恂之反[叛], 公老爲宣撫使有功, 拜秘書少監".

300) 이와 같은 기사가 열전42, 崔忠獻, 怡에도 수록되어 있으나 자구에 출입이 있다.

301) ~~添字~~를 추가하여야 옳게 될 것이다.

□□御史·監倉使, 或求巨邑, 侵漁無厭, 分配諸島:節要轉載].[302)]

辛巳[19日], 以北界諸城, 多爲義州賊所陷, 唯安北都護府與龜州·延州·成州, 堅壁固守, 賜州吏參職, 有差.

○以樞密院副使[判樞密院事]李克偦[李克修]將中軍, [上將軍?]李迪儒將後軍, [上將軍]金就礪將右軍, 討義州.[303)]

十一月[癸巳朔大盡,丙子], [丁未[15日], 月食:天文2轉載].[304)]

[甲寅[22日], 小寒. 白虹貫日:天文1轉載].

丙辰[24日], 義州賊攻安北都護府, 城中將士出戰, 斬賊朴蘇等八十餘級.

[○有獐, 出自廣化門:五行2轉載].

[十二月癸亥朔[小盡,丁丑], 日珥:天文1轉載].[305)]

[甲子[2日], 雉入康安殿:五行1轉載].

[某日, 以趙冲爲守太尉·中書侍郎同中書門下平章事·修國史:轉載].[306)]

[丙子[丙戌24日], 以忠獻死[葬事], 輟朝三日:禮6諸臣喪轉載].[307)]

---

302) 이와 같은 기사가 열전43, 叛逆4, 韓恂·多智에도 수록되어 있다. 또 添字를 추가하여야 옳게 될 것이다.

303) 이와 같은 기사가 열전16, 金就礪 ; 「金就礪行軍記」에도 수록되어 있다. 後者에 의하면 樞密院副使는 判樞密院事로 되었는데, 이것이 옳을 것 같다. 이는 李克偦(李克修의 改名)가 明年(고종7) 2월 10일 中書侍郎平章事에 임명되었음을 통해 알 수 있다.
· 열전43, 韓恂·多智, "時北界諸城, 多爲恂·智所陷. 於是, 命三軍往討".

304) 宋에서는 하루 전인 丙午(14日)에 月食이 있었다고 하고, 金에서는 乙巳(13日)에 월식이 있었다고 한다(『宋史』 권52, 지5, 천문5, 月食 ; 『금사』 권20, 지1, 天文, 月五星凌犯及星變). 월식은 陰曆 14일의 夜半부터 15일(혹은 曆日의 不正確으로 인해 16일)까지 나타나는 현상이므로 『금사』의 13日은 日辰의 정리에 실패한 것으로 추정된다. 또 이날(15일) 일본의 교토[京都]에서도 월식이 있었다(高麗曆과 同一, 日本史料4-15册 265面). 그리고 이날(15일)은 율리우스력의 1219년 12월 23일이고, 월식 현상이 심했던 때인 14일의 世界時는 21시 13분, 食分은 0.72이었다(渡邊敏夫 1979年 479面).
· 『東寺長者補任』 권3, 長者僧正道尊, 承久 1년 11월, "十五日月蝕, 御祈一字金輪法".
· 『猪隅關白記』, 承久元年具注曆, 11월, "[鬼月]十五日丁未, 水危[望], 月蝕十五分之九半弱, 虧初寅三刻卅九分半, 加時卯一刻分空, 復末卯七刻卅分半, …".

305) 癸亥에 朔이 탈락되었다.

306) 이는 다음의 기사를 전재하였다.
· 열전16, 趙冲, "尋加守太尉·同中書門下侍郎平章事·修國史".

[是年, 以韓光衍爲銀青光祿大夫·樞密院副使·禮部尙書·翰林學士承旨:追加].[308)]

[○以[太府卿]尹應瞻爲通議大夫·判太醫監事·知茶房事:追加].[309)]

[○西海道經契丹寇擾, 凋弊尤甚, 遣白賁華爲蘇復使:追加].[310)]

[○以[戶部郎中]任益惇爲殿中少監:追加].[311)]

[增補].[312)]

307) 原文에는 "八月[九月], 崔忠獻死, 十二月丙子[丙戌24日], 以忠獻死[葬事], 輟朝三日"로 되어 있다. 그런데 崔忠獻이 9월 20일(壬子)에 死亡하였으므로 八月은 九月로, 그의 葬事는 12월 24일(丙戌)에 이루어졌으므로(崔忠獻墓誌銘) 死는 葬事로, 丙子는 丙戌로 고쳐야 옳게 될 것이다.

308) 이는 「韓光衍墓誌銘」에 의거하였다.

309) 이는 「尹應瞻墓誌銘」에 의거하였다.

310) 이는 다음의 자료에 의거하였는데, 이때 白賁華는 谷州副使·中書舍人 孫得之를 만나 시문을 창화하였던 것 같다.

- 「白賁華墓誌銘」, "西海經契丹寇擾, 凋弊尤甚, 上遣君爲蘇復使, 君以便宜賑貸, 所活不可數, 民於是, 幾骨而復肉矣".
- 『남양시집』권상, 蘇復西海日, 次韻谷城使孫舍人得之所贈二首, "詩文省略". 여기에서의 谷城은 谷州(후일의 谷山郡)의 옛 地名이었다.

311) 이는 「任益惇墓誌銘」에 의거하였다.

312) 고려는 前年(高宗5, 興定2) 12월부터 是年 3월 사이에 일시 중단되었던 金과의 외교관계를 복원하려고 하였던 것 같다.

- 『금사』 권62, 表4, 交聘表下, 興定 3년, "正月戊辰朔, 遼東行省報, 高麗有奉表朝貢之意, 詔行省受其表章以聞, 朝貢之禮, 俟他日徐議".
- 『금사』 권15, 본기15, 宣宗中, 興定 3년 3월, "甲戌[8日], 高麗先請朝貢, 因遣使撫諭之, 使還, 言道路不通, 俟平定後議通款. 命行省姑示羈縻, 勿絶其好".
- 『금사』 권208, 열전95, 外夷1, 高麗, "興定三年, 遼東行省奏高麗復有奉表朝貢之意, 宰臣奏, '可令行省受其表章, 其朝貢之禮俟他日徐議'. 宣宗以爲然, 乃遣使撫諭高麗, 終以道路不通, 未遑迎迓, 詔行省且羈縻勿絶其好, 然自是不復通問矣. 贊曰, 金人本出靺鞨之附于高麗者, 始通好爲鄰國, 旣而爲君臣, 貞祐以後道路不通, 僅一再見而已. 入聖朝猶子孫相傳自爲治, 故不復備論, 論其與金事相涉者焉".

庚辰[高宗]七年, 金興定四年[高麗行貞祐八年],[313] [南宋嘉定十三年], [蒙古太祖十五年], [西曆1220年]

1220년 2월 6일(Gre2월 13일)에서 1221년 1월 24일(Gre1월 31일)까지, 354일

春正月[壬辰朔大盡,戊寅, 彗出鉤星天鉤星, 尾指西北, 長三尺許:天文2·節要轉載].[314]

乙未4日, [門下侍郞平章事琴儀·中書侍郞平章事?鄭邦輔辭職, 加儀壁上功臣, 仍令致仕:節要轉載],[315] 貶鄭邦輔爲安東副使, 樞密院使?文惟弼爲安西副使. 於是, 瀆貨之風稍息.

[某日, 以神虎衛上將軍金就礪爲樞密院副使:追加].[316]

[庚子9日, 雨水. 月掩東井, 與熒惑同舍:天文2轉載].

[丁未16日, □月入大微太微:天文2轉載].

[癸丑22日, 大霧, 咫尺不辨人物:五行3轉載].

[某日, 樞密院副使崔瑀, 以其父忠獻占奪公私田民, 各還其主, 又多拔寒士, 以收人望:節要轉載].

[→明年7年□□正月, 樞密院副使崔瑀, 又以忠獻占奪公私田民, 各還其主, 且多拔寒士, 以收人望. 初, 忠獻授人爵, 視賂多少. 時, 求八品者甚衆, 而官制少, 於是, 陞五部錄事爲八品, 又以史官翰林之祿, 過於五部錄事, 亦陞爲八品. 怡以爲, "先王增史·翰之祿, 所以崇儒. 祿已增矣, 何必改官制?" 遂復以史·翰·五部錄事, 並爲權務官:列傳42崔怡轉載].[317]

[某日, 又流其弟寶城伯珦, 珦婦翁壽春侯沆, 沆子□守司徒琮, 上將軍·承宣申宣胄及其父家臣崔思謙, 婢桐花·成春·獅子等于諸島:節要轉載].[318]

---

313) 이해를 貞祐八年으로 表記한 자료로 다음이 있다.
 · 『無衣子詩集』권하, 本寺鐘銘幷序, "大金貞祐八年庚辰, …".

314) 原文에서 壬辰에 朔이 탈락되었고, 鉤星은 天鉤星의 오류일 것이다(孫曉 等編 2014年 1481面).

315) 이때 琴儀는 壁上三韓三韓壁上功臣·守太保·門下侍郞平章事·修文殿大學士·判吏部事로 致仕하였다(琴儀墓誌銘).

316) 이는 「金就礪墓誌銘」에 의거하였다.

317) 이와 관련된 기사로 다음이 있다.
 · 지30, 百官1, 藝文館, "高宗七年□□正月, 復以直院爲權務□官".
 · 지30, 백관1, 春秋館, "高宗□□□□七年正月, 復以直館爲權務官".
 · 지31, 백관2, 五部, "高宗七年□□正月, 以錄事, 復爲權務□官".

318) 이와 같은 기사가 열전42, 崔忠獻, 怡에도 수록되어 있으나 字句에 出入이 있다. 곧 여기에서

二月壬戌朔小盡,己卯, [戊辰7日, 白虹貫日:天文1轉載].

辛未10日, 召判樞密院事李克偦爲~~中書侍郎同中書門下~~平章事, 以樞密院副使金就礪爲中軍兵馬使, 上將軍吳壽祺爲右軍兵馬使.[319)]

[→召義州中軍兵馬使李克偦爲平章事, 以右軍□□~~兵馬~~使金就礪爲樞密院副使, 代中軍兵馬使, 以西北面兵馬使·上將軍吳壽祺, 代就礪, 以前□□□~~西北面~~兵馬使·左諫議大夫金君綏, 仍知□□~~中軍~~兵馬事:節要轉載].

乙亥14日, 燃燈. 王如奉恩寺.

丙子15日, 韓恂·多智投金元帥亐哥下, 亐哥下誘斬之, 函送于京.

[→韓恂·多智等, 以淸川江爲界, 投東眞, 潛引金元帥亐哥下, 令屯義州, 自領諸城兵, 屯博州, 相爲聲援. 中軍知兵馬事知中軍兵馬事金君綏與宣撫使李公老議, 遣~~義州大~~郞將尹忠孝·朴洪輔, 寄書亐哥下, ~~開陳本末,~~ 諭以禍福, 責其違盟. 亐哥下悟, 陽~~佯~~怒, 卽囚忠孝等, 遣~~義州~~郞將郭允昌, 召恂·智. 恂·智擁兵六百, 赴之. 亐哥下宴慰, 幷及諸城賊魁, 慰藉厚甚~~慰藉甚厚~~, 因疏其姓名:節要轉載].[320)]

[翼日丁丑16日, 亐哥下, 伏兵, 設宴酒酣, 伏發, 捕恂·智及其黨尹大明·韓存烈等, 悉誅之. 忠孝等, 賫亐哥下文牒幷函恂·智等首還:節要轉載].[321)]

[○時, 三軍請治諸城從逆之罪, 中軍兵馬使金就礪曰, "書云, '殲厥渠魁, 脅從罔治'. 大軍所臨, 如火燎原, 無辜受禍多矣. 況因丹寇, 關東爲墟, 今又縱兵于此, 自撤藩籬, 可乎?". 餘悉不問:節要轉載].[322)]

王沆(人的事項 不詳)이 王沅(顯宗→平壤公基→禎→壽春侯·桂城侯 沅→璟·瑃·禧·樵)으로 되어 있으나 誤字일 것이다(열전3, 종실1, 顯宗王子, 平壤公基, 延世大學本). 또 申宣胄(申思佺의 父, 閔漬의 妻祖父)은 正議大夫·樞密院右承宣·千牛衛上將軍·判禮賓寺事를 역임하였던 것 같다(閔漬妻申氏墓誌銘).

319) 이 기사는 『고종실록』을 적절하게 압축하지 못하여 내용이 불분명하지만, 다음의 『고려사절요』 권15와 같이 고쳐야 의미가 보다 분명하게 될 것이다.

320) ~~添字~~는 열전43, 韓恂·多智에 의거하였다.

321) 이와 관련된 기사로 다음이 있다.

· 열전11, 金富軾, 君綏, "及韓恂·多智叛, 君綏仍知中軍兵馬事, 討之, 以計斬恂·智, 函首送于京".
· 열전43, 韓恂·多智, "翼日, 伏兵, 設宴酒酣, 伏發捕恂·智及其黨尹大明·韓存烈等, 悉誅之. 亐哥下遣忠孝移牒, 幷函恂·智首, 送于京. 國家分配其黨于海島, 後皆遇赦, 還鄕". 여기에서 '後'以下의 구절은 1222년(고종9) 7월 某日에도 수록되어 있다.
· 「金就礪行軍記」, "多知等請兵於遼陽溫知罕, 溫知罕誘斬二人. 傳首于我". 여기에서 溫知罕은 亐哥下의 다른 표기인 것 같다.

322) 이 구절은 『尙書注疏』 권7, 夏書, 胤征第4, "殲厥渠魁, 脅從罔治"를 인용한 것이다. 또 이 기

[○熒惑犯五諸侯. 有星于孛軒轅:天文2轉載].

[→□□[是後], [中軍]兵馬使金就礪嗛其不先報己, 乃囚[知中軍兵馬事金]君綏, 管下錄事有盧仁綏者, 素與君綏有隙, 因數譖就礪, 又譖崔怡[瑀], 遂流君綏于漢南. 時人寃之:列傳11金君綏轉載].

[戊寅[17日], 赤祲, 竟天三日:五行1轉載].

[是月, 取□□□[升補試]鄭承祖等四十一人:選擧2升補試轉載].[323)]

[是月頃, 以[秘書少監]李公老爲慶尙道按察使:慶尙道營主題名記].[324)]

三月[辛卯朔小盡,庚辰], 丙申[6日], 以銀尊·銀盤·銀盂各一·銀盞二·細紵·細紬布各五十匹·廣平布五百匹·米一千石, 遺亏哥下, 以酬其功.

[癸卯[13日], 月與熒惑, 犯輿鬼:天文2轉載].

[某日, 右諫議大夫李仁老卒, 年六十九:節要·列傳15轉載]. [仁老, 初名得玉, 自幼能屬文, 又善書, 與當時名儒吳世材·林椿·趙通·皇甫抗·咸淳·李諶之, 結爲七賢之游. 庚癸之亂, 祝髮遊山, 後擢魁科, 性褊急, 見忤當世, 不爲大用:節要轉載].[325)]

丙午[16日], 丹兵入平虜鎭.

○盜起南原, 尋自潰.

[○耽羅郡, 有石百餘, 自行, 中有最大石, 欲還來而止, 餘石皆止不行:五行2轉載].

사는 열전16, 金就礪에도 수록되어 있다.

323) 이는 다음의 자료를 전재하였는데, 時期 整理[繫年]에 校正이 필요하다.

· 지28, 選擧2, 升補試, "神宗五年九月, 取崔天祐等四十三人. □□[高宗]七年二月, 取鄭承祖等四十一人. 八年五月, 取金守剛等五十二人. 十五年八月, 取石延年等四十七人. 元宗五年六月, 取李方衍等四十七人".

이에서 신종 5년의 기사는 실제를 반영하는 것으로 이해될 수 있으나, 신종 7년 2월의 기사는 문제점이 있다. 곧 이달[是月]은 신종이 1월 13일(丁丑)에 崩御하였으므로 熙宗 즉위년 2월이 되고, 또 26일(庚申) 신종을 葬事지냈으므로 이달에 升補試가 실시될 수 없었을 것이다. 그래서 '七年二月' 앞에는 高宗이 탈락되었음을 알 수 있게 될 것이다[校正事由].

324) 이는 다음의 기사에서도 확인되고, 令行禁止의 의미[讀]는 아래와 같다.

· 열전15, 李公老, "拜秘書少監. 出爲慶尙道按察使, 令行禁止, 部內大理. 王嘉之, 授刑部侍郎, 仍按其道".

· 『자치통감』 권26, 漢紀18, 宣帝神爵 3년(BC59), "是歲, 東郡太守韓延壽爲左馮翊. … [延壽] 在東郡三歲, 令行禁止[胡三省注, 令之必行, 禁之必止, 無違者也], [斷獄大減, 由是入爲馮翊]".

325) 이 자료에 의해 李仁老의 最終官職은 右諫議大夫임을 알 수 있으나 『破閑集』卷上에는 左諫議大夫·秘書監·寶文閣學士·知制誥李仁老撰으로 되어 있어 차이를 보인다.

庚戌[20日], 親醮三界于宣慶殿.

[某日, 召還壽春侯沆·□[守]司徒琮, 量移寶城伯崔珦於洪州, [承宣]車倜於羅州, 盧琯於全州:節要轉載].[326)]

[春某月, 以[大盈署丞]李世華爲白翎鎭將:追加].[327)]

夏四月[庚申朔[大盡,辛巳], 群烏集于男山, 噪鬪多死:五行1轉載].[328)]

壬戌[3日], 幸普濟寺.

[某日, 中軍兵馬使金就礪遣郭元固·金甫貞·宗周秩·宗周賚等, 往義州, 安集遺民. 周賚貪婪, 厚賂者, 曲加存撫, 無者, 借事誅殺. 州人怨之, 招引賊黨尹昌等, 踰城而入, 殺周賚等. 元固·甫貞逃奔以告, 就礪更遣判官崔弘·錄事朴文挻,[329)] 諭以禍福, 繼遣大將軍趙廉卿·將軍朴文賁, 以兵五千討之, 尹昌等逃, 賊黨瓦解. ○時, 丹兵餘衆, 竄伏寧遠山中, 時出抄盜, 爲民患, 就礪遣李景純·李文彦, 擊破之, 北境以安:節要轉載].[330)]

[→丹之漏網者, 竄伏寧遠山中, 時出鈔盜, 爲民患. 而義州人昌名與秀甫·公理又謀叛, 公[金就礪]遣李景純·李文彦討寧遠之賊, □[朴]文備·崔珙討昌名. 昌名時攻鐵州, 官軍至, 賊黨瓦解, 遂斬昌名·秀甫·公理. 而景純·文彦亦破賊于寧遠城, 北境以安:追加].[331)]

[某日, 虎入壽昌宮寢殿:節要轉載].

[丙子[17日], 中原府有女, 身長三尺, 凡三產. 皆非人, 或蟾或蛇或蛙, 人以謂妖女:五行1人痾轉載].

[○虎入壽昌宮寢殿:五行2轉載].

---

326) 盧琯은 修禪社社主 慧諶의 門下에 出入하였던 俗弟子였던 것 같다(『眞覺國師語錄』法語, 示不動居士盧琯, 張東翼 2019년).

327) 이는 「李世華墓誌銘」에 의거하였다.

328) 男山은 開城府의 동쪽에 위치한 山으로 現在 子男山으로 불리고 있는 것 같다(開城市 子男洞所在).
· 『신증동국여지승람』 권4, 開城府上, 山川, "男山, 在府東二里".

329) 崔弘은 1236년(고종23) 4월 이후의 어느 시기에 承宣으로 在職하였던 것 같다(→고종 23년 是年條의 脚注).

330) 延世大學本과 東亞大學本에는 遠이 還으로 되어 있으나 前者가 옳을 것이다(東亞大學 2006년 23책 424面). 또 이 기사는 열전16, 金就礪에도 수록되어 있다.

331) 이는 「金就礪墓誌銘」에 의거하였다.

五月[庚寅朔小盡,壬午], 丙午[17日], 義州制置兵馬後軍·中軍還.[332)]

[是月, 右承宣金良鏡, □□□□□[掌國子監試], 取詩賦陳昌德等二十四人, 十韻詩徐子敏等三十六人, 明經一人:選擧2國子試額轉載].

六月[己未朔小盡,癸未], 庚申[2日], 王如奉恩寺.

辛酉[3日], 太白晝見, 經天.

乙丑[7日], 賜朴承儒等及第.[333)]

癸酉[15日], 王受菩薩戒於大觀殿.

戊寅[20日], 太白晝見, 經天.

[某日, 以[中書侍郎平章事]趙冲爲門下侍郎平章事·修文殿大學士·判兵部事, [桂陽副使]李奎報爲試禮部郎中·起居注·知制誥:追加].[334)]

[秋七月[戊子朔大盡,甲申], 某日, [刑部侍郎·]慶尙道按察使李公老, 仍番:慶尙道營主題名記].[335)]

秋八月[戊午朔小盡,乙酉], 甲子[7日], 亦如之[太白晝見, 經天].

甲戌[17日], 幸王輪寺.

[己卯[22日], 天狗墜於市街:天文2轉載].

甲申[27日], 幸乾聖寺.

九月[丁亥朔[大盡,丙戌], 雷:五行1雷震轉載].[336)]

己丑[3日], [門下侍郎同中書門下]平章事趙冲卒,[337)] [年五十. 訃聞, 王震悼, 輟朝三日, 贈

---

332) 이와 같은 기사로 「金就礪行軍記」, "五月, 凱以班師"가 있다.

333) 이와 관련된 기사로 다음이 있다. 이때 朴承儒·李仁祺(改藏用) 등이 급제하였다(『등과록』, 朴龍雲 1990년 ; 許興植 2005년).

· 지27, 선거1, 科目1, 選場, "[高宗]七年六月, 樞密院副使·[禮部尙書]韓光衍知貢擧, 大司成李宗規同知貢擧, 取進士, □□[乙丑], 賜朴承儒等二十九人·明經二人及第".

334) 이는 「趙冲墓誌銘」 ; 『동국이상국집』연보에 의거하였다. 이때 李奎報가 사양한 表가 『동문선』 권37, 謝禮部郎中·起居注·知制誥表이다.

335) 是年 2월 是月頃의 脚注와 같다.

336) 丁亥에 朔이 탈락되었다.

337) 이날은 율리우스曆으로 1220년 9월 30일(그레고리曆 10월 7일)에 해당한다.

開府儀同三司·門下侍中，諡文正．後配享高宗廟庭:列傳16趙冲轉載].[338) [冲，橫川人，侍中永仁之子，生一月，而母亡，稍長，極哀慕，家稱孝童，風姿魁梧，外莊重，內寬和，博聞强記，諳鍊典故，出入將相，朝野倚重．東眞國帥完顔子淵，頗知人，謂我人曰，"汝國帥，奇偉非常人也．汝國有此帥，天之賜也"．冲嘗被酒，枕其膝而睡，東眞帥恐其驚寤，略不動，其左右請易以枕，帥終不肯之．冲，平時莅事，未嘗露稜角，故世徒知其爲寬厚豁達長者，及持大兵，臨大事，然後，乃知磊落不常之器矣．爲相，開獨樂園於東皐，每公餘，必與賢士大夫，逍遙，以琴酒自娛，卒年五十，人皆惜之，諡文正:節要轉載].

丁未[21日]，幸普濟寺.

[是月，蒙古使堪古苦·著古與等來，傳皇太弟[斡赤斤]鈞旨，索方物:追加].[339)

冬十月[丁巳朔大盡,丁亥]，[己未[3日]，熒惑·太白犯南斗:天文2轉載].

甲子[8日]，幸賢聖寺.

癸未[27日]，寧仁侯禛卒.[340) [□[禛]，爲人有德儀，保全終始:節要轉載].

[→禛，有容儀．尙明宗女延禧宮主，封寧仁侯．好文學，尤嗜釋老，孜孜爲善，得保終始．高宗七年卒，諡[諡]肅懿:列傳3顯宗王子平壤公基轉載].

[某日，以樞密院副使韓光衍爲西京八關齋祭使:追加].[341)

---

338) 趙冲의 최종 관직은 門下侍郞同中書門下平章事·判兵部事인데，이를 축약하여 門下侍郞平章事·判兵部事(趙冲墓誌銘)，門下平章事·判兵部事(『보한집』권상)라고 하였다．그렇다면 『고려사』 世家篇(원래는 『고종실록』으로 추측됨)에 나타난 中書平章事와 門下平章事의 사례를 통해 백관지를 편찬한 다음의 기사는 誤謬일 것이다[校正事由]．또 이때 趙冲에게 내려진 誄書가 『동국이상국집』 권36에 수록되어 있다.

· 지30，백관1，門下府，贊成事，"文宗定門下侍郞平章事·中書侍郞平章事各一人，又於中書·門下各置平章事，並秩正二品".

339) 이는 다음의 자료에 의거하였다.

·『원사』 권208，열전95，外夷1，高麗，"[太祖]十五年九月，大頭領官堪古苦·着古歟等復以皇太弟·國王[斡赤斤]書趣之．仍進方物".

·『원고려기사』，本文，太祖，"十五年庚辰九月，大頭領官堪古若·著古歟，與東眞二人，復持皇太弟·國王書，促高麗來貢．復以方物上".

340) 이날은 율리우스曆으로 1220년 11월 23일(그레고리曆 11월 30일)에 해당한다.

341) 이는 다음의 자료에 의거하였는데，原文에서 上擢 北鄙叛에 연결되어 있으나 墓誌銘을 刻字할 때 잘못이 있었던 것 같다.

·「韓光衍墓誌銘」，"冬，行西京齋祭使,北鄙叛,上擢[士擢，行西京齋祭使．北鄙叛]，西京同逆，以公有遺愛，往鎭之，無少長皆迎謁，卒無異心".

十一月丁亥朔大盡,戊子, 辛卯5日, 太白晝見, 經天.

[十二月丁巳朔小盡,己丑, 某日, 以李奎報爲試太僕少卿·起居注:追加].[342)]
[某日, 有星孛于北斗:天文2轉載].

[是年, 以銀靑光祿大夫·尙書右僕射崔甫淳爲金紫光祿大夫·參知政事·集賢殿大學士·同修國史·判禮部事:追加].[343)]
[○以前東北面兵馬使李勣爲右承宣:追加].[344)]
[○以殿中少監任益惇爲小府監:追加].[345)]
[○以大盈署丞金仲文爲門下錄事:追加].[346)]

辛巳[高宗]八年, 金興定五年[高麗行貞祐九年],

[南宋嘉定十四年], [蒙古太祖十六年], [西曆1221年]

1221년 1월 25일(Gre2월 1일)에서 1222년 2월 12일(Gre2월 19일)까지, 13개월 384일

[春正月丙戌朔大盡,庚寅, 己酉24日, 鵂鶹鳴于儀鳳樓:五行1轉載].
[某日, 有人上疏云, "御史中丞安碩貞, 私奴之子, 不宜置諸臺閣". 時, 崔瑀私厚碩貞, 濫除是職. 人皆憤之:節要轉載].
[某日, 以兪升旦爲慶尙道按察使:慶尙道營主題名記].

春二月丙辰朔大盡,辛卯, 己巳14日, 燃燈, 王如奉恩寺.
[○西京馬灘邊, 有大石, 自移:五行2轉載].
[是月, 樞密院使·御史大夫·吏兵部尙書·上將軍崔瑀造成開城府海安寺香垸一百

342) 이는『동국이상국집』年譜에 의거하였다.
343) 이는「崔甫淳墓誌銘」에 의거하였다.
344) 이는「李勣墓誌銘」에 의거하였다.
345) 이는「任益惇墓誌銘」에 의거하였다.
346) 이는「金仲文墓誌銘」에 의거하였다.

座, 各入重二斤九兩:追加].[347)]

三月[丙戌朔小盡,壬辰], 辛卯[6日], [淸明]. 幸王輪寺.

戊戌[13日], 捕義州逆賊尹章等三人, 枷于市,[348)]

辛丑[16日], 斬之.

癸卯[18日], 幸普濟寺.

[戊申[23日], 雨, 有靑色蚯蚓, 自壽昌門外, 至和義門南板橋, 滿路而行, 人皆避之:五行3轉載].

[春某月, 以[閤門祗候]金仲文爲韃靼接伴使:追加].[349)]

夏四月乙卯朔[小盡,癸巳], 幸乾聖寺.

丁卯[13日], 幸外帝釋院.

甲戌[20日], 幸妙通寺.

[是月, 右諫議大夫崔先旦, □□□□□[掌國子監試], 取李陽茂等八十六人:選擧2國子試額轉載].

五月甲申朔[大盡,甲午], 日食.[350)]

---

347) 이는 東亞大學博物館에 소장된 「海安寺香垸銘」의 銘文에 의거하였다. 또 樞密院使 崔瑀는 이 시기(그가 樞密院使로 임명된 것으로 推測되는 고종 7년 12月頃부터 參知政事에 임명된 9년 윤12월 14일 以前)에 『十二緣生祥瑞經』을 위시한 여러 佛典을 印出하여 特定 寺社에 寄進하였던 것 같다.

· 銘文, "貞祐九年辛巳二月日,樞密院使·御史大夫·吏兵部尙書·上將軍崔瑀,施納海安寺百座排鑄香垸,此樣一百,入重二斤九兩印".

· 『十二緣生祥瑞經』卷下, 卷末題記(墨書), "銀靑光祿大夫·樞密院使·吏尙書[吏兵部尙書]·太子賓客崔 [手決]"(南權熙 2010年a, 이 墨書가 崔瑀의 親筆인지, 아니면 板刻인지는 알 수 없다. 筆者未見).

348) 尹章은 金就礪列傳에는 尹昌으로, 『고려사절요』에는 尹章·尹昌으로 되어 있다(열전16, 金就礪 ; 『고려사절요』 권15, 고종 7년 4월, 8년 3월). 이는 尹章이 『고종실록』을 편찬할 때 충선왕의 이름을 避諱(혹은 敬諱)하여 尹昌으로 改書되었으나, 『고려사』의 撰者는 이를 인지하지 못하였던 것 같다.

349) 이는 다음의 자료에 의거하였다.

· 「金仲文墓誌銘」, "於辛巳春, 承國命爲韃靼接伴使, 往來東蕃, 悉克任, 胡人臨□□贈手環及飮器".

350) 이날 宋에서는 畢星(Aldebaran)에 일식이 있었다고 하며, 金에서도 일식이 있었다(『송사』 권52,

[庚子17日, 福源宮北城廊火:五行1火轉載].

[某日, 封樞密院使崔瑀爲晋陽侯, 固辭不受:節要轉載].[351]

[是月, 取□□□升補試金守剛等五十二人:選擧2升補試轉載].

六月甲寅朔小盡,乙未, 乙卯2日, 太白晝見, 經天.

辛巳28日, 樞密院使李儆卒. [儆, 少嗜欲通經史, 遇事善斷:節要轉載].[352]

[某日, 以李奎報爲兼寶文閣待制·知制誥:追加].[353]

秋七月癸未朔小盡,丙申, 甲辰22日, 設消災道場于宣慶殿.

[某日, 以李□某爲慶尙道按察使:慶尙道營主題名記].[354]

[是月, 蒙古傳旨, 諭以伐女直事. 奉表陳賀:追加].[355]

八月壬子朔大盡,丁酉, 甲寅3日, 平章事~~門下侍郞同中書門下平章事致仕~~柳光植卒,[356] [年六十某, 輟朝三日, 諡戴肅:列傳14柳光植轉載]. [光植, 風儀魁偉, 淸儉節欲, 沈重寡言:節要轉載].[357]

己未8日, 蒙古使著古與等十三人·東眞八人幷婦女一人來.[358]

지5, 천문5, 日食 ;『금사』권16, 본기16, 宣宗下, 興定 5년 5월 甲申·권20, 지1, 天文, 日薄食煇珥雲氣). 또 이날 일본의 京都에서도 일식이 있었다(고려력과 같음, 日本史料4-15册 907面). 그리고 이날은 율리우스력의 1221년 5월 23일이고, 개경에서 일식 현상이 심했던 시간은 13시 26분, 食分은 0.68이었다(渡邊敏夫 1979年 309面).

· 『百練抄』제12, 順德, 承久 3년 5월, "一日甲申, 日蝕正現".

351) 이와 같은 기사가 열전42, 崔忠獻, 怡에도 수록되어 있다.

352) 이날은 율리우스曆으로 1221년 7월 19일(그레고리曆 7월 26일)에 해당한다.

353) 이는『동국이상국집』年譜에 의거하였다. 이때 이규보가 辭讓, 謝禮한 表가『동문선』권43, 讓寶文閣待制表 ; 권37, 謝除寶文閣待制表이다.

354) 이때의 안찰사는 姓氏만이 남아 있고, 이름은 알 수 없다. 原資料에서 이 부분에 損傷이 있었던 것 같아서, 秋冬番[秋冬等] 3년에 걸쳐 李某, 雜寶龜, 李某로 기록되어 있다.

355) 이는 다음의 자료에 의거하였다.

· 『원사』권208, 열전95, 外夷1, 高麗, "太祖十六年七月, 有旨, 諭以伐女直事, 始奉表陳賀".

· 『원고려기사』本文, 太祖, "十六年辛巳七月, 宣差山朮解等, 與東眞等四人, 傳旨諭高麗以伐女眞事. 高麗王奉表陳賀".

356) 이날은 율리우스曆으로 1221년 8월 21일(그레고리曆 8월 28일)에 해당한다.

357) 이는「柳光植墓誌銘」에도 수록되어 있다.

甲子[13日], 王迎詔于大觀殿, 蒙古·東眞二十一人, 皆欲上殿傳命, 我國欲只許上价一人上殿. 往復未決, 日將昃, 乃許八人升殿, 傳蒙古皇太弟[斡赤斤]鈞旨, 索獺皮一萬領·細紬三千匹·細苧二千匹·緜子一萬觔·龍團墨一千丁·筆二百管·紙十萬張·紫草五觔[359]·葒花·藍筍·朱紅各五十觔·雌黃·光漆·桐油各十觔. 著古與等傳旨訖, 將下殿, 各出懷中物, 投王前, 皆年前所與麤紬布也, 遂不赴宴. ○又出元帥札剌及蒲黑帶□[蒲黑帶完]書各一通,[360] 皆徵求獺皮·緜紬·緜子等物.

[丙子[25日], 赤氣見于東方:五行1轉載].

九月壬午朔[小盡,戊戌], 幸王輪寺.

○東北面兵馬使報, 又有蒙古使這可等來.

[癸未[2日], 寶鏡寺住持·大禪師承迥入寂:追加].[361]

[某日, 蒙古安只女大王[安只歹大王],[362] 遣這可等, 既入境. [樞密院使]崔瑀曰, “前來使, 尙未暇應接, 况後來者乎? 宜令東北面兵馬使, 慰諭遣還”. 時, 人謂蒙古來侵之禍萌矣:節要轉載].[363]

---

358) 著古與[Jagur]가 고려에 파견되었음은 중국 측의 자료에서도 확인된다.
- 『원사』 권208, 열전95, 外夷1, 高麗, “八月, 着古歟使其國”.
- 『元高麗紀事』, 本文, 太祖, 16년, “八月, 十月, 著古歟·喜速不瓜等, 先從[先後]使高麗[元史外夷傳, 十月喜速不瓜等繼使焉]”. 添字와 같이 고쳐야 옳게 될 것이다.

359) 紫草[지치]에 대한 설명으로 다음이 있다.
- 『자치통감』 권243, 唐紀59, 穆宗長慶 4년(824) 4월 乙未[16日], “… 卜者蘇玄明與染坊供人張韶善, 玄明謂韶曰, ‘我爲子卜, 當升殿坐, 與我共食. 今主上晝夜毬獵, 多不在宮中, 大事可圖也’. 韶以爲然, 乃與玄明謀結染工無賴者百餘人, 丙申[17日], 匿兵於紫草, 車載以入銀臺門[胡三省注, ‘本草’曰, 紫草, 出碭山山谷及楚地, 今處處有之, 人家園圃或種蒔. 其根, 所以染紫也. ‘爾雅’謂之藐, ‘廣雅’謂之茈莨. 苗似蘭香, 節青, 二月有花, 紫白色, 秋實, 白, 三月採根陰乾], 伺夜作亂, 未達所詣, 有疑其重載而詰之者, 韶急, 卽殺詰者, 與其徒易服揮兵, 大呼趣禁庭.…”.
- 『아언각비』 권1, 紫草, “紫草者, 茈草也. 一名茈莨, 一名紫芙, 一名紫丹, 一名地血, 又名鴉含草, 以染紬帛, 謂之紫的者, 華語也. 吾東訛傳, 遂以紫的呼爲紫芝[注, 的本入聲, 華音讀之如芝], 轉呼爲芝草, 豈不謬哉?”.

360) 蒲黑帶은 蒲里帒完[Burideiqan]에서 完字가 탈락된 것으로 추측되는데, 『원사』에는 蒲里帒也[Burideiye]로 표기되어 있다(권208, 열전95, 外夷1, 高麗).

361) 이는 「淸河寶鏡寺住持大禪師贈諡圓眞國師塔碑銘」에 의거하였다.

362) 여기에서 安只女大王은 安只歹大王의 誤字일 것이고, 그는 징기스칸의 弟 哈赤溫(Qachiun, 烈祖의 3子)의 子인 濟南王 按只吉歹(按只歹, 按只帶·按只台·按赤帶·按赤台, Alchidai, 1206~1251)로 추측된다(『원사』 권107, 表2, 宗室世系表 ; 『南村輟耕錄』 권1, 冒頭, 大元宗室世系).

363) 이와 같은 기사로 다음이 있으나 字句에 出入이 있다.

[某日，著古與等，怒館待不滿意，張弓持杖，或射或擊．館伴·郎中崔珙等，奔走出門，即下鑰．蒙使不得出，將軍金希磾，開門入諭，其怒稍解:節要轉載].[364)]

[丙戌[5日]，熒惑犯輿鬼:天文2轉載].

丁亥[6日]，王召群臣四品以上於大觀殿，問蒙古後使迎接可否．王欲設備，拒而不納，群臣皆曰，“彼衆我寡，若不迎接，彼必來侵，豈可以寡敵衆，以弱敵强乎?”．王不悅.

[己丑[8日]，熒惑掩積屍:天文2轉載].

辛卯[10日]，義州分道將軍馳報，有兵六七千來，屯婆速路[婆娑路]石城旁.[365)]

癸巳[12日]，[寒露]．蒙古使這可等二十三人并婦女一人來，督國贐.

[→王以蒙人谿壑其欲，凡所求索，與則財竭，否則釁生，議未決．遣門下侍中李抗·司天監朴剛材，卜于大廟[~~太廟~~]，[~~又未決~~]．這可等來，督國贐，以金希磾知詩禮，有膽略，善辭語，命爲類會使．這可等曰，“前來，未聞安只女大王遣使，而不迎接也”．希磾[~~等~~]曰，“往歲蒙大國恩，今又遣使，其迎迓之禮，與夫國贐等事，敢不盡心，然君在都護府，手射一人，死生未可知，若生則君之福，死則君之一行必見拘留”．這可等，屈膝慚服，一從希磾處分:節要轉載].[366)]

甲午[13日]，幸乾聖寺.

[甲辰[23日]，月與熒惑，同舍于柳星．歲守大微[太微]端門:天文2轉載].

[丁未[26日]，月與歲星，犯大微[太微]左執法:天文2轉載].

冬十月[辛亥朔大盡,己亥]，[癸丑[3日]，雷電:五行1雷震轉載].

甲寅[4日]，宋商鄭文擧等一百十五人來.

乙卯[5日]，蒙古使喜速不花等七人來，[宴于大觀殿，喜速不花等佩弓矢，將上殿，類會使[金希磾]曰，“自兩國交好以來，皆以禮服相見，况此武備，其如宴饗何”，乃解而赴宴:節要轉載].[367)]

· 열전42，崔忠獻，怡，“[高宗八年，]東北面兵馬使報，‘蒙古使這可等，至都護府城外’．怡曰，‘前來使，尙未暇應接，況後來者乎? 宜令兵馬使，慰諭遣還’．時人以爲，蒙古之釁，始於此矣”.

364) 이와 같은 기사가 열전16，金希磾에도 수록되어 있다.

365) 石城은 現在의 遼寧省 鳳城의 동쪽 石城 지역이다.

366) 이와 같은 기사가 열전16，金希磾에도 수록되어 있으나 字句에 출입이 있다.

367) 喜速不花[Sisu Buqa]는 중국 측의 자료에서는 喜速不爪로 달리 표기되어 있는데，不花(不爪，

戊午[8日], 移御梨峴[樞密院使]崔瑀第.[368)]

[○霧:五行3轉載].

庚申[10日], 王宴蒙使于大觀殿.

己巳[19日], 王觀牽龍等擊毬.

[甲戌[24日], 月犯大微[太微]右執法:天文2轉載].

[乙亥[25日], □[月]又與歲星, 同舍于軫:天文2轉載].

己卯[29日], [小雪]. 御儀鳳樓, 立雞竿, 肆赦, 賜趙冲子堉及陣沒軍士子孫爵, 又賜崔忠獻及瑀·姪堉爵.

[○是日, 宣赦. 儀仗用執擊軍一千六百九十三人, 指諭將校一百四人, 中禁·都知二十人, 左右旌節南班員十人, 左右銀毬仗南班員四十人, 並分毬庭左右. 其儀, 軺指諭二人, 軍士四十八人, 平兜輦, 指諭二人, 軍士三十二人. 大傘, 指諭一人, 軍士八人, 追傘, 軍士四人, 陽傘, 軍士八人, 雨傘, 軍士四人. 戟幡, 白甲軍八人, 銀槍, 朱甲軍八人, 黃繡幡, 軍士四人. 御甲擔, 軍士四人, 絞床·水灌子, 軍士四人, 書册·筆硯, 軍士四人, 行爐·茶擔, 軍士四人. 紅背子二十人, 指諭二人, 長刀軍士二十人, 指諭二人, 骨朶子軍士四十人, 指諭二人, 金畫帽子軍士四人, 指諭二人, 注陪軍士十二人, 前行馬軍士二十八人, 指諭二人, 後行馬軍士八人. 彩羅幡十, 軍士二十人, 指諭二人, 黃羅幡六, 軍士十二人, 指諭二人, 白羅幡四, 軍士八人, 指諭二人, 黑羅幡·黃羅幡·青幡幢·紅羅幡·白幡幢各十, 軍士各二十人, 指諭各二人. 印陪軍士十二人, 秘書省清坪軍士四人, 尙舍倚子軍士九人, 馬一, 軍士四人, 先排軍一百人, 指諭六人, 前遊馬軍一百人, 指諭六人, 防牌軍二百人, 玄武軍一百五十人, 指諭各十人, 白甲軍一百五十人, 指諭十二人, 衛身馬軍四百人, 指諭五人, 弓箭將校十二人, 赦旨都監直將校二人:輿服1宣赦儀式轉載]. [○是時, 宣赦鹵簿, 用儀仗軍一千三百八十人, 鳳曳軍六十人, 盤車軍二十人, 指諭將校六十二人, 並着繡衣, 分列毬庭左右. 紅門大旗二, 分左右, 隊正各一人, 夾軍士各二十人. 五方中旗各一, 依其方色, 排列紅門大旗間, 隊正各一人, 夾軍士各二人. 彩旗十, 分左右, 隊正各一人, 夾軍士各十人. 冷里軍二十人, 散手軍二十人, 並分左右. 黃質白澤大

Buqa)는 蒙古語로서 수소[牡牛]를 지칭한다. 또 이와 같은 기사가 열전16, 金希磾에도 수록되어 있으나 자구에 출입이 있다.

· 『원사』 권208, 열전95, 外夷1, 高麗, "十月, 喜速不爪等繼使焉".

368) 梨峴은 崔瑀의 第宅이 있는 梨坂의 다른 표기인 것 같다(→희종 2년 2월 26일).

旗二, 分左右[隊夾, 同紅門大旗], 彩旗十, 分左右[隊夾, 同紅門隊彩旗], 豹尾槍二十, 軍士二十人, 分左右. ○綠質一角獸大旗二, 彩旗十, 並分左右[隊夾, 並同前隊], 引口吹幡二十, 軍士二十人, 分左右. 碧質騶牙大旗二, 彩旗十, 並分左右[隊夾, 並同前隊], 鐙杖二十, 軍士二十人, 分左右. 天下太平旗一, 中道, 隊正一人, 夾軍士二十人. 紅質黃龍大旗二, 彩旗十, 並分左右[隊夾, 與騶牙大旗同], 貍頭弓箭二十, 軍士二十人, 分左右. 四海永淸大旗一中道, 隊正一人, 軍士二十人, 黃質天鹿大旗二, 彩旗十, 並分左右[注, 隊夾, 與黃龍大旗同]. ○搁鼓十, 分左右, 軍士各五人, 金錚十, 分左右, 軍士各五人. 二儀交泰大旗一中道[隊夾, 與四海永淸旗同], 白質捧寶珠仙人大旗二, 彩旗十, 並分左右[隊夾, 並同天鹿大旗]. 搖鼓槍二十, 軍士二十人, 吹角二十, 軍士二十人, 並分左右. 紅質鳥隼大旗二, 彩旗十, 並分左右[隊夾, 並同前隊], 鉞斧二十, 軍士二十人, 分左右. ○五方龍中旗, 各依方色, 排列中道, 隊正各一人, 夾軍士各二人. 藍黃質白龍大旗二, 彩旗十, 並分左右[隊夾, 並同鳥隼大旗], 銀槍二十, 軍士二十人, 分左右. 黃質龍馬大旗二, 彩旗十, 並分左右[隊夾, 並同前隊], 斫子二十, 軍士二十人, 分左右. 碧質鸑鷟大旗二, 分左右[隊夾, 同前隊], 銀粧長刀二十, 鍍金長刀二十, 哥舒捧二十, 軍士各二十人, 並分左右. 黑大旗四, 黃龍大旗二, 並分左右, 隊正各一人, 夾軍士各二十人:輿服1宣赦鹵簿轉載].

[是月, 廻書東眞國王曰, "高麗國王某, 謹迴書于東夏國王殿下, 承來示云'成吉思皇帝聖旨道與東夏國王准備親見來者, 高麗國依前一黏一番約和時分, 亦一同將來爲此准備前去'. 仍問或去以否者 切念小邦介在海陬, 地遐路阻, 邈自古初, 歷事大國, 朝覲之禮, 未獲躬親. 今聞成吉思皇帝, 廓開聖緒, 奄統緜區, 日月所照, 莫不賓服, 顧惟孱微, 夙荷覆露, 慶抃之情, 萬倍常品. 懷欲梟趨, 往伸鸞賀, 爲日久矣. 但道里攸遠, 山川阻脩, 古昔歷事之時, 使軺往來, 尙且艱澁, 况不穀國雖褊小, 藩務所繫, 勢不可一日曠職, 倘或輕離守封, 遠涉萬里, 脫有不虞, 恐累盛德. 以此瞻望翹傾, 唯深兢灼耳, 傳有之, 親仁善隣 國之寶也. 弊邦幸與貴國, 境連壤接, 慰候相望, 載惟善隣之意, 彼此暗合, 決無一毫間異也. 冀軫念而諒察之, 歲序向闌, 新正將啓. 伏惟千萬自愛, 謹啓":追加].[369]

369) 이 書狀은 이해[是年] 8월, 10월 두 차례에 걸쳐 몽고의 사신(著古與, 喜速不爪)이 도착하여 皇太子의 鈞旨를 전하여 貢物을 督促할 때, 동반하여 온 東眞國(大眞國, 東夏國)의 使臣이 가져온 國書에 대한 답신일 것이다(a 『동문선』 권61, a回東夏國書 ; b同前書, 兪升旦 作).

[又上皇太弟·國王曰, “右啓, 孟冬初寒~~十月~~, 伏惟大王起居萬福, 今十月某日, 宣差溪都不合~~喜速不爪~~等至, 奉傳鈞旨, 備審大王起居萬福, 喜慰無已. 垂示催進禮物事, 已於今年八月　宣差掉胡與~~著古與~~賫大王鈞旨來, 粗具土物, 緜紬各色, 分染砧擣了, 水獺皮·緜紵布·紙墨等, 亦竝擇佳品. 但我國地瘠民貧, 歲入鮮寡, 以此准備大艱, 尙依前數, 并迴書卽與宣差掉胡與已曾前去也. 節次所要筆, 本是黃鼠毛所製, 而黃鼠非我國所有, 以此不能應副. 做店邸事, 自是我國最切要底, 雖無來諭, 已有修葺之意矣. 只緣年年貴國使來, 輒有防卒, 群聚隨至, 入境駐久, 所經村驛, 不無騷擾. 由是民不樂沿路之居, 而未果修葺耳. 卽今兩國界畔, 幸無艱梗之虞, 雖無防卒, 亦可前來, 若不得已須有防卒, 兩國自有疆界, 貴國所領東眞防卒, 留於東眞境內, 不令寸步入我疆界, 先以貴國人使過界日時, 預牒我國, 則我國境內, 以我國之人, 迎護一行, 取接前來, 則於理兩得也. 且兩國相交之禮, 須有定數, 一年一度行李之來, 旣有前規. 今者一行節級, 分爲兩次, 相繼而來, 并大王殿下差遣外別有人使來者, 遞此一年中已三度行李來矣. 苟無定準行李之來, 歲歲數數如此, 則送迎之備, 民疲財竭, 漸恐不能支也. 貴國宜依己卯年高宗6年初定人數禮式, 一年一度行李往來, 甚爲穩便. 惟照諒之, 謹啓].[370]

十一月[辛巳朔~~大盡,~~庚子, 熒惑與軒轅大星, 同舍:天文2轉載].

甲午14日, [大雪]. 設八關會, 幸法王寺.

[乙未15日, 雷電:五行1雷震轉載].

[丁酉17日, 雷雨:五行2轉載].

己亥19日, 移御離宮.

[辛丑21日, 月入大微~~太微~~:天文2轉載].

[壬寅22日, □月與熒惑同舍:天文2轉載].

[是月某日, 樞密院使·吏兵部尙書·上將軍崔瑀撰‘西河集後序’:追加].[371]

---

370) 이 書狀은 上記의 典據에서 b 同前書로 표기되어 있지만, 그 내용을 통해 볼 때 蒙古國에 보낸 것이므로 受取者는 皇太弟·國王 斡赤斤(otchingin)일 것이다(李介奭 2010년a ; 鄭東薰 2020년).

371) 이는 다음의 자료에 의거하였는데, 여기에서 ~~添字~~와 같이 고쳐야 옳게 될 것이다(→是年 윤12월 14일). 이와 같은 年紀에 오류가 발생한 것은 樞密院使 崔瑀가 後序를 작성한 것은 1221년(辛巳, 貞祐9) 11월[仲冬]이었을 것이지만, 이를 刻板한 것이 1222년 11월이었기에 어떤 착오가 발생한 것 같다.

· 『西河集』後序, “貞祐十一年~~九年~~壬午~~辛巳~~仲冬, 樞密院使·吏兵部尙書·上將軍崔瑀跋”.

[十二月[辛亥朔大盡,辛丑], 甲子[14日], 月與東井同舍:天文2轉載].

[己巳[19日], □[月]入大微[太微], 與左執法同舍:天文2轉載].

[庚辰[30日], 大寒. 流星出閣道, 入營室, 大如缶, 尾長五尺許:天文2轉載].

十二月[~~閏十二月辛巳朔~~小盡辛丑], [372] [戊子[8日], 熒惑犯軒轅大星:天文2轉載].

[某日, 宰樞會[樞密院使]崔瑀第, 議發南方州郡精勇·保勝軍, 城宜州·和州·鐵關等要害之地, [373] 以備蒙古. [~~上將軍~~]知奏事金仲龜曰, "比來, 州郡被丹兵侵掠, 民皆流亡, 今無警急, 而遽又徵發, 以勞其力, 則邦本不固, 將若之何?". 瑀竟不聽:節要轉載]. [374]

壬辰[12日], 蒙古使三人·東眞十七人來. [[館伴]金希磾在客館, 宴飲唱和, 東眞使先唱云, "東君初報暖". 希磾卽和云, "北帝已收寒". 客使曰, "有何意而賦此句耶". 答曰, "君以春意唱, 吾亦以春事和之". 客使嘆服, 不復詰:節要轉載]. [375]

甲午[14日], 以李延壽爲□[守]太尉·門下侍郎同中書門下平章事·判吏部事, 金義元爲中書侍郎平章事·判兵部事, [樞密院使]崔瑀△[爲]□□□□□□[金紫光祿大夫·]參知政事·吏兵部尙書·判御史臺事, [376] 史洪紀△[爲]□□□□□□[金紫光祿大夫·]知門下省事·吏部尙書·判工部事, [377] 文惟弼△[爲]守司空·左僕射, 金就礪爲樞密院使·兵部尙書·判三司事, 鄭通輔△[爲]知樞密院事·禮部尙書, [樞密院副使]韓光衍△[爲]同知樞密院事·戶部尙書, 李勣爲樞密院副使·尙

372) 冒頭의 十二月壬辰은 閏十二月壬辰의 오자인데, 『고려사절요』 권15에는 옳게 되어 있다.

373) 鐵關은 고려시대의 文州와 宜州(德原) 사이에, 조선시대의 咸境道 德源府(현 北韓 江原道 文川市, 옛 文川郡 德源面과 그 인근지역)에 위치한 東北界 防禦의 중요한 하나의 거점이었던 것 같다(『세종실록』 권127, 32년 1월 辛卯[15日], 集賢殿副校理 梁誠之의 備邊十策).

· 『신증동국여지승람』 권49, 咸境道, 德源府, 古跡, 鐵關, "在府北十五里, 石築周一千四百三尺. 高麗恭愍王時, 三善·三介, 誘致女眞, 侵掠北邊, 都指揮使韓方信·兵馬使金貴等, 進兵和州, 兵潰, 退保鐵關, 和州以北皆沒焉. …".

374) ~~添字는~~ 「金仲龜墓誌銘」에 의거하였다. 또 이와 같은 기사가 열전42, 崔忠獻, 怡에도 수록되어 있으나 字句에 出入이 있다.

375) 이와 같은 기사가 열전16, 金希磾에도 수록되어 있다.

376) 崔瑀는 이해의 2월에 樞密院使·御史大夫·吏兵部尙書·上將軍이었으므로(海安寺貞祐九年銘銀絲香垸」), 10개월 사이에 상위직인 政堂文學·知門下省事 등을 뛰어 넘어 參知政事에 超遷한 셈이다. 이후의 歷官은 분명하지 않으나 1237년(고종24) 12월 이후 李奎報가 찬한 「月南寺趾眞覺國師圓炤塔碑」 (1250년 4월 建立, 閔賢九 1973년 脚注20 ; 張東翼 2019년)에는 門下侍中으로 나타나고 있다.

377) 李延壽를 위시한 4人을 임명할 때 주어진 敎書와 麻制가 『동국이상국집』 권34(『동문선』 권25)에 수록되어 있는데, 이에는 太尉가 守太尉로 되어 있다.

書左僕射, 貢天源爲右僕射.

[丁酉17日, 月入大微太微, 犯東藩上相:天文2轉載].

[是年, 以能禦丹兵, 陞翼嶺縣, 爲襄州防禦使. 又以叛逆, 降稱麟州爲舍仁, 義州爲咸新, 嘉州爲撫寧, 郭州爲定襄:轉載].[378)]

[○以小府監任益惇爲朝議大夫·試太府卿:追加].[379)]

[是年頃, 前晋州牧副使?鄭奮始欲開板'妙法蓮華經':追加].[380)]

壬午[高宗]九年, 金興定六年→8月元光元年[高麗行貞祐十年],[381)] [南宋嘉定十五年], [蒙古太祖十七年], [西曆1222年]

1222년 2월 13일(Gre2월 20일)에서 1223년 2월 1일(Gre2월 8일)까지, 354일

春正月庚戌朔大盡,壬寅, 甲子15日, 幸神衆院.

[某日, 以李頲爲慶尙道按察使:慶尙道營主題名記].

[是月, 城宜州·和州·鐵關, 凡四旬而畢:節要·兵2城堡轉載].

二月庚辰朔大盡,癸卯, 壬午3日, 幸王輪寺.

---

378) 이는 다음의 기사를 전재하였다.
- 지12, 지리3, 翼嶺縣, "高宗八年, 以能禦丹兵, 陞襄州防禦使".
- 지12, 지리3, 麟州, "高宗八年, 以叛逆, 降稱舍仁. 後改爲知郡事".
- 지12, 지리3, 義州, "高宗八年, 以叛逆, 降稱咸新, 尋復古".
- 지12, 지리3, 嘉州, "高宗八年, 以叛逆, 降稱撫寧".
- 지12, 지리3, 郭州, "高宗八年, 以叛逆, 降稱定襄".

379) 이는 「任益惇墓誌銘」에 의거하였다.

380) 이는 다음의 자료에 의거하였다(海印寺 所藏, 崔永好 2018년).
- 『妙法蓮華經』 권7, 제15장, "奮, 越辛巳春正月十一日淸晨, 奉閱首卷, 不覺流涕, 庶欲奉持. 窮未來際, 助揚聖化. … 於是, 請山人明覺, 鋟板印施無窮, 少報慈恩之万一".

381) 이해를 貞祐 9년으로 표기한 기록도 있으나 10년의 잘못이고, 眞覺도 잘못 들어간 글자[衍字]이다. 眞覺은 無衣子 慧諶의 시호이다.
- 『無衣子詩集』권상, 袈裟, "… 貞祐九年壬午仲冬, 高麗曹溪山修禪社無衣子眞覺述".

[壬辰13日, 月入大微太微, 與歲星同舍, 又掩東藩上相:天文2轉載].

癸巳14日, 燃燈, 王如奉恩寺.[382]

[乙未16日, 月犯東南星:天文2轉載].

[丙申17日, 清明. □月又犯房第二星:天文2轉載].

癸卯24日, 幸普濟寺.

[甲辰25日, 市廛火:五行1火災轉載].

三月庚戌朔小盡,甲辰, [壬戌13日, 月犯氐星:天文2轉載].

[癸亥14日, 月食:天文2轉載].[383]

[丙寅17日, 立夏. 歲星入大微太微, 犯右執法:天文2轉載].[384]

戊辰19日, 設佛頂道場於修文殿.

[庚午21日, 四方赤祲:五行1轉載].[385]

[某日, 參知政事崔瑀宴三品以上于其第, 又宴四品官:節要轉載].

夏四月己卯朔小盡,乙巳, 幸外院外帝釋院?.[386]

[辛巳3日, 歲星與熒惑, 守左執法:天文2轉載].

壬午4日, [小滿]. 幸賢聖寺.

[甲午16日, 月犯南斗:天文2轉載].

---

382) 일본의 교토[京都]에서는 이날(14일, 小會)과 明日(15日, 大會)의 天氣[氣象]는 모두 맑았다고 한다(『猪隅關白記』, 承久 4년 2월 14, 15일).

383) 이날은 宋에서는 氐星에 월식이 예측되었으나 陰雲으로 볼 수 없었고(『송사』 권52, 지5, 천문5, 月食), 金에서는 월식이 관측되었다(『금사』 권20, 지1, 天文, 月五星淩犯及星變). 또 이날(癸亥)은 日本曆으로 3월 15일(高麗曆은 14일)이며, 일본의 京都에서도 월식이 있었다고 한다(日本史料5-1冊 496面). 그리고 이날(14일)은 율리우스력의 1222년 4월 27일이고, 월식 현상이 심했던 때의 世界時는 8시 25분, 食分은 1.48이었다(渡邊敏夫 1979年 479面).

· 『猪隅關白記』, 承久四年具注曆, 4년 3월, "弖水十五日癸亥, 水危望, 月蝕大分皆旣, 虧初申初刻卅九分, 加時酉二刻一十九分, 復末戌四刻卌一分".

· 『本朝統曆』 권9, "三大, 十五望, 酉一, 月蝕皆旣, 未八, 戌三".

384) 이날 宋에서는 皆旣月食이 예측되었으나 구름으로 인해 보이지 않았다고 하며, 金에서는 월식이 있었다(『송사』 권52, 지5, 천문5, 月食 ; 『금사』 권20, 지1, 天文, 月五星淩犯及星變).

385) 이날 일본의 京都에서는 아침에 비가 내렸으나 저녁에는 맑았다고 한다(『猪隅關白記』, 承久四年具注曆, 4년 3월, "許水廿二日庚午 , … 朝雨降, 夕天晴").

386) 外院은 外帝釋院을 指稱하는 것 같다.

[某日, 左承宣崔宗峻欲令其子, 試於國子監, 正錄以非衙日固拒. 宗峻屬其姪壻崔瑀, 請于正錄, 不得已而試之. 舊制, 國子監, 以四季月六衙日, 集衣冠處子, 試論語·孝經, 取中者, 報吏部. 吏部更考世系, 始授初職. 宗峻附勢紊法如此:節要轉載].[387]

[→崔宗峻, 官至左承宣. 舊制, 國子監, 以四季月六衙日, 集衣冠子弟, 試以論語·孝經, 中者, 報吏部, 吏部更考世系, 授初職. 宗峻欲令其子試之, 國子正錄以非試日不聽. 宗峻屬崔瑀請之, 乃得試, 時人譏之:列傳12崔宗峻轉載].

丙申18日, 賜梁欓等及第.[388]

丁酉19日, [芒種]. 親醮太一於宣慶殿.

[乙巳27日, 赤祲見于東方:五行1轉載].[389]

[五月戊申朔大盡,丙午, 辛亥4日, 月與太白, 同舍于星七星:天文2轉載].

[甲寅7日, 月犯大微太微東藩上將:天文2轉載].

六月戊寅朔小盡,丁未, 王如奉恩寺.

[某日, 以李奎報爲太僕少卿, 餘如故:追加].[390]

[是月甲申7日, 扶寧縣青林寺住持·禪師湛默與僧許白·宗益等鑄成同寺金鍾一口, 入重七百斤:追加].[391]

秋七月丁未朔小盡,戊申, [某日, 東眞兵萬餘入靜州. 初, 韓恂·多智之黨, 分配海島, 後皆遇赦, 還鄉. 至是, 復引東眞兵入靜州, 遂侵義州, 防守將軍防戍將軍□守延, 與戰敗績. 麟州人謀與敵通, 爲內應, 防守將軍防戍將軍知之, 出屯城外, 以解其謀, 勒

---

387) 崔宗峻의 아들은 崔晛이다(崔晛墓誌銘). 또 이해는 崔晛이 15세가 되는 年度로서 蔭敍에 의한 入仕의 절차가 시행되었던 것 같다.

388) 이와 관련된 기사로 다음이 있고, 이때 梁欓·李涵 등이 급제하였다고 한다(許興植 2005년).
- 지27, 선거1, 科目1, 選場, "高宗九年四月, 參知政事崔甫淳知貢擧, 右承宣金良鏡金仁鏡同知貢擧, 取進士, □□丙申, 賜梁欓等三十一人及第".
- 『東人之文五七』 권7, 金平章仁鏡一首, "仁鏡, … 知壬午高宗9年·壬辰19年二擧, 歷位至平章事".
- 『동인지문오칠』 권7, 李平章奎報五十首, "奎報, … 子涵, 壬午梁欓牓登科, 官至起居注".

389) 이날 일본의 교토[京都]에서는 天氣가 맑았다고 한다(『猪隅關白記』, 承久四年具注曆, 4년 3월, "昴水廿七日乙巳, … 晴").

390) 이는 『동국이상국집』年譜에 의거하였다.

391) 이는 扶寧縣 青林寺鍾의 銘文에 의거하였다(許興植 1984년 990面).

兵掩襲東眞兵, 斬首二百餘級. ○遣中軍兵馬使李迪儒·右軍兵馬使趙廉卿·後軍兵馬使金叔龍, 發西京兵, 追捕之:節要轉載].[392)]

[庚午24日, 赤祲見于西北:五行1轉載].

[辛未25日, 月犯軒轅:天文2轉載].

壬申26日, 彗星出三台中, 尾指西, 長三尺許.[393)]

[甲戌28日, 流星出虛, 入羽林, 大如缶, 長三尺許:天文2轉載].

乙亥29日晦, 彗星見西北, 長三尺許.

[某日, 以田甫龜爲慶尙道按察使:慶尙道營主題名記].[394)]

八月丙子朔大盡,己酉, 丁丑2日, ~~彗星~~見乾方, 長二十尺許.[395)]

戊寅3日, ~~彗星~~晝見. 又太白晝見, 經天.

[庚辰5日, 月犯房:天文2轉載].

甲申9日, 以彗見, 設消災道場于宣慶殿.

乙酉10日, 慮囚.

---

392) 이와 같은 기사가 열전43, 韓恂·多智에도 수록되어 있는데, 金叔龍이 金淑龍으로 되어 있으나 오자일 것이다.

393) 이때 南宋에서는 8월 19일(甲午)에 彗星이 觀測되었고, 9월 17일(壬戌)에 掃滅하였다고 한다. 이 彗星은 發生周期(76~79年, 平均 76.1年)로 보아 헬리혜성(1p/Halley, Halley's comet)으로 추측된다(→성종 8년 9월 16일의 脚注).
- 『송사』 권40, 본기40, 寧宗4, 嘉定 15년, 8월, "甲午, 有彗星出于氐", 9월, "壬戌, 彗星沒".
- 『송사』 권56, 지9, 천문9, 彗孛, "嘉定十五年八月甲午, 彗星見右攝提, 光芒三尺餘, 體類歲星, 凡兩月, 歷氐·房·心, 乃沒".

394) 原文에는 雜甫龜로 되어 있으나 田甫龜(田元均의 3子)의 誤字일 것이다. 雜氏라는 姓氏는 없을 것이고, 이때 안찰사에 임명될 수 있었던 甫龜는 前年(고종5)에 金吾衛郎將(正6品)이었던 田元均의 3子인 甫龜가 찾아진다(田元均墓誌銘). 또 明年(고종10) 全羅道秋冬番按察使가 田甫龜였음을 통해 알 수 있다(→고종 10년 7월 某日).

395) 일본의 京都와 鎌倉에서는 8월 1일(丙子)부터 彗星이 관측되었던 것 같다(高麗曆과 同一, 日本史料5-1册 587面).
- 『百練抄』제13, 貞應 1년 8월, "一日, 自今夜, 彗星見乾方".
- 『皇帝紀抄』 권9, 貞應 1년, "八月二日, 今夜, 西方彗星出現".
- 『吾妻鏡』第26, 貞應 1년 8월, "二日丁丑, 霽, 戌刻, 彗星見戌方, 軸星大如半月, 色白, 光芒赤, 長一丈七尺餘".
- 『一代要記』, 後堀河, 貞應 1년 8월, "一日戌時, 彗星見乾方, 長四五尺, 色白, 二日, 光芒殊增二丈許". 이 기사는 原文에서 貞應二年으로 되어 있으나 貞應元年으로 고쳐야 옳게 될 것이다.

壬辰[17日], 王太后王氏[神宗妃金氏]薨.[396)] [后, 神宗之妃. 熙宗尊爲王太后. 后自幼, 勤女功, 當忠獻廢立之際, 備嘗艱難, 謹愼自守, 謚[諡]宣靖:節要轉載].[397)] [王哀悼, 命有司, 以禮葬于眞陵:列傳1神宗妃宣靖太后金氏轉載].[398)]

癸巳[18日], 蒙古使三十一人來.

乙巳[30日], 太白晝見.

[是月甲申[9日], 金改元元光:追加].

[九月[丙午朔小盡,庚戌], 丁未[2日], 鹿入市:五行2轉載].

[乙丑[20日], 月犯五諸侯. 太白犯左執法:天文2轉載].

[己巳[24日], 流星出營室, 大如缶, 尾長三尺許. 月犯大微[太微]次將:天文2轉載].

[壬申[27日], 流星出危, 入奎, 大如木瓜, 尾長三尺許. 月掩歲星:天文2轉載].

[秋某月, 松廣社主·大禪師慧諶, 受王命領僧侶千餘人, 將赴淸州, 抵宿定山縣新豊維鳩驛, 見壁一白衣着笠乘馬者畫, 嗟良久曰, '此是諫臣去國圖'. 乃題詩曰, '壁上何人畫此圖, 諫臣去國事幾乎? 山僧一見尙惆悵, 何況當塗士大夫?':追加].[399)]

[冬十月[乙亥朔大盡,辛亥], 某日, 蒙古遣著古與等十二人, 察高麗納款之實:追加].[400)]

[是月戊子[14日], 修禪社主慧諶上堂說法於河東縣陽慶寺, 時前參知政事鄭叔瞻聽法:追加].[401)]

396) 王太后 王氏는 江陵公 溫의 딸로서 神宗妃 宣靖太后 金氏이다(열전1, 후비1, 神宗). 이날은 율리우스曆으로 1222년 9월 23일(그레고리曆 9월 30일)에 해당한다.

397) 神宗妃의 몸가짐[處身]은 열전1, 神宗妃, 宣靖太后 金氏에도 수록되어 있다.

398) 眞陵은 失傳되어 현재 어디에 있는지를 알 수 없다.

399) 이는 다음의 자료에 의거하였다.

· 『보한집』권하, "後松廣社無衣子[慧諶], 壬午[高宗9年]秋, 受請領道侶千餘人, 將赴西原, 抵宿此驛, 見之咨嗟良久曰, '此是諫臣去國圖'. 乃題詩曰, '壁上何人畫此圖, 諫臣去國事幾乎? 山僧一見尙惆悵, 何況當塗士大夫'. 噫, 畫工之感前事寫此圖, 禪師之識舊畫留此詩, 與古風雅君子無異也".

400) 이는 다음의 자료에 의거하였다.

· 『원사』 권208, 열전95, 外夷1, 高麗, "[太祖]十七年十月, 詔遣着古歟等十二人至其國, 察其納款之實".

· 『원고려기사』本文, 太祖, "十七年壬午十月, 詔遣使著古歟等十二人, 探高麗納款之實".

401) 이는 다음의 자료에 의거하였다.

· 『眞覺國師語錄』, 上堂, 壬午十月十四日河東陽慶寺慶讚起始上堂.

[壬寅28日, 翠嵓寺住持·重大師宗麟鑄成同寺飯子一座, 入重六斤:追加].402)

[十一月乙巳朔大盡,壬子:追加].

冬十二月乙亥朔小盡,癸丑, [甲申10日, 大霧:五行3轉載].
[丙戌12日, 太白·鎭星, 同舍南斗:天文2轉載].
[丁亥13日, 太白·鎭星又相犯:天文2轉載].
[辛卯17日, 月犯大微太微西藩上將:天文2轉載].
丁酉23日, 以門下侍郞平章事李延壽△爲守太保·柱國, 崔甫淳爲中書侍郞平章事·判兵部事,403) 史洪紀△爲參知政事, 金就礪△爲參知政事·判戶部事,404) 守司空·左僕射文惟弼△爲知門下省事,405) 鄭通輔·韓光衍並爲樞密院使, 宋臣卿△爲知樞密院事·吏部尙書, 李勣△爲同知樞密院事, 樞密院副使?李迪儒爲左散騎常侍·判三司事, 貢天源爲樞密院副使·尙書左僕射, 上將軍吳壽祺爲樞密院副使·工部尙書, 柳澤爲尙書右僕射, 上將軍金仲龜爲兵部尙書·樞密院知奏事, 崔甫延爲刑部尙書, 上將軍文漢卿爲工部尙書, 柳彥琛爲刑部尙書·判閣門事判閤門事, 咸壽爲戶部尙書, 李公老爲樞密院右副承宣.406)
[壬寅28日, 太僕寺災:五行1火災轉載].
[是月, 僧聖智寫成'白紙墨字大般若波羅蜜多經':追加].407)
[是年, 以朝議大夫·試太府卿任益惇爲太府卿:追加].408)

---

402) 이는 翠嵓寺 飯子의 銘文에 의거하였다(許興植 1984년 990面).

403) 이때 崔甫淳은 中書侍郞平章事·判兵部事·修文殿大學士에 임명되었다(崔甫淳墓誌銘).

404) 이때 金就礪는 金紫光祿大夫·參知政事·判戶部事에 임명되었다(金就呂墓誌銘).

405) 이때 文惟弼은 守司空·左僕射(前年 12월 甲午14日에 임명됨)로서 知門下省事에 兼職으로 임명되었던 것 같다. 이는 그가 1223년(고종10) 6월에 寫成한『解深密經』권2末尾의 題記에 "貞祐十一元光二癸未六月 日寫成」金紫光祿大夫·知門下省事·守司空·左僕射"로 되어 있음을 통해 알 수 있다(南權熙 2010년). 이때 고려는 金이 사용하고 있던 연호인 元光을 사용하지 아니하고 前代의 연호인 貞祐를 사용하고 있었다.

406) 이때 李公老는 通議大夫·樞密院右副承宣·試國子監大司成에 임명되었던 것 같다(淸河寶鏡寺住持大禪師贈謚圓眞國師塔碑銘). 그의 열전에는 樞密院右副承宣·國子監大司成으로 되어 있다(열전15, 李公老).

407) 이는 京都市 左京區 南禪寺福地町 南禪寺에 소장된『白紙墨書大般若波羅蜜多經』권2, 題記에 의거하였다(權熹耕 1986년 381面 ; 張東翼 2004년 729面 ; 張忠植 2007년 108面).
· 題記, "嘉定十五年十二月,第二卷八千八百九十五字也,」 檀月三寶弟子聖智」".

408) 이는「任益惇墓誌銘」에 의거하였다.

[是年頃, 以將軍金希磾爲義州分道將軍:列傳16金希磾轉載].

癸未[高宗]十年, 金元光二年[高麗行貞祐十一年],[南宋嘉定十六年], [蒙古太祖十八年], [西曆1223年]

1223년 2월 2일(Gre2월 9일)에서 1224년 1월 21일(Gre1월 28일)까지, 354일

春正月甲辰朔大盡,甲寅, [辛亥8日, 水金洞有女生兒, 人首蛇身:五行1人痾轉載].

[○戎器都監災:五行1火災轉載].409)

[乙卯12日, 雨水. 月掩五諸侯:天文2轉載].

[己未16日, □月犯大微太微:天文2轉載].

[壬戌19日, □月犯心星:天文2轉載].

己巳26日, 設帝釋道場于修文殿.

[某日, 樞密院副使吳壽祺與□上將軍崔愈恭·將軍金季鳳·郎將高守謙等, 嘗邀宴重房諸將於其家, 謀欲盡殺文臣, 以報私怨. 事覺, 貶壽祺爲白翎鎭將, 尋遣人殺之, 愈恭爲巨濟縣令, 季鳳爲溟州副使, 配守謙于海島:節要轉載].410)

[某日, 以庾誕玄庾敬玄爲慶尙道按察使, 崔宗梓爲全羅道按察使:慶尙道營主題名記].411)

二月甲戌朔大盡,乙卯, 丁亥14日, 燃燈, 王如奉恩寺.

乙未22日, 設佛頂道場于修文殿.

丁酉24日, 幸王輪寺.

---

409) 이와 관련된 기사로 다음이 있는데, 時期上으로 적절한 것인지는 알 수 없다.
· 지31, 百官2, 戎器都監, "高宗十年, 置之".

410) 添字는 열전42, 崔忠獻, 怡에 의거하였다.

411) 庾誕玄은 庾敬玄(庾資諒의 子)의 오자로 추측된다. 後者는 이 시기에 起居注(종5품)를 역임하고 宰相의 추천을 받아 慶尙州道□□按察使가 되었다가 1년 후에 □□侍郎(정4품)에 임명되었다고 한다.
·「庾敬玄墓誌銘」, "宰相□薦公爲慶尙州道□□按察使, 踰年, 以□□侍郎, 又□爲□□".
또 崔宗梓는 이해의 4월 1일(癸酉) 全羅道와 인접한 위치에 있던 晋州牧 管內의 斷俗寺를 방문하여 大禪師 慧諶에게 說法을 청하였음을 통해 알 수 있다(『眞覺國師語錄』, 上堂, 癸未四月初一日, 安居起始, 按察崔宗梓請上堂).

[戊戌[25日], 雨雹:五行1雨雹轉載].

三月[甲辰朔[小盡,丙辰], 震三人:五行1雷震轉載].[412)]

[某日, 京城妖言, "今月初八日[辛亥], 人出門外則輒死". 是日[8日], 市肆爲空:節要·五行2轉載].

[丁巳[14日], 月食:天文2轉載].[413)]

己未[16日], 幸妙通寺.

夏四月[癸酉朔大盡,丁巳], [辛巳[9日], 月入大微[太微], 犯西藩上將. 歲星入亢, 犯東南星:天文2轉載].

壬午[10日], 設談論法席于內殿.

癸未[11日], 幸賢聖寺.

[甲午[22日], 雨雹:五行1雨雹轉載].

[辛丑[29日], 東池水, 濁三日, 魚鼈盡出, 或有死者:五行1水變轉載].

[是月, 左諫議大夫劉沖基, □□□□□[掌國子監試], 取韓景允等六十人:選擧2國子試額轉載].

[是月乙亥[3日], 三重大師文解造成平州月峯寺金堂小鍾一口, 入重三十斤:追加].[414)]

五月[癸卯朔小盡,戊午], [某日], 西北面兵馬使報, "平虜鎭有一女, 生九子, 皆有文武

---

412) 甲辰에 朔이 탈락되었다.

413) 이날 宋에서도 월식이 예측되었으나 구름으로 인해 보이지 않았다고 한다(『宋史』 권52, 지5, 천문5, 月食). 또 이날 일본의 가마쿠라[鎌倉]에서도 월식이 관측되지 못하였다고 한다(高麗曆과 同一, 日本史料5-1冊 864面). 그리고 이날은 율리우스력의 1223년 4월 27일이고, 월식 현상이 심했던 때의 世界時는 19시 49분, 食分은 0.89이었다(渡邊敏夫 1979年 479面).
· 『吾妻鏡』第26, 貞應 2년 3월, "十四日丁巳, 今夜月蝕, 不正現".
· 『本朝統曆』 권9, 貞應 2년, "三十四夜望, 寅四, 月蝕, 十分强, 丑六, 卯二".

414) 1936년 6월 黃海道 平山郡 新岩面 月峯里 月峯洞의 水田에서 梵鍾 3口, 金鼓 1口, 水瓶 2点, 湯器(柄杓, 湯이나 물을 퍼는 손잡이가 달린 道具) 1点이 발견되었는데, 그 중에서 梵鍾 1口(높이 51cm)와 金鼓에 刻銘이 있었다고 한다. 梵鍾의 銘文은 다음과 같다(朝鮮總督府 博物館 1937년 第9輯 ; 中吉 功 1973年b 336面).
· 銘文, "貞祐十一年癸未四月初三」 日,三重文解造納月峯寺」 金堂排小鍾,入重參拾斤,」 監事大師定聰,典座大師敦」 習,大匠別將同正崔汶芢".
· 『雍州府志』 권7, "柄杓, 汲湯之具也, 竹筒存節二寸許, 切之, 橫貫竹柄, 上之杓, 湯幷水".

才". 命其官, 歲給租二十石, 終其身.

[→以平虜鎭有一女, 生九子, 皆有文武才. 王命其官, 歲給租二十碩, 終其身:節要轉載].

[某日, 金□[元]帥亐哥下屯兵于馬山, 潛寇義·靜·麟三州. 義州分道將軍金希磾請往逐之, 不得命, 乃擅遣甲士百人, 掩襲亐哥下于馬山, 生擒三人, [奔潰]溺鴨江死者頗多, 取輜重二十二船, 以還:節要轉載].[415)]

甲子[22日], 倭寇金州.

○東眞國遣侶信·阿典·渾垣等八人來.

六月[壬申朔大盡,己未], 癸酉[2日], 王如奉恩寺.

乙未[24日], 以兪升旦爲禮部侍郞·右諫議大夫, 趙晋卿爲殿中丞.

丙申[25日], 賜曹均正等及第.[416)]

[丁酉[26日], 歲星犯亢南第一星:天文2轉載].

[是月, 知門下省事·守司空·左僕射文惟弼寫成'解深密經':追加].[417)]

---

415) 이와 같은 기사가 열전16, 金希磾에도 수록되어 있는데, 添字는 이에 의거하였다.

416) 이와 관련된 기사로 다음이 있다. 崔溥는 崔傅로 달리 표기되기도 하였는데, 후자가 옳을 것이다(열전9, 尹瓘, 世儒 ; 『동국이상국집』 권34, 崔傅銀靑光祿大夫·簽書樞密院事·右散騎常侍官誥).

· 지27, 선거1, 科目1, 選場, "[高宗]十年六月, 右僕射柳澤知貢擧, 殿中監崔溥[崔傅]同知貢擧, 取進士, □□[丙申], 賜曹均正等二十九人·明經三人·恩賜九人及第".

이때 曹均正·金允升(『동국이상국집』 권16, 次韻劉大諫[諫議大夫]冲祺喜門生進士金允升, 一年延捷, 仍召入天院) 등이 급제하였다(朴龍雲 1990년 ; 許興植 2005년). 이에서 大諫은 左·右諫議大夫를 가리키는 雅稱이다.

또 1272년(원종13) 무렵 判太府事 張鎰이 致仕를 청하다가 簽書樞密院事·翰林學士로 승진한 일이 있는데, 이에 中書侍郞平章事 兪千遇가 賀詩를 증정하였다고 한다.

· 열전19, 張鎰, "以判大府事[~~判太府寺事~~], 有疾乞退, 王不允曰, '鎰從事賢勞, 尙稽大用'. 超授簽書樞密院事·翰林學士, 贊成事[平章事]兪千遇賀詩云, '初似維摩方丈室, 終如均正狀元郞'. 曹均正, 年老赴擧, 乞恩賜, 試官閱其文佳, 遂擢第一, 故用其事, 戲焉". 여기에서 贊成事는 平章事로 고쳐야 옳게 될 것이다. 또 이 기사를 통해 볼 때 曹均正은 장기간에 걸쳐 科業을 준비하다가 장원 급제하였던 것 같다.

417) 이는 京都市 左京區 南禪寺에 소장되어 있는 다음의 자료에 의거하였다(小野玄妙 1929年 ; 辻森要脩 1929年·1930年 ; 張東翼 2004년 706面).

· 『解深密經』 권2·3, 卷末題記, "貞祐十一年癸未六月日寫成」 金紫光祿大夫·知門下省事·守司空·左僕射文惟弼".

秋七月壬寅朔小盡,庚申, [辛亥10日, 月入南斗魁第二星:天文2轉載].

[某日, 參知政事崔瑀修隍羅城, 以家兵爲役徒, 出銀甁三百餘口·米二千餘碩, 以支其費:節要轉載].

[□□是月], 蝗.

[→蝗蟲食松葉:五行2轉載].

[某日, 以李□茉爲慶尙道按察使, 田甫龜爲全羅道按察使:慶尙道營主題名記].[418]

八月辛未朔小盡,辛酉, [丙子6日, 熒惑入魁鬼:天文2轉載].

[某日, 參知政事崔瑀造黃金十三層塔及花甁各一, 置于興王寺, 共重二百斤:節要轉載].

[→參知政事崔瑀, 又出黃金二百斤, 造十三層塔及花甁, 置興王寺:列傳42崔怡轉載].[419]

甲申14日, 西京地大震.

乙酉15日, 亦如之西京地大震.[420]

[丙戌16日, 歲星犯西南第一星. 月暈四重, 內赤外靑:天文2轉載].

[癸巳23日, 月犯五諸侯:天文2轉載].

甲午24日, 親設消災道場於宣慶殿.

[丁酉27日, 歲星犯西南星:天文2轉載].

[己亥29日晦 ,太白·歲星同舍:天文2轉載].

[是月戊戌28日, 竹州大惠院主·大師智成, 僧賢堪等造成金鍾:追加].[421]

---

418) 이 부분도 損傷이 되어 이름을 판독할 수 없었던 것 같다. 또 田甫龜(田元均의 3子)는『無衣子詩集』권하, 常住寶記에 의거하였다.

419) 이 花甁에는 어떠한 畵記와 그림이 새겨져 있는지는 알 수 없다. 현재 국립중앙박물관에는 '淸林寺', '天堂花□'가 刻字된 고려시대의 鐵畵靑瓷 1점이 소장되어 있다고 하며, 이의 높이는 11cm라고 한다(司空영애 2019년). 여기에서 淸林寺는 古阜郡 管內의 保安縣(現 全羅北道 扶安郡 地域)에 있었던 淸臨寺의 다른 表記일 가능성이 있다(『신증동국여지승람』 권34, 扶安縣 佛宇).

420) 지9, 五行3, 土行, 地震에는 乙酉가 己酉로 되어 있는데 오자이다.

421) 이는 다음의 자료에 의거하였는데, 조성연대인 癸未年은 梵鐘의 양식적 특징을 통해 볼 때1223년(고종10)에 비정된다고 한다(龍仁大學博物館 所藏, 崔應天 1999년).

· 鍾銘, "奉佛弟子南贍部州高麗國,」 竹州大惠院金鍾造成,」 特爲」 聖躬萬歲·國土太平·法界」 生亡共增菩提之愿,」 前上戶長同心爲金鍾入重」 一百陸十三斤印,」 時癸未八月二十八日」 □安逸戶長在□,」 棟梁道人賢堪,」 院主·大師智成,」 南日月寺依□芙?□希素」".

九月庚子朔大盡,壬戌, 日食.422)

[壬寅3日, 月與太白, 同舍于氐:天文2轉載].

[癸卯4日, □月掩心前星:天文2轉載].423)

[甲辰5日, 寒露. 大雷雨:五行2轉載].

[丙午7日, 熒惑犯軒轅大星:天文2轉載].

[○虹見于東:五行1虹霓轉載].

戊申9日, 有旨,"兩界五道鎭兵法席供費, 皆出於民, 是欺佛·欺天, 何福之有?". 爰遣中使, 出內庫銀甁三百口, 分付諸道, 慶尙道二百口, 全羅道六十口, 忠淸道四十口".424)

[壬子13日, 亦如之熒惑犯軒轅大星:天文2轉載].

乙卯16日, 幸王輪寺.

[戊午19日, 亦如之熒惑犯軒轅大星:天文2轉載].

辛酉22日, 幸普濟寺.

[乙丑26日, 月入大微太微:天文2轉載].

[戊辰29日, 太白·歲星, 同舍于氐:天文2轉載].

[是月頃, 蒙古使宣差山朮觧等十二人來, 以皇太弟斡赤斤鈞旨, 復趣貢物:追加].425)

---

422) 이날 宋에서는 軫星에 일식이 있었다고 하며, 金에서도 일식이 있었다(『송사』 권52, 지5, 천문5, 日食 ; 『금사』 권16, 본기16, 宣宗下, 元光 2년 9월 庚子 ; 권20, 지1, 天文, 日薄食煇珥雲氣). 또 이날 일본의 鎌倉에서도 일식이 있었다(고려력과 같음, 日本史料5-2冊 56面). 그리고 이날은 율리우스력의 1223년 9월 26일이고, 開京에서 일식 현상이 심했던 시간은 12시 3분, 食分은 0.64이었다(渡邊敏夫 1979年 309面).

· 『吾妻鏡』第26, 貞應 2년 9월, "一日庚子, 今晩甚雨, 及日中晴, 未二刻日蝕, 正現, 三分蝕云々".

· 『本朝統曆』 권9, 正應 2년, "九朔, 日蝕七分强, 巳三, 午二".

423) 이때 일본의 가마쿠라[鎌倉]에서도 같은 현상이 있었던 것 같다.

· 『吾妻鏡』第26, 貞應 2년 9월, "二日辛丑, 戌刻, 太白犯歲星, 相去二尺七寸所. 三日壬寅, 戌刻, 月犯太白, 相去三尺所. 四日癸卯, 月犯心前星".

424) 이의 축약으로 다음이 있다,.

· 『고려사절요』 권15, "有旨, "兩界五道鎭兵法席供費, 皆出於民. 是欺佛·欺天, 何福之有?". 遣中使, 出內庫銀甁三百口, 行之".

425) 이는 다음의 자료에 의거하였다.

· 『원사』 권208, 열전95, 外夷1, 高麗, "太祖十八年八月, 宣差山朮觧等十二人, 復以皇太弟·國王斡赤斤書, 趣其貢獻".

· 『원고려기사』本文, 太祖, "十八年癸未八月, 宣差山朮觧與東眞十二人, 奉皇大弟皇太弟·國王書, 復催貢. 尋獻方物". 여기에서 添字와 같이 고쳐야 옳게 될 것이다.

冬十月庚午朔小盡,癸亥, [癸酉4日, 月入南斗魁:天文2轉載].

丙子7日, 尊皇太后爲太皇太后, 大赦.

[己卯10日, 太白犯南斗第五星, 又太白·鎭星, 同舍于斗:天文2轉載].

壬午13日, 幸乾聖寺.

[癸未14日, 大雷電:五行1雷震轉載].

[甲申15日, 亦如之大雷電:五行1雷震轉載].

戊子19日, 幸妙通寺, 國子祭酒李忠敏率諸生, 謁于道左, 王駐蹕, 賜酒果.

[己丑20日, 小雪. 內都校□署災:五行1火災轉載].

[壬辰23日, 月與熒惑, 入大微太微:天文2轉載].

[癸巳24日, □月犯大微太微左執法:天文2轉載].

[丙申27日, 鵂鶹鳴于儀鳳門儀鳳樓門:五行1轉載].

丁酉28日, 親設消災道場于宣慶殿.

[戊戌29日晦, 辰星與歲星, 同舍于氐:天文2轉載].

[某日, 以判閤門事崔義爲西京八關齋祭副使:追加].[426]

[是月頃, 蒙古使宣差山朮解等賫歲貢還, 上皇太弟斡赤斤書曰, "前月, 上國使至, 奉傳鈞旨, 備認皇太弟大王殿下起居萬福, 欣慰良多. 但來敎, 以小國不曾發遣女孩兒及會漢兒文字言語人, 亦不進奉諸般要底物等事, 督責甚嚴, 聞令惶悸, 不知所圖. 上件人物, 皆下國所乏, 前已再陳所不能應副之由, 輸寫肝膽, 無所隱蔽, 庶蒙炤悉, 儻或矜恕, 尙復徵詰不已, 意者區區微誠, 不足動大王之鑑耶? 豈或慮矯飾之詞, 而不之信耶? 言若有餙, 惟皇天·后土知之. 且小國勤事大邦, 猶恐不盡其誠, 况於贄獻之禮, 雖不承嚴令, 豈不欲務爲繁夥浩侈, 以猒大國之心乎? 然物之有無豊瘠, 係于風土, 我國本介居山谷間, 地甚磽确. 雖有所產, 例皆麤品, 殊不合上國之用, 徒以獻芹之意, 歲備不腆般品, 以修情禮而已, 每枉鈞旨, 徵索無旣, 小國其何以堪之哉? 以有涯之用, 供無旣之求, 決知不能, 如以不能, 獲罪於上國, 亦乖依仰大邦佇蒙撫恤之意也. 其若靑絲·綾走絲等物, 本非我國所產, 此亦前所具陳, 想大國已詳之矣. 雖風土所生, 隨時之有無, 有進與未, 况地所不產哉? 其諸般名手·匠人, 亦如前書所陳國無能者, 故未能發遣. 事輒違意, 深恐深恐. 伏惟, 大王殿下挾太弟之貴, 導天子之化, 以綏靖四方爲己任, 其於遠人, 時有以寬容, 以示字小

426) 이는「崔義墓誌銘」에 의거하였다.

之義, 實小邦之望也. 所徵物件, 雖不能依數准備, 粗竭帑儲, 具如別錄, 謹附廻使, 俾所過州郡交領檢獻, 以此爲籍手之資, 惟大王諒之, 請勿以些小爲罪也:追加].[427)]

十一月[己亥朔大盡,甲子], [壬寅[4日], 月與太白, 同舍牽牛:天文2轉載].

癸卯[5日], 幸賢聖寺.

丙午[8日], 幸法雲寺, 設仁王道場.

戊申[10日], 幸外帝釋院.

[己酉[11日], 歲星犯房上相:天文2轉載].

壬子[14日], 設八關會, 幸法王寺.

[甲寅[16日], 歲星犯鉤鈐:天文2轉載].

[丙辰[18日], 日珥:天文1轉載].

[丁巳[19日], 太白犯壘壁陣第二星:天文2轉載].[428)]

[己未[21日], 兵部行廊災:五行1火災轉載].

[庚申[22日], 冬至. 日暈, 有兩珥:天文1轉載].

[○月與熒惑, 入大微[太微]端門:天文2轉載].

---

427) 이는 다음의 자료에 의거하였다. 이 書狀의 發給時期가 명시되어 있지 않지만 내용 중에 皇太弟 斡赤斤[otchingin]의 歲貢督促에 대해 '이미 再次이나 事由를 回信[前已再陳所]'하였다는 점을 고려하여 황태제의 鈞旨가 고려에 도착한 1221년(고종8) 8월 13일, 是年 8월 某日의 두 사례 중에서 後者에 筆者가 任意로 수록하였다.

· 『동국이상국집』 권28, 蒙古國使賫廻, 上皇太弟書, "某月日, 使臣某至, 奉傳鈞旨, 備認皇太弟·大王殿下起居萬福, 欣慰良多. 但來敎, 以小國不曾發遣女孩兒及會漢兒文字言語人, 亦不進奉諸般要底物等事, 督責甚嚴, 聞令惶悸, 不知所圖. 上件人物, 皆下國所乏, 前已再陳所不能應副之由, 輸寫肝膽, 無所隱蔽, 庶蒙炤悉, 儻或矜恕, 尙復徵詰不已, 意者區區微誠, 不足動大王之鑑耶? 豈或慮矯餙之詞, 而不之信耶? 言若有飾, 惟皇天·后土知之. 且小國勤事大邦, 猶恐不盡其誠, 況於贄獻之禮, 雖不承嚴令, 豈不欲務爲繁夥浩侈, 以猒大國之心乎? 然物之有無豊瘠, 係于風土, 我國本介居山谷間, 地甚磽确. 雖有所產, 例皆麤品, 殊不合上國之用, 徒以獻芹之意, 歲備不腆般品, 以修情禮而已, 每枉鈞旨, 徵索無旣, 小國其何以堪之哉? 以有涯之用, 供無旣之求, 決知不能, 如以不能, 獲罪於上國, 亦乖依仰大邦佇蒙撫恤之意也. 其若靑絲·綾走絲等物, 本非我國所產, 此亦前所具陳, 想大國已詳之矣. 雖風土所生, 隨時之有無, 有進與未, 況地所不產哉? 其諸般名手·匠人, 亦如前書所陳國無能者, 故未能發遣. 事輒違意, 深恐深恐. 伏惟, 大王殿下挾太弟之貴, 導天子之化, 以綏靖四方爲己任, 其於遠人, 時有以寬容, 以示字小之義, 實小邦之望也. 所徵物件, 雖不能依數准備, 粗竭帑儲, 具如別錄, 謹附廻使, 俾所過州郡交領檢獻, 以此爲籍手之資, 惟大王諒之, 請勿以些小爲罪也, 惶恐惶恐".

428) 이날 일본의 가마쿠라[鎌倉]에서도 비슷한 천문현상이 관측되었던 것 같다.

· 『吾妻鏡』第26, 貞應 2년 11월, "十九日丁巳, 戌刻, 太白星犯哭星第一星, 前右京亮重宗申之".

[辛酉[23日], 日珥:天文1轉載].

[癸亥[25日], 太白犯壘壁陣:天文2轉載].

[丁卯[29日], 辰星與歲星, 同舍于氐:天文2轉載].

戊辰[30日], 親設消災道場于脩文殿.

十二月[己巳朔[小盡,乙丑], 太白掩行壘壁陣:天文2轉載].

[壬申[4日], 月入羽林, 與太白同舍:天文2轉載].

[丁亥[19日], □[月]入大微[太微]:天文2轉載].

戊子[20日], 以[門下侍郎平章事]李延壽△[爲]守太保, [中書侍郎平章事]崔甫淳爲修文殿大學士·同修國史, 鄭通輔△[爲]判樞密院事, [樞密院使]韓光衍爲寶文閣大學士,[429] 宋臣卿·李勣並△[爲]知樞密院事, 李迪儒△[爲]同知樞密院事, [樞密院副使]貢天源爲禮部尙書, 金仲龜爲樞密院副使·尙書左僕射,[430] 柳澤爲翰林學士承旨, [李奎報爲試將作監·寶文閣待制:追加].[431]

[○月與熒惑, 同舍于軫:天文2轉載].[432]

[是月庚寅[22日], 金宣宗崩, 辛卯[23日], 哀宗完顔守緖卽位:追加].

[是年, 以禮部員外郎白賁華爲宣州防禦副使, 以疾不赴:追加].[433]

[增補].[434]

---

429) 이때 韓光衍은 樞密院使로서 寶文閣大學士에 임명되었다(韓光衍墓誌銘).

430) 이때 金仲龜는 銀靑光祿大夫·樞密院副使·尙書左僕射·上將軍·判三司事에 임명되었다고 한다(金仲龜墓誌銘).

431) 이는 『동국이상국집』年譜에 의거하였다.

432) 이날 일본의 가마쿠라 에서도 비슷한 천문 현상이 관측되었던 것 같다.
· 『吾妻鏡』第26, 貞應 2년 11월, "二十日戊子, 今夜子刻, 月與熒惑同變, 相去二尺三寸所".

433) 이는 「白賁華墓誌銘」에 의거하였다.

434) 이해의 겨울[冬]에 일본에서는 다음과 같은 일이 있었다. 곧 越後國(에치고노쿠니, 현 新寫縣 지역) 寺泊浦에 표류한 고려인에 대한 기사이다. 이들이 소지하고 있던 銀牌(銀製虎符, 銀簡)에 새겨진 글자[四字]는 일본인들의 큰 疑問이 되어 1636년(인조14, 寬永13) 林羅山(하야시 라잔, 1582~1657)은 朝鮮의 使臣 文弘績에게 판독으로 요청하기도 하였다(張東翼 2004년a 318面).
· 『吾妻鏡』 권26, 貞應 3년(元仁 1년) 2월, "廿九日, 去年冬比, 高麗人乘船, 流寄于越後國寺泊浦. 仍今日, 式部大夫[北條]朝時, 執進其弓箭以下具足於若君[源賴經]御方, 則覽之 奧州[北條義時]以下群參, 弓二張假令如常, 但頗短, 似夷弓, 以皮爲弦. 羽壺一, 太刀一常刀, 聊細長體也. 刀一大畧同常刀, 帶一筋以緖組之, 彼帶中央付銀簡長七寸, 廣三寸方也, 其中注銘四字也. 又銀匙一, 鉊一, 箸一雙動物骨也, 櫛以皮造之. 櫛袋入之, 具足等者, 似吾國之類, 皆見形知名. 於四字銘

甲申[高宗]十一年, 金正大元年[高麗行貞祐十二年]→[只用當該年干支],435)
[南宋嘉定十七年], [蒙古太祖十九年], [西曆1224年]

1224년 1월 22일(Gre1월 29일)에서 1225년 2월 8일(Gre2월 15일)까지, 13개월 384일

春正月戊戌朔大盡,丙寅, 放朝賀.

丙午9日, 蒙古使札古也著古與等十人來.436)

戊申11日, 東眞國遣使, 賫牒二道來. 其一曰, "蒙古成吉思師老絶域, 不知所存, 訛赤忻鐵木哥斡赤斤貪暴不仁, 已絶舊好". 其一曰, "本國於靑州, 貴國於定州, 各置榷場, 依前買賣".437)

[庚戌13日, 月掩五諸侯第二星:天文2轉載].

癸丑16日, 宰樞會參知政事崔瑀第, 議接蒙·眞兩國使之禮.

○蒙古使著古與賫國贐禮物還. 王命直門下省馬希援, 送于西京. 使至鴨綠江, 棄

者, 文士數輩, 雖令參候, 無讀之人云"(文字見樣 省略).

· 『송사』 권154, 지107, 輿服6, 符劵, "唐有銀牌, 發驛遣使, 則門下省給之. 其制, 闊一寸半, 長五寸, 面刻隸字曰'敕走馬銀牌'凡五字. 首爲竅, 貫以韋帶, 其後罷之. …".

이 銀牌의 글자는 일찍이 '女眞國の萬戶溫'을 뜻하는 女眞文字라고 파악한 견해가 있었고, 1997년 이후 沿海州의 사이긴[寒加] 城址에서 같은 문자가 새겨진 遺物이 발견되었다. 이로써 女眞文字(뜻은 첫 글자는 手決이고, 세 글자는 '國에의 精誠을'로 추측됨)가 刻字된 銀牌는 金代의 通行證[路引]임을 알 수 있었다. 이로써 『吾妻鏡』에서 高麗人이 乘船했다는 船舶은 女眞人의 선박일 가능성이 있다(稻葉岩吉 1934年 ; 川崎 保 2002年 ; 藤田明良, 2007年).

435) 이해에 金帝國의 쇠퇴로 인해 그들의 年號 使用을 중지하고 干支紀年을 사용하였다(表2, 年表2 ; 『慶尙道營主題名記』). 또 干支紀年의 사례로 1224년(고종11)의 「寶鏡寺圓眞國師塔碑銘」, 1226년의 「鄭邦輔墓誌銘」, 1228년(고종15)의 「尹應瞻墓誌銘」, 1229년의 「崔晛墓誌銘」, 1237년(丁酉, 고종24) 7월 29일 李奎報의 「東宮妃主哀册文」, 10월의 「東宮妃主謚册文」(『동문선』 권28 所收), 8월 13일 大禪師 慧諶의 설법(『眞覺國師語錄』, 上堂) 등을 들 수 있다.

436) 이때 著古與[Jagur]의 到着은 몽고제국 측의 자료에서도 확인지만, 2월은 1월의 잘못일 것이다. 또 扎古也를 著古與로 고쳐야 일관성을 가질 수 있는데, 이러한 蒙古人의 音譯에는 『원사』에서도 일관성이 결여된 것이 많이 발견되고 있다.

· 『원사』 권208, 열전95, 外夷1, 高麗, "太祖十九年二月, 着古歟等, 復使其國".

· 『원고려기사』本文, 太祖, "十九年甲申二月, 宣差著古歟等, 復使高麗".

437) 訛赤忻[Ochiqin]은 成吉思汗의 弟인 鐵木哥斡赤斤[Temuge Ochiqin]의 다른 표기이다(→고종 11년 1월 11일의 脚注). 또 東眞國이 이전시기에 金帝國과 고려 사이에 행해졌던 것과 같이 榷場을 개설하자고 한 것은 당시에 국경무역이 이루어졌던 사실을 확인해 줄 수 있는 증거일 것이다(丸龜金作 1935年).

· 지25, 樂2, 元興, "元興鎭, 東北面和寧府屬邑, 濱于大海. 邑人船商而還, 其妻悅而歌之".

紬布等物, 但持獺皮而去.

[乙卯[18日], 月與軫星·熒惑, 同舍:天文2轉載].

庚申[23日], 幸法王寺.

乙丑[28日], 太白晝見.

[某日, 以宋恂爲慶尙道按察使:慶尙道營主題名記].

[是月, 利義寺僧大師玄津與戶長孫俊·檢校將軍孫儒等造成同寺飯子小鍾一口, 入重十一斤印:追加].[438]

[是月朔, 金改元正大:追加].

二月[戊辰朔大盡,丁卯], 己巳[2日], 親設佛頂道場於內殿.

[壬申[5日], 雨土:五行3轉載].

癸酉[6日], 幸王輪·乾聖二寺.

甲戌[7日], 太白晝見.

[庚辰[13日], 月犯軒轅:天文2轉載].

辛巳[14日], 燃燈, 王如奉恩寺.

[壬午[15日], 大微[太微]右執法, 入翼, 與熒惑同舍:天文2轉載].

[丁亥[20日], 金吾池魚, 皆死, 浮於水面:五行1魚孽轉載].[439]

[己丑[22日], [太微右執法,] 入南斗魁:天文2轉載].

三月[戊戌朔小盡,戊辰], 癸卯[6日], 東眞國使來.

---

438) 이는 忠淸北道 永同郡 陽山面 柯谷里에 발견되었다는 다음의 자료에 의거하였다(국립중앙박물관 소장, 國立中央博物館 2009년b ; 蔡雄錫 等編 2013년 ; 강화역사박물관 2017년 58面).

· 「利義寺飯子」, "貞祐十二年甲申正月日,利義寺火香大師玄津亦同寺飯子·小鍾等全闕爲去乎,才用良奉□同都監仁守」·正孫時用·戶長孫俊書·檢校將軍孫儒同心爲聖壽天長·隣兵永息·國土大平[太平],愿以造成懸排,入重十一斤印,大匠仁天住夫」". 여기에서 愿字는 願字와 같은 의미로 사용되었다.

439) 魚孽은 魚孼로도 表記하며, 이는 魚類가 平素에 하지 않던 現象을 보여 주는 것을 가리키고, 先人들은 이로 인해 어떤 災害가 발생한다는 觀念을 가지고 있었던 것 같다.

· 『晉書』 권29, 지19, 五行下, "魏齊王嘉平四年五月, 有二魚集于武庫屋上, 此魚孽也. 王肅曰, 魚生於水, 而亢於屋, 介鱗之物, 失其所也. 邊將殆有弃甲之變乎?. 後果有東關之敗". 이러한 魚類의 現象은 筆者도 비가 내리는 여름날의 시골 마당[場]에서 각종 魚類가 떨어져 내리는 것을 수차에 걸쳐 實見하였다.

己酉[12日], 親設百高座道場于宣慶殿.

○[金]亐哥下虜去靜州人二百餘口還.

[○月入大微[太微], 又犯熒惑:天文2轉載].

[甲寅[17日], □[月]犯心前星:天文2轉載].

壬戌[25日], [穀雨]. 賜孫琓等及第.[440)]

癸亥[26日], 幸普濟寺.

[某日, [參知政事]崔瑀邀宴宰樞及諸將軍等四十六人. 酒酣, 御史中丞·將軍林宰, 執盞作倡優舞, 人皆鄙之:節要轉載].

[→[參知政事崔瑀,] 嘗會宰樞及諸將軍等四十六人宴, 酒酣, 御史中丞·將軍林宰, 執巵作倡優舞, 見者鄙之:列傳42崔怡轉載].[441)]

[是月, 右諫議大夫兪升旦, □□□□□[掌國子監試], 取詩賦金璨, 十韻詩梁龍藏等七十四人, 明經一人:選擧2國子試額轉載].

夏四月[丁卯朔大盡,己巳], 己巳[3日], 幸外帝釋院.

壬申[6日], 獄吏奏獄空.

---

440) 이와 관련된 기사로 다음이 있다.

· 지27, 선거1, 科目1, 選場, "[高宗]十一年三月, 樞密院副使[樞密院使]韓光衍知貢擧, 判秘書省事崔正份同知貢擧, 取進士, □□[壬戌], 賜孫琓等三十三人·明經四人·恩賜六人及第". 여기서 ~~添字~~와 같이 고쳐야 옳게 될 것이다.

· 「韓光衍墓誌銘」, "轉授樞密院使·寶文閣大學士, 再掌禮闈, 前後所取, 凡若干人鸞鳳蔚然, 時論美之".

441) 이 기사는 原文(열전42, 崔怡)에서 고종 33년 5월에 수록되어 있으나 이곳으로 移動해 오는 것이 옳을 것이다. 또 官人이 氣品[品位]없이 宴樂을 즐기는 것은 古今을 통해 모양새가 좋지 않았던 것 같다.

· 『秋江集』 권7, 雜著, 冷話, "東人效兀良哈舞, 搖頭揚目, 聳肩屈背, 二股十指, 同時屈伸, 或作張弓狀, 或作狗行狀, 熊經鳥作, 進退風生. 自公卿·大夫, 以至於士·庶人·倡優·女子, 解音律, 便容體者, 無不爲之, 號胡舞, 被之筦絃. 議政府右贊成魚有沼尤善之, 余[南孝溫]初亦以爲風流事, 亡友子挺[安應世]極言非之曰, '媚人之行, 柔嫚之態, 非人所爲, 況戎狄譬如禽獸, 安得吾身上加禽獸之事乎?'. 余聞之, 頗不然之, 晩讀'漢書'蓋次公[蓋寬饒]效檀長卿沐猴舞, 然後方知子挺之正論, 而先賢後賢同一揆也".

· 『漢書』 권77, 蓋寬饒傳第47, "蓋寬饒, 字次公, 魏郡人也, … [皇太子外祖·]平恩侯許伯入第, 丞相·御史·將軍·中二千石皆賀, 寬饒不行, 許伯請之, 乃往, … 酒酣樂作, 長信少府檀長卿起舞, 爲沐猴與狗鬭, 坐皆大笑. 寬饒不說, 卬視屋而歎曰, '美哉, 然富貴無常, 忽則易人, 此如傳舍, 所閱多矣, 唯謹愼爲得久, 君侯可不戒哉', 因起趨出, 劾奏長信少府, 以列卿而沐猴舞, 失禮不敬. 上欲罪少府, 許伯爲謝, 良久, 上乃解".

[丁丑[11日], 立夏. 月犯大微[~~太微~~]右執法:天文2轉載].

壬午[16日], 親醮三界.

[癸未[17日], 月犯箕西北星:天文2轉載].

[甲申[18日], □[月]犯南斗魁:天文2轉載].

[壬辰[26日], 小滿. □[月]入婁, 與太白同舍:天文2轉載].

癸巳[27日], 太白晝見.

[○熒惑犯大微[~~太微~~]右執法:天文2轉載].

甲午[28日], 門下平章事[~~門下侍郎同中書門下平章事~~]金義元卒.[442)] [義元, 起於卒伍, 驍勇, 不曉文字. 少家貧, 爲無賴之行, 有人, 持錢財·衣物過者, 卽奪掠而走. 又有隣婦, 以銀甁·段帛, 盛于笥, 凌晨戴去, 義元從後, 密取銀甁而去, 婦不之知也. 及貴, 呼其婦, 給銀甁·叚[段]帛, 婦驚怪, 不受. 義元不言前事, 强與之:節要轉載].[443)]

[是月頃, 牛峯郡副使崔某·前副戶長李益淳等鑄成火爐二座, 入重二百四十斤:追加].[444)]

五月[丁酉朔大盡,庚午], [甲辰[8日], 月入大微[~~太微~~], 與熒惑同舍:天文2轉載].

[丁未[11日], 芒種. 熒惑入大微[~~太微~~], 出端門:天文2轉載].

甲寅[18日], 親設消災道場.

[是月, 蟲食安和寺松葉:五行2轉載].

六月丁卯朔[小盡,辛未], 王如奉恩寺.

辛巳[15日], 王受菩薩戒於大觀殿.

[某日, 以李奎報爲將作監·寶文閣待制, [秘書郞]李世華爲中書注書:追加].[445)]

秋七月[丙申朔大盡,壬申], 丁酉[2日], 太白晝見.

---

442) 이날은 율리우스曆으로 1224년 5월 17일(그레고리曆 5월 24일)에 해당한다.

443) 이와 같은 기사가 열전14, 金義元에도 수록되어 있다.

444) 이는 開城市 長豊郡에서 출토되었다는 獸脚火爐의 銘文에 의거하였다(平壤歷史博物館 所藏, 국립중앙박물관 2006년 ; 崔應天 2018년).

· 銘文, "甲申四月,」 知牛峯郡事造上鑄大火爐二座,入重二百四十斤□, 都色戶長~~中戶~~李希迪, 徂諭前副戶長李松佮, 記官前副戶長李益淳, 長□諭 托光, 監造上 副使崔, 判官女". 여기에서 戶長中戶(郡司戶長 혹은 郡戶長?)와 判官女(判官呂?)는 刻字할 때 오류가 발생한 것 같다.

445) 이는『동국이상국집』연보 ;「李世華墓誌銘」에 의거하였다.

[某日, □大將軍李克仁謀殺崔瑀.446) 事覺, 瑀殺克仁及上將軍崔愈恭·將軍金季鳳·散員朴希道·李公允等,447) 流其黨五十餘人于島. 瑀鞫克仁之黨, 辭及樞密院副使金仲龜·上將軍咸延壽·李茂功·大將軍朴文備,448) 亦配遠島:節要轉載].

[丁巳22日, 月犯昴星:天文2轉載].

[某日, 京山府副使·禮部員外郞白賁華卒于官, 年四十六四十五?:追加].449)

[某日, 以金光敍爲慶尙道按察使:慶尙道營主題名記].

[乙丑30日, 太白犯輿鬼:天文2轉載].

八月丙寅朔小盡,癸酉, [甲申19日, 月犯昴星:天文2轉載].

[丙戌21日, □月犯五車. 太白犯軒轅大星:天文2轉載].

己丑24日, 幸王輪·乾聖二寺.

閏[八]月乙未朔小盡,癸酉, [戊戌4日, 月犯房南第二星, 又與熒惑, 同舍于房:天文2轉載].

[庚子6日, 熒惑入心星, 與歲星同舍:天文2轉載].

[甲辰10日, 雨雹:五行1雨雹轉載].

[丁未13日, 太白入大微太微右執法:天文2轉載].

戊申14日, 幸普濟寺.

壬子18日, 權知秘書校書郞李白賁詣紫宸門, 上言曰, "先王之世, 每押齋醮詞疏, 必齋宿昧爽坐殿, 校書郞奉函御書, 留院官奉筆硯, 立殿下, 上就几下押. 今, 詞疏入內, 秘書郞公服, 立門下, 累日不下, 竊爲陛下不取". 王曰, "權知校書郞微官也, 直言如此, 可謂忠臣".

---

446) 이때 李克仁은 大將軍이었고, 이와 관련된 기사로 다음이 있다.

· 열전42, 崔忠獻, 怡, "明年, 崔愈恭與金季鳳及大將軍李克仁, 謀殺怡, 怡知之, 殺愈恭·克仁·季鳳·散員朴希道·李公允等, 流其黨五十餘人于島. 又鞫其黨, 辭連樞密副使金仲龜, 上將軍咸延壽·李茂功, 大將軍朴文備, 皆流遠島".

447) 上將軍 崔愈恭과 將軍 金季鳳은 前年(고종10) 1월 某日 文臣들을 殺害하려다가 처벌받은 적이 있다.

448) 朴文備는 後日 復職되어 上將軍兼戶部尙書, 樞密院副使 등을 거쳐 樞密院使에 이른 것 같다(『동국이상국집』 권34, 朴文備上將軍兼戶部尙書官誥 ; 『동국이상국집』後集권12, 水嵓寺華嚴結社文 ; 「月南寺趾眞覺國師圓炤塔碑」 碑陰, '樞密院使朴文備').

449) 이는 「白賁華墓誌銘」에 의거하였는데, 『남양시집』권하에 수록된 그의 묘지명에는 年四十五로 되어 있다(『남양시집』板木, 海印寺 所藏, 국보 제206-24호).

癸丑[19日], 幸賢聖寺.

[庚申[26日], 月掩大微[太微]西藩上將:天文2轉載].

[是月丁酉[3日], 南宋寧宗崩, 趙昀即位, 是爲理宗:追加].

九月[甲子朔大盡,甲戌], [乙丑[2日], 赤雲, 自坤方至北, 如火影. 占云, 所向兵至:五行1轉載].[450)]

[甲戌[11日], 太白入角, 與辰星同舍:天文2轉載].

[○虹見東方:五行1虹霓轉載].

[丁丑[14日], 熒惑犯南斗第五星:五行1轉載].

[戊寅[15日], 雷電:五行1雷震轉載].

[己卯[16日], 立冬. 虹見東方:五行1虹霓轉載].[451)]

[○月掩昴星:天文2轉載].

[癸未[20日], 雨土:五行3轉載].

丁亥[24日], 參知政事吳應夫卒.[452)]

[○雷:五行1雷震轉載].

[戊子[25日], 月犯大微[太微]右執法:天文2轉載].

[辛卯[28日], 熒惑入南斗, 與鎭星同舍:天文2轉載].

[壬辰[29日], 雨土:五行3轉載].

冬十月[甲午朔[小盡,乙亥], 雷:五行1雷震轉載].

己亥[6日], 饗國老·庶老·孝子·順孫·義夫·節婦.

庚子[7日], 饗鰥寡·孤獨·篤癈疾, 賜物有差. 檢校將軍魏玿割股肉, 以醫母病, 特賜物加等.[453)]

戊申[15日], 幸外帝釋院.

庚戌[17日], [大雪]. 親設佛頂道場於修文殿.

---

450) 이 구절은 『開元占經』 권94, 四雲氣雜占, 兵氣, "赤雲如火, 所向兵至"에서 따온 것이다.

451) 이날 일본의 가마쿠라[鎌倉]에서 陰晴이 交差되었던 것 같다.
· 『吾妻鏡』第26, 元仁 1년 9월, "十六日己卯, 陰晴. 寅刻, 太白犯辰星云々".

452) 이날은 율리우스曆으로 1224년 11월 6일(그레고리曆 1월 13일)에 해당한다.

453) 이때의 魏玿는 松廣社 6世社主 圓鑑國師 冲止(俗名 魏珣, 1226~1293)의 父親 魏紹의 誤字인 龍州副使 魏玿와 다른 인물로 추정된다(→고종 18년 9월 20일).

己未[26日], 幸法雲寺.

十一月[癸亥朔[大盡,丙子], 雷雨:五行2轉載].
乙亥[13日], 蒙古使著古與等十人至咸新鎭.

[十二月[癸巳朔小盡,丁丑], 某日, 右副承宣李公老卒. 公老, 文章富贍, 尤工於四六. 崔忠獻以公老, 派連戚里, 抑而不用者幾十年. 以禮部郞中充趙冲幕, 獻擒賊之策, 多有中者, 及拜承宣, 王倚爲腹心, 將大用之, 病卒, 家無甑石:節要轉載].[454]
[某日, 以崔甫淳爲守太尉·門下侍郞同中書門下平章事, 李奎報爲試國子祭酒·翰林侍講學士·知制誥, [中書注書]李世華爲右正言·知制誥:追加].[455]

[是年, 樞密院使·寶文閣大學士韓光衍請致仕, 依允:追加].[456]
[○以李勣爲樞密院使·御史大夫:追加].[457]
[○以[太府卿]任益惇爲通議大夫·判禮賓省事:追加].[458]

乙酉[高宗]十二年, 金正大二年[高麗行貞祐十三年]→[只用當該年干支],
[南宋寶慶元年], [蒙古太祖二十年], [西曆1225年]

1225년 2월 9일(Gre2월 16일)에서 1226년 1월 29일(Gre2월 5일)까지, 355일

春正月[壬戌朔大盡,戊寅], 己巳[8日], 復燃燈·八關油蜜果床.
[丁丑[16日], 月食:天文2轉載].[459]

---

454) 이와 같은 기사가 열전15, 李公老에도 수록되어 있다.

455) 이는 「崔甫淳墓誌銘」 ; 『동국이상국집』연보 ; 「李世華墓誌銘」 등에 의거하였다.

456) 이는 「韓光衍墓誌銘」에 의거하였다.

457) 이는 「李勣墓誌銘」에 의거하였다.

458) 이는 「任益惇墓誌銘」에 의거하였다.

459) 이날 宋에서도 월식이 있었고(『송사』 권52, 지5, 천문5, 月食), 일본의 京都와 鎌倉에서도 월식이 관측되었다(高麗曆과 同一, 日本史料5-2册 544面). 이날은 율리우스력의 1225년 2월 24일이고, 월식 현상이 심했던 때의 世界時는 17시 56분, 食分은 0.64이었다(渡邊敏夫 1979年 479面).

[己卯[18日], 月犯左角大星:天文2轉載].

癸未[22日], 蒙古使[著古與]離西京, 渡鴨綠江, 但賫國贐獺皮, 其餘紬布等物, 皆棄野而去, 中途爲盜所殺. 蒙古反疑我, 遂與之絶.[460)]

[甲申[23日], 歲星犯建:天文2轉載].

己丑[28日], 幸法王寺.

[某日, 以權應經爲慶尙道按察使:慶尙道營主題名記].

[是月, 大良坪觀音寺住持·大德得休等造成同寺鍾一口, 入重卄二斤七副:追加].[461)]

[是月朔, 南宋改元寶慶:追加].

二月[壬辰朔小盡,己卯], 戊午[27日], 幸王輪·乾聖二寺.

[是月, 國子祭酒李奎報, □□□□□[掌國子監試], 取詩賦李惟信, 十韻詩元良允等六十六人, 明經三人:選擧2國子試額轉載].[462)]

三月[辛酉朔大盡,庚辰], 戊辰[8日], 幸普濟寺.

[○雨雪:五行1雨雪轉載].[463)]

· 『明月記』, 嘉祿 1년 1월, "十六日, 月蝕, 蒼天遠晴".

· 『吾妻鏡』脫漏, 嘉祿 1년 1월, "十六日丁丑, 霽, 月蝕正現".

· 『本朝統曆』 권9, 嘉祿 1년, "正月十六夜望, 丑三, 月蝕, 十一分弱, 子四, 寅一".

460) 이때 著古與[Jagur]에 관련된 기사로 다음이 있다. 이때 著古與는 1224년(고종11) 11월 13일(乙亥) 압록강을 건너 咸新鎭에 도착하였고, 12월초 開京에 도착하였던 것 같다. 이어서 明年 1월 貢物을 受領하여 귀환하다가 22일(癸未) 西京에서 출발하여 月末 무렵에 압록강을 건너 蒙古軍의 管轄地域內에서 피살되었던 것 같다. 그러므로 다음의 자료는 ~~添字~~가 추가되어야 옳게 될 것이다.

· 『원사』 권208, 열전95, 外夷1, 高麗, "[太祖19年]十二月, [著古與,] 又使焉. ~~明年正月,~~ 盜殺之于途, 自是, 連七歲絶信使矣".

· 『國朝文類』 권41, 雜著, 政典總序, 征伐, 高麗, "[太祖]十九年, 盜殺使者, 遂絶不來".

· 『국조문류』 권41, 雜著, 政典總序, 征伐, 高麗[注, [太祖]十九年, 著古與往使, ~~明年正月,~~ 中途爲賊所害, 後積年絶, 不相通].

· 『원고려기사』, 태조 19년, "十二月, [著古與,] 又使其國, ~~明年正月,~~ 中途爲賊所害".

461) 이는 京都市 北區 紫竹上岸町 15 高麗博物館에 소장되어 있다는 다음의 자료에 의거하였다(許興植 1984년 999面 ; 蔡雄錫 等編 2019년a 152面). 大良坪은 古阜郡 管內 高敞縣의 大良坪 部曲으로 추측된다(『신증동국여지승람』 권36, 高敞縣, 備考).

· 「大良坪觀音寺銅鍾」, "貞右[貞祐]十三年乙酉正月日,造」 大良坪觀音寺鍾,入」 重卄二斤七甫[副],」 東梁[棟梁]前□[戶]長宋子,」 寺主大德得休,」 □[施?]主[閤門]祗候同正□[追?]善".

462) 李惟信은 後日 李奎報의 壻가 되었던 것 같다(李奎報墓誌銘).

[辛未[11日], 流星出積卒, 入尾, 大如木瓜, 尾長三尺許:天文2轉載].

[丁丑[17日], 月犯心星:天文2轉載].

[某日, 制曰, "去年, 東方大水, 傷禾[損傷禾稼], 民多失業, 流亡相繼, 其令東北面兵馬使及諸道按察使, 開倉賑貸". 時有一婦, 不忍飢, 抱兒投水, 死:節要·食貨3水旱疫癘賑貸之制轉載].[464)]

[某日, [參知政事]崔瑀宴宰樞及文武四品以上于其第, 三日:節要轉載].

乙酉[25日], 以修葺內殿, 移御將軍金若先第.

丙戌[26日], 賜林長卿等及第.[465)] 王在江華也, 縣人韋元有甘盤之舊, 至是中第. 王召入內庭, 假屬內侍, 賜衣帶·金銀·鞍馬·酒果.

夏四月[辛卯朔[大盡,辛巳], 鎭星犯牽牛南星:天文2轉載].

戊戌[8日], 禁內外興作, 勿奪農時.[466)]

○倭船二艘寇慶尙道沿海州縣, 發兵悉擒之.

[甲辰[14日], 月犯房南第二星:天文2轉載].

壬子[22日], [芒種]. 王觀武士擊毬.

五月[辛酉朔小盡,壬午], 戊辰[8日], [夏至]. 雨雹.[467)]

[丁丑[17日], 大雨二日, 平地水深七八尺:五行1水潦轉載].

[某日, 交州道狼川郡女, 一產三男, 賜穀三十碩:節要轉載].

六月[庚寅朔大盡,癸未], 辛卯[2日], 王如奉恩寺.

---

463) 일본에서는 3월 22일 京都에서 降雹이 있었다고 한다(日本史料5-3册 14面 ; 中央氣象臺 1941年 2册 618面).

· 『百練抄』 권13, 後堀河院, 嘉祿 1년 3월, "廿二日, 晝方雹降, 今日, 夏節也".

464) 添字는 지34, 食貨3, 水旱疫癘賑貸之制에서 달리 표기된 것이다.

465) 이와 관련된 기사로 다음이 있다. 이때 林長卿·韋元 등이 급제하였다(『등과록』 ; 『前朝科擧事蹟』, 朴龍雲 1990년 ; 許興植 2005년).

· 지27, 선거1, 科目1, 選場, "[高宗]十二年三月, 門下□□[侍郞]平章事崔甫淳知貢擧, 衛尉卿崔宗梓同知貢擧, 取進士, □□[丙戌], 賜林長卿等三十人·明經三人·恩賜七人及第".

466) 이 기사는 食貨2, 農桑에도 수록되어 있다.

467) 이와 같은 기사가 지7, 五行1, 水, 雨雹에도 수록되어 있다.

○東眞人周漢投瑞昌鎭. 漢, 解小字文書, 召致于京, 使人傳習, □□女眞小字之學, 始此.[468)]

[某日, 百官詣參知政事崔瑀第, 上政年都目, 瑀坐廳事受之, 六品以下再拜堂下, 伏地, 不敢仰視. 瑀自此, 置政房於私第, 擬百官銓注, 選文士屬之, 號曰必闍赤政色書記:節要轉載].[469)]

[→高宗十二年□□六月, 百官詣參知政事怡瑀第, 上政簿, 怡瑀坐廳事受之, 六品以下官, 再拜堂下, 伏地, 不敢仰視. 怡瑀自此, 置政房于私第, 選文士屬之, 號曰必闍赤. ~~高宗17年1月,~~ 擬百官銓注, 書批目以進, 王但下之而已. 嘗8年1月拜私奴之子安碩貞, 爲御史中丞, 人皆憤之, 至有上疏言者:列傳42崔怡轉載].[470)]

[→高宗十二年□□六月, 崔瑀置政房於私第, 擬百官銓注, 選文士屬之, 號曰必者赤政色書記. 舊制, 吏部掌文銓, 兵部掌武選, 第其年月, 分其勞逸, 摽其功過, 論其才否, 具載于書, 謂之政案. 中書擬升黜以奏之, 門下承制勑以行之. 自崔忠獻擅權, 置府與僚佐, 私取政案, 注擬除授, 授其黨與, 爲承宣. 謂之政色承宣, 僚佐之任此者, 三品謂之政色尙書, 四品以下, 謂之政色少卿, 持筆橐, 徒事於其下者, 謂之政色書題. 其會所, 謂之政房:選擧3選法轉載].[471)]

---

468) 添字가 추가되어야 할 것이다. 1115년 金帝國이 성립되기 이전의 女眞族은 독자적인 文字를 만들지 못하여 支配層의 극히 일부가 漢字 또는 契丹文字를 사용하였다. 그러다가 1119년(天輔 3) 무렵 完顔希尹(?~1140), 完顔葉魯에 의해 契丹文字와 漢字를 기초로 한 女眞文字가 만들어졌는데, 이를 女眞大字라고 한다. 이어서 1138년(天眷1) 熙宗 完顔亶(合剌, 虎水, 1135~1150 在位)이 契丹文字를 참조하여 또 다른 문자를 만들었다고 하는데, 이를 女眞小字라고 한다. 그렇지만 前者가 公的인 문서에 사용되었고, 후자는 1145년(皇統5)부터 사용되기 시작하였고, 이후 大字, 小字, 漢字 등이 竝用되기도 하였다(金東昭 1992年 ; 愛新覺羅 烏拉熙春 2009年 ; 愛新覺羅 烏拉熙春 等編 2003年 ; 吉池孝一 2019年 ; 李相揆 等譯 2014년).

469) 政房과 관련된 기사로 다음이 있다. 여기에서 必闍赤은 政色書記의 오류일 가능성이 있다. 必闍赤(秘闍赤, bichechi)은 蒙古語의 비제치를 音譯한 것으로, 각종 文書事務를 담당하는 관리인 書記를 가리킨다. 이 용어는 몽골제국의 압제를 받은 이후에 사용된 것이다(→원종 8년 9월 23일).
· 『익재난고』 권9상, 忠憲王世家. "初, 本國權臣, 仍世專政, 集文士有才望者, 置之府中, 號政房. 百官陞黜, 皆令注擬, 啓于國王, 王不得已皆可之, 卽施行焉, 宰相拱手奉行文書而已".

470) 이 기사의 "擬百官銓注, 書批目以進, 王但下之而已"는 『고려사절요』 권16에 의하면 1230년(고종17) 1월에 이루어진 일이다(→고종 17년 1월 某日).

471) 이 기사는 『역옹패설』前篇1, "吏部掌文選, …" 以下의 內容을 轉載한 것 같다. 또 이 時期 以來 崔氏政權下에서 政房에 참여했던 관료에 기사로 다음이 있다. 정방이 창설된 이후 判秘書省事 宋國瞻, 尙書右丞 金敞(金孝恭의 改名, 金孝印의 兄), 朴暄(朴文秀의 改名) 등이 執政 崔瑀의 寵愛를 在職하였고, 이들에 이어 柳璥·兪千遇 등이 참여하였던 것 같다.
· 열전15, 宋國瞻, "歷正言, 判秘書省事, 與金敞, 諂事崔怡崔瑀, 入政房, 耿介不阿, 怡頗憚之.

丁巳[28日], 太白經天.

[是夏, 恒雨, 傷禾稼:節要·五行2轉載].[472]

秋七月[庚申朔小盡,甲申], 戊辰[9日], 以判司宰□[~~寺~~]事李允誠爲西北面兵馬使[~~知西北面兵馬事~~], 大護軍[大將軍]琴輝[琴暉]爲東北面兵馬使[~~知東北面兵馬事~~],[473] 郞將崔宗操爲慶尙道按察副使,[474] 侍郞金得循爲楊廣道按察使, 郞將黃粹爲全羅道按察副使, 侍御史柳蕤爲西海道按察副使, 起居舍人白敦賁爲交州道按察副使.

[庚午[11日], 西北方有赤氣:五行1轉載].

[癸酉[14日], 月食:天文2轉載].[475]

朴暄擅權, 國瞻恥與爲列, 托以足疾, 辭政房, 怡自此疎之".

· 열전15, 金敞, "累遷尙書右丞. 崔怡[崔瑀]召置政房, 掌銓選. 時應吏·兵部選者, 無慮數萬, 敞一見, 無不記其姓名, 有陳訴, 輒應無少謬, 人服其强記. 然銓注一聽於怡[瑀], 不可否, 或問其故, 答曰, 天假手我晋陽公, 吾何閒焉? 其阿諂如此".

· 열전18, 柳璥, "高宗朝, 登第, 累遷至國子大司成. 璥久在政房, 與兪千遇, 俱爲崔沆所厚".

· 열전18, 兪千遇, "高宗朝, 登第, 籍內侍. 尙書金敞器之, 薦于晋陽公崔怡[崔瑀], 怡[瑀]曰, 雖不揚, 誠可人也. 置之政房, 遂爲門客".

· 열전38, 朴暄, "初名文秀, 公州人也. 中第, 爲崔怡[崔瑀]家臣, 機警善辭辨, 屢中怡[瑀]意, 遂見寵任, 不數年, 歷揚華要. 入政房, 與金敞·宋國瞻齊名, 頗作威福, 勢傾朝野".

472) 일본의 가마쿠라에서 이해의 1,2월에 비가 계속 내렸으나 5월에는 疾病[疫氣]이 流行하고 炎旱이 계속되었다고 한다.

· 『吾妻鏡』脫漏, 嘉祿 1년 2월, 5월, "[二月]廿一日壬子, 自去月九日, 霖雨涉旬, … 卅日辛酉, … 凡自正月, 連日降雨也. … [五月]廿二日壬午, 天晴風靜, … 天下疫氣流布, 又炎旱涉旬之間, 爲彼御祈, …".

473) 琴暉(琴儀의 子, ?~1227)의 職銜인 大護軍은 大將軍의 오자인데, 열전42, 崔怡에는 옳게 되어 있다(→고종 14년 3월 6일). 또 琴輝는 열전15, 琴儀와 「琴儀墓誌銘」에 琴暉로 되어 있음을 보아 後者가 옳을 것이다. 그리고 李允誠과 琴暉의 京職이 判司宰寺事와 大將軍인데, 이들 位階[官秩]로서 兵馬使職에 임명될 수 없을 것이고 그보다 下位의 職級[秩卑]이 파견될 때 부여되는 知兵馬事職으로 임명되었을 것이다. 이는 明年 1월 某日 李允誠이 띠고 있는 知兵馬事를 통해 알 수 있다.

474) 崔宗操는 『慶尙道營主題名記』에 崔崇操로 되어 있으나 오자일 것이다.

475) 이날 宋에서도 월식이 예측되었으나 구름으로 인해 보이지 않았다고 하며(『송사』 권52, 지5, 천문5, 月食), 일본의 京都에서는 15일(甲戌, 실제는 14일)에 월식이 있었다(高麗曆과 同一, 日本史料5-2册 705面). 그리고 이 날(14일)은 율리우스력의 1225년 8월 19일이고, 월식 현상이 심했던 때의 世界時는 19시 56분, 食分은 0.47이었다(渡邊敏夫 1979年 479面).

· 『榊葉集』, 嘉祿 1년 7월 15일, "當日月蝕, 御節以下例. 嘉祿元年七月十五日[~~十四日~~], 月蝕, 御節役所, 顯範". 이 기사에서 十五日은 十四日의 오류로 추측된다.

· 『本朝統曆』 권9, 嘉祿 1년, "七十四, 夜望, 寅四, 月蝕, 九分强, 丑七, 卯三".

[辛巳[22日], 月犯五車:天文2轉載].

[○震松岳神祠:五行1雷震轉載].

八月[己丑朔大盡,乙酉], 辛卯[3日], 東眞兵百餘寇朔州.

[丙申[8日], 月犯心大星, 及後星:天文2轉載].

丁酉[9日], 以康宗忌日, 飯僧二百於內殿. 康宗眞殿在玄化寺, 忌日詣寺行香, 例也, 自庚辰[高宗7年]以來, 國家多故, 王不得親詣.

辛丑[13日], 邊將崔亮擒亐哥下幕官焦周馬等數人, 以獻, 流周馬于戴雲島.

[某日, □[前]慶尙道按察使權應經, 圖倭形, 獻[參知政事]崔瑀. 瑀問其故, 曰, "異國之人, 容貌奇怪, 欲令參政[參知政事]知之耳. 瑀知其媚悅, 笑而不答:節要轉載].[476)]

[○熒惑入軒轅:天文2轉載].

[壬子[24日], 熒惑犯軒轅左角:天文2轉載].

[癸丑[25日], 月犯鬼星:天文2轉載].

甲寅[26日], [寒露]. 親設消災道場于內殿.

丁巳[29日], 幸乾聖寺.

[某日, [參知政事]□[崔]瑀, 以前遊馬□□[將校], 是上前近衛, "我當親選". 遂閱于其第, 鞍馬之飾, 倍於往日. 觀者滿路:節要轉載].[477)]

九月己未□[朔小盡,丙戌], 又幸乾聖寺. [[參知政事]崔瑀在其家樓上, 望見駕前拱鶴軍, 著黑帽, 曰, "此亦近衛, 不宜著黑帽". 因奏請, "蓋陪拱鶴軍, 依牽龍例, 著金畫帽", 從之. 非法駕著金畫帽, 始此:節要轉載].[478)]

[乙丑[7日], 熒惑犯長垣南第二星:天文2轉載].

[甲戌[16日], □□[熒惑]犯大微[太微]西藩上將:天文2轉載].

[○雨雹, 震木:五行1雨雹轉載].

乙亥[17日], 乾元寺成.

[丙子[18日], 雨雹:五行1雨雹轉載].

---

476) 權應經은 이해의 春夏番[春夏等]慶尙道按察使이므로(『慶尙道營主題名記』), 前字가 탈락되었다. 또 이와 같은 기사가 열전42, 崔忠獻, 怡에도 수록되어 있다.

477) ~~添字~~가 추가되어야 옳게 될 것이다(→是年 9월 24일).

478) 己未에 朔이 탈락되었다. 또 이와 같은 기사가 지26, 輿服, 凡法駕衛仗에도 수록되어 있다.

[己卯[21日], 月犯五諸侯南第二星及北河:天文2轉載].

庚辰[22日], 知樞密院事·左散騎常侍李迪儒卒.[479)]

[○熒惑犯大微[太微]右掖:天文2轉載].

壬午[24日], 幸法王寺, 王見前遊馬將校鞍馬·衣服鮮明, 大喜, 賜內帑布物.

癸未[25日], 樞密院使·御史大夫李勣卒,[480)] [年六十四:列傳16李勣轉載]. [勣, 爲人, 平易溫柔, 喜怒不見. 平時, 似無膽氣, 及臨陣賈勇, 人莫能及, 其破丹寇, 勣功居多. 性又儉素, 雖至貴顯, 處陋室, 晏如也:節要轉載].

甲申[26日], 幸普濟寺.

丙戌[28日], 幸法雲寺.

[○是月戊辰[10日], 僧孝章造成全州華嚴寺靑銅盤子一口, 重三十斤:追加].[481)]

冬十月[戊子朔大盡,丁亥], [戊戌[11日], 雲雨晦冥, 不辨人面:五行3轉載].

[辛丑[14日], 熒惑犯大微[太微]左執法:天文2轉載].

[○雷雹:五行1雷震轉載].[482)]

[壬寅[15日], 月犯昴星:天文2轉載].

丙午[19日], 飯僧三萬于毬庭.

丁未[20日], 儲祥·奉元·睦親·舍元四殿災,[483)] 延燒禁城[宮城]廊廡一百三十七間.

戊申[21日], 賜內侍·將軍宋愭紅鞓, 許帶之. [愭, 瑀之壻也:節要轉載].

[庚戌[23日], 月犯軒轅大角:天文2轉載].

[壬子[25日], 熒惑犯大微[太微]東藩上相:天文2轉載].

癸丑[26日], 築地倉于大倉[太倉], 以備火災, 可容二十餘萬斛.

---

479) 이날은 율리우스曆으로 1225년 10월 25일(그레고리曆 11월 1일)에 해당한다.

480) 이날은 율리우스曆으로 10월 28일(그레고리曆 11월 4일)에 해당한다.

481) 이는 全羅北道 完州郡 上關面 大聖里 華嚴寺址에서 靑銅香埦, 접시[楪] 등과 함께 출토된 半子의 銘文에 의거하였다(國立全州博物館 所藏, 文明大 1994년 3책 278面). 이 半子의 銘文은 金帝國의 年號를 사용하지 아니하고 甲子로 時期를 表記했던 當時의 형편이 반영되어 있다.
· 銘文, "乙酉五月,祝聖願以,全州華嚴寺半子,棟梁道人孝章,九月十日造,大匠大德□□,重三十斤".

482) 이때 일본의 鎌倉에서는 13일, 15일에 降雨와 雷鳴이 있었다고 한다(고려력과 同一, 日本史料 5-3册 16面).
·『吾妻鏡』脫漏5, 嘉祿 1년 10월, "十三日庚子, 雨降, 雷鳴. … 十五日壬寅, 雨降, 及晩雷鳴".

483) 이 구절은 지7, 五行1, 火, 火災에도 수록되어 있다.

十一月[戊午朔小盡,戊子], [壬戌[5日], 流星出紫微, 入北極, 大如缶:天文2轉載].
[○大霧, 不辨人:五行3轉載].
[丙寅[9日], 熒惑犯進賢:天文2轉載].
[甲戌[17日], 月犯輿鬼:天文2轉載].
辛巳[24日], 太白經天.

十二月[丁亥朔大盡,己丑], [辛卯[5日], 興國寺火:五行1火災轉載].
[辛丑[15日], 大寒. 月犯五諸侯南第一星:天文2轉載].
[某日, [參知政事]崔璘奏請, "本朝文物禮樂, 一遵華制, 其自宋國來者, 許於臺省·政曹淸要之職, 隨材擢用":節要轉載].[484]
辛亥[25日], [以金就礪爲參知政事·判三司事:追加],[485] 以鄭通輔△[爲]判樞密院事·吏部尙書, 崔正份△[爲]簽書樞密院事·御史大夫, [李奎報爲左諫議大夫, 庾敬玄爲右諫議大夫·尙書右丞:追加].[486]

[是年, 以[判禮賓省事]任益惇, 兼三司使:追加].[487]

丙戌[高宗]十三年, [只用當該年干支],

[金貞祐十四年],[488] [南宋寶慶二年], [蒙古太祖二十一年], [西曆1226年]

1226년 1월 30일(Gre2월 6일)에서 1227년 1월 18일(Gre1월 25일)까지, 354일

春正月[丁巳朔小盡,庚寅], [庚申[4日], 太白犯建:天文2轉載].

---

484) 이와 같은 기사가 열전42, 崔忠獻, 怡에도 수록되어 있으나 字句에 出入이 있다.

485) 이는 「金就礪墓誌銘」에 의거하였다.

486) 이는 『동국이상국집』年譜 ; 권17, 庾大諫敬玄邀飮同寮 …, "時予爲左諫議□□[大夫], 庾爲右" ; 권43, 讓左諫議大夫表 등에 의거하였다. 이때 李奎報는 前年 12월에 임명된 朝議大夫·試國子祭酒·翰林侍講學士·知制誥를 겸직으로 띠고 있었다(『동국이상국집』 권25, 王輪寺丈六金像靈驗收拾記). 또 이때 이규보가 사례한 表가 『동문선』 권36, 謝除左諫議大夫表일 것이다. 그리고 庾敬玄은 그의 묘지명에 의하면 尙書右丞·右諫議大夫에 임명되었다고 한다.

487) 이는 「任益惇墓誌銘」에 의거하였다.

488) 이해[是年]에 松廣社主 慧諶은 金帝國의 연호인 貞祐를 사용하였다(是年 11월 某日).

[辛未[15日], 雨水. 月犯軒轅左角:天文2轉載].

丁丑[21日], 幸法王寺.

[戊寅[22日], 月犯心後星:天文2轉載].

[庚子~~庚辰24日~~, 太白·歲星·鎭星, 與須女同舍:天文2轉載].[489)]

[某日, [金元帥]亐哥下欲使其兵, 變蒙古服, 入寇義·靜州, 知兵馬事李允誠, 遣前別將金利生·大官丞白元鳳, 率兵二百餘人, 渡鴨綠江, 深入彼境, 攻破石城, 斬宣撫·副統等五人, 獲牛馬·兵器. 不見亐哥下而還:節要轉載].[490)]

癸未[27日], 地震.[491)]

[○西北面兵馬副使·將軍金希磾, 與兵馬判官·禮部員外郎孫襲卿,[492)] 監察御史宋國瞻, 議曰, "[金元帥]亐哥下背我國恩, 入我封疆, 掠我人民, 而莫有禦者, 國之恥也. 宜同力追討, 以雪國恥". 遂選步騎一萬餘人, 希磾將中軍,[493)] 襲卿將左軍, 國瞻將右軍, 賫二十日糧, 往討石城. 亐哥下遣兵救之, 希磾等, 奮擊大敗之, 斬首七十餘級, 急攻石城. 城主率衆出降, 涕泣, 呑土誓天, 乞解圍, 希磾等, 數亐哥下背恩之罪. 遂還, 至紫布江, 氷已解, 不可渡, 是夜氷合, 乃渡, 入自淸虜鎭~~淸塞鎭~~,[494)] 希磾作詩云, 將軍杖鉞未雪恥, 將何面目朝天闕. 一奮靑蛇指馬山, 胡軍勢欲皆顚蹶. 虎賁騰擊涉五江, 城郭爛爲煨燼末. 臨杯已暢丈夫心, 反面無由愧汗發. 國瞻和云, 以仁爲脊義爲鋒, 此是將軍新巨闕. 一揮向海鯨鯢奔, 再擧向陸犀象蹶. 況彼馬山窮獮

---

489) 1월에는 庚子가 없고, 戊寅(22일) 다음에 庚辰(24일)이 있으므로 庚子는 庚辰의 오자일 것이다. 이는 일본의 가마쿠라[鎌倉]에서 25일(辛巳) 새벽에 같은 천문 현상이 있었음을 통해 傍證될 수 있을 것이다

· 『吾妻鏡』脫漏, 嘉祿 2년 1월, "廿五日辛巳, 晴, 今曉, 歲星·鎭星·太白三星犯合云々, 有御愼文之由, 司天申之, 及勘文云々".

490) 이와 같은 기사가 열전16, 金希磾에도 수록되어 있다.

491) 지9, 五行3, 土行, 地震에는 癸未가 辛卯로 되어 있는데, 이달에는 辛卯가 없으므로 오자일 것이다.

492) 孫襲卿은 1233년(고종20)에서 1242년(고종29) 사이에 孫抃으로 改名하였다. 『경상도영주제명기』에 의하면, 孫襲卿이라는 이름으로 1233년(고종20) 春夏番[春夏等]按察使에 임명되어(그의 열전에는 按察副使라고 한다) 다음 해 秋冬番까지 4回를 連任하였고(열전15, 孫抃), 1242년(고종29) 3월 「金仲龜墓誌銘」을 찬할 때 正議大夫·判閤門事·三司使·東宮侍讀□[學]事 孫抃으로 되어 있다.

493) 希磾는 延世大學本과 東亞大學本에는 希輝로 되어 있으나 오자일 것이다(東亞大學 2006년 23책 437面).

494) 淸虜鎭은 淸塞鎭과 그 동쪽에 위치한 平虜鎭의 合稱인 것 같지만, 石城이 압록가 서쪽에 위치한 婆娑府[婆娑路]에 위치해 있었기에(現 遼寧省 鳳城의 동쪽, 九連城) 淸塞鎭의 오류일 것이다(尹京鎭 2011년b).

兒, 制之可以隨鞭末. 朝涉五江暮獻捷, 喜氣萬斛春光發. 襲卿和云, 寒垣無鼎又無鍾, 欲記元功詩可闕. 書之板上告後來, 觀者爭前僵復蹶. 孟明濟河雪秦恥, 若比於公當處末, 明年又可定天山, 三箭元無一虛發. ○初, 希磾將發兵, 密以書, 告參知政事崔瑀. 及還, 有司欲劾其擅興師旅, 聞瑀知之, 遂寢. 然功賞不行:節要轉載].[495)]

○倭寇慶尙道沿海州郡, 巨濟縣令陳龍甲以舟師, 戰于沙島, 斬二級, 賊夜遁.[496)]
[某日, 以沈文濬爲慶尙道按察使:慶尙道營主題名記].

二月[丙戌朔大盡,辛卯, 驚蟄. 歲星犯鎭:天文2轉載].
辛卯6日, 幸乾聖寺.
[乙巳20日, 日暈:天文1轉載].

三月丙辰朔小盡,壬辰, [某日, 制曰, "全羅道飢甚, 有蓄儲州郡, 宜發倉賑給, 其無蓄儲州郡, 各於私處, 取其贏餘, 賑給, 待豊年, 償之. 自甲申年高宗11年後, 三稅·常徭·雜貢, 並皆停減, 以待豊年, 收納":食貨3水旱疫癘賑貸之制轉載].[497)]
丙寅11日, 參知政事致仕鄭邦輔卒,[498)] [輟朝三日, 謚襄平:追加].[499)]
[甲戌19日, 熒惑犯亢:天文2轉載].
[丙子21日, 雨土:五行3轉載].
[是月, 右副承宣崔宗藩崔宗蕃, □□□□□掌國子監試, 取詩賦庾松栢, 十韻詩張良允等五十九人, 明經二人:選擧2國子試額轉載].[500)]

---

495) 이와 같은 기사가 열전16, 金希磾에도 수록되어 있는데, 添字는 이에 의거하였다.
496) 이와 같은 자료로 다음이 있다.
· 『신증동국여지승람』 권32, 巨濟縣, 山川, "沙島, 在古縣東. 高麗高宗時, 倭賊來寇, 縣令陳龍甲以舟師戰于沙島, 賊夜遁".,
497) 이 기사는 『고려사절요』 권15에 축약되어 있다("以全羅州道, 饑甚, 遣使, 發倉賑之. 又減甲申年高宗11年以後逋稅").
498) 이날은 율리우스曆으로 1226년 4월 9일(그레고리曆 4월 16일)에 해당한다.
499) 鄭邦輔의 묘지명에는 平章事致仕로 되어 있으나, 1250년(고종37, 庚戌) 4월에 건립된 「月南寺趾眞覺國師圓炤塔碑」의 碑陰에는 參知政事로 되어 있다.
500) 崔宗藩은 崔宗蕃의 다른 표기일 것이지만, 그의 祖父인 崔惟淸의 列傳(권12), 『동국이상국집』, 『경상도영주제명기』 등에 後者로 되어 있다.

夏四月乙酉朔大盡,癸巳, [某日, 以臨津·沙平兩江內, 各驛困於迎送, 凋弊莫甚, 令臨津課橋別監, 巡視撫恤:節要轉載].

[→有旨, "□□□□臨津·沙平兩江內, 靑郊·通波·馬山·碧池·迎曙·淸波·蘆原·綠楊·丹棗等驛, 困於迎送, 凋弊莫甚, 其令臨津課橋別監, 巡視撫恤":兵2站驛轉載].[501]

己丑5日, 以年荒, 罷一切土木之役.

癸丑29日, 賜吳乂等及第.[502]

[是月, 西京刊'御醫撮要方'. 先是, 樞密院副使崔宗峻編國朝諸藥方, 分爲二券, 又添附諸方之最要者, 使人繕寫, 名之曰'御醫撮要', 承制勑送西京留守官彫印:追加].[503]

五月乙卯朔小盡,甲午, 庚申6日, 西京人趙永綏與石俊·金大志·金光永等, 謀殺四都領及郞將黃勝龍·東方林, 奪其兵, 將犯京城. 前隊正金國仁知其謀, 以告. 留守陳湜卽發兵, 悉捕斬之, 夷其族. 拜國仁爲校尉.

[壬戌8日, 黃霧四塞:五行3轉載].

[乙丑11日, 月入角與熒惑, 同舍:天文2轉載].

[丁卯13日, □月犯房星:天文2轉載].

[己巳15日, □月犯箕星:天文2轉載].

[壬申18日, □月與歲星同舍:天文2轉載].

六月甲申朔大盡,乙未, 王如奉恩寺.

○倭寇金州.

[癸巳10日, 熒惑犯亢:天文2轉載].

[乙未12日, 月犯火星:天文2轉載].

[丙申13日, 風寒, 人有衣裘者:五行1恒寒轉載].

是月, 旱.[504]

---

501) 이 기사의 冒頭에 四月이 탈락되었다.

502) 이와 관련된 기사로 다음이 있다.

· 지27, 선거1, 科目1, 選場, "高宗十三年四月, 簽書樞密院事崔正份知貢擧, 秘書監兪升旦同知貢擧, 取進士, □□癸丑, 賜吳乂等三十二人·明經一人·恩賜九人及第".

503) 이는『동국이상국집』권21, 新集御醫撮要方序에 의거하였다.

504) 일본의 교토[京都]에서는 8월 14일 이전부터 9월 26일 이후까지 오랫동안 旱魃이 있었다고 한

[秋七月甲寅朔[大盡,丙申], 熒惑犯角:天文2轉載].

[甲戌[21日], 處暑. 歲星與女同舍:天文2轉載].

[乙亥[22日], 熒惑犯房:天文2轉載].

[某日, 以[中郎將]鮮大有爲慶尙道按察使:慶尙道營主題名記, [監察御史]薛愼爲北界行臺監察御史].[505)]

秋八月[甲申朔小盡,丁酉], 庚子[17日], 樞密院使~~樞密院副使~~文漢卿卒.[506)] [漢卿, 性貪鄙怯懦, 嘗爲西北面兵馬使, 論軍卒爵賞, 多受賂金, 又徵求州縣無厭, 因失人心:節要轉載].[507)]

[癸卯[20日], 熒惑犯天江. 月犯五車:天文2轉載].

戊申[25日], 移御平峯宮.

[庚戌[27日], 熊入城:五行2轉載].

[九月[癸丑朔大盡,戊戌], 己未[7日], 寒露. 月犯南斗:天文2轉載].[508)]

[辛酉[9日], 月與鎭星·歲星, 同舍:天文2轉載].

[癸亥[11日], 熒惑犯南斗:天文2轉載].

[癸酉[21日], 月掩五諸侯:天文2轉載].

[甲戌[22日], □[月]掩輿鬼, 犯積尸:天文2轉載].

[丙子[24日], □[月]犯軒轅大星:天文2轉載].

[某日, [參知政事]崔瑀發瘇, 自兩府至掾吏, 皆設齋, 作疏祈禱. 都下爲之紙貴, 諸醫無能理者, 閤門[閤門]祗候林靖妻, 本醫家女, 合引毒膏, 貼之有效. 王特除靖工部郎中, 以慰瑀意:節要轉載].

다(中央氣象臺 1941年 2冊 531面).
· 『明月記』, 嘉祿 2년 8월, 9월, "[八月]十四日, 天晴, 久不雨, 所々井水皆乾, 嵯峨方無水云. … [九月]廿六日, 天晴, 旱魃已久, 諸井無水云".

505) 鮮大有(崔瑞의 妻 朴氏의 外祖父)는 이때 中郎將이었고(『眞覺國師語錄』, 上堂, "按察使·中郎□[將]鮮大有請上堂"), 후일 朝請大夫·金吾衛大將軍에 이르렀다(崔瑞妻朴氏墓誌銘). 또 薛愼은 그의 묘지명에 의거하였다.

506) 이날은 율리우스曆으로 1226년 9월 10일(그레고리曆 9월 17일)에 해당한다.

507) 樞密院使는 樞密院副使의 오류이다. 文漢卿은 樞密院副使·右僕射에 이르렀고(열전14, 文漢卿), 또 그의 歷官을 통해 볼 때 樞密院使에 임명될 정도는 아니었다.

508) 延世大學本과 東亞大學本에는 己未가 己亥로 되어 있지만, 이는 오자일 것이다.

[→高宗十三年□□九月, 怡瑀患瘇, 自兩府至掾吏, 爭祈禱, 設齋作疏, 都下爲之紙貴. 諸醫不能理, 閤門祗候林靖妻, 本醫家女, 貼引毒膏, 有効. 王特除靖工部郞中, 以慰怡瑀意:列傳42崔怡轉載].

冬十月癸未朔小盡,己亥, 己丑7日, 地震, 屋瓦皆墜,509)

乙未13日, 又震.

[丁酉15日, 熊又入市街:五行2轉載].

戊戌16日, 幸乾聖寺.

[乙巳23日, 小雪. 雷:五行1雷震轉載].

十一月壬子朔大盡,庚子, [丙辰5日, 月與鎭星·歲星·熒惑, 同舍:天文2轉載].510)

[辛酉10日, 熒惑與歲星, 同舍于女:天文2轉載].

乙丑14日, 設八關會, 幸法王寺.

[癸酉22日, 雷:五行1雷震轉載].

[甲戌23日, 大雨雹:五行1雨雹轉載].511)

[某日, 修禪社主慧諶率弟子眞訓等, 採集古話一千一百二十五則幷諸師拈頌語要, 撰'禪門拈頌集'三十卷:追加].512)

---

509) 일본의 가마쿠라[鎌倉]에서는 6일(戊子) 오후 11시 무렵에 地震이 있다고 한다.
· 『吾妻鏡』脫漏, 嘉祿 2년 10월, "六日戊子, 入夜, 光物流星云々. 子刻地震".

510) 이날 일본의 가마쿠라 에서도 같은 천문 현상이 있었던 것 같다.
· 『吾妻鏡』脫漏, 嘉祿 2년 11월, "五日丙辰, 晴. 戌刻, 月凌犯鎭星, 月犯熒惑星. 亥刻, 月歲星犯之".

511) 이날 교토[京都]의 날씨가 맑았다고 한다. 또 京都에서 이달[是月]의 날씨가 따듯하여 파리[蠅]가 여름철과 같이 많았던 것 같다.
· 『民經記』, 嘉祿 2년 11월, "廿三日甲戌, 天晴".
· 『明月記』第1, 目錄, 嘉祿 2년 11월, "六日, 冬日蠅如盛夏事".

512) 이는 『禪門拈頌集』序에 의거하였다(京都市 花園大學 所藏, 柳田聖山·椎名宏雄 等編 1999年 7책 529面 ; 『眞覺國師語錄』附錄 所收).
· 『禪門拈頌集』序, "… 故宗門學者, 如渴之望飮, 如飢之思食, 余被學徒力請, 念」 祖望本懷, 庶欲奉福於」 國家. 有裨於 佛法, 乃率門人眞訓等, 採集古話凡一」 千一百二十五則, 幷諸師拈頌等語要錄, 成三十卷, 以」 配傳燈所異,堯風與禪風永扇, 舜月共」 佛日恒明, 海晃河淸. 時和歲稔, 物々各得其所, 家々純」 樂無爲, 區區之心, 切切於此耳. 弟恨諸家語錄, 未得盡」 覽, 恐有遺脫, 所未盡者, 更待後賢. 貞祐十四年丙戌仲冬, 海東曹溪山修禪社無衣子慧諶序".

十二月[壬午朔小盡,辛丑], [甲申[3日], 月犯歲星:天文2轉載].

[乙未[14日], □[月]犯輿鬼:天文2轉載].

癸卯[22日], 以貢天源爲樞密院使, 柳彥琛△[爲]同知樞密院事·左散騎常侍, 崔宗俊[崔宗峻]·崔正份並爲同知樞密院事, [上將軍]丁公壽爲樞密院副使·尙書右僕射, [李奎報爲朝議大夫·國子祭酒·翰林侍講學士:追加].[513)]

[□□[是年], 王賜怡[參知政事崔瑀]匡辟翊戴功臣號:列傳42崔怡轉載].

[增補].[514)]

丁亥[高宗]十四年, [只用當該年干支],[515)]

[南宋寶慶三年], [蒙古太祖二十二年], [西曆1227年]

1227년 1월 19일(Gre1월 26일)에서 1228년 2월 7일(Gre2월 14일)까지, 13개월 385일

春正月[辛亥朔大盡,壬寅], 戊午[8日], 立太子府, 遣門下侍中李延壽·參知政事金就礪, 賜册印.

---

513) 이는 『동국이상국집』연보에 의거하였다. 이때 李奎報가 辭讓, 謝禮한 表가 『동문선』 권43, 讓朝議大夫·國子祭酒·翰林侍講學士表 ; 권36, 謝除朝議大夫·國子祭酒·翰林侍講學士表일 것이다.

514) 이해의 6월 29일(壬子) 金이 高麗와 遼東行省의 葛不靄(갈불애)에게 詔勅을 내려 浦鮮萬奴를 討伐하게 하였다고 한다.

· 『금사』 권17, 본기17, 哀宗上, 正大 3년 6월, "壬子, 詔諭高麗及遼東行省葛不靄, 討反[叛]賊[浦鮮]萬奴".

· 이해(寶慶2)에 南宋이 知慶元府 胡榘(生沒年不詳, 寧宗·理宗代의 人物)의 奏請에 依據하여 慶元府에 도착한 高麗와 日本商船의 綱首(船長)와 雜事(綱首·副綱首의 下位에 위치한 船員)에게 抽解率을 1/19로, 그 以外의 船員들에게는 抽解率을 1/15로 낮추어 주었다. 당시의 商船이 貿易하여 온 物貨의 抽解率은 細色은 1/5, 粗色은 1/7.5이었다(榎本 涉 2009年).

· 『寶慶四明志』 권6, 市舶, 慶元府宛尙書省箚, "契勘, 舶務舊法, 應商舶販到物貨內, 細色五分抽一分, 粗色物貨七分半抽一分. 後因舶商不來, 申明戶部, 乞行優潤. 續準戶部行下, 不分粗細, 優潤抽解, 高麗·日本船綱首·雜事, 十九分抽一分, 餘船客, 十五分抽一分, 起發上供. … 伏望特賜箚下, 以憑遵守施行, 寶慶二年, 尙書省箚付慶元府, 從所申事理施行, 準此".

· 이해의 10월 16일 일본의 朝廷에서 對馬島가 高麗와 다툰 사건에 대해 의논하였고, 17일(不明) 고려와 싸운 일을 의논하였다고 하지만, 어떠한 내용인지를 알 수 없다(高麗曆과 同一).

· 『明月記』 第1, 目錄, 嘉祿 2년 10월, "… 十六日, 對馬與高麗諍事, 廿一日[十七日?], 高麗合戰事, 廿七日, 番匠, 法師喧譁事, …".

515) 이해[是年]를 貞祐 15년으로 기록한 자료도 찾아진다.

· 「任益惇墓誌銘」, "貞祐十五丁亥四月日朝議大夫·試禮賓卿致仕權敬中誌".

[癸亥[13日], 日暈:天文1轉載].

[某日, 以白敦宜[白敦貫]爲慶尙道按察使, 龍虎軍郎將兼三司判官趙某爲全羅道按察副使兼監倉使·轉輪提點刑獄兵馬公事:慶尙道營主題名記].[516)]

庚辰[30日], 幸法王寺.

[是月頃, 以[將軍]金希磾爲全羅道巡問使:列傳16金希磾轉載].

二月[辛巳朔小盡,癸卯], 庚寅[10日], 地大震.[517)]

癸卯[23日], 亦如之[地大震].

[○月掩南斗:天文2轉載].

[某日, [參知政事]崔瑀使敎定都監, 牒諭禁內六官, "凡登科未官者, 各擧才行". 初, 忠獻置敎定都監, 凡所施爲, 皆自都監出, 瑀亦因之:節要轉載].[518)] [○怡[瑀]門客, 多當代名儒, 分爲三番, 遞宿書房:列傳42崔怡轉載].

[是月, 全羅道按察使移牒日本國太宰府總官, 告丙戌[高宗13年]六月倭寇金州事及進奉禮制不行件:追加].[519)]

---

516) 白敦宜는 1225년(고종12) 7월 9일(戊辰) 起居舍人(從5品)으로 交州道按察副使에 임명된 白敦貫의 오자일 것이다. 또 全羅道按察副使 趙某는 是年 2월 是月條의 脚注에 의거하였다.

517) 이때 일본의 교토에서는 2월 28일에 地震이 있었다(高麗曆과 同一, 日本史料5-4册 390面).
 · 『明月記』, 安貞 1년 2월, "十八日, 天晴, 有春氣, … 夜半過地震".

518) 이와 같은 기사로 다음이 있다.
 · 지31, 백관2, 敎定都監, "崔忠獻擅權, 凡所施爲, 必自都監出. 瑀亦因之".
 · 열전42, 崔忠獻, 怡, "怡[瑀], 令敎定都監, 牒禁內六官, 各擧登科未官有才行者. 初, 忠獻置敎定都監, 掌庶事, 怡[瑀]因之".

519) 이는 다음의 자료에 의거하였다(張東翼 2004년 319面). 이 文書에서 金의 年號를 사용하지 아니하고 丁亥[甲子]로서 年度를 나타낸 것은 當時의 事實과 合當한 것이다.
 · 『吾妻鏡』 권29, 嘉祿 3년 5월, "十四日壬辰, 霽. 高麗國牒狀到來, 今日及披覽云云, 其狀書樣」, 高麗國全羅州道按察使牒印章, 日本國惣官太宰府」 當使」 淮彼國對馬嶋人, 古來貢進邦物, 歲修和好, 亦我」 本朝, 從其所便, 特營館舍, 撫以恩信. 是用, 海邊州縣嶋嶼居民, 恃前來交好, 無所疑忌, 彼告金海府, 對馬人等舊所住依之處. 奈何, 於丙戌六月, 乘其夜寐, 入自城竇, 奪掠正屋訖, 比之已甚. 又何邊村塞, 壇便[擅使]往來, 彼此一同, 無辜百姓, 侵擾不已, 今者」 國朝取[敢?]問上件事, 固當職差承存等二十人, 晋[賫]牒前去, 且元來進奉禮制, 廢絶不行, 船數結多, 無常往來, 作爲惡事, 是何因由, 如此事理, 疾速廻報,」 右具前印章事, 須牒」 日本國惣官 謹牒」 丁亥二月 日印章牒」 [按察]副使兼監倉使轉輪提點刑獄兵馬公事龍虎軍郎將兼三司判官趙手決」".
이 시기에 다자이후의 守護(總管)와의 접촉 相對者는 경상도 안찰사인데, 여기에서 전라도 안찰사가 행한 것은 이 시기에 경상도에 어떤 사정이 있었던 것 같다. 또 대마도에 파견된 承存은 姓氏가 承氏일 가능성이 있고, 全羅道 光山縣의 土姓에는 承氏가 있다(『신증동국여지승람』

三月[庚戌朔大盡, 甲辰], 乙卯[6日], [參知政事]崔瑀遷前王[熙宗]于<u>喬桐</u>.[520)] [初, [靈光郡]森溪縣人崔山甫, 曉陰陽術數, 剃髮爲本縣金剛寺主, 與表姪倉正光孝等, 奪掠爲事. 光孝竊人牛, 宰而食之, 縣官捕之, 光孝逃. 山甫亦變姓名, 曰周演之, 流寓他方, 後至京, 以占術惑人. 瑀召與語稱賞, 日益親信, 事皆諮之, 勢焰日熾, 能禍福人. 人皆畏之, 爭遺賄賂, 遂致鉅富. 以術僧道一爲弟子, 與相密謀, 自言, "察聲觀色, 能辨人貧富壽夭". 因多引婦人之美者, 輒淫焉, 醜聲播聞, 而人畏威, 莫有言者. 一日, 演之密語瑀曰, "今王有失位之相, 公有王侯之相, 命之所在, 其可避乎?". 瑀以語腹心將軍金希磾, 希磾問演之曰, "果有此說乎?". 演之愕然, 詣瑀謂曰, "前日密語洩, 恐禍及". 瑀謂, "演之侮己". 會有人譖瑀曰, "頃者, 公有疾, <u>上將軍盧之正</u>·[左右衛]大將軍<u>琴輝</u>[琴暉]及希磾, 會演之家, 謀欲害公, 奉前王復位". 瑀信之, 流演之於南海, 之正及輝, 亦配諸州. 籍演之家, 得前王與演之之書, 有"盟天盟地, 同死生, 以父事之"之語. 瑀卽使將軍曹時著等, 遷前王于江華縣, 又移于喬桐, 沈演之于海, 夷其族. 捕道一, 更鞫之, 俱服. 又捕之正·輝·希磾及中郞將牙允偉·別將申作楨, 竝沈于海, 妻子兄弟, 分配遠地. 又沈希磾子牽龍弘己等三人于海. 時, 希磾爲全羅州道巡問使, 在羅州界, 捕者至, 略無懼色, ~~從容語曰~~, ~~願一言而死~~. ~~遂口號云~~, "~~欲報淸河百注恩~~, ~~東西南北摠忘身~~. ~~奈何一旦逢天厭~~, ~~紫陌人爲碧海大~~". 自投于海. 希磾美容儀, 有智勇, ~~通書史~~, 爲瑀所親信, 當瑀病, 恐不愈, 與之正等, 卜於演之, 爲妬勢者所譖, 而死:節要轉載].[521)]

[→後[盧仁綏]與<u>周演之</u>謀殺怡, 事洩, <u>怡</u>[崔瑀]執之, 投水中:列傳14盧仁綏轉載].[522)]

[→[直翰林院李淳牧,] 尋轉詹事府注簿. 以陰陽伎術, 往來周演之家, 及演之死, 左遷金溝縣令, <u>崔怡</u>[崔瑀]愛其才, 未期召還, 驟加寶文閣待制:列傳15李淳牧轉載].

[丙寅[17日], 赤祲見于西方:五行1轉載].

권35, 光山縣, 姓氏).

520) 이해의 초기에 일어난 熙宗의 復位事件과 관련하여 武臣執政 崔瑀가 熙宗을 江華縣으로 옮겼다가 다시 喬桐縣으로 옮겼다고 한다(열전42, 崔忠獻, 怡).

521) 琴暉(琴輝는 誤字, ?~1227)는 琴儀(1153~1230) 보다 먼저 左右衛大將軍으로 逝去하였다고 한다(琴儀墓誌銘). 또 이와 같은 기사가 열전16, 金希磾(前者) ; 열전42, 崔忠獻, 怡에도 수록되어 있는데, 添字는 前者에 의거하였다.

522) 이 기사를 통해 볼 때, 上將軍 盧之正은 大將軍 盧仁綏가 改名한 것으로 추측된다. 곧 盧仁綏는 1120년대 초반 金吾衛上將軍에 승진한 후 盧之正으로 개명하였고, 이 시기에 上將軍 盧仁綏의 이름으로 制命을 받들어 祝聖의 名目으로 토지를 송광사에 기진하였다(『동국이상국집』 권34, 盧之正金吾衛上將軍官誥 ;『松廣寺史庫』, 國師當時大衆及維持費, 張東翼 2019년).

[壬申23日, 判禮賓省事任益惇卒, 年六十五:追加].523)

[乙亥26日, 月與歲星, 同舍:天文2轉載].

[丁丑28日, 穀雨. 壽昌宮西門外大路, 至板橋, 蚯蚓出, 或如絲絡, 或如布算, 不可勝數:五行3轉載].

[某日, 尙書右丞·右諫議大夫庾敬玄, □□□□□掌國子監試, 取詩賦兪亮兪千遇, 十韻詩高宗賚等七十一人, 明經二人:選擧2國子試額轉載].524)

[□□是時, 庾敬玄掌試, 以'相如一奮其氣, 威信敵國', 爲十韻詩題. 擧子請解題, 敬玄誤解信字, 爲誠信之信. 有一生前詰是非, 敬玄怒黜之. 時人欺譏之:選擧2國子試試員轉載].525)

[春某月, 以右司諫李世華爲知南原府事:追加].526)

夏四月庚辰朔小盡,乙巳, 親設金經道場于宣慶殿, 以禳天變.

[丁亥8日, 月犯軒轅右角:天文2轉載].

己丑10日, 幸外帝釋院.

甲午15日, 幸賢聖寺.

○倭寇金州, 防護別監盧旦發兵, 捕賊船二艘, 斬三十餘級, 且獻所獲兵仗.

五月己酉朔大盡,丙午, 庚戌2日, 倭寇熊神縣, 別將鄭金億等潛伏山間, 突出, 斬七級, 賊遁.

[辛亥3日, 月入東井, 與太白同舍:天文2轉載].

[壬戌14日, □月犯房南第二星:天文2轉載].

---

523) 이는「任益惇墓誌銘」에 의거하였는데, 이날은 율리우스曆으로 1227년 4월 10일(그레고리曆 4월 17일)에 해당한다.

524) 이때 金百鎰(改坵)도 선발되었다(金坵墓誌銘).

525) 이 구절은 다음의 자료에서 따온 것이다. 또 이때 庾敬玄이 信의 뜻풀이를 誠信으로 하였다고 하는데, 信은 伸과 같은 의미를 지닌다(水澤利忠 1993年 279面). 그리고 이 기사의 欺는 譏로 고쳐야 옳게 될 것이다.

· 『사기』 권81, 廉頗·藺相如列傳第21, "太史公曰, 知死必勇, 非死者難也. 處死者難. 方藺相如引璧睨柱, 及叱秦王左右, 勢不過誅. 然士或怯懦而不敢發. 相如一奮其氣, 威信敵國. 退而讓頗, 名重太山. 其處智勇, 可謂兼之矣".

· 열전12, 庾資諒, "敬玄, 累遷至諫議大夫. 嘗掌監試, 以相如一奮其氣, 威信敵國爲題, 擧子解題意, 敬玄誤解以誠信之信. 有一生前詰是非, 敬玄怒黜之, 時人譏之".

526) 이는「李世華墓誌銘」에 의거하였다.

[某日, [參知政事]崔瑀宴兩府及諸將軍於其第, 酣飮極歡, 使伶人奏樂, 天忽雷電, 瑀惶懼, 却之. 金弘己[將軍~~金希磾~~之子], 上將軍趙廉卿之伶壻, 廉卿悶其無罪而死, 擧家爲之茹蔬. 是宴, 瑀問廉卿曰, "何故不食肉?", 對曰, "闔家素饌故也". 瑀變色曰, "我知之矣, 公若無異心, 宜速納壻". 廉卿惶懼, 欲妻以郞將尹周輔, 女泣曰, "夫死幾日, 而遽欲奪志乎?", 廉卿强之, 昏夕, 周輔夢弘己擊之, 遂死[~~周輔夢弘己擊其勢, 驚覺, 俄而陰痛, 翼日乃死~~]:節要轉載].[527)]

乙丑[17日], 雨雹.[528)]

○日本國寄書, 謝賊船寇邊之罪, 仍請修好互市.

[○月犯南斗:天文2轉載].

[壬申[24日], □[月]入虛星, 與鎭同舍:天文2轉載].

[某日, 有僧, 犯罪流[仁州]紫燕島, 與先流者文大淳, 相惡, 密遣人, 譖於[參知政事]崔瑀曰, "大淳等, 潛謀作亂, 發近邑兵, 將赴京". 瑀遣郞將李蕡, 執大淳等五人, 不問殺之. 朝野哀之:節要轉載].[529)]

[增補].[530)]

閏[五]月己卯朔[小盡,丙午], 王如奉恩寺.

[庚寅[12日], 月掩心星:天文2轉載].

丙午[28日], 太白晝見.

[某日, 南京人仁傑, 勇悍過人, 屬神騎, 遂爲賊魁, 剽掠南北. 一日入城, 邏卒覺之, 告[參知政事]崔瑀. 瑀遣十餘騎索之, 仁傑無懼色, 騎兵不知爲仁傑, 問曰, "賊安在". 仁傑紿曰, "在某處, 可速往捕". 騎馳去, 仁傑自馬後騰上, 捽髮曳下, 奪其馬以走, 十騎追不及. 仁傑潛寓利川. 縣人韓瑋認之, 告縣官, 發卒捕之. 仁傑臨刑曰,

---

527) 이와 같은 기사가 열전16, 金希磾에도 수록되어 있는데, ~~添字~~는 달리 서술된 것이다. 또 趙廉卿은 후일 樞密院副使에 올랐던 것 같다(→고종 19년 7월 某日).

528) 이와 같은 기사가 지7, 五行1, 水, 雨雹에도 수록되어 있다. 이날 일본의 교토에서는 흐렸으나 비는 내리지 않았다고 한다(4월은 高麗曆의 5월).

· 『民經記』, 安貞 1년 4월, "十七日乙丑, 天陰雨不下".

529) 이와 같은 기사가 열전42, 崔忠獻, 怡에도 수록되어 있으나 字句에 出入이 있다.

530) 이달[是月]에 西夏의 國王 李晛이 蒙古國王 테무진[鐵木眞]의 공격에 견디지 못하고 항복하였다.

· 『원사』 권1, 본기1, 太祖 22년 6월, "是月, 夏主李晛降, 帝次淸水縣西江".

"吾平生, 多行不義, 受誅何悔? 但六軍在前, 出入敵陣, 斬將搴旗, 吾志也. 不得一試, 死於人手, 爲可恨耳:節要轉載].[531)]

[是月壬辰[14日], 大宰府報高麗國全羅道按察使牒於鎌倉幕府:追加].[532)]

六月戊申朔[大盡,丁未], 日官奏日食, 雨不見.[533)]

[癸丑[6日], 赤虹衝天, 頭尾垂地:五行1轉載].[534)]

[丁巳[10日], 月犯房南星:天文2轉載].

秋七月[戊寅朔小盡,戊申], 癸未[6日], 參知政事史洪紀卒,[535)] 輟朝三日, [謚良靖:追加].[536)]

[辛卯[14日], 赤祲見于西北:五行1轉載].[537)]

---

531) 이와 같은 기사가 열전42, 崔忠獻, 怡에도 수록되어 있으나 字句에 出入이 있다.

532) 이는 다음의 자료에 의거하였는데, 이는 이해[是年] 2월 是月의 脚注와 같다. 또 이달은 日本曆으로 5월이다.
· 『鎌倉年代記裏書』, 安貞 1년(嘉祿3), "今年[安貞元], … 五月十四日, 高麗國牒狀到來".

533) 이날 宋에서는 일식이 있었다고 하며(『송사』 권52, 지5, 천문5, 日食), 일본의 京都와 鎌倉에서도 일식이 있었다고 한다(高麗曆과 同一, 日本史料5-3册 837面). 이날은 율리우스력의 1227년 7월 15일이고, 開京에서 일식 현상이 심했던 시간은 7시 11분, 食分은 0.27이었다(渡邊敏夫 1979年 309面).
· 『民經記』, 安貞 1년 5월, 6월, "[五月]廿八日丙午, 蝕日忌火御飯有無事, [裏書]廿八日, 天陰, 雨時々下 … 藏人判官繁茂送一行云, 來月一日可有日蝕, 而件日忌火御飯可供歟之由相尋, … [六月]一日戊申, 日蝕. [裏書]一日, 太陽正晴, 日蝕也. 十樂院僧正仁慶, 御持僧, 承御祈云々, 雲不掩云々, 九分蝕之由, 諸道雖勸申, 一分蝕之間, 十樂院僧正被申勸賞云々, 無其謂歟, 掩雲之時承勸賞云々, 頗諸道恥辱歟, 如何".
· 『吾妻鏡』脫漏, 安貞 1년 6월, "一日戊申, 霽, 日蝕正見, 四分".
· 『本朝統曆』 권9, 安貞 1년, "六大, 朔戊申, 辰八, 日蝕, 八分强, 辰二, 巳四".

534) 이날 일본의 교토[京都]에서 낮에 雷雨가 때때로 있었다고 한다.
· 『民經記』, 安貞 1년 6월, "六日癸丑, … [裏書]六日, 朝間天晴, 及晝雷雨時々打窓".

535) 이날은 율리우스曆으로 1227년 8월 19일(그레고리曆 8월 26일)에 해당한다.

536) 이는 崔沆(崔瑀의 子)의 묘지명에 의거하였다. 이에 의하면 史洪紀가 崔沆의 外祖父로 되어 있는데, 이를 妓生 瑞蓮房이 萬宗, 萬全(改名 沆)의 母라고 한 것과 연결시켜 볼 때(열전42, 崔忠獻, 怡), 瑞蓮房이 史洪紀의 딸로 入籍되었던 것 같다. 당시 혈연관계에 있지 않은 인물이 형식적인 假父子關係를 형성하는 사례가 있었는데, 이는 家系의 繼承을 위한 同姓養子[同宗養子], 老後의 扶養을 위한 收養子[侍養子]와 性格을 달리하는 것으로 영속적인 의미의 가족관계는 아니다. 史洪紀와 瑞蓮房은 최씨정권과 밀접한 관계에 있었기에 서로의 필요에 의해 맺어진 假父와 假子였을 것이다(張東翼 2008년). 또 1250년(고종37) 4월에 건립된 康津 月南寺의 慧諶塔碑에 의하면 瑞蓮房은 嘉祚郡夫人史氏로 표기되어 있다(閔賢九 1973년 ; 張東翼 2019년).

537) 일본에서는 7월 19일 가마쿠라[鎌倉]에서 赤氣가 있었다고 한다(中央氣象臺 1941年 2册 688面).

壬寅[25日], 太白經天, 累旬乃滅.

[甲辰[27日], 流星出織女, 大如木瓜, 尾長五尺許:天文2轉載].

[某日, 慶尙道按察使白敦宜[白敦賁], 仍番:慶尙道營主題名記].

[是月庚寅[15日], 入內侍·衛尉卿金之成寫成'佛說解百生寃結陀羅尼經':追加].[538)]

[是月己丑[12日], 蒙古太祖成吉思汗薨. 第四子拖雷監國:追加].[539)]

八月[丁未朔大盡,己酉], 辛亥[5日], 太子坐寶文閣, 始講孝經.

[壬子[6日], 月犯房星:天文2轉載].

[甲寅[8日], 太白入軒轅大星:天文2轉載].

[乙卯[9日], 月入南斗:天文2轉載].

[丙辰[10日], 鵂鶹鳴于儀鳳樓:五行1轉載].

[丁巳[11日], □[月]入女, 與歲星同舍:天文2轉載].

[壬戌[16日], 熒惑犯大微[太微]西藩上將:天文2轉載].

乙丑[19日], [寒露]. 幸王輪寺.

丙寅[20日], 太子出麗正宮, 試選侍學公子·給使, □[賦]六韻詩, 取兪恂等四人, 四韻詩, 丁偉等四人, 絶句, 李紹等四人.

己巳[23日], 幸乾聖寺. 親設消災道場于宣慶殿, 以禳天變.

[○熒惑犯天江:天文2轉載].

[甲戌[28日], 熒惑犯大微[太微]右執法:天文2轉載].

乙亥[29日], 幸普濟寺.

· 『吾妻鏡』脫漏, 安貞 1년 7월, "十九日丙申, 風雨雷鳴甚, 亥刻聊屬晴, 自西山赤氣立及半天, 其色赤白, 西黑雲隱, 東映明月, 而或明或隱, 少時而消畢, 至晩更又甚雨".

538) 이는 『佛說解百生寃結陀羅尼經』의 題記에 의거하였는데(南權熙 2002년 14面), 金之成은 이보다 2년 후인 1227년(고종14) 9월 6일 東北界에서 東眞侵入의 邊報가 있자, 3軍이 파견될 때 大將軍으로 知後軍兵馬事로서 參戰하였고, 같은 해 12월 26일 樞密院副使에 特進하였던 것 같다.

· 刊記,"…入內侍·衛尉卿金之成,」 聖壽天長,國泰民安勳,」 借人書寫,開板印施者,」 時乙酉歲七月望日謹誌」". 여기에서 勳은 誤字 또는 衍字로 추측된다.

539) 이달[是月]에 蒙古國王 테무진[鐵木眞]이 西夏에 인접한 隴西(現 甘肅省 東南部에 위치한 定西市 지역) 淸水縣의 野營地에서 薨逝하였다. 또 薩里川은 현재의 蒙古國 克魯倫河의 上流에 있다고 한다(川勝 守 2010年 450面).

·『원사』 권1, 본기1, 太祖 22년, "秋七月壬午, [帝]不予, 己丑, 崩于薩里川哈老徒之行宮".

[丙子[30日], 太白入大微[~~太微~~]右執法, 與熒惑同舍:天文2轉載].

[是月, 僧大門開板'梵書摠持集':追加].[540]

九月[丁丑朔[大盡,庚戌], 太白犯大微[~~太微~~]右執法:天文2轉載].

庚辰[4日], [霜降]. 監修國史·[門下侍郞]平章事崔甫淳·修撰官金良鏡·任景肅·兪升旦[·李奎報·權敬中·趙文拔:追加]等, 撰'明宗實錄', 藏於史館, 又以一本, 藏於海印寺.[541]

[□□[~~是時~~], [禮部侍郞·知制誥權]敬中議曰, "臣所編四年之閒, 記災異者, 凡若干事. 謹按'春秋'二百四十二年, 記天變者多矣, 只書日有食之, 以不書月食. 豈以日實也, 無待而明, 君象也, 月闕也, 有待而明, 臣象也? 取詩所謂, '彼月而食, 則維其常. 此日而食, 于何不臧'之說,[542] 忌陽之虧, 而不忌月闕故歟? 丁未[明宗17年]七月之日食者, 卽是日而應見矣. 曹元正·石隣[~~石鱗~~]之黨, 夜犯宮闈而作亂, 豈非陰侵陽, 臣犯君之効歟? 魯昭公二十四年五月日食, 梓愼曰水也, 昭子曰旱也, 其言曰, '日過分而陽猶不克. 克必甚, 能無旱乎? 陽不克莫, 若積聚也'.[543] 是歲□□[~~六月~~]果有旱. 說者曰, '二至二分, 日有食之, 不爲灾. 日月之行也,[544] 春秋分日夜等, 故同道而食輕, 不

---

540) 이는 다음의 자료에 의거하였다(南權熙 2017년 ; 郭丞勳 2021년 163面).
- 『梵書摠持集』, 卷末刊記, "伏爲」聖壽天長,儲齡地」久,淸河相國福壽」無疆,兼發四弘願,」募工彫板,印施無」窮者,」丁亥八月日,」大門□[謹?]書".

541) 이때 修撰官 6人이 年度를 分擔하여 집필하였던 것으로 추측되는데, 權敬中이 담당한 것이 4년간이라고 한다(열전14, 權敬中, "… 臣所編四年之閒, 記灾異者, …"). 試禮賓卿致仕(任益惇墓誌銘) 權敬中이 편찬한 것으로 추측되는 16·17·18·19년의 4년분을 고려하여 볼 때, 즉위년에서 5년까지는 右承宣 金良鏡이, 6년에서 10년까지는 3品官 任景肅이, 11년에서 15년까지는 秘書監으로 추정되는 兪升旦이, 20년에서 23년까지는 國子祭酒·翰林侍講學士 李奎報가, 24년에서 27년까지는 禮部郞中兼起居注史館修撰官 趙文拔이 각각 담당하였을 것이다.

542) 이 구절은 『시경』, 小雅, 節南山之什, 十月之敎에서 따온 것이다.

543) 이 구절은 다음의 자료를 인용한 것 같다.
- 『춘추좌씨전』傳, 昭公 24년, "夏五月乙未朔, 日有食之, 梓愼曰, 將水. 昭子曰, 旱也, 日過分而陽猶不克, 克必甚, 能無旱乎? 陽不克, 莫將積聚也".
- 『한서』 권27下下, 오행지7下下, "[昭公,] 二十四年五月乙未朔, 日有食之. 董仲舒以爲宿在胃, 魯象也. … '左氏傳'[魯大夫]梓愼曰, 將大水. [叔孫]昭子曰, 旱也, 日過分而陽猶不克, 克必甚, 能無旱乎? 陽不克, 莫將積聚也".

544) 이 구절은 다음의 자료를 인용한 것 같다.
- 『춘추좌씨전』傳, 昭公 21년, "秋七月壬午朔, 日有食之, 公問於梓愼曰, 是何物也, 禍福何爲. 對曰, 二至二分, 日有食之, 不爲災, 日月之行也. 分同道也, 至相過也, 其他月則爲災. 陽不克也, 故常爲水".
- 『한서』 권27下下, 오행지7下下, "[昭公,] 二十一年七月壬午朔, 日有食之. 董仲舒以爲周景王老,

爲灾，水旱而已’.[545] 己酉[明宗19年]二月之日食，在於春分，是以至閏五月而旱，此其應也. 日赤薄無光，日旁有背氣，外赤內黃，日有東西珥者，各一. 按‘前漢書’註云，‘日旁氣，在傍直對曰珥，向日爲抱，向外爲背. 背者背象也. 氣往迫之爲薄’.[546] 晉志曰，‘其君無德，其臣亂國，則日赤無光’.[547] 天之譴告，豈不丁寧乎? 雖去曹·石之輩，復有東南之賊，縱橫煽亂者故，譴告如此. 當此時而覺悟，豈非令終之兆乎? ○月犯昴者五，月食昴者三，月犯心者二，月食心者二，月犯心前星者一，食心後星者二，月貫心而行者一. 按‘星傳’，‘昴□[曰]旄頭，胡星也，爲白衣會，又天之珥[~~耳目~~]也，主獄事’.[548] 心三星，天王正位也，前星爲太子，後星爲庶子，中星爲明堂大辰，主天下賞罰. 天下變動，心星見祥.[549] 據此而言，上國當有因刑罰失中之事，胡兵踐蹂天街，及於外. 又且天王失位，而嫡庶子孫，蕩析不振者. 故罰之所示者，如此其多也，有國家者，宜鑑省焉. 月犯角左星者三，月入羽林者二，月犯五車者二，月犯箕星者四，月入太微者二，月入南斗魁者三，月食房者一，月犯房南星者一，月赤如血者一. 角爲天田，亦爲理主刑，[550] 則恐有刑法失理而不平者. 羽林爲天軍，亦主翼王，[551] 恐天軍多非其人，翼王不謹者乎? 五車，五帝軍舍[~~車舍~~]也，[552] 恐主軍非人，

劉子·單子專權，蔡侯朱驕，君臣不說之象也[師古曰，蔡侯朱，蔡平公之子. 說讀曰悅]”.

545) 이 구절은 다음의 자료를 인용한 것 같다.
- 『한서』 권27下下，오행지7下下，“[昭公] 二十四年五月乙未朔，… 是歲秋，大雩，旱也. 二至二分，日有食之，不爲灾. 日月之行也，春秋分日夜等，故同道，冬夏至長短極，故相過. 相過同道而食輕，不爲大灾，水旱而已”.

546) 이 구절은 다음의 자료를 적절히 變造한 것인데，蚤蜺는 紅蜺와 같은 글자이다.
- 『한서』 권26，天文志第6，冒頭，“… 日月薄食[注，韋昭曰，氣往迫之，爲薄]，暈適背穴，抱珥蚤蜺[紅蜺][注… 孟康曰，暈，日旁氣也. 適，日之將食，日之將食先有黑之變也. 背，形如背字也. … 如淳曰，… 凡氣在日上爲冠爲戴，在旁直對爲珥，在傍如半環向日爲抱，向外爲背 …]”.

547) 이 구절은 다음의 자료를 인용한 것이다.
- 『晉書』 권12，지2，天文中，七曜，“… 其君無德，其臣亂國，則日赤無光 …”.

548) 이 구절은 다음의 자료를 인용한 것이기에 ~~添字~~와 같이 追加，校正되어야 할 것이다.
- 『한서』 권26，천문지제6，“… 昴曰旄頭，胡星也，爲白衣會. 畢曰罕事，爲邊兵，主弋獵. 其大星旁小星，爲附軍，附耳搖動，有讒亂臣在側”.
- 『진서』 권11，지1，天文上，二十八舍，西方，“… 昴七星，天之耳目也，主西方主獄事”.

549) 이 구절은 다음의 자료를 인용한 것이다.
- 『진서』 권11，지1，천문상，二十八舍，東方，“… 心三星，天王正位也. 中星曰明堂，天子位爲大辰，主天下之賞罰. 天下變動，心星見祥. 星明大，天下同. 前星爲太子，後星爲庶子”.

550) 이 구절은 다음의 자료를 인용한 것이다.
- 『진서』 권11，지1，천문상，二十八舍，東方，“角二星爲天關，其間天門也，其內天庭也. … 左角爲天田，爲理，主刑，其南爲太陽道”.

不能嚴毅武勇，致撓敗故歟? 太微，天子庭也，月五星，入太微，軌道吉，不識月果軌道，否乎?[553] 南斗，天廟也，丞相大宰之位，得非丞相大宰，不能褒進賢士~~不能褒賢進士~~，禀授爵祿之罰歟?[554] 房爲天府，又爲天駟,[555] 而月掩食者，天閑之駟，散於非人故，罰之所示者如此. 月者，太陰之精，白而明者也，今變赤如血者，豈非星傳所謂，月變色，將有殃者乎?[556] ○歲犯執法者二，歲與太白同舍者一，歲犯房上相者二，太白與辰星合者一，太白入犯太微者一，太白犯南斗者一，太白入氐行者一，太白經天者二，太白在北，熒惑在南，犯鎭者一，太白在東，熒惑在西，相犯者一，太白在東，熒惑在西，犯胃者一，火入東井者一，熒惑入輿鬼者四，火犯司怪者一，火入軒轅者一，塡犯歲者一，塡犯亢者一，塡入氐者一，塡犯太微東上相者一，辰現房之東北者一. 按志曰，'仁虧貌失，逆春令，傷木氣，則罰見歲星. 義虧言失，逆秋令，傷金氣，則罰見太白星. 禮虧視失，逆夏令，傷火氣，則罰見熒惑星. 智虧聽失，逆冬令，傷水氣，則罰見辰星'.[557] 仁義禮智，以信爲主，貌言視聽，以心爲正，故

---

551) 이 구절은 다음의 자료를 인용한 것이다.
- 『진서』 권11, 지1, 천문상, 星官在二十八宿之外者，"… 羽林四十五星，在營室南，一曰天軍，主軍騎，又主翼王也".

552) 이 구절은 다음의 자료를 인용한 것이므로 ~~添字~~와 같이 고쳐야 옳게 될 것이다.
- 『진서』 권11, 지1, 천문상, 中宮，"五車五星，三柱九星，在畢北. 五車者，五帝車舍也".

553) 이 구절은 다음의 자료를 인용한 것이다.
- 『진서』 권11, 지1, 천문상, 中宮，"太微，天子庭也，五帝之坐也，十二諸侯□之府也. … 月·五星入太微，軌道吉. 其所犯中坐，成刑".

554) 이 구절은 다음의 자료를 인용한 것이기에 ~~添字~~와 같이 고쳐야 좋을 것이다.
- 『진서』 권11, 지1, 천문상, 二十八舍, 北方，"南斗六星，天廟也，丞相大宰之位，主褒賢進士，禀授爵祿?".

555) 이 구절은 다음의 자료를 인용한 것 같다.
- 『한서』 권26, 天文志제6, 東宮蒼龍，"… 房爲天府，曰天駟".

556) 이 구절은 다음의 자료를 이용한 것 같다.
- 『진서』 권12, 지1, 천문중, 七曜, 冒頭，"日爲太陽之精，主生養恩德，人君之象也. … 月謂太陰之精，以之配日，女主之象 … 月變色，將有殃，…".

557) 이 구절은 다음의 자료를 인용한 것 같다.
- 『한서』 권26, 天文志제6，"歲星曰東方春木，於人五常仁也，五事貌也. 仁虧貌失，逆春令，傷木氣，罰見歲星. … 熒惑曰南方夏火，禮也，視也. 禮虧視失，逆夏令，傷火氣，罰見熒惑. … 太白曰西方秋金，義也，言也. 義虧言失，逆秋令，傷金氣，罰見太白. … 辰星曰北方冬水，智也，聽也. 智虧聽失，逆冬令，傷水氣，罰見辰星".
- 『진서』 권12, 지2, 天文中, 七曜，"歲星曰東方春木，於人五常仁也. 仁虧貌失，逆春令，傷木氣，則罰見歲星. … 熒惑曰南方夏火，禮也，視也. 禮虧視失，逆夏令，傷火氣，□卌罰見熒惑. … 太白曰西方秋金，義也，言也. 義虧言失，逆秋令，傷金氣，□卌罰見太白. … 辰星曰北方冬

四星皆失，塡乃爲之動.[558] 五星之應，大抵如此. 但仁義禮智之虧，與貌言視聽之失，果誰之爲歟? 將爲君天下者之應乎? 擅一國者之應乎? 不可知也. '星傳'□[曰]，'月食五星，其國皆亡'. 註云，'其國者，分野之國也'.[559] 則當以分野論，今不書分野，則不可以論其應也. 又曰，'太白經天，天下革，民更王'.[560] 則凡五星之變，多是上國之事，非本國之變，不足懼也. ○氣之變者，西方赤氣如火，又東南竟天，自坤竟天者各一，坤方赤氣如火者一. 按周禮，有眡祲氏之官，掌十煇之法，以觀其妖祥，辨其吉凶，而赤祲乃憂氣之所應.[561] 則當時必有憂恚而謀亂者乎? 五色虹南北相衡者一，乾坤二方虹蜺垂地者一，白虹見西北方者一，太廟虹見垂地者二. 按'晋志'，'白虹百殃之本，衆亂所基'.[562] 又云，'白虹霧，姦臣謀君，擅權立威. 夜霧白虹，臣有憂，晝霧白虹，君有憂，虹頭尾垂地[至地]，流血之象'.[563] 以此鑑戒可也. ○雨土大霧者各二. 志曰，'雨不霑衣而有土，名曰霾，君臣乖.[564] 君臣道合，廓然成

水，智也，聽也. 智虧聽失，逆冬令，傷水氣，□[罰]罰見辰星".

558) 이 구절은 다음의 자료를 인용한 것 같은데, 그 중에서 後者를 取한 것 같다.
- 『한서』 권26, 천문지제6, "歲星，… 仁義禮智，以信爲主，貌言視聽，以心爲正，故四星皆失，塡星乃爲之動".
- 『진서』 권12, 지2, 天文中，七曜，"歲星，… 仁義禮智，以信爲主，貌言視聽，以心爲正，故四星皆失，塡乃爲之動".

559) 이 구절은 다음의 자료를 인용한 것 같다.
- 『한서』 권26, 천문지제6, "凡月食五星，其國皆亡[注，李奇曰，爲其分野之國]，歲以飢".
- 『진서』 권12, 지2, 天文中，七曜，"凡月食五星，其國皆亡，歲以饑".

560) 이 구절은 다음의 자료를 인용한 것 같다.
- 『한서』 권26, 천문지제6, "太白出而留桑楡間，病其國，… 太白經天，天下革，民更生，是爲亂紀，人民流亡".
- 『진서』 권12, 천문중, 칠요, "太白曰西方秋金，… 若經天，天下革，民更生，是爲亂紀，人民流亡".

561) 이 구절은 다음의 자료를 인용한 것 같다.
- 『周禮註疏』 권25, 春官，眡祲氏，"有眡祲氏之官，掌十煇之法，以觀其妖祥，辨其吉凶，而赤祲乃憂氣之所應(四庫全書本6右5行)".

562) 이 구절은 다음의 자료를 인용한 것 같다(『수서』 권21, 지16, 天文1에도 同一).
- 『진서』 권12, 천문중, 雜氣，"凡白虹者. 百殃之本，衆亂所基. 霸者，衆邪之氣，陰來冒陽".

563) 이 구절은 다음의 자료를 인용한 것 같다.
- 『진서』 권12, 천문중, 雜氣，"凡白虹霧，姦臣謀君，擅權立威. 晝霧夜明，臣志得申". ○凡夜霧白虹見，臣有憂，晝霧白虹見，君有憂，虹頭尾至地，流血之象".
- 『수서』 권21, 지16, 천문하, 雜氣，"凡白虹霧，姦臣謀君，擅權立威. 晝霧夜明，臣志不申. 霧終日終時，君有憂. … 凡夜霧，臣有憂，白虹見，臣有憂. 晝霧白虹見，君有憂，虹頭尾至地，流血之象".

564) 이 구절은 다음의 자료를 인용한 것 같다. 또 霾는 雨土라고도 하는데, 이는 北東아시아의 近代

泰，霾何有焉？ 霧者，衆邪之氣，陰來冒陽.[565] 若白日中天，幽枉畢照，衆邪之氣，安得冒乎?'. 流星出入者二十有五，星傳曰，'流星，天使也. 自上而下曰流，自下而上曰飛，其大者曰奔，奔亦流星也'.[566] 漢書註云，'飛，絶迹而去也，流，光跡相連也.[567] 其吉凶之應，以所出入論. 大雨雹者八'. 按魯僖□[公]二十九年,[568] 昭公四年，皆書大雨雹. 左氏記，'季武子問申豊曰，雹可禦乎?'，申豊對，'以聖人在上無雹，雖有不爲灾'. 而以藏冰·用冰之事，演之. 是故，冬則陽入於地，陰行於外. 於是，有愆陽故，鑿冰而取之，洩陽杜陰，至春，則陽不暴發而無凄風. 夏則陰入地中，陽發於外，將有伏陰. 故出冰而頒之，助陰抑陽，至秋，則陰不暴作而無苦雨，今，我朝藏冰·用冰之法，竊恐未盡合於古先. 請議黑牡·秬黍之奠，桃弧·棘矢之禳，藏之周，用之遍，則雹之灾，庶可禦矣.[569] ○物之怪，神像頭亡者一，宮門鴟尾自頹者一. 神

以前社會에서 大氣層에 黃沙가 沈降하는 現象을 가리킨다(→현종 9년 2월 19일의 脚注). 현재는 空氣 중에 煙氣，粉塵，모래[沙土]，塵土 등이 뒤섞여 혼탁한 形象을 霾라고 할 수 있을 것이다.

· 『진서』 권12，천문중，雜氣，"凡天地四坊昏濛若下塵，十日,五日已上，或一月，或一時，雨不沾衣而有土，名曰霾. 故曰，天地霾，君臣乖".

· 『爾雅注疏』 권5，釋天，"日出而風爲暴[注，詩云，終風且暴]，風而雨土爲霾[詩云，終風且霾]，陰而風爲曀[詩云，終風且曀]. 天氣下地不應曰雺，地氣發天不應曰霧，霧謂之晦".

· 『說文解字』 권11하，"霾，風而雨土爲霾".

· 『자치통감』 권185，唐紀1，高祖武德 1년(618) 3월，"乙卯，[虎賁郎將·扶風司馬]德戡悉召驍果軍吏，諭以所爲，皆曰'唯將軍命'，是日，風霾晝昏[胡三省注，霾，亡皆翻，雨土也]，…".

565) 脚注 563과 同一하다(under line).

566) 이 구절은 다음의 자료를 인용한 것 같다.

· 『진서』 권12，천문중，雜星氣，"流星，天使也. 自上而下曰流，自下而上曰飛. 其大者曰奔，奔亦流星也".

567) 이 구절은 다음의 자료를 인용한 것 같다.

· 『한서』 권26，天文志第6，冒頭，"凡天文在圖籍昭昭可知者，… 彗孛飛流，日月薄食[注，孟康曰，飛，絶迹而去也. 流，光跡相連也]".

568) 여기에서 添字가 탈락되었을 것이다.

569) 이 구절은 다음의 자료를 인용하여 적절히 정리한 것 같다.

· 『춘추좌씨전』經，僖公，廿有九年，"秋，大雨雹". 傳，廿九年，"秋，大雨雹，爲灾也".

· 『춘추좌씨전』經，昭公，4년，"春正月，大雨雹". 傳，4년 1월，"大雨雹，季武子問於申豊曰，'雹可禦乎？ 對曰，聖人在上無雹，雖有不爲災. 古者日在北陸而藏氷，西陸朝覿而出之. 其藏氷也，深山窮谷，固陰冱寒，於是乎取之. 其出之也，朝之祿位，賓食喪祭，於是乎用之. 其藏之也，黑牡·秬黍，以享司寒. 其出之也，桃弧·棘矢，以除其災. 其出入也時，食肉之祿，氷皆與焉. 大夫·命婦，喪浴用氷，祭寒而藏之，獻羔而啓之. 公始用之，火出而畢賦. 自命夫·命婦，至於老疾 無不受冰. 山人取之，縣人傳之，輿人納之，隸人藏之. 夫氷以風壯，而以風出. 其藏之也，其用之也徧，則冬無愆陽，夏無伏陰，春無凄風，秋無苦雨，雷出不震，無菑霜雹，癘疾不降，民

者, 民之主也, 況智異山, 南紀之巨鎭, 其神尤爲靈異. 今, 示其像無頭者, 豈非內外人民咸懷無上之意, 故示以如此, 欲其省悟而革心也. 門者, 人所出入, 莫不由之者也, 今, 鴟尾自頹, 尙宜修省. 木之變, 則木介者二, 虫食栗葉者二, 震殿柱者一. 傳曰,[570] 妄興徭役, 以奪民時, 則木失其性, 而爲變怪.[571] 魯成公十六年正月, 雨, 木冰. 而劉向以謂, 冰者陰之盛而水滯者也, 木者小陽, 貴臣卿大夫之象也. 此人將有害, 則陰氣脅木, 木先寒故, 得雨而冰也. 或以木冰爲木介, 介者, 甲也. 甲, 兵象, 則憂其兵亂.[572] 栗, 北方之果, 虫食其葉, 則北方之臣, 當憂讒賊. 震柱, 示棟撓之凶, 可不戒哉? 火之變, 則樞院火者一, 大倉灾者一, 平壤祠堂灾者一. 傳曰, 棄法律, 逐功臣, 以妾爲妻, 則火不炎上. 說曰, 火, 南方, 揚光輝爲明者也. 其於王者, 南面向明而理, 或耀虛僞, 讒夫昌, 邪勝正, 則火失其性, 而爲灾矣.[573] 明宗, 早矢配耦, 中無內主, 七嬖爭寵, 五孽招權. 是以火樞密, 而示譖牝雞女謁, 失於樞機之密也. 大倉之火, 示不復畜養人也. 平壤祠堂灾者, 示無神也. ○水之變, 則井水沸流者一, 大水者三, 雪消如血者一. 傳曰, 簡宗廟, 不禱祠, 廢祭祀, 逆天時, 則水不潤下, 而失其性. 說曰, 水, 北方, 終藏萬物者也. 王者卽位, 必郊祀天地, 望秩山川, 懷柔百神, 此所以順陰陽和神人也.[574] 明宗, 四時之享, 不躬行者有

不夭札. 今, 藏川池之氷, 棄而不用, 風不越而殺, 雷不發而震. 雹之爲菑, 誰能禦之. 七月之卒章, 藏氷之道也".

570) 傳曰은 前漢書曰, 또는 五行志曰의 오류일 것이다.

571) 이 구절은 다음의 자료를 縮約한 것 같다.

· 『한서』 권27上, 五行志第7上, 冒頭部分, "… 說曰, 木, 東方也. … 妄興徭役, 以奪民時, 作爲姦詐, 以傷民財, 則木失其性矣. 蓋工匠之爲輪矢者多傷敗[注, 如淳曰, 揉輪不曲, 矯矢不直也], 及木爲變怪[臣瓚曰, 梓柱更生及變爲人形是也], 是爲木佛曲直".

572) 이 구절은 다음의 자료를 縮約한 것 같다(上記 脚注에 연결된 句節).

· 『춘추좌씨전』經, 成公 16년, "春王正月, 雨, 木冰".

· 『한서』 권27上, 五行志第7上, "春秋成公十六年, '正月, 雨, 木冰'. 劉歆以爲上陽施不下通, 下不陰施不上通, 故雨, 而木爲之氷, 雺氣寒, 木不曲直也. 劉向以爲冰者陰之盛而水滯者也, 木者少陽, 貴臣卿大夫之象也. 此人將有害, 則陰氣脅木, 木先寒, 故得雨而冰也. … 或曰, 今之長老名木冰爲木介, 介者, 甲. 甲, 兵象也".

573) 이 구절은 다음의 자료를 引用한 것 같다(上記 脚注에 연결된 句節).

· 『한서』 권27上, 五行志第7上, "傳曰, '棄法律, 逐功臣, 殺太子, 以妾爲妻, 則火不炎上'. 說曰, '火, 南方, 揚光輝爲明者也. 其於王者, 南面鄕明而治[注, 師古曰, 鄕讀曰嚮]. … 或耀虛僞, 讒夫昌, 邪勝正, 則火失其性矣".

574) 이 구절은 다음의 자료를 축약한 것 같은데, 上記의 記事에서 인용된 句節 중에 脫落된 字句는 『고려사』의 編纂者가 싫어하고 避하는 語句[單語]의 하나일 것이다.

年，宜水之爲沴也．京房易傳曰，飢而不損玆謂泰，厥灾水，水流殺人．又曰，辟遏有德玆謂狂，厥灾水，水流殺人，已水，地生虫.[575] 往年關東飢，而有司莫以告，不擧荒政，故今玆之水，漂屋者一百，流殺人者一千餘，豈非泰之罰歟? 戊申明宗18年之水，水已而生黃虫·黃鼠，豈非辟遏有德之罰歟?[576] 石之變者，自移者一，裂隕者三．金石同類,[577] 其自移與裂隕，金失其性也，故或說，'石，山之骨也',[578] 骨已裂隕，山亦將崩．國主山川，而山崩則國將危亡，可不戒哉? ○鳥之變，雞鳴不鼓翅者一．按易說卦，巽爲大雞，酉爲小雞．又巽主風，風主號令故，雞號知時．巽木含火，火生風，火炎上．故雄雞有冠，乃鳴．巽者，離之再變，兌者，離之變，而巽爲股，離爲羽翰．故雞將號，動股擊羽翰而後有聲.[579] 今雞鳴不鼓翅，得非知時者非其人,

---

· 『한서』 권27上，五行志第7上，末尾에 近接，"成帝鴻嘉三年五月乙亥，天水冀南山大石鳴，聲隆隆如雷，… 傳曰，'簡宗廟，不禱祠，廢祭祀，逆天時，則水不潤下'．說曰，水，北方，終臧萬物者也．其於人道，命終而形臧，精神放越，聖人爲之宗廟以收魂氣，春秋祭祀，以終孝道．王者卽位，必郊祀天地，禱祈神祇，望秩山川，懷柔百神，亡不宗事[注，師古曰，懷，來也．柔，安也．謂招來而祭祀之，使其安也．宗，尊也]．愼其齊戒，致其嚴敬，鬼神歆饗，多獲福助．此聖王所以順事陰氣，和神人也．…".

575) 이 구절은 다음의 자료를 縮約한 것 같다(上記 脚注에 연결된 句節).
· 『한서』 권27上，五行志第7上，"… 京房易傳曰，'顓事有知，誅罰絶理，厥災水，其水也，雨殺人以隕霜，大風天黃．飢而不損玆謂泰，厥災水，水殺人．辟遏有德玆謂狂[注，應劭曰，辟，天子也．有德者雍遏不見用也．師古曰，遏音一曷反]，厥災水，水流殺人，已水則地生蟲".

576) 1188년(명종18) 6월，7월，8월，10월에 各地에서 大水，大風雨가 있었고，鎭溟縣에서 黃蟲·黃鼠(黃鼠狼，족제비)의 被害가 있었다고 한다.

577) 이 구절은 다음의 자료를 縮約한 것 같은데，밑줄 친[under line] 字句에 대한 先賢들의 注釋은 찾아지지 않는다.
· 『한서』 권27上，五行志第7上，"嚴公二十八年，'冬，大亡^{本亡}麥禾'．董仲舒以爲夫人哀姜淫亂[注，師古曰，哀姜，莊公夫人，齊女也]，逆陰氣，故大水也．… 劉歆以爲金石同類，是爲金不從革，失其性也．劉向以爲石白色爲主，屬白祥".
· 『춘추좌씨전』經，莊公 28년，"冬，… 大無麥禾".

578) '石，山之骨也'의 由來를 알 수 없으나 조선시대에도 이 句節이 사용되었던 것 같다.
· 『세종실록』 권119，30년 3월，"癸巳8日，陰陽學訓導全守溫上書曰，'謹按地理全書撼龍經曰，水口重重生異石，定有羅星當水立，… 且洞林照膽曰，石者，山之骨也，山不可以無骨．明山論曰，山之爲山，以土爲肉，以石爲骨，以草木爲毛髮．…".
· 『중종실록』 권38，15년 2월 甲申25日，"御朝講．大司諫徐祉曰，'江原道觀察使洪景霖，本無物望，… 但此地無石，然石者，山之骨也．若使掘山而求之，則必可得也'．領議政府事南袞曰，抄發定州以西民丁，則可築矣．…".

579) 이 구절은 다음의 자료를 적절히 縮約한 것 같다.
· 『漢上易傳』 권9，說卦傳，"乾爲馬，坤爲牛，震爲龍，巽爲雞，… 巽入也，爲風，風主號令，… 洞林曰，巽爲大雞，酉爲小雞．素問以雞爲木畜者巽也．離者巽之再變，兌者，離之變，故雞雄

隳官曠職之罰乎? 獸之怪, 虎入宮者一, 豹入城者一, 犢有兩頭者一. 虎豹, 山野之惡獸也, 今見于宮中與朝路, 得非將爲惡獸之所窟穴乎?. 犢生兩頭者, 下民不一之兆也. 大抵世治則天變略, 世亂則天變繁, 道勝之君, 以人理天, 德衰然後, 天且譴告. 王者, 布德行政, 以順人心, 則災何不銷, 福何不至哉?":列傳14權敬中轉載].[580)]

壬午[6日], 東界兵馬使奏, "東眞寇定·長二州", 遣右軍兵馬使·上將軍趙廉卿, 知兵馬事·大將軍金升俊, 中軍兵馬使·樞密院使[樞密院副使]丁公壽, 知兵馬事金鏡良, 後軍兵馬使·上將軍丁純祐, 知兵馬事·大將軍金之成, 率三軍, 禦之.[581)]

[癸未[7日], 太白犯大微[太微]左執法:天文2轉載].

乙酉[9日], 謁景靈殿.

[戊子[12日], 熒惑犯大微[太微]左執法:天文2轉載].

[辛卯[15日], 月犯昴星:天文2轉載].

[甲午[18日], □[月]掩東井:天文2轉載].

[丙申[20日], □[月]又犯輿鬼:天文2轉載].

辛丑[25日], 親設消災道場于宣慶殿, 以禳天變.

丙午[30日], 親設無能勝道場于修文殿, 以壓兵.

冬十月[丁未朔小盡,辛亥], [己酉[3日], 熒惑犯進賢:天文2轉載].

庚戌[4日], [小雪]. 幸外帝釋院, 命宰樞, 設醮于天皇堂, 以祈兵捷.

癸丑[7日], 又設無能勝道場于宣慶殿.

己未[13日], 三軍自安邊府, 直指賊屯所宜州,

甲子[18日], 賊挑戰, 我軍敗績.

[→[高宗]十四年, 東眞寇定·長二州, [右承宣金]仁鏡[良鏡]知中軍兵馬事, 與戰于宜州, 敗績:列傳15金仁鏡轉載].

皆耿介, 而雞將號, 動股擊羽, 翰而後有聲"[四庫全書本8左末行以下].

580) 以上 權敬中 列傳의 校注는 筆者가 2017年 以前의 在職 中에 起草하다가 力不足이어서 일부를 宿題로 남겨두었는데, 2021년 6월 이래 不備한 草稿를 一讀하던 Cathoric大學 蔡雄錫敎授가 말끔하게 加筆하여 주셨다. 그때 貧妻가 生死를 가늠하지 못하고 江南severrance病院에 있었기에 筆者는 학업을 중지하고 있었지만, 蔡敎授가 筆者를 위해 자신의 연구를 밀쳐둔 채, 거의 6개월에 걸쳐 草稿를 면밀하게 검토하여 수많은 오류를 수정하여 주셨다. 어떠한 文辭로 감사의 인사를 올려야 할지 모르겠다.

581) 樞密院使는 樞密院副使의 잘못이다(→고종 13년 12월 22일).

十一月[丙子朔大盡,壬子], [辛巳[6日], 冬至. 霧:五行3轉載].

己丑[14日], 以郎將金利生爲紫門指諭. 利生嘗領北界兵, 夜入和州城, 與城中人幷力固守, 又出奇兵, 斬敵, 無慮千百, 以功受是職.

癸巳[18日], 以前樞密院使[前樞密院副使]金仲龜爲西京留守[知西京留守事]. 仲龜公忠節儉, 所至有聲. [[大將軍]李克仁之死也, 流白翎島, 至是:節要轉載] 命下, 朝野皆喜.[582)]

○貶[樞密院副使]丁公壽爲南京留守, [上將軍]趙廉卿爲溟州副使, 流丁純祐于白翎島, 以不能禦賊也.

[丙申[21日], 小寒. 熒惑犯氐. 流星出大微[太微]帝座, 抵紫微勾陳, 大如木瓜, 尾長十餘尺:天文2轉載].

[辛丑[26日], 月犯心前星:天文2轉載].

十二月[丙午朔大盡,癸丑], 乙丑[20日], 御史臺, 禁閭里養鵓鴿·鷹鸇, 以有職者, 廢公務, 無職者, 起爭訟也.[583)]

辛未[26日], 以文惟弼△[爲]參知政事·判禮部事, 貢天源△[爲]知門下省事·吏部尙書, 柳彦琛爲樞密院使·禮部尙書,[584)] 崔宗俊[崔宗峻]△[爲]知樞密院事·左散騎常侍,[585)] 崔正份爲樞密院使,[586)] 崔正華△[爲]同知樞密院事·戶部尙書, 李元瑊[李允誠]·奇洊·金之成並爲樞密院副使,[587)] 陳湜爲右僕射·翰林學士, 史光補爲兵部尙書, 金叔龍爲樞密院左承宣·工部尙書·知吏部事, 鄭旼爲戶部尙書, 李仲敏爲刑部尙書, 崔宗藩[崔宗蕃]爲樞密院左副承宣, 李頲爲右承宣, [國子祭酒]李奎報△[爲]判衛尉□[寺]事·知制誥, [尙書右丞·右諫議大夫]庾敬

582) 前樞密院使는 前樞密院副使의, 西京留守는 知西京留守事의 오류이고, 이때 金仲龜가 知西京留守事에 임명된 것은 高宗의 뜻이 아니었기에 다음 해 불려 들어와 知樞密院事에 임명되었다고 한다(金仲龜墓誌銘). 또 大將軍 李克仁(永州人)이 崔瑀를 謀殺하려고 했던 일은 1224년(고종11) 7월을 某日에 있었다.

583) 이 기사는 지38, 형법1, 職制에도 수록되어 있다.

584) 柳彦琛(柳公權의 次子)은 柳公權의 列傳에 同知樞密院事에 이르렀다고 되어 있으나 오류일 것이다(열전12, 柳公權).

585) 崔宗俊은『고려사절요』권15에는 崔宗峻으로 표기되어 있다.

586) '崔正份爲樞密院使'는 관료임명의 序列로 볼 때 崔宗峻의 앞으로 옮겨야 옳게 된다.『고려사절요』권15에는 柳彦琛·崔正份並爲樞密院使로 옳게 되어 있다.

587) 李元瑊은 李允誠의 오자인데,『고려사절요』권15에는 바르게 되어 있다. 이때 그와 함께 밀직부사에 임명된 奇洊도 眞覺國師 慧諶의 俗弟子로 登載되어 있다(月南寺址眞覺國師圓炤塔碑, 陰記, '左僕射奇洊', '樞密院使李允誠', 1250년 4월 立石).

玄爲尙書右丞[尙書左丞]·知御史臺事,[588)] 白敦貢△[爲]試秘書監·左諫議大夫.

乙亥[30日], 門下侍中李延壽卒,[589)] [後配高宗廟廷:追加].[590)]

[冬某月, 僧見明[一然]赴選佛場, 登上上科:追加].[591)]

是歲, 遣及第朴寅聘于日本. 時, 倭賊侵掠州縣, 國家患之, 遣寅賫牒, 諭以歷世和好, 不宜來侵. 日本推檢賊倭, 誅之, 侵掠稍息.

[○以[慶成府主簿]吳闡猷爲權知閤門祗候:追加].[592)]

[○以[前監察御史]薛愼爲禮部員外郞·知龍州事:追加].[593)]

[以金方慶蔭補散員兼式目都監錄事. 方慶, 金孝仁子也. 時, 年十六:列傳17金方慶轉載].

[增補].[594)]

---

588) 尙書右丞은 尙書左丞의 오자일 것이다. 庾敬玄의 墓誌銘에는 尙書右丞·右諫議大夫에서 尙書左丞·知御史臺事로 전직하였다고 한다.

589) 이날은 율리우스曆으로 1228년 2월 7일(그레고리曆 2월 14일)에 해당한다.

590) 이는 『제왕운기』권하, 本朝君王世系年代에 의거하였다.

591) 이는 「華山曹溪宗麟角寺普覺國尊碑銘」에 의거하였다.

592) 이는 「吳闡猷墓誌銘」에 의거하였다.

593) 이는 「薛愼墓誌銘」에 의거하였다.

594) 다음의 자료는 이보다 먼저 全羅州道按察使의 牒이 일본에 도착하였던 것에 대한 見聞을 기록한 것들이다. 이에 의하면, 이 시기 이전에 고려의 全羅州道按察使의 牒 2通이 다자이후[大宰府]에 보내졌고, 이것이 5월 1일 京都에 도착하였으며, 이 중에서 正本 1통은 鎌倉幕府[武家]에, 寫本 1통은 朝廷[公家]에 제출되었던 것 같다. 또 大宰府의 府官이 左右를 물리치고 혼자서 牒을 開封하고 答書를 작성하였다는 것이 더욱 奇怪하다고 후지와라노 쯔네미츠(藤原經光)는 기록하고 있다. 이러한 고려의 첩에 대해 일본의 公卿들이 關白 藤原[近衛]家實(후지와라노 이에자네, 1179~1242)의 宿直處[直廬]에서 모여 答書를 보낼 것인가 말 것인가에 대해 의논하였다고 하지만, 그 결과에 대해서는 기록되어 있지 않다. 고려초기이래 일본이 고려에 답서를 보내지 않았음을 감안하면, 이때에도 答申을 보내지 않았던 것으로 추측된다.

· 『民經記』, 嘉祿 3년 5월(高麗曆의 閏5月), 7월, "[五月]一日己卯, 天陰, 甚雨, 中納言[藤原賴資]傳殿令參殿下[藤原家實]給, 傳聞, 自高麗國牒狀到來 一通武家 一通公家云〃, … 十五日癸巳, … [裏書][高麗國牒事]十五日, 朝間天晴, 及黃昏雷雨, 傳聞, 高麗國金[全]羅州牒案所一見也, 府官無左右開封見之, 書返牒云〃, 尤奇怪事也. 正本關東遣之, 案進殿下[關白藤原家實]云〃. … [七月]十八日乙未 … [裏書]十八日, 天晴, 申刻以後時々雷雨 … 中納言殿令參北野給, 余·信光同參, 下州[宣實]·攝州[能敎]等來, 來廿一日, 於關白[藤原家實]御直廬可有議定造內裏幷高麗返牒事, 其間事內〃有御沙汰, … [七月]廿一日戊戌 … [裏書]廿一日 … 於直廬可有公卿議定云〃, 高麗返牒事幷造內裏事等云〃, …".

戊子[高宗]十五年, [只用當該年干支],

[南宋紹定元年], [蒙古拖雷監國], [西曆1228年]

1228년 2월 8일(Gre2월 15일)에서 1229년 1월 26일(Gre2월 2일)까지, 354일

春正月丙子朔[小盡,甲寅], 地震.

癸未[8日], 以判將作監事金弁爲東北面兵馬使, 大將軍太集成爲西北面兵馬使.

[戊子[13日], 大風拔木:五行3轉載].

戊戌[23日], 幸法王寺.

己亥[24日], 醮三淸于宣慶殿, 以禳地震.

[某日, [判衛尉寺事]李奎報爲中散大夫·判衛尉寺事:追加].[595)]

[某日, 貶[右承宣·中軍知兵馬事]金良鏡爲尙州牧使. 良鏡雖書生, 素習兵法, 從軍累有功, 今被譖而出, 故舊無一人相送者:節要轉載].[596)]

[某日, 以李希乂爲慶尙道按察使:慶尙道營主題名記].

癸卯[28日], 設消災道場于修文殿.

[甲辰[29日晦], 日暈如虹:天文1轉載].

[是月朔, 南宋改元紹定:追加].

二月[乙巳朔小盡,乙卯], [戊申[4日], 月犯昴星:天文2轉載].

[癸丑[9日], □[月]入輿鬼, 掩積屍:天文2轉載].

戊午[14日], 燃燈, 王如奉恩寺.

乙丑[21日], 幸王輪寺.

[○月掩南斗第五星:天文2轉載].

[丁卯[23日], 淸明. 赤氣亘天:五行1轉載].

三月甲戌朔[大盡,丙辰], 幸普濟寺.

---

595) 이는 『동국이상국집』年譜에 의거하였다.

596) 이와 같은 기사로 다음이 있다.

- 열전15, 金仁鏡, "明年[高宗15年], 被讒貶尙州牧使, 故舊無一人相送者, 唯門生餞于郊, 仁鏡有詩云, 一鞭幾盡掃胡塵, 萬里南荒作逐臣. 玉筍門生多出餞, 感深難禁淚霑巾. 又題州壁云, 敢向蒼天有怨情, 謫來猶自得專城. 何時鈴閣登黃閣, 太守行爲宰相行".

[己卯[6日], 大雨雹:五行1轉載].[597)]

[癸未[10日], 穀雨. 自壽昌宮門, 至西門路, 靑色蚯蚓, 長三寸許, 多隨雨下:五行3轉載].

乙酉[12日], 幸乾聖寺.

己丑[16日], [□□[先是], 懷音鎭別將, 告西都有謀叛者. 兵馬使移牒西都, 索之不得, 押送告者于京. [參知政事]崔瑀欲因此, 收北人之心, 以錦衣·金帶·細馬·綾羅·絹五十匹, 紬·苧各十匹, 米三十碩, 賞告者, 令驛輸其家. 又奏請褒異. 王亦賜廏馬一匹·綾羅絹四十匹·紬百匹·布二百匹:節要轉載].[598)] 懷音鎭都領希幹捕西京謀叛者, 來告, 賜綵帛四十匹·廐馬一匹.

[庚寅[17日], 月犯心星:天文2轉載].

辛卯[18日], 幸外帝釋院.

戊戌[25日], [立夏]. 賜李敦等及第.[599)]

夏四月[甲辰朔小盡,丁巳], [丙午[3日], 月入東井:天文2轉載].

[丁未[4日], 熒惑犯南斗:天文2轉載].

[戊申[5日], 亦如之[熒惑犯南斗]:天文2轉載].

壬戌[19日], 親設消災道場于宣慶殿.

[是月上旬, 僧侶普觀開板'金剛般若波羅密經':追加].[600)]

---

597) 이와 같은 기사가 지7, 五行1, 水, 雨雹에도 수록되어 있다. 일본에서는 3월 6일 교토[京都]의 賀茂社에서 落雷가 있었다고 한다(日本史料5-4册 559面 ; 中央氣象臺 1941年 2册 429面).
· 『百練抄』제13, 後堀河院, 安貞 2년 3월, "六日, 今日寅刻, 雷落賀茂社壇云々".

598) 懷音鎭이 어디에 있었는지는 알 수 없다. 또 이와 같은 기사가 열전42, 崔忠獻, 怡에도 수록되어 있으나 字句에 出入이 있다.

599) 이와 관련된 기사로 다음이 있다. 이때 李奎報가 謝禮한 表가 『동문선』 권36, 謝同知貢擧表일 것이다. 또 이때 李敦·張鎰(初名은 張敏)·鞠受圭(明經業) 등이 급제하였다고 한다(『동국이상국집』年譜 ; 『동인지문오칠』 권7, 許興植 2005년).
· 지27, 선거1, 科目1, 選場, "[高宗]十五年三月, [門下侍郞]平章事崔甫淳知貢擧, 判衛尉□[寺]事李奎報同知貢擧, 取進士, □□[戊戌], 賜李敦等三十一人及第".

600) 이는 다음의 자료에 의거하였다(華城市 鳳林寺 所藏, 보물 제1095호, 千惠鳳 1980년 ; 崔然柱 2005년b·2015년).
· 『金剛般若波羅密經』跋, "如來爲一大事因緣故, 出現於世, 開示悟入, 佛之知見. 佛知見者, 豈有他哉, 卽衆生心是. 徹悟此心, 便是本來成佛, 何假劬勞積功累行爲哉. 若不爾者, 且於經敎中, 求其宗要, 受已能讀, 讀已能誦, 誦已能持. 因言得義, 得義忘言, 因義了心, 了心忘義. 斯五月[癸酉朔小盡,戊午]，辛丑[29日]，北界兵馬使馳報，“境上有賊變，又蝗害稼”．王分遣內侍，禱于中外神祠．又設般若道場于宣慶殿，二七日．

六月壬寅朔[大盡,己未]，王如奉恩寺．

戊申[7日]，親醮元辰于修文殿．

壬子[11日]，東眞矛克[謀克]王奴卑·司曆高隣·斡闌哥來投．

[癸丑[12日]，龍化院池魚，盡出浮水，數日而死．人有食者，亦死:五行1魚孽轉載]．

壬戌[21日]，親設仁王道場于宣慶殿，以禳狄兵．

戊辰[27日]，掌牲署囚徒中，有一女，美姿色．署吏當直夕，欲奸之，其女固拒曰，“我亦隊正妻也，肯從他乎?”．吏劫之，囚於猪廐．衆猪爭嚙，其女叫呼甚急．吏以爲詐，置而不救．比明視之，唯骨在焉．

秋七月[壬申朔小盡,庚申]，[戊寅[7日]，震內願堂槐樹:五行雷震1轉載]．

[壬午[11日]，月犯南斗:天文2轉載]．

[庚寅[19日]，□[月]犯婁星:天文2轉載]．

乙未[24日]，移御延慶宮．

[某日，前判太醫監事尹應瞻卒:追加]．[601)]

[某日，以崔林壽爲慶尙道按察使:慶尙道營主題名記]．

[己亥[28日]，白露．熒惑犯南斗第四星:天文2轉載]．

庚子[29日晦]，東北面兵馬使報，“東眞兵千餘人來，屯長平鎭”．議遣三軍，以禦之，尋聞賊退，竟不行．

八月[辛丑朔大盡,辛酉]，[某日，[參知政事]崔瑀，以私田七百餘結，屬諸衛散員及校尉房，以收人心[以市恩]:節要轉載]．[602)]

亦成佛之階漸也已．沙門普觀，雖未能直悟本心，而亦善知階漸於教乘中，擇取智悲行願現密要門．乃請道人悅可隸書金剛般若·法華普門品·華嚴行願品．又請三重惠歸梵書大藏神呪，遂與侍郞李紘·三重大師文光，同心結類，雕板印施，庶欲奉福於國家，施恩於罔極，遠來求跋，嘉其誠願之室，方對客次信筆卽書,」戊子四月上旬,祖月庵無衣子[慧諶]跋」 同願大師釋光雕刻」”．

601) 이는「尹應瞻墓誌銘」에 의거하였다.

602) 添字는 열전42, 崔忠獻, 怡에 의거하였다.

丙辰[16日], 詔曰, "東眞潛據近地, 數寇邊鄙. 出軍追討, 卽輒遁去, 迨軍之還, 復入窺窬, 制禦之術安在. 書曰, '謀及卿士',[603)] 宜爾文武四品·臺省六品以上, 各以長策, 條上".

辛酉[21日], 親設消災道場于延慶宮.

[壬戌[22日], 月犯東井. 土星犯壘壁陣:天文2轉載].

[某日, 有僧, 將營慈惠院, 伐材于江陰縣. 監務朴奉時, 禁之, 官納其材. 其僧, 托大將軍大集成[太集成], 貽書以請. 奉時不從, 集成請[參知政事]崔瑀, 送敎定所牒, 又不從. 集成慚恚, 復訴於瑀, 流奉時于遠地. 時人, 莫不憤嘆:節要轉載].[604)]

[是月, 取□□□[升補試]石延年等四十七人:選擧2升補試轉載].

九月[辛未朔大盡,壬戌], 壬申[2日], 幸王輪寺. 親設佛頂道場于修文殿.

己丑[19日], 幸普濟寺.

辛卯[21日], 幸乾聖寺.

乙未[25日], 幸妙通寺.

丙申[26日], 淸塞鎭戶長安作童謠, 欲與龍州謀叛, 兵馬使蔡松年, 按誅之.[605)]

[己亥[29日], 月與太白同舍:天文2轉載].

冬十月[辛丑朔[大盡,癸亥], 太白掩南斗:天文2轉載].

[甲辰[4日], 月犯南斗:天文2轉載].[606)]

戊申[8日], 幸外帝釋院.

[○雷:五行1雷震轉載].[607)]

---

603) 이 구절은 다음의 자료에서 따온 것이다.

· 『尙書』 권7, 洪範第6, 周書, 稽疑, "汝則有大疑, 謀及乃心, 謀及卿士, 謀及庶人, 謀及卜筮".

604) 이와 같은 기사가 열전42, 崔忠獻, 怡에도 수록되어 있으나 字句에 出入이 있다.

605) 이와 관련된 기사로 다음이 있다. 이는 是年(1228년, 고종15) 5월 29일이래 國境上에 變故[賊變]가 있었다고 한 점을 보아 淸塞鎭(現 平安北道 熙川郡 位置)이 蒙古[狄人]에 항복하였던 것을 가리키는 것으로 추측된다.

· 지12, 지리3, 淸塞鎭, "高宗四年, 以禦丹兵有功, 陞威州防禦使. 後投狄背國, 改稱熙州, 爲价州兼官".

· 『신증동국여지승람』 권54, 熙川郡, 건치연혁, "本高麗淸塞鎭, 高宗四年, 以禦丹兵有功, 陞爲威州防禦使. 後以背國投狄, 改稱熙州, 爲价州兼官".

606) 辛丑에 朔이 탈락되었다.

辛亥[11日], 親設消災道場于宣慶殿.

[甲寅[14日], 月掩昴星:天文2轉載].

[丁巳[17日], 和州城廡三百餘間火:五行1火災·節要轉載].

[戊午[18日], 鎭星犯壘壁陣:天文2轉載].

[庚申[20日], 月犯軒轅右角:天文2轉載].

辛酉[21日], 飯僧三萬.

[乙丑[25日], 熒惑犯鎭星:天文2轉載].

己巳[29日], 太白晝見, 經天.

十一月辛未朔[小盡,甲子], [大雪]. 地震.

[甲戌[4日], 月與太白, 同舍牽牛:天文2轉載].

癸未[13日], 設八關會, 幸法王寺.

[甲申[14日], 月食:天文2轉載].[608)]

[某日, [及第]朴寅還自日本. 寅, 到大宰府, 經一年賫和親牒, 以來, [參知政事]崔瑀給銀甁五·叚子[段子]六十匹·布五百匹·米豆五十碩·鞍馬, 以賞之:節要轉載].

[→及第朴寅, 聘日本, 賫和親牒還, 怡[瑀]給銀甁五事·段子六十匹·布五百匹·米豆幷五十石·鞍馬·琴, 以賞之:列傳42崔怡轉載].

辛卯[21日], 知門下省事[參知政事?]文惟弼卒, 輟朝三日.[609)]

乙未[25日], 還御本闕.

---

607) 일본에서는 10월 7일 교토[京都]와 가마쿠라[鎌倉]에서 大風雨가 있었다고 한다(中央氣象臺 1941年 1册 37面).

· 『百練抄』제13, 安貞 2년 10월, "七日, 朝間, 東風吹, 雨降, 及未剋, 坤風猛也. 折樹木罷舍屋, 法勝寺九重塔九輪, 北方傍珍皇寺塔顚倒, 平野舍中門一字, 神祇官御幣殿, 眞言院四足等顚倒了".

· 『民經記』, 安貞 2년 10월, "七日丁未, 天陰雨灑, 午刻以後, 風漸荒, 雲正騷, 及黃昏之間, 頻射罷窓, …".

608) 이날 宋에서도 월식이 있었고(『송사』 권52, 지5, 천문5, 月食), 일본의 가마쿠라[鎌倉]에서도 월식이 있었다. 이날은 율리우스력의 1228년 12월 12일이고, 월식 현상이 심했던 때의 世界時는 19시 14분, 食分은 0.45이었다(渡邊敏夫 1979年 480面).

· 『吾妻鏡』第27, 安貞 2년 11월, "十四日甲申, 晴. 月蝕正現".

609) 文惟弼은 1222년(고종9) 12월 23일(丁酉) 知門下省事에, 1227년(고종14) 12월 26일(辛未) 參知政事·判禮部事에 각각 임명되었다. 그러므로 이 기사의 知門下省事는 參知政事의 오류일 가능성이 있다. 이날은 율리우스曆으로 1228년 12월 19일(그레고리曆 12월 26일)에 해당한다.

十二月庚子朔大盡,乙丑, 日食.[610)]

[壬寅3日, 月與太白同舍:天文2轉載].

癸卯4日, 平章事~~門下侍郎同中書門下平章事致仕~~王珪卒,[611)] [年八十七, 輟朝三日, 謚莊敬:列傳14王珪轉載]. [珪, 性溫雅, 美容儀, 年七歲十二歲?, 爲東宮學友, 敏厚有器局. 初, 授軍器注簿同正, 門下省以幼駁之. 毅宗曰, 其父有佐命之功, 豈拘常例耶. 嘗留守南京, 有惠政, 年未七十, 上章乞退, 杜門縣車, 優游自適. 世論, 年高德邵, 以珪爲稱首:節要轉載].[612)]

[乙巳6日, 雷震:五行1雷震轉載].

[○月掩心星:天文2轉載].[613)]

[己酉10日, □月掩昴星:天文2轉載].

甲子25日, 命樞密院副使李允誠, 奉御衣帶, 移安于白岳假闕.

戊辰29日, 門下侍郎平章事·守太傅·監修國史·柱國崔甫淳加守太師·判吏部事,[614)] 金就礪△爲守太尉·中書侍郎平章事·判兵部事,[615)] [參知政事崔瑀, 加鼇戴鎭國功臣:節要轉載], 貢天源·

---

610) 이날 金에서도 일식이 있었다고 하고(『금사』 권17, 본기17, 哀宗上, 正大 5년 12월 庚子朔 ; 권20, 지1, 天文, 日薄食煇珥雲氣), 일본에서는 일식이 관측되지 않았다고 한다. 또 이날(율리우스력의 1228년 12월 28일)의 일식은 한반도과 일본지역이 中心食帶에서 벗어나 있었기에 관측될 수 없었다고 한다(渡邊敏夫 1979年 309面).

· 『吾妻鏡』第27, 安貞 2년 12월, "一日庚子, 天陰, 日蝕不正現".

· 『猪隅關白記』安貞 2년 12월, "脫落, 僧都定玄也. 二日, 御堂御八講五卷日也, …". 여기에서 2日의 앞 記事가 탈락되고, 朔日의 끝부분인 '僧都定玄也'만이 남아 있다. 이를 僧都, 權僧都가 日月蝕의 解消를 위한 讀經의 行事[御祈]를 主管했던 점과 관련지어 생각해 보면(『東寺長者補任』), 이때에도 월식이 예측되었던 것 같다.

611) 이날은 율리우스曆으로 1228년 12월 31일(그레고리曆 1229년 1월 7일)에 해당한다.

612) 王珪(1142~1228)가 7歲일 때는 1148년(의종2)인데, 이때 太子[東宮]는 존재하지 않았기에 적절한 敍述이 아니다. 의종의 아들 泓은 1149년(의종3) 4월 27일에 탄생하였고, 1253년(의종7) 1월 13일 祈로 改名한 후 4월 20일 皇太子로 책봉되었는데, 이때 王珪가 東宮의 學友가 되었을 것이다(12歲).

613) 이와 관련된 자료로 다음이 있다. 이에서 날짜의 順序가 잘못되어 있는데, 癸卯가 오자이거나 이 구절의 앞에 某年某月이 탈락되었을 것이다.

· 지2, 천문2, "十二月壬寅3日, 月與太白同舍, 己酉10日, 掩星, 癸卯4日, 掩心星".

614) 이날 崔甫淳은 政事堂에 들어가 人事行政을 처리하고 歸家하여 明年 1월 2일(辛未) 새벽에 逝去하였다고 한다. 이때의 政事堂은 12월에 이루어진 年末 人事異動[大政]을 결정했던 政房을 指稱한 것 같지만, 더 생각해 볼 여지가 있을 것이다(金昌賢 1998년 40面).

· 「崔甫淳墓誌銘」, "及冬末, 入政事堂, 除吏旣畢, 退息私第. 翌年己丑正月初二日晩, 問其時刻, 面壁偃臥如睡, 而終".

崔正份並△[爲]參知政事,[616] 崔宗俊[崔宗峻]△[爲]知門下省事·吏部尙書,[617] 金仲龜△[爲]知樞密院事,[618] 奇浵△[爲]同知樞密院事, 陳湜爲樞密院副使·御史大夫, 史光補·兪升旦並爲樞密院副使·左右散騎常侍. 洪斯胤爲尙書右僕射, 崔正華爲樞密院使, 仍令致仕,[619] 朴世通爲兵部尙書,[620] 趙廉卿爲禮部尙書, [左承宣]金叔龍爲樞密院知奏事, 金良鏡爲刑部尙書·翰林學士, 金承俊[金升俊]△[爲]試戶部尙書,[621] 崔宗藩[崔宗蕃]爲左承宣, 李頲爲左副承宣, 崔林壽△[爲]試秘書監·左諫議大夫.

[是年, 以[權知閤門祗候]吳闡猷爲知古阜郡事:追加].[622]
[○以[知南原府事]李世華爲知東州事:追加].[623]

---

615) 이때 金就礪·崔正份·崔宗峻·金仲龜 등에게 下賜된 詔書가 『동문선』 권27, 除宰臣 金就礪·崔正份·崔宗峻·金仲龜教書[詔書]이다.

616) 이때 崔正份은 金紫光祿大夫·參知政事·監修國史에 임명되었다(『동문선』 권27, 除宰臣 金就礪·崔正份·崔宗峻·金仲龜教書[詔書]).

617) 崔宗俊은 『고려사절요』 권15에는 崔宗峻으로 표기되어 있다. 또 이때 崔宗峻은 金紫光祿大夫·知門下省事·吏部尙書에 임명되었다(『동문선』 권27, 除宰臣金就礪·崔正份·崔宗峻·金仲龜教書[詔書]).

618) 이때 金仲龜는 知樞密院事·尙書左僕射·上將軍·判三司事에 임명되었다고 한다(金仲龜墓誌銘). 그런데 『동문선』 권27, 除宰臣金就礪·崔正份·崔宗峻·金仲龜教書[詔書]에는 이때 金紫光祿大夫·知門下省事·尙書左僕射·判三司事에 임명되었다고 되어 있으나 묘지명에 의하면 다음 해에 知門下省事·守司空·左僕射에 임명되었다고 한다. 추측하건대 崔瀣가 『東人之文四六』을 편집할 때 어떤 착오가 있었던 것 같다.

619) 이때 崔正華는 銀靑光祿大夫·樞密院使·戶部尙書로 致仕하였다.
· 『동국이상국집』 권34, 崔正華爲銀靑光祿大夫·樞密使·戶部尙書致仕教書·官誥各一道.

620) 朴世通에게는 아래의 자료와 같이 高麗初期의 徐神逸(徐熙의 祖)이 사냥꾼[獵者]에게 쫓긴 사슴[鹿]을 구해준 逸話와 같은 일이 있었던 것 같다. 이것이 사실이라면 年代記에 나타나는 朴世通과 朴洪茂는 부자일 것이고, 朴瑊(박감)은 찾아지지 않는다. 世通은 1217년(고종4) 5월 모일 장군으로 재직하다가가 이때 병부상서에 임명되었고, 洪茂는 1257년(고종44) 12월 22일 樞密院副使에 임명되었다.
· 『역옹패설』前集2, 冒頭, "國初, 徐神逸郊居, 有鹿帶箭奔投, 神逸拔其箭, 而匿之, … 近世[西北面]通海縣, 有巨物如龜, 乘潮入浦, 潮落而不得去, 民將屠之, 縣令朴世通禁之, 作大索, 兩舟曳放海中. 夢老父[老夫]拜於前曰, '吾兒遊不擇日, 幾不免鼎鑊, 公幸活之, 陰德大矣. 公與子孫, 必三世爲宰相'. 世通及子洪茂, 俱登宥密, 孫瑊以上將軍致仕. 鞅鞅作詩曰, '龜乎龜乎莫耽睡, 三世宰相虛語耳'. 是夕, 龜夢之曰, '君溺於酒色, 自滅其福, 非予敢忘德也, 然將有一喜, 故需焉'. 數日, 果落致仕, 爲僕射".

621) 金承俊은 前年 9월 6일(壬午) 東北界의 定州·長州에 침입한 東眞兵을 격퇴하기 위해 右軍兵馬使·上將軍 趙廉卿, 中軍知兵馬事 金良鏡 등과 함께 파견된 右軍知兵馬事·大將軍 金升俊의 誤字일 것이다. 이때 이들 3인이 모두 戰功으로 승진하였던 것 같다.

622) 이는 「吳闡猷墓誌銘」에 의거하였다.

己丑[高宗]十六年, [只用當該年干支],[624]

[南宋紹定二年], [蒙古拖雷監國→8月太宗元年], [西曆1229年]

1229년 1월 27일(Gre2월 3일)에서 1230년 1월 15일(Gre1월 22일)까지, 354일

春正月[庚午朔[大盡,丙寅], 木稼:五行2轉載].

辛未[2日], 平章事[~~門下侍郞同中書門下平章事~~]崔甫淳卒,[625] [年六十八, 輟朝三日, 謚文定:追加].[626]

[甲戌[5日], 天狗墜地, 聲如雷:天文2轉載].

[丙子[7日], 月犯昴星:天文2轉載].

[己卯[10日], □[月]犯東井:天文2轉載].

[辛卯[~~辛巳~~12日], □[月]犯輿鬼:天文2轉載].[627]

[壬午[13日], □[月]犯軒轅:天文2轉載].

[丙戌[17日], 熒惑·鎭星, 同舍于婁:天文2轉載].

[丁亥[18日], 雨水. 木稼:五行2轉載].

辛卯[22日], 幸法王寺.

[某日, 有鄭相者, [~~前判樞密院事~~]通輔之子, [將軍]金希磾之壻也. 嘗[~~恃勢驕橫. 嘗奸大將軍池允深妻, 流南方, 後召還~~], 夜至壽德宮里, 里門閉, 相, 怒管鑰者遲來, 從門隙, 射殺之, 法官大集成[~~太集成~~]·金得循·崔宗藩[~~崔宗蕃~~]·洪斯胤等, 以通輔·希磾囑託, 不問, 惟郞中李廷翮, 固執不得, 遂以輕罪, 論免. 時[~~未幾~~], 廷翮爲晋陽副使, 瑀嘉其守法, 拜紫門指諭, 以褒之:節要轉載].[628]

[某日, 以韓令仁爲慶尙道按察使:慶尙道營主題名記].

---

623) 이는「李世華墓誌銘」에 의거하였다.

624) 이해의 年度表記를 高麗王朝의 創業으로부터 起算한 자료도 있다(「崔昷墓誌銘」, "距本朝啓統戊寅三百十二歲己丑八月日書").

625) 이날은 율리우스曆으로 1229년 1월 28일(그레고리曆 2월 4일)에 해당한다.

626) 이는「崔甫淳墓誌銘」; 열전12, 崔均, 甫淳에 의거하였다.

627) 辛卯(22일)는 辛巳(12일)의 오자일 가능성이 있다.

628) 金希磾는 1227년(고종14) 3월 將軍으로서 全羅州道巡問使로 在職하다가 바다에 投身하였으므로 그가 사위를 위해 付託한 것은 그 이전의 시기였을 것이다. 또 이와 같은 기사가 열전16, 金希磾에도 수록되어 있는데, ~~添字~~는 이에 의거하였다.

[是月, 某等鑄成月溪寺香埦壹坐, 入重壹斤拾參兩:追加].[629]

[○晋陽府鑄成昌福寺飯子一座:追加].[630]

二月[庚子朔小盡,丁未], 丙午[7日], 設消災道場于宣慶殿.

壬子[13日], 東北面兵馬使報, "東眞人到咸州, 請和". 親遣式目錄事盧演, 往聽約束.

癸丑[14日], 燃燈, 王如奉恩寺.

乙丑[26日], 宋商都綱金仁美等二人, 偕濟州飄風民梁用才等二十八人來.

三月[己巳朔小盡,戊辰], 庚午[2日], 幸乾聖寺.

[乙酉[17日], 月犯心前星:天文2轉載].

己丑[21日], 幸外帝釋院.

庚寅[22日], 幸普濟寺.

[○和州兵庫灾:五行1火災轉載].

[辛卯[23日], 流星出天紀, 入河鼓, 大如缶:天文2轉載].

甲午[26日], 幸妙通寺.

[丁酉[29日晦], 軍器監行廊灾:五行1火災轉載].

[是月某日, 興王寺學徒·大德文某·進禮郡副戶長金浮等造成香埦一坐:追加].[631]

夏四月[戊戌朔大盡,己巳], [辛丑[4日], 月入東井:天文2轉載].

---

629) 이는 月溪寺銘香碗의 명문에 의거하였다(김세린 2019년).
- 銘文, "己丑正月日,月溪寺華嚴經藏前排鑄香埦壹,入重壹斤拾參兩印造納推應".

630) 이는 對馬島 觀音堂에 懸架된 昌福寺飯子 銘文[小飯子銘]에 의거하였다. 이 靑銅飯子는 무게[重量] 99.5kg 정도, 바깥둘레[外徑] 81.0cm, 측면의 높이[總厚] 20.0cm이다. 이 飯子는 後日 對馬島로 搬出되어 1357년(공민왕6, 正平12) 多久頭魂神社(長崎縣 對馬市 嚴原町 豆酘에 位置)에 懸架되었다고 하는데, 搬出의 통로는 알 수 없다(九州國立博物館 2017年).
- 「昌福寺飯子」, "□□[補𢇍?]己丑月日, 晋陽府鑄成劦福寺[昌福寺]飯子一印"(末松保和資料 9box에 判讀文이 있다).

631) 이는 興旺寺 靑銅香埦의 銘文에 의거하였다(湖巖博物館 所藏, 국보 제214호 ; 文明大 1994년 3책 286面). 이 향완의 製造時期인 己丑을 1289년(至元26, 충렬왕15)으로 비정하는 견해, 香埦의 諸樣相을 통해 1229년(고종16)이 더 적합할 것이라는 견해가 있다(文明大). 고려가 金帝國의 衰退期에 甲子로 時期를 表記했음을 염두에 두면 後者일 가능성이 높다.
- 銘文, "己丑三月日興旺寺學徒·大德文□日,」 進禮郡副戶長金浮,同心」 □愿[發願]在京金彥守造」".

[乙巳8日, 三司文帳庫灾:五行1火災轉載].

辛亥14日, 以旱, 雩.

[某日, 參知政事崔瑀, 占奪隣舍百餘區, 築毬場, 東西相望, 數百步, 平坦如碁局, 每擊毬, 塵起, 必使里人, 汲水灌之:節要轉載].632)

五月[戊辰朔小盡,庚午, 流星出營室, 入婁, 大如木瓜, 長七尺許:天文2轉載].

甲戌7日, 盧演還自東北面. 時, 東界赴防將軍金仲溫, 訴演怯懦, 不與東眞約束. 崔瑀怒囚演于街衢所, 以前巨濟縣令陳龍甲, 爲長平鎭將, 約束東眞.

○詔曰, "農事方殷, 驕陽爲沴, 良由政刑之失, 朕甚懼焉, 其二罪以下流配人量移, 囚徒並原".

戊寅11日, 東眞寇和州, 掠牛馬·人口, 陳龍甲遣人諭之, 皆棄去.

[壬午15日, 太史奏, "月食, 密雲不見":天文2轉載].633)

戊子21日, 禱雨.634)

乙未28日, 幸賢聖寺, 祈雨.

[是月, □□□, □□□□□掌國子監試, 取詩賦金良純等二十人, 十韻詩盧希管等五十三人:選擧2國子試額轉載].

六月丁酉朔小盡,辛未, 戊戌2日, 王如奉恩寺.

[○震二人:五行1雷震轉載].

---

632) 이와 같은 기사가 열전42, 崔忠獻, 怡에도 수록되어 있으나 자구에 출입이 있다.

633) 이날 일본의 교토와 가마쿠라 에서도 월식이 있었다(高麗曆과 同一, 日本史料5-5册 131面). 이날은 율리우스력의 1229년 6월 8일이고, 월식 현상이 심했던 때의 世界時는 14시 1분, 食分은 1.15이었다(渡邊敏夫 1979年 480面).

- 『民經記』, 寬喜 1년 5월, "十五日壬午, 盡日天晴, 及夜陰雲掩天, 今夜月蝕也, 御讀經藏人右衛門權平佐範奉行云々".
- 『明月記』, 寬喜 1년 5월, "十五日壬午, 天陰, 入夜猶不晴, 月蝕, 戌時, … 自晩雲晴, 月輪不見云々, 有效驗歟".
- 『吾妻鏡』 권27, 寬喜 1년 5월, "十五日壬午, 雨降, 終日不休止, 子刻屬晴, 月蝕正現, 御祈藥師護摩, 大進僧都, 一字金輪, 信濃法印, 八字文殊, 宰相·律師, 愛染王, 若宮別當".
- 『本朝統曆』 권9, 寬喜 1년, "五十五望, 亥三, 月蝕, 皆既, 戌二, 子六".

634) 일본에서 8월의 降雨量이 적어 京都에서 旱魃이 있었다고 한다(中央氣象臺 1941年 2册 531面).

- 『明月記』, 寬喜 1년 8월, "七日壬寅, 旱天無其期事歟, 諸井皆乾, 此家僅殘, 其水已白濁".

辛亥[15日], 王受菩薩戒于內殿.

○北邊人前別將銳爵, 反覆多詐犯罪, 曾配和州. 自言, "知東眞道路夷險遠近". 東北面兵馬使崔宗梓信之, 遣爵等三人入東眞國, 聽探消息. 爵與東眞言, "我國欲與和好". 東眞亦信其言, 遣還爵一行人, 待報. 國家猶豫不報, 東眞以爵行詐, 斬之.

秋七月[丙寅朔大盡,壬申], [癸酉[8日], 王師志謙入寂:追加].[635)]

[庚寅[25日], 處暑. 流星出奎, 大如缶. 月入東井:天文2轉載].

壬辰[27日], 兩府會崔瑀家, 議備禦東眞之策.

[某日, 以趙□[茉]爲慶尙道按察使, 崔宗裕爲全羅道按察使:慶尙道營主題名記].[636)]

八月[丙申朔小盡,癸酉], [丁酉[2日], 太白·辰星, 相犯:天文2轉載].

甲辰[9日], 尙書左僕射致仕庾資諒卒,[637)] [年八十:追加]. [資諒, 莊重寡言. 毅宗朝[19年], 文臣大盛, 資諒, 時年十六, 與儒家子弟, 結契, 欲引武人[牽龍行首]吳光陟·文章弼[·李光挺:追加], 爲契, 契中皆不肯, 資諒曰, "交游之中, 文武備具可矣". 未幾, 庚寅之變, 同契皆賴光陟·章弼營救, 獲免. 嘗引年乞退, 爲耆老會, 事佛甚篤:節要轉載].[638)]

[乙巳[10日], 白露. 內侍·監門衛攝散員崔晛卒, 年二十二:追加].[639)]

庚戌[15日], 有司劾[東北面兵馬使]崔宗梓, 擅遣銳爵于東眞, 以生邊釁, 左遷梁州副使.

乙卯[20日], 幸王輪寺.

[○自艮方至巽, 赤氣如火:五行1轉載].

[丁巳[22日], 月犯東井:天文2轉載].

---

635) 이는 『동국이상국집』연보 ; 권35, 故華藏寺住持王師定印大禪師追封靜覺國師塔碑銘에 의거하였다.

636) 崔宗裕(崔滋의 初名)는 10월 某日에 의거하였다.

637) 이날은 율리우스曆으로 1229년 8월 29일(그레고리曆 9월 5일)에 해당한다.

638) 이는 다음의 자료에 의거하였고, 이와 관련된 기사도 있다.

· 「庾資諒墓誌銘」, "方毅廟時, 山東寢盛, 公年十六, 與貴門子弟約爲交契, 公欲引虎官御牽龍行首吳光陟·李光挺等與焉, 衆莫肯之. 公挺然議曰, 雖私遊中文虎俱備, 亦得矣. 何有不可乎, 後必有悔矣. 衆咸以爲然, 於是使之叅焉. 未幾, 庚寅亂文臣幾蕩盡, 凡入交契者皆得免. 以吳·李二將營救甚力故也. 此公之自少已有知幾之量也".

· 열전13, 慶大升, 吳光陟, "光陟, 補牽龍隊正, 喜與儒士遊, 不好武".

639) 이는 다음의 자료에 의거하였는데, 主人公은 知門下省事 崔宗俊(崔宗峻)의 아들이다.

· 「崔晛墓誌銘」, "祖[門下侍郎詵]·曾[中書侍郎惟淸]·高[門下侍郎奭]皆平章事, 父[宗俊]見任知門下省事, 世謂之鼎族".

癸亥[28日], 東眞四十人, 托言追溫迪罕, 至和州.[640]

甲子[29日晦], 幸普濟寺.

[是月己未[24日], 蒙古成吉思汗第三子窩闊台卽位, 是爲太宗:追加].

九月[乙丑朔大盡,甲戌], 戊辰[4日], ~~門下侍郎同中書門下~~平章事致仕崔洪胤卒,[641] 輟朝三日, [諡景文:追加].[642]

[癸未[19日], 雨雹:五行1雨雹轉載].

[甲申[20日], 月犯東井:天文2轉載].

丙戌[22日], 幸乾聖寺.

己丑[25日], 幸法雲寺.

甲午[30日], 幸賢聖寺.

[某日, [參知政事]崔瑀, 又奪人家, 以廣毬場, 日使擊毬習射, 觀之, 前後占奪, 無慮數百戶:節要轉載].

[→後又壞人家, 廣之, 前後占奪, 無慮數百家:列傳42崔怡轉載].

[冬十月[乙未朔大盡,乙亥], 乙卯[21日], 月犯軒轅右角:天文2轉載].

[己未[25日], 流星犯紫微西藩, 又犯勾陳帝座:天文2轉載].

[某日, [參知政事]崔瑀宴宰樞於其第, 臨毬庭, 觀都房·馬別抄擊毬, 弄槍騎射, 鞍馬·衣服·弓矢, 務相誇耀, 爭效韃靼風俗, 毬場舊有樓三間. 至是, 瑀命就增三間, 是日晩, 起役, 詰旦告畢. 瑀又邀宴耆老·宰樞觀擊毬, 弄槍騎射, 能者立加爵賞. 都下子弟, 爭事鞍馬·衣服, 妻家多以貧乏, 見棄:節要轉載].

[→日聚都房·馬別抄, 令擊毬, 或弄槊騎射. 怡[瑀]邀宴宰樞耆老, 臨毬庭觀之, 或至五六日, 能者立加爵賞. 於是, 都房·別抄, 鞍馬·衣服·弓矢, 効韃靼風俗, 競以美麗相誇. 都下子弟, 亦爭事豪侈, 妻多以貧, 見弃:列傳42崔怡轉載].

[某日, 臨陂縣令田承雨, 嫉上將軍金鉉甫, 廣植田園, 盡收田租, 入官, 又以其田與民. 鉉甫托按察使崔宗裕[崔滋], 還徵其租, 承雨憤恚, 償以官司銀器, 報于法司.

---

640) 溫迪罕은 인적 사항을 분명히 알 수 없으나 金帝國이 滅亡할 무렵에 遼東에 주둔하고 있던 溫迪罕哥不靄로 추정된다(『금사』 권103, 열전41, 紇石烈桓端→고종 18년 12월 27일의 脚注).

641) 이날은 율리우스曆으로 1299년 9월 22일(그레고리曆 9월 29일)에 해당한다.

642) 崔洪胤의 시호는 그의 孫子인 崔瑞의 묘지명, 曾孫女인 金倫의 妻인 崔氏墓誌銘에 의거하였다.

法司劾鉉甫及宗裕, 參知政事崔瑀要奪其狀, <u>止之</u>:節要轉載].[643)]

冬十一月乙丑朔大盡,丙子, 丁丑13日, 設八關會, 幸法王寺.

[己卯15日, <u>月食</u>, 旣:天文2轉載].[644)]

[某日, 參知政事崔瑀閱家兵·都房·馬別抄, 鞍馬·衣服·弓劍·兵甲, 甚侈美. 分五軍, 習戰, 人馬多有顚, 仆死傷者. 及其終, 習田獵之法, 籠山絡野, 循環無端. 瑀悅之, 犒以酒食:節要轉載].

[→參知政事崔瑀, 且分五軍習戰, 人馬多顚仆, 死傷者. 於其終, 習田獵, 緜絡循環. <u>怡</u>瑀悅之, 饗以酒食. 毬庭舊有樓三間, <u>怡</u>瑀又增三間, 日晩起役, 至詰<u>朝畢</u>:列傳42 崔怡轉載].[645)]

[是月, 詔諸備身將軍, 上·大將軍, 指諭牽龍引駕, 復着錦衣:輿服1儀衛轉載].

[冬十二月乙未朔小盡,丁丑, 某日, 參知政事崔瑀奏, "今年大旱, 禾穀不實, 請遣使五道, 審檢損實", 從之:節要·食貨1踏驗損實轉載].

---

643) 崔宗裕는 1229년(고종16) 10월에서 1247년(고종34) 4월 이전까지 崔宗裕→崔安→崔滋로 2回에 걸쳐 改名하였던 것 같다(열전15, 崔滋). 또 이와 같은 기사가 열전42, 崔忠獻, 怡의 고종 16년에 수록되어 있으나 오류일 것이다.

644) 이날 宋에서도 월식이 있었으나 皆旣月食은 아니었고(『송사』 권52, 지5, 천문5, 月食), 일본의 京都와 鎌倉에서도 皆旣月食이 있었다고 한다(고려력과 同一, 日本史料5-5册 334面). 이날은 율리우스력의 1229년 12월 2일이고, 월식 현상이 심했던 때의 世界時는 9시 53분, 食分은 1.72 이었다(渡邊敏夫 1979年 480面).

· 『明月記』, 寬喜 1년 11월, "十五日己卯, 天晴, … 卽□□□□雲遠晴, 山月帶蝕出云々, …".

· 『吾妻鏡』 권26, 寬喜 1년 11월, "十四日戊寅, 天晴, 今夜月蝕皆旣, 月輪更不見, 只似覆雲, 先々多雖有皆旣蝕, 未有如今例云々". 이 記事는 여타의 자료와 달리 날짜가 14일로 되어 있는 점이 주목된다.

· 『本朝統曆』 권9, 寬喜 1년, "十一十五望 , 申八, 月蝕, 皆旣, 未七, 戌初".

645) 이 기사는 10월 某日의 기사와 錯亂되어 있다.

庚寅[高宗]十七年, [只用當該年干支],

[南宋紹定三年], [蒙古太宗二年], [西曆1230年]

1230년 1월 16일(Gre1월 23일)에서 1231년 2월 3일(Gre2월 10일)까지, 13개월 384일

春正月甲子朔大盡,戊寅, 庚午7日, 設消災道場于內殿, 七日.

甲申21日, 幸法王寺.

○以~~前承宣~~車倜爲樞密院副使·御史大夫. [先是, 倜, 附崔忠獻用事, 權傾中外, 及瑀執權, 流于外. 至是, 瑀密召, 除是職, 優其饋遺, 且與所愛名妓, 以慰藉之. 倜, 無他才能, 唯以令色媚人:節要轉載].

[→~~前~~承宣車倜, 無才能, 唯以令色媚人, 嘗附忠獻用事, 權傾中外. 怡~~瑀~~疾之, ~~高宗七年二月,~~ 流于羅州. 後怡密爲書召還, ~~七年正月,~~ 授樞密院副使·御史大夫, 厚饋遺, 又與所愛名妓玉肌香, 以慰籍之:列傳42崔怡轉載].646)

[某日, 參知政事崔瑀在其第, 注擬吏·兵部, 除授批目, 以聞, 王下之而已:節要轉載].

庚寅27日, 門下侍郎平章事~~門下侍郎同中書門下平章事致仕~~琴儀卒,647) [年七十八, 王聞訃悼甚, 命有司, 庀喪葬, 謚英烈:列傳15琴儀轉載].648) [儀, 爲人, 體貌奇爽, 器度雄偉. 少力學, 善屬文, 嘗監淸道務, 剛直不撓, 民目爲鐵太守. 崔忠獻當國, 求文士, 有李宗揆者, 薦儀, 遂謟事忠獻, 驟歷華要, 頗用事, 門生皇甫瓘, 夜詣儀直廬, 作詩, 諷以休官, 儀以告忠獻, 流瓘于島, 時議薄之. 儀, 累典貢擧, 世號琴學士, 晩歲, 引年乞退, 以琴碁自娛:節要轉載].

辛卯28日, 幸王輪寺.

[某日, 以中書侍郎平章事金就礪爲判吏部事:追加].649)

[壬辰29日, 雨水. 隕石于中原府二, 聲如雷:五行2轉載].

是月, 大饑, 道殣相望.

[某日, 以田□~~某~~爲慶尙道按察使:慶尙道營主題名記].

---

646) 이 기사는 ~~添字~~가 追加되어야 옳게 읽을 수 있을 것이다. 또 玉飢香은 帶御香과 함께 13世紀 前半期의 두 사람이 合奏하던 伽倻琴[雙伽倻琴]의 名人이었던 것 같다(지25, 樂2, 俗樂, 翰林別曲).

647) 이날은 율리우스曆으로 1230년 2월 11일(그레고리曆 2월 18일)에 해당한다.

648) 이는 「琴儀墓誌銘」에 의거하였다.

649) 이는 「金就呂墓誌銘」에 의거하였다.

二月[甲午朔大盡, 己卯], 丙申[3日], 幸乾聖寺.

丁卯[~~丁未~~14日], [驚蟄]. 燃燈, 王如奉恩寺.[650]

乙卯[22日], 幸普濟寺.

閏[二]月[甲子朔小盡,己卯], 辛未[8日], 幸妙通寺.

己卯[16日], 幸賢聖寺.

乙酉[22日], 幸外帝釋院.

[某日, [參知政事]崔瑀請發大倉[~~太倉~~], 賑之[賑饑民]:節要轉載].

[→崔瑀, 以年饑, 請發大倉, 賑之:食貨3水旱疫癘賑貸之制轉載].

[某日, 國子博士金挺立·白良弼, 惡學錄廉守臧[~~廉守藏~~]·直學景瑜, 譖于崔瑀曰, "守臧等, 譏時政". 瑀怒, 皆流之:節要轉載].[651]

[→國學博士[~~國子博士~~]金挺立·白良弼, 惡學錄廉守臧[廉守藏]·直學景瑜, 譖以譏謗時政. 怡[瑀]怒囚街衢獄, 尋配守臧于神草島, 瑜于巨濟:列傳42崔怡轉載].[652]

三月[癸巳朔小盡,庚辰], 己酉[17日], 親設消災道場于宣慶殿.

[○太白犯東井:天文2轉載].

丁巳[25日], 賜田慶等及第.[653] [[參知政事]崔瑀, 始造新及第儀物, 以寵之:選擧2·節要轉載].

[春某月, 以[知東州事]李世華爲侍御史:追加].[654]

夏四月壬戌朔[大盡,辛巳], 日食.[655]

---

650) 이달에는 丁卯가 없기에, 丁未(14일)의 오자이다. 이날은 燃燈會가 개최된 날인데, 연등회는 2월 14일과 15일에 개최된다. 또 이 기사의 다음에 乙卯(22일)가 이어지므로 丁未가 분명하다.

651) 廉守臧은 廉守藏의 다른 표기이지만, 臧과 藏은 通用되었다.

652) 原文에는 고종 15년에 수록되어 있으나 誤謬일 것이다. 또 國子監은 1275년(충렬왕1) 10월 國學으로 改稱되었기에 ~~添字~~와 같이 고쳐야 옳게 될 것이다.

653) 이와 관련된 기사로 다음이 있는데, 劉冲奇는 劉冲基의 오자일 것이다.
- 지27, 선거1, 科目1, 選場, "[高宗]十七年三月, 政堂文學兪升旦知貢擧, 國子祭酒劉冲奇[~~劉冲基~~]同知貢擧, 取進士, □□[丁巳], 賜田慶等三十三人·明經恩賜各三人及第".

654) 이는 「李世華墓誌銘」에 의거하였다.

甲戌[13日], 以星變, 親設消災道場于宣慶殿, 以禳之.

[○太白犯輿鬼東北星:天文2轉載].

[丙子[15日], 月食, 旣:天文2轉載].[656)]

五月[壬辰朔小盡,壬午], [庚戌[19日], 震樹木:五行1雷震轉載].[657)]

甲寅[23日], 盜竊大廟[~~太廟~~]九室累世所上玉册緣飾白金.

乙卯[24日], 以旱再雩.

[是月, 旱:五行2轉載].[658)]

六月[辛酉朔小盡,癸未], 壬戌[2日], 王如奉恩寺.

[辛巳[21日], 天狗墮地:天文2轉載].

[秋七月[庚寅朔大盡,甲申], 乙未[6日], 處暑. 隕石于安南□□[~~都護~~]府通津縣:五行2轉載].

[某日, 崔瑀閱家兵, 擊毬習射, 凡六日:節要轉載].

[戊午[29日], 大倉[~~太倉~~]八廩地庫, 皆災.[659)] [參知政事]崔瑀及壻金若先, 皆擁家兵, 自衛,

---

655) 이날 日本의 교토[京都]와 가마쿠라[鎌倉]에서도 비로 인해 일식이 관측되지 못했다고 한다(高麗曆과 同一, 日本史料5-5册 693面). 또 이 날(율리우스력의 1230년 5월 14일)의 일식은 한국과 일본이 中心食帶에서 벗어나 있었기에 관측될 수 없었다고 한다(渡邊敏夫 1979年 309面).

· 『明月記』, 寬喜 2년 4월, "一日壬戌, 日蝕, 十五分之三, 虧初午八刻, 加時未一刻, 後復本未三刻, 雲膚忽起, 雨脚纔降, 辰時雨止. 依陰氣, 朝間改北面遣戶. 巳後暗雲覆天, 大雨降, 蝕不可現歟".

· 『吾妻鏡』 권26, 寬喜 2년 4월, "一日壬戌, 雨降, 仍日蝕不現".

· 『本朝統曆』 권9, 寬喜 2년, "四大, 朔壬戌, 未初, 日蝕, 三分弱, 午七, 未二".

656) 이날 일본의 교토에서도 월식이 있었다(고려력과 同一, 日本史料5-5册 706面). 이날은 율리우스력의 1230년 5월 28일이고, 월식 현상이 심했던 때의 世界時는 14시 43분, 食分은 1.12이었다(渡邊敏夫 1979年 480面).

· 『明月記』, 寬喜 2년 4월, "十五日丙子, 天晴, 以後陰, 月蝕, 自亥及丑云々".

· 『本朝統曆』 권9, 寬喜 2년, "四十五望, 子一, 月蝕, 十三分弱, 戌八, 丑二".

657) 일본에서는 5월 21일 교토에서 大風雨와 洪水가 있었다고 한다(中央氣象臺 1941年 1册 38面).

· 『明月記』, 寬喜 2년 5월, "二十一日壬子, 朝雨止, 天猶陰, 午時許, 大風雨灑, 夜前鴨水溢, 人難渡".

658) 일본에서는 6, 7월 교토[京都]에서 旱魃이 있었다고 한다(中央氣象臺 1941年 2册 531面).

· 『立川寺年代記』, 寬喜 2년, "六月, 七月六十日, 雨一點不降".

659) 이 구절은 지7, 五行1, 火, 火災에도 수록되어 있다.

無一人往救者, 火, 徹夜不滅:節要轉載].

[某日, 以李方蔑李方茂爲慶尙道按察使, 全懿爲全羅道按察使:慶尙道營主題名記].[660]

[□□是月, 參知政事崔瑀弟寶城伯珦, 勇而猜暴. 自流洪州, 心常怏怏, 大營室宇, 多行不義, 侵擾居民, 闔境苦之. 瑀及州官, 禁之. 不聽:節要轉載].[661]

[秋八月庚申朔小盡,乙酉, 某日, 寶城伯崔珦, 聚群不逞之徒, 作亂, 召其州洪州副使李文柜~~柳文柜~~·判官全兩才·法曹李宗等. 兩才, 以病不就, 文柜·宗往見. 珦, 卽使左右面縛, 懸於樹, 尋殺之. 率其衆, 又至兩才所, 引出斬之. 登客舍門樓, 擊錚鼓呼譟, 州人皆會, 震慄失措. 珦以書, 召在貶前將軍柳松節于南海, 金壽延金壽迎于禮山, 又召朴文梓~~朴文梓~~, 傳檄傍近州郡, 令發兵爲援. 使家僮, 開倉發粟, 給軍, 有一卒, 殺其僮. 於是, 州中恟恟, 頗不從令, 朝廷聞變, 遣兵馬使蔡松年·知兵馬事王猷·副使金毅烈, 率十領兵討之. 珦, 知事敗, 與數十人, 逃上北山, 州人引兵, 圍之, 語珦曰, "公, 斬吾州官吏, 又領衆, 橫逆如此, 何也?". 珦曰, "吾兄累年不召, 又不請州官護待, 州官蔑視, 不聽吾言, 以故畜憤. ~~嘗詣神祠, 三擲杯珓, 得吉卜, 乃聽左右言,~~ 輕躁作亂, ~~雖悔何及?". 日沒~~, 珦從者皆亡去, 珦不知所之, 墜岩崖, 匿石窟. 追兵至, 自剄佯死, 兵執以來, 囚之, 死獄中. 全羅道按察使全懿, 獲壽延壽迎·文梓文梓, 又移文尙州, 捕松節等, 皆殺之. 瑀聞而嘉之, 使懿, 窮捕餘黨, 一切處分. 懿希瑀意, 誣以禮山·結城·麗陽·大興等七縣監務, 始與珦通謀, 及事敗, 反捕傳檄者, 規免己罪. 乃拘其縣上長~~上戶長~~·都領·詔文等鞫之,[662] 皆誣服, 七縣官皆死. 又洪州人, 嘗往來於珦者, 無問輕重, 悉斬之. 重房劾奏懿, 擅殺壽延壽迎等, 流于海島:節要轉載].[663]

秋九月己丑朔大盡,丙戌, 戊申20日, 幸妙通寺, 駕至寺門外, 馬驚墮地, 知御史臺事王猷, 以牽龍行首, 扈駕不謹, 下獄, 樞密院副使·御史大夫車倜, 但劾罷牽龍二人.

660) 李方蔑은 李方茂의 오자일 것이고, 李方茂는 1238년(고종25) 4월 簽書樞密院事로서 知貢擧에 임명되었다. 또 全懿는 8월 某日에 의거하였다.

661) 이와 같은 기사가 열전42, 崔忠獻, 怡에도 수록되어 있는데, ~~添字~~는 이에 의거하였다.

662) 上長·都領·詔文[詔文記官]은 조선시대 鄕吏의 三班體制의 前身인 上戶長[戶長], 記官[詔文記官], 將校를 가리키는 것으로 추측된다(→명종 8년 11월 29일의 脚注).

663) 이와 같은 기사가 열전42, 崔忠獻, 怡에도 수록되어 있으나 字句에 出入이 있다. 또 이 시기 洪州管內의 大興郡에 唐의 將軍 蘇定方(592, 혹은 600~667)의 祠堂이 있었다고 한다(지10, 지리1, 大興郡, "唐蘇定方祠, 在大岑島, 春秋降香祝, 致祭").

[冬十月己未朔小盡,丁亥:追加].

[十一月戊子朔大盡,戊子, 庚子13日, 設八關會, 幸法王寺:追加].[664)]

[戊申21日, 承宣崔宗蕃卒:追加].[665)]

[○以樞密院副使車倜之誣告, 流尙書左丞宋恂于□莱島, 判衛尉寺事李奎報于蝟島, 知御史臺事王猷于□莱島:追加].[666)]

[十二月戊午朔大盡,己丑, 某日, 以中書侍郞平章事金就礪爲守太保, 知古阜郡事吳闡猷爲右正言·知制誥:追加].[667)]

[是年, 晋陽府貼五道按察使, 各道禪·敎寺院始創年月形止審檢, 成籍. 時差使員·東京掌書記李倫審檢雲門禪院事, 而記載:追加].[668)]

---

664) 이는 『동국이상국집』연보에 의거하였는데, 이때 八關會의 宴會에서 舊制를 따르지 않아 知御史臺事 王猷가 執事者를 탄핵하다가 樞密院副使·御史大夫 車倜의 미움을 받아 王猷·李奎報·尙書左丞 宋恂 등이 유배되었다고 한다(『동국이상국집』 권17, 庚寅十一月二十一日 …). 이는 앞의 기사인 9월 20일(戊申)과 관련이 있는 것 같다.

665) 이는 『동국이상국집』 권17, 追哭故承宣崔宗蕃幷序에 의거하였는데, 이날은 율리우스曆으로 1230년 12월 26일(그레고리曆 1231년 1월 2일)에 해당한다.

666) 이는 다음의 자료에 의거하였는데, 蝟島는 현재의 全羅北道 群山市 沃島面 古群山群島에서 西南方으로 약 20km정도 떨어진 곳에 위치해 있다.

- 『동국이상국집』연보, "庚寅高宗17年, 冬十一月二日, 長流于猬島. 是年八關會侍宴次, 事有戾於舊例者, 是樞密車公所使也. 知御史臺王猷怒叱執事者不從, 車公誤以猷訶宰相, 懟之. 時公及宋左丞恂夾座, 故疑其助揚之, 皆流于遠島".
- 열전12, 李奎報, "以事流猬島, 踰年, 召判秘書省事".

667) 이는「金就呂墓誌銘」;『동국이상국집』後集권12, 吳闡猷墓誌銘에 의거하였다.

668) 이는 『삼국유사』 권4, 義解5, 寶壤梨木에 의거하였다. 이 기사는 庚寅年의 사실인데, 이의 앞 내용이 946년(開運3, 定宗1)의 사실이고, 뒤의 내용이 1161년(正隆6, 의종15)의 사실이므로 그 사이의 庚寅年인 990년(성종9)·1050년(문종4)·1109년(예종5) 등이 있지만 雲門寺의 土地와 戶口를 조사한 晋陽府와 東京掌書記 李倫과 관련이 없다.

또 이 자료에서의 晋陽府는 崔忠獻이 高宗으로부터 받은 幕府이고, 東京掌書記 李倫(?~1250)은 1231년(고종18, 辛卯)이전에 東京司錄兼掌書記로 赴任하였던 李善의 다른 표기이다(『東都歷世諸子記』). 그는 1244년(고종31) 7월 右正言으로 崔怡의 미움을 받아 延州副使로 좌천된 적이 있고, 1250년(고종37) 12월 侍御史·慶尙道按察使로 재직 중일 때 崔沆에게 피살되었다(열전42, 崔忠獻, 沆 ;『고려사절요』 권16, 고종 31년 7월, 37년 12월).

그리고 『동도역세제자기』에서 東京留守府의 官員을 기본적으로 尙書, 侍郞, 大判, 司錄, 法曹, 醫判의 構造로 기록하였는데, 이는 각각 副留守, 少尹, 判官, 司錄兼掌書記(혹은 司錄兼

[○以兵部員外郞薛愼爲吏部員外郞:追加].[669)]

[○僧惠圓開版'大般若經科':追加].[670)]

[仁同人 張東翼 校注, 增補].

參軍事), 法曹, 醫師의 다른 표기이다. 또 邑格이 知慶州郡事로 강등되었을 때는 知郡事를 太守[大守]로 표기하였다.

669) 이는 「薛愼墓誌銘」에 의거하였다.

670) 이는 다음의 자료에 의거하였다(海印寺 所藏, 國寶 第734-7號, 林基榮 2009년 40面).

· 『大般若經科』 末尾, 題記, "大般若第四百三十一云,若善男子等,敎」 贍部洲諸有情類,皆令安住,十善業道,何」 況令住,一來不還,阿羅漢果獨覺菩提,若」 善男子,敎十方各如兢,伽沙等世界一切一切」 有人,於此般若,爲他廣說,所獲福聚,甚」 多於彼.」 道人惠圓,」 庚寅年開刊」".

『高麗史』卷二十三 世家卷二十三

[輔國崇祿大夫·議政府左贊成·知集賢殿經筵春秋館成均事·世子賓客·臣金宗瑞奉敎撰]
正憲大夫·工曹判書·集賢殿大提學·知經筵春秋館事兼成均大司成·臣鄭麟趾奉敎修

高宗 二

辛卯[高宗]十八年, [只用當該年干支],

[南宋紹定四年], [蒙古太宗三年], [西曆1231年]

1231년 2월 4일(Gre2월 11일)에서 1232년 1월 23일(Gre1월 30일)까지, 354일

[春正月戊子朔大盡,庚寅, 壬寅15日, 量移前判衛尉寺事李奎報于黃驪縣:追加].[1)]
[某日, 以康保爲慶尙道按察使:慶尙道營主題名記].

[二月戊午朔小盡,辛卯:追加].
[三月丁亥朔大盡,壬辰:追加].

[春某月, 某日, 以吏部員外郞薛愼爲內侍:追加].[2)]

夏四月丁巳朔小盡,癸巳, □□是月, 旱.[3)]
[是月, 任景謙, □□□□□掌國子監試, 取詩賦李旦等二十五人, 十韻詩李仁等四十一人:選擧2國子試額轉載].

五月丙戌朔大盡,甲午, 以久旱, 赦中外罪囚.[4)]

---

1) 『동국이상국집』연보에 의거하였다.

2) 이는 「薛愼墓誌銘」에 의거하였다.

3) 이달에 金의 京西路를 위시한 여러 州縣에서 旱災가 있었다고 한다.
· 『금사』 권17, 본기17, 哀宗上, 正大 8년 4월, "丁巳朔, 赦. 全免京西路軍需錢一年. 旱災州縣, 差稅從實減貸".

戊子[3日], 再雩.

六月丙辰朔[小盡,乙未], 王如奉恩寺.

[秋七月[乙酉朔小盡,丙申], 某日, [參知政事]崔瑀妻鄭氏死. 王命用順德王后[睿宗妃]例, 葬, 三殿及諸王·宰樞·承宣以下, 爭設祭, 日至六七奠, 務爲侈美, 市價爲之湧貴. 及葬, 百官會葬, 至以金銀·錦繡, 飾龕室, 左右列燭籠, 紅燭, 自殯堂, 連亘保定門, 石室, 極奇巧:節要轉載].

[→[參知政事]怡[瑀]妻鄭氏死, 王命官庀葬事, 用順德王后[睿宗妃]例. 賻以大府[太府]綵段七十匹, 怡[瑀]辭不受, 唯受大小斂所用二十匹. 三殿及諸王·宰樞·承宣以下, 爭設奠, 務爲侈美, 市價踴貴. 及葬, 贈卞韓國大夫人, 謚敬惠. 百官諸領府, 皆會葬. 至以金銀·錦繡, 飾龕室, 左右列紅燭, 連亘數里, 石室, 極奇巧:列傳42崔怡轉載].

[某日, 宋商獻水牛四頭, 崔瑀給人參[大蔘]五十斤·廣布三百匹:節要轉載].

[→初, 國家授宋商人布, 令買水牛角來. 至是, 宋商買綵段以來, 國家責違約. 宋商曰, "我國聞, 汝國求水牛角, 造弓. 勑禁買賣, 是以不得買來". [參知政事崔]怡[瑀]囚都綱等妻, 取所買綵段剪裁, 還與之. 後宋商獻水牛四頭, 怡[瑀]給人蔘五十斤·布三百匹:列傳42崔怡轉載].[5)]

[某日, 以[侍御史]李世華爲慶尙道按察使, 韓允炑爲全羅道按察使:慶尙道營主題名記].[6)]

[是月, 前判衛尉寺事李奎報, 自黃驪縣至京師:追加].[7)]

---

4) 이때 일본의 교토[京都]에서도 饑饉과 旱魃이 심하여 年號를 變更하려는 試圖도 있었다고 한다(高麗曆과 同一, 日本史料5-6册 586面). 또 6월부터 7월에 이르기까지 60일간 大旱이 이어졌고, 8월 朔日 大風雨가 있어 全國의 五穀이 익지 아니하여 人民의 餓死가 심하였고, 米 一斛이 一貫文으로 賣買되었다고 한다(權藤成卿 1984年 373面).
· 『編記』, "寬喜三年五月十七日, 可有改元, 可撰進年號字之由, 去十日爲修理大夫資頼朝臣奉行被仰下. 是則依饑饉旱魃也. …".
· 『百練抄』제13, 寬喜 3년 6월 17일, "自去春天下饑饉. 此夏, 死骸滿道. 治承以後未有如此之饑饉".
· 『武家年代記裏書』, "[寬喜]三年, 天下大饑饉, 疾疫".

5) 原文에는 이 기사가 1229년(고종16)에 수록되어 있다.

6) 韓允炑은 薛愼의 묘지명에 의거하였다.

7) 『동국이상국집』年譜에 의거하였다.

秋八月[甲寅朔大盡,丁酉]，[某日，[參知政事]崔瑀獻輦，飾以金銀·錦繡，覆以五色氈，窮極侈麗．王嘆賞不已，賜監造大集成[~~大集成~~]鞍馬·衣服·紅鞓．尋幸王輪寺，御新輦，駕以水牛．道路爭觀:節要轉載]．[8]

丙子[23日]，幸王輪寺．

壬午[29日]，蒙古元帥撒禮塔圍咸新鎭，[9] 屠鐵州．[10]

---

8) 이와 같은 기사가 열전42, 崔忠獻, 怡에도 수록되어 있으나 1229년(고종16)에 정리되어 있다.

9) 撒禮塔[Saritai, Sartag]은 韓·中의 각종 자료에서 撒禮答·撒禮打·撒兒塔·撒兒台·撒里荅·沙里打(沙打는 沙里打에서 里字가 脫落된 것) 등으로도 표기되었다. 그는 1219년(고종6) 大遼收國의 軍隊[契丹殘黨]를 격파하기 위해 江東城에 들어온 札剌와 同一人인 지에 대한 여러 견해가 제시되었다(周采赫 2009년 ; 崔允精 2011년). 또 撒禮塔의 침입에 대한 중국 측의 기록은 다음과 같다.

- 『원사』 권2, 본기2, 太宗 3년 8월, "是月，以高麗殺使者，命撒禮塔率師討之，取四十餘城[~~十餘城~~]．高麗王㬶遣其弟懷安[淮安]公王侹請降．撒禮塔承制設官分鎭其地，乃還". 여기에서 ~~添字~~로 고쳐야 옳게 될 것이고, 이 기사와 같이 是年 8월에 討伐 命令이 내려졌다는 것은 그 以前을 행해졌을 것이므로 誤謬일 것이다(池內 宏 1963年 中世第3册 5面, 14面→下記의 脚注 a, c).
- 『원사』 권154, 열전41, 洪福源, "辛卯[太宗3年]秋九月，太宗命將撒里塔討之，福源率先附州縣之民，與撒禮塔倂力攻未附者，又與阿兒禿[~~阿土~~]進至王京". 여기에서 ~~添字는~~ 『고려사』의 表記方式이다.
- 『원사』 권208, 열전95, 外夷1, 高麗, "太宗三年八月，命撒禮塔征其國，國人洪福源迎降于軍，得福源所率編民千五百戶，旁近州郡，亦有來師者．撒禮塔卽與福源，攻未附州郡，又使阿兒禿[~~阿土~~]與福源，抵王京，招其主王㬶．㬶遣其弟[兄]懷安[淮安]公王侹請和，許之．置京·府·縣達魯花赤七十二人，監之，遂班師".
- 『원고려기사』本文，太祖，"二十年·二十一年·二十二年·戊子23年·太宗皇帝元年·二年，積杜絶信使．三年辛卯九月，上命將撒里塔火里赤領兵爭討．國人洪福源迎軍投降，附近州郡，亦有來歸者．撒里塔火里赤，卽與福源，攻未附州郡．撒里塔火里赤，又差阿兒禿[~~阿土~~]與福源，赴其王京，招其主王㬶，㬶遣弟[兄]懷安[淮安]公請和，隨置王京及諸州郡達魯花赤七十二人，鎭撫，卽班師". 여기에서 淮安公[懷安公] 侹은 고려 측의 자료에 의하면 高宗에게는 兄의 行列인 것 같다.
- 『원고려기사』，序，太宗三年，討之．王㬶又降，置京府縣達魯花赤七十二，監之，而班師".
- 『國朝文類』 권41，雜著，政典總序，征伐，高麗，"太宗三年，討之，王瞮[㬶]又降，置京府縣達魯花赤七十二，監之，而班師".
- 『국조문류』 권41, 잡저, 정전총서, 정벌, 高麗[注，太宗三年，遣元帥撒里塔火里赤等討之，王瞮[㬶]降，置京府縣七十二達魯花赤，而班師]. 여기에서 撒里塔火里赤은 四庫全書本에는 薩里台和尼齊로, 達魯花赤은 達嚕噶齊로 달리 表記되어 되었는데, 이는 몽골제국 때에 사용된 北方民族의 人名, 地名의 표기가 明初에 1回, 淸代에 2回에 걸쳐 改書되었기 때문이다.

그 외에 1231년(태종3, 고종18) 撒禮塔[Saritai]의 高麗遠征이 추진된 前後에 參戰했다는 인물에 대한 다음의 네 記事가 있지만(a~d), 일반적으로 列傳의 敍述에서 時期整理[繫年]가 적절하지 못한 경우가 많이 찾아지는데, 『원사』의 경우는 더욱 심하므로 적절한 史料批判이 우선적으로 행해져야 할 것이다.

- a 『원사』 권120, 열전7, 吾也而, "[太宗]三年，又與撒里答征高麗，下受[安]·開·龍·宣·泰·葭[嘉]等十餘城，高麗懼，請和，吾也而諭之曰，約能以子爲質，當休兵". 여기에서 ~~添字~~와 같이 고쳐야 옳게 될 것이다.
- b 『원사』 권149, 열전36, 耶律留哥, 薛闍, "… 庚寅[太宗2年]，帝命與撒兒台[撒里答]東征，收其父[留哥]遺

[→蒙古元帥撒禮塔, 將兵圍咸新鎭曰, "我是蒙古兵也, 汝可速降, 否則屠城無遺". 副使全僴懼, 與防守防戍將軍趙叔昌趙叔璋, 謀曰, "若出降, 城中之人, 猶可免死". 叔昌然之, 遂以城降, 叔昌謂蒙人曰, "我趙元帥冲之子也, 吾父曾與貴國元帥, 約爲兄弟". 僴發倉, 饗蒙軍, 叔昌爲書, 諭朔州宣德鎭寧德鎭,[11] 使迎降. 蒙人令叔昌, 所至, 先呼曰, "眞蒙古也, 宜速出降", 至鐵州城下, 令所虜瑞昌□鎭郎將文大, 呼諭州人曰, "眞蒙古兵來矣, 可速出降". 文大乃呼曰, "假蒙古也, 且勿降", 蒙人欲斬之, 使更呼? 復如前, 遂斬之. 蒙人攻之愈急, 城中糧盡, 不克守, 城將陷, 判官李希勣,[12] 聚城中婦女小兒, 納倉中, 火之, 率丁壯, 自刎而死. 蒙人遂屠其城: 節要轉載].[13)]

民, 移鎭廣寧府, 行廣寧路都元帥府事. 自庚寅至丁酉9年, 連征高麗·東夏萬奴國, 復戶六千有奇. 戊戌10年, 薛闍卒, 年四十六". 여기에서 撒兒台는 撒里荅의 다른 表記이다.

· c 『원사』 권149, 열전36, 移剌捏兒, 買奴, "庚寅太宗2年, 命攻高麗花涼城, 監軍張翼·劉覇都□歿殞於敵, 買奴怒曰, '兩將陷賊, 義不獨生'. 趣出典, 罷之, 誅首將, 撫安其民. 進攻開州, 州將金沙密逆戰, 擒之, 城中人出童男女及金·玉器以獻, 卻不受. □□辛卯, 遂下龍·宣·雲·泰等十四城". 여기에서 移剌買奴(혹은 耶律買奴)가 高麗 花涼城(位置 不明)을 공격한 후 開州에 進擊하였다고 하는데, 開州는 鳳凰城 地域(現在의 遼寧省 丹東市 鳳城)으로 추측되므로 花涼城은 그 以北地域이 아니면 西北地域에 있었을 것이다(→고종 19년 3월 13일의 脚注 ; 姜在光 2020년). 이들 두 지역은 金帝國의 관할 하에 있었기에 蒙古軍이 고려의 영역에 침입한 것은 1231년(辛卯)이므로 原文에 辛卯가 脫落되었을 것이다. 또 花涼城과 開州를 高麗의 영역으로 기술한 것은 『원사』의 편찬에 참여한 인물들이 元代에 高麗人이 遼瀋地域이 여러 면에서 고려와 긴밀히 연결되어 있었기에 어떤 착오를 일으킨 것 같은데, 이러한 錯視現狀은 여타의 여러 記事에서도 찾아진다.

· d 『원사』 권149, 열전38, 王珣, 榮祖, "己丑太宗1年, 授北京等路征行萬戶, 換金虎符. □□辛卯, 伐高麗, 圍其王京, 高麗王力屈, 遣其兄淮安公奉表納貢". 여기에서 辛卯가 脫落되었을 것이다.

10) 이날은 율리우스曆으로 1231년 9월 26일(그레고리曆 10월 3일)에 해당한다.

11) 朔州宣德鎭은 西北界 朔州(現 平安北道 朔州郡) 관내의 寧德鎭(現 枇峴郡, 피현군)의 誤字일 것이다. 또 宣德鎭은 東北界 德州(現 咸鏡南道 咸州郡)의 初名(定州 管內의 宣德城→宣德鎭→德州防禦使)이다.

12) 李希勣은 열전34, 忠義, 文大에는 李希績으로 되어 있다(盧明鎬 等編 2016년 415面).

13) 趙叔昌(趙冲의 長子)은 趙叔璋인데, 忠宣王의 이름을 避諱하여 『고종실록』을 편찬할 때 改書한 것이지만 『고려사』의 撰者가 인지하지 못하였던 것 같다. 또 瑞昌鎭의 郎將 文大에 관한 기사는 그의 열전에도 수록되어 있고, 文班出身[白面書生]의 鐵州防禦使 李元禎도 判官 李希勣과 거취를 같이 하였던 것 같다. 後世에 이들 2人의 忠貞을 기린 雙忠祠가 건립되었다고 한다(尹龍爀 1991년 229面).

· 열전34, 忠義, 文大, "… 高宗十八年, 以郎將在瑞昌縣瑞昌鎭, 爲蒙古兵所虜. 蒙古兵至鐵州城下, 令文大呼諭州人曰, '眞蒙古兵來矣, 可速出降'. 文大乃呼曰, '假蒙古兵也, 且勿降'. 蒙古人欲斬之, 使更呼, 復如前, 遂斬之. 蒙古攻城甚急, 城中糧盡, 不克守, 將陷, 判官李希績, 聚城中婦

[→蒙古兵渡鴨綠江, 屠鐵州, 侵及靜州. 靜州分道將軍金慶孫率衙內敢死士十二人, 開門出力戰, 蒙古却走. 俄而, 大軍繼至, 州人度不能守, 皆奔竄. 慶孫入城, 無一人在者, 獨與十二士, 登山夜行, 不火食七日四日, 到龜州. ○朔州戍將金仲溫, 亦棄城, 來奔:列傳16金慶孫轉載].[14)]

[□□是時, 撒禮塔大擧入侵, 麟州別將洪福源迎降于軍:列傳43洪福源轉載].[15)]

九月甲申朔小盡,戊戌, 乙酉2日, 宰相會崔瑀第, 議出三軍, 以禦蒙兵, 以大將軍蔡松年爲北界兵馬使, 又徵諸道兵.[16)]

丙戌3日, [寒露]. 蒙兵圍龜州城, 不克而退.

[→蒙兵至龜州, 兵馬使龜州宣諭使朴犀及朔州分道將軍金仲溫·靜州分道將軍金慶孫, 與靜·朔·渭·泰州守令等, 各率兵, 會龜州. 犀以仲溫軍守城東西, 慶孫軍守城南, □□安北都護別抄及渭·泰州別抄二百五十餘人, 分守三面. 蒙兵大至南門, 慶孫率靜州衙內敢死士十二人及諸城別抄, 出城將戰, 慶孫前士卒, 而令曰, "爾等爲國忘身, 死

女小兒, 納倉中, 火之, 率丁壯, 自刎而死".

· 『止浦集』 권1, 過鐵州, "高宗十八年辛卯八月, 蒙古元帥撒禮塔, 圍咸新鎭, 屠鐵州. 州倅李元禎, 固守力盡, 遂焚倉舍, 領妻子投火而死".

· 『三韓詩龜鑑』권下, 贊成□事金坵, 過鐵州, "拙翁崔瀣曰, 昔北兵來寇, 州倅李元楨, 固守力盡, 知不免, 遂焚官倉, 領妻子, 投火而死".

· 『신증동국여지승람』 권53, 鐵山郡, 名宦, "李元禎, 北兵來寇, 時元禎爲州倅, 固守力盡, 知不免, 遂焚官倉, 領妻子, 投火而死".

· 『선조실록』 권7, 6년 10월 辛亥10日, "禮曹公事, 鐵州守李元禎等雙忠祠位牌, 書鐵州守李公之位, 鐵州判官李公之位, 春秋仲月致祀. 日期, 以上丁上戊, 文宣王·社稷祭之後, 上庚爲定".

· 『謙齋集』 권17, 踰磨屹嶺, [注, 雲暗山城, 在鐵山], [注, … 雙忠祠, 祀李希勣·李元禎兩人] ; 鐵山雙忠祠, [注, 李希勣·李元禎, 高麗高宗時人].

· 『雙梅堂篋藏集』 권2, 次浩亭公過古鐵州城[注, 知州某人於契丹蒙古守城死節]. 여기에서 添字와 같이 고쳐야 옳게 될 것이다.

14) 이 기사에서 七日은 四日로 고쳐야 옳게 될 것이다.

15) 原文에는 "洪福源, 初名福良, 本唐城人, 其先徙居麟州, 父大純, 爲麟州都領. 高宗五年, 元遣哈眞·扎剌, 攻契丹兵于江東城, 大純迎降. 十八年, 撒禮塔大擧入侵, 福源又迎降于軍"으로 되어 있다.

16) 이는 5道의 按察使에게 軍士를 거느리고 참전하게 한 조치이며, 이때 慶尙道秋冬番[秋冬等]按察使 李世華·全羅道按察使 薛愼(前任者 韓允烋을 代身함)도 참전하였다.

· 「李世華墓誌銘」, "明年秋, 出按慶尙州道, 會蒙古大寇邊, 五道廉按使按廉使皆領兵赴援, 君促理兵, 先諸道赴期, 又持軍如宿將, 聞者韙之". 여기에서 廉按使는 按廉使의 誤刻일 것이다.

· 「薛愼墓誌銘」, "秋八月, 蒙古兵□侵入北鄙, 朝廷出軍禦之, 因勅諸道按廉使, 各率管內兵士赴官軍, 全羅道按廉使韓允烋者軟弱, 不能董兵, 朝論以公代之, 公卽□承命統軍, 稱旨".

而不退者". 右別抄[諸城別抄]伏地不應, 悉令還入城. ~~獨與十二士進戰~~, 手射蒙兵先鋒, 黑旗一騎卽斃倒, 敢死士, 因之奮戰. 流矢中慶孫臂, 血淋漓, [猶]手鼓不止, 至四五合, 蒙兵却走. 慶孫整陣, 吹雙小笒, 還營, 犀迎拜而泣, ~~慶孫亦拜泣. 犀於是, 守城~~事皆委之. 蒙兵圍城數重, 日夜攻西南北門, 官軍突出, 擊走之. ○蒙兵擒渭州副使朴文昌, 令入城諭降, 犀斬之. 蒙兵抽精銳三百騎, 攻北門, 犀擊却之, ○蒙兵車積草木, 輾而進攻, 慶孫以砲車鎔鐵液, 以瀉之, 燒其積草, 蒙人却走. 更創樓車及木床, 裹以牛革, 中藏兵, 薄城底, 以穿地道, 犀穴城注鐵液, 以燒樓車, 地且陷, 蒙兵壓死者三十餘人, 又爇朽茨, 以焚木床, 蒙人錯愕而散, 蒙人又以大砲車十五, 攻城南, 甚急, 犀亦築臺城上, 發炮車飛石, 却之. 蒙人漬薪人膏厚積, 縱火攻城, 灌水救之, 其火愈熾, 犀令取泥土, 和水投之, 乃滅. 蒙人又車載草, 爇以攻譙樓, 犀預貯水樓上, 而灌之, 火焰尋息. ○[蒙古]復來, 慶孫據胡床督戰, 有砲, 過慶孫頂, 擊在後衛卒, 身首糜碎.[17] 左右請移床, 慶孫曰, "不可, 我動則, 人心[皆]動", 神色自若, 竟不移. 蒙兵

---

17) 이때 兩軍이 사용했던 樓車는 戰車의 上層部에 望樓를 설치하여 敵情을 탐색하기 위한 장치이다. 또 砲車, 砲는 後漢末의 曹操가 官渡城(現 河南省 鄭州市 中牟縣의 동쪽)에서 袁紹를 攻擊할 때 사용했던 木材의 投石機(抛車, 霹靂車)로 추정된다. 이의 種類와 財源은 『武經總要』 권12, 守城幷器具圖附, 砲車에 수록되어 있는데, 이것에서 발사된 石彈(礮石, 抛石, 炮石, 砲石, 石環)은 적에 의해 逆利用될 수 있음으로 3~4斤 정도의 泥彈이 사용되기도 하였다고 한다. 이러한 石彈과 泥彈(혹은 陶彈)은 1135년(인종13) 11월의 西京 攻防戰, 1271년(원종12) 5월의 고려군과 몽골군의 珍島 攻擊戰에서 사용되기도 하였던 것 같다(藪內 清 1967年 220~223面 ; 林炳泰 1987년 ; 國立海洋文化財硏究所 2015년 452面 4点의 石丸[石環], 2018년 322面 2点의 石環, 여기에서 ~~添字~~와 같이 고쳐야 좋을 것이다).

- 『春秋左氏傳注疏』, 宣公 15年, "春, [解揚,] 登諸樓車, 使呼宋人而告之. 遂致其君命[注, 樓車, 車上望櫓]".
- 『사기』 권59, 五宗世家第29, "膠東康王寄, … 淮南王謀反時, 寄微聞其事, 私作樓車·鏃矢, 戰守備, 候淮南之起. 集解, 應劭曰, 樓車, 所以窺看, 敵國營壘之虛實也".
- 『후한서』 권74, 袁紹列傳第64上, "[曹]操軍不利, 復還堅壁, [袁]紹爲高櫓, 起土山, 射營中, 營中皆蒙楯而行. [曹]操, 乃發石車擊, 紹樓皆破, 軍中呼曰'霹靂車'. 李賢注, "以其發石聲震烈, 呼爲霹靂, 卽今之抛車也. 抛音普孝反".
- 『文選註』 권16, 志, 閑居賦幷序(晋 潘安仁), "其西則有元戎禁營, 玄幙綠徽, 谿子巨黍, 異絭同機, 礮石雷駭, 激矢蝱飛, 以先啓行, 輝我皇威[注, 礮石, 今之抛石也]".
- 『신당서』 권220, 열전145, 東夷, 高麗 貞觀 19年, "[李]勣列抛車, 飛大石, 過三百步, 所當輒潰".
- 『원사』 권122, 열전9, 唵木海, "… 歲甲戌[太祖9年], 太師·國王木華黎南伐, 帝諭之曰, '唵木海言, 攻城用砲之策, 甚善, 汝能任之, 何城不破', 卽授金符, 使爲隨路砲手達魯花赤. 唵木海選五百餘人, 教習之, 後定諸國, 多賴其力". 여기에서 木華黎(木合里, Muqari, 1170~1223, 清代에 穆呼哩로 改書)는 테무진[鐵木眞, 成吉思汗]을 따라 40여년간 從軍하면서 몽골의 여러 部族을 통합하여 大蒙古國을 건설한 일등공신의 하였다. 1206년(태조1) 이래 太師·國王의 직함을 띠고서

圍城三旬, 百計攻之, 犀輒乘機應變, 以固守, 蒙兵不克而退:節要轉載].[18)]

[→大戰二十餘日~~三十餘日~~, 慶孫隨機設備, 應變如神, 蒙古曰, "此城以小敵大, 天所佑, 非人力也". 遂解圍而去:列傳16金慶孫轉載].[19)]

壬辰9日, 上將軍李子晟等三軍啓行.[20)]

癸巳10日, 蒙兵攻西京城, 不克.

[某日, 峯城縣馬山草賊魁二人, 自降來, 詣參知政事崔瑀曰, "我等, 請以精兵五千人, 助擊蒙兵". 瑀大喜, 賞賜甚厚:節要轉載].

[→馬山草賊魁, 自降詣怡曰, "請以精兵五千, 助擊." 怡瑀大喜, 賞賜甚厚, 造戎冠金環子, 許着慰之:列傳42崔怡轉載].

丁酉14日, 蒙兵至黃·鳳州, 二州守率民, 入保黃州鐵島.[21)]

[某日, 參知政事崔瑀遣人, 往廣州冠岳山草賊屯所, 誘致賊魁五人, 精鋭五十人, 厚賞以充右軍:節要轉載].[22)]

金帝國의 거의 대부분을 占領하였다고 한다(『원사』 권119, 열전6, 木華黎). 高麗末에 遼東地域에 割據하고 있다가 明帝國에 투항했던 納哈出(納合出, Nagacu)은 그의 後裔라고 한다.

18) 여기에서 朴犀의 職責이 兵馬使로 되어 있고, 그의 열전에도 西北面兵馬使로 되어 있다(열전16, 朴犀). 그렇지만 1298년(충렬왕24, 충선왕 즉위년) 1월 21일(戊申) 忠宣王이 내린 敎旨에 의하면 龜州宣諭使로 되어 있고, 朴犀가 朴文成으로 改名한 이후인 1234년(고종21) 1월 6일(乙巳) 右散騎常侍(正3品)에 임명된 점을 보아 이때 西北面兵馬使(正3品)에 임명될 位置[官階]에 이르지 못하였다. 그는 蒙古軍이 처음 侵入하였을 때 龜州宣諭使였고, 이때 참전한 諸將들이 王命을 받지 못하고 임시로 받든 假西北面兵馬使였을 가능성도 있다. 아니면 이때의 戰功으로 戰爭의 渦中에 西北面兵馬使로 特進하였을 가능성이 있다. 또 이 기사는 열전16, 朴犀와 金慶孫에 分散되어 수록되어 있고, 이때 함께 참전했던 宋文冑는 戰功으로 郞將에 임명되었다고 한다(열전16, 朴犀, "宋文冑, 亦從軍龜州者也, 以功超授郞將"). 그리고 右別抄는 諸城別抄로 고쳐야 옳게 될 것이고, 여타의 添字는 金慶孫의 열전에 의해 추가하였다.

· 『자치통감』 권8, 秦紀3, 二世皇帝 3년(BC207), "十一月, 項羽晨朝上將軍宋義, 卽其帳中斬宋義頭, 出令軍中曰, '宋義與齊謀反楚, 楚王陰令籍羽誅之'. 當是時, 諸將皆慴服, 莫敢枝梧. 皆曰, '首立楚者, 將軍家也, 今將軍誅亂'. 乃相與共立羽爲假上將軍[胡三省注, 以未得懷王之命, 故且爲假], … 懷王因使羽爲上將軍".

19) 여기에서 二十餘日은 朴犀列傳과 節要에는 三旬으로 되어 있는데, 後者는 30日을 가리키므로 時間上으로 큰 문제는 없을 것이다(姜在光 2020년).

20) 이때의 三軍은 中軍·右軍·後軍으로 구성되어 있었으며, 上將軍 李子晟이 中軍兵馬使로, 上將軍 太集成이 後軍兵馬使로 참전하였던 것 같다.

21) 고려가 大蒙古國의 지배질서 하에 들어간 1259년(고종46) 4월 이후 黃州(현 황해북도 황주군 黃州邑)가 出陸할 때, 鐵島(黃州郡 鐵島里)의 人民도 함께 따라와서 黃州의 西村에 寓居하였던 것 같다.

· 지12, 지리3, 黃州牧, "鐵島人, 出陸, 寓居州西村. 忠肅王後七年, 稱鐵和縣, 置監務, 後革之".

癸卯[20日], 北界馳報, 蒙兵圍龍州, 城中請降, 副使魏玿[魏紹]被擄.[23)]

[某日, 三軍屯[黃州]洞仙驛, 會日暮, 諜者來, 報無賊變. 三軍信之, 解鞍而息, 有人登山, 呼曰, "狄兵至矣", 軍中大驚, 皆潰, 蒙兵八千餘人突至, 上將軍李子晟·將軍李承子·盧坦等五六人, 殊死□[拒]戰, 子晟中流矢, 坦中槍[~~渠墜馬, 有兵救之~~], 僅免. 三軍始集而與戰, 蒙兵稍却, 復來, 擊我右軍, 有散員李之茂·李仁式等四五人, 拒之. 馬山賊二人, 射蒙人應弦而仆, 官軍乘勝, 擊走之:節要轉載].[24)]

壬子[29日晦], 蒙兵陷宣·郭二州.

[是月, 前判衛尉寺事李奎報, 以備蒙兵白衣從軍, 守保定門. □□[是時], 李奎報在散官, 凡蒙古和書表文牒, 皆委之:追加].[25)]

冬十月癸丑朔[大盡,己亥], 蒙古二人持牒, 至平州, 州卽囚之, 以聞. 朝議紛紜, 或云可殺, 或云當問其由. 乃遣殿中侍御史金孝印往問. 其牒云, "我兵初至咸新鎭, 迎降者皆不殺. 汝國若不下, 我終不返, 降則, 當向東眞去矣".

[某日, 咸新鎭報曰, "國家若遣舟楫, 我當盡殺留城蒙人小尾生等, 然後, 卷城乘舟如京. 乃命金永時等三十人, 具舟楫以送, 果殺蒙人幾盡. 小尾生先覺亡去, 副使全僩率吏民, 入保[龍州]薪島. 後僩, 挈家乘舟還京, 溺死:節要轉載].[26)]

壬戌[10日], 地震.[27)]

[乙丑[13日], 東京馳奏, "有木郎言, '我已到敵營, 元帥某某人也. 我等五人, 欲與交戰, 期以十月十八日. 若送兵仗鞍馬, 我等便當報捷'". 因以詩, 寄[參知政事]崔瑀曰, '壽夭災祥非一貫, 人人居此未曾知, 除災致福是難事, 天上人間捨我誰'. 瑀傾信, 私備畵韉鞍馬, 授內侍金之蔗, 送之. 其後無驗. 木郎, 卽木魅:五行2轉載].[28)]

---

22) 이와 같은 기사가 열전42, 崔忠獻, 怡에도 수록되어 있다.

23) 龍州副使 魏玿는 圓鑑國師 冲止(魏�, 文愷, 文凱, 1227~1314)의 父인 魏紹의 다른 표기일 것이다.

24) 이와 같은 기사가 열전16, 李子晟에도 수록되어 있는데, ~~添字~~는 이에 의거하였다.

25) 이는 다음의 자료에 의거하였다.
· 『동국이상국집』年譜, "公在散官, 凡達旦和書表文牒, 皆委之".

26) 이 기사는 열전43, 趙叔昌에도 수록되어 있다. 또 薪島는 압록강 하류에 위치한 龍州 관내에 있고, 1988년 7월 龍川郡에서 分離, 新設된 平安北道 薪島郡의 薪島邑이라고 한다(姜在光 2008년).

27) 일본의 가마쿠라[鎌倉]에서 10월 12일(甲子) 오전 3시 무렵에 지진이 있었다고 한다(高麗曆과 同一, 日本史料5-7冊 135面).
· 『吾妻鏡』 권27, 寬喜 3년 10월, "十二日甲子, 寅刻地震".

壬申[20日], 郎將池義深押平州所囚蒙古二人, 到京, 一是蒙古人, 一是女眞人. 自此, 國家始信蒙古兵也.

○蒙兵攻龜州, 破城廊二百餘間, 州人隨卽修築以守.

癸酉[21日], 蒙兵領諸城降卒圍城, 樹砲於新西門要害處, 凡二十八所, 以攻之, 又破毁城廊五十間, 越入交戰, 州人殊死戰, 大敗之.

○是日, 三軍屯安北城, 蒙兵至城下挑戰, 三軍不欲出戰, 後軍陣主·上將軍太集成强之, 三軍出陣于城外, 陣主·知兵馬□[事]等,[29] 皆不出, 登城望之, 集成亦還入城. 三軍乃與戰, 蒙兵皆下馬, 分隊成列, 有騎兵突擊我右軍. 矢下如雨, 右軍亂, 中軍救之, 亦亂, 爭入城. 蒙兵乘勝逐之, 殺傷過半, 將軍李彦文·鄭雄·右軍判官蔡識等, 死之.

甲戌[22日], 親飯僧三萬, 凡三日.

辛巳[29日], 東界和州馳報, "東眞兵寇和州, 擄宣德□[鎭]都領而去".

十一月[癸未朔小盡,庚子], 丁亥[5日], [大雪]. 門下侍中致仕李抗卒.[30]

[己丑[7日], 王輪寺, 牛生犢, 一身兩頭, 一頭兩耳, 一頭一耳:五行3轉載].

癸巳[11日], 北界分臺御史閔曦還奏, "曦與兵馬判官·員外郎崔桂年, 承三軍指揮, 往犒蒙兵. 有一元帥, 自稱權皇帝,[31] 名撒禮塔, 坐氈廬,[32] 飾以錦繡, 列婦人左右. 乃曰, '汝國, 能固守則固守, 能投拜則投拜, 能對戰則對戰, 速決了也. 汝職爲何'. 對曰, '分臺官人'. 曰, '汝是小官人, 大官人速來降'".

[某日, 蒙古驅北界諸城兵, 攻龜州, 列置砲車三十, 攻破城廊五十間. 龜州宣諭使朴

---

28) 木魅는 樹魅라고도 하는데, 樹齡이 오래된 나무에 살고 있다는 妖怪를 가리킨다.

29) 『고려사절요』 권16에는 事가 있다.

30) 이날은 율리우스曆으로 1231년 11월 30일(그레고리曆 12월 7일)에 해당한다.

31) 이때 撒禮塔[사리타이, 사르탁]이 權皇帝를 自稱한 것은 太宗 우구데이[窩闊台]의 卽位 이후 그가 遼東·高麗地域에서 便宜從事의 命을 받은 軍司令官이었음을 指稱하는 것일 뿐이고, 실제는 아니었을 것이다. 곧 몽골제국 초기의 高位官僚[有力者]들은 스스로를 漢式[中國制度]의 國王를 僭稱하거나 權皇帝, 郡王, 宣差라고, 몽골제국에 참여했던 契丹·女眞出身의 官僚[諸國亡俘]들은 中書丞相, 將軍, 侍郎, 宣撫使, 轉運使 등으로 各各 自稱하고 있었던 것 같다.
· 『黑韃事略』, "其官稱, 或僭國王, 或權皇帝, 或郡王, 或宣差. 諸國亡俘, 或曰中書丞相, 或將軍, 或侍郎, 或宣撫·運使, 隨所自欲而盜其名. 初無宣麻·制誥之事".

32) 氈廬는 天井이 圓型인 移動式 氈幕인 파오[蒙古包, Mongolian yurt], 현재의 gel을 가리킨다(→충렬왕 4년 7월 4일의 脚注).

犀隨毁隨葺, 鎖以鐵絚, 蒙兵不敢復攻, 犀出戰大捷:節要轉載].[33)]

甲辰[22日], 加發五軍兵馬, 以禦蒙兵.

○蒙兵以平州囚其持牒者, 欲先滅之,

庚戌[28日], 夜未明, 突入城中, 殺州官, 屠其城, 盡燒人戶, 雞犬一空.

辛亥[29日晦], 蒙兵自平州來, 屯宣義門外, 蒲桃元帥屯金郊,[34)] 迪巨元帥屯吾山, 唐古元帥屯蒲里.[35)] 前鋒到禮成江, 焚燒廬舍, 殺掠人民不可勝計, 京城驚擾洶洶.[36)]

[○崔瑀與壻大將軍金若先, 以家兵自衛, 其守城者, 皆老弱男女耳:節要轉載].

[→蒙古兵至禮成江, 京都洶懼. [參知政事崔]怡[瑀]與[金]若先, 以家兵自衛, 守城者皆老弱. 怡[瑀]遣御史閔曦, 內侍·郎中宋國瞻, 犒慰蒙古兵:列傳42崔怡轉載].

十二月壬子朔[大盡,辛丑], 蒙兵分屯京城四門外, 且攻興王寺. □[復]遣[監察]御史閔曦犒之, 結和親.[37)]

[→瑀遣[監察]御史閔曦, 內侍·郎中宋國瞻, 犒慰蒙兵:節要轉載].

[→怡[瑀]遣[監察]御史閔曦, 內侍·郎中宋國瞻, 犒慰蒙古兵:列傳42崔怡轉載].

翼日[癸丑2日], [閔]曦又往蒙古屯所, 偕蒙使二人·下節二十人以來. 命知閤門[閣門]事崔珙爲接伴使, 備儀仗, 出迎宣義門外, 入宣恩館. ○時撒禮塔屯安北都護府, 亦遣使者三人來, 諭講和.

翼日[甲寅3日], 詣闕, 王下大觀殿庭, 北面以迎, 蒙使止之, 王乃南面拜訖. 蒙使毛

---

33) 이와 같은 기사가 열전16, 朴犀에도 수록되어 있다. 또 이 시기에 朴犀의 指揮를 받던 龜州城의 防禦兵力은 2,000人 이상이었다고 한다(姜在光 2020년).
· 『동문선』 권26, 除宰臣朴文成·李子晟·宋恂·任景肅敎書, 麻制(朴文成中書侍郎平章事麻制], "… 辛卯之歲[高宗18年], 杖鉞鎭邊, 古月之群, 控弦寇塞, [失一句], 卿能據保孤城, 指揮諸軍. 攻自外而雖急, 禦從中而若神, 以防秋二千人, 出奇而戰, 凡授敵七十日, 應變不窮, 彼之力殫, 時解圍去"(李藏用 撰).

34) 元帥 蒲桃는 1219년(고종6) 1월 23일(庚寅) 카진(哈眞)의 명을 받아 蒙古詔書를 가져온 蒲里代完[Burideiqan]으로 추측되고 있다(東亞大學 2008년 6책 302面 ; 姜在光 2011년 76面).

35) 元帥 唐古는 唐古拔都兒[Tanggu baturu]의 略稱으로 여진족으로 추측되고 있다(『원사』 권154, 열전41, 洪福源 ; 東亞大學 2008년 6책 355面→ 고종 22년 윤7월 15일의 脚注).

36) 이때의 모습은 몽골제국 측에서도 찾아진다.
· 『원사』 권208, 열전95, 外夷1, 高麗, "[太宗3年]十一月, 元帥蒲桃·迪巨·唐古等領兵至其王京, 㬭遣
· 『원고려기사』本文, 太宗 3년, "十一月二十九日, 元帥蒲桃·迪巨·唐古等三人, 領兵至其王京城, 高麗□[王]㬭遣監察御史閔曦·郎中宋國瞻等, 奉牛酒迎之". 여기에서 ~~添字~~가 脫落되었을 것이다.

37) ~~添字~~는 『고려사절요』 권16에 의거하여 추가한 것이다.

衣冠, 佩弓劍, 我朝贈紫羅衫束帶, 令更衣, 蒙使不從, 只表著之. 王宴慰之. 蒙使獻王文牒一道, 牒曰,[38] "天底氣力, 天道將來底言語, 所得不秋底人, 有眼瞎了, 有手沒了, 有脚子瘸了, 聖旨, 差撒里打[撒禮塔]火里赤軍去者,[39] 問你每待投拜, 待廝殺. 鼠兒年[丙子年高宗3年], 黑契丹,[40] 你每高麗國裏, 討虜時節, 你每選當不得了去也. 阿每差得札剌·何稱兩介, 引得軍來, 把黑契丹都殺了, 你每不殺了. 阿每來, 若阿每不將黑契丹了, 你每不早了那是麽, 使臣禾利一女[禾利歹],[41] 根底不拜來那是麽, 投了呵, 差使臣瓜古與[爪古與],[42] 你每根底, 不行打來那什麽. 瓜古與[爪古與]沒了, 使臣覓瓜古與[爪古與]來, 你每使弓箭將覓來底人, 射得回去了, 那上頭, 管是你每底, 將瓜古與[爪古與]殺了也, 阿每覓問當來也. 皇帝聖旨道, 若你每待廝, 交阿每一處廝, 相殺住到老者. 若還要投呵, 依前一畨[一番]投了者去,[43] 若你每民戶, 根底的愛惜, 依前一畨[一番]投拜來, 下去底使臣, 快快地交回來者. 若要廝殺, 你識者, 皇帝大國土裏, 達達每將, 四向周圍國土都收了, 不投底國土都收了, 你每不聽得來, 投去了底人, 都一處行打. 你每不聽得來, 阿每將刼摶你每底, 寄不及都收撫了, 聽你每根底來. 高麗國王你每底民戶裏, 投拜了的人, 依舊住坐, 不投拜底人戶殺有, 虎兒年[戊寅高宗5年], 投投拜了, 咱每不啻一家來那什麽, 使去底使臣, 是阿土".

乙卯[4日], 以金酒器·大小盞盤各一副, 銀瓶·水獺皮衣·紬紵布等物, 贈送于三元帥, 又贈使者, 有差.

丙辰[5日], 遣淮安公侹, 以土物, 遺撒禮塔.

[○[淮安公]侹見撒禮塔, 遙拜階下, 不答. 侹餉之, 撒禮塔饋以湩酪等味, 侹隨所勸,

38) 이 牒은 蒙古直譯體白話인데, 이에 대한 검토가 있다(村上正二 1960年 ; 李介奭 2010년a ; 朴英綠 2013년).

39) 火里赤은 火兒赤[忽赤, qorchi]의 다른 표기로서 弓矢를 持參하고 護衛를 담당[箭筒士]하는 怯薛(Kesig, 皇帝의 禁衛軍)을 뜻한다. 『용비어천가』 권4, 26章에는 '火兒赤, 衛士之名也'로 되어 있다.

40) 黑契丹은 1124년(인종2, 保大4) 契丹의 天祚帝가 陰山山脈의 夾山으로 달아나자, 耶律大石이 무리를 이끌고 서쪽(漠北, 現 蒙古國 境內)을 經由하여 중앙아시아로 나가서 自立하고 있다가 1132년경 皇帝를 稱한 西遼[黑契丹, Kara-Khitan]이지만(余大鈞 1987年), 여기서는 1216년(고종3) 고려에 침입했던 大遼收國을 指稱한다.

41) 禾利一女은 禾利歹의 誤讀으로 인한 誤字일 것이고, 禾利歹은 蒲里袋完(혹은 蒲里袋也)의 다른 표기로 추측되고 있다(亦鄰眞 1983年 ; 李介奭 2010년a).

42) 瓜古與(과고여)는 爪古與(조고여)의 오자일 것이고, 著古與[Jagur]·着古歟·札古也로도 표기되었다.

43) 여기에서 畨字[ban, fan, 田部 12劃]는 일반적으로 많이 사용되지 않는 僻字[生僻字]인데, 여기에서 一畨은 一番, 一般과 같은 의미로 사용되었던 것 같다.

能飮啖，撒禮塔大悅:節要轉載].

[→遣淮安公侹如蒙古軍，以土物遺其帥撒禮塔．侹至見撒禮塔，遙拜階下，不答．侹以酒饌餉之，撒禮塔饋以湩酪，侹隨所勸能飮啖，撒禮塔大悅:列傳3顯宗王子平壤公基轉載].

[→蒙古元帥撒禮塔，大擧入境，王遣淮安公侹講和，郎中宋國瞻從行．及至，與撒禮塔言，辭色嚴正，撒禮塔嘉歎:列傳15宋國瞻轉載].[44)]

丁巳6日，[小寒]．蒙兵向廣·忠·淸州，所過，無不殘滅．

辛酉10日，蒙使八人來，求鷹鷂．

[○天狗墮地，聲如雷:天文2轉載].

壬戌11日，宴蒙使于內殿．

丁卯16日，遣人，遺唐古·迪巨及撒禮塔之子，銀各五斤·紵布十匹·麤布二千匹·馬鞍韂·馬纓等物．

[某日，昇天府副使尹粦·錄事朴文檥，潛置家屬于江華，乃說崔瑀曰，“江華可以避亂”．瑀信之，使二人，先往審之．中道爲蒙兵所拘:節要轉載].

[某日，蒙兵復以大砲車，攻龜州，龜州宣諭使朴犀亦發砲車飛石，擊殺無算，蒙兵退屯，樹柵以守．撒禮塔遣我國通事池義深·學錄姜遇昌，以淮安公侹牒，諭降于龜州，朴犀不聽．撒禮塔復遣人諭之，犀固守不降．蒙兵造雲梯，將攻城，犀以大于浦，迎擊之，無不破碎，梯不得近．大于浦者，大刃大兵也.[45)] 有一蒙將，年幾七十，至城

---

44) 이때의 모습은 몽골제국 측의 자료에서도 찾아진다.

· 『원사』 권208, 열전95, 外夷1, 高麗, “太宗3年十二月一日，復遣使勞元帥于行營．明日2日，其使人與元帥所遣人四十余輩入王城，付文牒．又明日5日，瞰遣王侹等，詣撒禮塔屯所，犒師”. 여기에서 5日을 明日로 표기한 것은 『원사』를 편찬할 때 底本이었을 『경세대전』을 적절히 축약하지 못했을 가능성이 있다.

· 『원고려기사』本文，太宗 3년，“十二月一日，高麗王瞰遣□閔曦，詣元帥行營，問勞．二日，曦與元帥下四十四人入王城，付文牒．五日，國王瞰遣懷安淮安公王侹·軍器監宋國瞻等，詣撒里塔屯所，犒師”.

45) 여기에서 “大于浦者，大刃大兵也”는 注로 수록된 [大于浦者，大刃大兵也]로 組版되어야 할 句節일 것이다. 大于浦는 어떠한 兵器인지를 알 수 없으나 커다란 칼날[大刃]이 付着된 兵器라고 한 점을 보아 守城戰具로서 尖端 또는 腹部에 鐵刃을 부착시킨 大木으로 이를 城上에서 鐵索에 달아내려 敵의 戰車를 격파하는 기구인 것 같다(熊武一 等編 2000年 1152面 ; 金虎俊 2012년 95面).

· 『武備志』 권114，軍資乘，守5，保約1，“… 五約曰堡器，… 七．衝木，衝木者，亦陴隍間用也．制用大木，徑一尺以上，長六七尺，八九尺者，鑿孔兩端，鐵繩雙繫，則橫用之．鑿孔其尾，鐵繩

下, 環視城壘·器械, 嘆曰, "吾自結髮, 從軍, 歷視天下城池攻戰, 未嘗見被攻如此, 而終不肯降者, 城中諸將, 他日, 必皆爲將相矣":節要轉載].[46]

甲戌[23日], 將軍趙叔昌[趙叔璋], 與撒禮塔所遣蒙使九人, 持牒來, 牒曰,[47] "蒙古大朝國皇帝聖旨, 專命撒里打[撒禮塔]火里赤, 統領大軍, 前去高麗國, 問當如何殺了著古與使臣乎? 欽奉聖旨, 我使底稍馬去, 使臣到, 投拜了. 使臣令公, 將進底物件, 應生交送, 這些箇與物, 將來底物去, 我竅沒一箇中底物,[48] 布子與來子麽, 我要底好金銀·好珠子·水獺皮·鵝嵐·好衣服與來. 你道足, 但言者不違. 你與金銀·衣服, 多合二萬匹馬駄來者, 小合一萬匹馬駄來者. 我底大軍, 離家多日, 穿將來底衣服, 都壞了也. 一百萬軍人衣服, 你斟酌與來者. 除別進外, 眞紫羅一萬匹, 你進呈將來底, 你將來底水獺二百三十箇好麽與紫箇來, 如今交上, 好水獺皮二萬箇與來者, 你底官馬裏, 選鍊一萬箇匹大馬, 一萬匹小馬與來者, 王孫男妶兒一千底, 公主大王每等郡主, 進呈皇帝者外, 大官人母[每]女妶兒, 亦與來者, 你底太子, 將領大王令子幷大官人男妶兒, 要一千箇, 女妶兒, 亦是一千箇, 進呈皇帝做札也者. 你這公事, 疾忙句當了合, 你已後早了, 你底里地理, 穩便快和也. 這事不了合, 你長日睡合, 憂者, 有我使臣, 呼喚稍馬軍去, 我要底物件, 疾忙交來, 軍也疾來, 遲交來持, 我軍馬遲來, 爲你高麗民戶, 將打得莫多少物件, 百端拜告, 郡裏足得, 你受惜你也民戶. 我這裏飜取要金銀財物, 你道骨肉出力, 這飜語異侯, 異侯休忘了者, 據國王好好底

單綮, 則直用之. 橫用者, 置鐵刃其腹, 直用者, 置鐵刃其首, 近聞[傳]虜欲爲牛革洞子附城, 宜以此懸擊斷之, 其數視懸石"(續修四庫全書本19面左4行). 여기에서 添字는 판본에 따라 달리 表記된 것이다.

46) 이 기사는 열전16, 朴犀에도 수록되어 있다. 雲梯는 城壁을 넘기 위한 兵器인데, 移動하기 위한 바퀴가 있어 雲梯車라고도 한다. 마치 오늘날의 사다리차와 비슷한데, 성벽을 공격하기 위한 防牌, 밧줄 등과 같은 戰具도 구비되어 있었다. 이보다 규모가 작은 攻城·守成의 기계로 飛梯·避檑木梯·躡頭飛梯·竹飛梯 등이 있다(『武經總要』前集권10, 攻城法, 劉秋霖 等編 2003年 295面).
이 雲梯는 신라시대에도 雲梯幢이 존재하였던 것을 보아 사용되고 있었던 것 같지만, 조선 초기에 『고려사』편찬의 핵심적인 인물이었던 梁誠之(1414~1482)는 雲梯와 鵝車(攻城用 戰車)를 보지 못했다고 한다.

· 『삼국사기』 권40, 雜志9, 職官下, 武官, "四設幢, 一曰弩幢, 二曰雲梯幢. 三曰衝幢, 四曰石投幢[投石幢], 無衿".

· 『訥齋集』 권1, 備邊十策, "一. 備器械, … 如雲梯·鵝車, 徒載於前史, 而目未嘗覩, 非細故也, 願詳考古制, 問之中原, 令中外城子, 製造分置".

47) 이 牒은 蒙古直譯體白話인데, 이에 대한 검토가 있다(朴英綠 2013년).

48) 여기에서 窺字는 異體字인데, 筆者가 이 句節을 '내가 살펴보니 좋은 물건이 하나도 없다'로 飜譯하여 窺字에 比定하였다[讀].

投拜上頭, 使得使臣交道, 與我手軍去, 爲你底百姓上, 休交相殺, 如此道得去也, 交他舊日自在, 行路通泰者, 依上知之". 使云底, 使臣二人, 烏魯土[~~阿土~~]·只賓木入都護, 三軍陣主, 詣降權皇帝所.

乙亥[24日], 宴蒙使于內殿.

丁丑[26日], 以滿鏤鳳盖酒子·臺盞各一副·細紵布二匹·騂馬一匹·銀鍍金粧鞍橋子·滿繡韂, 遺唐古元帥.

[某日, 令百官出衣有差, 以助國贐, 諸王·宰樞以上卷錦·二色綾衣, 三四品二色綾衣, 五品權參以上, 綈紬衣各一領:食貨2科斂轉載].[49]

庚辰[29日], 蒙古使賫國贐黃金七十斤·白金一千三百斤·襦衣一千領·馬百七十匹而還. 遣□[~~大~~]將軍曹時著,[50] 以黃金十二斤八兩·多般金酒器重七斤·白銀二十九斤·多般銀酒食器重四百三十七斤·銀甁一百十六口·紗羅錦繡衣十六·紫紗襖子二·銀鍍金腰帶二級·紬布襦衣二千·獺皮七十五領·金飾鞍子具馬一匹·散馬一百五十匹, 遺撒禮塔. 又以金四十九斤五兩·銀三百四十一斤·銀酒器重一千八十斤·銀甁一百二十口·細紵布三百匹·獺皮一百六十四領·綾紗·襦衣·鞍馬等物, 分贈妻子及麾下將佐十四官人.

○以趙叔昌[~~趙叔璋~~]拜大將軍,[51] 偕行, 寄蒙使, 上皇帝表曰,[52] "自天降責, 無地措躬, 擧國震驚, 同音號籲, 伏念, 臣猥將蕞品, 僻在偏方, 曾荷大邦之救危, 完我社稷, 切期永世以爲好, 至于子孫. 寧有二心[貳心], 敢孤厚惠. 伏承下詔[忽承下詰], 深疚中懷, 事或可陳, 情何有匿. 其著古與殺了底事, 實隣寇之攸作, 想聖智之易明, 彼所經由, 亦堪證驗. 其再來人使著箭事, 前此, 哥不愛僞作上國服樣,[53] 屢犯邊鄙, 邊民久乃覺其非. 今春,

---

49) 以上 23日 이래의 기사는 『고려사절요』 권16에는 "撒禮塔遣其使及將軍趙叔昌移牒言, '帝命臣問高麗殺使臣著古與之故等數事'. 仍索馬二萬匹·童男女數千人·紫羅一萬匹·水獺皮一萬領及軍士衣服. 令百官出衣有差"로 축약되어 있다.

50) 曹時著는 4년 8개월 이전인 1227년(고종14) 3월 6일 將軍으로 재직하고 있었음을 보아 이때의 관직은 大將軍이었을 가능성이 높다. 또 그는 綾城 曹氏로서 金璉의 丈人이며, 銀青光祿大夫·知樞密院事·禮部尙書·上將軍·太子賓客에 이르렀다고 한다(「金璉準戶口」, 1301年 ; 盧明鎬 等編 2002년 189面).

51) 이때 趙叔璋[趙叔昌]은 朝請大夫·千牛衛攝大將軍에 임명되었던 것 같다(『동문선』 권43, 趙叔璋讓朝請大夫·千牛衛攝大將軍表).

52) 이 表는 李奎報가 撰한 것으로 『동국이상국집』 권28, 蒙古行李賫去上皇帝表, 辛卯年[高宗18年]인데, ~~添字~~와 같이 字句에 출입이 있다. 또 이 기사는 초기의 몽골[蒙古]과의 관계에서 주목되는 자료이기에 人名에 밑줄(underline, 下部線)을 쳤다.

53) 哥不愛는 『금사』 권17, 본기17, 哀宗上, 正大 3년 6월 壬子에는 '遼東行省 葛不靄'로, 권103, 열전41, 紇石烈桓端에는 '顯德軍節度使兼婆東府治中 溫迪罕哥不靄'로, 『원사』 권149, 열전36,

又値如此人等，方驅逐之，俄不見人物，唯拾所棄毛衣·帛冠·鞍馬等事．以帛冠之故，雖知其僞，尙疑之，藏置縣官，將俟大國來人，辨其眞贋．今以此，悉付上國大軍，則無他之意，於此可知也．又阿土等縛紐事，初不意結親之大國，乃無故加暴於小邦，擬寇賊之來侵，出軍師而方戰，忽有二人，突入我軍，癡軍士，不甚考問，捕送平州，平州人恐其逋逸，略加鏁杻，申覆朝廷．朝廷遣譯察視，以其語頗類上國，然後，解械慰訊，兼贐衣物，隨譯前去．則初雖不明所致，其實亦可恕之．又哥不愛人戶，於我國城子裏入居事，此等人嘗與我國邊人，迭相侵伐，其爲寃讎久矣．邊民雖憂，豈容讎敵與之處耶？事漸明矣，言可飾乎？其投拜事，往前河稱·札剌[札剌]來時，[54] 已曾投拜，今因華使之來，申講舊年之好．伏望□□[云云]，乾坤覆露，日月照臨，鞫實察情[~~鞫實察情~~]，[55] 苟廓包荒之度，竭誠盡力，益修[輸]享上之儀”．

[是月，以衛尉少卿金仲文爲蒙使迎送副使:追加]．[56]

[是年，蒙兵來侵，兵馬使[~~龜州宣諭使~~]朴犀盡力禦之，力屈猶不降，以功陞龜州防禦使爲定遠大都護府:轉載]．[57]

[○以避蒙兵，宣州遷入于[仁州]紫燕島．又雲州·博州·嘉州·郭州·孟州·撫州·泰州于海島:轉載]．[58]

[○以被蒙兵，昌州城邑，爲丘墟．又隨州人入于[仁州]紫燕島:轉載]．[59]

王珣，榮祖에는 '遼東行省平章政事 葛不哥'로 달리 표기되어 있다(陳述 1960年 197面).

54) 札剌(찰자)는 『동국이상국집』에는 札剌(찰랄)로 되어 있다. 이 점은 『고려사』에서 剌[자]로 刻字된 것이 剌[랄]의 잘못임을 傍證해주는 것이다.

55) 鞫實察情은 鞫實察情은 같은 의미로 사용되었으나 後者로 읽어야 좋을 것이다[讀]. 古代에서 鞫[鞠問]과 鞫[審問]이 通用되었다고 한다.

56) 이는 「金仲文墓誌銘」에 의거하였다.

57) 이는 다음의 기사를 전재하였다.
- 지12, 지리3, 龜州, "至[高宗]十八年，蒙兵來侵，兵馬使朴犀盡力禦之，力屈猶不降，以功陞爲定遠大都護府".

58) 이는 다음의 기사를 전재한 것이다.
- 지12, 지리3, 宣州, "高宗十八年，避蒙兵，入于紫燕島".
- 지12, 지리3, 雲州, "高宗十八年，避蒙兵，入于海島".
- 지12, 지리3, 博州·嘉州·郭州·孟州·撫州·泰州, "高宗十八年，避蒙兵，入于海島".
- 지12, 지리3, 殷州, "高宗十八年，避蒙兵，入于海島．後出陸，爲成州屬縣". 이 기사에서 十八年은 三十五年으로 고쳐야 옳게 된다는 견해가 있다(尹京鎭 2010년b).
- 『세종실록』 권154, 지리지, 泰川郡, "高宗辛卯，避狄亂入于海島".

[○以洪均[洪鈞]爲東京副留守:追加].[60)]

壬辰[高宗]十九年, [只用當該年干支, 江華京元年],[61)]

[南宋紹定五年], [蒙古太宗四年], [金正大九年→1月開興→4月天興], [西曆1232年]

1232년 1월 24일(Gre1월 31일)에서 1233년 2월 10일(Gre2월 17일)까지, 13개월 384일

春正月壬午□[朔大盡,壬寅], 蒙使來.[62)]

---

59) 이는 다음의 기사를 전재한 것이다.

· 지12, 지리3, 昌州, "高宗十八年[十九年?], 被蒙兵, 城邑丘墟".

· 지12, 지리3, 隨州, "高宗十八年, 蒙兵陷昌州, 州人入于紫燕島".

· 『신증동국여지승람』 권52, 定州牧, 古跡, "隨川廢郡, 在州南十五里. 本高麗隨州, 高宗十八年, 蒙兵陷昌州, 本州人入紫燕島".

이상 西北界 管內의 諸州가 海島로 入保한 것은 1231년(고종18)이 아니라 江華遷都가 단행된 1232년(고종19) 6월 16일 이후에 이루어 진 것이라는 見解가 있다(尹京鎭 2010년b). 또 이들 군현의 일부는 이후 몽골제국에 대한 外交가 主和策으로 전환될 때 泰州와 같이 官民이 모두 原地로 歸還한 事例도 있었던 것 같다(→고종 44년 5월 是月).

60) 이는 다음의 자료에 의거하였다.

· 『東都歷世諸子記』, "尙書洪均[洪鈞], 辛卯到任".

61) 이는 다음의 자료에 기록되어 있는 江華京으로 遷都한 것에 따른 紀年으로 計算한 것이다(末松保和 1996年 ; 東國大學佛典刊行委員會 1990년).

· 『釋華嚴敎分記圓通鈔』 권6末尾, 題記, "江華京辛亥十一月 書". 江華京辛亥는 1251년(고종38)이다.

· 『釋華嚴旨歸章敎圓通鈔』권下末尾, 題記, "… 弟子等以江花京[江華京]十七年戊申歲". 江華京十七年戊申은 1248년(고종35)이고, 江花京은 江華京의 다른 표기이다.

· 『十九章圓通鈔』권下末尾, 題記, "至相尊者 … 高麗國江華京十九年庚戌月日, 弟子等誌". 江華京十九年庚戌은 1250년(고종37)이다.

이상을 통해 볼 때 江華京[江都]을 紀年으로 表記한 時点은 언제일지는 알 수 없지만, 이 紀年은 崔瑀에 의한 江華遷都가 고려왕조를 유지할 수 있었던 최선의 방책이라고 主唱되었을 최씨정권이 몰락한 1258년(고종45) 3월 26일(丙子)까지 甲子, 古甲子로 사용된 紀年과 함께 생명력을 지속하였을 것으로 추측된다.

62) 壬午에 朔이 탈락되었다. 또 이와 관련된 몽골제국 측의 자료는 다음과 같다. 이에서 使臣의 出發과 到着은 空間的 要因에 의해 1개월 정도의 차이[時差]가 있음이 반영되지 아니하고 『高麗史』와 『元史』가 모두 1월로 되어 있는 점이 注目된다. 이는 『원사』의 底本이 되었을 『經世大典』에 수록된 麗·蒙 交涉 記事의 時点空間[時期]이 高麗였기 때문일 것이다(→참고자료 『元高麗紀事』의 脚注).

· 『원사』 권208, 열전95, 外夷1, 高麗, "[太宗]四年正月, 帝遣使, 以璽書諭瞰".

癸未[2日], 宴于內殿.

[某日, 遣後軍知兵馬事~~右諫議大夫~~崔林壽·監察御史閔曦, 率蒙古人, 往龜州城外, 諭降曰, "國家已遣淮安公, 講和于蒙兵, 我三軍皆已降, 汝州罷戰, 出降". 諭之數四, 不降, [監察御史]閔曦憤其固守, 欲拔劍自刺, 林壽更諭之, □□~~犀等~~重違國令, 不得已乃降:節要轉載].[63)]

壬辰[11日], 蒙兵還, 遣淮安公侹·首宰[中書侍郞平章事]金就礪·大將軍奇允肅, 慰送.

丙申[15日], 幸法王寺.

○忠州官奴作亂, 宰樞會崔瑀第, 議發兵. 州之判官庾洪翼, 請遣使撫諭, 卽以注書朴文秀·前奉御金公鼎, 假屬內侍, 爲安撫別監, 以遣之. [先是, 州副使于宗柱, 每於簿書間, 與[判官庾]洪翼有隙, 聞蒙兵將至, 議城守, 有異同. 宗柱帥兩班別抄, 洪翼率奴軍·雜類別抄, 互相猜忌, 及蒙兵至, 宗柱·洪翼與兩班等, 皆棄城走, 唯奴軍·雜類, 合力擊逐之. 蒙兵退, 宗柱等還州, 檢考官私銀器, 奴軍以蒙兵掠去爲辭, 戶長光立等五六人, 密謀殺奴軍之魁者, 奴輩知之, 相與謀曰, "蒙兵到則, 皆走匿不守, 乃何以蒙人所掠, 反以歸罪吾輩, 而欲殺之乎? 盍先圖之". 乃詐爲會葬者, 吹螺, 集其徒, 先至首謀者家, 火之. 凡豪强, 素有怨者, 搜殺無遺. 且令境內曰, "敢有隱匿者, 當滅其家". 於是, 婦人·小子皆遇害:節要轉載].[64)]

己亥[18日], 以大將軍朴敦甫爲東北面兵馬使, 右諫議□□[大夫]劉俊公爲西北面兵馬使, 崔林壽△[爲]知西京留守□[事].

[○以金就成爲慶尙道按察使:慶尙道營主題名記].

癸卯[22日], [雨水]. 京城解嚴.

丁未[26日], 安撫別監朴文秀還自忠州, 金公鼎留州, 以待平定. 奴軍都領·令史池光守, 僧牛本等, 赴京. [[參知政事]崔瑀大加褒賞, 以光守補校尉, 以牛本爲忠州大院寺主:節要轉載].

[→忠州奴軍賊魁, 令史池光守·僧牛本來. 怡[瑀]褒賞, 以光守補校尉, 牛本爲忠州大院寺主, 加三重□□[大師]:列傳42崔怡轉載].[65)]

· 『원고려기사』本文, 太宗, "四年壬辰正月, 遣使持璽書, 諭高麗".

63) 이 기사는 열전16, 朴犀에도 수록되어 있는데, ~~添字~~는 이에 의거하였다.

64) 朴文秀는 1232년(고종19) 1월 26일부터 1246년(고종33) 4월 某日 사이에 朴暄으로 改名하였다(열전38, 朴暄). 또 위와 같은 기사가 열전16, 李子晟에도 수록되어 있다.

65) 原文에는 1231년(고종18)에 수록되어 있으나 오류일 것이다.

[是月庚子19日, 金改元開興:追加]

二月壬子朔大盡,癸卯, 三軍班師, 留三領軍防戍.

[是日, 參知政事崔瑀娶後軍陣主·上將軍大集成~~太集成~~女, 爲繼室. 大氏~~太氏~~新寡, 有姿色, 瑀聞而娶之. 由是, 集成雖敗還, 頗有驕色, 未幾, 大氏~~太氏~~欲歸謁父母, 瑀召軍器別監李資敬, 索~~十品~~銀甁二十. 資敬難辦, 奪五店公私銀甁, 以充其數:節要轉載].[66]

乙丑14日, 燃燈, 王如奉恩寺.

戊辰17日, 淮安公侹與蒙古使都旦·上下節二十四人來.

庚午19日, 幸王輪寺.

辛未20日, 宰樞會典牧司, 議移都.

壬申21日, 幸乾聖寺.

丁丑26日, 王欲移御東部楊堤坊別宮, 都旦聞之曰, "我因都統高麗國事, 差使到此, 將入處大內". 朝議難之, 閉廣化門, 命右承宣庾敬玄, 往諭止之. 邃邀宴, 都旦欲與王連坐, 又欲仍處于內, 詰之至夕, 然後乃赴宴, 還館.

[是月, 蒙使賫廻, 移書于中書省某官曰, "伏蒙手敎, 備認鈞候起居萬順, 副吾常所禱祝, 誠抃誠抃. 加之俯問, 耗息滋悉, 不勝感荷. 所諭淮安公·趙大將軍趙叔昌褒賞之事, 此人等善與大國講和結好, 功勤不小, 故朝廷方議行賞, 況今所諭如此, 敢不祗稟 其邊封每城, 留置達花赤接遇之事, 亦一一承命, 但前來契丹·漢兒等廻送事, 本不多人耳, 其罪早合誅夷, 以子不忍之心, 留置京師. 因年年飢饉疾疫, 物故者過半, 或其中屢有逋逸者, 捕送海島, 亦皆飢死, 唯有些小餘類. 今聞大國之□使入境, 妄意其本國兵馬, 謀欲逃去依附, 其辜負我豢養之恩, 在所不忍, 已皆誅戮. 唯此不如所敎, 惶恐萬萬, 惟閤下恕之. 言如飾也, 天其鑑之":追加].[67]

66) ~~添字~~는 열전42, 崔忠獻, 怡에 의거하였다.

67) 이는 다음의 자료에 의거하였는데, ~~添字~~가 추가되어야 할 것이다. 여기에서 移書는 書狀을 보내는 것으로 致書, 寄書(是年 3월 13일 撒禮塔에게 보낸 것)와 같은 의미를 지니고 있다.

· 『동국이상국집』 권28, 國銜行, 答蒙古書, 壬辰二月, "云云, 伏蒙手敎, 備認鈞候起居萬順, 副吾常所禱祝, 誠抃誠抃. 加之俯問, 耗息滋悉, 不勝感荷. 所諭淮安公·趙大將軍褒賞之事, 此人等善與大國講和結好, 功勤不小, 故朝廷方議行賞, 況今所諭如此, 敢不祗稟 其邊封每城, 留置達花赤接遇之事, 亦一一承命, 但前來契丹·漢兒等廻送事, 本不多人耳, 其罪早合誅夷, 以子不忍之心, 留置京師. 因年年飢饉疾疫, 物故者過半, 或其中屢有逋逸者, 捕送海島, 亦皆飢死, 唯有些小餘類. 今聞大國之□使入境, 妄意其本國兵馬, 謀欲逃去依附, 其辜負我豢養之恩, 在所不忍, 已皆誅戮. 唯此不如所敎, 惶恐萬萬, 惟閤下恕之. 言如飾也, 天其鑑之".

[○又移書于兒巨元帥答曰, “某[~~大蒙古國皇帝福蔭裏高麗國王王㬚~~], 僻在海隅, 聞高義之日久矣, 但日夜傾仰而已. 伏蒙手教, 備認鈞候動止康和萬福, 不勝欣抃. 噫, 不意公之過自謙挹, 曲垂問訊, 有踰骨肉, 非分所敢當也. 且親愛之情, 無間遠近, 以予懸懸之心, 知閣下亦不忘遺不穀也. 惟冀珍重自愛, 善保千金之軀, 益護小國耳. 無任惶悚之至”:追加].[68)]

[是時, 淮安公侹致寄書于兒巨元帥答曰, “某官[~~大蒙古國皇帝福蔭裏高麗國淮安公~~]侹,[69)] 辭違已後, 伏想, 鈞候起居何似, 忽沐手教, 備諳雅履康和萬順, 其爲欣抃, 言所未周. 某頃者, 全荷閣下之保護, 得完微喘, 跋涉無恙, 尋還本國. 但日夜北望, 翹企而已, 不意仁人之不忘疇昔眷顧之意, 至辱榮問如此, 非吾瑣瑣所敢當也. 予無所倚, 倚閣下如太山, 惟冀爲小子千萬自愛, 享壽千秋, 益加扶護耳, 無任云云”:追加].[70)]

三月[壬午朔小盡,甲辰], 甲申[3日], 都旦以館迎送判官·郎中閔懷迪, 不能支對, 杖殺之.

丙戌[5日], 都旦又以館舍寥寂, 欲移寓人家, 贈金酒器一事·紵布八十匹, 乃止. 都旦本契丹人, 性甚姦黠, 往者, 請蒙兵到江東城, 滅其國兵者也.

[某日, 蒙使以[前龜州宣諭使]朴犀在龜州, 固守不降, 欲殺之. [參知政事]崔瑀謂犀曰, “卿於國家, 忠節無比, 然蒙古之言, 亦可畏也, 君其圖之”. 犀乃歸其鄉竹州:節要轉載].[71)]

甲午[13日], 幸賢聖寺.

---

68) 이는 다음의 자료에 의거하였는데, 元帥 兒巨는 이 기사에 이어진 淮安公 侹의 書狀을 통해 볼 때 撒禮塔의 麾下에 있던 어떤 將軍을 指稱하는 것 같다.

· 『동국이상국집』 권28, 同前[國銜行, 壬辰二月], 答兒巨元帥狀, “云云, 某僻在海隅, 聞高義之日久矣, 但日夜傾仰而已. 伏蒙手教, 備認鈞候動止康和萬福, 不勝欣抃. 噫, 不意公之過自謙挹, 曲垂問訊, 有踰骨肉, 非分所敢當也. 且親愛之情, 無間遠近, 以予懸懸之心, 知閣下亦不忘遺不穀也. 惟冀珍重自愛, 善保千金之軀, 益護小國耳. 無任惶悚之至”.

69) 이때 淮安公 侹이 자신의 職位를 무엇으로 稱했는지는 알 수 없다.

70) 이는 다음의 자료에 의거하였다.

· 『동국이상국집』 권28, 淮安公[侹]答同前[壬辰二月, 兒巨]元帥狀, “某辭違已後, 伏想, 鈞候起居何似, 忽沐手教, 備諳雅履康和萬順, 其爲欣抃, 言所未周. 某頃者, 全荷閣下之保護, 得完微喘, 跋涉無恙, 尋還本國. 但日夜北望, 翹企而已, 不意仁人之不忘疇昔眷顧之意, 至辱榮問如此, 非吾瑣瑣所敢當也. 予無所倚, 倚閣下如太山, 惟冀爲小子千萬自愛, 享壽千秋, 益加扶護耳, 無任云云[~~惶悚之至~~]”. 여기에서 ~~添字~~는 筆者가 추가하였다.

71) 이후 朴犀는 朴文成으로 改名하였던 것 같은데, 그 시기는 朴文成으로 右散騎常侍에 임명된 1234년(고종21) 1월 6일 이전일 것이다. 또 이 기사는 열전16, 朴犀에도 수록되어 있다. 그런데 後世에 편찬된 『氏族源流』, 竹山朴氏의 系譜에는 朴仁碩의 長子는 平章事 朴文成, 次子는 門下平章事 朴犀로 되어 있으나 사실이 아닐 것이다.

○蒙使六人先還. 遣通事[·中郎將:追加]池義深·錄事洪巨源[·金謙:追加]等,[72] 賫國贐, 寄書于撒禮塔曰,[73] "~~右啓, 季春, 緬惟元帥幕府節下起居萬順, 馳戀之誠, 靡須臾暫捨也. 前所使陪送行李郎將池義深來, 稱'貴國廻駕夫, 喩你等此去, 須於春三月時發遣人, 使會得我國坐住處', 今依所教, 復差前使池義深及若干大等發遣前去.~~ 其每來文字內, 所及諸般事, 圖踵後回報廻報, ~~伏冀炤悉~~. 又閱淮安公侹所蒙手簡, 稱'你國選揀人戶, 赴開州館及宣城山脚底,[74] 住坐種田', 竊思, 大國所以割與分地, 將使吾民耕食, 則其義在所欣感. 然我國每處, 人民·牛畜□等, 物故損失者大夥, 故這遮一國區區之地, 尙不勝耕墾, 忍使鞠爲茂草, 況於邈遠大國之境, 將部遣甚處人物·□□牛畜, 使之耕種耶? 力所不堪, 理難强勉, 惟大度量之".

○遣西京都領鄭應卿·前靜州副使朴得芬, 押船三十艘·水手三千人, 發龍州浦, 赴蒙古, 從其請也.[75]

○蒙古軍三十餘人復入境, 發宣州倉米三十石而去.

[乙未14日, 月食:天文2轉載].[76]

[某日, 以金就礪爲守太傅·開府儀同三司·門下侍郞平章事, 崔珙爲右副承宣:追加].[77]

---

72) 이는 다음의 자료에 의거하였다.

· 『원사』 권208, 열전95, 外夷1, 高麗, "太宗4年三月, 瞰遣中郎將池義源深·錄事洪巨源·金謙等賫國贐·牒文, 送撒禮塔屯所".

· 『원고려기사』本文, 太宗 4년, "三月, 高麗遣中郞將池義源池義深·錄事洪臣源洪巨源·金謙等, 賫國贐·文牒, 送撒里塔屯所".

73) 이 書狀은 李奎報가 撰한 것으로 『동국이상국집』 권28, 送蒙古國元帥書, 是年三月池義深賫去인데, 冒頭가 생략되었고, ~~添字~~와 같이 字句에 출입이 있다.

74) 開州는 現在의 遼寧省 丹東市 鳳城이고, 宣城山은 鴨綠江 河口의 西岸에 위치한 宣城山麓(現丹東市 東港에 위치)으로 추정되고 있다(森平雅彦 2014년).

75) 몽골제국 측의 요구에 의해 파견된 鄭應卿·朴得芬 등의 도착 여부를 확인하려고 하였던 고려 측의 牒도 찾아진다(是年 5月).

· 『동국이상국집』 권28, 送某官狀, "右啓, 春寒, 道里阻脩, 遙想行旆跋涉佳勝? 伏增瞻佇. 近者, 淮安公伴送節下過分後來傳台敎, 有要'海舡及軍人限今年三月初三日會到宣城山'事件, 即命有司指揮西北面兵馬, 令募軍人及舟楫, 選揀官員, 管押前去. 然水程風濤, 不可預剋, 但未識及期與否爾, 惟節下諒之. 不宣謹啓".

76) 이날 宋에서도 월식이 있었고(『송사』 권52, 지5, 천문5, 月食), 일본의 鎌倉에서도 월식이 있었다(高麗曆과 同一, 日本史料5-7冊 783面). 이날은 율리우스력의 1232년 4월 6일이고, 월식 현상이 심했던 때의 世界時는 19시 28분, 食分은 0.46이었다(渡邊敏夫 1979年 480面).

· 『吾妻鏡』 권28, 貞永 1년 3월, "十四日乙未, 天晴, 月蝕, 不正現".

· 『本朝統曆』 권9, 貞永 1년, "三十四夜望, 寅日, 月蝕, 九分弱, 丑三, 寅六".

77) 이는 「金就呂墓誌銘」 ; 「崔珙墓誌銘」에 의거하였다.

[春某月, 命前判衛尉寺事李奎報撰‘前王師志謙塔碑銘’:追加].[78]

夏四月[辛亥朔大盡,乙巳], [某日, 會宰樞於大觀殿, 議慈州副使崔椿命罪. 先是[高宗18年], 蒙古圍慈州, 椿命率吏民, 固守不降. 國家畏撒禮塔詰責, 遣內侍·郎中宋國瞻諭降, 椿命閉門不對, 國瞻罵而還. 及三軍將帥降于撒禮塔, 撒禮塔謂淮安公侹曰, “慈州不降, 宜遣使諭降”. 侹遣後軍陣主大集成[~~大集成~~]與蒙古官人, 到慈州城下曰, “國朝及三軍已降, 宜速出降”. 椿命坐城樓, 使人對曰, “朝旨未到, 何信而降”. 集成曰, “淮安公已來請降, 故三軍亦降, 此非信耶?”. 對曰, “城中人不知有淮安公”. 遂拒而不納.[79] 蒙古官人呵責集成入城, 椿命使左右射之, 皆奔却. 如是者數四, 終不下. 集成深銜而返, 撒禮塔怒, 必使殺之. 王以問宰樞, 皆請末減, 集成詣[參知政事]崔瑀第曰, “椿命之罪,~~椿命拒命不降,蒙古怒去,禍將不小.宜殺之,以示蒙古,今~~上及宰樞, 皆猶豫未決, 請公獨斷殺之”. 瑀諾. 故宰樞亦不得已從之, 獨[政堂文學]兪升旦以爲不可殺. 聞者歎服. 瑀遣內侍李白全[~~李百全~~]往西京,[80] 將斬之, 椿命辭色不變, 蒙古官人曰, “誰歟?”. 白全[~~百全~~]曰, “慈州守也”. 官人曰, “於我雖逆命, 在爾爲忠臣, 我且不殺, 爾既與我約和矣, 殺全城忠臣, 其可乎?”. 固請, 釋之:節要轉載].[81]

壬戌[12日], 遣上將軍[~~大將軍~~]趙叔昌[趙叔璋]·侍御史薛愼,[82] 如蒙古, 上表稱臣, 獻羅絹·綾

---

78) 『동국이상국집』연보에 의거하였다.

79) 拒는 亞細亞文化社本에는 據로 되어 있지만 오자일 것이다(東亞大學 2006년 23책 435面).

80) 李白全은 李百全의 誤字일 것이다. 이는 李百順(百全의 兄)과 긴밀한 관계를 가지고 있던 李奎報의 기록과 『고려사절요』 권17에 後者로 記載되어 있음을 통해 알 수 있다(→고종 21년 7월 27일과 27년 7월 10일의 脚注).

81) 이와 같은 기사가 열전16, 崔椿命에도 수록되어 있는데, ~~添字~~는 이에 의거하였다.

82) 趙叔璋은 1231년(고종18) 12월 29일 大將軍에 임명되었고, 1234년(고종21) 3월 6일 大將軍으로 處刑되었으므로, 이 기사의 上將軍은 大將軍의 오자일 것이다. 이는 그와 함께 副使로 파견되었던 薛愼의 묘지명에도 大將軍으로 되어 있어 확인이 가능하지만, 그의 열전에 上將軍으로 되어 있는데, 이 역시 오자일 것이다(열전43, 趙叔昌). 또 이들의 파견은 중국 측의 기록에서도 확인된다. 그리고 이때 사신단의 下節이었던 隊正 宋義(尹秀의 丈人)가 明年(고종19) 초에 蒙古가 고려에 침략하려는 사실을 알고서 달려와 조정에 보고하였던 것 같다.

· 「薛愼墓誌銘」, “壬辰, 以侍御史與大將軍趙叔璋爲北朝行李使副, 深入龍庭, 得要領而還”.

· 열전37, 폐행2, 尹秀, “初, 秀舅隊正宋義, 隨使如蒙古, 知蒙古將加兵于我, 逃還以告, 得遷都江華. …”.

· 『원사』 권208, 열전95, 外夷1, 高麗, 태종 4년, “四月, 瞰遣其□[大]將軍趙叔章[趙叔璋]·□[侍]御史薛慎等奉表入朝”.

· 『원고려기사』本文, 太宗 4년, “四月, 國王瞰遣將軍趙叔璋·□[侍]御史薛順[~~薛愼~~]等, 奉表入朝”.

紬各十匹·諸般金銀酒器·畵韂·畵扇等物. 仍致書撒禮塔, 贈金銀器皿·匹叚[匹段]·獺皮·畵扇·畵韂, 以至麾下十六官, 亦有差. 其書曰,[83] “右啓, 孟夏, 伏想台候佳勝萬福, 傾仰不已. 前次所輸[論]進皇帝物件內, 水獺皮一千領好底與來事, 我國於遮箇物, 前此未嘗有捕捉者. 自貴國徵求以後[已後], 始以百計捕之, 亦未[不]能多得. 故每次所輸貢賦, 艱於准備, 今所需索, 其數過多, 求之又難, 似未堪應副. 然旁搜四遐, 月集日儲, 猶未得盈數, 粗以九百七十七領輸進, 惟冀照悉. ○又稱國王·諸王·公主·郡主·大官人, 童男五百箇·童女五百箇, 湏[須]管送來事, 如前書所載, 我國之法, 雖上之爲君者, 唯配得一箇嫡室, 更無媵妾, 故王族之枝葉, 例未繁茂. 又以國之褊小, 故臣僚之在列者, 亦未之師, 師而所娶, 不過一妻, 則所產或無或有, 有或不多人耳. 若皆發遣上國, 則誰其承襲王位及朝廷有司之職, 以奉事大國耶? 若貴國撫存弊邑, 使通好萬世, 請蠲省偏方蕞土, 所不得堪, 如此事叚[段], 以示字小扶弱之義, 幸甚幸甚. ○又稱諸般工匠遣送事, 我國工匠, 自昔欠少, 又因饑饉·疾疫, 亦多物故. 加以貴國兵馬經由, 大小城堡, □[圦]罹害被驅者不少, 自此耗散, 而莫有地著專業者, 故節次不得押遣應命. 况刺繡婦人, 本來無有,[84] 此皆以實告之, 伏惟, 諒情哀察. ○又於趙兵馬[趙叔璋]處所囑[屬]當義州民戶, 檢會物色事, 已曾行下其界兵馬, 委令根究. 則告以城守與民戶等, 乘桴逃閃, 因風沒溺, 故便不[未]得顯驗, 請照悉之. 其餘文字內所及, 一一承稟, 又貴國還兵次, 所留下瘠馬, 每處搜集, 凡十五疋[匹],[85] 卽令收管牧養, 今此行李, 幷分[剪]去奉呈[進], 無任云云[惶悚之至]”.

[某日, 以李奎報爲判秘書省事·寶文閣學士·慶成府右詹事·知制誥, [侍御史]李世華爲禮賓少卿·御史雜端:追加].[86]

[是月甲子[14日], 金改元天興:追加]

五月[辛巳朔小盡,丙午], 丁亥[7日], 以旱, 再雩.[87]

---

83) 이 書狀은 李奎報가 撰한 것으로 『동국이상국집』 권28, 送撒里打官人書, 壬辰[高宗19年]四月인데, 冒頭가 생략되었고 자구에 출입이 있다.

84) 이 구절은 『동국이상국집』에는 없는 내용이다.

85) 疋은 『동국이상국집』에는 匹로 되어 있는데, 後者로 고쳐야 옳게 된다. 中原에서도 疋과 匹이 並用된 사례가 있는데, 이는 관행이었던 것 같다.

86) 이는 『동국이상국집』年譜 ; 권17, 壬辰四月, 拜判秘書兼學士·知制誥… ; 「李世華墓誌銘」에 의거하였다. 또 李世華의 경우 月次가 나타나 있지 않으나 5월 무렵 廣州副使에 임명되었음을 보면, 이 시기에 上記의 職責에 임명되었던 것 같다.

[某日，禁衣食·器皿，華侈:節要·刑法2禁令轉載].

[某日，蒙古河西元帥，遣使寄書，并送金線二匹. 其書稱令公上，蓋指[參知政事]崔瑀也，瑀不受曰，“我非令公”. 以歸淮安公侹，侹亦不受，往復久之，瑀竟使[寶文閣]學士李奎報，製侹答書以送:節要轉載].

[○淮安公梃寄書于河西元帥曰，“某啓，今月某日，忽奉手敎，具審鈞候動止佳勝萬福，其爲欣抃，手與心會. 兼承過示謙挹，先辱榮問，至以華衮之褒，賁飾陋質，非予徼分所敢當也. 今者，聳聞節下承奉聖旨，收撫遼東等路，歡慶倍常. 但以江山阻隔，靡由攀晤，弟增瞻戀而口. 炎序方仲，惟冀爲天下自嗇，以副予傾禱之心，幸甚. 無任惶悚之至，再拜謹啓”:追加].[88]

辛丑[21日]，賜文振等及第.[89]

○宰樞會宣慶殿，議禦蒙古.

癸卯[23日]，四品以上又會議，皆曰“城守拒敵”. 唯宰樞鄭畝·太集成等曰，“宜徙都避亂”.

己酉[29日晦]，北界龍岡·宣州，蒙古達魯花赤四人來.[90]

[某日，[禮賓少卿·御史雜端]李世華爲廣州副使:追加].[91]

[是月，答書于河西元帥曰，“右啓，今月某日，貴國使介至，奉傳珍緘，備認鈞候起居萬福. 兼蒙問訊滋悉，欣感交深，不可勝道. 前發遣押船兵使人廻來，稱‘阿每幸値大官人閣下管領，故凡所違失，無不曲加救護，遂使畢事無恙，至於還國矣’，

---

87) 이날 일본의 京都에서는 비가 내렸다고 한다(『猪隅關白記』，貞永元年具注曆，5月 7日辛亥).

88) 이는 『동국이상국집』 권28，答河西元帥書，壬辰五月에 의거하였다.

89) 이와 관련된 기사로 다음이 있다. 이때 文振·金坵(金百鎰，乙科2人，金坵墓誌銘)·兪千遇(24歲，『東人之文五七』) 등이 급제하였다(『등과록』，朴龍雲 1990년；許興植 2005년).
· 지27，선거1，科目1，選場，“[高宗]十九年五月，[知樞密院事·]翰林學士承旨金仁鏡知貢擧，翰林學士金台瑞同知貢擧，取進士，□□[辛丑]，賜文振等二十九人·明經二人及第”. 이에서 金仁鏡은 金良鏡의 改名이다(→고종 5년 12월 1일 脚注).
· 「金坵墓誌銘」，“□[二]十二擧春□[官]擢乙科第二人及第，時座主金貞肅公亦是第二人，因語傳衣鉢古事，大加寵，進□[作?]啓以謝之，至今爲四六元龜”.
· 열전19，金坵，“高宗朝，擢第二人及第. 知貢擧金仁鏡，恨不置第一，以己亦爲第二人，語和·范傳衣故事，慰籍之. 坵作長啓以謝，騈儷精切，出人意表”.

90) 이들 達魯花赤[다루가치]가 올 때 太宗의 詔書가 전달되었을 가능성이 있다.
· 『원사』 권208，열전95，外夷1，高麗，“五月，復下詔諭之”.

91) 이는 다음의 자료에 의거하였다.
· 「李世華墓誌銘」，“是夏，國家因虜寇，將遷都，以廣州迺中道巨鎭，朝論揀汰，遣公出刺”.

聞之深感深感. 噫, 非仁人君子之恤隣扶弱特地有營救之意, 則疇及是哉. 又所諭蒙古大官人文字內, '高麗攻取海島船隻軍兵', '無國王分付官軍名職數目', 則其所送人物, 乃於沿塞州城, 方選揀訖, 而時已迫急, 無暇告覆朝廷, 遂發去, 以是不得覼縷名目. 其界兵馬, 亦以貴國親來押去, 故不須具悉名職數目. 此皆因時商酌所致然耳. 伏惟明鑑照悉, 善爲辭焉. 夏熱, 惟冀順時自愛, 益復救護小國, 實愚之望也":追加].[92)]

六月庚戌朔[大盡,丁未], 王妃王氏[柳氏]薨.[93)] [百官, 玄冠素服三日:禮6國恤·節要轉載]. [上諡安惠:列傳1高宗妃安惠太后柳氏轉載].[94)]

丁巳[8日], 崔瑀遣人. [→[參知政事]崔瑀使江華勸農別監申之甫:節要轉載], 迎前王[熙宗]於紫燕島.

辛酉[12日], 葬王后, [諡莊惠. [參知政事]崔瑀獻棺槨, 皆飾金銀, 極侈美. 王見之, 嘆賞:節要轉載].[95)]

甲子[15日], 校尉宋得昌, 自池義深行李, 逃來云, "[池]義深到撒禮塔所, 撒禮塔怒曰, '前送文牒內事件, 何不辦來'. 執送義深于帝所, 餘皆拘囚".

乙丑[16日], [參知政事]崔瑀脅王, 遷都江華.[96)]

---

92) 이는 『동국이상국집』 권28, 答河西元帥書를 轉載하였다.

93) 이날은 율리우스曆으로 1232년 6월 20일(그레고리曆 6월 27일)에 해당한다.

94) 王氏는 柳氏로 고쳐야 옳게 될 것이다. 高宗妃는 熙宗의 딸이고, 母와 祖母가 모두 宗室의 딸이기에 그 以前 外家의 姓氏를 취하여 柳氏라고 하였던 것 같다(열전1, 高宗妃, 安惠太后柳氏).

95) 이 기사는 지18, 禮6, 國恤에도 수록되어 있다. 또 莊惠는 열전1, 高宗妃, 安惠太后柳氏에 安惠로 되어 있다(盧明鎬 等編 2016년 410面).

96) 이달에 江華島로 遷都한 것은 『동국이상국집』 연보에서도 확인된다("六月, 移都"). 또 다음과 같이 중국 측의 자료에서도 확인된다. 그리고 이날은 율리우스曆으로 7월 5일(그레고리曆 7월 12일)에 해당한다.
- 『원사』 권2, 본기2, 太宗 4년 4월, "高麗叛, 殺所置官吏, 徙居江華島". 이해의 기사는 4월 다음에 5월, 6월이 없고 바로 7월로 연결되어 있으므로 高麗叛의 앞에 六月이 탈락되었음을 알 수 있다.
- 『원사』 권154, 열전41, 洪福源, "壬辰夏六月, 高麗復叛, 殺所置達魯花赤, 悉驅國人入據江華島, 福源招集北界四十餘城遺民, 以待".
- 『원사』 권208, 열전95, 外夷1, 高麗, 태종 4년, "六月, 瞰盡殺朝廷所置達魯花赤七十二人以叛, 遂率王京及諸州縣民, 竄海島. 洪福源集餘民保聚, 以俟大兵".
- 『원고려기사』 本文, 太宗 4년, "六月, 本國叛, 殺各縣達魯花赤, 率王京及諸州郡人民, 竄於海島拒守, 洪福源集地界四十餘州縣失散人民, 保聚, 俟天兵來援".

[→參知政事崔瑀會宰樞於其第, 議遷都. 時國家昇平旣久, 京都戶至十萬, 金碧相望, 人情安土, 重遷. 然畏瑀, 無敢發一言者, 參知政事兪升旦曰, "以小事大, 理也, 事之以禮, 交之以信, 彼亦何名, 而每困我哉, 棄城郭, 捐宗社, 竄伏海島, 苟延歲月, 使邊陲之氓丁壯盡於鋒鏑, 老弱係爲奴虜, 非爲國之長計也".[97] 夜別抄指諭金世冲, 排門而入, 詰瑀曰, "松京, 自太祖以來, 歷代持守, 凡二百餘年, 城堅而兵食足, 固當戮力而守, 以衛社稷, 棄此而去, 將安所都乎?". 瑀問守城策, 世冲不能對, 御史大夫大集成太集成謂瑀曰, "世冲效兒女之言, 敢沮大議, 請斬之, 以示中外". 鷹揚軍上護軍上將軍金鉉寶, 希集成意, 亦言之. 遂引世冲斬之.[98] ○是日, 瑀奏請, 王速下殿, 西幸江華. 王猶豫未決. 瑀奪祿轉車百餘兩, 輸家財于江華, 京師洶洶, 令有司, 刻日發送五部人戶, 仍榜示城中曰, "遷延, 不及期登道者, 以軍法論". 又分遣使于諸道, 徙民山城·海島:節要轉載].[99]

丙寅17日, 瑀發二領軍, 始營宮闕于江華.[100]

[○太白·鎭星, 相克:天文2轉載].

[丁卯18日, 天狗墮地, 聲如雷:天文2轉載].

[是月, 王移御江華時, 內官急迫中, 忘不收檢闕內佛牙, 遺失:追加].[101]

秋七月庚辰朔小盡,戊申, 蒙古使九人來, 王迎詔于宣義門外, 留四日而還.[102]

---

97) 兪升旦에 관한 기사는 열전15, 兪升旦에도 수록되어 있다.

98) 上護軍은 上將軍의 오자일 것이다.

99) 이와 같은 기사가 열전42, 崔忠獻, 怡에도 수록되어 있으나 字句에 出入이 있다. 또 1597년(선조30) 柳成龍, 李恒福 등은 韓半島에서 外敵을 防禦하기에 가장 적합한 戰術의 하나가 山城의 修築이라고 하였다(『西厓集』 권15, 山城說 ; 『白沙集』 권2, 全羅道山城圖後敍).

100) 이때 조성된 高麗宮趾는 현재 仁川市 江華郡 江華邑 官廳里 743-1번지 北山 南麓에 있다(史蹟 第133號).

101) 이는 다음의 자료에 의거하였는데, 佛牙가 고려에 傳來된 것에 대한 敍述은 潤色이 있는 것 같지만(실제는 예종 14년에 宋에서 귀환한 鄭克永와 李之美가 가져온 佛牙로 推定됨), 그것이 闕內에 收藏되어 瞻禮의 對象이 된 것은 사실일 것이다.

· 『삼국유사』 권3, 塔像第4, 前後所將舍利, "… 後至大宋徽宗朝崇奉左道, 時國人傳圖讖曰, '金人敗國.' 黃巾之徒, 諷日官奏曰, '金人者佛教之謂也, 將不利於國家'. 議將破滅釋氏坑諸沙門, 焚燒経典, 而別造小舡載佛牙, 泛於大海, 任隨緣流泊. 于時適有本朝使者, 至宋聞其事, 以天花茸五十領, 紵布三百疋, 行賂於押舡內史, 密授佛牙, 但流空舡. 使臣等旣得佛牙來奏. 於是睿宗大喜, 奉安于十員殿左掖小殿, 常鑰匙殿門, 施香燈于外, 每親幸日, 開殿瞻敬. 至壬辰歲高宗19年移御次, 內官悤遽中, 忘不收檢. …". 以下의 내용은 1236년(고종23) 4월 是月條의 脚注에 연결된다.

○命知門下省事金仲龜·知樞密院事金仁鏡爲王京留守兵馬使, 以八領軍鎭守.[103)]

壬午3日, 安南□□□都護府判官郭得星, 招撫白岳等處, 賊魁二十餘人來投.

○遣內侍尹復昌往北界諸城, 奪達魯花赤弓矢, 復昌到宣州, 達魯花赤射殺之.

乙酉6日, 王發開京, 次于昇天府.[104)]

丙戌7日, 入御江華客舘. [時霖雨彌旬, 泥濘沒脛, 人馬僵仆, 達官及良家婦女, 至有跣足負戴者, 鰥寡·孤獨, 失所號哭者, 不可勝計:節要轉載].[105)]

[某日, 御史臺皂隸李通, 乘開京虛, 嘯聚京畿草賊及城中奴隸, 以叛, 逐留守兵馬使金仲龜·金仁鏡. 遂作三軍, 移牒諸寺, 招集僧徒, 摽掠公私錢穀. 王聞之, 以樞密院副使趙廉卿爲中軍陣主,[106)] 上將軍崔瑾爲右軍陣主, 上將軍李子晟爲後軍陣主, 討之. 賊聞三軍自江華渡江, 逆于江邊, 三軍擊賊于昇天府東郊, 大敗之. 牽龍行首別將李甫·鄭福綏率夜別抄, 先至開城, 賊閉門城守, 李甫紿曰, "我等已破官軍, 而還, 可速開門". 門者信之, 開門, 甫·福綏等斬守門者, 引兵至李通家斬之, 三軍繼至, 賊魁計窮逃匿, 餘黨悉誅:節要轉載].[107)]

[某日, 以閔仁鈞爲慶尙道按察使:慶尙道營主題名記].[108)]

[是月, 蒙兵大至, 掠及松都, 城中擾亂, 卷入江都. 時又霪霖連月, 携幼扶老, 共迷所適, 或塡溝壑而死者, 亦多矣:追加].[109)]

---

102) 이들 몽골 사신은 5월에 파견이 결정되었던 것 같다.
· 『원고려기사』本文, 太宗 4년, "五月, 復降旨, 諭高麗".

103) 金仁鏡은 金良鏡이 改名한 이름인데(열전15, 金仁鏡), 1220년(고종7)에 承宣 金仁鏡으로 되어 있으나(『동국이상국집』 권16, 次韻金承制仁鏡…), 『고려사』高宗世家篇에서는 1228년(고종15) 12월 29일(戊辰)에도 金良鏡으로 되어 있다.

104) 이날은 율리우스曆으로 1232년 7월 25일(그레고리曆 8월 1일)에 해당한다. 이때 學諭 李世黃(李仁老의 子)이 法駕를 扈從하였다고 한다(『파한집』跋文).

105) 이와 같은 기사가 열전42, 崔忠獻, 怡에도 수록되어 있으나 字句에 出入이 있다. 또 이때 강화도가 蒙古軍을 방어하는데 유리한 地形임을 後世人이 지적하고 있다.
· 『정조실록』 권12, 5년 10월 丁酉28日, "丁酉, 兵曹參議尹冕東, 應旨上疏曰, '夫戎政之本, 在乎用人. 年前取才禁軍騎士之新設也. … 大抵本島江華島, 古則四面淤泥, 舟不得泊, 人不能通, 間又有大水橫流, 削壁環立, 甲津一路之外, 無他蹊逕. 故勝國時, 蒙兵數萬, 經歲縱橫於畿湖, 而不敢近海岸一步. 此眞我國之寶, 而第一保障也".

106) 趙廉卿(金希磾의 아들인 金洪就의 丈人)은 1238년(고종25) 4월에 제작된 橫川縣 福泉寺飯子의 銘文에 '天水相國趙廉卿'으로 표기되어 있다(許興植 1984년 1027面).

107) 이와 같은 기사가 열전16, 李子晟에도 수록되어 있으나 자구에 출입이 있다.

108) 原文에는 閔仁均으로 되어 있으나 오자로 추측된다.

109) 이는 다음의 자료에 의거하였다

[是時, 蒙兵燒開城府開國寺:追加].[110)]

八月己酉朔小盡,己酉, [遣三軍兵馬使, 討忠州奴賊:節要轉載].[111)]

○西京巡撫使·大將軍閔曦, 與司錄崔滋溫, 密使將校等, 謀殺達魯花赤, 西京人聞之曰, "如是, 則我京必如平州, 爲蒙兵所滅□矣".[112)] 遂叛,

壬戌14日, 西京人執崔滋溫, 囚之. 留守崔林壽及判官·分臺御史·六曹員等, 皆逃竄于楮島.

丙子28日, [秋分]. 參知政事兪升旦卒,[113)] [謚文安:列傳15兪升旦轉載].[114)] [升旦, 舊名元淳, 沈訥謙遜, 博聞强記, 尤工於古文, 世稱元淳文. 康宗爲太子, 見放于江華, 升旦以侍學, 被斥. 王在幼冲, 亦受學, 及卽位, 召爲師傅:節要轉載].

[是月, 蒙古命撒禮塔復征高麗:追加].[115)]

· 『파한집』跋, "… 頃當水龍秋首, 北兵大至, 掠及松都, 城中擾亂, 卷入江都. 時又霪霖連月, 携幼扶老, 共迷所適, 或塡溝壑而死者, 亦多矣. 僕時爲學諭, 扈從法駕, 艱難跋涉中".

110) 이는 다음의 자료에 의거하였다.
· 『익재난고』 권6, 重修開國律寺記, "… 火于壬辰, 莫爲重新, 僧寮·佛宇, 無以風雨, 戒壇墟矣, …".

111) 이와 관련된 기사로 다음이 있다.
· 열전16, 李子晟, "王又遣子晟等, 率三軍討之".

112) 添字는 『고려사절요』 권16에 의거하여 추가한 것이다.

113) 이날은 율리우스曆으로 1232년 9월 14일(그레고리曆 9월 21일)에 해당한다.

114) 兪升旦은 參知政事·集賢殿大學士·修國史·判禮部事에 이르렀다고 한다(『동국이상국집』 권25, 同年宰相書名記).

115) 이는 다음의 자료에 의거하였다.
· 『원사』 권208, 열전95, 外夷1, 高麗, "八月, 復遣撒禮塔領兵討之, □□□十二月至王京南, 攻其處仁城, 中流矢卒. 別將鐵哥以軍還. 其已降之人, 令福源領之".
· 『원사』 권2, 본기2, 太宗 4년, "八月, 撒禮塔復征高麗, □□□十二月中矢卒".
· 『원사』 권154, 열전41, 洪福源, "秋八月, 太宗復遣撒禮塔將兵來討, 福源盡率所部合攻之, 至王京處仁城, 撒禮塔中流矢卒, 其副帖哥引兵還, 唯福源留屯". 여기에서 帖哥는 鐵哥(淸代에는 特爾格으로 改書)의 다른 표기이다.
· 『國朝文類』 권1, 雜著, 政典總序, 征伐, 高麗, "明年高宗4年, 盡殺朝廷所置官, 以叛保海島. 遣帥問罪, 帥中傷死, 軍回".
· 『국조문류』 권1, 雜著, 政典總序, 征伐, 高麗[注, 太宗四年六月, 殺達達魯花赤, 而叛保海島. 八月, 又遣撒里塔討之, 中流矢, 軍回]. 四庫全書本에는 撒里塔을 薩里台로 改書하였다.
· 『원고려기사』, 序, "明年太宗4年, 盡殺朝廷所置官以叛, 保海島. 遣帥問罪, 帥中傷死, 軍回".
· 『원고려기사』 本文, 太宗 4년, "八月, 降旨, 復遣撒里塔火里赤, 領兵討之. 至王京南處仁城攻擊, 撒里塔火里赤中流矢卒. 別將鐵哥火里赤領兵回. 其已招降之地, 復令福源管領, 屯於各處".

九月[戊寅朔大盡,庚戌], [某日, 三軍平忠州, 而還. 三軍初至達川, 水深未涉, 方造橋, 奴軍賊魁二三人, 隔川告曰, “吾等欲斬謀首出降”. 李子晟等曰, “如此, 則不必盡殺汝輩也”. 賊□[魁]還入城, 斬□□[謀首]僧牛本, 以來. 官軍留屯二日, 奴軍勇健者, 皆逃匿, 官軍入城, 擒支黨悉誅之, 以所獲財物·牛馬, 來獻:節要轉載].[116]

[某日], 答蒙古官人書曰,[117] “~~右啓, 今月某日, 忽奉鈞旨.~~ 伏蒙幕府遠涉千里, 辱臨弊境, 首貽誨音, 欣感欣感. 但所詰數叚[段]事, 實非我國本意, 深以此爲恐, 敢布腹心, 惟冀大度矜之. 其所稱‘你者巧言語, 說得我出去後, 却行返變了, 入海裏住去. 不中的人宋立章·許公才, 那兩箇來的說謊走得來, 你每信那人言語, 呵返了也事’. 我國與上朝, 通好久矣, 頃有宋立章者來言, ‘上國將擧大兵, 來征弊邑’. 其言有不可不信者, 百姓聞之, 驚駭褫氣, 過半逃閃, 城邑爲之幾空. 盖雷霆一振, 天下同驚, 以是, 予亦不能無懼. 又慮些小遺民, 若一旦[~~一朝~~]掃地皆逋,[118] 則恐不得歲輸貢賦, 以永事大國. 因與不多殘口, 入瘴毒卑濕之地, 以求苟活耳, 寧有他心耶? 皇天后土, 實監之矣. ○又稱‘達魯花赤, 交死則死, 留下來. 如今你每拿縛者事’. 右達魯花赤, 其在京邑者, 接遇甚謹, 略不忤意, 大國豈不聞之耶. 又於列城, 委令厚對, 其間, 容或有不如國敎者, 予亦不能一一知之, 惟上國明考焉. 其‘拿縛上朝使人’, 無有是理, 後可憑勘知之. ○又稱‘你本心投拜, 出來迎我者, 本心不投拜, 軍馬出來, 與我廝殺者’. 今聞, 大軍布露[~~暴露~~]原野, 雖大國不諭之, 其在小國, 禮當親自迎犒. 然弊邑之移于窅深偏地, 本非上國所令, 而固不能無咎責, 故且恐且恧, 未以時展謁耳, 其投拜之心一也, 豈有二哉. 且小國雖愚暗, 旣知畏服大國之義, 其嚮仰有年矣, 豈於今日, 乃生叛逆之心耶. 仰冀明鑑, 赦過字小, 撫存外藩, 實予之望也. ~~無任惶悚之至~~”.

[某日, 以[判秘書省事]李奎報爲留守中軍知兵馬事:追加].[119]

---

116) 이와 같은 기사가 열전16, 李子晟에도 수록되어 있다.

117) 이 書狀은 李奎報가 撰한 것으로 『동국이상국집』 권28, 答蒙古官人書, 壬辰九月인데, 冒頭가 생략되었고 자구에 출입이 있다.

118) 『고려사』의 편찬에서 조선왕조 초기 帝王의 名字를 避諱하지 않았던 같으나 어떠한 時期와 篇目에서 避諱했던 痕迹이 찾아진다. 이는 편찬 방침이 분명하지 않았던 결과인 것 같지만, 여기에서 『동국이상국집』의 ‘一旦’이 ‘一朝’로 改書된 것은 太祖 李成桂의 改名을 피한 것으로 추측된다.

119) 이는 『동국이상국집』연보에 의거하였다. 이에서 留守中軍知兵馬事는 開京을 지키는[留守] 中軍의 知兵馬事를 의미하는 것 같다.

[閏九月戊申朔小盡,庚戌:追加].

[冬十月丁丑朔大盡,辛亥:追加].

冬十一月丁未朔小盡,壬子, [某日, 遣將軍金寶鼎·郎中趙瑞章如蒙古, 上表陳情:追加].[120]

[某日], 答蒙古沙打~~沙里打~~官人書曰,[121] "~~右啓, 忽奉鈞旨, 伏審台候萬福, 欣慰倍切.~~ 前者, 大國以'□國王不出交, 大官人出來'爲諭. 小國如前書所載, 雖畏懼大國, 入處于此, 以勤仰之心, 有加無已, 故不敢違忤嚴命, 已遣大官人某, 詣幕下, 方候寵答. 而復以國王不出交, 崔令公崔瑀出來事及之, 所諭踵至如此, 弊邑, 將若之何? 伏望幕下, 諒窮迫之情, 小示以寬, 以副傾企之望, 幸甚. 其所輸皇帝處國贐國信, 則雖竭力盡誠, 勤於准備, 方小國之移徙也, 唯與不多人民, 倉卒入於水內, 所轉財物, 亦爲欠少. 故以微薄土物, 聊欲表誠耳, 今蒙鈞旨, 諭及更罄所有, 小添前數奉進, 慙恐慙恐. ○趙兵馬趙叔璋·宋立章發遣事, 叔璋自上國回來次, 不幸値心腹之疾, 至今猶未安較, 故未卽發遣. 所謂宋立章者,[122] 我國之遷移, 莫不因其言, 而其後, 我國兩黏兩番使佐, 自上國還來, 言'立章所言, 本非上國之意, 不可謂的實'. 於是, 朝廷僉議以爲'此人非特以浮說妄言, 動搖衆心, 亦使萬人逃閃, 至令一國大遷于此地, 罪不可赦', 遂捕送深竄海島, 久矣. 今依來命, 已遣人卽其所, 將收拿發來者, 伏惟照悉. ~~無任祈恩望惠激切之至, 云云~~"[123].

[○上都皇帝起居表曰, "云云, 箕封繫迹, 邈居日出之邦, 漢闕懸心, 遙祝天長之壽, 云云":追加].[124] ○上皇帝陳情表曰,[125] "下國, 有傾輸之懇, 膠漆益堅, 上朝

---

120) 이는 다음의 자료에 의거하였다. 이에서 十月은 十一月의 誤謬로 추측되는데, 이는 『고려사』의 11월에 陳情表가 있음을 통해 알 수 있다. 또 趙瑞章은 趙叔璋(趙冲의 長子)의 弟인 趙季珣의 初名 또는 이들의 從兄弟일 가능성이 있다.

· 『원사』 권208, 열전95, 外夷1, 高麗, "太宗四年, … 十月十一月?, 瞰遣其將軍金寶鼎·郎中趙瑞章趙瑞璋, 上表陳情".

· 『원고려기사』本文, 太宗 4년, "十月十一月?, 國王瞰遣將軍金寶鼎·郎中趙瑞璋, 上表陳情".

121) 이 書狀은 李奎報가 찬한 것으로 『동국이상국집』 권28, 答沙打沙里打官人書, 壬辰十一月인데, 冒頭가 생략되었고 字句에 出入이 있다. 여기에서 沙里打는 撒禮塔의 다른 표기일 것이다.

122) 이곳의 宋立章은 『동국이상국집』에는 宋上章으로 되어 있으나 오자일 것이다.

123) 이곳에서는 趙叔璋이 趙叔昌으로 改書되지 아니하였다. 그렇다면 以下의 李奎報에 의해 작성된 여러 건의 외교문서는 원래 『고종실록』에 수록되어 있던 것이 아니라 『동국이상국집』에 수록되어 있던 것을 『고려사』의 편찬자가 수록하였을 가능성이 있다. 그 결과 내용이 압축되지 못하고 原文이 그대로 張皇하게 轉寫되었던 것 같다. 그리고 이때의 上都는 哈拉和林(和林, Karakorum, 현재의 蒙古國 後杭愛省 額爾德尼召)일 것이다.

加譴責之威，雷霆忽震，聞命怖悸，失聲籲呼．伏念，臣猥以庸資，寄于荒服，仰戴天臨之德，擧國聊生，篤馳星拱之心，轡風滋切，夫何徵詰，若此稠重？力所不堪，宜將誠告，言如可復，當以實陳．其詔旨所及添助軍兵，征討萬奴[浦鮮萬奴]事，緊僻土是居，弊邑本惟小國，況大軍所過，遺民能有幾人？在者，尙瘡痍之餘，加之因饑疫而斃．故莫助天兵之用，無柰違帝命之嚴，罪雖莫逃，情亦可恕．其親身朝覲事，自聞繼統，早合觀光，矧外臣榮覲於九天，固所望也．然藩位難虛於一日，玆實恐焉．其出人戶，使撒禮塔[~~沙里打~~]見數事．游舌所傳，大兵將討，在愚民而易惑，擧恒產而多逃．衆所同爲，勢難固禁．顧家戶蕭然如掃，乃反爲茂草之場．若君臣孑爾獨存，懼未辦苞茅之貢．庶收殘口，永事大邦．雖潛藏江海之間，猶夢寐雲霄之上．實畏懼之所致，冀聖明之不疑，心苟一於始終，地何論於彼此．伏望~~云云，廓包荒之度，一垂字小之仁，~~存蓬艾之生，儻許全於一國，奉山野之賦，必不後於諸侯，~~云云~~”．

○又狀曰，[126] “~~臣某，謹頓首再拜，奉書于皇帝紫微闕下，~~臣以一二所望事件，已具表言之，猶有鬱結於心，[127] 未盡陳露者，於表內不得備載．申以狀陳布之，~~辭義繁冗，恐煩聽鑑，誠恐誠恐，伏惟聖慈一賜覽焉．~~弊邑本海外之小邦也，自歷世以來，必行事大之禮，然後能保有其國家．故頃嘗臣事于大金，及金國鼎逸，然後朝貢之禮，始廢矣．越丙子歲[高宗3年]，契丹大擧兵，闌入我境，橫行肆暴，至己卯[高宗6年]，我大國遣帥河稱[哈眞]·札臘[札剌]，領兵來救，一掃其類．小國以蒙賜不貲，講投拜之禮，遂向天盟告，以萬世和好爲約，因請歲進貢賦所便．元帥曰，‘道路甚梗，[128] 你國必難於來往，每年我國遣使佐不過十人，其來也． 可賫持以去． 至則道必取萬奴[浦鮮萬奴]之地境， 你以此爲驗’． 其後使佐之來，[129] 一如所約，每我國輒付以國贐·禮物，輸進闕下．○獨於甲申年[11年]，使臣著古與，不以萬奴[浦鮮萬奴]之境，而從婆速路來焉．然依舊接遇甚謹，又付以國贐前去．其後使价之來者，稍至閒闊．小國竊怪其故，久而聞之，則于加下遮出中路，殺了上件使臣所致也．如此已後，于加下僞作上國服樣，入我北鄙，殘敗三城，萬奴亦攻破東

---

124) 이 表는『동국이상국집』권28, 上都皇帝起居表에 의거하였다.

125) 이 表는『동국이상국집』권28, 上都皇帝陳情表인데, 자구에 출입이 있다.

126) 이 表는『동국이상국집』권28, 上都皇帝陳情表[同前狀]인데, 자구에 출입이 있다.

127) 猶는『동국이상국집』에는 楢로 되어 있으나 오자일 것이다.

128) 道路는『동국이상국집』에는 塗路로 되어 있으나 後者가 道路, 路程, 途程을 指稱하므로 문제가 없을 것이다.

129) 使佐는『동국이상국집』에는 佐使로 되어 있으나 오자일 것이다.

鄙二城，其服色亦如之．自是踵來，侵伐不絶．○又萬奴與上國使佐之向我國者，紿言'高麗背你國，愼勿前去'．使佐不聽，且欲知眞僞，遂便行李，則先遣其麾下人，僞爲我國服著及弓箭，遂伏兵於兩國山谷之閒，潛候行李，出射趁殲．因令伴行人報云，'高麗所作如此，背逆明矣．請停前去'，固令還焉．然適有自萬奴麾下，逃來王好非者，細說其事，故我國得知之．○無幾何，聞大兵入境，小國以通好之故，殊不意上國之兵，而久乃知之．然莫識所以行兵之故，帥府撒禮塔沙里打大官人移文言，'你國殺我使臣著古與及射東路使臣，何也？以此行兵問罪耳'.[130] 我國已曾知之縷細故，具以實對之，更行投拜之禮，大國亦詳兩人所詐，豁然大寤，遂許班師矣．方大軍之還國，尋遣兩黏兩番行李，奉進國信·禮物於皇帝闕下，而君臣因相賀曰，'比來，以道路不通，阻修朝覲之禮，大乖從前和好之本意，常以此爲慮．今旣遣使達誠，則是固可賀，而又大國，常以于加下·萬奴之罪,[131] 歸于我，我國無以自明，懼代他人受誣．而賴大軍親臨根究，使上國之疑，渙然如冰釋，則吾屬知免矣，始可以寧心定慮，一專於奉事上朝之日也'．○未幾，忽有宋立章者，從池義深行李，詣在上國，逃來言，'大國將擧大兵來討，已有約束'.[132] 百姓聞之，驚駭顚蹶，其逃閃者多矣．俄又聞'北界一二城逆民等，妄諭其城達魯花赤,[133] 殺戮平民，又殺臣所遣內臣'．此人是候上國使佐値行李，則迎到京師者也．而乃殺之，因以作亂，聲言大國兵馬來也．又聞'上國使佐到義州，令准備大船一千艘，待涉軍馬'．於是，擧上下無不震悸，其逃之者，又過半矣．逋戶殘廬，歷歷相望，鞠爲茂草，見之，不能無悵然矣．君臣竊自謀曰，'若遺民盡散，則邦本空矣，邦本空，則其將與誰歲辦貢賦，以事上朝耶．不若趁此時，收合殘民餘衆，入處山海之閒，粗以不腆土物，奉事上國，不失藩臣之名，上計也．盖以心之所屬，不關於地，苟以一心事之，想上國何必以此爲咎耶'．於是，遂定計焉，然則我國之遷徙于此，不過此意耳，寧有他心哉．天地神明，實鑑之矣．○不意，大國以浮說所傳，遣之以大兵，臨涖弊境，凡所經由，無老弱婦女，皆殺之無赦，故擧一國，喪情失氣，顚倒怖懼，莫有聊生之意．且君是天也父母也，方殷憂大戚如此，而不於天與父母，而又於何處，訴之耶？伏望，皇帝陛

130) 問罪는 『동국이상국집』에는 聞罪로 되어 있으나 오자일 것이다.

131) 于加下는 『동국이상국집』에는 亏加下로 되어 있으나 같은 글자[同一文字]를 異形字일 것이다.

132) 大國은 『동국이상국집』에는 上國으로 되어 있으나 같은 의미의 글자이다.

133) 達魯花赤[다루가치]은 『동국이상국집』에서 達花赤으로 脫字가 발생하였다.

下，推天地父母之慈，諒小邦靡他之意，勅令大軍回轅返旆，永護小國，則臣更努力竭誠，歲輸土物，用表丹悃，益祝皇帝千萬歲壽，是臣之志也．伏惟陛下，小加憐焉．~~無任望大延佇希恩慕德之至，謹奉狀陳乞以聞，謹狀~~”．

[○又致書丞相耶律楚材曰，“右啓，冬寒，伏想台候淸勝萬福，瞻戀瞻戀．恭惟承相[丞相]閣下，以磊落奇偉，命世之才，際風雲之慶會，孕育周孔，吹噓高舜[~~堯舜~~]，擅文章道德之美，潤色帝化，發揮廟謨，使淸風爽韻，橫被四海者久矣．予以邈寄海外窅遠之邦，故猶不得早聞紫鳳紅鸞之出瑞，□[丗]於上朝，昧昧焉，眞可笑也．近憑小國使介，略聞緖餘，大恨知之之晚．然在此幽僻之中，尙能逖聽風聲者，豈以其白玉騰精，而靈暉之所燭者遠矣，靑蘭挺質，而餘芳之所播者多焉者歟．猶愈於聾者之便，不聞金玉之音也，瞻望瓊樹，傾渴不已．兼聞閣下，迺眷小邦，遇我賤介也，溫然如春，扶護甚力，遂使之遄還，不至淹久，銘感之心，言所不盡也．今者又遣使介，詣皇帝闕下，伏望閣下，益復護短，特於旒冕之下，乘間伺隙，善爲之辭，使小國可矜之狀，得入聰聽，求求保安弊邑，則予雖不敏，敢不報效萬一耶？此言如餙，天日照臨，無任惶悚之至，云云”:追加]．[134)]

○又答撒禮塔[沙里打]書曰，[135)] “~~右啓，前月某日，忽奉鈞旨，備認體候動止萬順，欣喜倍萬~~．所諭皇帝處回去文字事，一一祗禀，已具表章，尋發遣使介前去，伏惟照悉[炤悉]．[136)] 我國如前書所載，雖畏懼大國，入處山海之閒，其所以仰奉上朝，尙爾一心．以是今聞大軍之入境，卽遣使佐，謹行迎問之禮，繼蒙辱貺鈞旨，申遣使人，賫不腆酒果·禮物，勞問左右，則小國之無他，亦於此可知也．苟以一心事之，不關地之彼此，冀幕府不必以遷徙爲咎，待之如舊，則實小國萬世之福也．所遣詣皇帝處一行使人，先就幕下，聽取處分，其使人之進退·行止·禍福·生死，皆在幕府之掌握．伏望，曲加扶護，善爲指揮，兼差幕下使人，道[導]達於皇帝闕下，[137)] 永護小邦．則予亦敢不感至銘骨耶？其大官人[崔瑀]投拜事，小國業已畏懼，入此幽僻之中，則雖大官人，心志耗喪，日益以拙，

---

134) 이는 『동국이상국집』 권28, 送晋卿丞相書를 전재하였다. 이는 『동문선』 권61에도 수록되어 있는데, ~~添字~~는 이에 의거하였다.

135) 이 表는 『동국이상국집』 권28, 答沙里打書인데, 冒頭가 생략되어 있고 자구에 출입이 있다.

136) 伏惟照悉은 『동국이상국집』에는 伏惟炤悉로 되어 있는데, 照(조)와 炤(소)는 같은 글자[同一字]이다.

137) 道는 『동국이상국집』에는 導로 되어 있는데, 後者가 옳지만 字體의 크기[大字]로 인해 前者로 代替하는 경우도 있다.

月益以鈍，未遽趍造左右聽命．憧惶顚倒，罔知所裁，惟大度寬之．~~無任希恩望惠之至，不宣，再拜謹啓~~”.

[是月，蒙兵大擧南下，圍廣州，數月間攻擊，副使李世華善防，蒙兵解圍去:追加].[138]

十二月(丙子朔大盡,癸丑)，[某日]，寄蒙古大官人書曰,[139] “~~右啓,~~ 今月某日，我國使介至，伏聞帥府新統大軍，始開蓮幕．未及旬朔，先聲大震，凡列國之人，莫不拭目改觀，庶幾蒙被德蔭者皆是，況若區區弊邑，其欣躍之心，倍萬常倫也．兼蒙鈞慈，憫我國兩黏(兩番)行李之久淹者，今悉放遣，此亦銘感罔極，言所不旣也．所諭予及崔令公(崔瑀)之出來事，如前上舊帥府書所陳，我等旣畏懼大國，入此山海之間，則其於出覲，日益滋怯，所以難之耳．傾仰之心一也，寧有他哉？伏惟閣下，諒情而寬之．兼所諭趙兵馬(趙叔章)發遣事，其寢疾至今，猶未佳裕，故未卽依敎．不然，叔璋之往來上國慣矣，豈今憚其行哉．宋立章者，前已承舊帥府所及，其時卽差人就所配海島收拿發來，待之久矣．然以此時風水甚惡，邈無消息，故未卽捉遣，惶恐惶恐．前所遣詣大皇帝處我國使佐之進退，專在閣下之指揮，伏望善爲之辭，道(導)達於皇帝闕下，幸甚．~~無任戰汗之至，不宣，再拜謹啓~~”.[140]

○答大官人書曰,[141] “~~右啓,~~ 今月某日，忽奉來敎，備詳鈞候，動止萬順，欣喜倍常．但所稱皇帝處回去文字事，邇來，久未審皇帝聖體何似，禮宜伻問起居．況復蒙幕府所諭如此，予亦豈不思奉答天子之休命耶．然年前大軍之辱臨弊邑(弊境)也，我國累次所遣使佐及其負擔下卒，輒蒙鈞慈，遂(逐)旋回遣前來，故使者之往來絡繹(駱驛),[142] 略無疑懼於心者，是幕府所鑑知也．今聞前所遣皇帝處兩黏(兩番)使人，被寵命將還，適値大軍之方戾弊境，反見勒留未還．又小國聞大軍入境，卽發遣使介，謹行迎犒之禮，

---

138) 이는 다음의 자료에 의거하였다.

· 『동국이상국집』後集권12, 李世華墓誌銘, “冬十一月，蒙古大兵來，圍數十重，以百計攻之，至數月，公日夜繕守備，隨機應變出，其意表或俘殺甚衆，虜知不可，遂解圍去”.

139) 이 표는 『동국이상국집』 권28, 送蒙古大官人書, 壬辰(高宗19年)十二月인데, 자구에 출입이 있다.

140) 이 구절에서도 趙叔璋이 避諱되지 않았다.

141) 이 표는 『동국이상국집』 권28, 答蒙古大官人書인데, 자구에 출입이 있다.

142) 絡繹(낙역)은 『동국이상국집』에는 駱驛으로 달리 표기되어 있는데, 後者는 刻字할 때 잘못이 있었던 것 같다. 前者는 絡驛으로도 표기하며, ‘往來不絶, 連續不斷’을 가리킨다.

· 『후한서』 권90, 烏桓·鮮卑列傳第80, 烏桓, 建武 25년, “… 是時，四夷朝賀，絡驛而至，天子乃命大會勞饗，賜以珍寶”.

而其使人及負擔禮物人卒，至今未蒙放遣回來．愚聞古者兵交，使在其閒，今則異於是，兵交非所意也．小國聞大兵之臨境，猶不敢稽遲，粗以不腆信餉，勞問行李之勤，而反被拘留．其在國人愚惑之心，得不疑且懼哉？然則其遣以大官人奉書于皇帝闕下，愈所疑懼也，伏惟諒之，~~云云~~”．

[辛卯16日:追加],[143] 撒禮塔攻處仁城．有一僧金允侯，避兵在城中，射殺之.[144]

[→撒禮塔攻處仁城．有一僧，避兵在城中，射殺撒禮塔．國家嘉其功，授上將軍，僧讓功于人曰，“當戰時，吾無弓箭，豈敢虛受重賞”．固辭不受，乃拜攝郎將．僧卽白峴院金允侯也:節要轉載].[145]

[某日] 答東眞書曰,[146] “~~云云~~，夫所謂蒙古者，猜忍莫甚，雖和之不足以信之．則我朝之與好，非必出於本意．然如前書所通，越己卯歲高宗6年，於江東城，勢有不得已，因有和好之約．是以年前其軍馬之來也，彼雖背盟棄信，肆虐如此，我朝以謂寧使曲在彼耳，庶不欲效尤，故遂接遇如初，以禮遣之．今國朝雖遷徙都邑，當其軍馬之來，則猶待之彌篤，而彼尙略不顧此意，橫行遠近外境，殘暴寇掠，與昔尤甚．由是，四方州郡，莫不嬰城堅守，或阻水自固，以觀其變，而彼益有呑啖之志，以圖攻取，則其在列郡，豈必拘國之指揮，與交包禍之人，自速養虎被噬之患耶．於是，非特入守而已，或往往有因民之不忍，出與之戰，殺獲官人□及士卒，不爲不多矣．至今年十二月十六日，水州屬邑處仁部曲之小城，方與對戰，射中魁帥撒禮塔沙里打殺之,[147] 俘虜亦多，餘衆潰散．自是褫氣，不得安止，似已回軍前去．然不以一時鳩集而歸，或先行或落後，欲東欲北，故不可指定日期，又莫知向甚處去也．請貴國密令偵諜,[148] 可也．~~云云~~”．

是年，移葬世祖·太祖二梓宮于新都．

---

143) 이날[是日]은 다음의 東眞에 보낸 答書에 의거하여 12월 16일(辛卯, 陽1月 27日)로 추가하였다. 이날은 그레고리력으로 계산하면 1233년 2월 3일이다.

144) 處仁城은 현재의 京畿道 龍仁市 處仁區 南四面 衙谷里 山43番地에 있던 土城이다(경기도 기념물 제44호, 金虎俊 2012년 146面 ; 姜在光 2018년b).

145) 이 기사의 앞에 十二月 또는 是年이 탈락되어 撒禮塔의 被殺이 마치 9월에 있었던 것처럼 보인다(『고려사절요』 권16). 또 이와 같은 기사가 열전16, 金允侯에도 수록되어 있다.

146) 이 表는 『동국이상국집』 권28, 答東眞別紙인데, 자구에 출입이 있다.

147) 撒禮塔은 『동국이상국집』에는 沙打里로 되어 있는데, 沙里打의 오각일 것이다.

148) 偵諜은 『동국이상국집』에는 偵牒으로 되어 있는데, 前者의 오각일 것이다.

[○以知樞密院事金仁鏡爲政堂文學·吏部尙書·監修國史:追加].[149)]

[○以衛尉少卿金仲文爲兵部侍郎:追加].[150)]

[○東界和州移牒對境東眞鎭州曰, "云云, 沐來文, '該近爲逃人越境, 差人趁蹤至沿海, 路逢行人, 奪衣物而廻, 具由申移上司, 除本人理罪施行外, 今將元奪到衣服并所直, 信賦價直差人賫送事', 卽申覆朝廷, 取指揮到, 貴國恩義可感. 其我國人見劫衣服, 當推本人以給恰好, 但所送信贓價直者, 是則本人衣服外, 餘剩之物, 受之非理. 苟非其理, 雖一介所不可當受, 如或受之, 恐非兩國來往和親之意, 故還之, 宜管送勿至拖延. 朝旨如此, 今差人將夯前去, 伏請炤驗領取, 云云.":追加].[151)]

[增補].[152)]

癸巳[高宗]二十年, [只用當該年干支, 江華京二年],

[南宋紹定六年], [蒙古太宗五年], [金天興二年], [西曆1233年]

1233년 2월 11일(Gre2월 18일)에서 1234년 1월 30일(Gre2월 6일)까지, 354일

[春正月丙午朔大盡,甲寅, 某日, 以尹復珪爲慶尙道按察使, 旣而解職, 以前禮部侍郎孫襲卿代之:慶尙道營主題名記].

[二月丙子朔小盡,乙卯:追加].

春三月乙巳朔大盡,丙辰, [某日], 遣司諫崔璘, 奉表如金, 路梗, 未至而還.[153)]

149) 이는 열전15, 金仁鏡에 의거하였다.

150) 이는 「金仲文墓誌銘」에 의거하였다.

151) 이는 『동국이상국집』 권28, 和州答對境鎭州牒에 의거하였다.

152) 이해(南宋 紹定5) 12월 7일(壬午)에 寧宗妃 恭聖仁烈楊太后가 崩御하였는데(『송사』 권41, 본기41, 理宗1, 紹定 5년 12월 壬午 ; 권243, 열전2, 后妃下, 寧宗, 恭聖仁烈楊太后), 杭州에 위치한 墓域의 연못에서 高麗靑瓷가 수습되었다고 한다(杭州市文物考古所 2008年 ; 彭善國 2015年). 이러한 한·중 양국의 상인을 통한 교류에 의해 고려의 수도인 開城市 지역에서 宋代의 杭州, 蘇州, 湖州에서 만들어진 '杭州大陸家靑銅照子', '蘇州官出賣銅喩器物官', '湖州儀鳳□石家正一色靑銅鏡' 등과 같은 銘文이 새겨진 銅鏡이 출토되었다고 한다(국립중앙박물관 2002년b).

153) 이때 起居注 崔璘은 內侍 權述, 崔安崔滋 등과 함께 파견되었다고 한다. 또 金에 보낸 表가 『동

夏四月乙亥朔大盡,丁巳, [某日, 命上將軍李子晟爲中軍兵馬使, 討龍門倉賊, 獲其魁居卜·往心等, 誅之:節要轉載].154)

[己丑15日, 修禪社主慧諶上堂說法, 結夏安居, 於河東縣陽慶寺:追加].155)

[戊戌24日:追加], 蒙古□□□遣使來, 詔曰, "自平契丹賊, 殺箚剌箚剌之後,156) 未嘗遣一介赴闕, 罪一也. 命使賫訓言省諭, 輒敢射回, 罪二也. 爾等謀害著古與, 乃稱萬奴民戶殺之, 罪三也. 命汝進軍, 仍令汝弼入朝, 爾敢抗拒, 竄諸海島, 罪四也. 汝等民戶, 不拘執見數, 輒敢妄奏, 罪五也".157)

국이상국집』 권28, 上大金皇帝表[注, 癸巳三月, 遣司諫崔璘齎去, 迷路還來]이다.

· 『보한집』권상, "癸巳春, 朝家聞大金皇帝播遷河南, 遣起居注崔璘·內侍權述及予崔滋, 詣行在問安. 時因韃靼路梗, 以木道過鐵山浦, 至遼地海州津, …". 여기에서 海州津은 海州(現 遼寧省 鞍山市 管內 海城市, 옛 安市城의 서북쪽에 위치) 管內의 遼河河口(高句麗의 卑奢城?)로 추측된다(林汀水 1991年).

154) 이와 같은 기사가 열전16, 李子晟에도 수록되어 있다.

155) 이는 다음의 자료에 의거하였는데, 일반적으로 夏安居는 4월 15일에서 7월 15일까지, 冬安居는 10월 16일에서 明年 1월 15일까지 행해졌다. 또 安居의 始作日을 結夏, 結冬, 終了日[結束]을 解制, 또는 解夏, 解冬이라고 한다.

· 『眞覺國師語錄』, 上堂, 癸巳年陽慶寺結夏上堂.

156) 이는 1219년(고종6) 1월 江東城에서 大遼收國의 軍士[契丹殘黨]를 격파한 사실을 指稱하는데, 이에 나타난 箚剌은 前年(고종19) 12월 16일 處仁城에서 사살된 敵將 撒禮塔의 다른 표기일 것이다.

157) 이 詔書는 몽골 측의 자료에도 수록되어 있는데, 이날의 日辰, 添字는 이에 의거하였다.

· 『원사』 권208, 열전95, 外夷1, 高麗, "太宗五年四月, 詔諭瞰悔過來朝, 且數其五罪, 自平契丹賊, 殺箚剌之後, 未嘗遣一介赴闕, 罪一也. 命使賫訓言省諭, 輒敢射回, 罪二也. 爾等謀害着古歟, 乃稱萬奴民戶殺之, 罪三也. 命汝進軍, 仍令汝弼入朝, 爾敢抗拒, 竄諸海島, 罪四也. 汝等民戶, 不拘集見數, 輒敢妄奏, 罪五也".

· 『원고려기사』本文, 太宗, "五年癸巳四月二十四日, 諭王瞰悔等過來朝, 詔曰, 汝表文奏告事理具悉, 率諂妄推託之辭, 彼此有何難知? 汝若委無諂妄, 可來朝覲. 自昔討平丹賊, 殺訖箚剌撒禮塔之後, 未嘗遣一介赴闕. 爾等曾無遵依大國法度施行, 此汝之罪一也. 賫擎長生天之訓言省諭, 去者使命, 爾等輒敢射回, 此汝之罪二也. 爾等又將著古歟謀害, 推稱萬奴民戶殺壞. 若獲元告人, 此事可明. 如委係萬奴, 將爾國排陷. 朕命汝征討萬奴, 爲何逗遛不進? 此汝之罪三也. 命汝進軍, 仍令郭汝弼入朝, 如此明諭. 爾敢抗拒不朝, 竄諸海島, 此汝之罪四也. 又令汝等 民戶俱集見數, 爾稱若出城計數, 人民懼殺, 逃入海中. 爾等嘗與天兵, 協力征討, 將爾等民戶誘說出城, 推稱計數, 妄行誅殺, 輒敢如此妄奏, 此汝之罪五也. 除此罪之外, 爾等諂妄過惡, 豈可勝言? 長生天之訓. 言省諭去時, 不爲聽從. 欲行戰爭, 仰賴上天之力, 攻破城邑, 將執迷不降之人, 殲勦者有之. 或伏降出力之人, 雖匹夫匹婦, 未嘗妄殺. 爾之境內西京金信孝等所管十數城, 應有人民, 依奉朝命, 計點見數, 悉令安業住坐. 除外普天下應有民人, 何啻億萬, 悉皆輸貢, 按堵如故. 爾或未知信, 可遣使前來, 朕將令爾觀之. 朕惟天之聖訓省諭之後, 將爾等憫恤思濟, 爾等曾未之悟, 竄之水中, 引惹爭戰之語, 良以此爾, 止託天之威力, 克取爾國, 固亦小

[是月頃, 將作監李百順, □□□□□掌國子監試, 取詩賦康洪正, 十韻詩曹伯等七十人, 明經一人:選擧2國子試額轉載].

五月乙巳朔小盡,戊午, [某日, 又遣上將軍李子晟, 討東京賊崔山·李儒等:節要轉載].[158)]

[某日], 以金慶孫爲大將軍·知御史臺事.

○西京人畢賢甫·洪福源等, 殺宣諭使·大將軍鄭毅鄭顗·朴祿全, 擧城叛.[159)]

[→鄭顗, 累官將軍·侍郞, 拜大將軍. 高宗二十年, 玄甫畢賢甫以西京叛, 大臣議招安, 以玄甫賢甫嘗爲顗用, 卽擧顗, 馳傳宣諭. 旣至大同江, 從者請無遽入, 顗奮然曰, “受命以出, 敢少稽乎? 死固分也”. 旣見玄甫賢甫, 玄甫賢甫喜得顗, 欲以爲主, 且誘且脅. 顗, 竟不屈遇害. 子偎, 仕至監察御史. 偎子瑎, 自有傳:列傳34鄭顗轉載].[160)]

端, 爾等或存或亡, 初無利害. 朕惟上天聖訓省諭之後, 欲令爾等輸貢服力, 今則汝若不爲出海來朝, 苟避一時之難, 我朝何知, 上天其監之哉. 以爾拒命不服, 申命大軍, 數路進發. 以爾反覆二心. 惜乎, 服力之兆民, 妄遭殺戮, 斯民垂死之際, 莫不憾恨, 歸咎於汝, 今則爾更不朝, 島嶼遺民, 亦將憾恨, 歸咎於汝, 底於滅亡也. 汝欲六師還旆, 汝可躬領軍兵, 進討萬奴勾當. 爾或堅執不朝, 又不躬行征討, 自陷罪惡死亡之地也. 止緣萬奴勾當及汝詔安之故, 世間眞僞, 朕胸中了然矣. 爾與黎民, 灼然可見之事, 何難之知, 數皆何喪. 定不可逃, 以致爾等, 自貽其咎, 自抵滅亡耳”.

158) 이와 관련된 기사로 다음이 있다.
- 열전16, 李子晟, “又有東京賊崔山·李儒作亂, 又遣子晟往擊之”.

159) 이와 같은 기사로 다음이 있고, 鄭毅는 鄭顗의 오자이다(→열전34, 忠義, 鄭顗).
- 열전43, 洪福源, “高宗二十年, 別將洪福源爲西京郞將, 與畢賢甫, 殺宣諭使·大將軍鄭毅鄭顗·朴祿全, 據城反叛”.

160) 鄭顗에 관련된 기사로 다음이 있다.
- 『선조실록』 권111, 32년 4월 甲戌25日, “弘文館啓曰, … 高麗高宗朝, 畢玄甫畢賢甫以西京叛, 遣大將軍鄭顗, 往諭玄甫賢甫, 玄甫賢甫欲以爲主, 且誘且脅, 不屈而死. … 萬曆己丑年宣祖22年, 監司尹斗壽, 皆表而立祠, 權徵繼至, 上聞賜額”.
- 『藥圃集』 권3, 高麗大將軍鄭顗立祠議, “… 成川府使鄭逑遵奉聖旨, 於其本府境上, 相地之宜, 創立武學, 仍請祀前代忠烈顯著者, 高麗大將軍鄭顗, 以慈州副使崔春命作配, 使之有所矜式, 臣竊伏謹按, 成川爲府, 實關西之一巨都護, 合置武學, 鄭顗·崔春命, 槪皆確有所守, 死生莫渝, 其精忠偉烈, 昭載簡策, 合置祀典, 鄭逑之牒文所稱, 明有考據, 實合矜式”.
- 『梅窓集』 권1, 敬次褒忠·表節祠會祭圖詩二韻幷序[丁未宣祖40年], “先祖大將軍諱顗, 死節于平壤,樞密副使崔春命, 以死守城, 前朝褒贈. 入我朝萬曆己亥歲宣祖32年, 寒岡鄭逑以大將軍雲孫, 爲成川府使, 亦於樞密公爲外派也, 報于監司, 以爲雙忠並節, 不可不表章, 激勸後人. 監司徐公渻, 具聞于朝, 聖上特下褒綸, 乃命方伯, 建祠宇于平壤·成川等鎭, 賜額曰褒忠·表節祠, 申命道內守令, 具官以祭. 寒岡繪畫其會祭之圖, 粧軸分于祭官, 因敍其事. 而監司以下祭官贊相皆有詩, 寒岡之兄西川君和其二韻. 至丁未歲, 寒岡來守安東, 以鄭士信同是大將軍雲孫也, 出示其軸, 曰子不可不和也, 士信安敢辭”.

[六月甲戌朔小盡,己未, 某日, 以門下侍郞平章事金就礪爲判兵部事,[161] 李奎報爲樞密院副使·左散騎常侍·寶文閣學士, 李涵爲直翰林院:追加].[162]

[某日, 上將軍李子晟帥師倍道, 趣永州, 入據州城. 賊欲乘其勞, 擊之, 率衆屯南郊. 官軍登城望之, 告子晟曰, "賊勢盛且銳, 我軍冒熱遠來, 鋒不可當, 宜閉門休士數日, 而後可戰". 子晟曰, "不可, 凡疲卒休, 則愈怠, 若曠日持久, 則賊得我情, 恐生他變, 不如急擊". 遂開門突出, 及賊未陣, 奮擊大敗之, 僵屍數十里, 斬□崔山等數十人. 下令曰, "脅從罔治". 民大悅, 東京遂平. 子晟之未至永□州也, 賊已移牒諸郡, 刻日期會, 聞子晟猝至, 皆解:節要轉載].[163]

[秋七月癸卯朔大盡,庚申, 某日, 慶尙道按察副使孫襲卿, 仍番:慶尙道營主題名記].

[是月下旬, 修禪社主慧諶, 自河東縣陽慶寺, 還至本社, 設鎭兵法會上堂說法:追加].[164]

[八月癸酉朔小盡,辛酉, 丙午某日, 虹從乾至巽, 竟天而赤:五行1虹霓轉載].[165]

---

161) 이때의 人事는 6월에 이루어지는 小政인데, 「金就呂墓誌銘」에는 "癸巳高宗20年六月, 加將大大將"으로 되어 있다(金龍善 2006년 363面). 이에서 將大는 隸下의 軍士를 指揮하는 臺인 將臺[壇墀, 단지] 위에 登壇할 수 있는 大將의 誤字일 것이고, 이러한 의미의 大將이 上記의 記事에서 武官의 人事를 담당하던 判兵部事의 別稱으로 사용되었던 것 같다.
· 『자치통감』 권244, 唐紀60, 文宗太和 7년(833) 8월 壬寅19日, "… 淮南節度使幕府掌書記杜牧憤河朔三鎭之桀驁, 而朝廷議者專事姑息, 乃作書, 名曰'罪言', … 一歲未更, 旋已立於壇墀之上矣[胡三省注, 立壇墀之上, 爲復登大將之壇也], 此輕罰之過, 其敗四也. 大將兵柄不得專, 恩臣·勅使迭來揮之. …".

162) 이는 『동국이상국집』後集권1, 癸巳六月日喜兒子涵拜翰林, "予於兒拜日, 入樞密"에 의거하였다. 이때 李奎報가 辭讓, 謝禮한 表가 『동문선』 권43, 讓銀靑光祿大夫·樞密院副使·左散騎常侍·寶文閣學士表 ; 권36, 謝除樞密院副使·左散騎常侍·寶文閣學士表 등일 것이다.

163) 이와 같은 기사가 열전16, 李子晟에도 수록되어 있다. 또 이때 永州(현 경상북도 永川市)가 慶州民亂에 加勢한 처벌로 1235년(고종22) 知州事官에서 監務官으로 강등되었다가 3년이 경과한 1238년(고종25) 復官되었던 것 같다.
· 『永川先生案』, "副使陳甲龍, 甲午高宗21年到, 乙未22年遞. 判官權昌甫, 甲午到. 監務梁有昌, 元宗高宗乙未到, 降官號, 革判官, 丙申23年遞. 監務金義, 丙申到, 戊戌25年遞. 副使權瑋權韙, 戊戌到, 復官號, 置判官, 己亥26年遞. 判官吳鳳文, 戊戌到, 庚子27年遞". 여기에서 ~~添字~~와 같이 고쳐야 옳게 될 것이다.

164) 이는 다음의 자료에 의거하였는데, 이날의 鎭兵法會는 5월 西京에서 일어난 畢賢甫·洪福源의 반란과 관련된 것으로 추측된다.
· 『眞覺國師語錄』, 上堂, 癸巳年七月, 自河東還本社慧修楝梁, 設鎭兵法會上堂.

[九月壬寅朔大盡,壬戌:追加].

[十月壬申朔小盡,癸亥:追加].

[十一月辛丑朔大盡,甲子:追加].

十二月辛未朔小盡,乙丑, [某日], 參知政事崔瑀遣家兵三千, 與北界兵馬使閔曦, 討之西京, 獲畢賢甫送京, 腰斬于市. 福源逃入蒙古, 擒其父大純·弟百壽及其女子, 悉徙餘民於海島, 西京遂爲丘墟.[166)]

[→崔怡遣家兵三千, 與北界兵馬使閔曦討之, 獲畢賢甫送京, 腰斬于市. 洪福源逃入元, 於是, 擒其父大純及女子·弟百壽, 悉徙餘民于海島, 西京遂爲丘墟:列傳43 洪福源轉載].

[→冬十二月. 崔瑀遣家兵三千, 與北界兵馬使閔曦討之, 獲賢甫, 送京, 腰斬于市. 福源逃入蒙古, 擒其父大純·弟百壽及其女子. 悉徙餘民于海島. 西京遂爲丘墟. 福源舊名福良, 本唐城人. 先世徙居麟州, 爲西京郎將:節要轉載].[167)]

[某日, 以金就礪爲特進·柱國, 李奎報爲知門下省事·戶部尙書·集賢殿大學士·判禮部事:追加].[168)]

[是年, 大藏都監開版'大般若經':追加].[169)]

---

165) 8월에는 丙午가 없어 20년 또는 8월에 오류가 있을 것이다.

166) 이와 관련된 기사로 다음이 있다. 또 이때의 事情은 중국 측의 자료에도 반영되어 있으나 十二月이 十月로 잘못 기록되어 있다.
- 지31, 백관2, 外職, 西京留守官, "自畢賢輔之亂, 西京廢爲丘墟".
- 열전43, 洪福源, "崔怡, 遣家兵三千, 與北界兵馬使閔曦討之, 獲賢甫送京, 腰斬于市. 福源逃入元, 於是, 擒其父大純及女子·弟百壽, 悉徙餘民于海島, 西京遂爲丘墟".
- 『원사』 권208, 열전95, 外夷1, 高麗, 태종 5년, "十月十二月, 瞰復遣兵攻陷已附西京等處降民, 劫洪福源家".
- 『원사』 권154, 열전41, 洪福源, "癸巳太宗5年冬十月十二月, 高麗悉衆來攻西京, 屠其民, 怯大宣以東. 福源遂盡以所招集北界之衆來歸, 處於遼陽·瀋陽之間. 帝嘉其忠".
- 『원고려기사』本文, 太宗 5년, "十月十二月, 瞰復遣兵, 攻陷已附西京等處降民, 亦劫洪福源家. 時福源以前爲高麗所侵, 後爲女眞·契丹等賊來攻, 福源上言乞, 領降民, 遷居遼陽等處".

167) 이 기사의 다음에 수록된 洪福源에 대한 記述은 明年(고종21) 5월에 轉載하였다.

168) 이는 「金就呂墓誌銘」; 『동국이상국집』연보에 의거하였다. 이때 李奎報가 辭讓, 謝禮한 表가 『동문선』 권43, 讓金紫光祿大夫·知門下省事·戶部尙書·集賢殿大學士表 ; 권36, 謝除知門下省事·戶部尙書·集賢殿大學士表일 것이다.

169) 이는 對馬島 金剛院(現 長崎縣 對馬市 濱町에 位置)에 소장된 『大般若經』刊記, "戊戌歲高麗

甲午[高宗]二十一年, [只用當該年干支, 江華京三年],
[南宋端平元年], [蒙古太宗六年], [金天興三年], [西曆1234年]

1234년 1월 31일(Gre2월 7일)에서 1236년 1월 20일(Gre1월 27일)까지, 355일

春正月庚子朔大盡,丙寅, [辛丑2日, 太白入氐:天文2轉載].

癸卯4日, 親設消災道場于內殿.

乙巳6日, 以咸壽爲左僕射, 朴文成朴犀爲右散騎常侍.[170)]

[丙午7日, 大風, 闕南里數千家火:五行1火災·節要轉載].

庚戌11日, 賞西京征討軍士, 有差.

[甲寅15日, 月犯軒轅女御:天文2轉載].

壬戌23日, 遣兵部侍郎洪鈞, 安撫西京.[171)]

癸亥24日, 徵諸道民丁, 營宮闕及百司.

[某日, 以慶尙道按察副使孫襲卿, 仍番:慶尙道營主題名記].

[是月朔, 南宋改元端平:追加].

[是月己酉10日, 金哀宗傳位末帝完顔承麟, 哀宗自盡. 末帝被殺, 遂滅亡:追加].

二月庚午朔小盡,丁卯, 壬申3日, 遣將軍金寶鼎如蒙古軍.

○是日, 邊報, 蒙兵留百餘騎於東眞,[172)] 餘皆引還.

[乙亥6日, 太白與熒惑, 同舍于虛:天文2轉載].

癸未14日, 燃燈, 王如奉恩寺. 以故參政參知政事車倜家, 爲奉恩寺, 撤民家, 以廣輦路. 時雖遷都草創, 然凡毬庭·宮殿·寺社號, 皆擬松都, 八關·燃燈行香道場, 一依舊式.

丁亥18日, 以營宮闕, 移御大將軍宋緖家.

國大藏都監奉 勅雕造"에 의거하였다(德永健太郎 2007年→충숙왕 후2, 6월 某日의 脚注).

170) 朴文成(朴犀의 改名)은 右散騎常侍를 역임한 후 銀靑光祿大夫·尙書右僕射에 임명되었던 것 같다(『동문선』 권26, 朴文成爲銀靑光祿大夫·尙書右僕射官誥).

171) 이때 洪鈞은 西北面兵馬使로 출진하였던 것 같고, 이후 다시 出鎭하였다고 한다(→원종 10년 10월 19일).

172) 浦鮮萬奴에 의해 건립된 東眞(東夏)은 前年(고종20, 1233) 무렵에 滅亡하였으므로, 이 기사에서의 東眞은 地域을 指稱하는 것이다.

三月[己亥朔大盡,戊辰], 甲辰[6日], 斬大將軍[~~上將軍~~]趙叔昌[~~趙叔璋~~]于市,[173] [因畢賢甫之言也:節要轉載].

[癸丑[15日], 大風, 闕南里失火, 延燒數千餘家. 又登州城廊·倉庫·民戶火:五行1火災·節要轉載].

[夏四月己巳朔[大盡,己巳]:追加].

夏五月[己亥朔小盡,庚午], 乙巳[7日], 賜金鍊成等及第.[174]

己未[21日], 侍中[檢校侍中?]金就礪卒, [年六十三:追加].[175] [就礪, 雞林彥陽郡人, 節

---

173) 大將軍趙叔昌은 上將軍趙叔昌의 오자일 것이다. 그는 1232년(고종19) 4월 壬戌(12일)에 이미 上將軍이었고, 그의 열전에도 上將軍으로 되어 있다.

· 열전43, 趙叔昌, "叔昌, 官至上將軍, 畢賢甫之反[叛], 辭連, 斬于市".

174) 이와 관련된 기사로 다음이 있다. 이때 金鍊成·李邦秀(明經) 등이 급제하였는데(朴龍雲 1990년 ; 許興植 2005년), 金鍊成(金仁鏡의 子)은 尙書左僕射·翰林學士承旨에 이르렀다고 한다(열전15, 金仁鏡).

· 지27, 선거1, 科目1, 選場, "[高宗]二十一年五月, 知門下省事李奎報知貢擧, 大司成李百順同知貢擧, 取進士, □□[乙巳], 賜金鍊成等三十一人·明經[李邦秀等]二人·恩賜八人及第". 이때 李百順이 同知貢擧의 임명을 사양, 사례한 表가 『동문선』 권43, 讓同知貢擧表 ; 권37, 謝同知貢擧表이다.

· 『동국이상국집』年譜, "甲午[高宗21年], 夏五月, 以春場知貢擧, 閱試, 得金諫成[金鍊成]等三十一人, 明經得李邦秀等二人, 放牓".

· 『東人之文五七』, 金平章仁鏡一首, "仁鏡, … 子鍊成, 忠憲王甲午, 李奎報下第一人, 官至右僕射".

· 『虛白堂集』文集권6, 金良鏡詩集序, "… 歲己亥[成宗10年], 余[成俔]自玉堂移諫垣, 時金君可構[金㮭]爲獻納, 草疏之暇坐園亭, 袖抽一帙示之, 乃公[金仁鏡]遺稿. 手跡宛然, 詩辭淸新, 信乎名不虛得者. 可構氏之言曰, '詩之錄此者僅數十首, 付於文鑑者亦且四五, 將裒聚成集, 以鋟于梓', 求余[成俔]言以題其端, 辭不獲已, 則答曰, '人之有功名事業著於世者, …'. 公初名良鏡, 後改仁鏡. 始與金君綏, 讀書山寺, 一日, 謂君綏曰, '修擧業者皆不及我, 所畏者惟君耳, 君停今年擧, 則我得爲壯元矣', 君綏許之. 後君綏迫於老母, 竟擢壯元. 而公爲弟二, 其子鍊成擢首科, 公喜作詩云. '昔年金榜錯吾名, 白髮如今憤未忘, 心膽豁然緣底事, 鍊成今作壯元郞'. 夫取科第, 如摘頷髭, 人所難也. 父子相繼爲一二, 其榮華福慶, 宛然像想. 今可構氏卽公裔孫, 而能其緖, 以歟盛時, 是亦不可不書也. 孟秋有日, 大司諫成俔序".

175) 「金就呂墓誌銘」에는 "甲午二月□四日微恙, 至二十一日翛然而逝"로 되어 있는데(金龍善 2006년 363面), 이에서 二月은 五月이 잘못 刻字되었거나 아니면 판독에 문제가 있었을 것이다. 이 구절은 "甲午五月□[十]四日微恙, 至二十一日翛然而逝"로 고쳐야 옳게 될 것이다. 이날은 율리우스曆으로 1234년 6월 19일(그레고리曆 6월 26일)에 해당한다.
또 이때 김취려가 門下侍中으로 서거하였다고 하는데, 그의 묘지명과 行軍記에는 門下侍郞平章事에 임명되어 首相[冢宰]으로서 8년간 재직하였다고 한다. 後者를 통해보면, 前者의 侍中은 檢校侍中일 가능성이 높다. 그의 墓所는 현재 仁川廣域市 江華郡 良道面 霞逸里 山70번지에 있다(仁川廣域市立博物館 2003년).

儉正直, 嘗與趙冲禦丹兵, 凡軍中之事, 皆讓於冲, 至臨陣制敵, 多出奇計, 克成大功. 及爲相, 正色率下, 人不敢欺, 眞忠義人也. 諡威烈:節要轉載].[176)]

[李齊賢論曰, "國家之德未衰, 而禍亂之萌或作, 必有魁傑才智之臣, 得君委用, 弘濟時艱, 蓋盖社稷之靈, 有以陰相之也. 自我太祖啓宇, 至于高王, 三百有餘年矣. 崔氏父子, 繼世秉政, 內擁堅甲, 以專威福, 而謀深者, 不必用必不用, 外委羸兵, 以責攻戰, 而功高者, 多見疑. 當斯之時, 欲以有爲, 其亦難矣. 爾乃金宗, 訖籙, 遼孼構亂, 窺我土疆, 圖爲巢穴, 遠鬪窮寇, 鋒不可當. 聖元龍興, 萬里遣將, 壓境徵師, 諭以討賊, 順之則, 莫委其情, 逆之則, 必生他變. 安危之機, 間不容髮, 乃能左提右挈, 遠交近攻, 定宗盟於經綸之始, 安邦基於呼吸之間, 豈魁傑才智之臣, 而社稷之靈, 有以陰相者歟. 觀其折絶甘分少, 能得死力, 令行禁止, 莫犯秋毫, 可謂有古名將之風矣. 開平之戰, 我乃再救中軍, 沙峴之役, 盧公則不相助, 訖無一言, 而生嫌隙, 不伐其勞, 歸功於衆, 是則大人君子之用心也. 至於先詣哈眞, 固與國之心, 不拜萬奴, 明尊王之義, 多智多知·韓恂韓珣, 旣授首矣. 歛兵而止, 以安邊民, 遠謀大節, 尤不可尙已. 史氏稱其忠義, 大常太常諡以威烈, 不亦宜哉":節要轉載].[177)]

[是月己亥朔, 帝太宗賜高麗麟州探問·前神騎都領洪福源佩金符, 領其降民, 遷居東京:追加].[178)]

· 열전16, 金就礪, "高宗十五年, △爲守太尉·中書侍郎平章事·判兵部事, 遂拜侍中, 二十一年卒, 諡威烈".

· 「金就呂墓誌銘」; 『益齋亂藁』 권6, 門下侍郎平章事·判吏部事贈諡威烈公金公行軍記, "其後公卒相高王, 位冢宰八年, 功德載諸信史".

176) 正色은 '嚴正하게', '莊重하게'라는 의미로 사용되었다(→是年 4월 12일 崔義의 脚注).

177) 李齊賢의 史論은 『익재난고』 권6, 門下侍郎平章事·判吏部事·贈諡威烈公金公行軍記의 史論을 引用한 것이다. 上記의 記事에서 不必用은 必不用을, 折甘分少는 絶甘分少를 잘못 集字[採字]한 것이기에, 後者로 고쳐야 옳게 될 것이다.

178) 이는 다음의 자료에 의거하였다.

· 『원사』 권208, 열전95, 外夷1, 高麗, "太宗六年, 福源得請, 領其降民遷居東京, 賜佩金符".

· 『원사』 권154, 열전41, 洪福源, "甲午夏五月, 特賜金符, 爲管領歸附高麗軍民長官, 仍令招討本國未附人民. 又降旨諭高麗之民, 有執王㬚及元搆難之人來朝者, 與洪福源同於東京居之, 優加恩禮擢用, 若大兵旣加, 拒者死, 降者生, 其降民令福源統之".

· 『원고려기사』本文, 太宗, "六年甲午五月一日, 賜高麗降人鱗州麟州探問·□前神騎都領洪福源金牌, 俾領元降民戶, 於東京居住. 初, 福源率編民千五百戶來降, 且有請曰, '若大事底于成, 天子當念臣愚忠, 其或敗事, 願就地弗敢辭'. 至是, 有旨, 以元降民戶, 令福源管領. 復諭之曰, '爾能戮力效職, 則後降者, 皆令爾領之'. ○是日, 遣使持璽書, 諭高麗國未降人民, 節該, 若將高麗國王王㬚及元謀構起戰爭人員, 執縛來朝者, 與先降洪福源一同, 優加恩恤任用. 若天兵圍

[是後, 福源常在蒙古, 遂爲東京摠管, 領高麗軍民, 凡降附四十餘城, 民皆屬焉. 譏搆本國, 隨兵往來. 時人以爲吠主, [崔]瑀, 官其父爲大將軍, 其弟爲郎將, 選張暐爲壻, 賂遺不絶:節要轉載].

[→[洪]福源在元, 爲東京惣管, 領高麗軍民, 凡降附四十餘城民, 皆屬焉. 讒構本國, 隨兵往來, 怡[~~崔瑀~~]患之, 欲悅其心, 官大純爲大將軍, 百壽時爲僧, 髮之爲郎將. 以張暐爲福源女壻, 賄賂不絶. 福源感之, 讒構稍弛. 然自是, 元兵歲至, 攻陷州郡, 皆福源導之也:列傳43洪福源轉載].[179)]

六月[戊辰朔大盡,辛未], 己巳[2日], 王如奉恩寺.

[癸巳[26日], 斷俗寺住持·大禪師惠諶入寂:追加].[180)]

秋七月[戊戌朔小盡,壬申], [甲辰[7日], 月入氐星:天文2轉載].

[乙卯[18日], 沿江南里百餘家火:五行1火災轉載].[181)]

甲子[27日], 遣內侍李白全[~~李百全~~],[182)] 奉安御衣于南京假闕. 有僧據讖云, "自扶踈山[~~扶蘇山~~], 分爲左蘇, 曰阿思達[~~阿斯達~~], 是古楊州之地, 若於此地, 營宮闕而御之, 則國祚, 可延八百年". 故有是命.[183)]

[某日, 慶尙道按察副使孫襲卿, 仍番:慶尙道營主題名記].

八月丁卯□[~~朔~~大盡,癸酉], 日食, 密雲不見.[184)]

守之後, 拒我者死, 降我者生, 其降民, 悉令洪福源統攝".

179) 이때는 崔瑀가 崔怡로 改名하지 않았으므로 ~~添字~~와 같이 고쳐야 옳게 될 것이다.

180) 이는 「曹溪山第二世故斷俗寺住持·修禪社主贈諡眞覺國師塔碑銘」에 의거하였다.(이날은 율리우스曆으로 1234년 7월 23일(그레고리曆 7월 30일)에 해당한다.)

181) 이해의 7월 일본의 교토[京都]에서 旱魃이 있었던 것 같다.
· 『明月記』第1, 目錄, 天福 2년 7월, "旱魃事".

182) 李白全은 『고려사절요』 권16에는 李百全(李百順의 弟)으로 되어 있는데, 後者가 옳을 것이다(盧明鎬 等編 2016년 422面).

183) 扶踈山은 『고려사절요』 권16에서 扶蘇山으로 교정되었지만, 阿思達은 阿斯達로 고치지 못하였다.

184) 丁卯에 朔이 탈락되었다. 일식은 초하루[朔日], 혹은 정밀하지 못한 曆日[陰曆]로 인해 그믐[晦日]에도 이루어진다. 또 이때 일본에서는 일식에 대한 기사가 찾아지지 않는다(高麗曆과 同一, 日本史料5-9册 603面). 또 이날(율리우스력의 1234년 8월 26일)의 일식은 북동아시아 3국이 中心食帶에서 벗어나 있었기에 관측될 수 없었다고 한다(渡邊敏夫 1979年 309面).

九月丁酉朔[小盡,甲戌], 親設消災道場于內殿, 以禳星變.
○淮安公侹卒.[185)]
[己未[23日], 隕霜, 不殺草:五行1霜轉載].
[辛酉[25日], 大府寺~~太府寺~~·禮部·弓箭庫火:五行1火災轉載].

冬十月[丙寅朔大盡,乙亥], 庚寅[25日], 冊崔瑀爲晋陽侯.[186)] [先是, 詔論瑀遷都之功, 可封侯立府, 百官皆賀于第. 王欲以乙亥[10日]冊封, 瑀辭, 以迎詔禮物不備, 乃用是日. 於是, 州郡爭致餽遺. 瑀營私第, 皆役都房及四領軍, 船輸舊京材木. 又取松柏, 多植家園, 人多溺死, 其園林廣袤, 無慮數十里:節要轉載].[187)]

十一月丙申□~~朔~~[小盡,丙子], 奉安太祖神御于開京壽昌宮.[188)]
甲子[29日晦], 親設消災道場于內殿, 以禳星變.

[十二月[乙丑朔大盡,丁丑], 丙戌[22日], 大霧:五行3轉載].
[戊子[24日], 大寒. 木稼:五行2轉載].
[某日, 以李奎報爲政堂文學·監修國史. 仍命撰'眞覺國師塔碑銘':追加].[189)]

[是年, 以[兵部侍郎]金仲文爲朝請大夫·判將作監事·知三司事:追加].[190)]
[○以[前太府少卿]薛愼爲忠州牧副使:追加].[191)]
[○以陳龍甲爲永州副使, 權昌南爲永州判官:追加].[192)]

---

185) 이 기사는 열전3, 顯宗王子, 平壤公基에도 수록되어 있다. 이날은 율리우스曆으로 9월 25일(그레고리曆 10월 2일)에 해당한다.
186) 이때 崔瑀가 門下侍中에 임명되었을 가능성이 있다. 또 이때 中書侍郞平章事·工部尙書 崔宗峻과 知樞密院事·兵部尙書·上將軍 金叔龍이 파견되어 宣麻儀式을 거행하였다(『동국이상국집』 권33 : 『동문선』 권25, 晋陽侯封冊敎書).
187) 이와 같은 기사가 열전42, 崔忠獻, 怡에도 수록되어 있으나 字句에 出入이 있다.
188) 丙申에 朔이 탈락되었다.
189) 이는 『동국이상국집』연보, "甲午[高宗21年], 公年六十七, … 冬十二月, … 受勅, 作松廣社主法眞覺國師塔碑銘"에 의거하였다.
190) 이는 「金仲文墓誌銘」에 의거하였다.
191) 이는 「薛愼墓誌銘」에 의거하였다.
192) 이는 『영천선생안』에 의거하였다.

[○大禪師惠文入寂:追加].[193)]

[○命興王寺教學僧統天其住開泰寺. 是時, 其搜得'釋華嚴旨歸章圓通鈔', 此本, 八德山歸法寺圓通首座均如所說, 成宗六年丁亥三月三十日寫成, 入教藏本也:追加].[194)]

乙未[高宗]二十二年, [只用當該年干支, 江華京四年],

[南宋端平二年], [蒙古太宗七年], [西曆1235年]

1235년 1월 21일(Gre1월 28일)에서 1236년 2월 8일(Gre2월 15일)까지, 13개월 384일

春正月乙未朔小盡,戊寅, [丁酉3日, 月犯太白:天文2轉載].

[己亥5日, 木稼:五行2轉載].

[戊申14日, 亦如之木稼:五行2轉載].

[壬子18日, 天鳴如雷, 或云地震:五行1鼓妖轉載].

甲寅20日, 元子僎冠, 册爲太子, [以李奎報爲太子少傅:追加].[195)]

[某日, 以安永延爲慶尙道按察使:慶尙道營主題名記].

二月甲子朔大盡,己卯, 丁丑14日, 燃燈, 王如奉恩寺.

庚辰17日, 設止風道場于內殿.

[辛巳18日, 虎入御井:五行2轉載].

壬午19日, 奉太祖神御, 移安于南京新闕.

壬子~~某日~~,[196)] 詔, "自三月至五月, 安御衣于南京闕, 七月至十月, 移安舊京康安殿, 十一月至明年二月, 又於南京, 周而復始".

[是月, 恒風:五行3轉載].

---

193) 이는 『동국이상국집』 권37, 文禪師哀詞에 의거하였다.

194) 이는 다음의 자료에 의거하였다(『韓國佛敎全書』4册, 159面).

· 『釋華嚴旨歸章圓通鈔』권하, 跋, "本講和尙, 興王寺教學僧統天其, 以甲午年, 始住開泰寺, 於古藏搜得此本, 乃八德山歸法寺圓通首座均如所說, 以雍熙四年丁亥成宗6年三月三十日竟寫, 入教藏本也".

195) 이는 『동국이상국집』연보에 의거하였는데, 날짜는 太子가 책봉된 20일과 같을 것이다.

196) 壬子는 戊子(25일), 또는 壬辰(29일)의 오자로 추측된다.

三月[甲午朔小盡,庚辰]，甲辰[11日]，[淸明]．親設功德天道場于內殿．

壬子[19日]，詔，“義·靜二州，人物凋殘，且移入水內，不得耕種，不宜各置官吏，其以靜州副使，兼理義州”．

[夏四月[癸亥朔大盡,辛巳]，庚午[8日]，[西北界]慈州池水，三日變色，鳴吼陷漏，盡涸:五行1水變轉載]．

夏五月[癸巳朔小盡,壬午]，己亥[7日]，親設消災道場于內殿．

[某日，詔，“廣州，於辛卯[高宗18年]·壬辰年[19年]，狄兵圍攻，能固守不下，其免常徭·雜貢”:節要·食貨3恩免之制轉載]．

六月[壬戌朔大盡,癸未]，癸亥[2日]，王如奉恩寺．

乙酉[24日]，以知奏事金若先女，爲太子妃．詔，“以國用不裕，量減開福禮物”．又停宰樞以下賜宴．

[秋七月[壬辰朔大盡,甲申]，某日，尙書左僕射庾敬玄卒，年五十六:追加]．[197]

[某日，以洪鈞爲慶尙道按察使，庾碩爲忠淸道按察使:慶尙道營主題名記]．[198]

[是月，固城縣鹿鳴鄕前長李勝光開板‘首楞嚴經要解’:追加]．[199]

秋閏七月[壬戌朔小盡,甲申]，丙子[15日]，[白露]．西北面兵馬使報，蒙兵侵安邊~~安北~~都護府．[200]

---

197) 이는 「庾敬玄墓誌銘」에 의거하였다.

198) 庾碩은 是年 9월 11일에 의거하였는데, 그의 열전에서도 확인된다.

· 열전34, 良吏, 庾碩, “… 累遷閤門通事舍人, 歷忠淸·全羅二道按察, 東南道都指揮副使, 皆有聲績”.

199) 이는 다음의 자료에 의거하였다(海印寺 所藏, 국보 제206-3호, 서울대학 도서관 1966년 54面 ; 崔凡述 1970년 ; 南權熙 2002년 40面 ; 林基榮 2009년).

· 『首楞嚴經要解』跋, “奉爲」 聖壽天長, 鄰兵永息,」 晋陽候厄會消除, 福壽增延, 文虎叶和, 穀登」 民樂, 法界生亡, 同證圓通之願, 盡捨家儲, 彫」 板楞嚴經戒環疏印, 施無窮者.」 時乙未七月日謹誌,」 財主鹿鳴鄕前長~~前鄕長~~李勝光,」 同願道人等, 克圓, 了非」”.

200) 이 기사에서 安邊都護府(現 咸鏡南道 永興郡)는 西北面兵馬使의 管轄 아래인 安北都護府(現 平安南道 安州郡)의 오류일 것이다(尹龍爀 1991년 70面 ; 東亞大學 2008년 6책 390面). 또 이때 蒙古軍의 指揮官은 唐古[Tanggu]· 移剌買奴·洪福源 등이었다.

壬午[21日], 命前後左右軍陣主·知兵馬事, 沿江防戍, 又令廣州·南京, 合入江華.

八月[辛卯朔大盡,乙酉], 壬辰[2日], 日官奏, "令百官, 每日自辰至午時, 拜日禳兵".
辛亥[21日], [門下侍中]崔瑀都房夜別抄都領李裕貞, 自請擊賊, 授兵百六十人, 遣之.
癸丑[23日], 海州馳報, 蒙兵陷龍岡·咸從·三登等城, 執其守令.

九月[辛酉朔小盡,丙戌], 癸亥[3日], 制, "國家移都, 民方瘡痍, 又經狄兵, 甚可憐恤. 其中外二罪以下, 並皆原免, 配島·歸鄕者, 量移. [又蠲癸巳年[高宗20年]以來, 諸道貢賦之逋欠者":節要·食貨3災免之制轉載].

[乙丑[5日], 太白犯左執法:天文2轉載].

[庚午[10日], 月赤無光:天文2轉載].[201)]

辛未[11日], 以安東人, 謀引蒙古兵, 向東京, 命上將軍金利生爲東南道指揮使, 忠淸州道按察使庚碩, 副之.[202)]

· 『원사』 권2, 본기2, 太宗 7년, "唐古征高麗".
· 『원사』 권149, 열전38, 移剌捏兒, 買奴, "乙未[太宗7年], 從征高麗, 入王京, 取其西京而還, 賜金鎖甲, 加鎭國上將軍·征東大元帥·牌金符. 復命出師高麗, 將行, 以疾卒, 年四十".
· 『원사』 권154, 열전41, 洪福源, "乙未[太宗7年], 帝命唐古拔都兒與福源進討, 攻拔龍岡·咸從二縣, 鳳·海·洞三州, □□[九月]山城及慈州, 又拔金山·歸[龜]·信·昌·朔州". 여기에서 ~~添字~~가 탈락되었을 것이다.
· 『원사』 권208, 열전95, 外夷1, 高麗, "[太宗]七年, 命唐古與洪福源領兵, 征之".
· 『국조문류』 권41, 雜著, 政典總序, 征伐, 高麗, "[太宗]七年·八年·九年, 連以兵拔其城, 甚多".
· 『국조문류』 권41, 雜著, 政典總序, 征伐, 高麗[注, [太宗]七年, 唐古·福源征之. 七·八·九, 三年, 連拔城池].
· 『원고려기사』, 序, "[太宗]七年·八年·九年, 連以兵拔其城, 甚多".
· 『원고려기사』本文, 太宗, "七年乙未, 命將唐古拔都魯與[洪]福源, 同領兵征高麗. 攻拔龍崗縣[龍岡縣]·咸從縣·鳳州·海州·洞州·九月山城·慈州等處".

201) 이날 일본의 교토[京都]에서는 아침에 맑았으나 오후에 비가 내렸다고 한다.
· 『猪隅關白記』, 文曆 2년 9월, "十日庚午, 朝天晴, 午後雨降. 十一日辛未, 或晴或陰, …".

202) 여기에서 金利生의 官銜인 東南道指揮使에서 東南道는 慶尙道를 指稱하는 것 같은데, 이들의 파견은 이해에 東京留守府가 知慶州事官으로 格下된 것과 어떤 관련이 있는 것 같다. 또 이때 上將軍 金利生과 侍郞 庾碩은 通度寺 金剛戒壇에 보관되어 있는 釋迦牟尼의 眞身舍利를 拜見하였다고 한다.
· 『삼국유사』 권3, 塔像第4, 前後所將舍利, "… 近有上將軍金公利生·庾侍郞碩, 以高廟朝受旨, 指揮江東, 仗節到寺擬欲擧石瞻禮, 寺僧以往事難之. 二公令軍士固擧之, 內有小石函, 函襲之中貯以瑠璃筒, 筒中舍利只四粒. 傳示瞻敬, 筒有小傷裂處. 於是庾公適蓄一水精函子, 遂奉施兼藏焉, 識之以記. 移御江都四年乙未歲也".

[乙亥[15日], 月犯畢星:天文2轉載].

丙子[16日], 幸賢聖寺.

○蒙兵引東眞兵, 攻陷龍津鎭.[203)]

戊寅[18日], 東眞兵陷鎭溟城.

○李裕貞等擊蒙兵于海平, 敗績, 一軍盡沒.

冬十月庚寅朔[大盡,丁亥], 東·西北面兵馬使皆報, 蒙兵又多入境.[204)]

辛丑[12日], 蒙兵攻破洞州城.

辛亥[22日], 夜別抄與砥平縣人, 夜擊蒙兵, 殺獲甚多, 取馬驢, 來獻.

十一月[庚申朔小盡,戊子], 癸酉[14日], 設八關會, 幸法王寺.

[丁丑[18日], 月掩軒轅左角:天文2轉載].

[戊寅[19日], 小寒. □[月]掩大微[太微]西藩上將:天文2轉載].

丁亥[28日], 日官奏, "闕北, 別構一屋, 設閻滿德加威怒王神呪道場, 以禳兵禍".

[十二月[己丑朔大盡,己丑], 甲辰[16日], 月犯軒轅女御:天文2轉載].

[某日, [門下侍中]崔瑀與宰樞議, 徵州縣一品軍, 加築江華沿江堤岸:節要轉載].[205)]

[某日, 以李奎報爲參知政事·修文殿大學士·判戶部事·太子太保, 李世華爲禮部侍郞·右諫議大夫·寶文閣直學士·知制誥:追加].[206)]

[是年, 降東京留守府爲知慶州事官, 以趙脩爲知慶州事:追加].[207)]

---

203) 東眞은 前年(고종20, 1233) 무렵에 멸망하였으므로, 이 시기 이후에 나타나는 東眞兵은 蒙古軍에 隸屬된 東眞國 出身의 軍士를 가리킨다. 이는 蒙古와의 전쟁 과정에서 그들에게 투항하여 蒙古領域內로 移住하였던 高麗人들로 구성된 軍隊를 高麗軍으로 불렀던 사실과 범주를 같이 한다. 또 이날(16일)과 18일(戊寅)의 天氣는 일본의 교토에서 맑았다고 한다(『猪隅關白記』, 文曆 2년 9월 16일, 18일).

204) 이때 일본의 교토에서는 이날(1일)과 12일(辛丑) 맑았으나 22일(辛亥)은 흐리다가 때때로 비가 내렸다고 한다(『猪隅關白記』, 嘉禎 1년(文曆2) 10월 1일, 12일, 22일).

205) 이와 같은 기사가 열전42, 崔忠獻, 怡에도 수록되어 있다.

206) 이는 『동국이상국집』연보 ; 권21, 全州牧新雕東坡文集跋尾 ; 後集권12, 李世華墓誌銘 등에 의거하였다.

207) 이는 다음의 자료에 의거하였다. 이에서 乙卯는 乙未의 오자일 것인데, 乙未(고종22)에 東京의

[○降知永州事爲監務官, 革判官, 以梁有昌爲監務:追加].208)

[○中書侍郎平章事金仁鏡卒. 諡貞肅. 仁鏡, 文武吏材俱瞻, 詩詞淸新, 尤工近體詩賦, 世稱'良鏡詩賦':列傳15金仁鏡轉載].209)

[增補].210)

丙申[高宗]二十三年, [只用當該年干支, 江華京五年],

[南宋端平三年], [蒙古太宗八年], [西曆1236年]

1236년 2월 9일(Gre2월 16일)에서 1237년 1월 27일(Gre2월 3일)까지, 354일

春正月[己未朔小盡,庚寅], 丁亥[29日], 以大將軍李齡長爲東北面知兵馬事,211) 判少府監事孫襲卿爲西北面知兵馬事, [庾碩爲慶尙道按察使:慶尙道營主題名記].212)

二月戊子朔[大盡,辛卯], 設消災道場于內殿.

[某日, 樞密院副使金若先妻, 因燈夕入內. 王以太子妃母, 命其府牽龍行首·中禁

인근 지역인 永州가 監務官으로 降等된 것과 어떤 관련이 있을 것이다. 그리고 判下는 몽골제국의 압제 하에 사용된 용어이므로 制下로 고쳐야 옳게 될 것이다.

· 『동도역세제자기』, "乙未年東京知官, 判下[制下]"와 "太守趙脩, 乙卯[乙未]到任".

208) 이는 다음의 자료에 의거하였다. 이에서 元宗은 高宗의 오자이고, 永州가 監務官으로 降等된 事由는 1233년(고종20) 6월 慶州人과 연결하여 반란을 일으킨 것과 관련이 있을 것이다(→고종 20년 6월 某日).

· 『永川先生案』, "監務梁有昌, 元宗[高宗]乙未[22年]到, 降官號, 革判官, 丙申[23年]遞".

209) 金仁鏡의 詩集은 조선왕조 초기까지 전해지고 있었던 것 같다.

· 『東人之文五七』, 金平章仁鏡一首, "仁鏡, … 歷位至平章事, [高宗]乙未卒, 諡貞肅".

· 『虛白堂集』文集권6, 金良鏡詩集序(→고종 21년 5월 7일의 脚注).

210) 이해에 일본에서 일어난 天候는 다음과 같았을 것으로 後代에 計算上으로 정리되었다. 이 자료를 통해 볼 때, 당시의 교토[京都]에서 1월(小盡) 15일(己酉)에 월식이, 2월(大盡) 1일(甲子)에 일식이, 7월(小盡) 1일(壬戌)에 일식이 각각 예측되었을 수도 있다. 京都와 거의 비슷한 北緯 35度線의 위치에 있었던 한반도의 남부지역에서도 동일한 천문 현상이 예측되었을 것이다.

· 『本朝統曆』 권9, "正小, 十五夜望, 寅八, 月蝕, 一分弱, 寅八, 卯初. 二大, 朔甲子, 巳四, 日蝕, 九分約, 辰五, 巳七. 七小, 朔壬戌, 酉八, 日蝕, 十五分弱, 酉二, 亥五"(日本史料5-10冊 441面).

211) 李齡長[李令長]은 是年(고종23) 4월 이후의 어느 시기에 上將軍으로 在職하였던 것 같다(→고종 23년 是年條의 脚注).

212) 이때 庾碩은 東南道指揮副使였다(→고종 22년 9월 11일, 열전34, 庾碩).

都知及將軍等，爲僕從，輿蓋·服飾一如王妃．識者曰，“下之僭上，上自啓之也”：節要轉載］.[213)]

庚子[13日]，燃燈，王如奉恩寺.

○命內侍柳宗卿·崔宗敬，賜花酒于晋陽府.

翌日[辛丑14日]，大會，亦如之.

壬寅[15日]，曲宴于內殿，承宣蔡松年奏，“僕射宋景仁，素善爲處容戲”．景仁乘酣作戲，略無愧色.

癸丑[26日]，太子妃生子諶.[214)]

［三月[戊午朔小盡,壬辰]，庚申[3日]，市街南里數百家火：五行1火災·節要轉載］.

夏四月[丁亥朔小盡,癸巳]，己亥[13日] 雨雹，大如栗，［烏鵲~~烏鵲~~有中,[215)] 而死者：節要·五行1雨雹轉載］.[216)]

五月[丙辰朔大盡,甲午]，［戊午[3日]，震人：五行1雷震轉載］.

壬申[17日]，守司空太集成卒.[217)]

丙子[21日]，長州防戍所馳報，“蒙兵五十餘騎入關東”.

---

213) 『고려사』열전14(延世大學本·東亞大學本)，金台瑞，若先에는 王妃가 五妃로，上이 土로 되어 있으나 오자이다(東亞大學 2006년 22책 570面)．또 金若先은 이 시기 이후에 妻 崔氏(崔瑀의 女)의 誣告로 崔瑀에 의해 피살되었다고 한다.

· 열전14，金台瑞，若先，“初若先聚怡府中諸娘于望月樓牧丹房，縱淫．其妻妬訴怡曰，‘吾其棄家爲尼’．怡卽流若先所私娘及媒者于島，壞樓房．妻嘗與奴通，若先知之，妻以他事訴怡，怡殺若先．怡久之知誣妄，殺其奴，遂疏其女，終身不見．後追謚若先莊翼公”.

214) 王孫 諶(改名 昛，忠烈王)의 誕日을 달리 표기한 것이 있으나 錯誤일 것이다.

· 『익재난고』 권9상，忠憲王世家，“世子諱諶，後改昛，母順敬王后金氏．以忠憲王二十三年二月丁卯[癸丑]生焉”．是年 2월에는 丁卯가 없으므로 ~~添字~~와 같이 고쳐야 옳게 될 것이다.

215) 烏鵲은 지7，오행1，水，雨雹에는 烏鵲으로 되어 있는데，後者가 옳을 것이다(盧明鎬 等編 2016년 424面).

216) 일본 교토[京都]에서 4월 8일 雷雨와 降雹이 있었다고 한다(日本史料5-10册 641面；中央氣象臺 1941年 2册 429面).

· 『百練抄』 권14，嘉禎 2년 4월，“八日甲午，暴風雷雨，未刻雹降，其大如柑子，萬人驚目”.

· 『一代要記』，嘉禎 2년 4월，“八日，雹降，其勢如大柑子”.

217) 이날은 율리우스曆으로 1236년 6월 21일(그레고리曆 6월 28일)에 해당한다.

戊寅[23日], 賜朴曦等及第.[218]

六月丙戌朔[大盡,乙未], 王如奉恩寺.

庚寅[5日], 蒙古兵渡義州江, 屯烏勿只川, 又屯寧朔鎮.

癸巳[8日], [蒙古]遊兵來, 屯嘉州.

乙未[10日], [蒙古兵,] 屯安北府雲岩驛, 嘉·博二州之間, 火氣連天. 又於宣州兄弟山之野, 分屯凡十七所.

丙申[11日], [大暑]. [蒙兵]遂遍屯慈·朔·龜·郭之間.

丁酉[12日], 分遣諸道山城防護別監.[219]

戊戌[13日], 蒙兵先鋒入黃州,

庚子[15日], [蒙兵]至信·安二州.

[某日, 刻手大升彫造'佛說梵釋四天王陀羅尼經'於海印寺:追加].[220]

秋七月[丙辰朔小盡,丙申], 辛酉[6日], 蒙兵至价州, 京別抄校尉希景·价州中郞將明俊等, 伏兵夾擊, 殺傷頗多, 取鞍馬·弓矢·衣服等物.[221]

---

218) 이와 관련된 기사로 다음이 있다. 이때 朴曦·李克松(明經) 등이 급제하였다(朴龍雲 1990년 ; 許興植 2005년).

- 지27, 선거1, 科目1, 選場, "[高宗]二十三年五月, 參知政事李奎報知貢擧, 判禮部事朴廷揆同知貢擧, 取進士, □□[戊寅], 賜乙科朴曦等三人·丙科八人·同進士十八人·明經三人及第".
- 『고려사절요』 권16, 고종 23년 5월, "賜朴曦等□[二]十九人·明經三人及第". 이에서 二字가 脫落되었다.
- 『동국이상국집』年譜, "丙申[高宗23年], 夏五月, 以知貢擧閱試春場, 得朴曦等二十九人. 明經李克松等三人, 放牓".

219) 이 시기 이후에 順安山城 防護別監 李榮이 僧侶 志閑이 精書한 『大方廣佛華嚴經世主妙嚴品』을 開板하였다고 한다(海印寺 所藏, 국보 제206-4호, 南權熙 2002년 42面 ; 林基榮 2009년).

- 末尾刊記, "伏爲」 聖祚天長,」 淸河相國, 壽祿延弘, 干戈不作,」 禾穀有稔, 普與法界生亡, 共登」 樂岸, 請山人志閑, 敬寫華嚴神」 衆, 募工雕板者,」 十二月日誌.」 順安山城防護別監·同縣令·興威衛攝散員李榮」".

220) 이는 다음의 자료에 의거하였다(海印寺 所藏, 국보 제734-6호, 藤田亮策 1991年 ; 崔永鎬 2009년 146面 ; 林基榮 2009년 ; 崔然柱 2013년 ; 郭丞勳 2021년 175面).

- 『佛說梵釋四天王陀羅尼經』跋, "伏爲」 聖壽無疆,隣兵永息,時和」 歲稔,國泰民安之願,」 丙申六月日 誌,」 刻手 大升,」 海印寺 彫造」".

221) 价州는 [高麗初]馬山→[太祖13年]安水鎮→[顯宗9年]連州防禦使→[後日]朝陽鎮→[高宗3年]連州防禦使→[高宗4年]益州防禦使로 邑格이 빈번하게 바뀌다가 1232년(고종19)에 이루어진 江華遷都 이후 价州로 개칭되었고, 1413년(태종13)에 价川郡으로 정착되었던 것 같다(現 平安南道 价川市). 또 京別抄는

○長州郎將光大等, 至定州, 擄蒙兵二人.

丁卯[12日], 以[門下侍中]崔瑀外孫□□[殿中]內給事金晸△[爲]守司空·柱國. 瑀以年少不稱, 固辭.

癸酉[18日], 蒙兵二十餘騎入慈州東郊, 擄刈禾民二十餘人, 皆殺之.

[某日, 以金孝印爲慶尙道按察使, 李世材爲全羅道按察使:慶尙道營主題名記].[222)]

八月[乙酉朔大盡,丁酉], 丁亥[3日], 設消災道場于內殿.[223)]

戊子[4日], 東女眞[東眞]援兵百騎, 自耀德·靜邊, 趣永興倉.[224)]

甲午[10日], 設功德天道場于內殿.

丁酉[13日], [秋分]. 蒙兵陷慈州, 副使崔景侯·判官金之佇·殷州副使金景禧等, 皆被害.

丙午[22日], [豊州]席島防護別監擒蒙兵三人, 檻送于京.[225)]

丁未[23日], 蒙兵百餘人, 自溫水郡南下, 趣車懸峴[車峴].[226)]

戊申[24日], 蒙兵分屯于南京·平澤·牙州河陽倉等處.[227)]

己酉[25日], 夜別抄指諭李林壽·朴仁傑, 各率一百餘人, 分向蒙兵屯所.

中央에서 防戍를 위해 교대로 파견된 6衛軍의 一部일 것으로 추측되는데, 무신정권 이래 6衛와 지방의 州縣軍이 京別抄, 外別抄라는 別稱으로 불리어졌지만 軍人의 構成과 性格에는 큰 변화가 없었던 것 같다.

222) 李世材는 다음의 자료에 의거하였다.

· 『湖山錄』 권4, 答靈岩守金郎中惛書, "去丙申[高宗23年]冬節, 李平章世材, 行按南方, 躬造白蓮, 投名入社, …".

223) 이때 消災道場이 設行된 사유를 알 수 없으나 이해[是年]에 中原의 燕京地域에서 旱魃과 蝗虫이 있었다고 한다(陳高華 2010年 53面).

· 『還山遺稿』권상, 洞眞眞人于先生碑[注, 弁序石刻在祖庵], "丙申[太宗8年], 燕境因旱而蝗, 俯徇輿情, 投符盧溝, 乃雨蝗不爲災".

224) 東女眞은『고려사절요』 권16에는 東眞으로 되어 있는데, 後者가 옳을 것이다(盧明鎬 等編 2016년 424面).

225) 여기에서의 檻은 罪囚를 押送하는 수레[檻車, 囚車]를 가리킨다.

226) 車懸峴은『고려사절요』 권16에는 車峴으로 달리 표기되어 있음을 보아 前者는 後者의 다른 表記인 것 같다.

227) 이때 몽골군이 駐屯해 있던 各地는 漕倉이 위치해 있거나 漕運船이 上京했던 通路였다고 한다(文敬鎬 2014년 146面).

九月乙卯朔大盡,戊戌, 丁巳3日, 蒙兵圍溫水郡, 郡吏玄呂等, 開門出戰, 大敗之. 斬首二級, 中矢石死者二百餘人, 所獲兵仗甚多. 王以其郡城隍神有密祐之功, 加封神號, 以呂爲郡戶長.

[庚申6日, 雷雹:五行1雷震轉載].

壬戌8日, 蒙兵至竹州, 諭降, 防護別監宋文胄力戰走之.

[→蒙兵至竹州, 諭降. 城中士卒, 出擊走之. 復來, 以砲攻城, 四面城門, 中砲摧落, 城中亦以砲, 逆擊之. 蒙兵不敢近, 居無何, 又備人油松炬蒿草, 縱火攻之, 城中軍卒, 一時, 開門出戰, 蒙兵死者, 不可勝數. 蒙兵多方攻之, 凡十五日, 終不能拔, 乃燒攻戰之具而去. 防護別監宋文胄, 嘗在龜州, 熟知蒙兵攻城之術, 彼之計畫, 無不先料, 輒告於衆曰, "今日, 敵必設某機械, 我當以某事, 應之", 卽令備待. 賊至, 果如其言, 城中皆謂之神明. 以功拜左右衛將軍:節要轉載].228)

壬申18日, 幸賢聖寺.

冬十月乙酉朔小盡,己亥, 甲午10日, 全羅道指揮使·上將軍田甫龜報, 蒙兵至全州古阜之境.

戊戌14日, [小雪]. 設消災道場于內殿.

[庚子16日, 參知政事李奎報乞致仕, 不許:追加].229)

癸丑29日晦, [大雪]. 扶寧別抄·醫業擧人全公烈, 伏兵於高闌寺山路, 邀擊蒙兵二十騎, 殺二人, 取兵仗及馬二十餘匹. 賞公烈, 聽本業入仕.

十一月甲寅朔大盡,庚子, 丙寅13日, 設八關會, 幸法王寺, 命內侍·少府監庾碩, 賜酒果

---

228) 이 기사는 열전16, 朴犀, 宋文胄에도 수록되어 있다. 또 이때의 防禦據點은 竹州山城이었던 것 같고(現 京畿道 安城市 竹山面 梅山里, 京畿道記念物 第69號, 金虎俊 2012년 149面), 宋文胄는 이 山城內의 祠堂에 봉안되어 있다.
· 『頭陀草』冊2, 重陽登竹山山城, "城中有宋將軍廟".
· 『樊巖集』 권57, 宋將軍廟碑銘, "竹州, 畿嶺之衝也, 府之東有山傑峙, 山頂有城, 周可三四里, 不知其設在何代而今不治, 迣迣而圮. 宋將軍廟實在其中, 將軍名文胄, 高麗人也, 高宗時, 蒙古兵進薄城下圍數重. 當是時, 將軍以竹州防護別監, 率軍民入城死守之, 賊相與謀曰, '城中乏水若曠日, 城可不戰而獲', 公諜知之, 掘澤得大鮒魚, 遣人詣蒙古軍謂曰, '遠來得無飢乎, 謹以魚餉之'. 賊大驚, 以爲城中豊水澤, 圍之無益, 遂解去. 公出兵追擊之, 殺賊過當, 州賴以全. 後人戀公德, 就城北立廟以祀, 盖去今爲五六百年. …".

229) 이는 『동국이상국집』연보 ; 권18, 丙申十月日上表乞退 … ; 권31, 乞退表 등에 의거하였다. 그 중에서 年譜에는 12월로 되어 있으나 11월에 다시 視事하였다고 되어 있으므로 10월의 오자일 것이다.

于晋陽府.

翌日丁卯14日, 亦如之.

[是月, 全州牧新雕'東坡文集':追加].[230]

十二月甲申朔小盡,辛丑, 戊子5日, 夜別抄朴仁傑等, 遇蒙兵於公州孝加洞, 與戰, 死者十六人.

[戊戌15日, 大寒. 月食:天文2轉載].[231]

癸卯20日, 大興官報, 蒙兵來, 攻城數日, 開門出戰, 大敗之, 多獲兵仗.

壬子29日晦, 以[參知政事李奎報爲守太尉:追加], 朴文成朴犀△爲知門下省事, 僕射宋景仁·蔡松年並爲樞密院副使, 宋允·崔宗梓爲左·右僕射, 田甫龜爲左承宣.[232]

[是月戊戌15日, 前晋州牧副使鄭奮開版'妙法蓮華經':追加].[233]

[是年, 以禮部侍郞·右諫議大夫李世華爲吏部侍郞·右諫議大夫:追加].[234]

[○以少卿崔璘爲羅州牧副使:追加].[235]

[○以權永爲慶州判官:追加].[236]

[○以金義爲永州監務:追加].[237]

---

230) 이는 『동국이상국집』 권21, 全州牧新雕東坡文集跋尾에 의거하였다.

231) 宋에서는 하루 전인 丁酉(14일)에 월식이 있었다고 한다(『송사』 권52, 지5, 천문5, 月食). 이날(戊戌)은 율리우스력의 1237년 1월 13일이고, 월식 현상이 심했던 때인 14일(丁酉)의 世界時는 22시 11분, 食分은 1.69이었다(渡邊敏夫 1979年 480面).

232) 이규보는 『동국이상국집』연보에 의거하였다. 또 崔宗梓(崔詵의 子)는 그의 外孫인 金賆의 묘지명에 의하면 尙書右僕射·翰林學士承旨에 이르렀다고 한다.

233) 이는 다음의 자료에 의거하였는데(海印寺 所藏, 국보 제206-1호, 祇林寺 所藏 보물 제959-2-11호, 崔凡述 1970년 ; 朴相國 1990년 ; 林基榮 2009년 ; 崔永好 2018년 ; 崔然柱 2018년 ; 郭丞勳 2021년 177面), 鄭奮(鄭叔瞻의 子)은 1236년(고종23) 12월 15일에서 國子祭酒로 同知貢擧에 임명되어 禮部試를 주관한 1241년(고종28) 4월 사이에 鄭晏으로 改名하였다(열전13, 鄭世裕, 晏).

· 『妙法蓮華經』 권7, 卷末刊記, "… 慈恩之万一用祝,我」 聖筭亘天,儲齡後地,隣兵瓦解,朝」 野鏡淸.次願晋陽侯長爲家國柱石,」 永作佛法藩墻.又願,我先考及亡」 姊兄弟與六親眷屬,洎三途受輪迴」 者,同承此因,」 共生極樂世界.丙申年」 十二月十五日,優婆塞鄭奮誌」". [墨書印記], "施主黃仲貴」 妻朴氏」".

234) 이는 「李世華墓誌銘」에 의거하였다.

235) 이는 『法華靈驗傳』권하, 堪歌崔牧伯之慶會에 의거하였다(→고종 24년 春某月).

236) 이는 『동도역세제자기』에 의거하였다.

[○以[定遠府司錄]金百鎰[金坵]爲濟州判官:列傳19轉載].[238)]

[○搜得壬辰年[高宗19年]移御時遺失佛牙, 奉安闕內十員殿:追加].[239)]

[○僧天英赴禪試, 中上上科:追加].[240)]

[增補].[241)]

---

237) 이는『영천선생안』에 의거하였다.

238) 金坵가 濟州判官에 임명된 시기는 그의 묘지명에 의거하였다. 여기에서 '秦孝公, 據肴·函之固, 囊括四海'는 賈誼(BC200~BC168)의 시문인 '過秦論'(『文選』文章篇 所收)의 冒頭인 "秦孝公, 據殽·函之固, 擁雍州之地, 君臣固守, 以窺周室 …"을 인용한 것이다. 殽·函은 殽山과 函谷關으로 秦의 首都인 咸陽(現 陝西省 咸陽市)의 동쪽에 있고, 雍州는 關中(陝西省의 中部地域)을 指稱하는데, 이곳은 左側에 殽·函을, 右側에 隴·蜀을 둔 要害地이다.

· 열전19, 金坵, "補定遠府司錄, 同縣人黃閣寶挾憾, 摘世累, 訴有司. 權臣崔怡重其才, 營救不得, 改濟州判官. 時崔滋爲副使, 人有自京來, 報科場賦題云, '秦孝公, 據肴·函之固, 囊括四海'. 滋謂坵曰, '此題難賦, 試爲我著之'. 坵談笑自如, 亡何索筆立書, 文無加點. 滋嘆服, 語其子曰, 此詩賦之準繩, 汝謹藏之".

239) 이는 다음의 자료에 의거한 것으로 1232년(고종19) 6월 是月條의 脚注에 연결된 것이다.

· 『삼국유사』 권3, 塔像第4, 前後所將舍利, "… 至丙申[高宗23年]四月, 御願堂神孝寺釋蘊光, 請致敬佛牙, 聞于上, 勅令內臣遍檢宮中, 無得也. 時栢臺侍御史崔沖命薛伸, 急徵于諸謁者房, 皆未知所措. 內臣金承老奏曰, '壬辰年移御時, 紫門日記推看', 從之. 記云'入內侍·大府卿李白全受佛牙函云'. 召李詰之, 對曰 '請歸家更尋私記'. 到家檢看, 得左番謁者金瑞龍, 佛牙函准受記來呈. 召問瑞龍, 無辭以對. 又以金承老所奏云, '壬辰至今丙申五年間, 御佛堂及景靈殿上守等囚禁問當', 依違未決. 隔三日夜中, 瑞龍家園墻裏有投擲物聲, 以火檢看, 乃佛牙函也. 函本內一重沉香合, 次重純金合, 次外重白銀函, 次外重瑠璃函, 次外重螺鈿函. 各幅子如之, 今但瑠璃函爾. 喜得之入達于內, 有司議, 金瑞龍及兩殿上守皆誅, 晋陽府[崔瑀]奏云 '因佛事, 不合多傷人', 皆免之. 更勅十員殿中庭, 特造佛牙殿, 安之, 令將士守之. 擇吉日, 請神孝寺上房蘊光, 領徒三十人, 入內設齋敬之. 其日入直承宣崔弘, 上將軍崔公衍·李令長, 內侍, 茶房等侍立于殿庭, 依次頂戴敬之, 佛牙區穴間, 舍利不知數, 晋陽府以白銀合貯, 而安之. 時主上謂臣下曰, '朕自亡佛牙已來, 自生四疑, 一疑天宮七日限, 滿而上天矣, 二疑國亂如此, 牙旣神物, 且移有緣無事之邦矣, 三疑貪財小人, 盜取函幅, 棄之溝壑矣, 四疑盜取珍利, 而無計自露, 匿藏家中矣. 今第四疑當之矣'. 乃放聲大哭, 滿庭皆洒涕獻壽, 至有燃頂燒臂者, 不可勝計. 得此實錄於當時內殿焚修·前祗林寺大禪師覺猷, 言親所眼見, 使予[一然]錄之. …". 以下의 내용은 1270년(원종11) 6월 是月條의 脚注로 연결된다.

240) 이는「曹溪山第五世贈諡慈眞圓悟國師塔碑銘」에 의거하였다.

241) 이해(太宗8) 몽골제국에서는 다음의 사실이 있었다.

· 『국조문류』 권41, 雜著, 政典總序, 征伐, 高麗, "[太宗]七年·八年·九年, 連以兵拔其城, 甚多".
· 『국조문류』 권41, 雜著, 政典總序, 征伐, 高麗[注, [太宗]七·八·九, 三年, 連拔城池].
· 『원고려기사』, 序, "[太宗]七年·八年·九年, 連以兵拔其城, 甚多".
· 『원고려기사』本文, 太宗, "八年至九年, 攻拔歸信城·金山城·金洞城".

丁酉[高宗]二十四年, [只用當該年干支, 江華京六年],

[南宋嘉熙元年], [蒙古太宗九年], [西曆1237年]

1237년 1월 28일(Gre2월 4일)에서 1238년 1월 17일(Gre1월 24일)까지, 355일

[春正月[癸丑朔大盡,壬寅], 某日, 以[禮部侍郎]薛模[~~薛愼~~]爲慶尙道按察使:慶尙道營主題名記],
[是時, 以金之岱爲全羅道按察使:類推].[242]
[是月頃, 以[大將軍]金慶孫爲全羅道指揮使:列傳16金慶孫轉載].
[是月朔, 南宋改元嘉熙:追加].

[二月癸未朔[小盡,癸卯]:追加].

[三月[壬子朔大盡,甲辰], 辛巳[30日], 樞密院使致仕韓光衍卒, 年八十三:追加].[243]

春□□[某月] [某日], 全羅道指揮使金慶孫討草賊李延年, 平之.[244]

---

242) 이는 是年 春某月의 기사에 의거하였다.

243) 이는 「韓光衍墓誌銘」; 『동국이상국집』 권18, 聞同年韓樞密薨, 丁酉年[高宗24年]作 ; 권25, 同年宰相書名記 등에 의거하였다. 이날은 율리우스曆으로 1237년 4월 26일(그레고리曆 5월 3일)에 해당한다.

244) 『櫟翁稗說』前集에는 金慶孫의 職位는 全羅道巡問使로, 李延年은 李家黨이라고 되어 있다. 또 이와 관련된 기사로 다음이 있다.

- 열전12, 崔惟淸, 璘, "高宗時, 出爲羅州副使, 時原栗人李延年, 自稱百賊[百濟]都元帥, 嘯聚山林, 寇掠州郡. 璘與指揮使金慶孫, 擊破之. 以功超拜右副承宣". 여기에서 百賊은 百濟의 잘못일 것이다(李丙燾 1961년 500面). 여기에서 '無賴之徒'를 '山林'[盜賊, 綠林]으로 표기한 것이 특이하다.
- 열전16, 金慶孫, "高宗二十四年, 爲全羅道指揮使. 時草賊李延年兄弟, 嘯聚原栗·潭陽諸郡無賴之徒, 擊下海陽等州縣, 聞慶孫入羅州, 圍州城. 賊徒甚盛, 慶孫登城門, 望之曰, '賊雖衆, 皆芒屩村民耳'. 卽募得可爲別抄者三十餘人. 集父老, 泣且謂曰, '爾州御鄕, 不可隨他郡降賊'. 父老皆伏地泣. 慶孫督出戰, 左右曰, '今日之事, 兵少賊多, 請待州郡兵至乃戰'. 慶孫怒叱之, 於街頭, 祭錦城山神, 手奠二爵曰, '戰勝, 畢獻'. 欲張蓋而出, 左右進曰, '如此, 恐爲賊所識'. 慶孫又叱退之. 遂開門出, 懸門未下. 召守門者, 將斬之, 卽下懸門. 延年戒其徒曰, '指揮使, 乃龜州成功大將, 人望甚重. 吾當生擒, 以爲都統, 勿射'. 又恐爲流矢所中, 皆不用弓矢, 以短兵戰. 兵始交, 延年恃其勇直前, 將執慶孫馬轡以出. 慶孫拔劍督戰, 別抄皆殊死戰, 斬延年, 乘勝逐之, 賊徒大潰, 一方復定". 여기에서 原栗縣과 潭陽縣은 모두 羅州管內의 屬縣이었다(현재의 全羅南道 潭陽郡 地域).
- 『櫟翁稗說』前集권2, "南賊李家黨者, 始則嘯聚山林, 剽掠村堡. 及其徒漸盛, 傳檄州郡, 引兵

[→春, 全羅道指揮使金慶孫, 討草賊李延年, 平之. 時延年兄弟, 嘯聚原栗·潭陽諸郡無賴之徒, 擊下海陽等州縣. 賊聞慶孫入羅州, 圍州城, 賊徒如林, 慶孫[登城門,望之]曰, "賊雖衆, 皆芒屩村民耳". 卽募可爲別抄者三十餘人, 集父老, 泣且謂曰, "爾州御鄕, 不可隨他郡降賊". 父老皆伏地泣. 慶孫督出戰, 左右曰, "今日之事, 兵少[小]賊多, 請待州郡兵, 乃戰". 慶孫怒叱之. 初, 延年戒其徒曰, "指揮使, 乃龜州成功大將也, 人望甚重, 吾當生擒, 以爲都統, 勿射". 是日, 又恐爲流矢所中, 皆不持弓矢, 以短兵戰. 兵始交, 延年直前, 將執慶孫馬轡以出, 慶孫拔劍督戰, 別抄皆殊死戰, 斬延年, 乘勝逐之, 賊徒大潰:節要轉載].

[□□[是時], 全羅道按察使金之岱, 按賊黨囚, 一婦呼曰, "舊日城南叟女也. 不幸至此". 之岱驚駭命釋, 厚慰而遣之. 之岱靑年時, 聞城南有叟, 善星命, 往見之. 叟迎入推占, 因令少女拜庭下云, "此公, 後必貴, 汝蒙其賜, 謹識之". 至時果驗:列傳15金之岱轉載].[245)]

[夏四月[壬午朔小盡,乙巳], 某日, 大僕寺事[判太僕寺事]金敞, □□□□□[掌國子監試], 取詩賦吳壽, 十韻詩曹希甫等八十一人, 明經四人:選擧2國子試額轉載].[246)]

[五月[辛亥朔小盡,丙午], 戊寅[28日], 判將作監事·知三司事金仲文卒, 年六十二:追加].[247)]

隨其後, 官吏或迎而犒之, 遯而避之, 無敢遏其勢者. 金樞密慶孫, 爲巡問使入羅州, 明日賊至, 公令民閉城門自守, 陣於城外, 張蓋據胡牀以待. 賊有一僧勇悍絶人, 與其衆約曰, '我能擒彼美少年, 肩擔以歸'. 先打升吹脣, 踴躍踊而至. 咸陽人朴臣蕤, 出與相敵, 兩刀相交, 莫能先所. 朴踢而躓之, 因斬其首. 賊驚愕, 官軍乘之, 追奔數十里, 遂平之".

· 『湖山錄』 권4, 答指揮使金公景孫[慶孫]書. "內容省略". 이 書翰은 萬德山의 僧侶 天頙이 스승 圓妙를 대신하여 6월 10일 金慶孫에게 보낸 것인데, 이를 통해 볼 때 金慶孫이 羅州[錦城]에서 李延年을 토벌한 후에도 계속 주둔하고 있었던 것 같다.

· 『魏書』 권8, 帝紀第8, 世宗宣武帝, 永平 2년 4월, "甲子, 詔曰, 聖人濟世, 隨物汙隆, 或正或權, 理無恒在. … 唯樊襄已南, 仁乖道政, 被拘隔化, 非民之咎. 而無賴之徒, 輕相劫掠, 屠害良善, 離人父兄. [蕭]衍之爲酷, 實亦深矣. …".

245) 이는 다음의 기사를 전재하여 적절히 變改한 것이다. 이 시기에 全羅道에서 賊黨으로 表記된 민란은 李延年의 蹶起 밖에 찾아지지 않음을 보아 이 逸話는 是年의 사실일 것으로 추측된다.

· 열전15, 金之岱, "初, 之岱聞城南有叟, 善星命, 往見之. 叟迎入推占, 因令少女拜庭下云, '此公, 後必貴, 汝蒙其賜, 謹識之'. 後二十年, 之岱按全羅時, 賊黨多繫獄. 之岱按囚, 一婦呼曰, '舊日城南叟女也. 不幸至此'. 之岱驚駭命釋, 厚慰而遣之".

246) 이때 元傅(1220~1287)가 18세로 國子監試[司馬試]에 합격하였다고 한다(元傅墓誌銘).

247) 이는 「金仲文墓誌銘」에 의거하였는데, 이날은 율리우스曆으로 6월 22일(그레고리曆 6월 29일)

[六月[庚辰朔大盡,丁未], 丁酉[18日], 大雨, 漂人物·家戶:追加].[248)]

[夏某月, 以[吏部侍郎·右諫議大夫]李世華爲淸州山城防護別監:追加].[249)]

[秋七月[庚戌朔小盡,戊申], 戊寅[29日晦], 太子妃·敬穆賢妃金氏薨於社堂里私第:追加].[250)]
[某日, 命參知政事李奎報撰太子妃謚·哀册:追加].[251)]
[某日, 參知政事李奎報乞致仕:追加].[252)]
[某日, 以慶尙道按察使薛愼,仍番:慶尙道營主題名記].[253)]

秋八月[己卯朔大盡,己酉], 戊子[10日], 前王[熙宗]薨[于法天精舍, 移殯于樂眞宮:節要轉載].[254)]

[九月[己酉朔大盡,庚戌]:追加].

冬十月[己卯朔小盡,辛亥], 丁酉[19日], 葬[前王]于碩陵,[255)] [謚曰誠孝, 廟號貞宗, 後改熙宗:

에 해당한다.

248) 이는 다음의 자료에 의거하였는데, 지7, 오행1에는 반영되어 있지 않다. 또 이때 일본의 가마쿠라[鎌倉]에서 16일(乙未) 밤에 계속 비가 내려서 월식이 관측되지 않았던 것 같고, 22일(辛丑)에 비가 내렸다고 한다(高麗曆과 同一, 日本史料5-11册 305面).
· 『동국이상국집』 권18, 丁酉六月十八日, 大雨, 漂人物·家戶, 自嘆爲相無狀, 示同僚李相.
· 『吾妻鏡』第31, 嘉禎 3년 6월, "十六日乙未, 終夜甚雨, 仍月蝕不正現, … 廿二日辛丑, 甚雨, …".
· 『本朝統曆』 권9, "六十六夜望, 子五, 月蝕, 皆既, 亥三, 丑七".

249) 이는 다음의 자료에 의거하였다.
· 「李世華墓誌銘」, "丁酉夏, 又出鎭淸州山城, 公旣閑於守禦, 蒙兵竟不敢犯".

250) 이는 『동국이상국집』 권36, 東宮妃主謚册文·同前哀册文에 의거하였다. 이날은 율리우스曆으로 8월 21일(그레고리曆 8월 28일)에 해당한다. 또 敬穆賢妃 金氏(元宗妃, 靜順王后, 順敬太后로 追贈됨)는 忠烈王의 母인데, 陵은 嘉陵으로 仁川市 江華郡 良道面 陵內里 산16-2번지 鎭江山 山麓에 있다(史蹟 第370號, 열전1, 元宗妃 ; 『신증동국여지승람』 권12, 강화도호부, 陵墓 ; 李亨求 2003년 74面 ; 仁川廣城市立博物館 2003년 ; 張慶姬 2013년 ; 洪榮義 2018년).

251) 이는 『동국이상국집』年譜에 의거하였다.

252) 이는 『동국이상국집』연보에 의거하였다.

253) 薛愼은 그의 墓誌銘에 의하면 2년간 連任[仍番]하였다고 되어 있으나 1回만 仍番하였고, 明年에는 申宣이 임명되었다(『경상도영주제명기』).
· 「薛愼墓誌銘」, "… 轉禮部侍郎, 出按慶尙道□□察精明, 仍攬轡二年[二期]". ~~添字~~와 같이 고쳐야 옳게 될 것이다.

254) 이날은 율리우스曆으로 1237년 8월 31일(그레고리曆 9월 7일)에 해당한다.

節要轉載].

[十一月戊申朔大盡,壬子:追加].

[十二月戊寅朔大盡,癸丑, 丙午29日, 以李奎報爲守太保·門下侍郎平章事·修文殿大學士·監修國史·判禮部事·翰林院事·太子太保, 仍令致仕, 吏部侍郎·右諫議大夫李世華爲司宰卿·右諫議大夫:追加].[256]

[某日, 守太傅·門下侍中·晋陽侯崔瑀開板'金剛般若波羅密經':追加].[257]

是歲, 築江華外城.[258]

[○命門下侍郎平章事致仕李奎報, 撰'大藏經刻板君臣祈告文'. 尋王與太子·諸王·百僚等, 祈告于諸佛菩薩及天帝釋爲首三十三天一切護法靈官, 是因蒙古兵侵入, 而爲燒符仁寺大藏經之復原. 而爲擊退殘忍凶暴之外敵, 祈願諸佛之加護也:追加].[259]

[○大藏都監開板'大般若婆羅蜜多經':追加].[260]

[○以見明一然爲三重大師:追加].[261]

---

255) 碽陵은 仁川市 江華郡 良道面 陵內里에 있다(사적 제369호, 洪榮義 2018년). 또 熙宗의 처음 諡號였던 貞宗은 1212년(고종29) 3월에 만들어진 「金仲龜墓誌銘」에서 찾아지므로 熙宗의 改稱은 그 이후에 이루어졌을 것이다.

256) 이는 『동국이상국집』後集권2, 丁酉十二月二十八日, 乞退表, 蒙允可 … 十二月二十九日頒政, 以門下平章致仕 ; 後集권12, 李世華墓誌銘 ;「曹溪山第二世故斷俗寺住持·修禪社主贈諡眞覺國師塔碑銘」 등에 의거하였다.

257) 이는 다음의 자료에 의거하였다(海印寺 所藏, 국보 제206-20호, 崔凡述 1970년 ; 崔然柱 2005년b·2015년 ; 林基榮 2009년).

· 『金剛般若波羅密經』題記, "守大傅·門下侍中·上柱國·上將軍·判御史台事·晋陽侯崔瑀」 特發弘願,以大字」 金剛般若經,彫板流通,所冀隣兵不起,」 國祚中興,延及法界,有情俱霑勝利,」 破諸有相,共識眞空」 時丁酉十二月 日謹誌」".

258) 지36, 兵2, 城堡에는 "高宗二十□四年, 築江華外城"으로 되어 있으나 四字가 탈락되었을 것이다. 世家篇과 志篇의 차이를 折衷하려는 견해도 제시되었지만(尹龍爀 1991년 179面·2002년 ; 東亞大學 2008년 6책 399面), 『고려사』志篇의 오류도 감안하면 좋을 것이다.

259) 이는 『동국이상국집』年譜 ; 권25, 大藏刻板君臣祈告文에 의거하였다.

260) 이는 다음의 刊記에 의거하였다(大谷大學圖書館 所藏, 京都國立博物館 2015年 ; ~~海印寺 聖寶博物館~~ 2015년 : 이하 ~~海印寺~~2015년으로 表記함).

· 『大般若婆羅蜜多經』 권2, 6~10 末尾, "丁酉歲高麗國大藏都監奉」 勅雕造」".

261) 이는 「華山曹溪宗麟角寺普覺國尊碑銘」에 의거하였다.

[○僧海安創建金海府甘露寺:追加].[262)]

[○蒙兵陷龍岡·咸從等十餘城:追加].[263)]

[增補].[264)]

戊戌[高宗]二十五年, [只用當該年干支, 江華京七年],

[南宋嘉熙二年], [蒙古太宗十年], [西曆1238年]

1238년 1월 18일(Gre1월 25일)에서 1239년 2월 5일(Gre2월 12일)까지, 13개월 384일

[春正月戊申朔小盡,甲寅, 甲寅7日, 百官賀人日, 賜人勝祿牌:追加].[265)]

---

262) 이는 다음의 자료에 의거하였는데, 甘露寺는 현재의 慶尙南道 金海市 上東面 甘露里 新谷에 있었던 것 같다(鄭永鎬 1963년a).

· 『신증동국여지승람』 권32, 金海都護府, 佛宇, "甘露寺, 在神魚山東, 臨玉池淵, 宋理宗嘉熙元年, 僧海安所建, 有僧蒙庵記".

263) 이는 다음의 자료에 의거하였다.

· 『원사』 권208, 열전95, 外夷1, 高麗, "太宗九年, 拔其龍岡·咸從等十餘城".

· 『국조문류』 권41, 雜著, 政典總序, 征伐, 高麗, "太宗七年·八年·九年, 連以兵拔其城, 甚多".

· 『국조문류』 권41, 雜著, 政典總序, 征伐, 高麗[注, "太宗七·八·九, 三年, 連拔城池].

· 『원고려기사』, 序, "太宗七年·八年·九年, 連以兵拔其城, 甚多".

· 『원고려기사』本文, 太宗, "八年至九年, 攻拔歸信城·金山城·金洞城".

264) 고종 24년(1237)부터 28년(1241)까지의 기사는 극히 소략한데, 이는 향후 다른 자료에 의거하여 복원되어야 할 것이다. 이 책의 본문에서 추가되지 않은 내용을 정리해 보면 다음과 같다.

[高麗] 고종 24년.

· 이해 무렵에 崔璘이 開京에서 무사히 羅州副使로 赴任하기 위해 宋人 楊赫으로 하여금 推命하게 하고 부처[大乘]에게 供養을 드렸다(『法華靈驗傳』권下, 堪歌崔牧伯之慶會).

[日本] 嘉禎 3년.

· 12월 1일(戊寅), 京都와 鎌倉에서 일식이 예측되었으나 비로 인해 보이지 않았다고 한다(高麗曆과 同一, 日本史料5-11册 493面). 또 이 날(율리우스曆의 1237년 12월 19일)의 日食은 일본에서 관측될 수 있었다고 한다(渡邊敏夫 1979年 309面).

· 『百練抄』제14, 嘉禎 3년 12월, "一日戊寅, 日蝕不正現, 自去夜雨降, 定豪僧正奉仕御祈, 法驗至也".

· 『吾妻鏡』 권31, 嘉禎 3년 12월, "一日戊寅, 雨降, 日蝕不正現".

· 『本朝統曆』 권9, 嘉禎 3년, "十二大, 朔戊寅, 午一, 日蝕, 十五分約, 巳五, 未二".

또 12월 15일(壬辰), 鎌倉에서 월식이 예측되었으나 비로 인해 보이지 않았다고 한다(고려력과 같음, 日本史料5-11册 493面).

· 『吾妻鏡』 권31, 嘉禎 3년 12월, "十五日壬辰, 陰, 雨下, 今夜月蝕不現, 此蝕不現之由, 天文道日來申入之云々".

[某日, 以崔宗峻爲門下侍中:追加].266)

[壬戌15日, 大雪:追加]

[甲子17日, 又雪:追加].267)

[某日, 以申宣爲慶尙道按察使:慶尙道營主題名記].

[二月丁丑朔大盡,乙卯:追加].

[三月丁未朔小盡,丙辰:追加].

[夏四月丙子朔大盡,丁巳, 是月, 旱:追加],268)

[乙巳30日, 大雨:追加].269)

[是月, 大匠韓仲敍鑄成橫川縣神龍寺小鍾及福泉寺飯子:追加].270)

---

265) 이는 『동국이상국집』後集권2, 人日受銀勝 ; 正月七日受祿 등에 의거하였는데, 사실의 축약은 명종 3년 1월 7일에 의거하였다.

266) 이는 『동국이상국집』후집권2, 賀崔相國宗峻拜侍中(戊戌正月)에 의거하였는데, 이 시기 이전에 門下侍中 崔瑀가 中書令에 임명되었을 것이다. 또 이달 2일에 平章事 李仁植(武班 出身의 中書侍郞平章事로 추측됨)이 樞密院副使 李某와 함께 이규보를 방문하였다고 한다("正月二日,李平章事仁植 …").

267) 이는 『동국이상국집』후집권2, 戊戌正月十五日大雪 ; 十七日又雪 등에 의거하였다. 또 大雪은 平地에 눈이 1尺정도 내려 쌓인 것을 가리킨다고 한다.

· 『춘추좌씨전』傳, 隱公 9년, "春, 王三月癸酉, 大雨霖以震. 書始也. 庚辰, 大雨雪. 亦如之. 書時失也. 凡雨自三日, 以往爲霖. 平地尺爲大雪".

268) 이는 『동국이상국집』後集권3, 渴雨 ; 明日大雨復作[注, 四月三十日] 등에 의거하였다. 또 이해에 몽골제국의 山東, 河北, 山西[藁趙]地域에서도 旱魃과 蝗虫이 있었던 것 같다(陳高華 2010年 53面).

· 『常山貞石志』 권16, 王善夫人李氏墓銘, "… 歲戊戌太宗10年, 飛蝗爲藁·趙境, 民大饑, 夫人言於公, 發私廩以濟, 賴以全活者甚衆"(李謙 撰).

· 『國朝文類』 권57, 中書令耶律公耶律楚材神道碑, "… 戊戌, 天下大旱蝗, 上問公以禦之之術, 公曰, '今年租賦, 乞權行倚閣', 上曰, '恐國用不足', 公曰, '倉庫見在可支十年'. 許之"(宋子貞 撰).

· 『원사』 권2, 본기2, 太宗 10年戊戌, "秋八月, 陳時可·高慶民等言, '諸路旱蝗'. 詔免今年田租, 仍停舊未輸納者, 俟豊歲議之".

· 『秋澗先生大全集』 권48, 開府儀同三司·中書左丞相·忠武史公家傳, "丞相史公天澤, 其先燕之永淸人, 世以族茂財雄, 號農里著姓, … 戊戌·己亥間, 仍歲蝗旱, 復假貸以足貢數, 積銀至萬三千餘錠, 公度民不可重困, 乃出出其家資次及族屬官吏均配, 以償遂折其券, …". 史天澤(1202~1275) 一家의 터전은 眞定府(現 河北省 石家庄市 正定縣) 지역이었다.

269) 上記의 脚注 『동국이상국집』과 같다.

270) 이는 神龍寺 小鍾과 福泉寺飯子의 銘文에 의거하였다(釜山市立博物館 所藏, 許興植 1984년

夏閏四月丙午朔小盡,丁巳, [某日], 賜池珦等及第.[271]

[五月乙亥朔小盡,戊午, 丙戌12日, 蒙古帝太宗, 宣諭高麗降人趙玄習·李元祐等. 先是, 玄習等率二千人, 迎軍降, 命東京安置, 受洪福源節制. 且降御前銀牌, 使玄習等佩之, 以招來降戶民. 尋又有李君式等十二人來降, 亦依玄習例撫慰之. 且諭唐古, 取洪福源族屬十二人, 付之:追加].[272]

[六月甲辰朔大盡,己未, 辛亥8日, 大雨:追加].[273]

[某日, 以慶尙道按察使申宣, 仍番:慶尙道營主題名記].

[秋七月甲戌朔小盡,庚申:追加].

[八月癸卯朔大盡,辛酉, 丁巳15日, 司宰卿·右諫議大夫李世華卒:追加].[274]

1027面).

271) 이와 관련된 기사로 다음이 있다. 이때 池珦·白文節(『東人之文五七』) 등이 급제하였고(許興植 2005년), 이날은 윤4월 11일(丙辰) 이후이다(『동국이상국집』후집권3, 聞東堂放榜).

· 지27, 선거1, 科目1, 選場, "高宗二十五年□閏四月, 簽書樞密院事李方茂知貢擧, 刑部尙書任景肅同知貢擧, 取進士, □□某日 賜乙科池珦等三人·丙科七人·同進士二十人·明經三人及第". 이때 李方茂는 銀靑光祿大夫·簽書樞密院事·國子監大司成·翰林學士承旨였던 것으로 추측된다(『동문선』 권26, 李方茂爲樞密院副使·刑部尙書官誥).

272) 이는 다음의 자료에 의거하였다.

· 『원사』 권208, 열전95, 外夷1, 高麗, "太宗十年五月, 其國人趙玄習·李元祐等率二千人, 迎降. 命居東京, 受洪福源節制, 且賜御前銀符, 使玄習等佩之, 以招未降民戶. 又李君式等十二人來降, 待之如玄習焉".

· 『원고려기사』本文, 太宗, "十年戊戌五月十二日, 降旨 宣諭高麗新降人趙玄習·李元祐等. 時玄習輩率二千人, 迎軍降, 命東京安置, 受洪福源節制, 且降御前銀牌, 使玄習等佩之, 以招來降戶民. 尋又有李君式等十二人來降, 亦依玄習例撫慰之. 且諭唐古就~~活里察時磨里~~地, 取洪福源族屬十二人付之". 여기에서 ~~活里察時磨里~~는 어느 지역인지를 알 수 없다.

273) 이는 『동국이상국집』후집권4, 次韻朴學士仁著…에 의거하였다. 또 일본 교토[京都]에서는 6월 5일(戊申)에 雷鳴과 降雹이, 8일(辛亥)에 霖雨가 있었다고 한다(高麗曆과 同一, 日本史料5-11冊 865, 687面 ; 中央氣象臺 1941年 2冊 429面).

· 『吾妻鏡』 권32, 曆仁 1년 6월, "五日戊申, 天霽, 將軍家御參春日社, 申剋雨降, 及深更, 雷鳴降雹".

· 『師守記』第4, 貞和 3년 6월, "三日甲戌, 陰晴不定, 時々小降雨, 申剋雷鳴, … 裏書三日, 霖雨時, 被行二社奉幣外, 他御祈例, … 曆仁□元年六月八日, 依霖雨御祈, 有免者事".

[九月癸酉朔小盡,壬戌, 戊寅6日, 霜降. 蒙兵來, 屯江外:追加].[275)]

[冬十月壬寅朔大盡,癸亥, 己酉8日, 五更, 大雪:追加].[276)]

[某日], 蒙兵至東京.

[壬子11日:追加], 燒黃龍寺塔.[277)]

[是時, 皇龍寺佛殿煨燼, 又佛展後之突出迦葉佛宴坐石, 亦夷沒, 而僅與地平矣:追加].[278)]

[某日, 行尙書工部郎中吳闡猷卒, 年七十一:追加].[279)]

[十一月壬申朔大盡,甲子:追加].

---

274) 이는「李世華墓誌銘」에 의거하였는데, 이날은 율리우스曆으로 1238년 9월 24일(그레고리曆 10월 1일)에 해당한다.

275) 이는 다음의 자료에 의거하였는데, 이보다 먼저 몽골군이 開京에 주둔하고 있었다고 한다. 또 이때 蒙古將帥(北京等路征行萬戶) 王榮祖가 참전하였다고 한다.

· 『동국이상국집』後집권5, 九月六日, 聞虜兵來, 屯江外….

· 『동국이상국집』 권5, 食俗所號天子梨, "時虜兵止舊京".

· 『원사』 권149, 열전36, 王珣, 榮祖, "再從征高麗, 罷十餘城. □□辛丑, 高麗遣子綧入質. 帝賜錦衣, 旌其功". 이 자료에서 辛丑이 탈락되었는데, 이는 永寧公 綧이 처음 入朝한 것이 1241년(辛丑, 고종28) 4월이고, 그 이전에 몽고군이 제3차로 침입한 것은 이해(고종25)이기 때문이다(尹龍爀 1991년 74面).

276) 이는『동국이상국집』後집권5, 十月八日五更大雪에 의거하였다.

277)『삼국유사』에 의하면, 皇龍寺九層塔이 불탄 것은 是年의 겨울[冬]로 되어 있다. 이때 九層塔과 殿宇가 모두 불타고, 丈六像의 큰 불상과 두 보살상도 모두 녹아 없어지고 작은 釋迦像만이 남게 되었다고 한다. 그런데 다음의 자료c에는 10월 11일로 되어 있는데 비해『고려사』에는 위의 기사와 같이 윤4월에 수록되어 있는 것은 佛教에 관한 서술에서 흔히 쓰는 是年 또는 冬十月壬子가 脫落되었음을 알 수 있다. 이날(十月十一日壬子)은 율리우스曆으로 1238년 11월 18일(그레고리曆 11월 25일)에 해당한다.

· a『삼국유사』 권3, 塔像第4, 皇龍寺九層塔, "… 又高宗□二十六年戊戌冬月, 西山兵火, 塔寺·丈六殿宇皆災". 여기에서 添字[二]가 脫落되었는데, 蒙古兵에 의해 9층탑이 불탄 1238년(고종25, 戊戌)은 고려시대의 편년방식인 即位年稱元法에 의하면 '高宗二十六年戊戌'이 된다.

· b『삼국유사』 권3, 塔像第4, 皇龍寺丈六, "… 今兵火已來大像與二菩薩皆融沒, 而小釋迦猶存焉".

· c『東都歷世諸子記』, "戊戌年高宗25年十月十一日, 皇龍寺乙蒙古人等亦付火燒亡".

278) 이는 다음의 자료에 의거하였다.

· 『삼국유사』 권3, 塔像第4, 迦葉佛宴坐石, "… 既而西山大兵已後, 殿塔煨燼, 而此石亦夷沒, 而僅與地平矣". 여기에서 西山은 몽골帝國[蒙古]를 指稱하는데, 그 由來를 알 수 없다.

279) 이는「吳闡猷墓誌銘」에 의거하였다.

冬十二月壬寅朔大盡,乙丑, [乙丑24日:追加],[280] 遣將軍金寶鼎·□□監察御史宋彦琦,[281] 如蒙古, 上表曰, "~~云云, 戴天無貳, 指日可明, 諒直之懷, 披露酒已. 伏念臣邈居荒服, 叨據蔽藩,~~ 自惟僻陋之小邦, 必須~~須必~~庇依於大國,[282] 矧我應期之聖, 方以寬臨, 其於守土之臣, 敢不誠服. 申以兩年之講好, 約爲萬歲之通和, 投拜以來, 聊生有冀. 盖昔己卯高宗6年·辛卯18年兩年, 講和以後, 自謂依倚愈固, 擧國欣喜, 惟天地神明知之. 豈謂事難取必, 信或見疑, 反煩君父之譴訶, 屢降軍師而懲詰. 民無地著, 農不時收. 顧玆茂草之場, 有何所出. 惟是苞茅之貢, 無柰未供, 進退俱難, 憧惶罔極. 因念與其因循一時而姑息, 孰若冒昧萬死而哀號, 玆殫瘠土之宜, 粗達微臣之懇. 伏望~~皇帝陛下, 仁深柔遠, 德尙好生,~~ 但勿加兵革之威, 俾全遺俗, 雖不腆海山之賦, 安有曠年. 非止于今, 期以爲永. ~~云云~~"[283].

[又奇書唐古官人曰, "云云, 冬寒, 伏惟台體起居何若, 不勝瞻竚. 小邦事件, 一如前之,再三所達, 曾於己卯高宗6年·辛卯18年兩年, 投拜講和已後, 謂可聊生, 擧國欣喜, 亦天地·神明所證知也. 噫, 小國之今玆情狀, 皆帥府大官人所臨親見, 予復何

---

280) 이 表는 『동국이상국집』 권28, 上蒙古皇帝起居表, [注, 戊戌十二月日, 以致仕述]인데, 冒頭가 생략되어 있고 字句에 出入이 있다. 또 이때 金寶鼎과 宋彦琦의 派遣이 중국 측의 자료에도 반영되어 날짜[日辰]가 확인되고 있으므로 ~~添字~~가 추가되어야 할 것이다.
- 『원사』 권208, 열전95, 外夷1, 高麗, "十二月, 瞰遣其將軍金宝鼎·□□監察御史宋彦琦等奉表入朝".
- 『원고려기사』本文, 太宗 10년, "十二月二十四日, 瞰遣其將軍金寶鼎·□□監察御史宋彦琦等奉表入朝".
- 『원고려기사』, 序, "太宗十年, 暾瞰遣人奉表, □□□~~十一年~~, 詔徵, 暾瞰以母喪辭. 詔朝明年, 從不至".
- 『國朝文類』 권41, 雜著, 政典總序, 征伐, 高麗, "太宗十年, 暾瞰遣人奉表. □□□~~十一年~~, 詔徵, 暾瞰以母喪辭. 詔朝明年, 終不至".
- 『국조문류』 권41, 잡저, 정전총서, 정벌, 高麗[注, 太宗十年, 暾瞰遣將軍金寶鼎, 奉表入朝. …]".

281) 宋彦琦는 이때부터 4차에 걸쳐 蒙古에 파견되어 和親을 맺어 7년 동안 國境地域이 안정되게 하였다고 한다.
- 열전15, 宋彦琦, "自是, 宋彦琦, 四使蒙古講和, 七年之間, 邊境稍安".

282) 必須(필회)는 『동국이상국집』에는 須必(회필)로 되어 있다.

283) 이때 門下侍郞平章事致仕 李奎報가 勅命을 받아 表狀과 耶律楚材[晋卿]·唐古[Tanggu]에게 보내는 書狀을 작성하였다(『동국이상국집』年譜, "戊戌, 公年七十一, 冬十二月, 承勑作上蒙古皇帝表狀及送晋卿·唐古官人書").
또 이 시기에 宋彦琦가 監察御史로서 右倉을 管理·監督하고 있었다고 하고, 또 水獺을 잡는다는 핑계로 嘉州와 그 인근 지역에 침입한 蒙古兵을 타일러 歸還시켰다고 한다.
- 열전15, 宋彦琦, "彦琦, 稍遷監察御史, 監右倉. 時歲凶告糴, 請謁者多, 彦琦一以公, 分與甚均, 時稱賢御史. 蒙古兵二百餘騎, 聲言捕獺, 直入嘉·朔·龜·泰四州之境, 實欲剽掠. 彦琦率數騎, 往諭之, 蒙古兵乃退".

言? 閣下其不爲小憐耶? 恐懼顚沛, 猶未遑安. 伏望鈞慈, 特於皇帝旒冕之下, 善陳實狀, 以一言之重, 完護小邦, 恩及萬世, 則其爲欣感, 曷可勝陳? 謹以些小不腆土宜, 輕黷尊嚴, 惟冀檢納. 云云":追加].[284)]

[又奇書丞相耶律楚材曰, "云云, 季冬, 伏惟鈞體佳勝萬福. 予竊伏海濱, 聞高誼之日久矣. 今丞相閣下, 以公才公望, 黼黻帝化, 經濟四海爲己任, 雖千里之外, 想趨鼎席, 倍萬瞻企. 小國, 曾於己卯高宗6年·辛卯18年兩年投拜講和已來, 擧一國欣喜, 方有聊生之望. 惟天日照臨, 言可飾哉. 其享上之心, 尙爾無他. 近因上國大軍連年踵至, 故人物凋殘, 田疇曠廢. 由是阻修歲貢, 大失禮常, 進退俱難, 以俟萬死之罪, 孰爲之哀哉? 但丞相閣下, 通詩書閱禮樂, 文墨位宰相, 則其古人所謂修文來遠之意, 豈不蓄之於胸次耶? 幸今以土地輕薄所產, 遣使介奉進皇帝闕下, 惟冀丞相閣下, 少諒哀祈, 以下國小臣可矜之狀, 善爲敷奏, 導流帝澤, 更不遣軍興, 保護小邦, 俾孑遺殘民得全餘喘, 則其瞻仰閣下, 祝台壽萬年, 烏有窮已? 謹以不腆風宜, 偷于左右, 庶或領納. 無任惶悚之至, 云云":追加].[285)]

[是年, 復永州官號爲知永州事官, 以權瑋權韙?爲永州副使, 吳鳳文爲永州判官:追加].[286)]

[○大藏都監奉勅彫造'大般若波羅蜜多心經':追加].[287)]

[增補].[288)]

---

284) 이는 『동국이상국집』 권28, 送唐古官人書(『동문선』 권61 소수)에 의거하였다.

285) 이는 『동국이상국집』 권28, 送晋卿丞相書에 의거하였다.

286) 이는 다음의 자료에 의거하였는데, 權瑋는 權韙일 가능성이 있다.
- 『永川先生案』, "副使權瑋權韙, 戊戌到, 復官號, 置判官, 己亥遞".

287) 이는 다음의 자료에 의거하였다(淸州古印刷博物館 2020년 31面 ; 海印寺 2015년).
- 『大般若波羅蜜多心經』 권141~145, 211~215, 末尾刊記, "戊戌歲高麗國大藏都監奉」 勅雕造".

288) 이해에 고려에서 다음과 같은 일이 있었다.
- 이해에 宋 歐陽修의 11代孫이라고 한 歐陽伯虎(歐陽二十九)가 高麗에 건너와 李奎報와 交遊하면서 詩文을 唱和하였다(『동국이상국집』後集, 序文 ; 권3, 贈歐陽二十九, 又以別韻贈歐陽二十九 ; 권4, 次前所寄絶句韻, 贈歐陽二十九伯虎并序).
- 이해와 明年(고종26)의 무렵에 尙書右丞·左諫議大夫 薛愼이 西北面兵馬使로 在職하였다(「薛愼墓誌銘」, "以朝請大夫·尙書右丞·知制誥□出爲西北面兵馬使, 就加朝議大夫·左諫議大夫, 權摠兩省, 及代難其人, 留鉞二年").

己亥[高宗]二十六年, [只用當該年干支, 江華京八年],

[南宋嘉熙三年], [蒙古太宗十一年], [西曆1239年]

1239년 2월 6일(Gre2월 13일)에서 1240년 1월 25일(Gre2월 1일)까지, 354일

[春正月壬申朔小盡,丙寅, 是月, 蒙兵猶在:追加].[289)]

[某日, 以崔椿命爲慶尙道按察使:慶尙道營主題名記].

[二月辛丑朔大盡,丁卯, 是月, 蒙兵猶在南:追加].[290)]

[是月, 帝太宗召洪福源, 賜鎧甲·弓矢及金織文段·金銀器·金鞍勒等:追加].[291)]

[三月辛未朔小盡,戊辰:追加].

夏四月庚子朔大盡,己巳, [某日, 蒙古遣金寶鼎僚屬校尉黃貞允·義州別將朴希實, 從詔使先還:追加].[292)]

[某日], 蒙古遣甫可·阿叱等二十人, 賫詔來, 諭親朝. 王迎詔于梯浦舘.[293)]

是月, 蒙兵還.

---

289) 이는 다음의 자료에 의거하였다.
- 『동국이상국집』후집권5, 復次韻金君見和, "時虜兵猶在故云".

290) 이는 『동국이상국집』후집권5, 二月聞虜兵猶在南에 의거하였다.

291) 이는 다음의 자료에 의거하였다.
- 『원사』 권154, 열전41, 洪福源, "己亥春二月, 福源入朝, 賜以鎧甲·弓矢及金織文段·金銀器·金鞍勒等".

292) 이는 다음의 자료에 의거하였다.
- 『원고려기사』本文, 太宗, "十一年己亥四月, 奉旨, 遣高麗使金寶鼎僚屬校尉黃貞允·義州別將朴希實, 從詔使先還".

293) 이는 중국 측의 자료에도 반영되어 있는데, 여기서 5월 1일은 몽골제국에서 詔書가 내려진 날짜가 아니라 고려에서 몽골 사신 甫可·阿叱에 의해 조서가 頒布된 날짜일 것이다.
- 『원사』 권208, 열전95, 外夷1, 高麗, "太宗十一年五月, 詔徵瞰入朝, 瞰以母喪辭".
- 『원고려기사』本文, 太宗 11년, "五月一日, 降詔, 徵瞰入朝曰, 前來頒降長生天之聖訓去後, 爾不爲聽從, 爲爾不行省悟, 是以出軍進討, 明致天罰. 爾又不卽迎軍出降, 並無出力供職之辭, 乃敢竄諸海島, 苟延殘喘. 昔降宣諭, 命汝親身入朝, 却令還國. 此詔見在彼中. 若能欽依元降詔旨, 躬親赴闕, 所有一切法制宣諭了畢, 卽當班師. 爾等違背詔書, 輒來奏告, 乞令軍馬回程, 於理未應, 此非爾等之罪也. 如此詔諭, 爾等或有違貳, 我朝安能知之. 上天其監之哉".

[增補].[294)]

五月庚午朔小盡,庚午, [某日], 赦.

[某日], 王太后柳氏康宗妃薨. [葬坤陵, 上諡諡元德太后:列傳1康宗妃元德太后柳氏轉載].[295)]

[是月庚辰11日, 蒙古遣使來, 詔告取洪福源族屬:追加].[296)]

六月己亥朔小盡,辛未, [某日], 遣起居舍人盧演·詹事府注簿金謙, 奉表如蒙古.[297)]

[秋七月戊辰朔大盡,壬申, 某日, 以慶尙道按察使崔椿命, 仍番:慶尙道營主題名記].

秋八月戊戌朔小盡,癸酉, [某日], 蒙古遣甫加·波下等一百三十七人來, 更徵王親朝.[298)]

[九月丁卯朔大盡,甲戌:追加].

---

294) 일본에서 이해(延應1)의 4월 15일(甲寅) 가마쿠라[鎌倉]에서 월식이 있었다(高麗曆과 同一, 日本史料5-11册 404面).
- 『吾妻鏡』 권32, 延應 1년 4월, "十五日甲午, 天晴, 月蝕不正現".
- 『本朝統曆』 권9, 延應 4월, "四十五望, 戌一, 月蝕, 六分强, 酉五, 戌五".

295) 坤陵은 仁川市 江華郡 良道面 吉亭里 山 75번지 鎭江山 山麓에 있다(사적 제371호, 張慶姬 2013년 ; 洪榮義 2018년).

296) 이는 다음의 자료에 의거하여 추가하였다.
- 『원고려기사』本文, 太宗 11년 5월, "十一日, 詔告取洪福源族屬".

297) 盧演과 金謙의 파견은 중국 측의 자료에도 수록되어 있는데, 添字가 추가되어야 할 것이다. 또 이에 기재된 官職은 借職일 것이다.
- 『원사』 권208, 열전95, 外夷1, 高麗, "六月, 乃遣其禮賓卿盧演·禮賓少卿金謙充進奉使·副, 奉表入朝".
- 『원고려기사』本文, 太宗 11년, "六月, 瞮遣其禮賓卿盧演·禮賓少卿金謙, 充進奉使副, 奉表入朝".
- 『國朝文類』 권41, 雜著, 政典總序, 征伐, 高麗, 太宗, "□□□~~十一年~~, 詔徵, 瞮瞮以母喪辭. 詔朝明年, 終不至".
- 『국조문류』 권41, 잡저, 정전총서, 정벌, 高麗[注, 太宗十一年五月, 詔瞮瞮入朝, 辭以母喪. 詔朝明年, □□□~~終不至~~].

298) 蒙使 甫加·波下의 도착은 중국 측의 자료에도 반영되어 있는데, 여기에서 十月은 八月의 오류일 것이다. 또 이때 金寶鼎·宋彦琦도 몽골 사신과 함께 귀환하였던 것 같다.
- 『원사』 권208, 열전95, 外夷1, 高麗, 태종 11년, "十月~~八月~~, 有旨諭瞮, 徵其親朝于明年".
- 『원고려기사』本文, 太宗 11년, "九月, 將軍金寶鼎·監察御史宋彦琦從詔使, 還國".

[增補].[299]

[冬十月[丁酉朔小盡,乙亥], 己酉[13日], 蒙古遣使臣來, 頒詔書, 略曰, “據來具奏悉, 云緬貢誠忱, 輒申感載, 已具陳於前表, 據回降宣諭, 已令元使賫去. 又奏, 先妣柳氏傾逝, 仰瞻天闕, 未由所訴, 如有所奏, 實能拜降出力, 仰於明年, 親身朝見. 但有條畫事件, 至日省諭, 如違元表, 誣奏, 我國焉能知, 上天其監之”:追加].[300]

[是月, 門下侍中崔宗峻印行‘一切如來全身舍利寶篋眞言’:追加].[301]

[十一月丙寅朔[大盡,丙子]:追加].

冬十二月[丙申朔大盡,丁丑], [丁未[12日]:追加], 遣新安公佺·少卿宋彥琦, 如蒙古.[302]

[是年, 大藏都監開板‘大方等大集經賢護分’·‘大寶積經’:追加].[303]

---

299) 다음의 자료에 수록되어 있는 題記에 문제가 있는 것 같다(보물 제758-1호, 三星出版博物館所藏, 尹炳泰 1969년 ; 南權熙 2011년, 筆者未見). 이 제기를 撰하였다고 하는 崔瑀는 1243년(고종30) 1월 23일(庚子) 이후에 崔怡로 改名하였던 것 같고, 晋陽侯에서 晋陽公으로 승격한 것이 1242년(고종29) 10월이다. 그러므로 이 題記는 覆刻[重彫]할 때 官爵과 人名이 改書되었을 가능성이 있다.

· 『南明泉和尙頌證道歌』卷末刊記, “夫‘南明證道歌’者,實禪門之樞要也.故後學」 參禪之流,莫不由斯,而入升堂覩奧矣,然則」其可閉塞,而不傳通乎?.於是,募工重彫鑄」字本,以壽其傳焉.時己亥九月上旬,中書令·」 晋陽公崔怡[~~晋陽侯崔瑀~~] 謹誌」”.

300) 이는 다음의 자료에 의거하였다.

· 『원고려기사』本文, 太宗 11년, “十月十三日, 降旨宣諭瞰曰, 據來具奏悉, 云緬貢誠忱, 輒申感載, 已具陳於前表, 據回降宣諭, 已令元使賫去. 又奏, 先妣柳氏傾逝, 仰瞻天闕, 未由所訴, 如有所奏, 實能拜降出力. 仰於庚子年[明年], 親身朝見. 但有條畫事件, 至日省諭, 如違元表, 誣奏, 我國焉能知, 上天其監之”.

301) 이는 원래 鐵原 深原寺에 소장되어 있었던 佛像의 腹藏에서 발견되었다는 다음의 자료에 의거하였다(慶尙北道 奉化郡 淸凉寺 所藏, 文明大 2007年 ; 南權熙 2014년 ; 崔聖銀 2013년 290面, 鄭恩雨 等編 2017년 17面).

· 『全身舍利寶篋眞言』刊記, “一切如來全身舍利寶篋眞言, 己亥十月日,侍中崔宗峻印施”.

302) 이와 관련된 자료로 『동문선』 권61, 與中山稱海兩官人書 ; 권62, 答唐古官人書 ; 『원고려기사』, 太宗 11년 12월이 있다. 이때 門下侍郎平章事致仕 李奎報가 表狀과 耶律楚材[晋卿]에게 보내는 書狀을 작성하였고(『동국이상국집』年譜), 直翰林院[內翰] 金莘鼎이 書狀官으로 隨從하였던 것 같다(『동국이상국집』후집권6, 又次前韻留別金內翰[金莘鼎]奉使蒙古).

· 『원고려기사』本文, 太宗 11년, “十二月十二日, 瞰遣其新安公王悾[王佺], 與[金]寶鼎·[宋]彥琦等一百四十八人, 奉表入貢”. 여기에서 ~~添字~~와 같이 고쳐야 옳게 될 것이다.

303) 이는 다음의 자료에 의거하였다.

[是年頃, 以李方茂爲樞密院副使·刑部尙書:追加].[304)]

庚子[高宗]二十七年, [只用當該年干支, 江華京九年],

[南宋嘉熙四年], [蒙古太宗十二年], [西曆1240年]

1240년 1월 26일(Gre2월 2일)에서 1241년 2월 12일(Gre2월 19일)까지, 13개월 384일

[春正月[丙寅朔大盡,戊寅], 某日, 以盧□[某]爲慶尙道按察使:慶尙道營主題名記].

[二月丙申朔[小盡,己卯]:追加].

春三月[乙丑朔大盡,庚辰], 某日, [起居舍人]盧演等, 與蒙古使豆滿·阿叱等七人來.[305)]

[春某月, 寄書吳悅[吾也而]官人曰, "春暄, 動止千福, 瞻祝瞻祝. 帥府以寬仁恢大之度, 庇護小邦, 其感鏤之誠, 何以爲諭. 小邦於己卯年[高宗6年], 合稱·扎剌巡行投拜, 後其進奉物件, 成吉思皇帝有旨, 上國使臣十人趂來, 交受賫去, 以此爲不易之式, 間者, 波速路人, 逞奸於中途, 由是, 數年不得修風宜之享. 及辛卯年[18年], 上國大軍來臨弊境, 親兄淮安公詣軍前, 再伸和好, 欲以萬世出力供職. 自爾以後, 累次遣价, 奉琛赴於帝所, 以至戊戌[25年]十二月, 遣金寶鼎·宋彦琦等, 己亥[26年]六月, 遣盧演·金謙等. 又於己亥十二月, 以親弟新安公, 代蕞爾之軀, 朝天前去, 服事之心, 何嘗小弛. 今盧演等廻, 特示芳音, 益感撫存之惠, 其使臣官人, 每直詣住處事, 顧緣所居隘陋, 不堪祗迎. 故別立館宇於佳所, 盖欲尊皇華之命, 豈敢有他? 今承明誨, 已於住處取接訖, 其有萬戶管下我國人, 每造了罪過騎坐馬疋, 於去年十二月內, 逃往本地分裏, 須管刷會事. 去年以來, 無有此邑人逃來者, 縱有得脫而來, 旣犯罪

· 『大方等大集經賢護分』 권2, 末尾刊記, "己亥歲高麗國大藏都監奉」 勅雕造"(圓覺寺 2017년 54面).

· 『大寶積經』 권7~12,14,15,16,19,21,22,25,42,43, 末尾刊記, "己亥歲高麗國大藏都監奉」 勅雕造" (海印寺 2015년).

304) 이는 『동문선』 권26, 李方茂爲樞密院副使·刑部尙書官誥에 의거하였다. 年代推定은 前年(고종 25) 閏4月 簽書樞密院事 李方茂가 知貢擧에 임명된 것을 바탕으로 하였다.

305) 이와 관련된 기사로 『동문선』 권61, 與中山·稱海兩官人書 ; 권62, 答唐古官人書가 있다.

辜，必知上國縲推，韜晦滅跡，寫去於無人之地，豈可窮露擿撥而得出耶？伏望帥府諒悉情狀，益軫矜憐，永使萬世出力供職，是小邦之幸也．不腆土宜，具如別錄，領納是希"：追加］.[306)]

［○又寄書中山~~粘合重山~~·稱海兩官人曰，[307)] "孟夏漸熱，伏惟長生天氣力蒙古大朝國四海皇帝福蔭裏大官人閣下，起居千福．小邦全賴帥府撫存之惠，非特群臣咸樂而已，至於匹夫匹婦，眠食得所，盛德之至，曷可言宣．曩者我國元帥與上國元帥何稱·扎剌，講和投拜，其貢賦之制，則成吉思皇帝有詔旨，歲遣十人賫來，以爲恒式．故使臣着古與依前來，持貢賦前去，中途被波速人所害，自尒路梗，更不往來．至辛卯歲高宗18年，上國官人統軍來問，遣親兄淮安公，具說因由，渙然釋疑．越戊戌25年十二月，遣金寶鼎·宋彥琦，己亥26年六月，遣金謙·盧演等，皆奉贐朝覲，續申供職之心．伏蒙金寶鼎等奉傳聖旨，款曲迴示，不勝慶喜．於己亥十二月，遣親弟新安公，代我身執壤奠伻趨闕下．至今年三月，前所使盧演·金謙等迴來，傳示聖旨，亦言閣下之力護小邦甚切．予聞此語，感泣不已．且小國邈在日出海隅，風馬牛所不相及，大官人閣下，曲加保佑，如此其至，非有歷劫厚緣，疇能如是哉．今又遣使介詣皇帝闕下，伏望益復垂憐，善爲我辭，閣下旣以小邦爲念，諒予出力供職，無有貳志，採取每䵺每番使佐，聲說達于宸聰，導霈天滋，永護弊封．則予雖不敏，豈敢辜恩，姑以不腆風宜，遙表精虔，仰希領納"：追加］.[308)]

［四月以前，蒙古兵攻陷昌·朔州等處：追加］.[309)]

306) 이는『동문선』권62, 與吳悅官人書(李藏用 作)에 의거하였는데, 發給時期가 분명하지 않지만 是年 春某月에 작성된 것 같다(鄭東薰 2020년).

307) 여기에서 中山은 女眞人 粘合重山(zhan-he jusan)을, 稱海는 回回人 鎭海(稱海, Jimqai)를 가리키는 것 같고, 이들은 太宗 우구데이[窩闊台] 時期의 執政[執權者]이다. 이들은 스스로를 漢人들에게 漢式[金帝國의 制度]의 中書省 宰相이라고 紹介[自稱]하던 必闍赤(必徹徹)이었던 것 같다(藤野 彪·牧野修二 2012年 146面). 또 이 시기의 前後에 粘合重山의 아들 南合[粘合]과 耶律楚材의 아들 耶律鑄가 中書를 稱하고 있지만, 이는 世祖 쿠빌라이에 의해 組織된 中書省의 官職은 아니었다고 한다(藤野 彪·牧野修二 2012年 326面).

· 『黑韃事略』, 其相, "其相四人, 按只䚟按只吉歹, 黑韃人, 有謀而能斷. 曰移剌楚材耶律楚材, 字晋卿, 契丹人, 或稱中書侍郎. 曰粘合重山, 女眞人, 或稱將軍, 共理漢事. 曰鎭海, 回回人, 專理回回國事".

308) 이는『동문선』권61, 與中山·稱海兩官人書(金敞 作)에 의거하였다(鄭東薰 2020년).

309) 이는 다음의 자료에 의거하였는데, ~~添字~~는 筆者가 추가하였다(→是年 5월 是月).

· 『원사』권208, 열전95, 外夷1, 高麗, "是歲太宗12年, 攻拔昌·朔等州".

夏四月[乙未朔小盡,辛巳]，某日，遣右諫議□□[大夫]趙脩[趙修]·閤門祗候[閤門祗候]金成寶，[權直翰林院金百鎰:追加]，如蒙古.[310)]

[是月，判秘書省事宋國瞻，□□□□□[掌國子監試]，取詩賦吳恂，十韻詩李石崇等四十一人:選擧2國子試額轉載].

五月[甲子朔大盡,壬午]，某日，賜張天驥等及第.[311)]

[是月，蒙古復下詔，諭親朝，責四事:追加].[312)]

· 『원고려기사』本文，太宗 12년，"是歲，攻拔昌·□[朔]州等處".

310) 趙修(혹은 趙脩)와 金成寶의 파견은 중국 측의 자료에도 반영되어 있지만, 3월로 된 것은 오류일 것이다(→고종 38년 1월 17일). 이때 國王의 官銜으로 몽고국의 관료 中山[Junsan]，稱海[Jimqai]，唐古[Tanggu] 등에게 각각 書狀을 보냈다(『동문선』 권61，與中山·稱海兩官人書 ; 권62，答唐古官人書). 또 趙脩에 관련된 기사로 『동문선』 권26，趙脩爲銀青光祿大夫·樞密院副使…官誥가 있다. 그리고 金百鎰(改坵)이 使行의 書狀官으로 참여하였던 것으로 추측된다.

· 『원사』 권208，열전95，外夷1，高麗，"[太宗]十二年三月[四月]，又遣其右諫議大夫趙修[趙脩]·閤門祗候金成寶等，奉表入貢".

· 『원고려기사』本文，太宗，"十二年庚子三月，瞰遣右諫議大夫趙修[趙脩]·閤門祗候金成寶等，奉表貢獻".

· 「金坵墓誌銘」，"… 秩滿還京，充書狀官使北□延譽，至辛丑[高宗28年]秋，入直翰林院".

· 열전19，金坵，"以權直翰林□[院]，充書狀官如元，有北征錄，行於世".

· 『止浦集』 권1，分水嶺途中·過西京 ; 『東人之文五七』 권8 : 『동문선』 권6，庚子歲，朝蒙古，過西京 ; 『靑丘風雅』 권2，庚子歲，朝蒙古，過西京. 이 시문 중에서 "가엾으라，城闕에는 푸른 숲만 속절없구나(可憐城闕空青草)"가 있는데，이를 통해 金坵가 西京을 지날 때 계절은 여름이었음을 알 수 있다.

311) 이와 관련된 기사로 다음이 있다.

· 지27，선거1，科目1，選場，"[高宗]二十七年五月，樞密院副使任景肅知貢擧，右承宣崔璘同知貢擧，取進士，(某日)賜乙科張天驥等三人·丙科七人·同進士四人·明經四人及第".

312) 이는 다음의 자료에 의거하였다.

· 『원사』 권208，열전95，外夷1，高麗，"五月，復下詔諭之".

· 『원고려기사』本文，太宗 12년，"五月，詔諭瞰曰，所奏事具悉，語皆不實，如果無虛詐. 爾等若能依元奏之事，又何難見，止爲合車·箚剌已死，奏此詔妄之語，知此事之人俱在. 爾等所奏，先曾出力之事，我非童穉，豈能欺我哉. 自先出力之事，我亦知矣，來章贊祝，更復何言. 我國處正，宣諭如此，依其所奏，悉能無二，固可嘉尙. 若果無二心，遷出海島民戶，悉令見數. 如差去使臣未到間，切勿令出，候使到日，然後出遷，令使臣一一點數. 據諭去使臣來到間，切勿令之出言. 爾等勿謂不令出海，止是伺候使臣到日遷出，仍令一就點數民戶畢，然後出海. 其自外而入者，或有舊居隨處島嶼人民，亦仰依例遷出，據海內所有房舍，盡令燒毁. 爾等必有再往之意，如再入海，必有拒敵之謀. 若將民戶數目隱匿，依大朝條例治罪. 其民戶見數畢，據合出禿魯花人數，然後明降諭去. 出海撫定之後，別無詳細人使，繼歲取發貢賦，如不出海，以大軍攻取. 又昌·朔州民戶來賓，爾等輒將家口投殺掠，據擅行殺掠之人，豈非罪歟. 將爲首始謀萬戶·千

六月[甲午朔小盡,癸未], 某日, 遣堂後□[宦]金守精, 如唐古屯所,[313] [寄書曰, "夏序方迴, 伏惟長生天氣力蒙古大朝國皇帝福蔭裏帥府大官人閤下, 茂膺千福. 小邦全賴撫存之力, 更有聊生之望, 雖至愚夫愚婦, 猶感大恩. 曩者歲在己卯[高宗6年], 投拜上國使佐十介, 歲到小邦, 親自賫去爲式, 何圖波速路人, 遮出害上國, 官軍戾止, 謹遣親兄淮安公, 迎犒問慰, 具說端由, 官軍釋疑而返. 我以萬世出力, 供職爲望, 累遣使介, 敬輸國贐. 及戊戌[26年]十二月, 發遣金寶鼎·宋彦琦等, 押信朝貢, 己亥[26年]六月, 續遣盧演·金謙等, 朝覲如前. 旣而先遣金寶鼎, 受皇帝聖旨迴來. 又於是年十二月, 以親弟新安公, 賫持流例貢賦, 復奉別進方物, 具表文幷遣, 未知行邁何似. 目今盧演·金謙等, 受詔迴到, 稱說大官人閤下, 欣對我親弟新安公, 累旬宴慰, 仍發伴使護送帝所. 俄聞此言, 喜抃萬千, 但所諭至鴨江, 令民戶住着耕種, 當使佐往來之際, 供對酒饌, 傳騎馬疋事, 且閤下以覆護小邦爲念. 予敢不以此爲喜, 且如閤下備知凋殘旣極, 曷可卒速連絡而地著乎. 閒或有可爲之勢, 雖些小人, 每已令住着, 迎對使臣, 至若尤敗之處, 特差發官人, 准備他處酒果米粮, 輸到這裏, 迎送甚勤. 自後漸次人物蘇息, 則一依所諭, 抑又諭及使佐之來也. 入予居所祗對事, 顧予居所卑陋, 不勝慚愧, 特營別殿, 敬迎詔書, 又構別舘, 接飯使佐, 是其敬攀對故尒. 今依通示, 至于居所, 迎入宴慰, 其或以洪福源父於本城裏往來事, 聽取是人關白云, 年耄病深, 不堪遠路行邁, 而又進仕京都, 爵好廪厚, 計產饒贍, 安心以事佛功德爲業, 奈何返往敗亡,本城裏住坐耶. 是甚未便, 辭語牢切, 固難奪志, 如上數段底事, 惟大官人閤下, 俯諒情實, 益加存撫, 俾我小邦, 萬世出力供職, 幸甚幸甚. 輕略不腆土宜, 幷別紙奉寄, 伏惟領納":追加].[314]

戶·官員人等, 仰捉拏發遣前來. 爾等旣稱一國, 一國之中, 豈有此事, 彼處被刦落後, 流移人數, 盡數刷集分付. 如將行刦之人, 不行捉拏發遣, 及將流移民戶, 故不起發, 豈爲出力供職之事耶. 如爾等敎令殺掠, 故不捉拏, 若不曾敎令, 必捉拏分付. 著古歟之事, 當時爾等特賴亏加下, 所違德慫, 除已發罪訖, 卽目猶似亏加下出理, 伐亏加下罪時, 曾助多少軍馬. 今後旣爲一國, 凡有來賓人民, 邀當匿當也. 若將大國條畫抗拒, 必有叛背之意, 遷出海島, 點數民戶, 出禿魯花, 捉拏有過之人. 惟此四事諭去, 何足多言. 如能出海, 數見戶數, 出禿魯花外, 凡有條畫, 至是省諭及汝弟侹[佺]口奏告, 有兄瞰令奏. 凡有皇帝聖訓, 必不違背, 據奏過事目, 別錄付去, 汝當知之. 如此宣諭, 却行不出海島, 來奏云, 必不違背, 如是刦違前言, 我國爲能知, 上天其監之". 여기에서 ~~添字(王佺)~~와 같이 고쳐야 옳게 될 것이다.

313) 金守精은 1254년(고종41) 윤6월 9일에서 1255년(고종42) 6월 9일 사이에 金守剛으로 改名하였다.

314) 이는 『동문선』 권62, 答唐古官人書[注, 來書云, 福蔭裏統領蒙古糺漢大軍征討高麗唐古拔都魯, 言語道與高麗王云云](朴暄 作)에 의거하였다(鄭東薰 2020년).

[秋七月癸亥朔小盡,甲申, 壬申10日, 立秋. 翰林學士致仕李百全卒:追加].315)

[某日, 以小府少監王諧爲慶尙道按察使:慶尙道營主題名記].316)

[八月壬辰朔大盡,乙酉:追加].

秋九月壬戌朔小盡,丙戌, 某日, 新安公佺與蒙古多可·坡下道·阿叱等十七人, 賫詔來, 復諭入朝.

[十月辛卯朔小盡,丁亥:追加].

[增補].317)

[十一月庚申朔大盡,戊子, 壬戌3日, 大雪:追加].318)

冬十二月庚寅朔大盡,己丑, 某日, 遣禮賓少卿宋彦琦·□侍御史權韙, 如蒙古.319)

---

315) 이는 『동국이상국집』後集권6, 哭李學士百全 … ; 권18, 公李百順舍弟學士百全見和 … 등에 의거하였다. 이날은 율리우스曆으로 1240년 7월 30일(그레고리曆 8월 6일)에 해당한다.

316) 이때 王諧는 小府少監으로 재직하고 있었다고 한다. 또 王諧는 昇平判官을 역임하고 慶尙道管內인 昌寧에 隱居하고 있던 張鎰을 추천하여 直史館에 임명되게 하였다고 한다.
- 열전34, 良吏, 王諧, "高宗朝, 由少府少監, 出按慶尙□道, 激揚淸濁, 一道畏服. 崔怡子僧萬宗·萬全, 蓄米五十餘萬石, 取息於民, 分遣門徒, 催徵甚酷. 民盡輸所有, 租稅屢闕. 諧令曰, 民未納稅, 先督私債者罪之" 於是, 二僧之徒, 不敢肆, 租稅得以時輸".
- 열전19, 張鎰, "高宗朝15年登第, 還家居十五年, 補昇平判官, 以政最聞. 及罷任, 又歸舊隱, 若將終身, 按察使王諧, 薦爲直史館".

317) 다음의 자료에 수록되어 있는 題記에 문제가 있는 것 같다(湖巖美術館 所藏, 보물 제692-2호, 郭丞勳 2021년 181面, 筆者未見). 이 시기에 崔瑀는 崔怡로 改名하지 않았고, 晋陽侯에서 晋陽公으로 승격하지도 않았다. 그러므로 이 題記는 覆刻[重彫]할 때 官爵과 人名이 改書되었을 가능성이 있다(→고종 26년 9월 增補의 脚注).
- 『妙法蓮華經』 권7, 卷末刊記, "蓮經大義, 會三歸一, 合於東土統三之應, 其在歸崇之」 意,孰能如此.」今者苾蒭四一, 幸得宋本戒環解義,」 其文旨簡宏, 宜當演揚於普賢道場, 以廣其傳, 予聞」 而悅之, 遂令雕板, 以報環師淸淨慧眼之遠囑焉時」 上章困敦庚子牂月十月下旬謹誌,」 金紫光祿大夫·守太師·中書令·上柱國·上將軍·監修國史·判御史臺事·晋陽公崔怡晋陽侯崔瑀」".
- [墨書印記] "施主 姜福, 德花,」 文天, 勝阿只,」 李切勿, 六月,」 姜元竟, 竟德,」 宋南子, 三月,」 朴務,」 金千,」 全氏, 明俉」".

318) 이는 『동국이상국집』후집권7, 十一月三日大雪에 의거하였다. 이날 일본의 京都에서는 날씨가 흐렸다고 한다(10월은 高麗曆의 11월에 해당함).
- 『平戶記』, 仁治 1년 윤10월, "三日壬戌, 天陰".

319) 宋彦琦와 權韙의 파견은 중국 측의 자료에도 반영되어 있다. 또 이때의 表狀은 門下侍郞平章

[某日, 中書令崔瑀孽子僧萬宗·萬全, 皆聚無賴惡僧, 爲門徒, 唯以殖貨爲業, 金銀·穀帛以鉅萬計. 門徒分據名寺, 倚勢作威, 橫行遠近, 鞍馬·衣服, 皆效韃靼. 更相稱曰官人, 恣行不義, 或强奸人妻, 或擅乘驛騎, 或陵辱官吏, 無所不至. 其他僧徒, 乘肥衣輕者, 詐稱弟子, 所至侵擾, 州縣畏縮, 莫敢誰何, 民皆怨之. 慶尙州道所畜米穀, 五十餘萬碩, 貸民收息. 秋禾纔熟, 分遣門徒, 催徵甚酷, 民盡輸其所有, 租稅屢闕. 慶尙道按察使王諧,[320] 令曰, "民未納稅, 先督私債者, 罪之". 二僧畏威, 不敢肆. ○萬全嘗住珍島一寺, 其徒亦橫恣, 號通知者, 尤甚. 全羅道按察使金之岱, 其所請謁, 皆抑而不行. 之岱嘗至其寺, 萬全慢罵, 而不之見. 之岱直入升堂, 堂上有樂器, 乃操琴數弄, 橫笛而吹之, 音節悲壯. 萬全欣然出曰, "適有微疾, 不知公至此". 相與歡飮, 盡日, 因託以十餘事. 之岱於座, 一切聽行之, 留數事曰, "此則, 當至行營, 乃可爲耳, 宜遣通知相候". 之岱還營, 數日, 通知果至, 之岱命縛之, 數其不法, 沈之江中. 萬全卽沆也, 雖挾前憾, 以之岱廉愼少過, 竟莫能害:節要轉載].[321]

[→□□先是, 中書令崔怡瑀無適子, 嬖妓瑞蓮房, 生二男萬宗·萬全. 初, 怡瑀欲傳兵柄於若先, 恐二男爲亂, 皆送松廣社, 剃髮並投禪師. □□□是年頃, 萬宗住晋州牧斷俗, 萬全住綾城縣雙峯, 皆聚無賴僧爲門徒, 惟以殖貨爲事, 金帛鉅萬計. 慶尙道所畜米五十餘萬石, 貸與取息, 秋稼始熟, 催徵甚酷, 民無餘粟, 租稅屢闕. 門徒分據名寺, 倚勢橫行, 鞍馬服飾, 皆效韃靼, 相稱爲官人. 或强淫人妻, 或擅乘驛騎, 陵轢州縣官吏. 其他僧徒, 乘肥衣輕者, 詐稱弟子, 所至侵擾, 州縣畏縮, 莫敢誰何:列傳42崔怡轉載].

[閏十二月庚申朔大盡,己丑, 某日, 以金仲龜爲守太師·門下侍郎同中書門下平章事·判吏部事, 仍令致仕,[322] 朴文成朴犀爲中書侍郎平章事·判兵部事·太子少傅, 李子晟爲

事致仕 李奎報가 撰하였다고 한다.
- 『원사』 권208, 열전95, 外夷1, 高麗, "十二月, 瞰遣其禮賓少卿宋彦琦·侍御史權韙充行李, 使入貢".
- 『원고려기사』本文, 太宗 12년, "十二月, 瞰遣其禮賓少卿宋彦琦·侍御史權達權韙充行李, 使入貢".
- 『동국이상국집』후집권7, 庚子九月十五日, 修蒙古所送表狀有作.

320) 王諧는 이해의 秋冬番[秋冬等]慶尙道按察使였기에 이 기사와 合致된다(『慶尙道營主題名記』).

321) 이와 같은 기사가 열전15, 金之岱에도 수록되어 있는데, 그가 全羅道按察使에 재직한 時期는 이보다 먼저인 李延年 兄弟가 난을 일으킨 1237년(고종24) 前半期[春夏番]으로 추측된다(→고종 24년 春某月).

參知政事·判戶部事·太子少保, 宋恂爲參知政事·集賢殿大學士·判禮部事·太子少師, 任景肅爲政堂文學·吏部尙書·太子少傅:追加].[323]

[是月, 僧惠均·惠玲等鑄成修定寺飯子一座:追加].[324]

[是年, 以李資敬爲永州副使:追加].[325]

[○以田文允爲東京留守司錄:追加].[326]

[○大藏都監開板'大寶積經'·'信力入印法門經'·'佛華嚴入如來德智不思議境界經':追加].[327]

[增補].[328]

---

322) 이는「金仲龜墓誌銘」에 의거하였다.

323) 이는『동문선』권26, 除宰臣朴文成·李子晟·宋恂·任景肅教書[詔書]에 의거하였다. 年代는 고종 28년 4월 參知政事 宋恂이 知貢擧에 任命된 것을 감안하여 추정하였다. 또 朴文成(朴犀의 改名)은 이후 門下侍郞平章事·判兵部事에 이르렀다(열전16, 朴犀, "後犀果拜門下平章事" ;「金仲龜墓誌銘」, "次適門下侍郞平章事·判兵部事朴文成子金吾衛仗領別將李溫").

324) 이는 修定寺 飯子의 銘文에 의거하였다(許興植 1984년 1028面).

325) 이는『영천선생안』에 의거하였다.

326) 이는『동도역세제자기』에 의거하였다.

327) 이는 다음의 자료에 의거하였다.
- 『大寶積經』권6,13,17,18,20,24,41,44,45, 末尾刊記, "庚子歲高麗國大藏都監奉」勅雕造".
- 『信力入印法門經』권5, 末尾刊記, "庚子歲高麗國大藏都監奉」勅雕造".
- 『佛華嚴入如來德智不思議境界經』卷上下, 末尾刊記, "庚子歲高麗國大藏都監奉」勅雕造"(以上 海印寺 2015년).

328) 이해(延應2, 仁治1)에 일본에서 다음과 같은 사실이 있었다.
- 1월 2일(丁卯), 彗星이 前年 12월 30일(乙丑晦) 이래 출현하여 2월 중순까지 이어졌다(高麗曆과 同一, 日本史料5-11册 677面 ;『吾妻鏡』권33, 仁治 1월 2일 以來).
- 4월 3일, 이 시기 이전에 고려의 牒이 일본에 도착하여 進奉船에 대해 무엇인가를 통보하였는데, 이날 攝政 近衛兼經의 宿直處[直廬, 지키로]에서 公卿들의 논의가 이루어졌다(『百練抄』권14 ;『帝王編年記』권24 ;『平戶記』4.12條).
- 4월 11일(乙巳), 平經高가 近衛兼經에게 高麗牒에 대해 大宰府解·尋問記 등을 참조하여 불분명한 것을 조사하라고 건의하였다(『平戶記』同日條·4.12條).
- 4월 12일(丙午), 大藏卿 菅原爲長이 平經高를 방문하여 高麗國牒狀에 대해 의논하면서 1206년(熙宗2, 泰和6) 對馬島에 보내온 高麗國牒狀의 내용에 대해 설명하였다(『平戶記』). 이후 13日(丁未), 14日(戊申)에 걸쳐 平經高가 이를 조사하여 보고하였다(『平戶記』).
- 4월 14일(戊申), 鎌倉에서 月食이 觀測되었다.
- 『吾妻鏡』권33, 仁治 1년 4월, "十四日戊申, 天晴, 子剋月蝕, 皆虧正現".
- 『平戶記』, 延應 2년(仁治1) 4월, "十四日戊申, 天陰, … 今夜月蝕也, 虧初子五剋, 八十一分, 加時丑七剋, 六十一分, 月蝕大分皆虧, 復末卯一刻, 十三分, 帶少分之蝕, 可入西嶺之由, 各

辛丑[高宗]二十八年, [只用當該年干支, 江華京十年], [南宋淳祐元年], [蒙古太宗十三年→乃馬眞皇后臨朝稱制], [西曆1241年]

1241년 2월 13일(Gre2월 20일)에서 1242년 2월 1일(Gre2월 8일)까지, 354일

[春正月庚寅朔小盡,庚寅, 某日, 以朴某爲慶尙道按察使:慶尙道營主題名記].[329]

[是月, 朝散大夫·神虎衛保勝將軍·尙書吏部侍郎·東北面兵馬副使·長州分道李君□開板'佛說長壽滅罪護諸童子陀羅尼經':追加].[330]

[是月朔, 南宋改元淳祐:追加]

[二月己未朔大盡,辛卯:追加].

[是月頃], 以李涵爲洪州副使:追加].[331]

[三月己丑朔大盡,壬辰:追加].

夏四月己未朔小盡,癸巳, 某日, 以族子永寧公綧稱爲子, 率衣冠子弟十人~~十五大~~, 入蒙古, 爲禿魯花,[332] 遣樞密院使~~樞密院副使~~崔璘·將軍金寶鼎·左司諫金謙, 伴行. 禿魯花,

---

勘申云々, … 今夜陰雲無隔歟, 又時々雨下, 不正現哉".

· 『本朝統曆』, "四十四夜望, 子六, 月蝕, 皆既, 亥四, 丑八".

· 4월 17일(辛亥), 大藏卿 菅原爲長이 藤原親經의 집에 保管 중이던 문서에서 1206년(熙宗2)의 高麗國牒狀을 찾아 平經高에게 전하자 平經高가 이를 日記에 베꼈다(『平戶記』).

329) 이때 경상도안찰사에 임명된 인물의 이름이 脫落되었다.

330) 이는 다음의 자료에 의거하였는데, 이것은 刻字 또는 判讀에 問題가 있는 것 같다(충청북도 유형문화재 제303호, 郭丞勳 2021년 184面, 筆者未見).

· 『佛說長壽滅罪護諸童子陀羅尼經』卷末刊記, "東北面兵馬副使·長州分道·朝散大夫·神虎衛保勝將軍·尙書吏部侍郎李君□」 特爲」 皇齡益固,晋陽公福壽無疆,文虎臣寮,忠貞輔國,」 佛日恒明,法輪相轉,干戈不起,國土太平,三世父母,」兄弟姉妹,睿登彼岸,蒼海十方,蠢動迷倫,同□□」 若種之願,謹發誠心,倩工彫板,長壽命經,□□~~印施~~無窮者. 時辛丑正月 日」 施財」 施財」 [以下脫落]".

331) 이는 다음의 자료에 의거하였다(→是年 12월 是月).

· 『동국이상국집』後集권9, 辛丑三月三日, 送長子涵, 以洪州守之任, 有作.

332) 『익재난고』 권9상, 忠憲王世家에는 15人으로 되어 있다. 이때 故平章事 崔正份의 아들로서 內侍를 역임하고 出家하였던 修禪社의 僧侶 卓然을 보내려고 하였으나 사양하였다고 한다(『동국이상국집』후집권9, 無可伴行卓然道者乞詩). 또 永寧公 綧이 파견된 날짜는 4월 24일(壬午) 이후이고, 가을[秋]에 몽고에 도착하였다고 한다. 이때 永寧公 綧은 蒙古將帥 吾也而(吾也

華言質子也.[333)]

[→綧, 封永寧公, 美容儀, 慷慨有志略. 善騎射, 讀書通大義.高宗二十八年, 稱爲王子, 入質蒙古:列傳3顯宗王子平壤公基轉載].

[→[金]裕, 登第. 永寧公綧之入質也, 樞副[樞密院副使]韓就選弓箭陪卒, 裕作詩求行. 就愛其詩, 置選中:列傳43金裕轉載].

[某日], [蒙古元帥]唐古遣伊恃·合剌[合刺]·阿叱等四人來.

[某日], 賜崔宗均等及第.[334)]

[壬午[24日], 大雨:追加].[335)]

[五月戊子朔[大盡,甲午], 甲午[7日], 前戶正徐某造成靑瓷菊牧丹文硯一口:追加].[336)]

[某日, [安東?]龍壽寺僧玄揆·[陜川]下鉅寺僧天章等開板'大方廣佛華嚴經疏':追加].[337)]

皃, Uyer)를 따라 몽고에 들어갔다고 한다. 以後 綧은 遼陽(現 遼寧省 遼陽市 老城)에 위치한 洪福源의 집에 머물렀다(『고려사』세가23 ; 열전3, 顯宗平壤公基, 永寧公綧 ; 열전12, 崔惟淸, 崔璘 ; 열전43, 洪福源 ; 表2, 年表2 ; 『원사』열전53, 王綧 ; 열전41, 洪福源).

· 『익재난고』 권9上, 忠憲王世家, "高宗二十八年, 遣王姪永寧公王綧, 率衣冠子弟十五人, 入爲禿魯花".

· 『동국이상국집』후집권10, 登後園, 望永寧公北使詩, "遣宗室永寧公入達旦朝覲".

· 『원사』 권2, 본기2, 太宗 13년, "秋, 高麗國王王瞮以族子綧入質".

· 『원사』 권208, 열전95, 外夷1, 高麗, "[太宗]十三年秋, 瞮以族子綧爲己子入質".

· 『원사』 권120, 열전7, 吾也而, "[太宗]十三年, 遣其子綧從吾也而, 來朝, 帝大悅, 厚加賜予, …".

333) 樞密院使는 樞密院副使의 오자일 것이다(→고종 30년 1월 23일).

334) 이와 관련된 기사로 다음이 있다. 이때 崔宗均·元傅(元傅墓誌銘)·李劭·朱悅(『동인지문오칠』)·林葆·李德英·石演芬(以上 列傳13, 鄭晏) 등이 급제하였다(『登科錄』, 朴龍雲 1990년 ; 許興植 2005년).

· 지27, 선거1, 科目1, 選場, "[高宗]二十八年四月, 參知政事宋恂知貢擧, 國子祭酒鄭晏同知貢擧, 取進士, (某日) 賜乙科崔宗均等三人·丙科七人·同進士二十三人·明經二人及第".

335) 이는 『동국이상국집』後集권10, 四月二十四日大雨에 의거하였다. 또 일본 가마쿠라[鎌倉]에서는 4월 3일 大風과 地震이 있었다고 한다(中央氣象臺 1941年 1冊 40面).

· 『吾妻鏡』第34, 仁治 2년 4월, "三日辛酉, 霽, 戌剋大地震, 南風, 由比浦大鳥居內拜殿, 被引潮流失, 着岸船十餘艘破損".

336) 이는 靑瓷菊牧丹文硯의 銘文에 의거하였는데, 원래의 判讀者는 1181년(大定21, 明宗11)으로 추정하였으나 筆者가 當該年의 干支를 紀年했던 是年으로 推測해 보았다.

· 銘文(白象嵌), "辛丑五月七日造爲大口,前戶正徐□[取?]夫"(국립중앙박물관 소장, 鄭良謨 等編 1992년 155面).

337) 이는 『大方廣佛華嚴經疏』의 刊記에 의거하였다(海印寺 所藏, 국보 제206-18호, 南權熙 2002년 53面 ; 林基榮 2009년 ; 郭丞勳 2021년 183面).

· 刊記, "龍壽寺祠堂比丘玄揆主張,」 下鉅寺道人天章·戒湛勸緣,」 道人聞契校勘,」 辛丑五月日,

[六月戊午朔小盡,乙未:追加].

[秋七月丁亥朔小盡,丙申, 某日, 以慶尙道按察使朴某, 仍番:慶尙道營主題名記].
[是月, 郎將·全州牧判官安時俊開板'妙法蓮華經玄義':追加].[338)]

秋八月丙辰朔大盡,丁酉, 某日, 蒙古元帥唐古復遣伊特·合剌合剌·阿叱等八人來.[339)]
[是月, 入內侍朝散大夫·禮部侍郞·直寶文閣·太子文學李需撰'東國李相國集序':追加].[340)]

九月丙戌朔小盡,戊戌, [丁亥2日:追加],[341)] 門下侍郎平章事致仕李奎報卒, [年:七十四, 輟朝三日, 諡文順追加].[342)] [奎報, 初名仁氐, 以夢奎星報異, 改之. 九歲, 能屬文, 號奇童, 稍長, 經史百家·佛老之書, 一覽輒記, 放曠, 以詩酒自娛, 號白雲居士. 中第, 十年不調, 宰相·禁省交薦之, 久司兩制. 時蒙兵壓境, 奎報製陳情書表, 帝感悟撤兵. 爲詩文, 不蹈古人畦徑, 橫騖別駕汪洋大肆, 有集五十三卷, 行於世:節要轉載].

[秋某月某日, 以權直翰林院金百鎰金坵爲直翰林院:追加].[343)]

伽耶山下鉅寺雕造」".

338) 이는 다음의 자료에 의거하였다(南權熙 1997 ; 郭丞勳 2021년 185面).
- 『妙法蓮華經』 권7, 卷末刊記, "昔天台智者智顗,親承佛旨科節經,文坦然」 明白,然此舊本,字寫漫滅,大小不中,」 因剪出中字,插科其上,募工彫板,以廣流」 通,所冀」 皇齡万歲,令筭無疆,兵災息滅,朝野和」 平,法界含靈,同證佛慧耳,時辛丑孟秋,」 全州牧判官·郞將安時俊誌」".

339) 合剌(哈剌, 哈喇, Qala)은 漢字로 黑色을 의미한다고 한다(『원사』 권149, 열전36, 王珣, "… 珣貌黑, 人呼爲哈剌元帥, 哈剌, 中國言黑也").

340) 이는 『동국이상국집』序文 ; 「李奎報墓誌銘」에 의거하였다.

341) 李奎報의 逝去日은 9월 2일인데(李奎報墓誌銘), 이날은 율리우스曆으로 1241년 10월 8일(그레고리曆 10월 15일)에 해당한다. 이와 관련된 기사로 다음이 있는데, 卽世는 別世(天命을 다하다)를 의미한다. 또 그에게 내려진 誄書는 『동국이상국집』後集卷終에 수록되어 있고(右司諫 鄭芝 作), 墓所는 현재의 仁川市 江華郡 吉祥面 吉稷里에 있다(李亨求 2003년 76面 ; 仁川廣域市立博物館 2003년).
- 『동국이상국집』後集권10, 七月八日, 因患眼不作詩, "八月二十九日作, 九月初二日, 卽世".
- 『東人之文五七』, 李平章奎報五十首, "奎報, … 位至平章事, 年七十四, 卒于高宗辛丑, 諡文順, 本集號李相國集, 前後共五十三卷".
- 『춘추좌씨전』傳, 成公 13년, "夏, 四月戊午, 晋侯使呂相魏錡絶秦, 曰, 昔逮我獻公及穆公相好, 戮力同心, 申之以盟誓, 重之以昏姻, 天禍晋國, 文公如齊, 惠公如秦, 無祿獻公卽世. …".

342) 이는 「李奎報墓誌銘」에 의거하였다.

[冬十月乙卯朔小盡,己亥:追加].

[十一月甲申朔大盡,庚子:追加].

[是月辛卯8日, 蒙古太宗窩闊台崩, 乃馬眞皇后臨洮稱制:追加].344)

[十二月甲寅朔大盡,辛丑:追加].

[是月, 將仕郞·尙食奉御·知洪州事副使兼勸農使·管句學事李涵撰'東國李相國集後集序': 追加].345)

[是年, 以金孝印爲東京副留守:追加].346)

[○以□□少卿崔滋爲尙州牧副使:追加].347)

[○以朴林宗爲永州判官:追加].348)

[○大藏都監開板'梵網經盧舍那佛說菩薩心地戒品':追加].349)

[○東北面兵馬副使兼吏部侍郞李某印行'佛說長壽滅罪護諸童子陀羅尼經': 追加].350)

[增補].351)

---

343) 이는 다음의 자료에 의거하였다.
- 열전19, 金坵, "以權直翰林□院, 充書狀官如元, 有北征錄, 行於世".
- 「金坵墓誌銘」, "…秩滿還京, 充書狀官使北□延譽, 至辛丑高宗28年秋, 入直翰林院".

344) 乃馬眞[Naimanchin]은 太宗 우구데이[窩闊台]의 第6皇后인 脫列哥那皇后(혹은 朶列格捏皇后, Durei gana, ?~1246)이고, 定宗구육[貴由, Güyuk]의 母親이다. 그녀의 姓氏가 乃馬眞이기에 乃馬眞皇后라고도 한다.

345) 이는 『동국이상국집』후집, 序에 의거하였다.

346) 이는 『동도역세제자기』에 의거하였다.

347) 이는 다음의 자료에 의거하였다. 여기에서 二十八年은 二十九年으로 고쳐야 옳게 될 것이며, 이 기사의 末尾인 "後高麗二十三葉, 明王在宥三十二年龍集甲辰九月二十七日"은 옳게 되어 있다.
- 『湖山錄』권하, 遊四佛山記, "高宗二十八年~~二十九年~~, 越歲在辛丑, 少卿崔滋出守尙州, 聞其奇異, 試尋訪焉".

348) 이는 『영천선생안』에 의거하였다.

349) 이는 다음의 자료에 의거하였다(圓覺寺 2017년 55面).
- 『梵網經盧舍那佛說菩薩心地戒品』권上, 末尾刊記, "辛丑歲高麗國大藏都監奉」 勅雕造"

350) 이는 『佛說長壽滅罪護諸童子陀羅尼經』의 刊記에 의거하였다(南權熙 2002년 42面, 筆者 未確認).

351) 이해에 國·內外에서 다음과 같은 일이 있었다.
[高麗] 고종 28년.

[是年頃, 國子祭酒鄭晏見怡中書令崔瑀專權忌克, 欲遠害, 退居南海. 好佛, 遊遍名山勝刹, 捨私貲, 與國家, 約中分藏經刊之. 事佛太煩, 一方厭苦. 晏旣退, 猶恐及禍, 養怡瑀外孫爲子, 以取媚. 又諂事權貴, 好奢侈, 第宅器皿, 極其華麗:列傳13鄭晏轉載].[352)]

壬寅[高宗]二十九年, [只用當該年干支, 江華京十一年],

[南宋淳祐二年], [蒙古乃馬眞稱制元年], [西曆1242年]

1242년 2월 2일(Gre2월 9일)에서 1243년 1월 21일(Gre1월 28일)까지, 354일

[春正月甲申朔小盡,壬寅:追加].

[二月癸丑朔大盡,癸卯, 乙卯3日, 門下侍郎同中書門下平章事致仕金仲龜卒, 年六十七, 輟朝三日, 諡靖平:追加].[353)]

[三月癸未朔大盡,甲辰, 某日, 大司成閔仁鈞, □□□□□掌國子監試, 取詩賦權玥, 十韻詩劉勃忠等七十四人, 明經二人:選擧2國子試額轉載].

夏四月癸丑朔小盡,乙巳, 丙辰4日, 謁坤陵康宗妃柳氏.[354)]

· 6월 29일(晦日, 丙戌, 日本曆은 30일) 圓爾弁円이 같은 해 5월 明州 定海縣(現 浙江省 寧波市 鎭海區)에서 출발하여 일본으로 귀국하다가 그믐날(晦日) 耽羅 阿私山 아래에 도착하여 4일간 머물렀다(『聖一國師年譜』, 仁治 2年 ; 『元亨釋書』 권7, 慧日山辯圓).

[日本] 仁治 2년.

· 7월 某日, 圓爾弁円이 宋에서 고려를 거쳐 博多에 도착하였다(『聖一國師年譜』, 仁治 2年).

352) 鄭晏(鄭叔瞻의 子)은 이 시기 이후인 1243년(고종30)에서 1245년(고종32) 사이에 河東에서 『鄕藥救急方』을 편찬한 것으로 추측되고 있다(李泰鎭 1999년). 그는 1226년(고종13) 『御醫撮要方』을 편찬한 門下侍中 崔宗峻의 甥姪인데, 이때 그가 假子(義子)로 삼은 崔瑀의 外孫은 金敉(初名은 㝡·脩, 金若先의 子, 金慶孫의 姪)이다(열전22, 金台瑞, 敉→고종 30년 1월 某日).

353) 이는 「金仲龜墓誌銘」에 의거하여 추가한 것인데, 날짜[日辰]는 金仲龜가 자신의 집 서쪽에 있던 鳳顧寺를 重建하고, 1월 29일(晦日, 壬子) 그곳에 가서 滯留한 지 4日만에 逝去하였다고 한 것을 통해 類推하였다. 또 이 날짜는 4일(丙辰)일 수도 있다. 이날(3日乙卯)은 율리우스曆으로 1242년 3월 5일(그레고리曆 3월 12일)에 해당한다.

辛酉[9日], 賜洪之慶等及第.[355)]
[□□[是丹], 北界山中熊羆,[356)] 多入海島:節要·五行2轉載].

五月[壬午朔大盡,丙午], 甲午[13日], 遣侍郞宋彦琦·中郞將李陽俊, 如蒙古.

[六月壬子朔[小盡,丁未], 小暑:追加].

秋七月[辛巳朔大盡,戊申], [癸未[3日], 月犯心前星:天文2轉載].
[丙戌[6日], 熒惑犯鎭星:天文2轉載].[357)]
庚寅[10日], 親設功德天道場于內殿.
[丁酉[17日], 鎭星犯大微[太微]西藩上將:天文2轉載].
[庚子[20日], 月犯五諸侯:天文2轉載].
[某日, 門下侍中崔宗峻, 以年老乞退. 王不允曰, "崔侍中, 筮仕以來, 終始一節, 淸廉奉國. 比來, 國家多故, 議論紛紜, 臨機善斷, 遷都衛社, 功無與比, 豈循常例, 遽令謝事". 遂賜几杖:節要轉載].[358)]

---

354) 坤陵(사적 제371호)은 康宗妃 元德太后의 陵으로 현재 仁川市 江華郡 良道面 吉亭里 산 75번지에 있다(李亨求 2003년 76面 ; 仁川廣域市立博物館 2003년).

355) 이와 관련된 기사로 다음이 있다. 이때 洪之慶·韓惟善(金敞의 國子監試 同年, 『보한집』권하) 등이 급제하였다(『登科錄』; 『前朝科擧事蹟』, 朴龍雲 1990년 ; 許興植 2005년).
- 지27, 선거1, 科目1, 選場, "[高宗]二十九年四月, 樞密院副使金敞知貢擧, 判禮賓省事薛愼同知貢擧, 取進士, □□[辛酉], 賜乙科洪之慶等三人·丙科七人·同進士十七人·明經二人·恩賜八人及第".
- 「薛愼墓誌銘」, "壬寅, 典春官貳席, 所擢皆當世名士".
- 『耳溪集』 권32, 始祖國學直學公墓誌, "此豊山洪氏始祖藏也, 始祖諱之慶, 高麗高宗二十九年壬寅, 以鄕貢登文科狀元, 實宋理宗淳祐二年也, 官至國學直學".

356) 熊羆에 대한 설명으로 다음이 있는데. 褒·斜는 南山의 골짜기[谷]이다.
- 『자치통감』 권32, 漢紀24, 成帝元延 3년(BC10) 3월, "上將大誇胡人以多禽獸, 秋, 命右扶風發民入南山, 西自褒·斜, 東至弘農, 南敺漢中, 張羅罔罝罘, 捕熊羆禽獸[胡三省注, 熊似豕而大, 黑色. 羆似熊, 黃白色, 被髮人立, 而絶有力], 載以檻車, 輸之長楊□[宮]射熊館, …". ~~添字~~는 필자가 추가하였다.

357) 지2, 천문2에는 8월로 되어 있으나, 이달에는 癸未·丙戌·丁酉·庚子가 없고, 7월 또는 9월에 있다. 7월 庚寅(10일)에 功德天道場이 內殿에서 開設된 점을 보아 이들 기사는 7월에 일어난 星變이었을 것이다.

358) 이는 『고려사절요』 권16 ; 열전12, 崔惟淸, 宗峻에 의거하였다. 이에서 宗峻은 宗俊의 다른 표기일 것이다.

八月辛亥朔小盡,己酉，壬子2日，以久旱，徙市.[359)]

癸丑3日，[白露]. 移御離宮.

九月庚辰朔大盡,庚戌，辛巳2日，詔曰，"近道州縣，禾穀不登，民未收獲，其如賦斂斂何，宜遣使審檢".

辛卯12日，幸賢聖寺.

[冬十月庚戌朔小盡,辛亥，丙辰7日，熒惑犯大微太微左執法:天文2轉載].

[某日，詔加中書令·晋江侯崔瑀食邑，進爵爲□□晋江公:節要轉載].[360)]

[十一月己卯朔大盡,壬子:追加].

冬十二月己酉朔，[戊午10日，月犯昴星:天文2轉載].

乙丑17日，蒙古使三十人來.

[○日暈:天文1轉載].[361)]

[○月犯軒轅大星:天文2轉載].

戊辰20日，宴蒙使.

[己巳21日，太白犯羽林:天文2轉載].

庚午22日，[大寒]. 蒙使還，贈金銀·皮幣.

---

359) 일본에서는 이해의 5월에서 6월 初旬에 걸친 霖雨가 끝나고, 6월 4일부터 7월 18일까지 京都에서 旱魃이 있었다고 한다(日本史料5-14册 387, 433面 ; 中央氣象臺 1941年 2册 532面).

· 『平戶記』, 仁治 3년 6월, "八日己未, 終日降雨, 凉氣如冬, 上下各着綿衣, 未曾有事也, □又五月雨之後, 六月霖雨, 世間損亡云々".

· 『皇年代略記』, 仁治 3년, "六月三日大雨洪水, 自去五月洪水大雨"(筆者 未確認).

· 『皇代曆』 권4, 仁治 3년, "自去五月中旬, 六月三日甚雨洪水. 自六月四日, 至七月十六日, 炎署. 七月, 十七八七八十, 兩三日大雨洪水"(筆者 未確認).

· 『歷代皇紀』, 仁治 3년, "自六月四日, 至七月十八日, 炎署"(筆者 未確認). 이들 典籍은 『改定史籍集覽』18, 19책에 수록되어 있으나 위의 기사는 찾아지지 않는다.

· 『興福寺略年代記』, 仁治 3년, "七月十日, 大雨大風. 南圓堂頂上佛面阿彌陀落前机上, 不破損, 不思議也".

360) 이에서 添字는 열전42, 崔忠獻, 怡에 의거하였다("高宗二十九年, 加食邑, 進爵爲公").

361) 江都[江華]에서 해 무리 현상[日暈]이 나타난 이날 일본의 교토[京都]에서 날씨가 흐리고 맑음이 交差하였다고 한다(『平戶記』, 仁治 3년 12월, "十七日乙丑, 陰晴不定").

[某日, 中部南渠[南溪], 有狗兒, 一身·兩臀·六足·二陰:五行2轉載].[362)]

[是年, 大藏都監開板'三世怯千佛名經'·'佛說月燈三昧經'·'大般涅槃經'·'大乘阿毗達磨集論'·'方廣大莊嚴經'·'佛說普曜經'·'悲華經':追加].[363)]

癸卯[高宗]三十年, [只用當該年干支, 江華京十二年], [南宋淳祐三年], [蒙古乃馬眞稱制二年], [西曆1243年]

1243년 1월 22일(Gre1월 29일)에서 124년 2월 9일(Gre2월 16일)까지, 13개월 384일

春正月[戊寅朔大盡,甲寅], [癸未[6日], 木稼:五行2轉載].

[某日, 校尉趙甫壽, 譖其表兄大將軍宋白恭於[中書令·晋康公]崔瑀. 瑀投白恭於江, 拜甫壽爲郞將. ○又有人, 譖將軍金偫, 瑀召偫, 責之曰, "汝集無賴之徒, 欲何爲乎?". 髡首, 流于河東縣, 執偫所親將軍金正曦·平虜鎭副使孫仲秀·茶房安琦等三十五人, 投之江. 偫, 卽瑀外孫晸也:節要轉載].[364)]

[□□[先是], □[偫]以怡[瑀]故, 由[殿中]內給事, 拜守司空·柱國, 怡[瑀]辭以年少不稱, 乃改授將軍. □□[至是], 有人譖敉于怡, 怡召責之曰, "汝集無賴徒, 欲何爲乎?", 髡其首, 流河東. 執其所親將軍金正暉·平虜鎭副使孫仲秀·茶房安琦等三十五人, 投之江:列

---

362) 이 기사에서 中部南渠는 中部管內 南溪坊의 오자일 것이다(朴龍雲 1996년 107面).

363) 이는 다음의 자료에 의거하였다.

- 『三世怯千佛名經』, 末尾刊記, "壬寅歲高麗國大藏都監奉」 勑雕造"(서울대학 도서관 1966년 53面, 筆者 未確認).
- 『佛說月燈三昧經』, 末尾刊記, "壬寅歲高麗國大藏都監奉」 勑雕造"(南權熙 2010년b).
- 『大般涅槃經』 권8, 末尾刊記, "壬寅歲高麗國大藏都監奉」 勑雕造"(圓覺寺 2017년 53面).
- 『大乘阿毗達磨集論』권?, 末尾刊記, "壬寅歲高麗國大藏都監奉」 勑雕造"(京都大學 人文科學研究所, 이 資料는 筆者가 急하게 살펴보았고, 당시 기록했던 것을 保管하지 못했다).
- 『方廣大莊嚴經』 권11,12, 末尾刊記, "壬寅歲高麗國大藏都監奉」 勑雕造".
- 『佛說普曜經』 권1,3, 末尾刊記, "壬寅歲高麗國大藏都監奉」 勑雕造".
- 『悲華經』 권8,10, 末尾刊記, "壬寅歲高麗國大藏都監奉」 勑雕造"(以上 海印寺 2015년).

364) 金偫(初名은 晸, 金若先의 子, 崔瑀의 外孫)는 1247년(고종34) 6월에 金敉로 改名하였다. 이때 그가 安置된 河東縣은 그의 假父(義父) 鄭晏의 鄉里이고, 當時 鄭晏은 가까운 지역인 南海縣에 居住하고 있었다(→고종 28년 是年頃).

傳14金敉轉載].

庚子[23日], 遣樞密院副使崔璘·秘書少監金之岱, 如蒙古, 獻方物.

[某日, 有人告[中書令]崔怡曰, 知奏事金慶孫父子, 欲蠱相公, 且有異志. 怡檢覆, 無實, 乃投告者于江. 怡卽瑀也:節要轉載].[365)]

二月[戊申朔小盡,乙卯], 辛亥[4日], 太白晝見.

壬戌[15日], 燃燈, 親設消災道場.

[乙丑[18日], 虹貫日:天文1轉載].

[○虹貫月:天文2轉載].

戊辰[21日], 遣諸道巡問使, 閔曦于慶尙州道, 孫襲卿于全羅州道, 宋國瞻于忠清州道. [又遣各道山城兼勸農別監, 凡三十七人. 名爲勸農, 實乃備禦也. 巡問使, 尋以煩冗, 請罷勸農別監, 從之:節要·食貨2農桑轉載].[366)]

[甲戌[27日], 流星出尾, 入天際, 大如木瓜, 尾長三尺許:天文2轉載].

三月丁丑朔[大盡,丙辰], 日食.[367)]

辛卯[15日], 幸賢聖寺.

[是月, 改修珍島龍藏山城:追加].[368)]

[夏四月丁未朔[小盡,丁巳]].

夏五月[丙子朔大盡,戊午], [某日, 左倉納晋陽稅貢米. 王以晋陽已爲[中書令]崔怡食邑, 命黜倉別監王仲宣. 所司又請論仲宣及倉官. 怡奏曰, "臣重違上命, 雖已受封, 今年

365) 崔瑀는 이 시기, 곧 1243년(고종30) 1월 23일(庚子) 이후에 崔怡로 改名하였던 것 같다.

366) 이 시기에 閔曦는 千牛衛上將軍·知御史臺事를 歷任하고 있었을 것으로 추측된다(『동문선』 권26, 閔曦爲千牛衛上將軍·知御史臺事官誥).

367) 이날 일본의 京都에서도 日食이 있었다(고려력과 同一, 日本史料5-16册 203面). 이날은 율리우스曆의 1243년 3월 22일이고, 開京에서 일식 현상이 심했던 시간은 10시 13분, 食分은 0.90이었다(渡邊敏夫 1979年 309面).

· 『百練抄』제15, 後嵯峨院, 寬元 1년 3월, "一日丁丑, 日蝕正現".

· 『本朝統曆』권9, 寬元 1년, "三大, 朔丁丑, 巳七, 日蝕, 十分强, 巳一, 午五".

368) 이는 전라남도 珍島郡 郡內面 龍藏里 龍藏山城 西門址에서 출토된 기와명문[瓦銘]에 의거하였다("癸卯三月大匠惠印", 고용규 2018년).

稅貢, 請依舊納倉, 赦仲宣等罪", 王從之:節要轉載].[369)]

乙酉[10日], 還御本闕. 以旱, 赦中外二罪以下, 設雲雨道場于內殿五日.

六月丙午朔[大盡,己未], 王如奉恩寺, 以旱, 去繖·扇.

戊申[3日], 大雨.

[某日, [中書令]崔怡修國學, 納米三百斛于養賢庫:節要轉載].[370)]

[是時, 加設判官四員, 分二員遣庫[養賢庫]屬田地所在, 使勸農輸稅. 令二員在庫監收. 歲終, 國子監考勤慢升黜:百官2養賢庫轉載].

[是月, 右承宣趙伯琪, □□□□□[掌國子監試], 取詩賦韓璟[韓康]等二十人, 十韻詩六十人, 明經二人:選擧2國子試額轉載].[371)]

秋七月[丙子朔小盡,庚申], 某日, 遣柳卿老·丁瑨, 如蒙古.[372)]

[某日], 創興國寺.

八月[乙巳朔大盡,辛酉], 庚午[26日], 宥重刑十六人, 流于島.

○移葬世祖·太祖于江華盖骨洞.

[是月, [斷俗寺住持·禪師]萬宗與鄭晏開板'增補禪門拈頌集'於南海分司大藏都監:追加].[373)]

---

369) 이와 같은 기사가 열전42, 崔忠獻, 怡에도 수록되어 있다.

370) 이와 같은 기사가 열전42, 崔忠獻, 怡에도 수록되어 있다.

371) 韓璟은 韓康의 初名으로, 이 시기 이후에 後者로 改名하였던 것 같다(열전20, 韓康).

372) 丁瑨은 丁克仁(1401~1481)의 5代祖라고 한다.

· 『不憂軒集』卷首, 丁克仁行狀, "公諱克仁, … 公譜之始, 曰晉, 一名瑨, 中生員, 免鄕役, 當高宗朝, 與柳卿老使蒙古, 爲世名臣, 寔五代祖也".

373) 이는 다음의 자료에 의거하였다(『한국불교전서』5책 소수).

· 『禪門拈頌說話』末尾, 增補拈頌跋, "宗門奧旨, 布在方册, 學者耄於披究. 先國師眞覺, 令門人等, 採集古說, 凡一千一百二十五則, 幷拈頌等語要, 編爲三十卷, 鋟木流行. 然諸家語錄, 時未全備, 捃拾未周, 以囑于後. 遷都時, 不遑齎持, 遂失其本. 今曹溪老師翁, [淸眞國師], 因其廢更加商搉, 摭前所未見諸方公案, 添三百四十七則, 欲以重鐫 而因緣未契. 禪師萬宗, [斷俗寺住持], 般若中來, 乘夙願力, 輸賄于海藏分司, 募工彫鏤, 以壽其伝. 囑予爲誌, 姑書始末云. 癸卯[高宗30年]仲秋, 逸庵居士鄭晏跋"」.

"憑, 玆彫刊法宝, 流通功德, 奉祝聖曆, 遐基儲闈. 衍慶晋陽公, 壽算延綿, 身宮怗泰. 于戈息靜, 朝野和平, 自他故誤殺傷巨細物命, 三世結構, 萬類寃讎, 滅盡惡心, 廻投善道, 及予今未來世, 離諸橫難, 不滯他途, 常生勝族, 肢根究備, 相好精殊, 業障消除, 聰智発明, 窮佛祖教, 悟自心, 廣洎群迷, 徑超極樂願者. 斷俗寺住持·禪師萬宗記」".

閏[八]月乙亥朔小盡,辛酉, [丁丑3日, 太白犯軒轅:天文2轉載].
丁亥13日, 幸賢聖寺.
己亥25日, 幸王輪寺.

九月甲辰朔大盡,壬戌, [己酉6日, 大雪以雷:五行1雨雪轉載].
壬戌19日, 幸妙通寺.
庚午27日, 設消災道場于內殿.
[○大雷電:五行1雷震轉載].
[某日, 中書令崔怡遣大司成宋國瞻·諫議□□~~大夫~~洪鈞, 相安南□□□~~都護府~~地, 欲鑿渠通海. 不可, 乃止:節要轉載].[374]
[□癸, 東海中有島, 名蔚陵, 地膏沃, 多珍木海錯, 以水程遠, 絶往來者久. 中書令崔怡遣人視之, 有屋基, 破礎宛然. 於是, 移東郡民實之. 後以風濤險惡, 人多溺死, 罷其居民:列傳42崔怡轉載].
壬申29日, 金州防禦官報, 日本國獻方物, 又歸我漂風人.

冬十月甲戌朔小盡,癸亥, 丙子3日, 移御離宮.
癸巳20日, 蒙古使伊加大·阿土·奴巨等二十四人來.
甲午21日, 宴蒙使.
[○白虹貫日:天文1轉載].
丁酉24日, 龍山別監朴益儒, 剝民聚斂~~聚斂~~, 法司考覈私用, 折徵絹一百五十四, 流海島.

十一月癸卯朔大盡,甲子, 甲辰2日, 親設消災道場于內殿.
己酉7日, 還御本闕.
[某日, 中書令崔怡宴宰樞於私第, 夜分乃罷.:節要轉載].

十二月癸酉朔小盡,乙丑, [某日, 中書令崔怡於西山, 私伐氷藏之, 發民輸氷, 民甚苦之. 又移安養山柏樹, 植家園. 安養山去江都, 數日程, 使門客·將軍朴承賁等督之. 時

374) 이와 같은 기사가 열전42, 崔忠獻, 怡에도 수록되어 있다.

方冱寒，役徒有凍死者，沿路郡縣，棄家登山，以避其擾．有人牓昇平門云，“人與柏孰重?”:節要轉載].[375)]

甲申[12日]，遣郎中柳卿老，如蒙古．

[某日，流□□[禮部]侍郎李需于島．需妻亡，服未闋，通其妻姪之婦，其婦謀害其夫，事覺，竝配島．需以文學知名，而穢行至此，人皆醜之:節要轉載].

[→[李需，] 仕至尙書禮部侍郎．妻亡，服未闋，通妻姪之婦，婦謀害其夫，事覺，並流海島，又錄其婦遊女籍．需以文學知名，穢行如此，人皆醜之:列傳15李需轉載].

[是年，以判禮賓省事薛愼爲東北面兵馬使:追加].[376)]

[○以吳子兪爲永州副使:追加].[377)]

[○以元傅爲中原牧司錄:追加].[378)]

[○大藏都監奉勅彫造‘大乘起信論疏’·‘大乘阿毗達磨集論’·‘佛說普曜經’·‘悲華經’·‘入楞伽經’·‘大方等大雲經請雨品’·‘大毘盧遮那成佛神變加持經’·‘別譯雜阿含經’·‘根本說一切有部苾芻尼毗奈耶’:追加].[379)]

[○分司南海大藏都監奉勅彫造‘佛說無上依經’·‘宗鏡錄’:追加].[380)]

---

375) 이 기사가 열전42, 崔忠獻, 怡에는 1234년(고종21)에 정리되어 있으나 오류일 것이다.

376) 이는 「薛愼墓誌銘」에 의거하였다.

377) 이는 『영천선생안』에 의거하였다.

378) 이는 「元傅墓誌銘」에 의거하였다.

379) 이는 다음의 자료에 의거하였다.
- 『大乘起信論疏』, 末尾刊記, “癸卯歲高麗國大藏都監奉」 勅雕造」”(李智冠 1993년 218面).
- 『大乘阿毗達磨集論』, 말미간기, “癸卯歲高麗國大藏都監奉」 勅雕造”(以上 京都大學 人文科學硏究所).
- 『佛說普曜經』 권2, 말미간기, “癸卯歲高麗國大藏都監奉」 勅雕造”.
- 『悲華經』 권4,5,6,7,9, 말미간기, “癸卯歲高麗國大藏都監奉」 勅雕造”.
- 『入楞伽經』 권1~4, 6~10, 말미간기, “癸卯歲高麗國大藏都監奉」 勅雕造”.
- 『大方等大雲經請雨品』 권64, 말미간기, “癸卯歲高麗國大藏都監奉」 勅雕造”.
- 『大毘盧遮那成佛神變加持經』 권4~6, 말미간기, “癸卯歲高麗國大藏都監奉」 勅雕造”.
- 『別譯雜阿含經』 권9~12, 말미간기, “癸卯歲高麗國大藏都監奉」 勅雕造”.
- 『佛說大安般守意經』권상하, 말미간기, “癸卯歲高麗國大藏都監奉」 勅雕造”.
- 『根本說一切有部苾芻尼毗奈耶』 권3,말미간기,“癸卯歲高麗國大藏都監奉」 勅雕造”(以上 海印寺 2015년).

380) 이는 分司南海大藏都監과 大藏都監이 간행했던 『高麗大藏經』의 刊記 정리한 업적에 의거하였다(崔然柱 2013년 ; 崔永好 2018년).

甲辰[高宗]三十一年, [只用當該年干支, 江華京十三年],381)

[南宋淳祐四年], [蒙古乃馬眞稱制三年], [西曆1244年]

1244년 2월 10일(Gre2월 17일)에서 1245년 1월 29일(Gre2월 5일)까지, 355일

[春正月壬寅朔大盡,丙寅, 丁巳16日, 月食:天文2轉載].382)

[某日, 以朴景弼爲慶尙道按察使:慶尙道營主題名記].

春二月壬申朔小盡,丁未, 癸酉2日, 有司劾奏, "前濟州副使盧孝貞·判官李珏, 在任時, 日本商船遇颶風, 敗於州境, 孝貞等, 私取綾絹·銀珠等物". 徵孝貞銀二十八斤·珏二十斤, 流于島.

丁丑6日, 納新安公佺女, 爲太子妃, 以前妃卒也.

乙酉14日, 燃燈, 王如奉恩寺.

丁亥16日, 曲宴, 中書令崔怡進假面人雜戲, 賜銀甁人一口, 又賜妓綾各二匹.

三月辛丑朔大盡,戊辰, 戊申8日, 幸賢聖寺.

夏四月辛未朔小盡,己巳, 壬辰22日, [芒種]. 遣員外郎任絪壽·郎將張益成, 如蒙古.

· 『宗鏡錄』 권27, 刊記, "丁未歲高麗國分司南海大藏都監開板".

381) 이해의 年紀를 年號로 쓰지 않고 甲子로만 표기한 사례로 다음이 있다. 또 이해는 당시의 稱元法으로 1244년[23代 帝王, 高宗 32년 甲辰]이다.

· 『湖山錄』 권4, 興輪寺大鍾銘幷序, "高麗二十三葉, 明王在宥三十二年龍集甲辰九月二十七日".

382) 이날 일본의 京都와 鎌倉에서도 皆旣月食이 있었다고 한다(高麗曆과 同一, 日本史料5-17册 175面). 이날은 율리우스력의 1244년 2월 25일이고, 월식 현상이 심했던 때의 世界時는 9시 36분, 食分은 1.82이었다(渡邊敏夫 1979年 480面).

· 『百練抄』제15, 後嵯峨院, 寬元 2년 1월, "十六日丁巳, 月蝕正現, 踏歌節會, 復末以後被行之. 但無御出云々".

· 『平戶記』, 寬元 2년 1월, "十六日丁巳, 陰晴不定, … 今夜月蝕也, 諸道勘申剋限ニハ相違, 帶蝕出東嶺, 皆虧之間, 如法如暗夜, 亥剋許復末歟".

· 『妙槐記』, 寬元 2년 1월, "十六日丁巳, 陰晴陰, … 月蝕, 曆道所注皆虧, 々初未八剋, 廿八分半, 加時酉剋, 廿九分, 復末戌四剋, 十二分半云々".

· 『吾妻鏡』제35, 寬元 2년 1월, "十六日丁巳, 天晴, 自朝至戌刻, 更無一雲, 臨月蝕之期, 自未申方, 片雲漸聳, 忽覆普天, 細雨頻降, 復末以後, 朗月早現".

· 『本朝統曆』 권9, 寬元 2년, "正十六望, 申八, 月蝕, 皆旣, 未六, 戌二".

丁酉[27日], 賜魏珣等及第.[383)]

[五月庚子朔[大盡,庚午]:追加].

六月庚午朔[小盡,辛未], 王如奉恩寺.

秋七月[己亥朔大盡,壬申], 乙巳[7日], 蒙古使阿土等來.
丙午[8日], 宴蒙使.
[癸丑[15日], 月食:天文2轉載].[384)]
[庚申[22日], 月犯五車南星:天文2轉載].
[某日, 以崔□[某]爲慶尙道按察使, 郎將申着爲□□道按察使:慶尙道營主題名記].
[某日, [中書令]崔怡, 以郎將申着爲按察使, 右正言李僐, 以爲不可, 上書劾之. 怡怒, 貶僐爲延州副使, 督令之任:節要轉載].

八月庚午朔[~~己巳朔~~大盡,癸酉], 宥死囚九人, 配島.[385)]

---

383) 이와 관련된 기사로 다음이 있는데, 이에서 洪均은 洪鈞의 오자일 것이다. 1250년(고종37, 庚戌) 건립된 「月南寺趾眞覺國師圓炤塔碑」 ; 『보한집』권상 ; 『동문선』 권23, 卒知門下省事洪鈞弔書 등에는 모두 洪鈞으로 되어 있다(원종 10년 10월 9일).
- 지27, 선거1, 科目1, 選場, "[高宗]三十一年四月, [守司空·]左僕射任景肅知貢擧, 秘書監洪均[洪鈞]同知貢擧, 取進士, □□[丁酉], 賜魏珣等三十二人·明經二人·恩賜九人及第".
- 『동인지문오칠』, 李平章奎報五十首, "奎報, … 孫益培, [高宗]甲辰, 魏珣牓登科, 官至奉翊大夫". 이때 魏珣(冲止)·李益培·閔滉 등이 급제하였는데(『登科錄』, 朴龍雲 1990년 ; 許興植 2005년), 魏珣(혹은 文愷, 文凱)은 1254년(고종41) 出家하여 禪源社에 들어가 法名을 法桓으로 하였다가 다시 冲止로 바꾸었다(『松廣寺史庫』, 曹溪山修禪社第六世贈諡圓鑑國師塔碑銘 ; 『圓鑑錄』, 圓鑑國師塔碑銘).

384) 이날 宋에서도 월식이 있었고(『송사』 권52, 지5, 천문5, 月食), 일본의 京都에서도 皆既月食이 있었다(高麗曆과 同一, 日本史料5-17册 427面). 이날은 율리우스력의 1244년 8월 19일이고, 월식 현상이 심했던 때의 世界時는 17시 50분, 食分은 1.78이었다(渡邊敏夫 1979年 480面).
- 『平戶記』, 寬元 2년 7월, "十五日癸丑, 晴, … 今夜月蝕也, … 子刻許令蝕云々, 皆虧, 一年中兩度皆虧, 稀有事也, 寅終復末云々".
- 『吾妻鏡』제35, 寬元 2년 7월, "十五日癸丑, 月蝕正現, 皆虧也".
- 『本朝統曆』 권9, 寬元 2년, "七十五夜望, 子八, 月蝕, 皆既, 亥七, 寅初".

385) 庚午朔은 宋曆·日本曆(己巳朔)에서 2日에 해당되어 1일의 차이가 있다. 그런데 이해의 6월(小盡)이 庚午朔이고, 7월 癸丑에 월식이 있었다. 7월(大盡)이 己亥朔이어야 癸丑(15日)의 月食이 적합하게 되며, 宋과 일본에서도 이날 월식이 있었다(『송사』 권52, 지5, 천문5, 월식). 그러

是月，改創康安殿.

[○[中書令]崔怡，以黃綾粧[康安殿]後壁，使將軍崔峘，寫無逸篇，賞賜甚多．峘，大卿任景純之子，怡養以爲子，改姓焉．峘善書，怡愛重之，性貪鄙，恃勢恣橫:節要轉載].[386)]

[→大卿任景純□[之]子峘，善書，怡愛之，養以爲子，改姓崔，授將軍．峘，性貪鄙，恃勢恣橫．怡嘗以私織全幅黃綾，粧康安殿後壁障子，令峘寫無逸篇，王見而嘉之，賞賜甚多:列傳42崔怡轉載].

[是月癸酉[5日]，[前國子祭酒]鄭晏開板'金剛三昧經論':追加].[387)]

[九月己亥朔[小盡,甲戌]:追加].

[十月戊辰朔[大盡,乙亥]:追加].

[十一月戊戌朔[小盡,丙子]:追加].

[十二月丁卯朔[大盡,丁丑]:追加].

[是年，以盧演爲東京副留守:追加].[388)]

[○以姜由敘爲永州判官:追加].[389)]

[○僧惠永赴王輪寺選佛場，登科:追加].[390)]

[○大藏都監奉勅彫造'阿毗達磨品類足論'·'十誦律'·'根本說一切有部苾芻尼毗奈耶'·'彌沙塞部和醯五分律'·'阿毗達磨大毗婆沙論'·'阿毗達磨順正理論'·'佛說如來不思議秘密大乘經':追加].[391)]

므로 8월(大盡)은 庚午朔이 될 수 없고, 송력·일본력과 같이 己巳朔이어야 옳게 될 것이다.

386) 大卿任景純은 그의 父 任濡列傳에는 判司宰寺事任景恂으로 달리 表記되어 있다(열전16, 任懿, 濡). 여기에서 大卿이 七寺三監(中原의 五監九寺)의 長官인 判事, 卿, 監을 指稱하는 것임을 알 수 있다(→예종 7년 8월 24일의 脚注).

387) 이는 다음의 자료에 의거하였다(海印寺 所藏, 崔永好 2018년).
 · 『金剛三昧論』권하, 제60장, 題記, "伏爲，寶祚無疆，儲闈凝慶，氛鹿永寢，朝野昇平．晋陽公，福海等濬，壽岳齊高．次願，孀親洎及佛奴，變呻爲謳，樓板印施，重念此経，出自虯宮，發起因於疾病．更願，普及法界，含生往生，不聞疾病之音，不處胞胎，常遊諸佛，爭妙國土爾．甲辰八月初五日，優婆塞鄭晏誌".

388) 이는 『동도역세제자기』; 『湖山錄』 권4에 의거하였다.

389) 이는 『영천선생안』에 의거하였다.

390) 이는 「桐華寺住持五敎都僧統普慈國尊贈謚弘眞碑銘」에 의거하였다(金石總覽 596面).

391) 이는 다음의 자료에 의거하였다.

[○分司大藏都監奉勅彫造‘阿毘曇毘婆沙論’·‘法苑珠林’[392]·‘佛說光明童子因緣經’·‘佛說入無分別法門經’·‘佛說寶帶陀羅尼經’·‘『佛說金身陀羅尼經’·‘六十頌如理論’·‘佛說金剛場莊嚴般若波羅蜜多教中一分’·‘歷代三寶紀’[393]·‘大唐西域記’:追加].[394]

乙巳[高宗]三十二年, [只用當該年干支, 江華京十四年],

[南宋淳祐五年], [蒙古乃馬眞稱制四年], [西曆1245年]

1245년 1월 30일(Gre2월 6일)에서 1246년 1월 18일(Gre2월 25일)까지, 3일

[春正月丁酉朔小盡,戊寅, 丁未11日, 歲星犯大微太微西藩上將:天文2轉載].

· 『阿毗達磨品類足論』, 末尾刊記, “甲辰歲高麗國大藏都監奉」勅雕造”(京都大學 人文科學研究所).
· 『十誦律』 권8~59, 말미간기, “甲辰歲高麗國大藏都監奉」勅雕造”.
· 『根本說一切有部苾芻尼毗奈耶』 권1,2,4, 말미간기, “甲辰歲高麗國大藏都監奉」勅雕造”.
· 『彌沙塞部和醯五分律』 권11~14, 말미간기, “甲辰歲高麗國大藏都監奉」勅雕造”.
· 『阿毗達磨大毗婆沙論』 권155~157, 166~170, 말미간기, “甲辰歲高麗國大藏都監奉」勅雕造”.
· 『阿毗達磨順正理論』 권71,72,74,75, 말미간기, “甲辰歲高麗國大藏都監奉」勅雕造”.
· 『佛說如來不思議秘密大乘經』 권11~20, 말미간기, “甲辰歲高麗國大藏都監奉」勅雕造”(以上 海印寺 2015년).

392) 이는 다음의 자료에 의거하였다.
· 『法苑珠林』 권15~17,21,22,25,26, 말미간기, “甲辰歲高麗國分司大藏都監奉」勅雕造”.
· 『佛說光明童子因緣經』 권1~4, 말미, “甲辰歲高麗國分司大藏都監奉」勅雕造”.
· 『佛說入無分別法門經』, 말미, “甲辰歲高麗國分司大藏都監奉」勅雕造”.
· 『佛說寶帶陀羅尼經』, 말미, “甲辰歲高麗國分司大藏都監奉」勅雕造”.
· 『佛說金身陀羅尼經』, 말미, “甲辰歲高麗國分司大藏都監奉」勅雕造”.
· 『六十頌如理論』, 말미, “甲辰歲高麗國分司大藏都監奉」勅雕造”.
· 『佛說金剛場莊嚴般若波羅蜜多教中一分』, 말미, “甲辰歲高麗國分司大藏都監奉」勅雕造”(以上 海印寺 2015년).

393) 이는 다음의 자료에 의거하였다.
· 『阿毘曇毘婆沙論』 권11, 권말간기, “甲辰歲高麗國分司大藏都監奉」勅彫造”.
· (日本) 朱印 ‘清音寺’, 墨書, ‘前駿州太守源朝臣義堅修復之」 于時寶德四年壬申季春日」’(大谷大學圖書館 編 1997年 9面).
· 『歷代三寶紀』 권11,12,13,15, 말미간기, “甲辰歲高麗國分司大藏都監奉」勅雕造”(海印寺 2015년).

394) 『大唐西域記』는 필자가 교토대학 문학부 도서관에 소장된 日帝强占期에 印行된 拓本 册을 조사한 것이다(印度哲學專攻 大型版 書架, 厚紙, 裝秩, 縱橫, 39×27cm, 版本, 34×21cm 정도).
· 『大唐西域記』4책, 권1~권12, “甲辰歲高麗國分司大藏都監奉」勅雕造」”. 이에서 권2(제1책)에는 “甲辰歲高麗國大藏都監奉」勅雕造”로 되어 있으나 分司가 생략되었을 것이다.

[辛亥[15日], 月食:天文2轉載].[395)]

[某日, 以李陽俊爲慶尙道按察使:慶尙道營主題名記].

[是月辛亥[15日], 雨水. [前國子祭酒]鄭晏開板'大方廣佛華嚴經入不思議解脫境界普賢行願品':追加].[396)]

[二月[丙寅朔大盡,己卯], 庚午[5日], 月犯昴星:天文2轉載].

[甲戌[9日], □[月]入五諸侯東第二星:天文2轉載].

[戊寅[13日], □[月]犯軒轅大星:天文2轉載].

春三月[丙申朔小盡,庚辰], [辛亥[16日], 天狗墮松嶽北:天文2轉載].

[甲寅[19日], 土星犯大微[~~太微~~]東藩上相:天文2轉載].

甲子[29日晦], 幸乾聖·福靈二寺.

[○江都見子山北里民家八百餘戶火. 老弱焚死者八十餘人, 連燒延慶宮·法王寺·御醬庫·大常府[~~太常府~~]·輸養□[帳]都監:五行1火災·節要轉載].

[是月某日, [前國子祭酒]鄭晏開板'金剛般若波羅密經'. 時晏居南海縣:追加].[397)]

夏四月乙丑朔[小盡,辛巳], 宰樞奏, "撤左右倉及文籍·□□[~~錢穀~~]所藏官廨旁近人家□[~~各~~]五

395) 이날 일본의 京都와 鎌倉에서도 월식이 있었다(高麗曆과 同一, 日本史料5-18册 369面). 이날은 율리우스력의 1245년 2월 13일이고, 월식 현상이 심했던 때의 世界時는 10시 27분, 食分은 0.47이었다(渡邊敏夫 1979年 480面).

· 『百練抄』제15, 寬元 3년 1월, "十五日辛亥, 今夜月蝕也, 正現云々".

· 『平戶記』, 寬元 3년 1월, "十五日辛亥, 陰晴不定 … 今夜月蝕以已正現, 虧初酉二刻, 七十分, 加時戌初剋, 十一分, 蝕大分八分, 半强, 復末戌五剋, 五十八分也".

· 『吾妻鏡』제35, 寬元 3년 1월, "十五日辛亥, 月蝕正見".

· 『本朝統曆』, 寬元 3년, "正十五望, 酉六, 月蝕, 九分弱, 申八, 戌五".

396) 이는 다음의 자료에 의거하였다(海印寺 所藏, 國寶 第206-6號, 崔然柱 2005년b ; 林基榮 2009년 ; 崔永好 2018년).

· 『大方廣佛華嚴經入不思議解脫境界普賢行願品』, 第11張, 題記, "… 」 至乘次願,往同生極樂, 豈不快哉.乙巳」 正月望日,優婆塞鄭晏誌」".

397) 이는 다음의 자료에 의거하였다(海印寺 所藏, 國寶 第206-7號, 李智冠 1993년 ; 崔然柱 2005년b·2015년 ; 林基榮 2009년 ; 崔永好 2018년).

· 『金剛般若波羅密經』題記, "伏爲四恩·三有,法界含生,乘此慧」 船,不處胞胎,常遊」 十方諸佛國土,鏤木印施云,乙巳」 三月日,優婆塞鄭晏誌」".

十尺，以備火災".

[→宰樞奏，"撤左右倉及文籍·錢穀所藏官廨旁近人家各五十尺，以備火災":節要轉載].[398]

[壬申8日:比定]，中書令崔怡，以八日燃燈，結綵棚，陳伎樂百戲，徹夜爲樂，都人士女，觀者如堵:節要轉載].[399]

[→高宗三十二年四月八日，中書令崔怡燃燈，結彩棚，陳伎樂百戲，徹夜爲樂，都人士女，觀者如堵:列傳42崔怡轉載].

己卯15日，遣員外郎朴隨·郎將崔公璿，如蒙古.

庚辰16日，幸王輪寺.

[五月甲午朔大盡,壬午，某日，中書令崔怡，宴宗室□守司空已上及宰樞於其第，置彩帛山，張羅幃，中結鞦韆，飾以文繡綵花，以八面銀釦貝鈿，四大盆，各盛氷峯，又四大樽，滿揷紅紫芍藥十餘品，氷花交映，表裏燦爛，陳伎樂百戲. 八坊廂工人一千三百五

---

398) 이 記事가 "左右倉과 文籍·錢穀을 저장한 建物隣近 50尺 以內의 民家를 철거하여 火災에 對備하자"라는 내용이라면, "撤左右倉及文籍·錢穀所藏官廨旁近各五十尺以內人家"로 字句를 바꾸어야 할 것이다.

399) 佛誕日인 4월 8일에 거행된 燃燈은 『고려사』에 기록된 바가 거의 없지만, 조선 시기의 기록을 통해 볼 때 上元의 觀燈과 비슷하게 全國의 都會地에서 盛行되었던 것 같다. 또 朝鮮前期에 農民들은 14일[上元前一日] 달의 狀態를 보아 그 해의 豊凶을 예측했다고 하는데, 고려시대에도 마찬가지였을 것이다(『佔畢齋集』詩集권12, 上元前一日, 因待客, 獨坐海平東軒至暮[注, 農家, 是日望月, 占年]).

· 『佔畢齋集』詩集권15, 四月初八日, 雨, [注, 郡守令民, 皆張燈, 違者有罰, 民無油者, 縛松明, 炬於長竿上, 達夜].

· 『汾西集』 권8, 西京感述幷銘, 其二十七[注, 西京家家, 先貯百尺高竿, 每遇四月八日, 每竿或挂二燈, 或三四, 閭井如晝, 三夜始罷](1638년, 平壤府).

· 『于郊堂遺集』 권3, 四月八日夕, 望見蓬島亭, 張燈宴集(17세기 중반, 全州府 高山縣).

· 『立齋遺稿』 권1, 觀燈行, "維歲四月八, 觀燈城南陌, …"(18世紀前般 京城).

· 『海左集』 권12, 四月八日夜,觀村舍懸燈, "生佛辰重屆, 觀燈俗舊傳, 高竿家競出, 初夜月俱懸, 豈比京華盛, 猶供兒女憐, 老夫揞杖立, 垂白感流年"(18세기 후반 추정, 村舍).

· 『秋齋集』 권8, 歲時記, 四月初八日, "諸梵宮皆作浴佛會, 是夜大張燈, 自初一二三四五六七日, 家家立燈竿, 高有數十丈, 竿頭注雉尾懸錦旛, 爭奇務勝, 至夜如火海[注, 云慶佛生, 取光明照十方之意, 始自高麗"(19세기 전반).

· 『修堂遺集』冊1, 詩, 咸山館觀燈行, "四月八日, 浴佛辰, 東俗燃燈似上元, 古來咸關擅繁華, 環城內外萬餘家, 家家蠟炬明如晝, 疊山層棚堆錦繡, 朶朶春林綴新葩, 點點晴旻排列宿, 縱橫聯絡十數里, 士女匝沓曳珠優, …"(19세기 후반, 咸興).

十餘人, 皆盛飾, 入庭奏樂, 絃歌鼓吹, 轟震天地. 八坊廂, 各給白銀三斤, 伶官兩部·伎女·才人, 皆給金帛, 其費鉅萬:節要轉載].[400)]

[→五月, 中書令崔怡, 宴宗室□守司空以上及宰樞, 結綵棚爲山, 張繡幕羅幃, 中結鞦韆, 飾以文綉綵花. 設大盆四, 盛冰峯, 盆皆銀釦貝鈿, 大尊四, 插名花十餘品, 眩奪人目. 陳伎樂百戱, 八坊廂工人一千三百五十餘人, 皆盛飾, 入庭奏樂, 絃歌鼓吹, 轟震天地. 怡給八坊廂, 白金各三斤, 又給伶官兩部·伎女·才人金帛, 其費鉅萬:列傳42崔怡轉載].

[史臣曰, "八坊廂者, 國朝之大平太平盛事也. 今蒙兵侵擾, 竄入海島, 社稷僅存, 實君臣同憂, 若涉淵氷之日也. 而怡, 乃盜竊國柄, 妄矜侈大, 略無畏忌, 罪固不容誅矣":節要轉載].

[是月, 左承宣庾弘, □□□□□掌國子監試, 取詩賦閔陽宣等二十九人, 十韻詩朴文正等五十八人, 明經二人:選擧2國子試額轉載].[401)]

[○晋陽府鑄成昌福寺飯子一座:追加].[402)]

[是月頃, 中書令崔怡造成禪源社殿宇:追加].[403)]

六月甲子朔小盡,癸未, 王如奉恩寺.

○□守司空琪卒.[404)]

---

400) 伶官은 樂工을 가리키고(→태조 10년 11월의 脚注), 伎女(기녀)는 歌舞를 담당하던 女人으로 추측된다.

· 『후한서』 권55, 章帝八王傳第45, 千乘貞王 伉, "… 太后立桓帝弟蠡吾侯悝爲渤海王, 奉鴻祀. 延熹八年, 悝謀爲不道, 有司請廢之. 桓帝不忍, 乃貶爲廮陶王, 食一邑, … 憙平元年, … 遂詔冀州刺史收悝考實, 又遣大鴻臚持節與宗正·廷尉之渤海, 迫責悝. 悝自殺. 妃·妾十一人, 子女七十人, 伎女二十四人, 皆死獄中. 傅·相以下, 以輔導王不忠, 悉伏誅".

401) 庾弘은 尙書右僕射 庾資諒의 孫, 尙書左僕射 庾敬玄의 子로서 左承宣·禮部侍郎·直寶文閣·知制誥를 역임하였다(庾自惘墓誌銘 ; 李德孫妻庾氏墓誌銘 ; 洪奎妻金氏墓誌銘).

402) 이는 「昌福寺飯子」의 銘文에 의거하였는데, 이 靑銅飯子는 무게[重量] 99.5kg 정도, 바깥둘레[外徑] 81.0cm, 측면의 높이[總厚] 20.0cm이다. 이 飯子는 後日 對馬島로 搬出되어 1357년(공민왕6, 正平12) 多久頭魂神社(長崎縣 對馬市 嚴原町 豆酘에 位置)에 懸架되었다고 하는데, 搬出의 통로는 알 수 없다(九州國立博物館 2017年).

· 「昌福寺飯子」, 側面緣部의 銘文, "禪源乙巳五月日,晋陽府鑄成□昌福寺飯子一印".

403) 이는 다음의 자료에 의거하였는데, 禪源社는 현재의 仁川市 江華郡 禪源面 智山里 692-1에 있다(史跡 第259號).

· 『동문선』 권117, 臥龍山慈雲寺王師贈諡眞明國師碑銘幷序, "… 乙巳歲, 晋陽公創禪源社, 大張落成會, 請師主盟, 明年丙午, 師領精鍊衲子二百赴京師, 入禪源, …".

[甲戌[11日], 月犯房第二星:天文2轉載].
[丁丑[14日], □[月]入南斗魁中:天文2轉載].
戊寅[15日], 王受菩薩戒.

秋七月癸巳朔[大盡,甲申], 日食, 旣.[405)]
[戊申[16日], 月食:天文2轉載].[406)]
[某日, 以李繼孝爲慶尙道按察使:慶尙道營主題名記].

八月[癸亥朔大盡,乙酉], 戊辰[6日], 宥死罪十六人, 配島.
乙酉[23日], 太子以詩題, 試國子諸生, 取求仁齋生高季稜等, 以補宮僚.
[丙戌[24日], 月犯輿鬼東北星:天文2轉載].

[九月[癸巳朔小盡, 丙戌], 戊戌[6日], 大雨, 雷電, 暴風飛瓦:五行2轉載].
[己亥[7日], 寒露. 月犯南斗魁第四星:天文2轉載].
[壬寅[10日], 流星自西抵東, 大如缶, 尾長十餘尺:天文2轉載].

---

404) 이날은 율리우스曆으로 1245년 6월 26일(그레고리曆 7월 3일)에 해당한다.

405) 이날 일본의 교토[京都]에서는 降雨로 인해 일식이 보이지 않았다고 한다(高麗曆과 同一, 日本史料5-19册 40面). 이날은 율리우스력의 1245년 7월 25일이고, 개경에서 일식 현상이 심했던 시간은 16시 34분, 食分은 0.93이었다(渡邊敏夫 1979年 309面).
- 『百練抄』제15, 寛元 3년 7월, "一日癸巳, 雷鳴雨降, 日蝕也, 依雨不現之. 日蝕御祈御讀經定也, 春宮權大夫顯親卿參行之".
- 『平戶記』, 寛元 3년 7월, "一日癸巳, 今日々蝕也, 虧初申四剋, 六十一分, 加時酉一剋, 五十九分, 蝕大分十三分, 半蝕, 復末戌一剋六十四分, 之由, 兼勘申之".
- 『吾妻鏡』 권35, 寛元 3년 7월, "一日癸巳, 天霽, 日蝕現".
- 『本朝統曆』 권9, 寛元 3년, "七大, 朔癸巳, 申三, 日蝕, 十三分約, 未五, 酉五".

406) 이날 宋에서도 월식이 있었고(『송사』 권52, 지5, 천문5, 月食), 일본의 교토와 가마쿠라[鎌倉]에서도 월식이 있었다(高麗曆과 同一, 日本史料5-19册 57面). 이날은 율리우스曆의 1245년 8월 9일이고, 월식 현상이 심했던 때의 世界時[標準時]는 10시 43분, 食分은 0.67이었다(渡邊敏夫 1979年 480面).
- 『百練抄』제15, 寛元 3년 7월, "十六日戊申, 月蝕也, 正現".
- 『平戶記』, 寛元 3년 7월, "十六日戊申, 朝間雨猶不霽, 子巳剋許漸止, … 今夜月蝕也, 虧初酉一剋, 加酉六剋, 蝕大分八分, 半强, 復末戌二剋, 五十二分, 今夜初陰晴不定, 夜深晴, 蝕初依浮雲不分, 晴雲隙正現云々".
- 『吾妻鏡』 권35, 寛元 3년 7월, "十六日戊申, 月蝕正見".
- 『本朝統曆』 권9, 寛元 3년, "七十六望, 酉六, 月蝕, 八分姜, 酉二, 戌三".

冬十月壬戌朔大盡, 丁亥, [癸亥2日, 雷雨:五行2轉載].[407)]

[○北界溪澗·江河, 氷厚至四五尺, 忽坼裂流下, 父老以爲, 狄兵入境之兆:節要轉載].[408)]

[丁卯6日, 流星自西抵東, 大如木瓜:天文2轉載].

壬午21日, 遣新安公佺·大將軍皇甫琦, 如蒙古.

[十一月壬辰朔大盡,戊子:追加].

[十二月壬戌朔小盡,己丑:追加].

[是年, 中書令崔怡創建禪源社於江華京:追加].[409)]

[○以金慶爲永州判官:追加].[410)]

[○以蔡仁揆爲試儀仗府散員:追加].[411)]

[○大藏都監奉勑雕造'大慈恩寺三藏法師傳'·'舍利弗阿毗曇論'·'弥沙塞五分戒本'·'內典隨函音䟽'·'大方廣佛華嚴經'·'文殊師利發願經'·'六菩薩亦當誦持經'·'阿毗達磨品類足論'·'牟梨曼陀羅呪經'·'蘇悉地羯羅供養法'·'阿毗達磨順正理論'·'法句譬喩經'·'大周刊定衆經目錄'·'開元釋敎錄'·'弘明集'·'大乘理趣六波羅蜜多經'·'大華嚴長者問佛那羅延力經'·'般若波羅蜜多心經'·'內典隨函音䟽':追加][412)]

---

407) 이날 일본의 교토에서도 밤에 비가 내렸다고 한다.
- 『平戶記』, 寬元 3년 10월, "二日癸亥, 朝晴夕陰夜雨, 終夜不休, 長夜曙畢".

408) 이와 같은 기사로 다음이 있으나 脫字가 발생하였다(盧明鎬 等編 2016년 429面). 1235년(고종 22) 10월에는 癸亥라는 日辰이 없다.
- 지7, 오행1, 水, 水變, "高宗二十二年四月庚午, 慈州池水. 三日變色鳴吼, 陷漏盡涸. □□□□三~~十三年~~十月癸亥2日, 北界溪澗江河, 冰厚至四五尺, 忽拆裂坼裂流下. 父老以謂, 狄兵入境之兆".

409) 이는 是年 5月 是月頃의 각주와 같다.

410) 이는 『영천선생안』에 의거하였다.

411) 이는 「蔡仁揆墓誌銘」에 의거하였다.

412) 이는 다음의 자료에 의거하였다.
- 『舍利弗阿毗曇論』 권28,29,30, 末尾刊記, "乙巳歲高麗國大藏都監奉」 勅雕造」.
- 『弥沙塞五分戒本』, 말미, "乙巳歲高麗國大藏都監奉」 勅雕造」.
- 『內典隨函音䟽』 권490, 말미, "乙巳歲高麗國大藏都監奉」 勅雕造」(以上 清州古印刷博物館 2010년 26,29,33面).
- 『大方廣佛華嚴經』 권3, 9, 말미, "乙巳歲高麗國大藏都監奉」 勅雕造」.
- 『文殊師利發願經]』, 말미, "乙巳歲高麗國大藏都監奉」 勅雕造」.

[○分司大藏都監奉勅彫造'成實論'·'天台三大部補注'·'祖堂集'·'華嚴經探玄記':追加[413])

[是年, 帝定宗命阿母罕, 將兵, 與洪福源, 共拔威州平虜城:追加].[414])

丙午[高宗]三十三年, [只用當該年干支, 江華京十五年],

[南宋淳祐六年], [蒙古乃馬眞稱制五年→7月定宗元年], [西曆1246年]

1246년 1월 19일(Gre1월 26일)에서 1247년 2월 6일(Gre2월 13일)까지, 13개월 384일

春正月辛卯朔大盡,庚寅, 日食.[415])

· 『六菩薩亦當誦持經』, 말미, "乙巳歲高麗國大藏都監奉」 勅雕造」(以上 圓覺寺 2017년 51,52面).
· 『阿毗達磨品類足論』, 말미, "乙巳歲高麗國大藏都監奉」 勅雕造"(京都大學 人文科學硏究所).
· 『牟梨曼陀羅呪經』, 말미, "乙巳歲高麗國大藏都監奉」 勅雕造".
· 『蘇悉地羯羅供養法』권상중하, 말미, "乙巳歲高麗國大藏都監奉」 勅雕造".
· 『阿毗達磨順正理論』 권73, 말미, "乙巳歲高麗國大藏都監奉」 勅雕造".
· 『法句譬喩經』 권1~4, 말미, "乙巳歲高麗國大藏都監奉」 勅雕造".
· 『大周刊定衆經目錄』 권10, 말미, "乙巳歲高麗國大藏都監奉」 勅雕造".
· 『開元釋敎錄』 권11, 말미, "乙巳歲高麗國大藏都監奉」 勅雕造".
· 『弘明集』 권8, 말미, "乙巳歲高麗國大藏都監奉」 勅雕造".
· 『大乘理趣六波羅蜜多經』 권8, 말미, "乙巳歲高麗國大藏都監奉」 勅雕造".
· 『大花嚴長者問佛那羅延力經』, 말미, "乙巳歲高麗國大藏都監奉」 勅雕造".
· 『般若波羅蜜多心經』, 말미, "乙巳歲高麗國大藏都監奉」 勅雕造".
· 『內典隨函音疏』 권490, 말미, "乙巳歲高麗國大藏都監奉」 勅雕造"(以上 海印寺 2015년).

413) 이는 다음의 자료에 의거하였다.
· 『天台三大部補注』 권3, 末尾, "乙巳歲分司大藏都監開板」", 권5, 말미, "乙巳歲分司大藏都監奉」 勅重彫」"(柳田聖山 1988年 ; 南海郡 編 1994년 ; 南權熙 2002년 194面 ; 崔然柱 2013년).
· 『祖堂集』 권1末尾, "乙巳歲分司大藏都監彫造」"(海印寺 2015년).
· 『花嚴經探玄記華嚴經探玄記』 권2末尾, "乙巳歲分司大藏都監 開板」", 권3, "乙巳歲分司大藏都監彫造」", 권17, "書者臣高申說書」 乙巳歲分司大藏都監 開板」"(郭丞勳 2021년 197面).

414) 이는 『원사』 권154, 열전41, 洪福源에 의거하였다.

415) 이날 宋에서도 日食이 있었으나(『송사』 권52, 지5, 천문5, 日食), 일본의 京都에서는 일식이 관측되지 않았던 것 같다(高麗曆과 同一, 日本史料5-19册 297面). 이날은 율리우스曆의 1246년 1월 19일이고, 開京에서 일식 현상이 심했던 時間은 17시 2분, 食分은 0.35였고, 일본에서도 관측되었다고 한다(渡邊敏夫 1979年 309面).
· 『百練抄』제15, 後嵯峨院, 寬元 4년 1월, "一日辛卯, 可有日蝕之由, 陰陽等奏之, 算博士雅衡, 不可有日蝕之由, 申之. 終日遂不正現, 雅衡所申符合, 又珍重也, 仍被行勸賞".

戊戌[8日], 盜竊內帑玉帶·寶器,
丁未[17日], 得玉帶.
[某日, [中書令]崔怡, 宴宰樞於其第:節要轉載].
[某日, 以李堯瞻爲慶尙道按察使:慶尙道營主題名記].
[是月, 大藏都監奉勑彫造'大方廣佛華嚴經':追加].[416)]

[二月辛酉朔[小盡,辛卯]:追加].

[三月庚寅朔[大盡,壬辰]:追加].
[某日, [前國子祭酒]鄭晏開板'佛說預修十王生七經':追加].[417)]

夏四月[庚申朔小盡,癸巳], 壬午[23日] 賜梁貯等及第.[418)]

閏[四]月[己丑朔小盡,癸巳], [丁酉[9日], 流星出巽, 向南, 入天際, 大如缶:天文2轉載].
[壬寅[14日], 月犯心大星:天文2轉載].
己酉[21日], 幸妙通寺.
乙卯[27日], 幸乾聖·福靈二寺.

五月[戊午朔大盡,甲午], [□□~~壬戌5日~~, 禁端午, 男女鞦韆·鼓吹之戱:節要轉載].[419)]

· 『岡玉關白記』, 寬元 4년 1월, "一日辛卯, 天晴, 晩更有四方拜事如例, 今日可有日蝕之由, 諸道勘奏之, 虧初未六剋, 復末五剋, 雖天晴, 終日不虧蝕, 稀代事歟".
· 『吾妻鏡』제37, 寬元 4년 1월, "一日辛卯, 天晴, … 今日, 申酉之間可有蝕之由, 諸道雖勘申之, 窮冬有其沙汰. …".
· 『本朝統曆』 권9, 寬元 4년, "正大, 朔辛卯, 申一, 日食, 八分弱, 未七, 申八".

416) 이는 『高麗大藏經』(海印寺大藏經)의 題記를 정리한 업적에 의거하였다(崔然柱 2013년).

417) 이는 다음의 자료에 의거하였다(海印寺 所藏, 國寶 第206-10號, 崔凡述 1970년 ; 林基榮 2009년 ; 崔永好 2018년 ; 郭丞勳 2021년 198面, 筆者未見).
· 『佛說預修十王生七經』卷末刊記, "伏爲,先考孀親生亡骨肉夫婦親緣,普」 及法界衆生,不滯幽途,隨願, 往生諸佛」 國土,樓板印施云.」 丙午三月日,優婆塞鄭晏誌」".

418) 이와 관련된 기사로 다음이 있다.
· 지27, 선거1, 科目1, 選場, "[高宗]三十三年四月, 樞密院副使崔璘知貢擧, 國子祭酒朴暄同知貢擧, 取進士, □□[壬午], 賜梁貯等三十一人及第".

419) 이와 같은 기사로 다음이 있는데, 이러한 禁令은 주로 5월 5일[端午]에 내려졌다(→고종 3년 5월 5일).

[某日, 制, "以西海道州郡被兵, 蠲徭貢七年. 又減谷州·樹德兩所, 銀貢五年": 節要·食貨3災免之制轉載].[420]

己巳[12日], 幸禪源社. [[中書令]崔怡饗王, 設六案于前, 陳列七寶器皿, 膳饌極豊奢. 怡自誇曰, "來者, 豈有如今日哉?":節要轉載].

[→[高宗]三十三年□□[五月], [中書令崔]怡享王, 設六案, 陳七寶器, 膳饌極豊侈. 怡自誇詡曰, "復有如今日者乎?". 怡好燕樂, 聚飮無度. 或宴三品以上于其第, 或宴宰樞及文武四品以上, 歌吹連日, 或至夜分而罷. 又燕兩府及諸將軍極歡, 使伶人奏唐樂, 天忽雷電, 怡懼止之:列傳42崔怡轉載].[421]

庚午[13日], 移御壽昌宮.

甲申[27日], 以國學學諭權衡允·及第史挺純, 爲蔚陵島安撫使.

[是月, 雨毒蟲. 其蟲, 身褁細網, 剖之如斫白毛, 隨飮食, 入人腹中, 或咂入皮膚, 人輒死. 時號食人蟲, 試以諸藥, 不死, 塗以葱汁, 便死:節要·五行3轉載].

六月戊子朔[小盡,乙未], 王如奉恩寺.

癸卯[16日], [立秋]. 以旱, 聚巫于都省, 禱雨.

[是月, 旱:五行2轉載].

[秋七月[丁巳朔大盡,丙申], 某日, [中書令]崔怡, 爲侍中崔宗峻, 構第, 二日而成. 奪路人馬, 輸其材瓦. 時托怡而轉輸私物者, 亦如之, 行路嗟怨:節要轉載].[422]

[某日, 以慶尙道按察使李堯瞻, 仍番:慶尙道營主題名記].

[是月, 大風振屋:五行3轉載].

[○重大師天英撰'禪門三家拈頌集後序':追加].[423]

· 지39, 형법2, 禁令, "[高宗]三十三年五月, 禁端午鞦韆·鼓吹之戲".

420) 樹德은 西北界[北界]의 樹德鎭(조선시대의 陽德縣)을 가리키는 것 같다(지12, 지리3, 北界 樹德鎭).
· 『세종실록』 권154, 지리지, 平安道 安州牧 陽德縣, "… 本朝太祖五年丙子, 合高麗陽岩·樹德兩鎭, 爲陽德縣, 置監務. 太宗十三年癸巳, 例改爲縣監. 四境, 東距咸吉道隘守縣三十四里, 西距成川十四里, 南距黃海道谷山十五里, 北距孟山一百十五里".

421) 여기에서 原文의 一部가 拔萃되어 고종 11년 3월 某日로 移動하였는데, 이는 崔怡의 열전에서 같은 성격의 事實을 합쳐서 一括 整理하였기 때문이다.

422) 이 기사가 열전42, 崔忠獻, 怡에는 1234년(고종21)에 정리되어 있으나 오류일 것이다.

423) 이는 『禪門三家拈頌集』後序에 의거하였다(蔡尙植 1991년 56面 ; 南權熙 2002년 42面 ; 郭丞

[是月, 蒙古太宗窩闊台長子貴由卽位, 是爲定宗:追加].

秋八月丁亥朔小盡,丁酉, 丁酉11日 門下侍中崔宗俊崔宗峻卒.[424)][宗峻宗俊, 嚴重寡言, 喜聲色, 居處飮食, 過爲豪侈:節要轉載].

[某日, 晋州副使王諧卒. 諧, 少登第, 拜監察御史, 守法不撓. 爲晋州, 吏畏民懷, 及遷東都留守, 老幼涕泣請留, 遂懇乞于朝, 復其舊任, 所莅淸白, 有大節, 其所計畫, 皆利於國. 及卒, 皆歎曰, "國之重寶, 去矣":節要轉載].[425)]

[九月丙辰朔大盡,戊戌:追加].

[冬十月丙戌朔大盡,己亥, 戊戌13日, 雷:五行1雷震轉載].

冬十一月丙辰朔大盡,庚子, 乙丑10日, 地震.[426)]

[甲戌19日, 大雷電:五行1雷震轉載].

[某日, 始禁棺槨飾金薄金箔:節要·刑法2禁令轉載].[427)]

[十二月丙戌朔小盡,辛丑, 癸巳8日, 木稼:五行2轉載].

勳 2021년 200面).

· 道自有言, 遆相師師, … 無應龜庵老禪, 於國老所撰'拈頌'三十卷中, 撮出三家, 總成一部, 囑晋陽公崔怡, 板鑄傳焉, … 丙午七月日 道者天英跋」 天順八年甲申歲朝鮮國刊經都監奉敎重修」".

424) 崔宗俊은 『고려사절요』 권16에는 崔宗峻으로 표기되어 있다. 이날은 율리우스曆으로 1246년 9월 22일(그레고리曆 9월 29일)에 해당한다.

425) 이와 같은 기사로 다음이 있다.

· 열전34, 良吏, 王諧, "… 後爲晋州副使, 吏畏民懷. 及遷東都留守, 晋民涕泣願留, 遂懇乞于朝曰, '借我王君一年'. 乃復舊任. 諧沈毅剛正, 淸白有大節, 凡所計畫, 無不便民. 高宗三十三年卒, 聞者驚歎曰, 國之重寶, 去矣".

426) 乙丑은 『고려사절요』 권16에는 乙卯로 되어 있으나 이달에는 乙卯가 없고, 이와 같은 記事에도 前者로 되어 있다. 또 일본의 가마쿠라[鎌倉]에서는 27일(壬午) 오전 3시 무렵에 大地震이 있었다고 한다.

· 지9, 오행3, 土(地震), "高宗三十三年十一月乙丑, 地震".

· 『吾妻鏡』제37, 寬元 4년 11월, "廿七日壬午, 寅刻, 大地震".

427) 添字는 지39, 형법2, 禁令에서 달리 표기된 것인데, 두 글자[同音同訓의 異字]는 中原에서도 통용되었다.

[某日, 長城縣人徐稜, 養母不仕, 母發項疽, 請醫視之. 醫曰, "若不得蛙, 難愈". 稜以冱寒難得, 號泣不已. 醫曰, "雖無生蛙, 姑合藥試之". 乃炒藥于樹下, 有蛙自樹上, 墮于鼎中. 人咸謂, "孝誠所感". 合藥傅之, 果愈:節要轉載].[428]

[→徐稜, 長城縣人, 高宗時, 養母不仕. 母發項疽, 請醫胗之, 醫曰, "若不得生蛙, 難愈". 稜曰, "時方冱寒, 生蛙可得乎, 母之病必不愈". 號泣不已, 醫曰, "雖無生蛙, 姑合藥試之". 乃炒藥于樹下, 忽有物, 從樹上墮鼎中, 乃生蛙也. 醫曰, "子之孝誠, 感于天, 天乃賜之. 子之母必生矣". 合藥傅之, 果愈. 同縣人大將軍徐曦, 每說此事, 必泫然泣下:列傳34徐稜轉載].

[是年, 王欲遣判將作監事宋彥琦如蒙古, 請講和, 適彥琦遘疾, 宰相相謂曰, "宋之生, 國之福, 宋之亡, 國之憂也". 卒, 年四十三:轉載].[429]

[○先是, 柱國·晋陽公崔怡創禪源社. 至是, 重大師天英率衲子二百人入禪源寺, 上堂說法:追加].[430]

[○以崔暉爲永州副使, 朴茂爲永州判官:追加].[431]

[○以三重大師見明一然爲禪師:追加].[432]

[○以重大師天英爲三重大師:追加].[433]

[○大藏都監奉勅雕造'高僧法顯傳'·'南海寄歸內法傳'·'大唐西域求法高僧傳'·'瑜伽師地論'·'普賢菩薩行願讚'·'大周刊定衆經目錄'·'開元釋教錄'·'弘明集'·'御製秘藏詮'·'不動使者陀羅尼秘密法'·'大雲輪請雨經'·'大乘理趣六波羅蜜多經'·'根本說一切有

---

428) 徐稜에 대한 다음의 기록이 있다.
· 『세종실록』 권151, 지리지, 羅州牧, 長城縣, "高麗高宗時, □□殿前承旨同正徐稜不仕, 養母徐氏. 母發丁瘡于項, 稜請醫來, 視之曰, 若不得生蛙, 不可救. 稜曰, 時値臘月, 生蛙可得乎, 母之死, 決矣. 因哀泣良久, 醫曰, 雖無生蛙, 合藥試之. 乃置鼎于樹下, 揚火炒藥, 忽有物, 從樹上墮于鼎中, 視之, 生蛙也. 醫曰, 子之孝誠, 感于天, 天乃賜之, 母必生矣. 合藥附瘡, 果立愈".

429) 이는 열전15, 宋彥琦의 내용을 적절히 變改하여 전재하였다.

430) 이는 「曹溪山第五世贈諡慈眞圓悟國師塔碑銘」에 의거하였다(→고종 32년 5월 是月頃의 脚注). 또 이때 高僧들을 모아 說法을 主管하게 하였는데, 그 실무를 前溫水郡監務 梁宅椿의 아들인 僧侶 安其가 담당하였다고 한다.
· 「梁宅椿墓誌銘」, "及匡烈崔公怡創禪源社棟, 一代宗匠主盟, 而公長子安其公, 倡其選. 迺爵爲禪師, 遙住斷俗寺, 皆讓不受".

431) 이는 『영천선생안』에 의거하였다.

432) 이는 「華山曹溪宗麟角寺普覺國尊碑銘」에 의거하였다.

433) 이는 「曹溪山第五世贈諡慈眞圓悟國師塔碑銘」에 의거하였다.

部毘奈耶藥事'[434]·'律相感通傳'[435]:追加].

[○分司大藏都監開板'新華嚴經論':追加].[436]

[○開寧分司大藏都監開板'唐賢詩範':追加].[437]

丁未[高宗]三十四年, [只用當該年干支, 江華京十六年], [南宋淳祐七年], [蒙古定宗二年], [西曆1247年]

1247년 2월 7일(Gre2월 14일)에서 1248년 1월 27일(Gre2월 3일)까지, 355일

[春正月乙卯朔大盡,壬寅, 某日, 以刑部侍郎金之岱爲慶尙道按察使:慶尙道營主題名記].[438]

---

434) 이는 다음의 자료에 의거하였다.
- 『瑜伽師地論』 권74, 말미간기, "丙午歲高麗國大藏都監奉」 勑雕造」(淸州古印刷博物館 2010년 24面).
- 『普賢菩薩行願讚』, 말미간기, "丙午歲高麗國大藏都監奉」 勑雕造」(圓覺寺 2017년 51面).
- 『大周刊定衆經目錄』 권8,9, 말미간기, "丙午歲高麗國大藏都監奉」 勑雕造".
- 『開元釋敎錄』 권13, 말미, "丙午歲高麗國大藏都監奉」 勑雕造".
- 『弘明集』 권9,10, 말미, "丙午歲高麗國大藏都監奉」 勑雕造".
- 『御製秘藏詮』 권23,28, 말미, "丙午歲高麗國大藏都監奉」 勑雕造".
- 『不動使者陀羅尼秘密法』, 말미, "丙午歲高麗國大藏都監奉」 勑雕造".
- 『大雲輪請雨經』권상하, 말미, "丙午歲高麗國大藏都監奉」 勑雕造".
- 『大乘理趣六波羅蜜多經』 권7,9,11, 말미, "丙午歲高麗國大藏都監奉」 勑雕造".
- 『根本說一切有部毘奈耶藥事』 권15~18,말미,"丙午歲高麗國大藏都監奉」 勑雕造"(以上 海印寺 2015년).

435) 이는 다음의 자료에 의거하였다(『日本續藏經』第1輯 第2編 第10套 第1册 소수, 張東翼 204년 431面).
- 『律相感通傳』, 末尾刊記, "高麗本卷尾記云」 此一卷書, 藏所無, 然而可洪音疏云, 出貞元目錄, 勘經慧澄上座傳來其帙, 故在此函. 丙午歲高麗國大藏都監奉勅彫造」 右校訂四本, 以示其異, 雖竭愚誠, 尙恐有所漏, 然皆鑒取捨於四本, 考援引于諸典, 無敢以臆斷, 妄改易者矣. 至舊刻字畫僞誤, 而今歸正, 則不錄也, 讀者須知」 歲享保歲戊戌春三月望日, 後學沙門慈元敬識」".

436) 이는『高麗大藏經』(海印寺大藏經)의 題記를 정리한 업적에 의거하였다(崔然柱 2013년).

437) 이는 다음의 자료에 의거하였다(海印寺所藏, 寶物 第206-6號, 崔永好 2014년). 이는 지금까지 확인된 南海分司大藏都監 이외에 開寧郡(現 慶尙北道 金泉市 開寧面)에도 分司大藏都監이 설치되어 있었음을 보여주는 중요한 자료가 될 것이다.
- 『唐賢詩範』刊記, "丙午歲開寧分司大□□□藏都監開板".

438) 이때 慶尙道按撫使을 역임했던 崔滋는 金之岱의 官職을 東南路按廉使로 표기하였는데(『보한집』권하), 이때부터 按撫使(3品官)를 설치하여 按察使(4, 5품)의 上位에서 몽골군과 전쟁으로

[二月乙酉朔[小盡,癸卯]:追加].

三月[甲寅朔大盡,甲辰], 某日, 東眞國千戶牒云, "我國人逃入貴國五十餘人, 可悉送還". 回牒云, "自貴國至我疆, 山長路險, 空曠無人, 往來道絶. 貴國妄稱推究逃人, 或稱山獵, 越境橫行, 其於帝旨, 各安土着之意, 何如. 自今無故越境, 一皆禁斷".

[春某月, 某日, 以崔滋爲國子祭酒·寶文閣學士, 仍爲慶尙道按撫使, 以備蒙兵, 出鎭:追加].[439]

[夏四月[甲申朔小盡,乙巳], 某日, 大僕卿[~~太僕卿~~]崔滋, □□□□□[掌國子監試], 取詩賦鄭淳, 十韻詩廉守貞等九十人, 明經五人:選擧2國子試額轉載].

[五月癸丑朔[小盡,丙午]:追加].

인해 피폐해진 民生을 돌보게 하였던 것 같다.

439) 이는 다음의 자료에 의거하였는데, 그 시기는 권중에는 夏로, 권하(重出)에는 春으로 되어 있다

· 『보한집』 권하, "丁未[高宗34年]春, 國家因胡寇備禦, 以三品官爲鎭撫使[按撫使], 分遣三道. 時金壯元之岱, 以刑部侍郞爲東南路按廉使兼副行[按撫撫使], … ".

이때 崔滋는 慶尙道地域[東南路]을 巡歷하며 지난날에 그가 書記·副使로서 再次 赴任했던 尙州[上洛]도 巡視하였다고 한다. 이해의 春夏番 慶尙道按察使는 金之岱였는데(『慶尙道營主題名記』), 이 자료를 통해 그가 慶尙道副鎭撫使를 兼任하였음을 알 수 있다. 그런데 金之岱가 崔滋에게 올린 賀正狀啓에는 崔滋의 官銜이 慶尙道按撫使로 되어 있는데, 後者가 옳을 것이다(『동문선』 권48, 上慶尙按撫使崔□[大]司成滋賀正狀 ; 賀按撫使新除僕射狀). 또 崔滋는 이 시기 이전까지 그의 初名인 崔安을 사용하였던 것 같다(『동문선』 권30, 崔安讓試殿中少監·寶文閣待制·知制誥不允批答).

그리고 이때 金之岱가 지은 詩文이 義城府 聞韶閣의 壁에 쓰여 있었다고 한다.

· 『신증동국여지승람』 권25, 義城縣, 樓亭, "聞韶樓, 在客舍北. … 金之岱詩, '聞韶公館後園深, 中有危樓~~百餘尺~~. 香風十里捲珠簾, 明月一聲飛玉笛. 煙輕柳影細相連, 雨霽山光濃欲滴. 龍荒折臂甲枝郞, ~~仍按憑欄尤可惜~~". 之岱此詩, 膾炙人口, 詩板逸. 後十年, 一按部索之甚急, 邑人無如之何. 時, 縣守吳迪莊有女, 曾與張鎰子廷賀約婚, 吳携女之任, 庭賀[廷賀?]娶他人女爲妻. 吳女聞之發狂亂, 語忽詠出此詩, 邑人錄呈, 按部驚嘆云".

· 『藥泉集』 권29, 嶺南雜錄(1162年 3月), "到義城, 壁上有英憲公金之岱詩. 云'聞韶公館後園深, 中有危樓~~高百尺~~, 香風十里捲珠簾, 明月一聲飛玉笛, 煙輕柳影細相連, 雨霽山光濃欲滴, 龍荒折臂甲枝郞, ~~因按憑欄尤可怕~~'. 此乃本邑太守女子發狂所誦, 而傳世者, 句語淸奇, 眞可以動鬼神矣. 後到淸道郡, 有古事屛載英憲公事. 兒時爲父替戍北方, 所枕楯鼻題以一絶, 有忠孝可雙全之句, 爲趙冲所賞, 拔軍還, 擢科狀元云. 公聞韶閣詩所謂'龍荒折臂甲枝郞, 因按憑欄尤可怕'者, 尋常未解, 見此始知龍荒折臂, 指征戍時事. 甲枝郞, 猶言狀元郞, 因按憑欄, 言因按察本道, 來憑此欄也. 雖未決知其果然, 而聊以記之, 以爲質問之資".

[夏六月壬午朔大盡,丁未,某日，刑部尙書朴暄,[440] 言於崔怡曰，"今北兵，連年入寇，民心疑貳，雖以恩德撫之，猶恐生變．今萬宗·萬全門徒，割剝民產，斂歛怨實多．南方騷擾，若兵至則，恐皆叛而投彼矣"．怡聞之，猶豫，會慶尙州道巡問使宋國瞻，亦寄書言之．怡謂暄曰，"若之何"，暄曰，"公若召還兩禪師，令巡問·按察使，囚無賴僧徒，以慰民心，可無變矣"．怡然之，卽分遣御史吳贊·行首周永珪，發所畜錢穀，悉還其民，焚其文券，囚門徒之爲惡者．中外相慶．萬宗等詣京，與其妹訴曰，"尊公在時，尙爾侵逼，若百歲後，吾等兄弟，不知死所矣"．怡乃悔之，反謂暄離間父子，流黑山島，貶國瞻爲東京副留守.[441] 令萬全歸俗，改名沆，使寶文閣待制李淳牧授書，侍郎權韙習禮，卽拜左右衛上護軍上將軍戶部尙書.[442] 諸王·宰樞，皆詣門陳賀．○又召金僐于河東，亦令歸俗，改名敉，爲□守司空，□守司空唯諸王爲之，敉娶襄陽公恕女，故授之．且□守司空無權，以避沆也:節要轉載].[443]

[→刑部尙書朴暄，言於怡曰，"今北兵，連年入寇，民心疑貳．撫以恩信，猶恐生變，今兩禪師門徒，割剝民產，斂怨實多．南方騷擾，若北兵猝至，恐相應爲變矣"．怡聞之猶豫，會慶尙道巡問使宋國瞻，亦寄書言之．怡謂暄曰，"若之何?" 暄曰，"公若召還兩禪師，令巡問·按察使，囚其無賴僧徒，以慰民心，可無變矣"．怡然之，卽遣御史吳贊·行首周永珪于雙峯·斷俗，發錢穀，悉還其主，焚契券，囚門徒之爲惡者．中外相慶．萬宗·萬全詣京，與其妹宋愲妻，泣訴怡曰，"尊公在時，侵逼尙爾，百歲之後，吾兄弟不知死所矣"．怡乃悔之，反謂暄離間父子，流黑山島，貶國瞻東京副留守，悉釋其門徒．令萬全歸俗，改名沆:列傳42崔怡轉載].

[→崔沆，初高宗34年6月，拜左右衛上護軍上將軍·戶部尙書，諸王·宰樞，皆詣門賀．中書令崔怡，使待制任翊待制李淳牧授書，侍郎權韙習禮:列傳42崔沆轉載].[444]

---

440) 朴暄이 刑部尙書에 임명될 때 辭讓, 謝禮한 表가 『동문선』 권43, 讓正議大夫·刑部尙書依前知制誥餘並如故表 ; 권37, 謝刑部尙書表이다.

441) 慶州先生案인 『동도역세제자기』에 의하면 副留守 宋國瞻의 職銜이 尙書로 되어 있는데, 이는 3品의 官人으로 副留守職에 임명된 것을 독특하게 기재한 것으로 추측된다.

442) 上護軍은 上將軍의 오류일 것이다.

443) 金敉에 관한 기사는 열전14, 金台瑞, 敉에도 수록되어 있다.

444) 이 기사의 時期는 다음의 자료에 의거하였다. 또 이 기사는 고려시대의 여러 墓誌銘에서 官職任命을 여름[夏, 季夏]이라고 記述한 것은 6월의 頒政[小政]을, 겨울[冬]이라고 한 것은 12월의 頒政[大政]을 指稱하는 것임을 잘 證憑하고 있다.

또 待制 任翊은 寶文閣待制 李淳牧의 오류일 것인데, 前者는 1273년(원종14) 9월 某日에 翰林侍讀學士(정4품)로 國子監試의 試官이 된 점을 고려하면, 이때 寶文閣待制(종4~5품이 겸

[→李淳牧, 驟加寶文閣待制, 進判秘書省事. 性巧詐多疑, 所莅政不廉平. 但以文墨技藝, 不離省闥, 常典制誥. 崔沆少時師事之:列傳15李淳牧].

[是月, 皆骨山松蘿西庵僧行愚·秘書監金孝印·前淮陽都護副使安孝德·僧成一·印空等寫成'法華經弁遺教經':追加].[445)]

秋七月壬子朔小盡,戊申, 某日, 蒙古元帥阿母侃領兵來, 屯塩州.[446)]

[某日, 以慶尙道按察使金之岱, 仍番:慶尙道營主題名記].

八月辛巳朔大盡,己酉, 乙巳25日, 熙宗妃咸平宮主任氏薨.[447)] [葬紹陵, 上諡成平王后. 册曰, "功崇則禮優, 德盛則謚重, 爰稽古典, 式薦鴻休. 伏惟, 大行王后, 宗室之英, 王姬之女, 聖皇知其有相, 留養後宮, 上皇納以爲妃, 俾專中壼, 篤生邦媛, 升配朕躬. 夢幻倏然, 縱有千秋之痛, 子孫多矣, 已符萬葉之傳. 凡此嬪功, 職由母訓, 何上壽未滿, 卽大期奄臻. 冥冥難可憑, 漠漠不可問. 但於疇昔, 歷諸險難, 恐積心

직)로 재직할 수 없는 年齡層일 것이다. 前者는 이보다 8년 후인 1255년(고종42) 8월에 崔竩에게 行政[政事]를 가르쳤다고 한다(→고종 42년 8월 18일 ; 東亞大學 200년 28책 205面).

· 「崔沆墓誌銘」, "越丁未高宗34年季夏, 以祖考□册佐命功業殊異, 直除左右衛上將軍·戶部尙書".

445) 이는 京都市 上京區 小川通寺の內上ル 本法寺前町 617번지 本法寺(혼포우지)에 소장되어 있는 『法華經弁遺教經』題記에 의거하였다(京都國立博物館 2000年 64面 ; 張東翼 2004년 700面).

· 題記, "墜露添海,纖塵足嶽,豈以小善根,無補於宗敎哉,故瀝」 血敬寫」 七軸蓮経,仍發十二大願,普爲法界,一切衆生,悉皆迴」 向,所冀,」 仏日,與舜日恒明,禪風共堯風齊扇,護法晋陽公,福壽,」 無同締願,輪金公,敎卽,壽緣延洪,同願道侶,修行離障,」 道眼圓明,生生世世,不相捨離,力宏彊」 大法,廣度衆生,現今　父母盧氏高氏,各保安寧,當生」 佛剎,文虎百寮,忠淸奉國,韃靼免賊,不復來侵,兵災息,」 國土平,農桑稔,萬民樂,三世師親,常得安隱,普及法界,」 血氣之屬,同悟本心,逕登佛地,凡諸見聞,隨喜四衆,所」 獲福聚,如我無異,」 時丁未六月　日　曹溪山修禪社第二世」 眞覺門人皆骨山松蘿西庵布衲 行愚書」 幷誌」 朝請大夫·秘書監金孝印 施戕,」 前淮陽都護副使安孝德 施筆,」 道人 成一 施筆,」 道人 印空 連次,」 道人 心海 貼草,」 卅三庵供養主道人 天訓 施糧,」 同願助辨慶讚法會者, 泉映,」 仁照,」 天佼,」 智雄,」 性堅,」 頓覺寺住持·大禪師 益藏,偈讚,」 偈曰,」 筆頭紅点指頭蓮,爍爍靈光滴粉戕,具體而徵看不」 見,頂門無限莫能宣」".

446) 이와 관련된 기사로 다음이 있다.

· 『원사』 권208, 열전95, 外夷1, 高麗, "當定宗·憲宗之世, 歲貢不入, 故自定宗二年至憲宗八年, 凡四, 命將征之, 凡拔其城十有四".

· 『원고려기사』, 序, "定宗之二年, 憲宗之三年至七年, 伐不已".

· 『원고려기사』本文, "定宗皇帝二年丁未, 命將阿母侃與洪福源, 一同征討, 攻拔威州·平虜城"

· 『국조문류』 권41, 雜著, 政典總序, 征伐, 高麗, "定宗之二年, 憲宗之三年至七年, 伐不已"

· 『국조문류』 권41, 잡저, 정전총서, 정벌, 고려[注, 定宗二年, 命阿母侃與福源同討].

447) 이날은 율리우스曆으로 1247년 9월 25일(그레고리曆 10월 2일)에 해당한다.

勞, 因以疾化. 徒洒無從之泣, 追揚不朽之芬. 謹遣某官某, 奉册上諡曰成平王后, 惟冀上靈, 俯膺嘉册":列傳1熙宗妃成平王后任氏轉載].[448)]

是月, 遣起居舍人金守精, 犒阿毋侃. 去年冬, 蒙古四百人入北塞諸城, 至于遂安縣, 托言捕獺, 凡山川隱僻, 無不覘知. 國家以和好, 殊不爲意, 至是, 百姓避匿者, 並被驅掠, 鮮有脫者.

[九月辛亥朔小盡,庚戌:追加].

[冬十月庚辰朔大盡,辛亥:追加].

[十一月庚戌朔大盡,壬子:追加].

[十二月庚辰朔大盡,癸丑, 某日, 以左右衛上將軍·戶部尙書崔沆爲太子右淸道率府率:追加].[449)]

[是年, 以安西大都護府海州爲海州牧].[450)]

[○以監察御史金方慶爲西北面兵馬判官:列傳17金方慶轉載].

[○大藏都監奉勅彫造'一切經音義'·'續一切經音義'·'續貞元釋敎錄',[451)]·'貞元新定釋敎目錄'·'瑜伽師地論'·'開元釋敎錄'·'御製秘藏詮':追加].[452)]

[○分司南海大藏都監奉勅彫造'宗鏡錄':追加].[453)]

---

448) 이 册文은 열전1, 후비1, 熙宗, 成平王后任氏 ; 『동문선』 권28, 成平王后諡册에도 수록되어 있다. 또 紹陵은 현재 失傳된 상태라고 한다(李羲仁 2019년).

449) 이는 「崔沆墓誌銘」에 의거하였다. 墓誌銘에는 太子右淸道로 되어 있으나, 이는 太子를 警護하는 府署인 太子左·右淸道率府의 右淸道率府의 우두머리인 率을 略稱한 것으로 추측된다.

450) 이는 다음의 자료를 전재하였다.
· 지12, 지리3, 安西大都護府海州, "高宗三十四年, 爲海州牧".

451) 以上은 필자가 교토대학 문학부 도서관에서 조사한 것이다. 그 중에서 '一切經音義'는 전체 100권으로 2~3권이 1책이며, 대부분의 卷末에 刊記가 없으나 권9에는 "丁未歲高麗國大藏都監奉」勅雕造」"로 되어 있다.

452) 이는 다음의 자료에 의거하였다.
· 『貞元新定釋敎目錄』 권4, 말미, "□□歲高麗國大藏都監奉」 勅雕造」", 권11,12,13, 말미, "丁未歲高麗國大藏都監奉」 勅雕造」".
· 『瑜伽師地論』 권42, 말미, ""丁未歲高麗國大藏都監奉」 勅雕造」"(보물 제1658호, 圓覺寺 2017년 32面).
· 『開元釋敎錄』 권12, 말미, "丁未歲高麗國大藏都監奉」 勅雕造".
· 『御製秘藏詮』 권21,22,25,27,28, 말미, "丁未歲高麗國大藏都監奉」 勅雕造"(以上 海印寺 2015년).

453) 이는 다음의 자료에 의거하였다(柳富鉉 2005년 ; 崔然柱 2013년).

戊申[高宗]三十五年, [只用當該年干支, 江華京十七年],[454)]

[南宋淳祐八年], [蒙古定宗三年→3月海迷失稱制], [西曆1248年]

1248년 1월 28일(Gre2월 4일)에서 1249년 1월 15일(Gre1월 22일)까지, 354일

[春正月[庚戌朔小盡,甲寅], 某日, 以[都官郎中]金光宰~~全光宰~~爲慶尙道按察副使:慶尙道營主題名記].[455)]

春二月[己卯朔大盡,乙卯], 某日, 遣樞密院使孫抃·秘書監桓公叔, 如蒙古.

三月[己酉朔小盡,丙辰], 某日, 命北界兵馬使盧演, 盡徙北界諸城民, 入保海島. [有葦島, 平衍十餘里, 可耕, 患海潮不得墾. 兵馬判官金方慶, 令築堰播種, 民始苦之, 及秋大稔, 人賴以活. 島又無井, 汲者往往被虜, 方慶貯雨爲池, 其患遂絶, 人服其智:節要轉載].[456)]

[某日], 賜金鈞等及第.[457)]

[是月, 蒙古定宗貴由卒, 皇后海迷失臨朝稱制:追加].[458)]

[春某月, 某日, 以崔滋爲銀靑光祿大夫·尙書右僕射·翰林學士承旨:追加].[459)]

· 『宗鏡錄』 권27, 末尾, "丁未歲高麗分司南海大藏都監開板".

454) 이해를 江華京 17年으로 記錄한 자료로 다음이 있다(『韓國佛敎全書』4冊, 159面).

· 『釋華嚴旨歸章圓通鈔』권하, 跋, "… 以江華京十七年戊申歲, 於東泉社, 請諸德結安居, 刪去方言, 以施學人, 則本講和尙之旨也. … 辛亥[高宗38年]五月 日, 弟子誌".

455) 金光宰는 全光宰의 誤字이고, 그의 職責은 慶尙晋安東道按察副使兼大藏分司都監이었다(→是年 9월의 脚注).

456) 盧演은 그의 壻인 權呾의 묘지명에 의하면 右諫議大夫·太子侍讀學士·知制誥에 이르렀다고 한다. 또 이와 같은 기사가 열전17, 金方慶에도 수록되어 있다.

457) 이와 관련된 기사로 다음이 있다. 이때 金鈞·尹克敏·朴恒(『東人之文五七』) 등이 급제하였다(『登科錄』, 朴龍雲 1990년 ; 許興植 2005년).

· 지27, 선거1, 科目1, 選場, "[高宗]三十五年三月, 樞密院使洪均[洪鈞]知貢擧, 大僕卿~~太僕寺卿~~閔仁鈞同知貢擧, 取進士, □□[某日] 賜金鈞等三十三人·明經三人·恩賜二人及第".

458) 海迷失(Qaimish, ?~1252)은 定宗 貴由의 第3皇后이다.

459) 이는 『보한집』권중·권하 ; 『동문선』 권43, 讓銀靑光祿大夫·尙書右僕射·翰林學士承旨表 ; 권44, 賀按撫使新除僕射狀(金之岱 撰) 등에 의거하였다.

[夏四月戊寅朔[大盡,丁巳]:追加].
[五月戊申朔[小盡,戊午]:追加].

[六月[丁丑朔小盡,己未], 某日], 以[左右衛上將軍]崔沆爲樞密院知奏事.[460]

[秋七月[丙午朔大盡,庚申], 某日, 以慶尙道按察副使全光宰, 仍番:慶尙道營主題名記].

[八月[丙子朔小盡,辛酉], 庚辰[5日], 天台僧天因入寂於耽津縣象王山法華寺:追加].[461]

[九月[乙巳朔小盡,壬戌], 是月, 慶尙晋安東道按察副使兼大藏分司都監·都官郎中全光宰開板'南明泉和尙頌證道歌':追加].[462]

冬十月[甲戌朔大盡,癸亥], 丁丑[4日], 幸王輪寺.
壬午[9日], 幸九曜堂.
○西海道按察使報, "狄人四十騎, 稱捕獺, 渡淸川江入界". 於是, 松都出排兩班悉還江華. 時遣兩班輪番出戍松都.
壬辰[19日], 遣郎將張俊貞·[閤門]祗候張暐, 如蒙古.

[十一月[甲辰朔大盡,甲子], 庚戌[7日], 雷:五行1雷震轉載].

---

460) 崔沆이 知奏事에 임명된 시기를 『고려사』와 『고려사절요』에는 3월에 編成하고 있으나, 그의 墓誌銘에는 이해의 6월[季夏]로 되어 있는데, 이는 6월의 頒政[小政]에 의한 것이므로 이 구절의 冒頭에 六月이 탈락되었을 것이다. 또 1250년(고종37) 5월 以前에 건립된 「月南寺趾眞覺國師圓炤塔碑」에는 崔沆이 知樞密院事로 기록되어 있지만, 그는 樞密院副使에 參知政事로 超遷하였기에 知奏事의 誤謬일 것이다(→고종 36년 11월 某日).

461) 이는 『동문선』 권83, 萬德山白蓮社靜明國師詩集序(林桂一 撰)에 의거하였다. 이날은 율리우스曆으로 1248년 8월 25일(그레고리曆 9월 1일)에 해당한다.

462) 이는 다음의 자료에 의거하였는데(보물 제758-1호, 三星出版博物館 所藏, 千惠鳳 1988년 ; 尹京鎭 2014년), 이는 고려시대의 판본이 아니라 1427년(성종3) 6월 이후에 開板된 목판본으로 추정된다.
· 『南明泉和尙頌證道歌事實』 권3, "… 歲戊申,按行下韓道兼任大藏分司, 私心喜幸, 然草本訛略, 未卽下刀, 因囑幹事比丘天旦, 俾禪師伯擧上人讎校, 募工筆[筆王]而書之, 簡善手而鐫之. … 九月上旬, 慶尙晋安東道按察副使·都官郎中 全光宰 誌". ~~添字~~와 같이 고쳐야 옳게 될 것이다.

[十二月[甲戌朔大盡,乙丑], 丁亥[14日], 街衢□[~~所?~~]北四十餘戶灾:五行1火災轉載].
[某日, 以[左右衛上將軍·知奏事]崔沆爲龍虎軍上將軍:追加].[463)]

[是年, 以金壤縣任內歙谷, 析置縣令:轉載].[464)]
[○以玄令備爲永州副使:追加].[465)]
[○以三重大師天英爲禪師, 仍爲斷俗寺住持:追加].[466)]
[○大藏都監奉勅雕造'大藏目錄':追加].[467)]
[○分司大藏都監開板'宗鏡錄':追加].[468)]
[增補].[469)]

己酉[高宗]三十六年, [只用當該年干支, 江華京十八年], [南宋淳祐九年], [蒙古海迷失稱制元年], [西曆1249年]

1249년 1월 16일(Gre1월 23일)에서 1250년 2월 2일(Gre2월 9일)까지, 354일

春正月[甲辰朔小盡,丙寅], 戊申[5日], 北界兵馬使馳報, "□□□□[~~前年三月~~], 蒙古皇帝崩". 是爲定宗[貴由].[470)]

---

463) 이는「崔沆墓誌銘」; 열전42, 崔忠獻, 怡에 의거하였다.
464) 이는 다음의 기사를 전재한 것이다.
· 지12, 지리3, 歙谷縣, "高宗三十五年, 置縣令".
465) 이는『영천선생안』에 의거하였다.
466) 이는「曹溪山第五世贈諡慈眞圓悟國師塔碑銘」에 의거하였다.
467) 이는 다음 자료에 의거하였다(淸州古印刷博物館 2010년 75面).
·『大藏經目錄』卷下末尾, "戊申年高麗國大藏都監奉」勅雕造」".
468) 이는『高麗大藏經』(海印寺大藏經)의 題記를 정리한 업적에 의거하였다(崔然柱 2013년).
469) 이해에 몽골제국에서 다음의 사실이 있었다.
[中國] 蒙古 定宗 3년.
·『원사』권208, 열전95, 外夷1, 高麗, "當定宗·憲宗之世, 歲貢不入, 故自定宗二年至憲宗八年, 凡四命將征之, 凡拔其城十有四".
·『원고려기사』, 序, "定宗之三年, 伐不已"(原文은 "定宗之二年, 憲宗之三年至七年, 伐不已").
470) 定宗 貴由[Güyuk]는 前年(定宗3, 고종35) 3월 橫相乙兒(現 新疆 青河 동남쪽)에서 逝去하였다(43歲). 이때 皇后(定宗妃) 斡兀立 海迷失[Oyul-Qaimisi]이 監國이 되었으나 諸王·大臣이

甲子[21日], 龍虎衛上將軍崔沆享王.

[某日, 以權韙爲慶尙道按察使, 旣而丁憂, 以李凝代之:慶尙道營主題名記].

二月癸酉朔大盡,丁卯, [戊寅[6日], 江都百餘戶災:五行1火災轉載].

丙戌[14日], 燃燈, 王如奉恩寺.

[是月, 開京重修都監就役:追加].[471)]

閏[二]月癸卯朔大盡,丁卯, [甲辰[2日], 大雪:五行1雨雪轉載].

[○赤氣橫亘東西:五行1轉載].

癸丑[11日], 移御龍嵒宮.

丁巳[15日], [淸明]. 幸賢聖寺.

辛酉[19日], 新安公佺還自蒙古.

丙寅[24日], 幸乾聖·福靈二寺, 還御本闕, 設消災道場.

[某日, □守司空金敉聞崔沆害己, 欲先圖之, 遣及第洪烈·春坊公子鄭贍, 飛書于伯父樞密院副使金慶孫. 慶孫恐禍及, 先告崔怡, 怡囚洪烈等于街衢獄, 鞫鞠問其黨. 先是, 沆, 敉之召還也, 將軍劉鼎·指諭奇洪碩·閔景咸等, 爲書, 請於怡, 以敉爲後, 怡置而不問. 至是, 怡出其狀, 悉囚其署名者, 鞫之. 沈景咸等于江, 流敉于高瀾島, 其餘, 死流貶黜者, 四十餘人:節要轉載].[472)]

[□□是時, 中書令崔怡分與家兵五百餘人于其子知奏事沆:列傳42崔沆轉載].[473)]

모두 心腹하지 않았다고 한다.

· 『원사』 권2, 본기2, 定宗 3년, "春三月, 帝崩于橫相乙兒之地, 在位三年, 壽四十有三".

· 『通鑑續編』 권22, 宋 淳祐 8년, 定宗 3년, "春三月, 蒙古定宗皇帝崩於杭錫雅爾之地, 皇太后托里格訥復治國事. 定宗皇帝在位, 委政于皇太后及近習而已. 及崩年四十三, 子三人, 長曰呼察, 次曰諾果, 三曰和和. 時國大旱, 牛馬死者十八九, 民不聊生". 여기에서 四庫全書本을 인용하였으므로 人名, 地名이 당시의 그것과 달리 改書되어 있다.

471) 이는 다음의 자료에 의거하였다. 또 이에서 開京重修都監副使 安搢은 安戩의 오자일 것이다(→是年 6월 13일).

· 『보한집』권하, "己酉仲春, 因事到古京, 皆丘墟, 有孤桐生大觀殿古址, 已拱矣. 及日暮子規啼西麓, 不忍潸然. 晩起見壁間有二絶, 問重修都監胥吏, 是誰作也, 答云是副使安搢安戩所書. 其一曰, 萬家煨燼一無遺, 殿上生桐自底時. 我老萬分觀再造, 薰風琴用汝當支. 二曰, 不意皇都有子規, 終宵啼月使人悲. 潛思往事汍瀾泣, 晩傍孤桐詠黍離. 此詩雖非警策, 卽事備詳可哀".

472) 이와 같은 기사가 열전14, 金台瑞, 敉에도 수록되어 있는데, 伯父는 叔父로 되어 있다(盧明鎬等編 2016년 432面).

三月癸酉朔小盡,戊辰，己卯7日，移御龍嵒宮.

乙酉13日，幸王輪寺.

丁酉25日，幸九曜堂.

[是月，前禮部員外郎李涵撰‘南陽詩集序’:追加].474)

夏四月□□壬寅朔大盡,己巳，日食.475)

庚戌9日，遣郎將金子珍·校書郎沈秀之，如蒙古.

丙辰15日，還御本闕辛本闕,476) 饗監役官僚及役徒，賜工匠銀二十斤·布二百匹.

[是月，判秘書省事趙修趙脩，□□□□□掌國子監試，取詩賦孫昌衍，十韻詩鄭一麟等九十五人，明經六人:選擧2國子試額轉載].

[五月壬申朔小盡,庚午:追加].

[是月乙未頃24日，淸州副戶長同正郭務·大匠金先等造成忠州思惱寺半子一口，入重三十五斤:追加].477)

六月辛丑朔小盡,辛未，壬寅2日，王如奉恩寺.

癸丑13日，遣侍郎安戩·郞將崔公柱，如蒙古.

[是月戊午11日，西海道平山月峯寺住持·三重大師惟度，知事·大師守寧等六人造成

---

473) 原文에는 "沆, 遷樞密院知奏事, 怡分與家兵五百餘人"로 되어 있다.

474) 이는 다음의 자료에 의거하였다(海印寺 所藏, 국보 제206-4호, 林基榮 2009년).
· 『南陽先生詩集』序, "… 時己酉」 三月日, 前禮部員外郎隴西李涵澤之序」".

475) 夏四月朔日食은 夏四月壬寅朔日食으로 고쳐야 옳게 된다. 또 이날 일본의 京都에서도 일식이 있었다(高麗曆과 同一, 日本史料5-29冊 363面). 그리고 이날은 율리우스曆의 1249년 5월 14일이고, 開京에서 일식 현상이 심했던 시간은 10시 29분, 食分은 0.80이었다(渡邊敏夫 1979年 309面).
· 『百練抄』제16, 後深草[本院], 建長 1년 4월, "一日壬寅, 日蝕正現, 仍平座延引".
· 『本朝統曆』 권9, 建長 1년, "四大, 朔壬寅, 巳四, 日蝕, 九分弱, 辰七, 午一".

476) 添字는 『고려사절요』 권16에서 달리 表記된 것이다.

477) 이는 13세기 중기에서 후기 사이에 製造된 것으로 추측되는 忠淸北道 淸州市 興德區 社稷洞 216-1번지 無心川邊의 思惱寺趾에서 발견된 靑銅半子의 명문에 의거하였다(淸州國立博物館 2014년 71面 ; 『韓國金石文集成』35책 100面).
· 銘文, "己酉年高宗36年? 五月廿四日,思惱寺半子一口,入重三十五斤,棟梁副戶長同正郭務,大匠金先造".

金鼓一面，入重伍拾肆斤:追加].[478]

秋七月[庚午朔大盡,壬申]，癸酉[4日]，親設消災道場.

[某日，以慶尙道按察使李凝，仍番:慶尙道營主題名記].

八月[庚子朔小盡,癸酉]，壬子[13日]，親設天兵神衆道場.

庚申[21日]，[寒露]. 親設仁王道場.

戊辰[29日晦]，親設華嚴神衆道場.

[是月甲寅[15日]，蒙古海迷失皇后，以太子懿旨，宣諭，責不行遷海島·點數民戶·親身朝見·出力供職等事:追加].[479]

九月己巳朔[小盡,甲戌]，東眞兵入東州境，遣別抄兵，禦之.

---

478) 이는 黃海北道 麟山郡 月峯(옛 平山郡 新岩面 月峯)의 金鼓(表面直徑 56cm, 두께 約14cm)에 새겨진 銘文에 의거하였다(朝鮮總督府 博物館 1937年 第9輯 ; 中吉 功 1973年b 337面→고종 10년 3월 是月의 脚注).

· 銘文, "月峯寺金鼓壹面,入重伍拾肆斤,住持·三重大師惟度,」 知事·大師守寧, 釋琦, 信宗等, 中郎將同正都正相」 匠黃光等鑄, 歲次乙酉六月十一日戊午功畢幷記」".

479) 이는 다음의 자료에 의거하였는데, ~~添字~~가 추가되어야 할 것이다.

· 『원고려기사』本文, 海迷失皇后, 稱制 1년, "己酉年[1年]八月十五日，皇后[海迷失]，□[以]太子懿旨，宣諭王曔曰，貴由皇帝丙午年[定宗1年]間，爾等來時，不遵上天聖訓·成吉思皇帝聖訓宣諭，爾等並不欽依. 二帝明諭，尙有不從之人，我之訓言，焉肯聽從. 果欲稱臣，出力供賦，務要安居樂業. 遷海島，依先降聖旨，親身朝見來時，宣諭大條例. 如何可憐之事，我自知之. 爲此據爾所奏表文，不曾回降聖旨，卽時遣還. 又省會軍前使臣. 若延緩不出海島，速便征討去者. 旣爾奏言，爾等遷處出，此上不曾進征. 昔知爾等甚多詔妄，未必遷出，信其虛誕推託之辭，遽止六師，元戎大將，悉加譴責. 如果無二，果必遷出，勿令征討，如明諭. 今歲又不遷，更無疑貳，卽征進. 久知爾等數爲詔妄. 皇帝親爲詰問，爾等並無一辭，以此罪歸爾等. 累奏表文，俱是已嘗諭去，皇帝御前，爾等尙爲隱諱，合車·箚剌二人已死，計我何知，我非童穉，豈能欺我焉. 知此事之，具臣俱有. 據爾等射回使命禾者，幷殺訖著古歟之事，顯然可知. 如委的出力供賦，果無二心. 於壬辰年[太宗4年]，令隨從撒兒塔，征討[蒲鮮]萬奴，爾等卽却違背，遷入海島. 旣居海內，却奏親身，欲往朝見，遷出海島，累以詔妄. 又奏親欲往朝，見聞亡其父母，懼此不能去，得明見爾等推託虛妄. 遷出海島，令使臣塔海一一見數，爾等並不遵奉，累積多罪. 明降宣諭，終不悔悟，若委出力供職，於庚子年[太宗12年]間，親身朝見來者，如此明諭去來. 今日又如昔違皇帝聖訓，給我何知何聞，爾等固爲輕忽. 曩者，□□□皇帝·貴由皇帝，屢責爾等之事，亦嘗聞之. 宣諭爾等訓言文字，幷爾等所奏表文，我國俱有，知此事之，具臣亦在，少我何知. 恣行詔妄，苟安一時. 爲爾等數爲虛妄，廣罪釁，若數其事，計之無窮. 宣諭爾等，訓言爾國，不無所降宣諭，遵奉無違，如依來奏. 遷海島·點數民戶·親身朝見·出力供職，依諸國例. 令爾等安業住坐. 如此宣諭，却違天聖訓·成吉思皇帝聖旨，故立遵奉. 若違元奏，給我何知何能，討滅爾國之事，我國焉能知，上天其監之哉".

壬申[4日], 幸賢聖寺.

[丁亥[19日], 雷:五行1雷震轉載].

辛卯[23日], 指諭朴天府率別抄兵, 與東眞戰于高城·杆城, 皆破之.

甲午[26日], 幸乾聖·福靈二寺.

丁酉[29日晦], 幸妙通寺, 移御麗正宮.

冬十月[戊戌朔大盡,乙亥], 己亥[2日], 親設百座道場.

丙午[9日], [小雪]. 幸王輪寺, 移御龍嵓宮.

[壬戌[25日], 霧:五行3轉載].480)

[某月, 晋陽公崔怡增修昌福寺:追加].481)

十一月[戊辰朔大盡,丙子], 壬申[5日], [晋陽公·中書令]崔怡死,482) [輟朝三日, 諡匡烈. 及葬, 儀衛甚盛, 後配享康宗廟庭:列傳42崔怡轉載].483) [○內外都房皆歸沆家, 擁衛沆, 服喪二日而除, 及葬杜門不出, 烝其父所愛諸妾:節要轉載].

[→及怡病, [知奏事]沆領兵入府, 聞病殆, 卽還其家. 怡死, 知吏部事·上將軍周肅, 領夜別抄及內外都房, 欲復政于王, 猶豫未決. 殿前□□[承旨]李公柱·崔良伯·金俊等七十餘人, 歸于沆, 肅亦附焉. 合番擁衛沆, 服喪二日而除, 及葬, 杜門不出, 蒸其父諸妾:列傳42崔沆轉載].

[某日], 以[知奏事]崔沆爲樞密院副使·吏□[兵]部尙書·御史大夫.484) [尋兼東·西北面兵馬使:節要轉載].

[→王拜[知奏事]沆銀靑光祿大夫·樞密院副使·吏兵部尙書·御史大夫·太子賓客, 尋兼

480) 原文에는 三十六年十一月壬戌霧로 되어 있으나 三十六年十月壬戌霧의 오류일 것이다. 이달에는 壬戌이 없고, 이 記事의 다음에 다시 十一月이 나온다.

481) 이는 「曹溪山第五世贈諡慈眞圓悟國師塔碑銘」에 의거하였다.

482) 이날은 율리우스曆으로 1249년 12월 10일(그레고리曆 12월 17일)에 해당한다.

483) 이때(1249년 11월) 崔怡의 年齡이 얼마인지를 알 수 없으나 42년 전인 1207년(희종3) 전후에 30歲以下였다고 한 점을 보아 70歲前後로 추정된다.

· 『眞覺國師語錄』, 示衆, 崔尙書瑀祝壽齋, "又云可憐好丈夫, 身體極稜稜, 春秋未三十, 才藝百種能".

484) 添字는 『고려사절요』 권16에 의거하여 추가한 것이다.

東·西北面兵馬使, 又以爲敎定別監:列傳42崔沆轉載].

[某日], 沆, 忌知樞密院事閔曦·樞密院副使金慶孫, 得衆心, 流于海島, 又流左承宣崔峘·將軍金安·指諭鄭洪裕及父侍妾三十人:節要轉載].[485]

[某日, 宣旨云, "自皇考御宇, 寡人卽祚以來, 晋陽公怡, 左右輔弼, 故三韓如仰父母, 今忽棄世, 無所倚賴. 子樞密院副使沆, 繼世鎭定, 可超授相位[參知政事?]":節要轉載].[486]

[丙子[9日], 冬至. 大霧:五行3轉載].

[庚辰[13日], 亦如之[大霧]:五行3轉載].

[是月, 有童謠云, "瓠之木枝切之, 一水鐥. 陋台木枝切之, 一水鐥. 去兮去兮, 遠而去兮. 彼山之嶺, 遠而去兮. 霜之不來, 磨鎌刈麻去兮":五行2轉載].

[十二月戊戌朔[小盡,丁丑]:追加].

[是年, 以柳宜爲永州判官:追加].[487]

[○[判樞密院事]鄭晏捨南海縣私第, 爲定林寺, 請禪師見明[一然]住錫:追加].[488]

[是年頃, 以任景肅爲參知政事·修文殿大學士·判禮部事·太子太保, 蔡松年爲參知政事·判戶部事·太子少傅, 金敞爲金紫光祿大夫·守司空·政堂文學·尙書左僕射·集賢殿大學士·判工部事·太子少保, 趙敦爲金紫光祿大夫·知門下省事·吏部尙書·判三司事, 崔璘爲樞密院使·御史大夫·太子賓客:追加].[489]

---

485) 이와 같은 기사가 열전42, 崔忠獻, 沆에도 수록되어 있고, 관련된 기사로 다음이 있다.
· 열전16, 金慶孫, "[高宗]三十六年, 崔沆忌[樞密院副使金]慶孫得衆心, 流白翎島".

486) 이때 崔沆이 參知政事에 超遷하였던 것 같다.

487) 이는 『영천선생안』에 의거하였다.

488) 이는 다음의 자료에 의거하였다.
· 「華山曹溪宗麟角寺普覺國尊碑銘」, "己酉鄭相國晏, 捨南海私第, 爲社, 曰定林. 請師主之".

489) 이는 『동문선』 권26, 除宰臣任景肅·蔡松年·金敞·趙敦·樞密院使崔璘麻制에 의거하였다. 年代는 고종 33년 4월 樞密院副使 崔璘이 知貢擧에, 고종 37년 5월 中書侍郞平章事 任景肅이 知貢擧에 각각 임명된 것을 감안하여 推定하였다.

庚戌[高宗]三十七年, [只用當該年干支, 江華京十九年],

[南宋淳祐十年], [蒙古海迷失稱制二年], [西曆1250年]

1250년 2월 3일(Gre2월 10일)에서 1251년 1월 23일(Gre1월 30일)까지, 355일

春正月丁卯朔大盡,戊寅, [某日, 王贈參知政事崔沆母, 靜安宅主:列傳42崔沆轉載].

[某日, 參知政事崔沆以敎定別監牒, 除淸州雪綿子·安東眞絲繭絲·京山府黃麻布·海陽白紵布諸別貢及金州·洪州等處魚梁船稅. 又徵還諸道敎定收獲員, 委其任於按察使, 以收人心:節要轉載].[490]

[某日, 制, "晋陽公崔怡食邑晋州祿轉·稅布·徭貢, 直納參知政事崔沆家". 沆辭不受:節要轉載].

[→王下制, 以晋陽公崔怡食邑晋州祿轉·稅布·徭貢, 直納沆家. 沆辭不受:列傳42崔沆轉載].[491]

癸巳27日, 遣郎中崔章著如蒙古.

○遣大將軍李世材·將軍愼執平等, 始營宮闕于昇天府臨海院舊基.

[某日, 以侍御史?李禧李僐爲慶尙道按察使:慶尙道營主題名記].[492]

二月丁酉朔大盡,己卯, 甲辰8日, 東界兵馬使報, 東眞兵二百騎入境.

辛亥15日, 燃燈, 奉恩寺.

[某日, 參知政事崔沆衷甲領兵,[493] 自長峯宅, 馳馬, 移于見子山晋陽府, 不入正門, 由東偏小戶入, 蓋盖畏人也:節要轉載].[494]

己未23日, 遣樞密院副使崔滋·中書舍人洪縉, 如蒙古.[495]

---

490) 雪綿子(혹은 雪綿)는 실[絲]을 켤 수 없는 허드레 누에고치[蠶繭]를 삶아서 만든 솜(풀솜, 누비이불, 누비옷에 넣는 것)을 가리키는데, 색깔에 따라 朱雪綿子, 紅雪綿子도 있었던 것 같다(『중종실록』 권49, 18년 8월 壬戌25日). 또 眞絲는 열전42, 崔忠獻, 沆에는 繭絲(견사)로 달리 표기되어 있는데, 兩者는 같은 의미로 누에고치실[蠶繭絲, 명주실]이다.

491) 여기에서 祿轉은 田稅 또는 田租를 가리키는 것으로 고려시대의 대표적인 稅目인 租·布·役 중에서 租를 의미한다고 한다(蘇淳圭 2020년).

492) 李禧는 이해[是年]의 12월에 崔沆에게 피살된 李僐의 오자로 추측된다.

493) 衷甲에 대한 설명으로 다음이 있다.

· 『자치통감』 권124, 唐紀40, 代宗大曆 4년(769), "春正月丙子7日, 郭子儀入朝, 行內侍監魚朝恩邀之遊章敬寺. 元載恐其相結, 密使子儀軍吏告子儀曰, '朝恩謀不利於公', 子儀不聽. 吏亦告諸將, 壯士請衷甲以從者三百人 [注, 杜預曰, 衷甲, 謂在衣中]. 子儀曰, …".

494) ~~添字~~는 열전42, 崔忠獻, 沆에 의거하였다.

庚申[24日], 親設消災道場.

三月[丁卯朔大盡,庚辰], [某日, [參知政事]崔沆, 遣郞將林庚, 押前樞密院副使周肅, 流于島, 至熊川, 沈殺之. 肅, 古名永賚, 性好飾浮誇, 與怡爲寮壻, 故怡寄以腹心, 每聞讒說, 必委肅治之, 肅無問曲直, 皆殺之. 怡死, 肅領都房夜別抄·甲士等, 猶豫未決去就, 及殿前□□[承旨]公柱·梁伯等四十餘人, 歸沆, 肅亦附之. 沆悅, 待之甚厚, 事皆咨問, 沆徙見子山第, 不使肅知, 肅始異之, 臨死, 意將軍金孝精, 構之, 語庚曰, "孝精與吾同心, 欲復政於王". 庚還以告沆, 沆流孝精于島, 尋殺之. 又流肅壻將軍崔宗弼·羅州副使李昀:節要轉載].[496]

[某日, [參知政事]崔沆奪繼母大氏[太氏]宅主爵, 收其財產. 又投將軍吳承績于海, 承績, 大氏[太氏]前夫之產也. 大[太氏]嘗助金敉, 不右沆, 故沆深怨之:節要轉載].

[→沆, 嘗以繼母大氏[太氏]助若先子敉, 不右己, 深怨之. 乃奪大氏[太氏]宅主爵, 收其財產, 令夜別抄皇甫俊昌等, 投大氏[太氏]前夫子將軍吳承績于海:列傳42崔沆轉載].

[某日, 參知政事崔沆殺刑部尙書朴暄. 暄, 機警, 善辭辯, 爲崔怡家臣, 遂見寵任, 頗作威福, 勢傾朝野. 暄, 嘗爲史館修撰, 編怡功業錄, 幾至五六卷, 以示怡求媚, 嘗論沆事, 流于島. 後怡論國事, 無可與議者, 追念暄召還, 未至而怡死, 沆遣人, 投海中:節要轉載].[497]

癸未[17日], [郞中]崔章著還自蒙古云, "北朝徵宗親及洪福源父, 入朝".[498]

○北界昌州, 請入近地, 許之, 移于安岳縣. 先是, 威州亦遷于殷栗縣. 自此, 北界州民, 皆內徙西京畿內及西海道.

壬辰[26日], 親設華嚴神衆道場.

---

495) 이때 崔滋는 興中府(現 遼寧省 朝陽市 附近)를 거쳐서 몽골제국에 들어갔다고 한다.

· 『보한집』권상, "文宗大康七年辛酉[文宗35年], 崔良平公思齊, 使入宋, … 予於前歲, 以副樞使蒙古, 抵宿興中府, 見一寺壁上書一絶云, 四野盡爲狐兎窟, 萬邦猶仰犬羊天. 人間樂國是何處. 深歎吾生不後先, …".

496) 이와 같은 기사가 열전42, 崔忠獻, 沆에도 수록되어 있으나 字句에 出入이 있다.

497) 이와 관련된 기사로 다음이 있다.

· 열전38, 朴暄, "[朴暄] 嘗爲史館修撰, 虛誇怡功業, 編至五六卷, 獻于怡. 官累刑部尙書, 論崔沆事, 流黑山島. 後怡以無可與議者召, 暄還未至, 而怡死. 沆遣人, 投海中. 暄嘗獻議, 建新興倉, 備凶荒, 民賴以活. 爲之語曰, 微朴公吾其死矣".

498) 몽골제국이 洪福源의 父 大純을 刷還할 것을 요청한 것은 열전43, 洪福源에도 수록되어 있다 ("[高宗]三十七年, 元徵大純入朝").

夏四月丁酉朔小盡,辛巳, 癸卯7日, 幸乾聖·福靈二寺.

丁未11日, 幸妙通寺.

乙卯19日, 幸王輪寺. 近, 國家多故, 乘輿不備, 或乘馬, 或肩輿. 今乃乘輦, 儀物始備.

己未23日, 幸外院外帝釋院?·九曜堂.499)

[是月某日, 立眞覺國師慧諶圓炤圓炤塔碑於靈巖郡月南寺:追加].500)

[○僧慈淑·信全·日精等寫成'紺紙金泥父母恩重經':追加].501)

五月丙寅朔小盡,壬午, 癸酉8日, 賜金應文等及第.502)

丁丑12日, 親設功德天道場于本闕, 以禱雨.

癸未18日, 再雩.

[○良醞洞民家百餘戶火:五行1火災·節要轉載].503)

---

499) 4월 己未(23일), 10월 己亥(7일)의 '幸外院九曜堂'은 '幸外帝釋院及九曜堂'을 指稱하는 것일 것이다. 開京에서 外帝釋院와 九曜堂이 인접하여 있었는데, 江都에서도 인접하여 있었던 것 같다.

500) 이는 다음의 자료에 의거하였다.

· 「月南寺眞覺國師圓炤圓炤塔碑」 碑陰, "… 庚戌高宗37年四月日上石".

501) 이는 京都博物館에 소장되어 있는 『紺紙金泥父母恩重經』의 제기에 의거하였다(禿氏祐祥 1928年·1939年 ; 張東翼 2004년 701面).

· 題記,"伏爲」 聖壽天長國泰安民,又爲先亡父母親緣,」 七世師親,法界含靈,悉脫苦趣,同生安樂,聞法悟道,」 次及已身離諸災難,此報盡時,生生世世,同生一處,」 不離三寶,助揚佛事,供養衆具,皆悉滿足,廣度有情,」 同歸覺安耳,庚戌歲四月 日 敬書,」 施主比丘 慈淑,」 同願比丘 信全,」 日精,」".

502) 이와 관련된 기사로 다음이 있다.

· 지27, 선거1, 科目1, 選場, "高宗三十七年五月, 中書侍郎平章事任景肅知貢擧, 尙書左丞金孝印同知貢擧, 取進士, □□癸酉, 賜金應文等二十九人·明經三人·恩賜八人及第".

503) 1675년(숙종1) 5월 許穆(1595~1682)이 쓴 良醞洞에 대한 기사로 다음이 있다.

· 『記言』別集권9, 良醞洞古蹟記, "輿誌開京古蹟, 姜太師邯贊·安中贊裕·李侍中穡·韓上黨府院君脩古宅, 皆在良醞洞, 今太平館西, 古國子監下云[注, 勝覽只云, 在良醞洞, 而諺傳太平館西, 卽良醞洞]. 余嘗按古事, 從父老傳說, 略記其事, 有韋布士韓德亮, 持牧隱·柳巷詩[注, 牧隱李侍中號, 柳巷韓上黨號]來示余. 余幸得此, 攷其事頗詳於牧隱·柳巷宴集詩, 尤可見. 李侍中東山西北, 故朴萬戶朴之亮園中小丘, 最勝地. 從小丘直南小下, 權吉昌園林, 其西, 故柳宰相古宅, 又其南, 洪陽坡彥博古宅. 權吉昌林亭傍, 韓上黨樓居. 牧隱作'柳巷樓上與廉東亭廉興邦小酌'詩, 其東李侍中宅, 而柳巷詩, 有'牧老買宅比隣'之語. 又二公酬唱詩, 各稱東里·西隣云. 今三百年古事, 歷歷如在目前, 獨恨姜太師·安中贊遺墟所在不可知. 麗史權氏傳, 權氏貴盛權準·權適父子, 皆封吉昌君. □□忠宣王命官出六百金[注, 史作銀五十斤云, 五十斤, 恰爲六百兩也], 買安裕第, 以賜準. 時安氏舊宅, 爲權吉昌賜第, 方二世云. 櫟翁李齊賢·氷翁二公之居, 亦如牧隱遺卷所云, 皆在此, 而無從可知. 韓氏譜牒, 上黨公, 權吉昌之外甥[注, 譜云權準子適, 適女壻韓脩.

乙酉[20日]，以旱徙市.

[某日，[參知政事]崔沆，嘗娶大卿崔昷女，以有疾棄之，改娶[左]承宣趙季珣女. 王命牽龍·中禁都知·巡檢白甲·內侍·茶房衛送，賜御座·肩輿·燈燭，儀物之盛，罕有其比，又特賜黃金鏡奩·粧具. 諸王·宰樞，皆以金帛致賀:節要轉載].[504)]

[某日，京城訛言，“用人五十，祭天狗星”. 男女惶怖，姦猾因之，乘昏淫盜者，甚衆. 御史臺牓諭，不能禁，月餘乃息:節要·五行2轉載].

己丑[24日]，聚巫都省，禱雨三日.

辛卯[26日]，又雩. 移御壽昌宮.

壬辰[27日]，雨.

六月[乙未朔大盡,癸未]，丙申[2日]，王如奉恩寺.

庚子[6日]，蒙古使多可·無老孫等六十二人來，審出陸之狀. 到昇天府館，責王出迎江外. 王不出，遣新安公佺，迎入江都.

[甲辰[10日]，月犯房星:天文2轉載].

乙巳[11日]，宴蒙使于壽昌宮.

[丁巳[23日]，歲星犯壘壁陣:天文2轉載].

壬戌[28日]，親設華嚴神衆道場於本闕.

秋七月[乙丑朔小盡,甲申]，[庚午[6日]，流星出紫微西藩，入天際:天文2轉載].

甲戌[10日]，移御闕西宮.

[某日，貶知刑部事庾碩，爲安北都護副使. 碩，應圭之孫，性剛直，嘗忤崔怡，竄于蓮花島，沆繼政欲收人望，召爲知刑部□[事]. 有大將軍金寶鼎·李輔，訟奴婢，碩，守正不撓，二人怨之，訴沆出之，尋卒. 初，碩爲安東都護副使，政最，怡信讒流巖墮島，將行，老幼遮道，號哭曰，“天乎，我公何罪，公去矣，我何生爲?”，攀挽使不得行. 押送別抄呵叱，路得開. 其妻亦携子女，以行，衙內私馬只三匹，或有徒行者，鄕人泣請留一日不得，各出人馬，護送. 其妻辭曰，“家公流配，妾與兒息，皆罪人

又牧隱集稱吉昌·上黨，俱曰西隣，蓋柳巷爲權氏之甥，故仍就吉昌第而居]，而上黨後益貴，改封淸城. 今韓生淸城九世孫也. 元年五月上浣，孔碞許穆書”.

504) 이와 같은 기사가 열전42, 崔忠獻, 沆에도 수록되어 있으나 字句에 出入이 있다.

也, 何煩人馬". 鄕人固請, 竟不許. 人皆嘆曰, "非夫人之節, 豈得配我公乎?". ○後爲東北面兵馬使, 秩滿當還, 東人請借三年, 呼爲父母. 先是, 有一兵馬使, 始以江瑤柱, 餽怡, 遂爲例. 江瑤柱, 海物也, 出龍津縣[龍津鎭?], 捕之甚艱. 縣人五十餘戶, 因之失業, 逃散幾盡. 碩一禁絶之, 流亡盡還. 時守令爭事侵漁, 以媚權貴, 碩移牒禁之. 有忌碩者, 取牒示怡, 怡曰, "碩不餽我, 足矣, 何苦禁道內乎?". 凡所莅官, 淸白守法, 不阿權貴, 屢以微過見斥, 執節不小屈. 後朴惟氏守安東, 自謂爲政, 不下於庾. 嘗獨坐, 見一小胥性質而謹者, 乃語之曰, "民以我爲何如庾使君?". 胥曰, "民稱庾使君, 有間然後, 語亦及之". 惟氏慙服:節要轉載].[505)]

[→[庾碩,] 後爲安東都護副使. 時巡問使宋國瞻移牒於碩, 令修山城, 又牒與判官申著同議. 著素貪汚, 碩恥與共事, 所牒事皆委著, 日與儒士嘯咏而已. 著嗛之, 訴于崔怡曰, "修城大事也, 副使不留意, 狄兵若來, 必敗". 怡流碩于岩墮島. 將行, 老幼遮道號哭曰, "天乎, 我公何罪, 公去我何生?". 爲攀挽, 使不得行, 押送別抄呵叱, 路得開. 妻携子女以行, 私馬只三匹, 或有徒行者. 邑人泣請留一日不得, 出騶從護送, 妻辭曰, 家公流配, 妻子皆罪人也, 何煩人馬. 邑人固請, 竟不許, 邑人嘆曰, "非夫人, 豈得配我公?". ○復起爲東北面兵馬使, 先是, 有一兵馬使, 始以江瑤柱, 餽怡, 遂爲常例. 江瑤柱, 海物, 出龍津縣[龍津鎭?], 捕之甚艱. 邑民五十餘戶, 因之失業, 逃散幾盡. 碩一禁絶之, 流亡盡還. 時守令爭事侵漁, 以媚權貴, 碩移牒禁之. 有忌碩者, 取牒示怡, 怡曰, "碩不餽我足矣, 何苦禁道內?". 東北人感碩淸德, 呼爲父母, 秩滿當還, 請借三年. 召拜禮賓卿, 爲蒙古使館伴, 譯者以失禮告怡, 乃配蓮花島.[506)] 崔沆襲權, 欲收人望, 召知刑部事. 有上將軍金寶鼎, 欲奪人奴婢訟之, 碩立辨其僞, 寶鼎怨之. 又大將軍李輔, 與一進士爭奴婢, 誣告進士辱罵我. 碩訊知其妄不問, 輔恚曰, "尙書右同風一小儒, 不顧重房三品官乎?". 碩曰, "若謂

505) 江瑤柱는 조갯살[貝柱]로서 그 형태가 牛耳와 비슷하여 耳螺라고도 부른다(『物譜』卷上, 蟲魚部).
- 『성종실록』 권212, 19년 윤1월 庚午[5日], "忠淸道觀察使金礪石獻海蛤百箇, 其名江瑤柱, 產於庇仁內浦等處, 日寒時, 海口潮頭水落泥生處, 或產或不產. 其味與常蛤不類也".
- 『연산군일기』 권21, 3년 1월, "庚戌[8日], 下書全羅·忠淸道, 令勿進江瑤柱".
- 『惺所覆瓿藁』 권26, 說部5, 屠門大嚼, 海水族之類, 江瑤柱, "北靑·洪原多產之, 大而甘滑, 前朝因元[蒙古國]之求, 殆至國匱".
- 『恕菴集』 권4, 申明叔[思喆]於北路海物, 最嗜江瑤柱, 品題爲第一, 然余素不喜此物, … 同派有江瑤柱傳". 여기에서 申思喆은 朝鮮 肅宗 때의 官僚이다.

506) 蓮花島는 蓮華島로도 표기되며 현재의 경상남도 統營市 欲知面 蓮花里에 있다(『신증동국여지승람』 권32, 固城縣 ; 東亞大學 2006년 27책 7面).

我護一儒士者, 大將軍可盡護一國軍卒乎?". 輔深銜之, 二人交訴于沆, 貶安北都護副使. 碩季女稍解書, 獻詩于沆, 乞留父, 沆慰諭之, 因與穀帛. 碩至安北, 數月而卒. □[碩], 性剛直淸白, 不阿權貴, 屢以微過見斥, 執節不小屈. 後朴惟氏守安東, 自謂爲政, 不下於碩. 嘗獨坐郡齋, 見一小吏質愼者, 語曰, "咫尺之地, 障以藩蘺, 耳目莫得見聞. 況處一堂, 欲察四境之內, 不亦難哉. 今得無姦吏弄法, 窮民飮恨者乎?". 小吏曰, "自官之來, 民不見吏, 吏之弄法, 有不及知, 民之飮恨, 未之聞也". 惟氏又語曰, "民以我何如庾使君". 小吏曰, "民稱庾使君, 有閒然後, 語亦及之". 惟氏慙服. ○碩曾祖母, 睿宗後宮出也. 睿宗嘗幸西都, 平州吏女在道左, 觀之, 姿甚艶, 睿宗召入生女, 遂嫁弼. 以國庶之後, 不得踐臺諫·政曹:列傳34庾碩轉載].

丙戌[22日], 設天兵神衆道場于內殿.

○樞密院副使權守平卒.[507] [守平, 姿豊美, 性純厚, 質直, 有古人風. 嘗爲隊正, 貧居, 有郎中卜章漢, 以非罪見竄, 守平遞食其田有年, 及章漢遇赦還, 守平素不相識, 且其田租, 已漕于江, 守平袖租簿就與之. 章漢拒不受曰, "當吾竄謫, 君雖不食, 豈無他人, 君今哀我, 還其田, 亦足矣, 何用租爲". 兩人相讓, 久之, 守平竟投簿而去. 父老嘆曰, "今爭奪成風, 不圖, 獲見若人". 時用權貴子弟, 補牽龍, 守平由隊正得補, 辭以家貧. 親舊謂曰, "此榮選也, 故率多易妻求富, 君若改娶, 富家誰不授室". 對曰, "貧富天也, 何忍棄二十年糟糠之妻, 以求富室". 言者慙服:節要轉載].[508]

○遣左司諫鄭蘭·郎將魏公就, 如蒙古.

丁亥[23日], 以趙季珣爲樞密院副使, 李世材爲右副承宣.[509]

[己丑[25日], 月入東井:天文2轉載].

[是月, 以崔允愷爲慶尙道按察使:慶尙道營主題名記].

[○僧統·浮石寺住持覺膺開板'佛說阿彌陀經':追加].[510]

---

507) 이날은 율리우스曆으로 1250년 8월 21일(그레고리曆 8월 28일)에 해당한다.

508) 이와 같은 기사가 열전15, 權守平에도 수록되어 있다.

509) 이때 趙季珣은 銀靑光祿大夫·樞密院副使·戶部尙書·上將軍에 임명되었다고 한다(『동문선』 권26, 趙季珣爲銀靑光祿大夫·樞密院副使·戶部尙書·上將軍官誥).

510) 이는 다음의 자료에 의거하였는데(千惠鳳 1977년 ; 1990년 83面 ; 郭丞勳 2021년 209面), 覺膺(生沒年 不明)은 熙宗의 다섯째 아들이다

· 『佛說阿彌陀經』刊記, "伏爲」 聖德遐昌,隣兵不作朝野咸安,」 法輪普轉,兼及含生,共登樂岸,」 募公雕板,印施無窮者,」 庚戌七月日 誌,」 浮石寺住持·僧統 覺膺」".

八月[甲午朔大盡,乙酉], [某日, 王命移崔忠獻眞于昌福寺, 崔怡眞于禪源社, ~~叅上·叅外·別監及文武官各二十員,~~ 導從如移安太祖眞儀:節要轉載].[511)]

戊戌[5日], 東界兵馬使報, 狄兵入高·和州古城.

[某日, 西北面知兵馬事宋國瞻卒. 國瞻, 嘗事崔怡, 然性剛直不阿, 怡頗憚之, 及沆繼政, 畏禍屛居, 沆亦懷宿憾, 顧嫌物議, 召爲散騎~~右散騎常侍~~. 未幾, 出知西北面兵馬事, 久不召, 憤懣而卒:節要轉載].[512)]

甲辰[11日], 樞密院副使崔椿命卒.[513)] [蒙古之難, 椿命守慈州, 不降, 終始一節, 論功爲第一:節要轉載].[514)]

己酉[16日], 宥死囚十人, 配有人島.

辛亥[18日], 王如奉恩寺, 設慶讚法席.

[○月犯東井北轅:天文2轉載].

庚申[27日], □[始]築江都中城.[515)]

[→始築江都中城, 周回二千九百六十餘間, 大小門凡十七:兵2城堡轉載].

九月[甲子朔小盡,丙戌], 辛未[8日], 移御壽昌宮.

[丙子[13日], 西方有雷聲:五行1雷震轉載].

己卯[16日], 幸賢聖寺.

甲申[21日], 幸乾聖·福靈二寺.

· 열전4, 宗室2, 熙宗王子, "成平王后任氏, 生昌原公祉·始寧侯禕·慶原公祚·大禪師鏡智·冲明國師覺膺".

511) ~~添字~~는 열전42, 崔忠獻, 沆에 의거하였다.

512) 이와 같은 기사가 열전15, 宋國瞻에도 수록되어 있다.

513) 이날은 율리우스曆으로 1250년 9월 8일(그레고리曆 9월 11일)에 해당한다.

514) 崔椿命은 1634년(인종12) 平安道 慈山郡의 어떤 祠宇에 祭享되었는데, 1670년(현종11) 윤2월 7일 義烈이라는 이름이 하사되었다(『梅窓集』 권1, 敬次褒忠·表節祠會祭圖詩二韻幷序).

· 『현종개수실록』 권22, 11년 윤2월, "甲午[7日], 賜慈山郡崔春命~~崔椿命~~·洪命耉祠額曰義烈. 春命~~椿命~~, 高麗 高宗時人, 爲慈山副使, 蒙古兵圍而攻之, 春命固守不下, 竟以節死. 至崇禎甲戌[仁祖12年], 監司洪命耉爲立祠祭之. 其後丙子[14年]之難, 命耉亦死事, 故因竝享其祠. 至是, 監司李泰淵啓請賜額, 遂有是命".

· 『숙종실록』 권38, 29년 7월 癸酉[29日], "… 命立朴犀祠于龜城, 以崔景侯·金之佇, 合享于慈山崔椿命. 初, 四臣, 皆高麗抗節立功之士也. 時龜城新築城, 閔鎭厚自西歸, 以民情陳白, 請許享祠, 聳動觀瞻, 遂有是命".

515) ~~添字~~는 『고려사절요』 권16 ; 지36, 병2, 城堡에 의거하였다.

戊子[25日], 幸妙通寺.

辛卯[28日], 幸王輪寺.

冬十月[癸巳朔小盡,丁亥], [甲午[2日], 大雷電:五行1雷震轉載].

己亥[7日], 幸外院[外帝釋院?]·九曜堂.

[乙巳[13日], 流星入東方, 其下有聲:天文2轉載].

[十一月壬戌□[朔大盡,戊子], 四方有赤氣:五行1轉載].[516)]

[乙亥[14日], 月犯畢星:天文2轉載].

[庚辰[19日], 大霧三日:五行3轉載].

十二月[壬辰朔大盡,己丑], [乙未[4日], 童津山, 有血祲:五行1轉載].

[庚子[9日], 太白·歲星, 相犯:天文2轉載].

[某日, [參知政事]崔沆殺侍御史李偆等四人. 初, 沆爲僧, 與甫州副使趙廉右·道康監務朴長原[~~朴長源~~]有憾, 及用事, 乃流于島. 偆素與二人相善, 及按慶尙道, 至固城縣, 召[二人]與飮宴, 縣令權信由與焉. 後有僧, 譖信由於沆曰, "偆與信由, 潛召廉右等, 謀亂". 沆皆投于江. 時人哀之:節要轉載].[517)]

丙午[15日], 以[築中城功, 拜:節要轉載]崔沆爲門下侍中, [封晋陽侯, 開府, 讓不受:節要轉載].[518)] [□[城]周回二千九百六十餘間:地理1江華縣轉載].

[壬子[21日], 大寒. 月犯五角:天文2轉載].[519)]

[癸丑[22日], 太白入羽林:天文2轉載].

[甲寅[23日], 月犯氐星:天文2轉載]

[乙卯[24日], □[月]犯房上相:天文2轉載].

[○司天臺奏, "月犯房上相, 占云, 主有憂, 上相誅, 有亂臣, 臣代其主".[520)] 時

---

516) 壬戌에 朔이 탈락되었다.

517) ~~忝字~~는 열전42, 崔忠獻, 沆에 의거하였다(盧明鎬 等編 2016년 434面). 또 慶尙道按察使는 이 해[是年]의 春夏番按察使 李偆일 것이다.

518) 이와 같은 기사가 열전42, 崔忠獻, 沆에도 수록되어 있다.

519) 五角은 星座에서 찾아지지 않으므로 左角星 또는 大角星의 誤字로 추측되고 있다(東亞大學 2011년 13책 148面).

王以迎蒙使，將幸梯浦宮，司天之奏，欲□王修省而停之也. 參知政事崔沆見實封，惡之，嗾御史臺劾司天，妄奏星變，罷判臺事崔允旦·太史丞吳安矩. 時言路閉塞，唯司天□臺，據占直奏，欲使修德消變. 自此，日官之奏，亦將廢矣:節要轉載].

[→一日，月犯房上相，司天臺奏，“月犯上相，占云，主有憂. 上相誅，有亂臣，臣代其主”. 時王將迎蒙古使，幸梯浦宮，故司天欲王修省停幸. 沆見實封，惡之，嗾御史臺劾司天□臺妄奏星變，罷判臺事崔允旦·太史丞吳安矩:列傳42崔沆轉載].

丙辰25日，蒙古使洪高伊等四十八人來，止昇天館曰，“俟王出迎，乃入”.

己未28日，王迎于梯浦宮. 是日，大風寒甚，百官皆凍縮失容. 王命撤輦上帷帳曰，“法從百官，寒凍如此，朕獨暖耶?”.

[是年，以朴脩~~朴隨~~爲試禮賓少卿·東京副留守·管句學事:追加].[521]

[○以禪師天英爲禪源社住持:追加].[522]

[□□□~~是年頃~~， 參知政事崔沆， 擢散員李公柱及崔良伯·金仁俊爲別將， 聶長壽爲校尉，仁俊弟承俊爲隊正:追加].[523]

[仁同人 張東翼 校注，增補].

---

520) 이 구절은 다음의 자료를 참고하여 축약하였던 것 같다(蔡雄錫敎授의 敎示).

· 『개원점경』 권13，月占3，月犯房4，“… 黃帝占曰，月犯上將，上將誅，犯次將，次將誅，犯次相，次相誅，犯上相，上相誅. 河圖帝覽嬉曰，月犯房心，天下有殃，主有憂. 郗萌占曰，月犯房，有亂臣期不出三年，臣伐其主，天下有亡國”.

521) 朴隨는 다음의 자료에 의거하였는데，그는 明年(고종38) 4월에 副留守로서 『佛說阿彌陁經』을 開板하였다.

· 『東都歷世諸子記』，“尙書朴脩~~朴隨~~，庚戌到任”. ~~添字~~와 같이 고쳐야 옳게 될 것이고，當時에서 尙書는 원래 3品官의 別稱이었으나 여기에서는 副留守를 가리킨다.

522) 이는 「曹溪山第五世贈諡慈眞圓悟國師塔碑銘」에 의거하였다.

523) 이는 고종 45년 1월 3일，2월 某日의 金仁俊과 관련된 기사에 의거하였다.

『高麗史』卷二十四 世家卷二十四

[輔國崇祿大夫·議政府左贊成·知集賢殿經筵春秋館成均事·世子賓客·臣金宗瑞奉敎撰]

正憲大夫·工曹判書·集賢殿大提學·知經筵春秋館事兼成均大司成·臣鄭麟趾奉敎修

高宗 三

辛亥[高宗]三十八年, [只用當該年干支, 江華京二十年],[1)]

[南宋淳祐十一年], 蒙古海迷失稱制三年→6月憲宗元年], [西曆1251年]

1251년 1월 24일(Gre1월 31일)에서 1252년 2월 11일(Gre2월 18일)까지, 13개월 384일

春正月壬戌朔[小盡,庚寅], 王在梯浦宮, 宴□□[蒙使]洪高伊,[2)] 高伊謂王曰, “國之北鄙, 殘破已甚, 如家無藩籬, 何可復都舊京. 宜據江以自固, 我當歸奏<u>皇后</u>[海迷失], 無令東擾”. 王悅, 待之彌厚.[3)]

甲子[3日], 王還壽昌宮, 蒙使從之, 不及. 乃曰, “王不待我而行, 我將還歸”. 王駐輦以待, 蒙使佩弓矢, 馳突而至, 見者□□[莫不]寒心. 父老出迎都門外, 皆泣下再拜, 呼萬歲.[4)]

丁卯[6日], [立春]. 王命館伴, 宴蒙使. 蒙使曰, “爾國旣降, 欲就陸, 何以城爲”. 對曰, “宋賊船往來, 故築城以備, 實無他也”.

庚午[9日], 蒙使還.

癸酉[12日], [參知政事]崔沆獻酒饌于王. 王召諸王·公侯, 同宴而罷, 盖慶蒙使和親而退也.

戊寅[17日], [[中書侍郞]平章事<u>任景肅</u>致仕:節要轉載],[5)] 以[判樞密院事]鄭晏△[爲]知門下省事,

---

1) 이해의 干支를 古甲子로 표기한 자료도 있다.

· 「薛愼墓誌銘」, “時<u>重光</u>[辛]<u>大淵獻</u>[亥]<u>相月</u>[7月],入內侍·將仕郞·尙書禮部員外郞<u>金百鎰</u>[金坵]誌”.

2) 添字는 『고려사절요』 권17에 의거하였다.

3) 定宗 貴由[구육]의 皇后인 海迷失(Qaimisi, ?~1252)은 1248년 3월 貴由이 逝去한 후 어린 아들 失列門을 대신하여 3년간 垂簾聽政을 實施하였다[稱制]. 1251년 6월 憲宗 蒙哥[몽케]가 즉위한 후 정치에 간섭하다가 被殺되었다(『원사』 권114, 후비1, 定宗欽淑皇后).

4) 添字는 『고려사절요』 권17에 의거하였다.

5) 任景肅은 [中書侍郞同]中書門下平章事·修文殿大學士·判吏部事에 이르렀다고 한다(열전8, 任懿).

薛愼·柳詔·趙修趙脩並爲樞密院副使,[6] 李仁孝·金起孫爲左·右僕射.

甲申23日, 親設天帝釋道場于本闕.

[某日, 以孫萶爲慶尙道按察使:慶尙道營主題名記].

二月辛卯朔大盡,辛卯, [丁酉7日, 驚蟄. 月犯畢第二星:天文2轉載].

戊戌8日, 移御本闕.

[庚子10日, 月入東井:天文2轉載].

甲辰14日, 燃燈, 王如奉恩寺.

[某日, 參知政事崔沆黜巫覡于城外:節要轉載].[7]

癸丑23日, [春分]. 遣同知樞密院事崔璟·上將軍金寶鼎, 如蒙古.

三月辛酉朔大盡,壬辰, 乙丑5日, 親設華嚴神衆道場于本闕.

[丙寅6日, 月入東井:天文2轉載].

[壬申12日, 樓橋北里二百餘戶火:五行1火災·節要轉載].

[乙亥15日, 月食:天文2轉載].[8]

[丁亥27日, 流星出庫樓, 入亢:天文2轉載].

[戊子28日, 霜:五行1霜轉載].

[某日, 參知政事崔沆流繼母大氏太氏于海島, 尋毒弑之. 初, 沆令夜別抄皇甫昌俊等, 投大氏太氏子吳承績于海, 會夜黑潮退, 承績得不死, 祝髮, 潛入皆骨山. 寄書于母, 母家奴, 至密城, 洩於人. 副使李舒聞之, 以報沆, 沆大怒, 索承績投之江, 斬昌俊等六人. 大氏太氏族黨及諸奴婢, 或殺或流, 凡七十餘人. 時人哀之. 舒以功超拜軍器監. 自是, 凡有私憾者, 皆誣告某人謀亂, 以邀賞, 及鞫無驗, 沆之信讒如此. 沆

6) 이때 薛愼은 樞密院副使·刑部尙書·翰林學士承旨에, 趙脩는 銀青光祿大夫·樞密院副使·左散騎常侍·翰林學士承旨에 각각 임명되었다고 한다(薛愼墓誌銘 ;『동문선』 권26, 趙脩爲銀青光祿大夫·樞密院副使·左散騎常侍·翰林學士承旨官誥).

7) 이 기사는 열전42, 崔忠獻, 沆에는 1250년(고종37) 1월에 수록되어 있으나 오류일 것이다(金昌賢 2017년 176面).

8) 이날 宋에서도 월식이 있었고(『송사』 권52, 지5, 천문5, 月食), 일본의 京都에서도 월식이 있었다(高麗曆과 同一, 日本史料5-35册 147面). 이날은 율리우스력의 1251년 4월 7일이고, 월식 현상이 심했던 때의 世界時는 19시 56분, 食分은 1.69이었다(渡邊敏夫 1979年 480面).
· 『百練抄』제16, 後深草[本院], 建長 3년 3월, "十五日乙亥, 月蝕也".

又遣將軍宋吉儒于白翎島，沈樞密院副使金慶孫于海，以承績之姻親也．分遣人南界諸道，沈殺配人者過半．○慶孫，門下侍郞平章□事台瑞之子，母夢五色雲間，有衆環擁一靑衣童，自天墮懷中，遂有娠而生，故初名曰雲來，頭上有起骨龍爪，怒則鬚髮皆立，性莊重和裕，智勇絶人，守龜州·平羅州，功無與比，爲姦賊所害，人皆痛惜:節要轉載］.[9)]

［□□先是，參知政事崔沆，令夜別抄皇甫俊昌等，投大氏太氏前夫子將軍吳承績于海，會夜黑潮退，承績得不死，祝髮潛入皆骨山，寄書于母，家奴至密城，洩於人．副使李舒聞之，以報沆．沆大怒，獲承績投之江，斬俊昌等六人，流大氏太氏于海島，尋毒殺之．大氏太氏族黨及諸奴婢，或殺或流，凡七十餘人．舒以功，超拜軍器監．○沆信讒，凡有私憾者，輒誣告謀亂以邀賞，及鞫無驗．沆又遣將軍宋吉儒，沈前樞密院副使金慶孫于海，以承績姻親也．分遣人，沈殺南道編配者過半:列傳42崔沆轉載］.

夏四月辛卯朔小盡,癸巳，己亥9日，幸賢聖寺．

丙午16日，幸王輪寺．

戊申18日，幸妙通寺．

辛亥21日，親設天兵神衆道場于本闕．

［癸丑23日，小滿．月犯歲星:天文2轉載］.

丙辰26日，幸外院外帝釋院?·九曜堂．

［是月，判秘書省事李淳牧，□□□□□掌國子監試，取詩賦盧元等三十九人，十韻詩·明經幷六十人:選擧2國子試額轉載］.[10)]

［○東京副留守·管句學事·試禮賓少卿朴隨開板‘佛說阿彌陁經’:追加］.[11)]

---

9) 이와 관련된 기사로 다음이 있는데, 金慶孫은 1249년(고종36) 11월 初旬 이래 白翎島에 安置되어 있었다.
· 열전16, 金慶孫, “後二年, 沆弑繼母大氏, 幷投前夫子吳承績于江, 以慶孫爲承績姻親, 遣人配所白翎島, 投海中. 慶孫累立大功, 朝野倚重, 遽爲奸賊所害, 人皆痛惜”.

10) 이때 李仁成(改尊庇)과 許珙이 同甲(19歲)으로 합격하였다(李尊庇墓誌銘 ; 許珙墓誌銘). 또 李淳牧은 그의 아들 李德孫(一時 李岾으로 改名)의 묘지명에 의하면 尙書右僕射에 이르렀다고 한다.

11) 이는 다음의 자료에 의거하였는데, 朴隨는 3년 후인 1254년(고종41) 慶尙道春夏番按察使에 임명되었다(海印寺 所藏, 국보 제206호-12호, 崔永好 2009년 95面 ; 林基榮 2009년 ; 郭丞勳 2021년 211面).
·『佛說阿彌陁經』題記, “特爲」 聖壽天長,儲齡地久,淸河相國,」 福壽無疆,干戈永息,國土太平,」 普五月庚申朔大盡,甲午, 丙寅7日, 守司空·左僕射孫抃卒.[12)] [抃, 初名襲卿, 性剛毅, 長於吏事, 剖決如流, 所至有聲. 嘗按慶尙□道,[13)] 人有弟與姊相訟者, 弟曰, "一女一兒爲同產, 何姊獨得父母之財, 而兒無其分耶?". 姊曰, "父臨絶, 擧家產付我, 汝所得者, 緇衣冠各一·繩鞋一兩·紙一卷而已, 文契具存, 胡可違也". 訟之積年未決, 抃召二人至前, 問曰, "若父沒時, 母安在?". 曰, "先亡". "若等於時, 年各幾何?". 曰, "姊已有家, 弟方髫齔". 抃因諭之, 曰, "父母之心, 於兒女均也. 夫豈厚於長年有家之女, 而薄於無母髫齔之兒耶?, 顧兒所賴者, 姊也. 若遺財與姊等, 恐其愛之或不至, 養之或不全耳. 兒旣長, 則用此紙, 作狀, 服緇衣冠, 履繩鞋, 以告於官, 將有能辨之者. 其獨遺四物, 意蓋如此". 弟與姊聞而感悟, 相對而泣, 抃遂中分與之. 抃以妻派聯國庶, 不得拜臺省·政曹·學士·知制誥. 妻嘗謂抃曰, "公因我系賤, 不踐儒林淸要, 敢靖棄我, 更取世族". 抃笑曰, "爲己仕宦, 棄三十年糟糠之妻, 吾不忍爲也, 況有子乎?". 遂不聽:節要轉載].[14)]

[丁卯8日, 雨:五行2轉載].[15)]

甲戌15日, 親設功德天道場于本闕.

[某日, 參知政事鄭晏與門生郎將林葆·內侍李德英·威州副使石演芬, 論時事曰, "人命至重, 崔令公何殺人乃爾". 後德英·演芬, 會飮葆家, 共稱, "前日恩門言, 誠是也". 葆妻兄家奴聞之, 訴于沆. 沆與晏, 素不協, 及執政, 欲收人望, 外雖禮貌, 內實猜忌. 及聞是言, 大怒曰, "鄭公本有異心, 誹謗吾事, 其將構亂乎?". 遂籍其家, 流于白翎島, 尋遣人沈殺之. 晏, 性聰警, 陰陽算術醫藥音律, 無不精曉, 然好奢侈, 第宅·器皿極華麗, 以珍羞事權貴, 又侫佛:節要轉載].[16)]

共法界,一切有情,同生西方,」 極樂國土,彫出阿彌陁經,永充」 功德者.」 辛亥四月日,刻手道人永安,」 東京副留守·管句學事·試禮賓少卿朴隨」". 여기에서 '普共法界'는 무슨 말인지 알 수 없으나 '普供養法界'를 의미하는 것 같다.

12) 이날은 율리우스曆으로 1251년 5월 28일(그레고리曆 6월 4일)에 해당한다.

13) 孫抃은 1233년(고종20, 癸巳) 春夏番[春夏等]慶尙道按察使 尹復珪가 解職[散]되어 後任者로 임명되었다(『慶尙道營主題名記』).

14) 이와 같은 기사가 열전15, 孫抃 ; 『역옹패설』前集2에도 수록되어 있는데, 字句의 출입이 있으므로 함께 읽어야 할 것이다.

15) 이때 일본의 鎌倉에서는 4월 21일(辛亥)부터 계속 비가 내리다가 23일(癸丑)에 크게 내렸고, 5월 1일(庚申)에 이르러 그쳤던 것 같다.

· 『吾妻鏡』제41, 建長 3년 4월, 5월, "廿二日壬子, 雨, … 廿三日癸丑, 甚雨, 自廿一日未止, 今夜子刻洪水, 村里家耕所苗, 悉以流失云云, … 五月大, 一日庚申, 天霽".

[是月, 旱:五行2轉載].

六月庚寅朔大盡,乙未, 王如奉恩寺.
壬辰3日, 設天兵神衆道場于內殿.
癸卯14日, 太白晝見, 經天.
○樞密院副使~~刑部尙書·翰林學士承旨~~薛愼卒.[17)]
甲辰15日, 親設消災道場于本闕.
乙巳16日, 設仁王道場于內殿.
是月, 以故刑部尙書朴暄家爲淨業院, 集城內尼僧居之, 築外墻禁出入. 先是, 僧尼雜處閭閻, 有醜聲.
[是月, 蒙古監國拖雷長子蒙哥卽皇帝位於斡難河, 是憲宗也:追加].[18)]

秋七月庚申朔小盡,丙申, [丙寅7日, 月入氐星:天文2轉載].
丁卯8日, 遣少卿林惟式·郎將趙元奇, 如蒙古.
[○月犯東井:天文2轉載].
[戊辰9日, 太白入東井:天文2轉載].
[庚午11日, 立秋. 月與鎭星同舍:天文2轉載].
[壬午23日, 月與熒惑同舍:天文2轉載].
[癸未24日, 月宿于東井:天文2轉載].
[甲申25日, 月與太白同舍:天文2轉載].
[某日, 以田□某爲慶尙道按察使:慶尙道營主題名記].

八月己丑朔小盡,丁酉, 甲午6日, 奉安宣聖眞孔子眞于新創花山洞國子監.
[癸卯15日, 月與歲星同舍:天文2轉載].[19)]

---

16) 이와 같은 기사가 열전13, 鄭世裕, 晏에도 수록되어 있다.
17) 이때 薛愼은 樞密院副使·刑部尙書·翰林學士承旨였다(薛愼墓誌銘). 이날은 율리우스曆으로 7월 4일(그레고리曆 7월 11일)에 해당한다.
18) 이는 『원사』 권3, 본기3, 憲宗 1년 6월조에 의거하였다.
19) 지2, 天文2에는 癸卯의 앞에 八月이 탈락되었다. 이때 일본에서도 天變이 있었다고 한다(日本史料 5編 36冊 2面).

[戊申[20日], 月入畢星:天文2轉載].

辛亥[23日], 宥死罪七人, 配有人島.

九月[戊午朔大盡,戊戌], 甲子[7日], 幸賢聖寺.

壬午[25日], 幸城西門外大藏經板堂, 率百官行香. 顯宗時板本, 燬於壬辰[高宗19年]蒙兵. 王與群臣更願, 立都監, 十六年而功畢.[20)]

冬十月戊子朔[小盡,己亥], 親醮三界于內殿.

辛卯[4日], 幸乹聖·福靈二寺.

甲午[7日], 幸王輪寺.

乙巳[18日], 蒙古使將困·洪高伊等四十人來, 至昇天館.

戊申[21日], 王出迎于梯浦, 皇帝[憲宗]新卽位, 詔國王親朝, 及令還舊京.[21)]

庚戌[23日], 將困等入江都.

辛亥[24日], 宴蒙使于壽昌宮.

丙辰[29日晦], [小雪]. 王命宰樞及文武四品以上, 議答詔, 或言太子親朝. 或言王老病, 未得親朝, 爲辭. 待更詰, □[丹]遣太子親朝, 未晩.[22)]

· 『岡屋關白記』, 建長 3년 8월, "十三日辛丑, 天晴, 申刻大雷雨. 近日變異連々云々, 去二日曉, 熒惑犯東井鉞星. 六日晩, 同星犯井南轅第一星. … 九日, 太白犯輿鬼坤星, 十二日, 太白犯鬼巽星, 九日以後, 太白經天, 見午上, 如此云々".

20) 이때 완성된 「江華京板高麗大藏經」 은 1237년(고종24)에서 1251년(고종38)까지 14년 만에 만들어 졌는데(16년에 걸침), 이는 江華島의 大藏都監과 각지에 위치한 分司都監을 통해 조성되었다. 이의 組版에 참여했던 인물[刻成人]은 연인원 27,000餘人이며 各種 經典[內外典]은 총 1,513種, 6,807卷, 160,560張이었다고 한다(金潤坤 2001년 ; 崔然柱 2005년). 또 이날 교토[京都]에서 맑았다고 한다(日本史料 5編 36冊 123面).

· 『岡屋關白記』, 建長 3년 9월, "廿五日壬午, 天晴. 今曉寅時太白犯太微有[右]執法星, 去十八日犯西蕃上將星".

21) 이해의 6월 憲宗 蒙哥[몽케]가 즉위한 후 그가 病死한 1259년(고종46) 7월 사이에 蒙古使臣 張庭珍이 고려에 와서 高宗을 만났다고 한다.

· 『원사』 권167, 열전54, 張庭珍, "歲辛亥, 定宗卽位, 以庭珍爲必闍赤. 高麗不請命, 擅徙居海中江華島, 遣庭珍往問之. 其王言, 臣事本朝未嘗不勤, 而大軍歲入侵掠, 避而走險, 不得已也. 且賂庭珍金銀數千兩, 庭珍却之而歸, 以狀聞. 帝爲禁戍兵無擅入其地, 高麗以安".

22) 添字는 『고려사절요』 권16에 의거하였는데, 이렇게 하여야 옳게 된다.

閏[十]月丁巳朔小盡,己亥, 己未3日, 門下侍郞平章事李子晟卒,[23)] [王震悼, 諡義烈:列傳16李子晟轉載]. [子晟, 性剛烈, 有勇力, 善射御. 自平東京之後, 將士日集其門, 恐爲權貴所忌, 謝疾杜門, 人稱知幾:節要轉載].

[○大雷雹:五行1雷震轉載].

丁丑21日, 幸外院外帝釋院?·九曜堂.

[○木稼:五行2轉載].[24)]

[戊寅22日, 霧:五行3轉載].

甲申28日, 中書侍郞平章事蔡松年卒,[25)] [諡景平:列傳15河千旦轉載]. [松年, 姿端秀, 性和平. 以御殿行首, 拜郞將, 久不改銜. 崔忠獻問其故, 不答, 旁有人曰, "其父未拜參, 若改銜, 出朝路, 恐乃父望見, 不知其子, 而下馬走避耳. 忠獻義之, 拜父參職:節要轉載].[26)]

十一月丙戌朔大盡,庚子, [甲午9日, 虹見:五行1虹霓轉載].

[戊戌13日, 雷:五行1雷震轉載].

庚子15日, 設八關會, 幸法王寺.

[乙巳20日, 東北方, 赤祲如血:五行1轉載].

[是月, 城金州, 以備倭寇:節要·兵2城堡轉載].

[十二月丙辰朔大盡,辛丑, 某日, 命參知政事崔沆, 封侯立府, 沆讓不受:節要轉載].[27)]

[是年, 分司大藏都監奉勅彫造'東國李相國集':追加].[28)]

---

23) 이날은 율리우스曆으로 1251년 11월 17일(그레고리曆 11월 24일)에 해당한다.

24) 이날(日本曆, 10월 21일) 일본의 鎌倉에서는 北風이 강하여 寒氣가 매우 심하였다고 한다(日本史料 5編 36册 203面).
· 『吾妻鏡』제41, 建長 3년 10월, "廿一日丁丑, 天晴, 北風嚴, 寒氣殊甚".

25) 이날은 율리우스曆으로 1251년 12월 12일(그레고리曆 12월 19일)에 해당한다.

26) 蔡松年에 관련된 자료로 다음이 있다.
· 『樊巖集』 권9, 過平康, "平康, 卽吾姓貫, 始祖麗代平章事景平公蔡松年, 實居焉. 縣西十里地名甲岐川, 是也, 木田有三先塋, 金坪亦有三先塋, 人至今稱其山爲蔡平章陵".

27) 이 기사는 열전42, 崔忠獻, 沆의 1250년(고종37) 記事 끝에 "是年明年, 王命封侯立府, 沆又讓不受"로 되어 있으나 是年은 明年의 오류일 것이다.

28) 이는 分司南海大藏都監과 大藏都監이 간행했던 『高麗大藏經』(海印寺大藏經)의 各種 題記를

[○以姜滲爲永州副使, 梁之琯爲永州判官:追加].[29]

[○帝授洪福源虎符, 仍爲前後歸附高麗軍民長官:追加].[30]

壬子[高宗]三十九年, [只用當該年干支, 江華京二十一年], [南宋淳祐十二年], [蒙古憲宗二年], [西曆1252年]

1252년 2월 12일(Gre2월 19일)에서 1253년 1월 30일(Gre2월 6일)까지, 354일

春正月丙戌朔小盡,壬寅, 丙午21日, 遣樞密院副使李峴·侍郎李之葳, 如蒙古.

[→樞密院副使李峴奉使如蒙古, 參知政事崔沆謂峴曰, "彼若問出陸, 宜答以今年六月乃出". 峴未至蒙古, 東京官人阿母侃·通事洪福源等, 請發兵伐之, 帝已許之. 及峴至, 帝問, "爾國出陸否?". 對如沆言. 帝又問, "留爾等, 別遣使, 審示否則如何?". 對曰, "臣正月就道, 已於昇天府白馬山, 營宮室·城郭, 臣敢妄對?" 帝乃留峴:列傳42 崔沆轉載].

[某日, 以侍郎韓就爲慶尙道按察使:慶尙道營主題名記].[31]

二月乙卯朔大盡,癸卯, 日食.[32]

정리한 업적에 의거하였다(崔然柱 2013년). 여기에서 '校勘·錄事·副使·使' 등은 分司南海大藏都監의 직책이었으나 長官인 使는 임명되지 않았던 것 같다[缺員].」

·『동국이상국집』跋, "嗣孫益培言, 祖文順公全集四十一卷·後集」十二卷·年譜一軸, 行于世者尙矣, 多有訛」舛脫漏之處. 今者, 分司都監, 雕海藏告畢」之暇, 奉」勅鏤板, 予幸守此郡, 以家藏一本, 讐校流」通耳」. 辛亥歲高麗國分司大藏都監」奉勅雕造」. 校勘,河東郡監務·管句學事·將仕郞·良醞令李益培」 錄事,將仕郞·軍器注簿同正張世候」 錄事,將仕郞·軍器注簿同正井洪湜」按察副使·晋州牧副使·兵馬鈐轄·試尙書工部侍郞全光宰」 按察使」". 여기에서 井洪湜은 古阜郡管內의 音聲地域, 井邑縣 등의 土姓인 井氏로 추측된다(『신증동국여지승람』 권33, 古阜郡, 姓氏, 권34, 井邑縣, 姓氏).

29) 이는 『영천선생안』에 의거하였다.

30) 이는 『원사』 권154, 열전41, 洪福源에 의거하였는데, 이때의 蒙古皇帝는 稱制하던 定宗 貴由의 后妃인 海迷失[Qaimish]인지, 6월에 즉위한 憲宗 몽케[蒙哥]인지를 알 수 없다.

31) 原文에는 韓玆로 되어 있으나 오자일 것이다(『동문선』 권14, 寄慶尙按部韓侍郞就. 金之岱 作).

32) 이날 宋에서도 일식이 있었고(『송사』 권52, 지5, 천문5, 日食), 일본의 鎌倉에서도 일식이 있었다. 이날은 율리우스曆의 1252년 3월 12일이고, 開京에서 日食 現象이 심했던 時間은 6시 8분, 食分은 0.98이었다(渡邊敏夫 1979年 309面).

丁卯[13日]，燃燈，王如奉恩寺.

[庚午[16日]，月食:天文2轉載].[33)]

丙子[22日]，[參知政事]崔沆獻酒饌于王. 召諸王，宴于大內.

三月[乙酉朔小盡,甲辰]，丁酉[13日]，幸乾聖·福靈二寺.

戊戌[14日]，親設消灾道場.

甲辰[20日]，[立夏]. 設仁王道場.

己酉[25日]，設華嚴神衆道場.

[某日，[參知政事]崔沆分日，宴諸王·宰樞·□□[承宣]·文武四品以上于其第:節要轉載].

[→沆，嘗分日，宴諸王·宰樞·承宣·文武四品以上. 自是，宴會無常:列傳42崔沆轉載].[34)]

夏四月[甲寅朔大盡,乙巳]，己未[6日]，[小滿]. 樞密院副使張純亮卒. [純亮，性耿介，徇公忘私，以戰功顯:節要轉載].[35)]

丁卯[14日]，賜柳成梓等及第.[36)]

辛未[18日]，幸妙通寺，移御今旦洞宮.

乙亥[22日]，親設天兵神衆道場.

庚辰[27日]，設仁王道場.

[是月乙丑[12日]，右副承宣孫挺烈·尙書皇甫琦·檢校尙書兪承錫等造成智異山安養寺飯子於京師:追加].[37)]

· 『吾妻鏡』제41，建長 4년 2월，“一日乙巳，天晴，巳一點，日三分正現”.

33) 이날은 율리우스曆의 1252년 3월 27일이고，월식 현상이 심했던 때의 世界時는 11시 14분，食分은 0.73이었다(渡邊敏夫 1979年 480面).

34) 原文에서 이 기사는 1254년(고종41) 3월 某日의 기사 다음에 수록되어 있다.

35) 이와 같은 기사가 열전15，張純亮에도 수록되어 있다. 이날은 율리우스曆으로 1252년 5월 15일(그레고리曆 5월 22일)에 해당한다.

36) 이와 관련된 기사로 다음이 있다. 이때 柳成梓·李承休(『동안거사집』行錄권1，病課詩) 등이 급제하였다(朴龍雲 1990년 ; 許興植 2005년).

· 지27，선거1，科目1，選場，“[高宗]三十九年四月，樞密院副使崔滋知貢擧，判大府事[~~判太府寺事~~]皇甫琦同知貢擧，取進士，□□[丁卯]，賜乙科柳成梓等三人·丙科七人·同進士二十三人·明經五人·恩賜六人及第”.

37) 이는 慶尙南道 固城郡 介川面 北坪里 蓮華山 玉泉寺에 소장된 安養社飯子의 銘文에 의거하였

五月甲申朔大盡,丙午, 某日, 始營昇天府城廊.[38)]

丙戌3日, 禱雨于諸神祠.

辛卯8日, 幸賢聖寺.

癸巳10日, 又禱雨于諸神祠,

庚子17日, 亦如之.

○東界兵馬使馳奏, "東眞兵二千入境".

辛丑18日, 親設華嚴神衆道場.

[是月, 旱:五行2轉載].[39)]

六月甲寅朔小盡,丁未,[40)] 王如奉恩寺.

辛酉8日, 親設天兵神衆道場.

癸酉20日, 設仁王道場.

戊寅25日, 雨. 參知政事崔沆獻酒饌于王, 召宴諸王[·宰樞於其第:節要轉載].[41)]

다(玉泉寺聖寶博物館 所藏, 보물 제495호, 鄭永鎬 1962년b ; 崔永好 2002년b ; 강화역사박물관 2017년 60面).

· 銘文, "高麗二十三王環甲之年壬子四月十二日,在於京師工人家中鑄成智異山安養社之飯子,入重六十餘斤,同願施主者」,樞密院右副承宣孫挺烈·尙書皇甫琦·檢校尙書兪承錫, … 工人別將同正韓仲叙,棟梁道人宗一,負擔人上座普心,使用長存」".

38) 이 기사는 지36, 兵2, 城堡에도 수록되어 있다.

39) 이해[是年]에 中原의 衛州(現 河南省 輝縣 地域)에서도 한발이 심하였다고 한다(陳高華 2010年 54面). 또 일본 가마쿠라[鎌倉]에서도 5월 1일(甲申), 2일, 5일, 7일, 11일, 19일, 26일 등의 날씨가 맑았고, 17일은 흐렸으며, 8일은 微雨였다가 22일(乙巳)에 비가 내려서 僧侶들에 의한 祈雨行事가 이루어졌던 것 같다(『吾妻鏡』제42, 建長 4년 5월, 高麗曆과 同一).

· 『秋澗先生大全集』 권47, 太一五祖演化貞常眞人行狀, "師姓李氏, 諱居壽, … 壬子歲, … 時衛大旱, 守官致禱于師, 卽書太一靈符, 浸巨盎中騰呪, 未畢, 雲蕖雷合, 澍雨霑足致, 德譽日廣, 上聞於朝".

· 『武家年代記裏書』, "建長四年, 大饑, 升米百錢".

40) 宋曆과 日本曆에서 6월의 朔日은 癸丑이고 大盡이었지만, 고려력에서 5월이 大盡이고, 6월의 朔日은 甲寅이고 小盡이었던 것 같다.

41) 일본 가마쿠라 에서 6월 20일(壬申)부터 23일(乙亥)까지 비가 계속 내렸던 것 같고, 20일 加賀地域(現 石川縣)에서는 洪水가 있었다고 한다(中央氣象臺 1941年 3册 59面).

· 『吾妻鏡』제42, 建長 4년 6월, "廿三日乙亥, 自半更甚雨, 凡去十九日, 若宮別當奉祈雨法之處, 自同廿日至昨日, 連日雨降之間, …".

· 『石川縣水害誌』, 建長 4년, "六月二十一, 夜, 洪水".

秋七月[癸未朔大盡,戊申]，壬辰[10日]，親設華嚴神衆道場.

[乙未[13日]，流星自北抵南，光芒如電:天文2轉載].

戊戌[16日]，蒙古使多可·阿土等三十七人來．帝密勑多可等曰，“汝到彼國，王出迎于陸，則雖百姓未出，猶可也．不然則□□[速回]，待汝來，當發兵致討”．多可等至，王遣新安公佺，出迎之，請蒙使，入梯浦館，王乃出見．宴未罷，多可等，以王不從帝命，怒而還昇天館.

[→蒙古遣多可·阿土等三十七人來，審出陸之狀．初[樞密院副使]李峴之如蒙古也，[參知政事]崔沆謂曰，“若詰問出陸，宜答以今年六月乃出”．峴未至蒙古，東京路官人阿母侃·通事洪福源等，請發兵伐之，帝已許之．及峴至，帝問爾國出陸否，對如沆言．帝又問，“留爾等，別遣使審視，否則如何?”．對曰，“臣於正月發程，已於昇天府白馬山，營宮室·城郭，臣敢妄對”．帝乃留峴，遂遣多可等來，密勑曰，“汝到彼，國王出迎于陸，則雖百姓未出，猶可也，不然則速回．待汝來，當發兵致討”．峴書狀官張鎰，隨多可來，密知之，具白王．王以問沆，對曰，“大駕不宜輕出江外”．公卿皆希沆意，執不可，王從之．遣新安公佺，出江迎之，請蒙使入梯浦館．王乃出見．宴未罷，多可等以王不從帝命，怒而還昇天館．時人謂，“沆以淺智，誤國大事，蒙兵必至矣”:節要轉載].42)

甲辰[22日]，親設仁王道場.

丁未[25日]，[參知政事]崔沆獻膳于王.

[→崔沆獻酒饌于王，宴諸王·宰樞於其第:節要轉載].

[某日，以慶尙道按察使韓竑，仍番:慶尙道營主題名記].

是月，分遣諸山城防護別監.

八月[癸丑朔小盡,己酉]，甲寅[2日]，親設天兵神衆道場.

丙子[4日]，親設仁王道場.

[丙寅[14日]，月食，旣:天文2轉載].43)

---

42) 이 기사는 열전42, 崔忠獻, 沆에도 수록되어 있다.

43) 이날 宋에서도 월식이 있었고(『송사』 권52, 지5, 천문5, 月食), 일본의 교토에서는 예측은 되었으나 비로 인해 보이지 않았다고 한다. 이날은 율리우스曆의 1252년 9월 19일이고, 월식 현상이 심했던 때의 世界時는 13시 5분, 食分은 0.89이었다(渡邊敏夫 1979年 481面).
·『東寺長者補任』, 建長 4년, 大僧正道乘, “八月十四日，蝕御祈，不現，法驗嚴然也”.

[某日, 參知政事崔沆遣羅得璜·河公敍·李瓊·崔甫侯, 爲各道宣旨使用別監. 初, 崔怡遣得璜等于諸道, 民甚苦之, 故沆初秉政, 欲得人心, 皆罷之. 至是復用, 人皆憤之:節要轉載].[44)]

[→初, 崔怡以羅得璜·河公敍·李瓊·崔甫侯, 爲宣旨使用別監, 分遣諸道, 爭剝割誅求, 民不堪苦. 沆欲干譽, 皆罷之, 不數年復用, 人皆憤嘆:列傳42崔沆轉載].

[某日, 立充實都監, 點閱閑人·白丁, □充補各領軍隊:節要·兵1五軍轉載].[45)]

[是月, 某等助成宣州林畔驛客舍飯子二口, 一入重十二斤十二兩:追加].[46)]

[○曹溪山第三世社主夢如入寂, 以混元爲社主:追加].[47)]

九月壬午朔大盡,庚戌, 甲申3日, 幸乾聖·福靈二寺.

丁亥6日, 王乘參知政事崔沆所獻新輦, 幸王輪寺, 出大府太府銀三十斤, 賜造輦工匠及參知政事崔沆蒼頭, 仍許蒼頭著幞頭, 凡四十六人. [舊例, 唯諸王·宗室宮宅蒼頭, 許著幞頭, 謂之紫門假著. 權臣蒼頭著幞頭, 始此. 是後, 凡權勢家奴, 皆著之:節要轉載].[48)]

己亥18日, 幸妙通寺.

辛丑20日, 幸外院外帝釋院?·九曜堂.

---

44) 이 시기에 羅得璜(羅裕의 父)은 人民을 수탈하고, 이를 崔沆에게 바쳐 長興副使, 全羅道按察使에 임명되었던 것 같다.
 · 열전17, 羅裕, "父得璜, 剝民聚斂, 諂事崔沆, 爲長興副使. 沆農莊在臨陂, 以故陞爲全羅按察使".

45) 添字는 지35, 兵1, 五軍에서 달리 표기된 글자이다.

46) 이는 慈江道 熙川市 西門洞 유적에서 발견된 고려시대의 유적에서 발견된 飯子의 銘文에 의거하였으나 原文이 아니라 漢字가 없는 飜譯을 통해 筆者가 재구성한 것이다. 향후 새로운 검토가 요청된다(정찬영 1983년)
 · 「宣州林畔驛飯子銘」, "壬子年八月 日,造宣州林畔驛客舍飯子二口, 一入重十二斤十二兩,」 馬舍□□, …"(推測).

47) 이는 「曹溪山第五世贈諡慈眞圓悟國師塔碑銘」; 『동문선』 권117, 臥龍山慈雲寺王師贈諡眞明國師塔碑銘(金坵 撰) 등에 의거하였다.

48) 이와 관련된 기사로 다음이 있고, 蒼頭는 奴僕, 僕隸를 가리킨다.
 · 지26, 輿服1, 冠服通制, "高宗三十九年, 王許崔沆蒼頭. 著幞頭. 舊例, 唯諸王·宗室·宮宅蒼頭, 著幞頭, 謂之紫門假着, 權勢兩班家奴着幞頭, 自沆始".
 · 『자치통감』 권25, 漢紀17, 宣帝地節 3년(BC67) 10월, "皇后霍氏驕侈縱橫. … 冠陽侯雲當朝請謁請, 數稱病私出, 多從賓客, 張圍獵黃山苑中, 使蒼頭奴上朝謁[注, 文穎曰, 朝當用謁, 不自行而令奴上謁者也. 師古曰, 上謁, 若今參見尊貴而通人也. 孔穎達曰, 漢家僕隸謂之蒼頭, 以蒼巾爲飾, 異於民也], 莫敢譴者. …". 여기에서 皇后 霍氏는 霍光(?~BC68)의 딸이고, 雲은 霍光의 從孫(兄의 孫)이다.

[某日, 參知政事崔沆宴宰樞于其第, 擊毬觀射:節要轉載].

冬十月[壬子朔小盡,辛亥, 霧:五行3轉載].[49]

[癸丑2日, 雷電:五行1雷震轉載].

庚申9日, 親設華嚴神衆道場.

甲戌23日, 設仁王百座道場.

[某日, 復置西京留守官. 自畢賢甫之亂, 西京廢爲丘墟. 至是, 始置:節要轉載].

[→復置西京副留守一人, 判官一人, 司錄兼掌書記一人. 自畢賢甫之亂, 西京廢爲丘墟, 至是, 復置:百官2西京留守官轉載].

[是月, 蒙古命諸王也古征高麗:追加].[50]

十一月辛巳朔大盡,壬子, [己丑9日, 木介:五行2轉載].

[庚寅10日, 霧:五行3轉載].

甲午14日, 設八關會, 幸法王寺.

壬寅22日, 移御西宮.

[十二月辛亥朔小盡,癸丑:追加].

[是年, 以洪晉洪縉爲東京副留守:追加].[51]

[○以前中原牧司錄元傅爲同文院錄事:追加].[52]

[○僧了世中僧選:追加].[53]

---

49) 壬子에 朔이 탈락되었다.

50) 이는 다음의 자료에 의거하였는데, 也古(也窟, reke)는 고종 40년 5월 19일의 각주에서 소개한다.
・『원사』 권3, 본기3, 憲宗 2년, "冬十月, 命諸王也古征高麗".

51) 이는 『동도역세제자기』에 의거하였다.

52) 이는 「元傅墓誌銘」에 의거하였다.

53) 이는 『동문선』 권117, 萬德寺白蓮社圓妙國師塔碑銘并序(崔滋 撰)에 의거하였다.

癸丑[高宗]四十年, [只用當該年干支, 江華京二十二年], [南宋寶祐元年], [蒙古憲宗三年], [西曆1253年]

1253년 1월 31일(Gre2월 7일)에서 1254년 1월 20일(Gre1월 27일)까지, 355일

春正月庚辰朔小盡,甲寅, 放朝賀.

[某日, 以任絪任柱爲慶尙道按察使:慶尙道營主題名記].[54)]

[是月朔, 南宋改元寶祐:追加].

二月己酉朔大盡,乙卯, 某日, 以參知政事崔沆爲門下侍中·判吏□兵部·御史臺事, [沆, 在家遙謝:節要轉載].[55)]

○王自西宮, 還御大闕.

庚申12日, 進安慶侯侃涓爲公.[56)]

壬戌14日, 燃燈, 王如奉恩寺.

甲子16日, 王不豫.

[丁卯19日, 月入氐星:天文2轉載].

[丁丑29日, 太醫監藥庫災:五行1轉載].[57)]

[三月己卯朔小盡,丙辰:追加],[58)] [庚辰2日, 西南有黃赤氣:五行3轉載].

[甲申6日, 月犯東井南轅東端第二星:天文2轉載].

---

54) 任絪은 이해[是年]의 是歲條에 任柱로 달리 표기되어 있는데, 後日 개명한 것 같다.

55) 이때 崔沆은 守太師·門下侍中·判吏兵部御史臺事·上將軍·上柱國에 임명되었던 것 같고, 이 職責을 수행하던 시기, 곧 이때부터 1255년(고종42) 12월 27일 中書令으로 승진하기 以前에 知訥의 『看話決凝論』跋('守太師·門下侍中·上柱國·上將軍·判吏部御史臺事崔沆誌')을 撰하였던 것 같다(『한국불교전서』 4책 737面).

56) 安慶公 侃은 高宗의 同母弟로서 이 시기 이후에 涓으로 改名하였던 것 같다(열전4, 高宗王子, 安慶公涓).

57) 이의 原文에는 다음과 같이 기록되어 있는데, 二月丁丑의 앞에 四十一年이 脫落되었을 가능성이 있을 수 있지만, 고종 41년(1254)에는 二月丁丑과 十一月甲申이 없다. 이 구절은 組版過程에서 2월과 4월의 기사가 뒤바뀐 것 같다(金一權 2007년 294面).

- 지7, 五行1, 火, 火災, "高宗, 四十年四月庚戌, 長峯里四十餘戶火. 二月丁丑, 太醫監藥庫災. 十一月甲申, 栗浦里百家火. 四十二年十二月丙戌, 弓弩都監兵庫火".

58) 辛卯는 3월 13일이므로, 辛卯의 앞에 三月이 탈락되었다.

辛卯[13日], 幸賢聖寺.

○東界兵馬使馳報, "東眞□[兵]三百騎圍登州".

甲午[16日], [穀雨]. 親設功德天道場.

戊戌[20日], 幸乾聖·福靈二寺.

[○東北, 赤氣連天:五行1轉載].

壬寅[24日], 幸妙通寺.

是月, 遣日官, 埋三石于東西兩界要害處, 以禳狄兵.

夏四月[戊申朔大盡,丁巳], 庚戌[3日], 北界兵馬使報, "狄兵三十餘人入寇".

[○長峯里四十餘戶火:五行1火災轉載].

癸丑[6日], 親設功德天道場.

甲寅[7日], 原州民被擄蒙古者, 還言, "阿母侃·洪福源詣帝所, 言高麗築重城, 無出陸歸款意, 帝[憲宗]命皇弟松柱,[59)] 帥兵一萬, 道東眞國, 入東界, 阿母侃·洪福源領麾下兵, 趣北界, 皆屯大伊州".

乙卯[8日], 幸王輪寺.

丁巳[10日], 親設華嚴神衆道場.

癸亥[16日], 設仁王道場.

戊辰[21日], 幸外院[外帝釋院?]·九曜堂.

[是月, 大司成李藏用, □□□□□[掌國子監試], 取詩賦金仲偉等三十人, 十韻詩金命等六十人, 明經八人:選擧2國子試額轉載].

五月[戊寅朔大盡,戊午], [己丑[12日], 月入氐星. 鎭星犯氐:天文2轉載].

[甲午[17日], 夏至. 太白·熒惑, 同舍于畢:天文2轉載].

丙申[19日], 蒙古也窟大王,[60)] 遣阿豆等十六人來. 王迎于梯浦宮, 贈金銀·布帛, 有差.

---

59) 松柱[sulju]는 睿宗(太祖의 4子 拖雷)의 長子 憲宗을 위시한 11형제 중에서 이름을 알 수 없는 셋째 아들과 다섯째 아들 중의 하나일 것이다(『원사』 권107, 표2, 宗室世系表, 睿宗皇帝).

60) 也窟[Yeke]은 也苦·也古·也忽·耶虎로도 표기되며 太祖의 弟인 搠只哈撒兒(Jochi Qasar, 烈祖의 2子)의 아들로서 淄川王에 책봉된 인물이다(『원사』 권107, 표2, 宗室世系表, 搠只哈撒兒王位). 이때 王榮祖·洪福源 등이 참전하였는데, 여기에서 ~~添字~~와 같이 고쳐야 옳게 될 것이다.

· 『원사』 권3, 본기3, 憲宗 3년 1월, "罷也古征高麗兵, 以札剌亞帶爲征東元帥". 여기에서 也窟[也古]의 高麗遠征을 중지시키고 札剌亞帶를 征東元帥로 삼았다고 하지만, 명령이 철회되었거

己亥[22日], 宴蒙使.

[○流星出天紀北, 入紫微, 大如梨:天文2轉載].

[辛丑[24日], 熒惑犯畢:天文2轉載].

六月[戊申朔小盡,己未], [某日, 制曰, "朕以涼德, 臨莅三韓, 四十有一載. 自丙子[高宗3年]·辛卯[18年]以來, 隣敵侵擾, 禍亂相仍, 專賴晋陽公崔怡, 輸誠衛社, 轉籌制變, 至於躬奉乘輿, 涉水遷都. [功業所致,] 社稷安寧, 萬世子孫, 帶礪難忘. 嗣子[門下]侍中[崔]沆, 承襲家業, 應時而起, 尊主庇民, 一新條令, 佐致中興, 功勤莫大, 宜垂異恩, 封侯立府, 覃及內外, 可大赦境內, [加怡爵號, 沆封侯立府, 先妣加封爵]":節要轉載].

[→下制曰, "朕[以涼德], 臨莅三韓, 四十有一載. 自丙子[高宗3年]·辛卯[18年]以來, 隣敵侵擾, 禍亂相仍, 專賴晋陽公崔怡. 輸誠衛社, 轉籌制變, 至於躬奉乘輿, 涉水遷都. 功業所致, 社稷安寧, 萬世子孫, 帶礪難忘. 嗣子門下侍中崔沆, 承襲家業, 應時而起, 尊主庇民, 一新令條[條令], 佐致中興. 功勤莫大, 宜垂異恩, 覃及內外. 其赦斬·絞以下, 加怡爵號, 沆封侯立府, 先妣加封爵":列傳42崔沆轉載].

[□一. 太祖苗裔, 挾十一女, 一戶一名, 許初入仕, 已爲員者, 政抄別錄敍用, 充軍者, 許免:選擧3祖宗苗裔轉載].

[□一. □[聖]祖代六功臣·三韓□□[壁上]功臣內玄孫之玄孫之孫·外玄孫之玄孫之子, 挾七女, 未蒙戶一名, 許初入仕, 三韓後壁上功臣內玄孫之玄孫之玄孫之子·外玄孫之玄孫之玄孫, 挾六女, 未蒙戶一名, 許初入仕, 代代配享功臣, 內玄孫之玄孫·外玄孫之曾孫, 挾五女, 未蒙戶一名, 初入仕:選擧3功臣子孫轉載].

나 時期整理[繫年]에 실패한 기사로 추측된다.

· 『원사』 권149, 열전36, 王珣, 榮祖, "… 又從諸王也忽略地三滸[三韓], 降天龍諸堡, 皆禁暴掠, 民悅服之. 罷五里山城, 請於主將, 全其民, 遂下甕子城·竹林寨·苦苫數島. 帝嘉其功, 賜以金幣, 官其子興千戶, 仍賞其部曲". 이 시기 이후에 나타나는 蒙古將帥 王萬戶는 王榮祖(1196~1260)를 가리킨다.

· 『원사』 권154, 열전41, 洪福源, "洪福源從諸王耶虎攻禾山[擽屾]·東州·春州·三角山·陽根·天龍等城, 拔之".

· 『원고려기사』, 序, "憲宗之三年至七年, 伐不已".

· 『원고려기사』本文, "憲宗皇帝三年癸丑, 命宗王耶虎, 與洪福源, 同領軍征高麗, 攻拔禾山城[擽屾城]·東州·春州·三角山城·楊根城·天龍城等處".

· 『국조문류』 권41, 雜著, 政典總序, 征伐, 高麗, "憲宗之三年至七年, 伐不已"

· 『국조문류』 권41, 잡저, 정전총서, 정벌, 고려[注, 憲宗三年, 命宗王耶虎征之, 拔禾山城[擽屾城]等].

[□一. 宰樞及文武三品致仕·見存者, 各許一子蔭官, 無直子, 許姪甥·女婿·收養子·內外孫一名, 承蔭, 先代宰樞·內外無名無官之孫一名, 許初職. 文武四品·給舍·中丞·諸曹郎中·中郎將以上, 各許一子蔭職:選擧3蔭敍轉載].[61]

[□一. 代代功臣, 各加封爵, 文武職事常參·散官四品以上父母妻, 封爵, 職事七品·散官五品員, 父母封爵:選擧3封贈轉載].

辛亥4日, 赦, 加上先王·先妃尊諡, 名山·大川德號.[62]

□一. 文武兩班·南班雜路, 凡有職者, 加次第同正職.

□一. 弘儒侯薛聰·文昌侯崔致遠加賜爵.

□一. 州·府·郡·縣吏·津·驛雜尺·長典等, 賜武散階, 有差.

[□一. 諸業東堂監試, 各許一度, 進士·明經, 各十度已滿者, 一度中場入格, 許令脫麻:選擧2恩例轉載].

[□一. 其人, 加村分職:選擧3其人轉載].

[某日, 門下侍中崔沆創九曜堂于闕西, 及成, 王親幸觀之:節要轉載]. [許沆親侍二十人, 初入仕, 丘史二十人·眞拜把領二十人, 初入仕. 監督官上將軍朴成梓子一人眞拜把領, 工匠賞功有差~~許沆親侍二十人丘史二十人眞拜把領二十人初入仕~~. ~~又賜監督官上將軍朴成梓子眞拜把領一人~~, ~~賞工匠功~~, ~~有差~~:列傳42崔沆轉載].[63]

[某日, 宣旨, 轉米以下雜貢稅, 及諸宮院所司公廨田, 科式未收, 限庚戌年高宗37年, 全放. 諸宮院, 內外兩班, 大小寺社, 不實穀食, 據給年遠, 一切放下. 諸州·府·郡·縣百姓, 受公私穀食, 物故者, 雖入秋成, 依前判, 死及流配, 勿徵之意, 並蠲除. 殘亡尤甚州縣輸養帳, 限庚戌年以上, 全放. 兩界州鎭將相將校祿, 及例食停給者, 還給. 將作監, 柴炭未收, 限庚戌年以上, 全放:食貨3恩免之制轉載].

秋七月丁丑朔大盡,庚申, 己卯3日, 幸藥師殿.

癸未7日, 親設天兵神衆道場.

甲申8日, 北界兵馬使報, "蒙兵渡鴨綠江". 卽移牒五道按察□使及三道巡問使, 督

---

61) 이때 蔭敍를 내린 이 詔書는 이달의 4일(辛亥)에 이루어진 赦免에 따른 조치일 수도 있으나 음서의 혜택이 넓은 것으로 보아 大赦가 행해진 이날에 이루어진 조치일 가능성이 높다. 또 無名은 無官 또는 無職의 다른 표기일 것이다.

62) 이때 덧붙여진[加上] 尊號는 『고려사』에 반영되어 있지 않다.

63) 이 기사는 ~~添字~~와 같이 고쳐야 옳게 될 것이다.

領居民, 入保山城·海島.

[○月入氐星, 熒惑入井:天文2轉載].

丙戌[10日], 親設天兵神衆道場.

辛卯[15日], 蒙兵涉大同江下馬灘, 指古和州.

[壬辰[16日], 鵂鶹鳴于禁中:五行1轉載].

[○西方, 有赤雲氣:五行1轉載].

乙未[19日], [處暑]. 親設仁王道場.

[戊戌[22日], 尙乘□[局]馬二匹, 入康安殿庭, 相逐奔走:五行1馬禍轉載].

[庚子[24日], 月入東井:天文2轉載].

[辛丑[25日], 霧:五行3轉載].

[壬寅[26日], 鵂鶹鳴于禁中:五行1轉載].

[某日, ~~自遷都後, 蒙古督令出陸, 縱兵侵掠.~~ 永寧公綧, 在蒙古軍□[營], 貽書[門下侍中]崔沆曰, "去年秋, 皇帝[憲宗]怒, 大駕[高宗]不渡江迎使, 發兵問罪. 吾無計沮之. 白帝曰, '臣願將帝命, 諭本國, 令復都舊京, 子孫萬世, 永修藩職'. 帝勑臣曰, '汝與本國宰臣, 歸到爾國, 諭以朕命, 使之出陸'. ~~吾於六月初吉, 到也窟大王處, 具告之, 勒令隨軍一時同發. 今也窟等十七大王太子, 各領兵馬, 抄蒙古·漢兒·女兒·高麗人, 屯田南北界, 以蒙古精兵, 分攻水內出城. 且帝命大官人曰,~~ '國王若出迎, 卽當退兵'. 今國之安危, 在此一擧, 若上不出迎, 須令太子若安慶公出迎, 必退兵. 社稷延基, 萬民按堵, 公亦長享富貴, 此上策也. 如此而兵若不退, 族予一門, 願除狐疑, 善圖不失今時, 後無悔恨":節要轉載].[64)]

[某日, [前樞密院副使]李峴亦隨軍而來, 貽書云, "吾二年見留, 觀其行事, 殊異前聞, 實不嗜殺人. 去今年賜詔條件, 固非難事, 何不出迎? 皇帝怒曰, '爾國不知朕愛護之意, 故發兵問罪'. 國家如欲延其基業, 可[何惜]遣一二人出降? 令東宮若安慶公, 出迎陳乞, 庶可退兵, 願公善圖":節要轉載].[65)]

[翼日, 宰樞會議, 皆曰, "出迎便". [門下侍中]崔沆曰, "春秋貢奉不絶, 前遣三次使价, 三百人未還. 而猶若是, 今雖出迎, 恐爲無益. 萬一執東宮若安慶公, 至城下邀降, 何以處之?". 皆曰, "侍中議是". 出迎議寢:節要轉載].

[某日, 以慶尙道按察使任絪[任柱], 仍番, 朴天器爲春州道按察使:慶尙道營主題

---

64) ~~添字~~는 열전42, 崔忠獻, 沆에 의거하였다.

65) ~~添字~~는 열전42, 崔忠獻, 沆에 의거하였다.

名記].[66]

八月丁未朔小盡,辛酉, 戊申2日, 習水戰于甲串江.[67)]

[庚戌4日, 西有黃赤氣, 光明異常:五行3轉載].

辛亥5日, [白露]. 親設華嚴神衆道場.

癸丑7日, 校尉大金就率牛峯別抄三十餘人, 與蒙古兵戰于金郊·興義間, 斬首數級, 獲馬·弓矢·氈裘等物.

丙辰10日, 宥死罪十二人, 配有人島.

戊午12日, 蒙古元帥也窟遣人, 傳詔於王, 其詔, 責以六事曰, "朕欲自白日所出, 至于所沒, 凡有黎庶, 咸令逸樂, 緣汝輩逆命, 命皇叔也窟, 統師往伐. 若迎命納款, 罷兵以還, 若有拒命, 朕必無赦".

○蒙古兵陷西海道椋山城. [是城, 四面壁立, 唯一徑僅通人馬, 防護別監權世侯, 恃險縱酒, 不爲備, 且有慢語, 蒙人臨城設砲, 攻門碎之, 矢下如雨, 又梯石壁而上, 以火箭射草幕, 皆延爇. 甲卒四入, 城遂陷, 世侯自縊死, 城中死者, 無慮四千七百餘人, 屠男子十歲以上, 擒其婦女小兒, 分與士卒:節要轉載].[68]

[○月入東井. 熒惑入輿鬼:天文2轉載].

己未13日, 王遣郞將崔東植, 致書于也窟屯所曰, "小邦臣服上國以來, 一心無二, 出力供職, 庶蒙庇護, 萬世無虞. 不圖天兵, 奄臨弊邑, 罔知其由, 擧國兢惕. 惟大王諒我誠懇, 曲賜哀憐". 時也窟在土山, 受國書, 使人謂東植曰, "帝慮國王稱老病不朝, 欲驗眞否. 王之來否, 限六日, 更來報". 東植答曰, "兵閒, 主上豈能速來". 也窟曰, "爾何能來".[69]

庚申14日, 謁景靈殿.

○蒙兵三千來, 屯高·和二州之境, 候騎三百餘, 至廣州, 焚燒廬舍.

癸亥17日, 親設仁王道場.

[○流星出天船北, 入五車, 大如梨:天文2轉載].

---

66) 朴天器는 是年 9월 21일에 의거하였다.

67) 이 기사는 지35, 兵1, 五軍에도 수록되어 있다.

68) 이와 같은 기사가 열전14, 文漢卿, 權世侯에도 수록되어 있다.

69) 이 구절에서 王字는 잘못 들어간 글자인 것 같다[衍字]. 『고려사절요』 권17에는 옳게 되어 있다.

[乙丑[19日], 月犯畢星:天文2轉載].

[丙寅[20日], 秋分. □[月]與歲星, 同舍于畢:天文2轉載].

[○雨雹, 無雲而雷:五行1雨雹轉載].

[戊辰[22日], 入東井東端. 火星入輿鬼東南星:天文2轉載].

庚午[24日], 宰樞會議, 若東宮, 若安慶公率三品一員, 乞降便否.

[辛未[25日], 月與歲星, 同舍于畢. 熒惑入輿鬼·積屍:天文2轉載].

[○雨雹:五行1雨雹轉載].

癸酉[27日], 蒙兵陷東州山城. [先是, 防護別監白敦明, 驅民入保, 禁出入. 州吏告曰, "禾未收穫, 迨敵兵未至, 請輪番迭出刈穫". 敦明不聽, 遂斬其吏, 人心憤怨, 皆欲殺之. 及蒙兵至城下, 敦明出精銳六百拒戰, 士卒不戰而走, 金華監務, 知城將陷, 率縣吏而遁. 蒙兵攻門突入, 殺敦明及其州副使·判官·金城縣令, 虜其婦女童男, 而去:節要轉載].[70]

[甲戌[28日], 月與辰星, 同舍于翼:天文2轉載].

是月, 蒙兵候騎三百餘, 至全州城南班石驛, 別抄指諭李柱, 擊殺過半, 獲馬二十匹.

九月[~~丙子朔~~大盡,壬戌],[71] 丁丑[2日], 幸賢聖寺.

戊寅[3日], 遣大將軍高悅, 致書也窟大王曰, "小邦不敢遠忤聖旨, 已於昇天府白馬山下, 築城郭營宮室, 但東北界捕獺人, 是懼, 未得畢構出居, 今大軍入境, 國人驚駭, 罔知所措, 惟大王, 矜恤班師, 俾我東民, 悉皆按堵. 則當明年, 躬率臣僚出迎. 帝命若其虛實, 遣一二使价, 審之, 可知也". 仍遺金銀酒器·羅紬·紵布·獺皮·笠帶等物, 其諸將阿母侃等, 亦皆贈遺. 也窟拘留悅及崔東植, 遣[譯語]李松茂云,[72] "受爾國

---

70) 이와 같은 기사가 열전14, 文漢卿, 白敦明에도 수록되어 있다.

71) 이해의 9월은 宋曆에서는 朔日이 丁丑이지만, 高麗曆은 日本曆과 같이 丙子朔일 것이다(宋曆의 8월 30일에 해당). 곧 『고려사』에서 삭일이 기재되지 않았지만, 甲申이 重陽節(9월 9일)이므로 일본력과 同一할 것이다.

72) 李松茂의 職役인 譯語는 열전43, 于琔에 의거하였다(→원종 1년 2월 24일). 조선 중기의 文臣 李魯(1544~1598, 本貫 固城, 宜寧 出身)의 10代祖 李松茂(固城李氏 7世)가 찾아지는데, 그의 관직이 '匡靖大夫·檢校樞密院使·大將軍'이었다고 한다(『松巖集』 권5, 松巖先生世系圖). 여기서 大將軍을 實職으로 볼 경우, 이 시기에 譯語[譯官, 通事]가 武官으로 立身했거나 武官이 통역을 담당했던 점을 고려할 때 兩者는 같은 인물일 가능성이 있다.

諸城降牒而來". 宰樞會議, 答曰, "大軍若還, 則君臣出陸, 州縣安往".

[辛巳6日, 寒露. 流星出參, 入天苑, 大如木瓜, 尾長五尺許:天文2轉載].

甲申9日, 以重陽節, 謁景靈殿.

乙酉10日, 忠州倉正崔守, 設伏金堂峽, 候蒙兵至, 急擊殺十五級, 奪其兵仗與所虜男女二百餘人. 以功除隊正.

[戊子13日, 流星出畢, 入東井:天文2轉載].

癸巳18日, 蒙兵十餘騎, 摽掠甲串江外.

丙申21日, [霜降]. 蒙兵屠春州城[數重, 樹柵二重, 坑塹丈坑餘坑塹丈餘.[73] 累日攻之, 城中井泉皆竭, 刺牛馬飮血□之, 士卒困甚, 文學曹孝立,[74] 知城不守, 與妻赴火死, 按察使朴天器, 計窮力盡, 先燒城中錢穀, 率敢死卒, 壞柵突圍, 遇塹不得出, 無一人脫者, 遂屠其城:節要轉載].

[○蒙兵陷春州, 及第朴恒時在京, 不知父母死所. 城下積屍如山, 貌肖者皆收瘞, 至三百餘人. 後聞母被虜在燕, 再往求之, 竟不得:列傳19朴恒轉載].

甲辰29日, 大將軍高悅還言, 也窟曰, "國王如詔出降, 便當回軍, 不然, 可一戰也".

冬十月丙午朔大盡.癸亥, 東界兵馬使報, 蒙兵圍登州, 解圍, 趣金壤城.

戊申3日, 國內名山及耽羅神祇, 各加濟民之號, 大廟太廟九室及十九陵, 並加上尊謚.[75] [是時, 加謚世祖曰敏惠, 世祖妃威肅王后曰仁平, 太祖曰勇烈, 太祖妃神靜王太后皇甫氏曰貞平, 惠宗曰景憲, 惠宗妃義和王后林氏曰靖順, 定宗曰莊元, 定宗妃文恭王后朴氏曰安淑, 光宗曰康惠, 光宗妃大穆王后皇甫氏曰貞睿, 景宗曰恭懿, 景宗妃獻肅王后金氏曰仁厚, 戴宗曰□□脫落, 戴宗妃宣義王后曰益慈, 成宗曰襄定, 成宗妃文德王后劉氏曰宣威, 穆宗曰靖恭, 穆宗妃宣正王后劉氏曰元貞, 安宗曰□□脫落, 安宗妃獻貞王后皇甫氏曰明簡, 顯宗曰達思, 顯宗妃元成太后金氏曰廣宣,

73) 이때의 春州城은 현재의 江原道 春川市 昭陽路 山1-1에 위치한 鳳儀山城으로 추측되고 있다(江原道記念物 第26號, 金虎俊 2012년 151面).

74) 文學은 일반적으로 儒學의 경전에 능통한 인물을 가리키는데, 中原에서 품행이 단정하고 道德이 높은 인물을 指稱하는 賢良과 함께 국가의 徵召對象이 되기도 하였다. 그런데 이 기사에서의 文學은 邊境地域인 防禦鎭에 파견된 地方民의 講學을 위한 文學博士[文學]의 略稱으로 추측된다(지31, 백관2, 防禦鎭). 또 이 기사는 열전34, 忠義, 曹孝立에도 수록되어 있는데, 添字는 이에 의거하였다.

75) 이때 덧붙여진[加上] 尊號는 여타 대다수의 경우와는 달리 『고려사』에 반영되어 있다.

德宗曰光莊，德宗妃敬成王后金氏曰寬肅，靖宗曰文敬，靖宗妃容信王后韓氏曰禧穆，文宗曰明戴，文宗妃仁睿順德太后李氏曰孝穆，順宗曰靖憲，順宗妃宣禧王后金氏曰和順，宣宗曰顯順，宣宗妃思肅太后李氏曰匡肅，獻宗曰定比，肅宗曰康正，肅宗妃明懿太后柳氏曰光惠，睿宗曰齊順，睿宗妃文敬太后李氏曰□□脫落，仁宗曰克安，仁宗妃恭睿太后任氏曰□□脫落，毅宗曰剛果，毅宗妃莊敬王后金氏曰惠資，明宗曰皇明，明宗妃光靖太后金氏曰恭平，神宗曰敬恭，神宗妃宣靖太后金氏曰信獻，熙宗曰仁穆，熙宗妃成平王后任氏曰貞章，康宗曰明憲，康宗妃元德太后柳氏曰貞康:轉載].[76]

己酉4日，蒙兵圍楊根城,[77] 防護別監尹椿率衆出降. [蒙兵選精鋭六百，使椿領之，留蒙兵三百鎭之，刈禾備糧餉. 椿移書原州防護別監鄭至麟，諭降，至麟不聽，城守益固，蒙兵解圍去:節要轉載].

[→尹椿，嘗爲陽根城防護別監，蒙古兵圍城，椿率衆出降. 蒙古兵選城中精鋭六百，使椿領之，留其兵三百鎭之，刈禾備糧餉. 椿移書春州原州防護別監鄭至麟，諭降，至麟不聽，城守益固，蒙古兵解圍去:列傳43韓洪甫轉載].[78]

[庚戌5日，月入建星，與鎭星同舍. 熒惑入軒轅大星:天文2轉載].

辛亥6日，[立冬]. 幸王輪寺.

甲寅9日，[前樞密院副使李峴與:節要轉載]蒙兵攻忠州天龍山城，黃驪縣令鄭臣旦·防護別監趙邦彦，出降.[79]

丁巳12日，幸妙通寺.

[己未14日，日暈，有五色:天文1轉載].[80]

---

76) 이들 諡號는 世家編에 수록되어 있는 歷代帝王의 記事와 열전1, 后妃1, 皇后列傳에서 拔萃한 것이다.

77) 楊根城은 조선시대에 咸公城으로 불렸던 것 같고, 현재의 京畿道 楊平郡 玉泉面 龍川里 山27번지 일대의 城址로 比定된다(현재는 咸王城으로 불림, 경기도기념물 제123호, 金虎俊 2012년 157面).

· 『신증동국여지승람』 권8, 楊根郡, 古跡, "咸公城，在郡東三十里，石築周二萬九千五十八尺. 高麗時，邑人避蒙兵于此".

78) 春州는 原州로 고쳐야 옳게 될 것이다(→고종 41년 1월 26일 ; 東亞大學 2006년 28책 290面).

79) 天龍山城은 현재의 忠州市 老隱面과 仰城面의 경계에 위치한 寶蓮山 頂上에 있다고 한다(金虎俊 2012년 164面).

80) 일본에서는 10월 13일 가마쿠라[鎌倉]에서 月에 五色暈이 있었다고 한다(中央氣象臺 1941年 2冊 670面).

[庚申[15日], 月入畢大星:天文2轉載].

[壬戌[17日], □[月]入東井:天文2轉載].

丙寅[21日], 蒙兵陷襄州.

[→蒙兵陷溟州道襄州城, 殺洛山寺住持阿行:追加].[81)]

[己巳[24日], 東有螮蝀:五行1虹霓轉載].[82)]

辛未[26日], 命宰樞致仕及文武四品以上, 議却兵之策, 僉曰, "莫如太子出降". 王怒, 使承宣李世材詰之曰, "遣太子, 則可保無後患耶, 議從誰出". 宦者閔陽宣, 進曰, "崔侍中[崔沆]亦可其議". 王怒稍霽曰, "宰樞善圖之". 王又遣世材就崔沆, 問誰可使蒙軍者, 沆奏曰, "此非臣所決, 惟上裁之".

[甲戌[29日], 流星出天囷, 入天倉:天文2轉載].

是月, 也窟等圍攻忠州, 前少卿鄭壽率二子, 自京山府來降.

十一月[丙子朔小盡,甲子], [丁丑[2日], □[月]與太白, 同舍于危:天文2轉載].[83)]

戊寅[3日], 遣永安伯僖·僕射金寶鼎, 致書于也窟·阿母侃·亏悅·王萬戶[王榮祖]·洪福源等, 遺土物. [兼賜書永寧公綧曰, "昔爾入侍天庭之日, 出自誠心, 決然獨斷, 以一介孤身, 代三韓萬姓而往者, 豈以一身之安危憂樂, 爲慮哉. 但爲國爲家, 庶全忠孝耳.

· 『吾妻鏡』, 建長 5년 10월, "十三日戊午, 今夜戌剋, 月在五色笠, 將軍家被覽之, 被驚思召之處, 異變之由, 司天等申之".

81) 이는 다음의 자료에 의거하였는데, 이때 溟州道監倉使는 郎中 李祿綏였다고 한다. 또 이때의 襄州城은 현재의 江原道 楊州邑 楊州邑城趾로 추측된다(金虎俊 2012년 153面).

· 『삼국유사』 권3, 塔像第4, 洛山二大聖, "… 及西山大兵已來, 癸丑[高宗40年]·甲寅[41年]年間, 二聖[義湘·元曉]眞容及二寶珠移入襄州城. 大兵來攻甚急, 城將陷時, 住持禪師阿行[古名希玄], 以銀合盛二珠佩持將逃逸. 寺奴名乞升, 奪取深埋於地誓曰, '我若不免死於兵, 則二寶珠終不現於人間人無知者, 我若不死當奉二寶獻於邦家矣'. 甲寅[癸丑]十月二十二日, 城陷, 阿行不免, 而乞升獲免, 兵退後掘出, 納於溟州道監倉使. 時郎中李祿綏爲監倉使, 受而藏於監倉庫中, 每交代傳受". 여기에서 甲寅은 癸丑의 誤謬일 가능성이 있고, 襄州城이 함락된 날짜는 丙寅(21日), 22일(丁卯)의 兩者 중에서 어느 쪽이 옳은가는 판가름하기가 어렵다.

· 『신증동국여지승람』 권44, 襄陽都護府, 佛宇, "洛山寺, … 高麗僧益莊記, 襄州東北降仙驛之南里有洛山寺, 寺之東數里許巨海邊有窟, … 我太祖立國, 春秋遣使設齋三日, 以致敬焉. 厥後書於甲令, 以爲恒規. 水精念珠及如意珠, 藏於是寺, 傳寶之. 癸丑歲[高宗40年], 天兵闌入我疆, 是州於雪嶽山築城守禦. 城陷, 寺奴取水精念珠及如意珠, 埋於地而亡走, 上告于朝. 兵退, 遣人取之, 藏於內殿".

82) 여기에서 虹[무지개]를 螮蝀으로 달리 表記한 것이 特異하다(→현종 19년 11월 14일의 脚注).

83) □에 月이 탈락되었을 것이다.

十餘年間，險阻艱難，千態萬狀[~~千態萬象~~]，殆不可容說．雖然，夙志如彼，能不益殫誠懇，永安社稷乎．且邈在萬里外，猶望庇於本國，幸今至此，三韓萬姓，冀蒙力護．想爾意何如也．矧又孝誠所格，天地尙有感動，今大王[也窟]以寬仁字小爲任，苟或見爾孝懇，哀哀有不可忍之者，則其有不動心哉．汝當切迫陳達，俾大軍解圍返旆，則非特老人悅懌，擧一國更生矣．其忠孝兩全，流名萬世，正在此時”:節要轉載].[84)]

[壬午[7日]，大雪．熒惑犯長垣:天文2轉載].

[甲申[9日]，栗浦里百家火:五行1轉載].

[○霧:五行3轉載].

[丁亥[12日]，月入畢星:天文2轉載].

己丑[14日]，設八關會，幸法王寺．時因兵亂，諸道上表者，但南京及廣·樹二州．

[○霧:五行3轉載].

庚寅[15日]，兵部尙書·翰林學士金孝印卒.[85)]

○也窟在忠州，得病．卜者曰，“久留則難返”．也窟留阿母侃·洪福源，守之，率精騎一千，北還．永安伯僖等，追至舊京保定門外，致國贐禮物，且乞退兵．也窟責云，“國王出江外，迎吾使价，則兵可退也”．遂遣蒙古大等十人來．

[○月犯輿鬼:天文2轉載].

辛卯[16日]，王渡江，迎于昇天新闕，夜別抄八十人，衷甲以從．蒙古大謂王曰，“自大軍入境以來，一日死亡者，幾千萬人，王何惜一身，不顧萬民之命乎？ 王若早出迎，安有無辜之民，肝腦塗地者乎□[~~世~~].[86)] 也窟大王之言，卽皇帝之言，吾之言卽也，窟大王之言也．自今以往，萬世和好，豈不樂哉?”．遂酣飮而去．王還江都．

○喬桐別抄伏兵平州城外，夜入虜營，擊殺甚衆．校尉張子邦持短兵，手殺屯長二十餘人．

乙未[20日]，親設仁王道場．

[丙申[21日]，月入大微[~~太微~~]端門右執法:天文2轉載].

丁酉[22日]，[冬至]．也窟遣人來，言置達魯花赤及坼城子事，其官人胡花，亦索金銀·獺皮·紵布等物．

84) 이 기사는 열전3, 顯宗王子, 平壤公基에도 수록되어 있는데, ~~添字~~는 이에서 달리 표기된 것이다.

85) 이날은 율리우스曆으로 1253년 12월 7일(그레고리曆 12월 14일)에 해당한다.

86) ~~添字~~는 『고려사절요』 권17에 의거하였다.

[○月犯大微[太微]東藩上相:天文2轉載].

戊戌[23日], 王答也窟書曰,[87] "前者, 僕射金寶鼎還, 大王諭以若能出迎使者, 卽當回軍, 遂遣蒙古大等十人以來. 竊惟出迎使者, 近無其例, 況値天寒風勁, 以老病之軀, 豈敢涉海. 然大王之教, 不敢違也, 祗率臣僚, 出迎使者. 意謂大王, 不違舊約, 卽還軍旅, 今承明教, 欲留兵一萬, 置達魯花赤之語. 若果如此, 安得保其無患, 復都舊京耶. 請寢其事, 以惠東民, 若乃圻城子事, 小邦元來, 俗不露居, 又海賊無時虜掠, 是用未卽壞去, 後當依命".

○答胡花官人書曰, "其所湏[須]金銀, 自昔不產於小邦, 其於納貢, 猶未易辦, 獺皮·紵布, 自興兵以來, 民皆驚竄, 難以做辦. 今略爲信, 具如別紙".

[庚子[25日], 月入氐星:天文2轉載].

癸卯[28日], 親設消災道場.

十二月[乙巳朔大盡,乙丑], 壬子[8日], [小寒]. 幸梯浦館, 引見阿母侃使佐.

[○日珥:天文2轉載].

[癸丑[9日], 日暈二重, 色如虹, 東北有背氣. 太史奏, 一背在內, 一背在外, 中人與外人, 同謀:天文1轉載].

丙辰[12日], 設華嚴神衆道場于內殿.

[丁巳[13日], 月入東井:天文2轉載].

戊午[14日], 親醮北斗.

[己未[15日], 月犯輿鬼, 又犯天屍:天文2轉載].[88]

壬戌[18日], 忠州馳報, 蒙兵解圍. [時, 被圍凡七十餘日, 兵食幾盡, [忠州山城]防護別監·郎將金允侯, 諭厲士衆曰, "若能效力, 無貴賤悉除官爵". 焚官奴簿籍, 以示信. 又分給所獲牛馬, 人皆效死, 蒙兵稍挫, 遂不復南:節要轉載].[89]

[甲子[20日], 月犯大微[太微]東藩左執法:天文2轉載].

---

87) 이 구절에서 王字는 잘못 들어간 글자인 것 같다[衍字].

88) 天屍는 星座에서 南方 七宿 중의 하나인 輿鬼의 중앙에 위치한 天尸(혹은 積屍)의 다른 表記인 것 같다(蔡雄錫敎授의 敎示).

89) 이와 관련된 기사로 다음이 있다.

· 열전16, 金允侯, "後爲忠州山城防護別監, 蒙古兵來圍州城, 凡七十餘日, 糧儲幾盡. 允侯諭屬士卒曰, '若能效力, 無貴賤悉除官爵, 爾無不信'. 遂取官奴簿籍焚之, 又分與所獲牛馬. 人皆效死赴敵, 蒙古兵稍挫, 遂不復南".

乙丑[21日], 親設仁王道場.

壬申[28日], 遣安慶公淐如蒙古. [初, 宰樞請遣淐, 乞班師, 王不允, 參知政事崔璘獨奏曰, "愛子之情, 無貴賤一也, 然不幸有死別者矣, 殿下何惜一子乎? 今, 民之存者十二三, 蒙兵不還, 則民失三農, 皆投於彼. 雖守一江華, 何以爲國". 王不得已而頷之. 宰樞欲使僕射金寶鼎, 從安慶公以行, 王以璘代之].

[→[崔璘,] 累遷叅知政事. 蒙古大擧入侵, 宰樞請遣安慶公淐, 如蒙古, 乞班師. 王不允, 璘獨前奏曰, "愛子之情, 無貴賤一也. 然不幸有死別者, 殿下何惜一子. 今, 民之存者十二三. 蒙古不還, 則民失三農, 皆投於彼, 雖守一江華, 何以爲國". 王不得已頷之. 宰樞欲使僕射金寶鼎, 從安慶公行, 王以璘代之:列傳12崔璘轉載].

[○凡進奉及餽遺蒙古諸官人·永寧公妃主·妃母·洪福源等, 金銀·布帛, 不可勝計, 府庫皆竭, 科歛[斂]百官銀布, 以充其費:節要轉載].

[→以進奉及餽遺蒙古諸官人, 永寧公妃主·妃母·洪福源等, 金銀·布帛, 不可勝計, 府庫皆竭. 令文武四品以上, 出白金一斤, 五品紵布四匹, 權參以上三匹, 八品以上一匹, 以充其費:食貨2科斂轉載].

是月, 盜發厚[康宗]·睿二陵.[90)]

[○蒙古命諸王也窟與洪福源, 同領軍征高麗, 攻拔禾山·東州·春州·三角山·陽根·天龍等城:追加].[91)]

是歲, 慶尙州道按察副使任柱, 令州縣聚白馬蹄, 造帶□[烒]效犀, 至有殺馬者. 又歛[斂]二十升白紵布, 民持白銀[白金]一斤, 易布一匹, 猶未易得, 南民騷然.[92)]

[○以趙田甫爲永州判官:追加].[93)]

[○某等造成青瓷鉢一口:追加].[94)]

---

90) 睿陵은 누구의 陵인지 알 수 없다.

91) 이는 다음의 자료에 의거하였다.

· 『원사』 권3, 본기3, 憲宗 3년 12월, "命宗王耶虎與洪福源, 同領軍征高麗, 攻拔禾山·東州·春州·三角山·陽根·天龍等城".

92) 添字는 『고려사절요』 권17에 의거하였다.

93) 이는 『영천선생안』에 의거하였다.

94) 이는 青瓷菊牧丹文硯의 銘文에 의거하였는데, 원래의 判讀者는 1073년(咸通9, 文宗27)으로 추정하였으나 筆者가 當該年의 干支를 紀年했던 是年으로 推測해 보았다.

· 銘文(黑象嵌), "癸丑年造上 大聖持鉢"(국립중앙박물관 소장, 鄭良謨 等編 1992년 155面).

甲寅[高宗]四十一年, [只用當該年干支, 江華京二十三年],
[南宋寶祐二年], [蒙古憲宗四年], [西曆1254年]

1254년 1월 21일(Gre1월 28일)에서 1255년 2월 8일(Gre2월 15일)까지, 13개월 384일

春正月乙亥朔[小盡,丙寅], 放朝賀, 謁景靈殿.

[丙子[2日], 月犯太白:天文2轉載].

丁丑[3日], 安慶公淐, 至蒙古屯所, 設宴張樂饗士, 阿母侃還師.

戊寅[4日], 親設天兵神衆道場.

[壬午[8日], 月掩畢星:天文2轉載].

甲申[10日], 京城解嚴.

○遣少卿朴汝翼·郎將鄭子璵等,[95] 往探蒙兵還否, 兼安撫天龍·楊根二城.

[○月入東井:天文2轉載].

[庚寅[16日], 日珥, 凡三日:天文1轉載].

[辛卯[17日], □[月]掩大微[~~太微~~]左執法:天文2轉載].

甲午[20日], 親設仁王道場.

丁酉[23日], 親醮北斗于內殿.

[○大風飛瓦:五行3轉載].

庚子[26日], [前樞密院副使]李峴棄市.

[→籍其家, 其子之瑞·之松·之壽·之柏[~~之栢~~]·永年, 皆沈于海, 峴妻妹及壻, 竝流于島. 峴性貪婪, 好傷人. 嘗爲選軍別監, 多受賄賂, 人號銀尙書. ~~轉官至樞密副使,~~ 及使蒙古, 被留二年, 說也窟曰, "我國都, 介于海島, 貢賦皆出州郡, 大軍若於秋前, 奄入其境, 都人之急, 可知也". 因受金牌, 導也窟而來, 常隨蒙軍, 諭降諸城, [高宗40年10月,] 又劫楊根·天龍二城曰, "掠山·東州·春州等城, 竝以不降見屠, 宜速出降, 若守將不許, 卽斬以來". 及降, 自爲達魯花赤, 遂以其民, 攻忠州~~城, 七十餘日~~不下. 及蒙軍還, ~~不得隨去,~~ 峴乃來, 其軍中所獲婦女財寶, 盡爲己有, 銀釵至滿一笥, 他物稱是. ~~宰樞會議曰, "峴以宰相, 犯叛逆, 宜赤族"~~. 及誅, 有人蹴其口曰, "喫盡幾人銀帛耶?":節要轉載].[96]

---

95) 朴汝翼은 『고려사절요』 권17에는 郭汝翼으로 되어 있다(盧明鎬 等編 2016년 443面).

96) ~~添字~~는 열전43, 반역4, 李峴에 의거하였다. 이때 籍沒된 李峴의 奴婢 중에서 원래 參知政事 鄭晏의 소유였던 婢 世屯의 直系卑屬들이 이해[是年] 2월 尙書都官에 의해 禮賓卿 梁宅椿에게

[某日, 以朴隨爲慶尙道按察使:慶尙道營主題名記].

二月甲辰朔大盡,丁卯, [降襄州·東州爲縣令□官, 金城爲監務□官:節要轉載],[97] 流天龍城別監趙邦彦·黃驪縣令鄭臣旦于海島.

甲寅11日, 以鄭準鄭准·崔坪·林景弼並爲樞密院副使,[98] [以忠州山城□□防護別監·郎將金允侯爲監門衛攝上將軍, 其餘有軍功者及官奴·白丁, 亦賜爵有差:節要轉載].[99]

丁巳14日, 燃燈, 王如奉恩寺.

己未16日, 北界兵馬使報, "蒙古兵船七艘侵宣州葛島, 虜三十戶".[100]

庚午27日, 親設華嚴神衆道場.

[○木稼:五行2轉載].

[某日, 遣使諸道, □巡審山城·海島避難之處, 量給土田:節要轉載].

[→分遣使于忠·慶·全三道及東州西海道, 巡審山城·海島避難之處, 量給土田:食貨1經理轉載].

三月甲戌朔小盡,戊辰, 乙亥2日, 加門下侍郎平章事宋珦宋恂守太尉.[101]

○全羅州道巡問使李純孝卒. [純孝, 性淸白, 處事如流. 嘗使于蒙古, 無一物賫還, 囊橐皆空, 巷婦·郵卒, 皆服其淸節, 曰, "眞官人也":節要轉載].[102]

分給되었던 것 같다(松廣寺 2004년 ; 「修禪社主乃老所志」 ; 南豊鉉 1974년). 또 赤族은 모든 家族을 죽여서 流血이 狼藉하게 되었다는 의미이다(→명종 26년 4월 9일 史臣曰의 脚注).

97) 이와 관련된 자료로 다음이 있다.
- 지12, 지리3, 東州, "高宗四十一年, 降爲縣令官. 後陞爲牧".
- 지12, 지리3, 金城郡, "後置令, 高宗四十一年, 復降爲監務".

98) 鄭準은 고종 44년 12월 22일과 45년 12월 27일에는 鄭准으로 달리 표기되어 있다. 또 林景弼은 1250년(고종37) 4월에 刻字된 慧諶의 塔碑에 判司宰寺事林景弼로 되어 있다.

99) 이때 金允侯는 郎將(正6品)·忠州山城防護別監에서 監門衛攝上將軍(正3品)으로 拔擢되었다고 한다. 그렇다면 그는 1232년(고종19) 12월 撒禮塔을 射殺하고 攝郎將에 임명된 이래 거의 20년간 郎將에 머물다가 正3品에 特進한 셈이다. 이렇게 超遷한 인물은 쿠데타로 집권한 武臣을 제외하고는 찾을 수 없다.

100) 葛島는 宣州 관내에 있고, 현 평안북도 宣川郡 葛里島로 추정된다고 한다(姜在光 2008년).

101) 宋珦은 宋恂의 오자로 추측된다. 또 宋恂은 고종 28년 4월에 參知政事로 知貢擧가 되었음을 보아 이때 門下侍郎平章事의 地位에 있었을 것이다.

102) 이와 같은 기사가 열전15, 李純孝에도 수록되어 있다. 이날은 율리우스曆으로 1254년 3월 22일(그레고리曆 3월 29일)에 해당한다.

[乙酉[12日], 大風, 拔木飛瓦:節要·五行3轉載].

辛卯[18日], 幸賢聖寺.

[甲午,參知政事崔珙卒.輟朝三日,謚戴莊→5월로 옮겨감].

丁酉[24日], 御史高平節·崔鐸·梁信成·朴裕·奉公胤, 坐散大倉粟, 皆免官. 平節, 數至二千石, 故特流于海島, 使者到門, 逃走投江而死.

[某日, [門下侍中]崔沆宴宰樞于其第, 觀擊毬戲, 馬別抄有以黃金飾障泥, 亦以金葉羅花, 插馬首尾者:節要轉載].[103)]

是月, 遣秘書少卿李守孫·四門博士金良瑩, 如蒙古. 拘留三年, 死于懿州.[104)]

[春某月, 以崔瑞爲江華判官:追加].[105)]

夏四月癸卯朔[小盡,己巳], 幸乾聖·福靈二寺.

[己酉[7日], 禮賓卿致仕梁宅椿卒, 年八十三:追加].[106)]

壬子[10日], 幸妙通寺.

己未[17日], 親設天兵神衆道場.

癸亥[21日], 設仁王道場.

丙寅[24日], 幸外院[外帝釋院?]·九曜堂.

是月, 旱.

[○秘書監河千旦, □□□□□[掌國子監試], 取詩賦李邵等三十三人, 十韻詩郭洪祚等五十二人, 明經三人:選擧2國子試額轉載].

[○守太尉·參知政事崔滋述'補閑集'三卷:追加].[107)]

---

103) 이 기사는 열전42, 崔忠獻, 沆에도 수록되어 있다.

104) 懿州(淸代의 盛京 廣寧縣, 現 遼寧省 阜新市의 北東部地域, 蒙古族自治縣의 東北지역 塔營子城)는 中原에서 滿州·韓半島로 進出하는 通路로서 元代에 遼陽·瀋陽 등과 함께 遼陽行省의 거점지역이었다.

105) 이는 「崔瑞墓誌銘」에 의거하였다.

106) 이는 「梁宅椿墓誌銘」에 의거하였는데, 이날은 율리우스曆으로 4월 25일(그레고리曆 5월 2일)에 해당한다.

107) 이는 다음의 자료에 의거하였는데, 이와 관련된 기사도 있다.

· 『보한집』序, "時甲寅四月日,守太尉崔滋序".

· 『東人之文五七』, 崔平章滋三首, "… 有集號'崔相國集'八卷, 又有'續破閑集'三卷".

五月壬申朔[大盡,庚午], 幸王輪寺, 設天兵華嚴神衆道場.

丙子[5日], 以端午節, 謁景靈殿.[108)]

[某日, 陞忠州, 爲國原京:節要轉載].[109)]

[甲午~~丙申~~25日, 參知政事崔珙卒. 輟朝三日, 諡戴莊←3월에서 옮겨옴].[110)]

六月壬寅朔[小盡,辛未], 王如奉恩寺.

甲辰[3日], 賜尹正衡等及第.[111)]

[某日, [門下侍中]崔沆宴宰樞於其第, 仍宴新及第:節要轉載].

戊申[7日], 親設天兵神衆道場.

丙辰[15日], 王受菩薩戒于正殿.

戊午[17日], 親設功德天·藥師二道場.

丁卯[26日], 設華嚴神衆道場.

是月, 京城大疫.[112)]

---

108) 『고려사절요』 권17에는 "夏四月, 旱. ○□□[五月,] 謁景靈殿. ○陞忠州, 爲國原京"으로 되어 있는데, 『고려사』세가편과 비교해 보면 '謁景靈殿'의 앞에 五月이 탈락되었음을 알 수 있다.

109) 이 시기의 前後에 忠州民들이 蒙古軍과 치열한 戰闘를 전개하였던 忠州城은 朝鮮時代의 邑城이 위치했던 現在의 忠州市 城內洞 154번지 일대의 城址였다고 한다(忠淸北道 文化財硏究院 2011년 ; 金虎俊 2012년 155面).

110) 原文에는 3월 甲午(21일) 參知政事 崔珙이 서거하였다고 하지만, 그의 묘지명에는 5월 25일('五月朔壬申二十五日丙申')로 되어 있으며, 이는 高麗曆과 일치한다. 이로 보아 『고려사』를 편찬할 때 어떤 오류가 있었던 것 같다[校正事由]. 이때 그의 관직은 參知政事·吏部尙書·判戶部事였다(崔珙墓誌銘). 또 이날은 율리우스曆으로 6월 11일(그레고리曆 6월 18일)에 해당한다.

111) 이와 관련된 기사로 다음이 있다. 이때 尹正衡·崔有侯·[江華判官]崔瑞(崔瑞墓誌銘)·[門下錄事]權呾(權呾墓誌銘) 등이 급제하였다(『登科錄』, 朴龍雲 1990년 ; 許興植 2005년).
또 試官인 尹克敏은 이후 知樞密院事·寶文閣大學士·太子賓客에 임명되었다가(『동문선』 권44, 尹克敏讓知樞密院事·寶文閣大學士·太子賓客表), 政堂文學·禮部尙書·修文殿大學士에 이르렀던 것 같고, 시호는 文平이었다(許珙墓誌銘 ; 金賆妻許氏墓誌銘 ; 金恂妻許氏墓誌銘).
· 지27, 선거1, 科目1, 選場, "[高宗]四十一年六月, 知樞密院事趙脩[趙修]知貢擧, 左副承宣尹克敏同知貢擧, 取進士, □□[甲辰], 賜尹正衡等三十三人·明經二人·恩賜五人及第".
· 열전20, 權呾, "… 嘗有遯世志, 父翰林學士韙强留之, 請於朝, 爲門下錄事, 傾家貲供其費, 呾不得已就職. 宰相[大司成]柳璥謂曰, '子有文學, 不宜爲吏'. 令赴擧, 果中第". 이에서 宰相은 大司成으로 고쳐야 옳게 될 것이다.
·『東人之文五七』, 崔平章滋三首, "… 子有候[有侯], 忠憲王甲寅, 尹世衡[尹正衡]牓登科, 官至奉翊大夫, …".

112) 南宋에서는 前年(寶祐1, 고종40) 겨울[冬]에 吉州(廬陵縣, 現 江西省 吉州市)에 疫氣가 流行하였다고 한다(龔勝生 2015年).

[→京城大疫, 死者相枕:五行3轉載].
[○久雨不止:追加].[113)]

閏[六]月辛未朔大盡,辛未, 己卯9日, 遣中書舍人金守精金守剛如蒙古.
[丙戌16日, 月食:天文2轉載].[114)]
[丙申26日, 大風雨, 拔木:五行3轉載].
[某日, 以權昍爲權知閤門祗候閤門祗候:追加].[115)]

秋七月辛丑朔大盡,壬申, [乙巳5日, 大雨, 傷稼, 多漂民戶:五行2·節要轉載].[116)]
己酉9日, 親設天兵神衆道場.
[壬子12日, 月掩牽牛:天文2轉載].
丁巳17日, 王聞蒙使多可等來, 移御昇天新闕.
○安慶府典籤閔仁解, 還自蒙古言, 帝憲宗使車羅大, 主東國.
[→安慶府典籤閔仁解, 還自蒙古曰, "公永寧公初至蒙古, 帝以爲實永寧公綧母弟, 禮待甚厚. 黃驪人閔偁, 訴於帝, 曰, '綧非王親子也, 且高麗族誅李峴, 降城官吏亦皆誅殺'. 帝謂綧曰, '汝前稱王子, 何哉?'. 對曰, '臣少養宮中, 以王爲父, 以后爲母, 不知非眞子也. 今來使臣崔璘, 實前日率我入質者也. 請問諸璘'. 帝以問璘, 對曰, '綧乃王愛子, 非眞子也. 前進表章, 皆在, 可驗'. 帝曰, '愛子與親子異乎?',

---

· 『巽齋文集』 권4, 與王吉州論郡政書, "三曰, 疫癘, 作者, 郡家以冬月, 疫氣流行, 爲之擧行, 祈禳之典, …".

113) 이는 다음의 자료에 의거하였다. 또 日本에서는 6월 15일부터 7월 18일까지 京都에서 旱魃이 있었다고 한다(中央氣象臺 1941年 2冊 532面).
· 『보한집』권중, "甲寅季夏6月, 久雨不止".
· 『歷代皇紀』, 建長 6년, "自六月十日, 至七月十八日, 炎旱".

114) 이날 宋에서도 월식이 있었고(『송사』 권52, 지5, 천문5, 月食), 일본의 가마쿠라[鎌倉]에서도 월식이 있었다(日本曆, 6월 16일 丙戌). 이날은 율리우스曆의 1254년 7월 31일이고, 月食 現象이 심했던 때의 世界時는 10시 47분, 食分은 0.72이었다(渡邊敏夫 1979年 481面).
· 『吾妻鏡』제44, 建長 6년 6월, "十六日丙戌, … 今夕月蝕, 左大臣法印嚴惠修御祈, 雖有陰雲之氣, 度々出現云々".

115) 이는 「權昍墓誌銘」에 의거하였다.

116) 일본에서는 7월 1일(辛丑) 鎌倉에서 大風雨가 있었다고 한다(中央氣象臺 1941年 1冊 41面).
· 『吾妻鏡』제44, 建長 6년 7월, "一日辛丑, 甚雨暴風, 人屋顚倒. 稼穀損亡, 古老云, 卄年以來, 無如此大風云々".

曰, '愛子者, 養人之子, 以爲己子也. 若所生子, 則何更稱愛乎?'. 帝驗前表, 皆稱愛子, 帝然之不問, 謂綧曰, '汝雖非王子, 本是王親, 久處吾土, 已爲吾黨, 更何歸哉'. 奪阿母侃馬三百匹, 賜之, 使車羅大主東國, 乃以兵五千來:節要轉載].

[→先是, 永寧公綧質蒙古, 及安慶公至, 帝以爲實永寧公母弟, 禮待甚厚. 黃驪人閔偁, 訴於帝曰, "綧非王親子. 且高麗族誅李峴, 降城官吏亦皆誅殺". 帝謂綧曰, "汝前稱王子, 何也". 對曰, "臣少養宮中, 以王爲父, 后爲母, 不知非眞子也. 今使臣崔璘, 實前日以我入質者也, 請問之". 帝問璘, 對曰, "綧乃王愛子, 非親子也. 所進表在可驗". 帝曰, "愛子, 親子異乎?". 曰, "愛子者, 養人之子, 以爲己子也. 若所生子, 則何更稱愛乎?". 帝驗前表, 皆稱愛子, 遂不問:列傳12崔璘轉載].

[→蒙古帝知綧非王親子, 謂綧曰, "汝雖非王子, 本王族, 久處吾土, 卽吾黨也". 乃奪阿毋侃馬三百匹, 賜之:列傳3顯宗王子平壤公基轉載].

戊午[18日], 蒙古使多可等五十人, 賫文牒來, 諭曰, "國王雖已出陸, 侍中崔沆·尙書李應烈·周永珪·[大司成]柳璥等不出,[117] 是爲眞降耶". 仍責誅降城官吏. 王徵趙邦彦·鄭臣旦, 乘傳入京, 見于多可, 以示不誅.

[辛酉[21日], 月掩畢星:天文2轉載].

壬戌[22日], 西北面兵馬使報, 車羅大等帥兵五千, 渡鴨綠.[118]

癸亥[23日], 太白晝見, 經天.[119]

---

117) 이 시기에 柳璥은 國子監大司成으로 左右衛上將軍을 兼職하고 있었다(『동문선』 권37, 大司成柳璥謝左右衛上將軍表, 金坵 撰).

118) 車羅大는 이해의 여름에 파견된 札剌亦兒部人火兒赤·札剌䚟·札拉岱 등으로 기록된 人物, 곧 札剌兒塔出일 것이다. 또 이때 桑吉·忽剌出·鮮卑準 등이 참전하였다.
- 『원사』 권3, 본기3, 헌종 4년 夏, "蒙古遣札剌亦兒部人火兒赤征高麗".
- 『국조문류』 권41, 雜著, 정전총서, 征伐, 高麗, "憲宗之三年至七年, 伐不已". 여기에서 헌종 4년도 포함될 것이다.
- 『국조문류』 권41, 잡저, 정전총서, 정벌, 고려[注, "[憲宗]四年改命札剌䚟征]. 四庫全書本에는 札剌䚟가 札拉岱로 달리 표기되어 있다.
- 『원사』 권133, 열전20, 塔出, "塔出, 蒙古札剌兒氏, … 歲甲寅, 奉旨伐高麗, 命桑吉·忽剌出諸王並聽節制. 其年 罷高麗連城, 擧國遁入海島".
- 『원사』 권165, 열전52, 鮮卑仲吉, "子準, 充管軍千戶, 從札□[剌]台火兒赤東征高麗". 添字가 탈락되었다.
- 『원고려기사』, 序, "憲宗之三年至七年, 伐不已".
- 『원고려기사』本文, 憲宗, "四年甲寅, 改命箚剌䚟, 與洪福源, 同征高麗".

119) 이와 같은 기사가 지2, 天文2에도 수록되어 있다.

○多可還，附表曰，“王人驟降，聖訓稠加，擧國慞惶，瞻天籲列．伏望霽雷霆之威，回日月之明，備問來使之親觀，商酌讒人之妄訴，使越境風馳驍騎，一時卷還，令涉江陸處之弊封，萬世永保”．時多可紿云，吾歸則大兵可回．國家信之，令州縣護送，於是，擧邑被掠者，甚多．是日，王還江都．

甲子[24日]，太白晝見．

○蒙兵候騎至西海道．

戊辰[28日]，蒙古騎兵三十來，屯峽溪[俠溪]冠山驛．

[某日，以慶尙道按察使朴隨，仍番:慶尙道營主題名記]．

八月辛未朔[小盡,癸酉]，[秋分]．太白晝見，親設消灾道場．

癸酉[3日]，慶尙·全羅二道，各遣夜別抄八十人，守衛京城．

甲戌[4日]，地震．

○蒙古軍入西北鄙．

[○月犯氐星:天文2轉載]．

丙子[6日]，候騎至廣州．

○赦中外死囚十人，杖流有人島．

己丑[19日]，安慶公淐還自蒙古，蒙使十人偕來．王幸梯浦宴慰，蒙使曰，“帝勑臣等，伴公護行，萬里風塵，恐有不寧，今日，幸無恙還國，吾等甚喜”．仍請獻酌，[120] 王許之．[淐，初至江都，遣人奏曰，“臣久染腥膻之臭，經宿乃進”．王曰，“自爾去後，祈天禱佛，曷日相見，今幸好還，何宿於外，悉焚爾所著衣裳，更衣卽來”．至夜，淐入謁，王及左右，皆爲之流涕:節要轉載]．[121]

庚寅[20日]，蒙兵候騎屯槐州城下，散員張子邦率別抄，擊破之．

壬辰[22日]，命大將軍李長，[122] 詣蒙兵屯所普賢院，贈車羅大·余速禿[余愁達]·甫波大等

120) 獻酌은 『고려사절요』 권17에는 獻爵으로 되어 있는데, 같은 의미이다(盧明鎬 等編 2016년 445面). 前者는 酌獻으로 고치는 것이 더 좋을 것이다.
- 『신당서』 권21, 지11, 禮樂11, “初，祖孝孫已定定樂，乃曰大樂與天地同和者也．製十二和，以法天之成數，號大唐雅樂，一曰豫和，… 六曰壽和，以酌獻，飮福．以黃鍾爲宮”．
- 『송사』 권20, 본기20, 徽宗2, 崇寧 4년 8월, “甲申[20日]，奠九鼎于九成宮．乙酉[21日]，詣宮酌獻，辛卯[27日]，賜新樂名大晟，置府建官”．

121) 이 기사는 열전4, 高宗王子, 安慶公淐에도 수록되어 있으나 자구에 출입이 있다.

122) 李長은 그의 外孫인 庾自偶의 묘지명에 의하면 慶原郡(仁州) 출신으로 千牛衛上將軍에 이르렀

元帥及永寧公綧·洪福源,[123] 金銀酒器·皮幣, 有差. 長還奏, 車羅大云, 君臣百姓出陸, 則盡剃其髮, 否則以國王還. 如一不從, 兵無回期.

[乙未25日, 月與太白, 同舍于張:天文2轉載].

[丙申26日, 太白與月同舍:天文2轉載].

[○黑雲竟天, 向北行:五行1黑眚黑祥轉載].

[丁酉27日, 月掩大微太微:天文2轉載].

九月庚子朔大盡,甲戌, 幸賢聖寺.

辛丑2日, [霜降]. 東界兵馬使報, 東眞兵又多入境.

癸卯4日, 幸乾聖·福靈二寺.

[乙巳6日, 太白犯大微太微左執法:天文2轉載].

丙午7日, 親設天兵神衆道場.

[○月與鎭星同舍:天文2轉載].

[戊申9日, 北方有雷聲:五行1雷震轉載].

己酉10日, 遣御史朴仁基, 至車羅大屯所, 贈酒果及幣.

[壬子13日, 赤氣周天:五行1轉載].

癸丑14日, 車羅大攻忠州山城, 風雨暴作, 城中人抽精銳, 奮擊之, 敵解圍, 遂南下.

[甲寅15日, 太白犯大微太微左執法:天文2轉載].

乙卯16日, 幸妙通寺.

[丙辰17日, 月入畢星:天文2轉載].

丁巳18日, [立冬]. 幸王輪寺.

[戊午19日, 月入東井:天文2轉載].

[甲子25日, □月入大微太微:天文2轉載].

[乙丑26日, 太白犯月:天文2轉載].

丙寅27日, 樞密院副使崔溫奏,[124] "秘書省掌齋醮祭享文書, 故每月一人入直, 沐

다고 한다.

123) 余速禿은 余愁達(也速達, Yesuder)의 다른 표기이다.

124) 崔溫은 1170년(의종24) 8월 30일(丁丑) 武臣叛亂 때 죽은 參知政事 崔溫(崔弘宰의 2子, 열전41, 叛逆2, 鄭仲夫에는 知樞密院事로 되어 있으나 오류임)과는 別個의 人物이다. 그는 武臣執權者 崔沆의 前妻 崔氏의 父로서 이해의 6월에 樞密院副使로서 知貢擧가 되었는데, 이후부

浴齋素，終月乃出．若翰林院·寶文閣·同文院·御書院，輪番迭宿，或飮酒食肉，或經穢惡，不宜會宿秘書省，請禁之"，制可．

[○雷雹:五行1雷震轉載]．

己巳[30日]，幸外院[外帝釋院?]·九曜堂．

[是月頃，尙州吏金祚有女曰萬宮，生七歲，祚避丹賊[蒙古兵]，趣白華城，追兵近，蒼黃棄萬宮于道．旣三日，得之林下，萬宮言，夜有物來抱，晝則去．人皆驚異跡之，乃虎也:列傳26金得培轉載]．125)

冬十月庚午朔[大盡,乙亥]，親設消灾道場．

[○雷:五行1雷震轉載]．126)

터 1258년(고종45) 6월 25일 사이에 崔昷으로 改名하였거나, 아니면 이때의 溫은 昷의 오자일 가능성이 있다.

125) 이는 다음의 기사를 적절히 變改한 것이다. 여기에서 丹賊은 大遼收國軍[契丹遺種] 또는 哈丹賊으로도 볼 수 있으나 이들은 尙州地域까지 進攻하지 못하였고, 실제는 車羅大가 이끈 몽골군이었을 것이다(尹龍爀 1991년 314面). 또 白華城은 延世大學本과 東亞大學本에서 日華城으로 되어 있으나 誤字일 것이다. 한편 14世紀前半에 判典醫寺事 金錄이 그의 부인 朴氏와 함께 寫成했던 佛典도 찾아진다.

· 『세종실록』 권150, 지리지, 尙州牧, "… 人物，政堂文學金得培[注，高麗時，州吏金祚有女曰萬宮，年七歲，父母避丹兵于白華城，追兵近，倉皇棄于道左而走．旣三日，得之林下，自言，'夜則有物來抱，晝則去'．人皆驚異跡之，乃虎．及笄，適戶長金鎰，生子祿，祿生三男，長曰得培．恭愍王十年辛丑，紅賊陷松都，得培與安祐·李芳實將兵破賊，收復京師，世謂之三元帥．仲曰得齊三司右使，季曰先致密直使]．… 白華山石城，在中牟縣，去州西五十一里[注，高險，周回一千九百四步，內有溪一·泉五，又有軍倉]".

· 열전26, 金得培, "得培父祿，仕至判典醫□□[寺事]．初，州吏金祚有女曰萬宮．生七歲，祚避丹賊[蒙古兵]，趣白華城，追兵近，蒼黃棄萬宮于道．旣三日，得之林下，萬宮言，'夜有物來抱，晝則去'．人皆驚異跡之，乃虎也．及長，適州吏金鎰生祿". 여기에서 典醫는 原文에서 典醬으로 되어 있으나 오자일 것이다(東亞大學 2006년 25册 433面).

· 『신증동국여지승람』 권28, 尙州牧, 人物, "金得培，州吏金祚女曰萬宮,年七歲，父母避丹兵于白華城,追兵近，棄于道左而走，旣三日，得之林下，自言，'夜則有物來抱，晝則去'，人皆驚異之，乃虎也．及笄，適戶長金鎰，生祿，祿生三男，長曰得培，…".

· 『正法念處經』; 『相續解脫地波羅密了義經』跋, "高麗國施主」 奉訓大夫·前判典醫寺事金祿,」 南陽郡夫人朴氏施財印造大藏尊經一藏,」 入子菩寺流通供養,」 棟樑 戒丘 宗昷, 升煥, 松栢,」 同願道人 淸印」"(前者 大谷大學 所藏, 後者 京都大學 人文科學硏究所 松本文庫, 張東翼 2004년 720面).

126) 일본의 가마쿠라에서는 10월 4일 雷鳴과 降雹이 있었다고 한다(中央氣象臺 1941年 2册 431面).

· 『吾妻鏡』, 建長 6년 10월, "四日癸酉，戌剋，俄甚雨，雷電鳴，霰相交．晚更，又雷鳴數返，驚耳者也".

[癸酉4日, 流星出柳, 入□茉星, 大如木瓜:天文2轉載].[127)]

[甲戌5日, 月犯牽牛:天文2轉載].

[庚辰11日, 太白犯亢星:天文2轉載].

戊子19日, 車羅大攻尙州山城, 黃嶺寺僧洪之, 射殺第四官人, 士卒死者過半, 遂解圍而退.

[→永寧公綧又與車羅大, 帥兵五千來, 攻諸郡, 至尙州而還. 弓箭陪·郎將蔡取和謂曰, "捐妻子, 從公絶域者, 欲安國家耳. 今無一毫事利國, 與叛臣無異". 遂跳還. 逆豎鄭子明, 以告綧, 綧遣人追, 斬之:列傳3顯宗王子平壤公基轉載].[128)]

○遣參知政事崔璘如車羅大屯所, 請罷兵. 以崔璘爲門下□□侍郞平章事.

○命宰臣祈告大廟太廟曰, "洪惟太祖, 當三方鼎分, 愍百姓荼苦, 揮義兵而雲合響應, 奮戎衣而電邁風馳. 開關草昧, 掃淸雲屯, 合韓土爲一家, 服王民於億載. 我太宗大王惠宗, 擐堅執銳, 沐雨櫛風, 從聖祖太祖于干戈, 拯生民於塗炭. 我世宗大王顯宗, 智勇兼資, 戡定大亂, 立中興返正之功, 祔永世不遷之主. 我宣·肅·睿大王, 聖聖繼體, 持盈而守成, 元元歸仁, 含哺而樂業. 文成理定, 煥乎有章, 禮制樂作, 巍乎難名. 我仁·神·康大王, 挺英明之資, 承積累之慶. 雖則奸軌屢變, 輒以震謀而剪除, 亦賴先正夾輔, 卒致國步之淸寧. 由是, 祖有功而宗有德, 禘配帝以郊配天, 棲靈九廟之中, 垂裕百世之下. 伏念, 以凉薄之資, 宅黎烝之上, 發聞惟腥, 巨灾荐至. 頃自金卯之歲辛卯高宗18年, 蠢玆黑狄之人, 躪藉乎北, 滛淫浸及南, 至使棄赫赫之鴻都, 保區區之海邑. 未得屈强相衡, 爾乃朝聘惟勤, 卑辭稱臣, 厚禮遣質, 選子弟而入侍, 率臣僚以出迎. 民已困矣, 調歛斂以奉之, 我固弱矣, 徵令以逼之. 輶車雖相望於道, 弓騎乃連討我疆, 倏去欻來, 長驅深入. 况逋逃而降者, 具虛實以告之, 彼虜計得, 吾民勢窮. 死者暴形骸, 生者爲奴虜, 父子不相聊, 妻孥不相保. 加以比日以來, 乾文示變, 循巷哀呼, 人嫌大甚. 俯仰慄愧, 寤寐難安. 竊念, 三韓乃先王之家, 萬姓是先王之民, 豈忍家隳圮民盡劉乎. 是用, 痛心疾首, 拆膽披肝. 爰命攸司, 望涓良日, 修薄奠薦神軒. 伏望, 上以念王業之艱難, 下以憫生民之憔悴, 恕已往之過愆, 哀卽今之形勢. 請命于上帝, 宣威若當年, 叛謀沮摧, 列域繕保. 胡兵自潰, 未

---

127) □에 별자리의 이름[星名]이 탈락되었을 것이다.

128) 弓箭陪·郎將 蔡取和에 관한 기사는 1255년(고종42) 3월 某日에 再次 記述되어 있는데(節要轉載), 그가 脫走한 是日이 분명하지 않아 重複되게 되었을 것이다.

臘而班還，民力有餘，及春而耘稼，按堵如故，鼓腹咸熙，紀綱脉絡之復振，宗廟血祀之永延”.

[庚寅[21日]，月掩大微[太微]西藩上將:天文2轉載].

[甲午[25日]，月入大微[太微]端門. 太白入氐:天文2轉載].

[戊戌[29日]，月與太白·同舍于氐:天文2轉載].

[十一月[庚子朔小盡,丙子]，甲辰[5日]，月入壘壁陣:天文2轉載].

[壬子[13日]，□[月]入東井:天文2轉載].

[戊午[19日]，□[月]入大微[太微]:天文2轉載].

己未[20日] 親設華嚴神衆道場.[129)]

[壬戌[23日]，木稼:五行2轉載].

十二月[己巳朔大盡,丁丑]，[戊寅[10日]，木冰:五行2轉載].

[辛巳[13日]，雷:五行1雷震轉載].

[癸未[15日]，月食，密雲不見:天文2轉載].[130)]

甲申[16日]，合祀山川神祇于神廟曰，“夫主國山川，依人而行者，神之道也. 則所寓之國，所依之人，能不哀矜而終始保護耶. 本朝自昔三韓，鼎峙爭疆，萬姓塗炭，我龍祖[我太祖]應期而作,[131)] 俯循人望，擧義一唱，四方響臻，自然歸順，然當草昧間，或有不軌之徒，嘯聚蜂起，而以尺劍，掃清三土，合爲一家. 然後，聖聖相繼，代代相承，以至于今日矣. 三百餘載之間，時數使然，灾變屢興，卽能戡定者，全是我諸神，僉力潛扶，保安社稷之所致也. 越辛卯歲[高宗18年]以來，不幸爲蒙人所寇，國家禍亂，不可殫言. 嗟呼，竭我琛賮，歲常兩度，恪修貢賦，而懲責尤加. 又前年大擧而來，東角藩屛數城，不日間，悉見屠殘. 乘勝縱銳，卽移兵中原，雨矢石，雷鼓鼙，累月攻擊，而孑爾孤城，幾乎殆矣. 當是時，若此城見陷，則其他列堡，靡然席卷者，必

---

129) 己未는 11월 20일인데, 이것이 10월에 있었다면 乙未(10월 26일)의 誤字일 것이고, 己未의 글자가 정확하다면 이의 앞에 十一月이 탈락되었을 것이다.

130) 이날 일본의 교토에서도 월식이 예측되었으나 보이지 않았다고 한다. 이날은 율리우스曆의 1255년 1월 24일이고, 월식 현상이 심했던 때의 世界時는 06시 19분, 食分은 1.68이었다(渡邊敏夫 1979年 481面).

131) 添字는 節要권17에서 달리 표기된 것이고, 餘他의 文章은 축약되어 있다.

矣. 幸賴月嶽大王, 現大威力, 密加扶護, 乃克守禦, 終成萬歲之功. 雖然, 弱難拒强, 故懼其禍之滋深, 涉海出迎, 又遣子安慶公, 往請和親. 何圖數豎, 接踵逃去, 巧播讒言, 至使今年, 荐加大兵, 蹂踐南隅. 凡我國所病, 盡知之而蠹我腹心, 我勢旣窮, 無柰何矣. 噫, 比年來, 人畜之被害驅掠者, 已不可勝言, 至乃孑遺, 亦皆父子不相恤, 妻子不相保矣. 況今一年之間, 餓莩已滿於閭巷, 則國之勢, 其不危哉. 護國神明之威驗, 不於今日闡用, 而更待何時耶. 其忍令國業墮地, 民命盡劉, 必不然矣. 伏望恕國家眚誤之罪愆, 哀民俗屠殘之性命, 急回神力, 挫逐腥膻. 使國業更延, 民命更續, 豈惟三韓, 受賜多矣. 抑亦豊潔祀事, 當不替於萬世矣".

[乙酉[17日], 月入大微[太微]:天文2轉載].

丁亥[19日], 親設天兵神衆道場.

甲午[26日], [門下侍郎平章事]崔璘還奏曰, "臣至陜州丹溪, 見車羅大言, '崔沆奉王出陸, 則兵可罷'".

[丁酉[29日], 太白·辰星, 同舍須女:天文2轉載].

是歲, 蒙兵所虜男女, 無慮二十萬六千八百餘人, 殺戮者不可勝計. 所經州郡, 皆爲煨燼.[132] 自有蒙兵之亂, 未有甚於此時也.

[○陞忠州牧爲國原京:轉載].[133]

[○降襄州防禦使爲翼嶺縣令官:轉載].[134]

[○以閔昉爲永州副使:追加].[135]

[○分司大藏都監重刻'宗門摭英集'·'大顚和尙注心賦'·'禪苑淸規':追加].[136]

---

132) 이와 같은 표현으로 다음이 있다.
· 열전42, 崔忠獻, 沆의 고종 39년의 末端, "未幾, [蒙兵]果至, 屠滅州郡, 所過皆爲煨燼".

133) 이는 다음의 기사를 전재하였다.
· 지10, 지리1, 忠州牧, "高宗四十一年, 陞爲國原京".

134) 이는 다음의 기사를 전재하였다.
· 지12, 지리3, 翼嶺縣, "[高宗]四十一年, 降爲縣令".

135) 이는 『영천선생안』에 의거하였다.

136) 이는 다음의 자료에 의거하였다(海印寺大藏經 ; 高麗大學圖書館 1984년 ; 南海郡 1994년 ; 椎名宏雄 等編 1999年 6冊上 ; 南權熙 2002년 194面, 195面).
· 『宗門摭英集』卷中, "甲寅年分司大藏重彫", 卷下, "甲寅歲分司大藏重刻"(黃壽永 編 1985년 372面, 467面).
· 『大顚和尙注心賦』, "甲寅歲分司大藏都監雕造"(高麗大學 所藏).

[○宜州兵馬使?李安社與金甫奴等率一千餘戶, 投散吉松吉大王於東北界高原:追加].137)

[○優婆塞善良·匠人亡金等改修昆明縣資福寺:追加].138)

乙卯[高宗]四十二年, [只用當該年干支, 江華京二十四年],

[南宋寶祐三年], [蒙古憲宗五年], [西曆1255年]

1255년 2월 9일(Gre2월 16일)에서 1256년 1월 28일(Gre2월 4일)까지, 354일

春正月己亥朔小盡,戊寅, 放朝賀.

[庚子2日, 白雲, 長五百尺許, 廣二尺, 東西橫天:五行2轉載].

辛丑3日, 蒙兵二十餘騎到甲串江外.

癸卯5日, [雨水]. 被虜大丘民, 逃還言, 蒙古帝勑車羅大, 促還師, 蒙兵屯北界者, 已渡鴨綠江.

乙卯17日, 蒙兵百餘騎到昇天城外, 命大將軍崔瑛慰諭. 瑛自城上, 縋下酒饌, 犒之, 蒙兵乃去.

○遣門下侍郞平章事崔璘如蒙古, 獻方物, 仍乞罷兵, 表曰, "皇威遠格, 聖訓驟加, 無地措躬, 籲天以實. 恭惟皇帝陛下, 廓乾坤之度, 察貝錦之讒, 疾速班師, 哀矜有衆. 則咸承仁化, 得聊生而出居, 嘉與後昆, 至永世而供職".

○車羅大屯于舊京保定門外.

庚申22日, 蒙兵五十餘騎到昇天城外.

壬戌24日, 以交河縣人所獲蒙古馬匹, 分賜兩府宰樞.

癸亥25日, 幸神格殿.

· 『衆添足本禪苑淸規』 권10, "甲寅歲分司大藏都監重彫".

137) 이는 『太祖實錄』總序에 의거하여 추가한 것이다. 여기에서 散吉(松吉, Salki)大王은 46년 6월 8일에 松吉[Sulki]大王으로, 1388년(우왕14) 2월에는 散吉大王으로 표기되어 일관성을 잃었다. 그도 松柱[Sulju]와 함께 이름을 알 수 없는 憲宗 蒙哥의 동생으로 추측되는데, 同一한 인물인지도 알 수 없다(→고종 40년 4월 7일의 脚注).

138) 이는 慶尙南道 泗川市 昆明面 本村里의 寺址에서 발견된 瓦銘에 의거하였다(慶尙大學 博物館 1997년 ; 安田純也 2007年).

· 銘文, "甲寅年造,資福寺匠亡金,楝梁善良".

[某日, 以慶尙道按察使朴隨, 仍番, 旣而遆, 以洪熙代之:慶尙道營主題名記].

二月戊辰朔大盡,己卯, 辛未4日, 車羅大遣阿豆·仍夫等四人來,

甲戌7日, [春分]. 王宴于梯浦館.

○蒙兵屯宿鐵嶺, 登州別抄挾攻. 殲之.

辛巳14日, 燃燈, 王如奉恩寺.

癸未16日, 以都祭庫判官高鼎梅爲黃驪·利川·川寧·楊根·竹州·陰竹等處蘇復別監, 鼎梅不顧蘇復之意, 耽于酒色, 剝民爲利.

甲申17日, 門下侍中崔沆進酒饌于王, 召太子·諸王, 宴于內殿, 作樂徹夜而罷. 是時, 民多餓莩, 王制於權臣, 不得已設此宴樂.

癸巳26日, 以門下侍中崔沆△爲監脩國史.

甲午27日, 京城解嚴.

三月戊戌朔小盡,庚辰, 丙午9日, [以諸道郡縣經亂凋幣凋弊,139) 蠲三稅外雜稅:節要·食貨3災免之制轉載]. 諸道郡縣, 入保山城·海島者, 悉令出陸. 時, 公州公山城合入郡縣粮盡, 道遠者, 飢死甚衆, 老弱塡壑, 至有繫兒於樹而去者.140)

戊申11日, 幸賢聖寺.

戊午21日, 親設華嚴神衆道場.

[○雨雹:五行1雨雹轉載].

己未22日, [立夏]. 命判司天□臺事安邦悅, 脩智陵明宗, 以爲蒙古□兵所壞也.

甲子27日, 親設佛頂心道場.

[某日, 北界兵馬使報, "永寧公綧隨蒙兵還". 綧在楊根時, 弓箭陪·郎將蔡取和曰, "捐妻子, 從公絶域者, 欲安國家耳, 今無一毫事利國, 與叛臣無異". 遂逃還. 逆竪鄭子明, 以告綧, 綧遣人追斬之:節要轉載].141)

[某日, 門下侍中崔沆宴諸王于其第, 翌日又宴宰樞:節要轉載].

[某日, 簽書樞密院事崔坪奏, "今春大饑, 民多死亡, 請發倉賑恤", 從之:節要·

139) 여러 판본의 『고려사』에서 凋幣로 되어 있으나 凋弊의 오자일 것이다.

140) 公山城은 忠淸道 公州의 州治에서 북쪽으로 2里에 있었다고 한다(『신증동국여지승람』 권17, 公州牧, 城廓).

141) 蔡取和에 관한 기사는 1254년(고종41) 10월 19일에 이미 수록되어 있다.

食貨3水旱疫癘賑貸之制:節要轉載].[142]

夏四月丁卯□[朔小盡,辛巳], 幸乾聖·福靈二寺.[143]

己卯[13日], 幸妙通寺.

壬午[16日], 幸王輪寺.

甲申[18日], 幸外院[外帝釋院?]·九曜堂.

辛卯[25日], 北界兵馬使報, "蒙兵屯義·靜州之境, 自兄弟山, 至大府城[大夫城],[144] 彌滿原野".[145]

癸巳[27日], 親設消灾道場.

是月, 道路始通. 兵荒以來, 骸骨蔽野, 被虜人民, 逃入京城者, 絡繹不絶. 都兵馬使日給米一升, 救之, 然死者無算.

五月[丙申朔大盡,壬午], 戊戌[3日], 令四品以上, 獻安民·禦敵之策.

丁未[12日], 北界報, "蒙兵三百餘騎寇龍岡·咸從等縣, 掠農民牛馬而去".

辛亥[16日], 東界兵馬使報, "東眞兵百餘騎入高·和州".

---

142) 崔坪은 前年(고종41) 2월 11일에 樞密院副使에 임명되었는데, 이때 그보다 下位인 簽書樞密院事를 띠고 있는 점이 이색적이다. 그는 明年(고종43) 1월 10일에 樞密院副使로서 逝去하였다. 또 이 기사와 관련된 것으로 五行3, "春, 大饑"가 있다.

143) 丁卯에 朔이 탈락되었다.

144) 大府城은 大夫城(金의 大夫營)의 다른 표기일 것이다.

145) 이와 관련된 기사로 다음이 있다.

· 『원사』 권3, 본기3, 憲宗 5년, "是歲, 改命箚剌觧[車羅大]與洪福源同征高麗. 後此又連三歲, 攻拔其光州·安城·忠州·玄風·珍原·甲向[尙州]·玉果等城". 여기에서 甲尙은 尙州의 誤字일 가능성이 있다.

· 『원사』 권154, 열전41, 洪福源, "甲寅, [福源] 與扎剌台合兵, 攻光州·安城·忠州·玄風·珍原·甲向[尙州]·玉果等城, 又拔之".

· 『국조문류』 권41, 雜著, 政典總序, 征伐, 高麗,, "憲宗之三年至七年, 伐不已". 여기에서 헌종 5년도 포함될 것이다.

· 『국조문류』 권41, 잡저, 정전총서, 정벌, 고려[注, [憲宗]五·六·七年, 連拔光州·安城等]. 여기에서 五는 玉과 비슷하게 보이지만 印刷가 제대로 이루어지지 않았던 것 같고, 四庫全書本은 王으로 되어 있으나 오자이다.

· 『원고려기사』, 序, "憲宗之三年至七年, 伐不已".

· 『원고려기사』本文, 憲宗, "五年·六年·七年, 連歲攻拔光州·安城·忠州·玄鳳[玄風]·珍原·甲向[尙州]·王果等城".

甲寅[19日], 分遣諸道勸農使.[146)]

[是月, 大僕卿[太僕卿]柳璥, □□□□□[掌國子監試], 取詩賦王胤等三十四人, 十韻詩李受庚等五十四人, 明經四人:選擧2國子試額轉載].

六月丙寅朔[小盡,癸未], 王如奉恩寺.

戊辰[3日], 賜郭王府等及第.[147)]

甲戌[9日], 遣侍御史金守剛[金守精]·郎將庾資弼, 如蒙古, 進方物.

乙亥[10日], [大暑]. 親設華嚴神衆道場.

[庚辰[15日], 月掩食鎭星:天文2轉載].

秋七月[乙未朔大盡,甲申], 壬戌[28日], 親設天兵神衆道場.

[某日, 發新興倉, 賜甲寅歲[高宗41年]守京城坊里百姓:節要·食貨3水旱疫癘賑貸之制轉載].

[某日, 淸州以南, 自春至是月, 大旱:節要轉載].

[→自三月至七月, 淸州以南大旱:五行2轉載].

[某日, 以慶尙道按察使洪熙, 仍番:慶尙道營主題名記].

[是月, 江陽郡, 蝗食桑葉, 成繭:五行2轉載].

[○翰林學士李藏用撰'補閑集'跋:追加].[148)]

---

146) 이 기사는 지33, 식화2, 農桑에도 수록되어 있다.

147) 이와 관련된 기사로 다음이 있다. 이때 郭王府(改預)·金須(金台鉉墓誌銘)·鄭輿(改可臣) 등이 급제하였다(朴龍雲 1990년 ; 許興植 2005년). 또 이 시기의 鄭輿(鄭松壽의 子)은 貧困하였던 것 같다.

· 지27, 선거1, 科目1, 選場, "[高宗]四十二年六月, 樞密院副使崔溫知貢擧, 判司宰監事[判司宰寺事]金之岱同知貢擧, 取進士, □□[戊辰], 賜乙科郭王府等三人·丙科七人·同進士二十三人·明經二人·恩賜二人及第". 이에서 判司宰監事는 判司宰寺事의 오류인데, 열전15, 金之岱에는 옳게 되어 있다.

· 열전42, 崔忠獻, 沆, "[高宗42年6月,] 新及第郭王府等, 謁[門下侍中]沆, 沆登樓, 與花酒".

· 열전18, 鄭可臣, "初名輿, 羅州人, 父松壽, 鄕貢進士. 可臣, 生而穎悟, 讀書作文, 頗爲時輩所推. 嘗隨僧天琪來京, 貧窮無依, 寄食天琪. 天琪憐之, 求贅富家, 無應者. 太府少卿安弘祐許之, 約旣定後悔曰, 吾雖貧士族, 豈可納鄕貢子. 未幾弘祐死, 家日貧乃許. 天琪執可臣手, 徒步而往, 一老嫗迎門, 然薪照之, 草屋數間而已. 天琪歸且哭曰, '噫, 鄭生至於此耶'. 高宗朝登第".

148) 이는 다음의 자료에 의거하였는데(朴現圭 2002년 ; 郭丞勳 2021년 220面), 이때 李藏用은 樞密院의 知奏事를 兼職하고 있었을 것으로 추측된다.

·『보한집』跋, "… 乙卯七月日, 翰林學士慶源李藏用題".

八月乙丑朔小盡,乙酉, 戊辰4日, 王御便殿, 與宰樞決中外重刑, 赦斬絞二人, 配有人島.

癸酉9日, 始改創大廟~~太廟~~, 移安神主于諸陵署.

乙亥11日, 親設功德天道場.

[辛巳17日, 熒惑, 歲星同舍:天文2轉載].

壬午18日, 北界報, "蒙兵抄略淸川江內".

○以崔竩爲殿中內給事, [賜紅鞓. 竩, 門下侍中崔沆之婢妾出也, 沆無適子, 欲以爲嗣, 使翰林學士權韙·任翊□□□~~敎政事~~, 鄭世臣敎禮:節要轉載].[149]

[→崔竩, 美容貌, 兩手微有金色, 性沉默多羞澁. 門下侍中崔沆使景琳師, 芮起敎詩筆, 權韙·任翊敎政事, 鄭世臣敎禮. 王以竩爲殿中內給事, 賜紅鞓:列傳42崔竩轉載].

[→又崔沆嘗以竩, 屬宣仁烈·柳能曰, "若輔導成就, 獲承家業, 則君等之賜也":列傳42崔竩轉載].

[癸未19日, 無雲而雷:五行1雷震轉載].

[乙酉21日, 月食歲星:天文2轉載].

戊子24日, 蒙兵二十餘騎到昇天府, 京城戒嚴.

[辛卯27日, 寒露. 東方, 赤氣周天:五行1轉載].

壬辰28日, 幸賢聖寺.

九月[朔甲午~~甲午朔~~大盡,丙戌, 赤氣周天:五行1轉載].[150]

乙未2日, 親設消灾道場.

[壬寅9日, 月食歲星:天文2轉載].

癸卯10日, 幸乾聖·福靈二寺.

丁未14日, [霜降]. 門下侍郎平章事崔璘與蒙古使六人來, 留客使于昇天館, 先入奏云, "車羅大·永寧公領大兵, 到西京, 候騎已至金郊".

己酉16日, 宰樞議云, "館待客使, 雖厚無益". 門下侍郎平章事崔璘曰, "若不得已, 遣使于帝所, 則今來使, 不可不擯接",

庚戌17日, 王出迎于梯浦,

· 열전15, 李藏用, "… 累遷國子大司成·樞密院承旨~~承宣~~, 陞副使, 拜政堂文學".

149) 權韙는 그의 아들인 權晅의 묘지명에 의하면, 判太僕寺事·翰林學士에 이르렀다고 한다. 또 ~~添字~~가 추가되어야 옳게 될 것 같다.

150) 朔甲午는 乙亥字로 처음 『고려사』를 조판할 때 甲午朔의 순서가 뒤섞인 것 같다.

辛亥[18日], 宴蒙使.

[辛酉[28日], 雨雹:五行1雨雹轉載].

[丙寅[某日], 大雷震:五行1雷震轉載].[151)]

是月, 外膳不繼, 內藏告竭, 王減晝膳. 左倉別監尹平北人也, 王再三召之, 不至, 越三日乃進. 王怒甚, 欲令執政, 奪其官, 翻然嘆曰, “今日, 我雖奪之, 明日必復之, 何懲之有”. 只命責之.

冬十月[甲子朔大盡,丁亥], 乙丑[2日], 蒙兵踰大院嶺, 忠州出精銳, 擊殺千餘人.[152)]

癸酉[10日], 幸妙通寺.

辛巳[18日], 幸外院[外帝釋院?]·九曜堂, 設仁王道場于內殿.

壬午[19日], 飯僧三百于毬庭三日.

十一月[甲午朔大盡,戊子], 丁酉[4日], 大廟[太廟]成, 還安神主.

[某日, 詔曰, “[周公]旦·奭相周, 蕭[何]·曹[參]佐漢, 君臣相資, 古今一揆. 歲[越]辛卯[高宗18年], 邊將失守, 蒙兵闌入, 晉陽公崔怡, 躬奉乘輿, 卜地遷都, 再造三韓. 嗣子侍中沆, 匡君制難, 遷都以後, 城闕完備, 宗廟告成, 萬世永賴. 朕甚嘉嘆, 其益封食邑, 加贈考妣, 進秩二子”. 沆辭不受:節要轉載].

[→王詔曰, “旦·奭相周, 蕭·曹佐漢, 君臣相資, 古今一揆. 晉陽公崔怡, 當聖考登極之日, 寡人卽祚以來, 推誠衛社, 同德佐理. 越辛卯, 邊將失守, 蒙兵闌入. 神謀獨決, 截斷群議, 躬奉乘輿, 卜地遷都. 不數年閒, 宮闕官廨, 悉皆營構, 憲章復振, 再造三韓. 且歷代所傳, 鎭兵大藏經板[符仁寺大藏經板], 盡爲狄兵所焚, 國家多故, 未暇重新. [高宗23年]別立[大藏]都監, 傾納私財, 彫板幾半, 福利邦家, 功業難忘. 嗣子侍中沆, 遹追家業, 匡君制難, 大藏經板, 施財督役, [38年]告成慶讚, 中外受福. 水路要害, 備設兵船, 又於江外, 營建宮闕. 且築江都中城, 金湯益固, 萬世永賴. 况今大廟[太廟], 草刱未備, 實乖奉先之意, 朕心未安, 又令門客朴成梓爲督役使, 凡百之費, 皆出私儲, 不日功畢, 制度得宜, 誠罕世大功. 朕甚嘉嘆, 其令有司, 開府益封食邑,

---

151) 이달에는 丙寅이 없다.

152) 大院嶺은 忠州와 聞慶縣을 연결하는 小白山의 峻嶺으로 신라시대의 鷄立嶺을 가리키는 것 같다(韓禎訓 2013년 182面).

加贈考妣, 進秩二子". 成梓以下, 至工匠, 亦皆賞賜有差". 沆辭不受:列傳42崔沆轉載].

[○月犯鎭星:天文2轉載].

丙午[13日], 設八關會, 幸法王寺.

己未[26日], 親設金經道場.

十二月[甲子朔[小盡,己丑], 霧:五行3轉載].[153)]

戊辰[5日], 以金璉·辛喜並爲侍御史.[154)]

[丙戌[23日], 弓弩都監兵庫火:五行1火災轉載].

庚寅[27日], 以[門下侍中]崔沆爲中書令~~監修國史~~,[155)] 奇允肅爲門下侍郞同中書門下平章事, 李君卿△[爲]知門下省事, 趙脩[趙修]爲政堂文學, △△[仍令]致仕, [[前江華判官]崔瑞爲延陵直:追加].[156)]

[○大霧:五行3轉載].

壬辰[29日晦], 蒙兵造船, 攻槽島, 不克.[157)]

[○大霧:五行3轉載].

是歲, 冬, 無雪,[158)] 京城大疫.

[○以□□□[忠州牧]多仁鐵所人, 禦蒙兵有功, 陞所爲翼安縣:地理1轉載].[159)]

---

153) 甲子에 朔이 탈락되었다.

154) 金璉은 海陽縣人인 僉議侍郎贊成事 金連(1214~1291)의 初名으로 추측된다(열전20, 金連). 그는 1301년(大德5, 충렬왕27) 11월에 朝散大夫·試小府監 金璉(光州人, 海陽縣人의 別稱)으로 표기되어 있으므로(1301年金璉准戶口 ; 盧明鎬 등편 2000년 189面), 이 시기 이후에 金連으로 改名하였던 것 같다.

155) ~~添字~~는 열전42, 崔忠獻, 沆에 의거하였다.

156) 이는 「崔瑞墓誌銘」에 의거하였다.

157) 槽島의 위치를 全羅道에 비정한 견해(尹龍爀 1982년 ; 尹京鎭 2013년, 現在의 新安郡 智島邑 智島)와 西海島에 비정한 견해(姜在光 2008년·2014년, 현재의 황해남도 과일군 椒島里)가 있다.

158) 이 구절은 지7, 五行1, 火, 無雪에도 수록되어 있다.

159) 이와 같은 기사로 다음이 있는데, 多仁鐵所의 중심지는 현재의 忠州市 利柳面 本里에 위치한 노계 冶鐵址 유적으로 추정된다고 한다.

· 『세종실록』 권149, 지리지, 忠州牧, "… 屬縣一, 翼安. 本多仁鐵所, 高麗高宗四十二年甲寅, 以土人禦蒙古兵有功, 陞爲縣".

[○以徐□某爲東京副留守:追加].[160)]

[○以金益暉爲永州判官:追加].[161)]

[○以許珙爲幞頭店錄事:追加].[162)]

[○以閔宗儒爲王子始陽府學友, 時宗儒年十一:列傳21閔宗儒轉載].[163)]

丙辰[高宗]四十三年, [只用當該年干支, 江華京二十五年],

[南宋寶祐四年], [蒙古憲宗六年], [西曆1256年]

1256년 1월 29일(Gre2월 5일)에서 1257년 1월 16일(Gre1월 23일)까지, 354일

春正月癸巳朔大盡,庚寅, [立春]. 放朝賀.

戊戌6日, 親設天兵神衆道場.

[庚子8日, 月犯赤星:天文2轉載].

壬寅10日, 樞密院副使崔坪卒,[164)] [年五十五. 平, 以伯父宗峻親嫌, 不得入省:列傳12崔坪轉載].[165)]

[甲辰12日, 月犯輿鬼:天文2轉載].

[乙巳13日, □月犯歲星:天文2轉載].

丙午14日, 太白晝見, 經天.[166)]

[丁未15日, 月入大微太微:天文2轉載].

[戊申16日, 雨水. □月與熒惑犯軫:天文2轉載].

丁巳25日, 王聞蒙古兵謀攻諸島, 遣將軍李廣·宋君斐, 領舟師三百, 南下禦之.[167)]

---

160) 이는 『동도역세제자기』에 의거하였다.

161) 이는 『영천선생안』에 의거하였다.

162) 이는 「許珙墓誌銘」에 의거하였다.

163) 始陽府는 太子 琠(後日의 元宗)과 太子妃 慶昌宮主(新安公 佺의 女)의 長子인 玶의 官廳[開府]이다(열전4, 宗室2, 元宗, 始陽侯).

164) 이날은 율리우스曆으로 1256년 2월 7일(그레고리曆 2월 14일)에 해당한다.

165) 이 기사는 原文을 적절히 變改한 것이다.

166) 일본의 가마쿠라 에서 10일(癸卯)에 金星[太白]이 낮에 출현하였다고 한다.

· 『吾妻鏡』제46, 康元 1년 1월, "十一日癸卯, 晴, 辰剋, 太白見辰方, 終日出見, 經天也".

167) 이와 관련된 기사로 다음이 있다.

[己未[27日], 月與鎭星同舍:天文2轉載].

[○黑氣從南方, 東西橫天, 貫尾星, 廣三尺, 長三百尺許:五行1黑眚黑祥轉載].

[某日, 以金祇錫爲慶尙道按察使:慶尙道營主題名記].

二月[癸亥朔小盡,辛卯], [甲子[2日], 驚蟄. 雨水銀:五行2·節要轉載].

乙丑[3日], 守太師·門下侍郎平章事金敞卒,[168)] [無子, 臨歿, 語其姪方慶等, 辭國葬. 諡文簡:列傳15金敞轉載]. [敞, 附崔怡, 參政房, 凡銓注, 一聽於怡, 無所可否, 或問其故. 對曰, "天假手於晋陽公, 吾何間焉?", 人譏其諂:節要轉載].

[戊辰[6日], 熒惑入大微[~~太微~~], 犯東藩上將:天文2轉載].

[庚午[8日], □□[熒惑]又入大微[~~太微~~]:天文2轉載].

[壬申[10日], 月與歲星同舍:天文2轉載].

丙子[14日], 燃燈, 王如奉恩寺.

[某日, 制, "諸道被兵凋殘, 租賦耗少, 其令州縣其人, 耕閑地收租, 補經費. 又令文武三品以下, 權務以上, 出丁夫有差, 防築梯浦·瓦浦, 爲左屯田, 狸浦·草浦爲右屯田". 國初, 選州郡鄕吏子弟, 爲質於京, □□□□□□□□[~~且備顧問其鄕之事~~], 謂之其人:節要·食貨2農桑轉載].[169)]

是月, 以蒙兵停發六道宣旨使用別監. 時奉使者剝民橫斂[~~橫斂~~], 以固恩寵, 民甚苦之, 反喜蒙兵之至.

三月[壬辰朔大盡,壬辰], [丁酉[6日], 月入東井:天文2轉載].

[己亥[8日], □[月]與歲星, 同舍于柳:天文2轉載].

[癸卯[12日], □[月]入大微[~~太微~~]:天文2轉載].

己酉[18日], [穀雨]. 幸賢聖寺.

· 『國朝文類』 권41, 雜著, 政典總序, 征伐高麗, "憲宗之三年至七年, 伐不已". 여기에서 헌종 6년도 포함될 것이다.

· 『국조문류』 권41, 잡저, 정벌고려, "[憲宗]五·六·七年, 連拔光州·安城等".

· 『원고려기사』, 序, "憲宗之三年至七年, 伐不已".

· 『원고려기사』本文, 憲宗, "五年·六年·七年, 連歲攻拔光州·安城·忠州·玄鳳[~~玄風~~]·珍原·甲向[~~尙州~~]·王果等城".

168) 이날은 율리우스曆으로 3월 1일(그레고리曆 3월 8일)에 해당한다.

169) 國初 以下의 구절은 지28, 선거3, 其人에도 수록되어 있는데, ~~添字~~는 이에 의거하였다.

○遣大將軍愼執平等于車羅大屯所.

癸丑22日, 太白晝見, 經天.

甲寅23日, 幸乾聖·福靈二寺.

[○月與鎭星, 同舍于壁:天文2轉載].

戊午27日, 蒙兵到窄梁外, 中書令崔沆使都房, 分守要害.

己未28日, 將軍李廣·宋君斐, 趣靈光, 約分道擊之, 蒙兵知而有備, 廣還入島, 君斐保長城笠巖山城. 城中强壯, 悉投於敵, 唯老幼在. 一日, 君斐佯出羸弱數人於城外, 以示之. 蒙兵以爲粮盡, 引兵至城下, 君斐率精銳, 奮擊敗之, 殺傷甚多, 擒官人四.

[是月甲午3日, 清明. 僧 晦堂撰 '法寶壇經'跋:追加].[170]

夏四月壬戌朔小盡,癸巳, [甲子3日, 立夏. 雨土:五行3轉載].

丙寅5日, 雨雹, 大如梅.[171]

[丁卯6日, 月與歲星同舍:天文2轉載].

戊辰7日, 玄風縣人四十餘艘避亂, 泊近縣江渚, 蒙兵追獲男女財物, 殺勸農使金宗敍.

[○月入軒轅:天文2轉載].

辛未10日, 幸王輪寺.

壬申11日, 大將軍愼執平自蒙兵屯所還言, "車羅大·永寧公云, '若國王出迎使者, 王太子親朝帝所, 兵可罷還, 否則以何辭而退乎?'". ○時車羅大·永寧公屯潭陽, 洪福源屯海陽.

癸酉12日, 宰樞會議會宰樞議退兵之策, 計無所出. 王曰, "儻得退師, 何惜一子出迎".[172]

甲戌13日, 幸妙通寺.

乙亥14日, 復遣大將軍愼執平于車羅大屯所, 寄書云, "大兵回來, 惟命是從".

---

170) 이는 다음의 자료에 의거하였는데(郭丞勳 2021년 221面), 이해[是年]의 清明은 3월(病月, 丙月, 窉月, 寎月) 3일(甲午)이다.

· 『法寶壇經』跋, "… 以爲跋, 柔兆執徐丙辰病月三月清明二日三卄, 晦堂安其書". 여기에서 晦堂은 누구인지를 알 수 없다.

171) 이와 같은 기사가 지7, 五行1, 水, 雨雹에도 수록되어 있다.

172) 宰樞會議는 『고려사절요』 권17에는 會宰樞議로 되어 있는데, 前者는 회의의 주체가 宰樞이고, 後者는 國王이 주체가 된다. 이는 당시 國政運營을 누가 주도하였는가와 관련되어 있어 주목될 수 있다.

戊寅[17日], 西北面兵馬使馳報, "遣別抄三百, 擊蒙兵一千于義州".

庚辰[19日], [小滿]. 大府島[大部島]別抄, 夜出仁州境蘇來山下, 擊走蒙兵百餘人.[173)]

[癸未[22日], 熒惑出大微[太微]端門:天文2轉載].

庚寅[29日晦], 忠州道巡問使韓就在牙州海島, 以船九艘欲擊蒙兵, 蒙兵逆擊, 盡殺之.[174)]

○蒙兵入忠州, 屠州城, 又攻山城[月嶽山城?], 官吏老弱, 恐不能拒, 登月嶽神祠. 忽雲霧, 風雨·雷雹俱作. 蒙兵以爲神助, 不攻而退.

[○日珥:天文1轉載].

五月[辛卯朔小盡,甲午], 壬辰[2日], 幸外院[外帝釋院?]·九曜堂.

[癸巳[3日], 西南方, 赤氣周天:五行1轉載].

壬寅[12日], [大將軍]愼執平自羅州還言, "車羅大怒曰, '若欲和親, 爾國何多殺我兵, 死者已矣, 擒者可還'. 仍令三十人伴行, 到昇天館".

甲辰[14日], 王幸昇天闕, 宴客使, 仍贈金銀·布帛·酒器等物, 有差.

庚戌[20日], [夏至]. 新陽伯瑇卒.[175)] [追封公:列傳3顯宗王子平壤公基轉載].

[辛亥[21日], 月與太白, 同舍于昴:天文2轉載].

丙辰[26日], 東北面兵馬使報, "登州城中無水, 且無粮儲, 人民散去". 乃令入保島內.

六月庚申朔[大盡,乙未], 遣將軍李阡, 率舟師二百餘人, 禦蒙兵于南道.

辛酉[2日], 王如奉恩寺.

[壬戌[3日], 太白犯畢右角:天文2轉載].

甲戌[15日], 王受菩薩戒于內殿.

壬午[23日], 將軍李阡與蒙兵, 戰于溫水縣, 斬數十級, 奪所虜男女百餘人. [中書令]崔沆以銀六斤, 賞士卒.[176)]

---

173) 大府島는 大部島의 오자일 것이다.

174) 忠州道巡問使 韓就는 이후에도 계속 재직하여 1257년(고종44) 이후에 管內의 富城縣尉 金周鼎을 천거하여 權都兵馬錄事에 임명되게 하였다(열전17, 金周鼎 ; 金周鼎墓誌銘). 또 牙州海島는 현재 牙山灣一帶의 도서로 파악되고 있다(尹龍爀 2000년 85面 仙藏島 比定 ; 姜在光 2014년 입화도 比定 ; 尹京鎭 2015년 大部島 比定].

175) 新陽伯 瑇은 열전3, 宗室1, 顯宗王子, 平壤公基에는 琁으로 되어 있다(東亞大學 2008年 6책 719面). 이날은 율리우스曆으로 1256년 6월 14일(그레고리曆 6월 21일)에 해당한다.

[某日, 發新興倉, 賑守城軍卒及合入州縣吏民:節要·食貨3水旱疫癘賑貸之制轉載].

[某日, 郞將尹椿, 自蒙古軍來. 椿叛入蒙古有年, 至是逃還, 言曰, "諸將勸車羅大退屯西京, 辭以無詔, [乃]曰, '吾寧死於此, 豈可退哉[乎], 殊無歸意. 車羅大嘗將舟師七十艘, 盛陳旗幟, 欲攻押海, 使椿[吾]及一官人乘別船督戰. 押海人置二砲於大艦, 待之, 兩軍相持未戰, 車羅大臨岸望之, 召椿[吾]等曰, '我船受砲, 必糜碎, 不可當也'. 更令移船攻之, 押海人隨處備砲, 故蒙人遂罷水攻之具, 爲今計,宜屯田島內[~~今莫若屯田島內~~], 且耕且守, 淸野以待, [此]策之上也". [中書令]崔沆然之, 給椿家一區·米豆三百斛[~~米二百斛,豆一百斛~~], 超授親從將軍:節要轉載].[177]

是月, 車羅大屯海陽無等山頂, 遣兵一千南掠.

[○熒惑入氐, 三十餘日:天文2轉載].

[夏某月, 松廣社主慧諶, 錫□[大]輪山吉祥菴, 因有餘閑, 乃將舊本三家語句, 務便檢閱, 錯綜其辭. 將欲撰'重編曹洞五位':追加].[178]

[秋七月庚寅朔[小盡,丙申], 都城大水, 多漂沒人家:五行1水潦·節要轉載].[179]

[○雨雹:五行1雨雹轉載].

[辛丑[12日], 東方, 靑赤氣相對周天:五行2轉載].

[甲寅[25日], 無雲, 有黑氣, 廣四尺許, 從坤至艮, 向乾而行:五行1黑眚黑祥轉載].

[某日, 先是, 樞密□[院]堂後官·門下錄事·權務八祿[~~大祿~~]以上, 人費白銀六七十斤, 得

---

176) 이때 新昌縣·溫水縣·稷山縣 等地에(現 忠淸南道 牙山市 新昌面, 溫陽邑, 天安市 稷山面 地域) 松吉大王(Sulki, 扯雷의 子)이 주둔하였는데, 이때 將軍 李阡[有千]의 지휘 하에 있던 軍人 鄭仁卿이 야간에 馬別抄를 이끌고 먼저 공격하여 공을 세워 다음 달인 7월 17일 興威衛保勝將軍 朴李溫[李溫, 孝溫]의 지휘 하인 左部 第二校尉領 第二隊正에 임명되었다고 한다(鄭仁卿政案, 『瑞山鄭氏家乘』所收 ; 盧明鎬 등편 2000년 71~77面 ; 朴宰佑 2006년).

그런데 鄭仁卿의 열전에는 이때 諸校에 임명되었다고 하는데, 고려시대의 諸校는 末端의 單位部隊인 隊伍의 長인 正尉, 곧 隊正(從9品待遇)과 校尉(正9品)의 略稱으로 추정된다.

· 열전20, 鄭仁卿, "高宗末, 蒙兵來侵, 屯稷山·新昌. 仁卿從軍, 乘夜攻壘有功, 補諸校".

177) ~~添字~~는 열전43, 韓洪甫에 의거하였는데, 이를 통해 볼 때 『고려사절요』는 『고려실록』을 적절히 축약하지 못한 경우가 있음을 알 수 있다.

178) 이는 다음의 자료에 의거하였는데, ~~添字~~는 필자가 추가하였다.

· 『重編曹洞五位』序, "越丙辰[高宗43年]夏, 寄錫□[曇]輪山吉祥菴, 因有餘閑, 乃將舊本三家語句, 務便檢閱, 錯綜其辭 隨門夾入, 依舊離爲二册, 以備童蒙之求, …".

179) 庚寅에 朔이 탈락되었다.

拜參職, □□□□謂之役官. 今因穀貴, 無一人請補者, 勒令衣冠子弟爲之, 或辭職, 或逃避, 乃以五軍·三官七品爲□行首者, 受大倉太倉粟供辦:節要轉載].[180)]

[某日, 以宋彦庠爲慶尙道按察使:慶尙道營主題名記].[181)]

秋八月己未朔小盡,丁酉, 乙丑7日, 發新興倉, 賑中書令崔沆家兵.

[壬申14日, 太白犯軒轅大星:天文2轉載].

甲戌16日, 赦死罪三人, 配有人島.

[○熒惑入房次相:天文2轉載].

庚辰22日, 遣將軍宋吉儒, 徙淸州民于海島. [吉儒, 慮民愛財重遷, 悉焚公私財物. 先是, 崔沆遣使諸道, 盡驅居民入島內, 不從者, 火其廬舍·錢穀, 餓死者十八九:節要轉載].

辛巳23日, [秋分]. 車羅大·永寧公·洪福源等, 到甲串江外, 大張旗幟, 牧馬于田, 登通津山, 望江都, 退屯守安縣.

[甲申26日, 月入軒轅大星. 太白犯歲星:天文2轉載].

[是月, 僧無用·信之·牧其等開板'大方廣佛華嚴經普賢行願品別行疏':追加].[182)]

九月戊子朔大盡,戊戌, 己丑2日, 幸賢聖寺.

○侍御史金守剛還自蒙古, 帝憲宗遣徐趾來, 命班師.

[→守剛, 從帝憲宗入和林城, 乞罷兵. 帝以不出陸爲辭, 守剛奏曰, "譬如獵人, 逐獸入於窟穴, 持弓矢當其前, 困獸何從而出, 又氷雪慘冽, 土脉閉塞, 則草木豈能生

---

180) 이와 같은 기사가 지29, 선거3, 役官에도 수록되어 있는데, ~~添字~~는 이에 의거하였다. 또 八祿은 入祿의, 大倉은 太倉의 誤字이며(東亞大學 2012年 17책 797面), 首는 行首에서 行이 탈락되었다. 이에서 行首는 文散階 各品의 우두머리[最先任者]를 가리킨다. 또 三官은 구체적으로 어떤 官署인지 알 수 없으나 門下錄事·中書注書[門下注書]·三司都事·樞密院堂後官·內院令丞·膳官令丞 등이 모두 役官인 점으로 보아(→공양왕 2년 6월 某日), 三司, 內院署(각종 園苑의 奇異한 禽獸와 草木을 담당), 膳官署(각종 祭祀와 宴會의 飯饌을 담당) 등이 3官일 가능성이 있다.

181) 宋彦庠은 미천한 출신으로 농민을 악랄하게 탄압한 인물로서, 이때 大將軍·慶尙道水路防護別監 宋吉儒의 不法을 都兵馬使에 보고하였다고 한다(열전35, 酷吏, 宋吉儒).

182) 이는 다음의 자료에 의거하였다(國立中央博物館 所藏, 보물 제1126호, 郭丞勳 2021년 223面).
· 『大方廣佛華嚴經普賢行願品別行疏』, 卷末刊記, "… 歲在丙辰八月日, 檀那山月南典香 無用誌,」 山人 信之 校勘,」 山人 牧其 書,」 同願烟起寺火香 心益」".

哉?”. 帝嘉之曰, “汝誠使乎, 當結兩國之好”. 遂遣徐趾來, 命班師:節要轉載].[183)]

[甲午[7日], 太白犯大微[太微]左執法:天文2轉載].

[戊戌[11日], 月與鎭星, 同舍須女:天文2轉載].

辛丑[14日], 幸乾聖·福靈二寺.

[○太白犯天江:天文2轉載].

癸卯[16日], [月入大微[太微], 與歲星同舍:天文2轉載].

○[門下侍郞]平章事崔璘卒.[184)] [諡文景:列傳12崔璘轉載]. [璘, 屢使蒙古, 有專對才. 臨絶, 妻子泣曰, 我輩何依而生, 璘微笑曰, “爾輩, 其爲戎乎, 後俱沒戎兵”. 果如其言:節要轉載].

[甲辰[17日], 墻竿洞三十餘家灾:五行1火災轉載].

戊申[21日], 幸王輪寺.

庚戌[23日], 車羅大等收軍, 北還.

[乙卯[28日], 雨雹:五行1雨雹轉載].

[某日, 前西海道蘇復別監宋克儇, 歛[斂]莨實三百八斛, 賂[中書令]崔沆, 卽拜御史, 人號莨實御史:節要轉載].[185)]

是月, 盜發康宗陵[厚陵].

[○罷諸縣尉:節要轉載].[186)]

[庚辰[某日], 震國子監西廊:五行1雷震轉載].[187)]

[秋某月, 以[延陵直]崔瑞爲秘書省校勘:追加].[188)]

冬十月[戊午朔大盡,己亥], 庚申[3日], 幸妙通寺.

[壬戌[5日], 月與熒惑, 同舍于斗:天文2轉載].

---

183) 이와 같은 기사가 열전15, 金守剛에도 수록되어 있다.

184) 이날은 율리우스曆으로 1256년 10월 5일(그레고리曆 10월 12일)에 해당한다.

185) 이와 같은 기사가 열전42, 崔忠獻, 沆에도 수록되어 있다.

186) 이와 관련된 기사로 다음이 있다.
· 지31, 백관2, 外職, 諸牧, “高宗四十三年, 罷諸縣尉”.

187) 이달에는 庚辰이 없다.

188) 이는 「崔瑞墓誌銘」에 의거하였다.

己巳[12日], 蒙兵六十人寇艾島, 別抄盡擒斬之.[189)]

辛未[14日], 京城解嚴, 自乙卯[高宗42年]八月, 至今凡十五月而罷兵.

[○月掩畢第三星:天文2轉載].

[癸酉[16日], □[月]入東井:天文2轉載].

[癸未[26日], 辰星入氐:天文2轉載].

甲申[27日], 車羅大管下東京摠管松山, 率妻及傔從五人來投, [中書令]崔沆館待甚厚, 問其來由. 松山云, "非以蒙古危亡而爾國强盛也, 我有三罪, 以此來耳. 車羅大入南界, 以我鎭義州, 不能固守, 一也, 又使我勸農畜粮,[190)] 而禾稼不登, 倉庫虛耗, 二也, 聞高麗兵來, 遣七十人刺探, 無一人返者, 三也". 於是, 賜宅一區及米穀·器物·布帛·奴婢各三口.

乙酉[28日], 以[參知政事]崔滋爲中書□□[侍郞]平章事.[191)]

[某日, 左右衛上將軍致仕權某妻牛峰郡夫人崔氏·僧性幢寫成'四分律':追加].[192)]

十一月[戊子朔大盡,庚子], [丁酉[10日], 流星出大微[太微], 犯右執法:天文2轉載].

辛丑[14日], 設八關會, 幸法王寺.

[丁未[20日], 歲星犯右執法:天文2轉載].

十二月[戊午朔小盡,辛丑], [庚午[13日], 月入東井:天文2轉載].

[某日, 制曰, "諸道民避亂·流移, 甚可悼也. 寓居之地, 與本邑相距, 程不過一日者, 許往還耕作. 其餘就島內, 量給土田, 不足則, 給沿海閑田及宮寺院田":節要轉載].

[→制曰, "今想, 諸道民不聊生, 彼此流移, 甚可悼也. 其避亂所, 與本邑相距,

189) 西北界의 艾島는 압록강 하류에 위치한 龍州(현 平安北道 龍川郡)의, 서북계의 中間지역에 위치한 定州(현 평안북도 定州郡)의 2處에 있었다고 한다(姜在光 2008년·2019년).

190) 使는 東亞大學本에는 後로 되어 있으나 오자이다(東亞大學 2008년 6책 719面).

191) 이때 崔滋에게 下賜된 詔書가 『동문선』 권27, 除宰臣崔滋敎書[中書侍郞平章事詔書]이다(이는 『止浦集』 권1에도 수록되어 있으나 『동문선』을 轉寫한 것으로 추측된다).

192) 이는 京都市 左京區 南禪寺에 소장되어 있는 다음의 자료에 의거하였다(小野玄妙 1929年 ; 辻森要脩 1929年·1930年 ; 張東翼 2004년 706面).

· 『四分律』 권18, 末尾 題記, "正議太夫·左右衛上將軍致仕權□[某]妻,」 牛峯郡夫人崔氏,」 丙辰十月日誌,」 道人性幢寫」".

程不過一日者, 許往還耕田. 其餘就島內, 量給土田, 不足, 則給沿海閑田及宮寺院田":食貨1經理轉載].

壬午25日, [加中書令崔沆, 濟衆·康民功臣號:節要轉載], 以金起孫△爲知門下省事, 李輔·李世材·翰林學士李藏用並爲樞密院副使.

甲申27日, 盜入太子府, 竊玉册緣飾金銀·彩帛.

[□□是歲][193] 冬, 無雪, 飢疫相仍, 僵屍蔽路.[194] 銀一斤直米二斛.

[○以避蒙兵, 西北面寧州入昌麟島, 又天安府避□蒙兵, 入仙藏島:轉載].[195]

[○罷西北面通海縣·永淸縣令, 以安仁鎭安戎鎭將, 兼之:轉載].[196]

[○以金慶孫之子金琿爲碩陵熙宗直, 籍內侍. 琿, 年十八:列傳16金琿轉載].

[○曹溪山第四世社主混元乞退, 以天英爲社主, 加大禪師:追加].[197]

---

193) 是歲가 탈락되었을 것이다.

194) 이 句節까지는 지7, 五行1, 火, 無雪에도 수록되어 있다.

195) 이는 다음의 자료를 전재하였다.

- 지12, 지리3, 安北大都護府寧州, "高宗四十三年, 避蒙兵, 入昌麟島. 後出陸". 여기에서 四十三年은 十九年으로 고쳐야 옳게 된다는 견해가 있다(尹京鎭 2010년b).
- 『신증동국여지승람』 권52, 安州牧, 건치연혁, "… 高宗四十三年, 避蒙兵入昌麟島, 後出陸".
- 지10, 지리1, 天安府, "高宗四十三年, 避兵, 入仙藏島. 後出陸". 여기에서 仙藏島는 현재의 忠淸南道 牙山市 仙掌面 宮坪里를 중심으로 한 隣近地域으로 추정된다고 한다(尹龍爀 2000년 85面 ; 金아네스 2017년).

196) 이는 다음의 자료를 전재하였는데, 安仁鎭은 安戎鎭의 別稱라고 한다.

- 지12, 지리3, 通海縣·永淸縣, "高宗四十三年, 罷縣令, 以安仁鎭將安戎鎭將兼之".
- 『신증동국여지승람』 권52, 永柔縣[永淸縣], 건치연혁, "… 高宗四十三年, 罷縣令, 以安仁鎭將安戎鎭將兼之".
- 『신증동국여지승람』 권52, 安州牧, 古跡, "安戎鎭, 戎或作仁, 在州西六十五里海邊, …".

197) 이는 「曹溪山第五世贈諡慈眞圓悟國師塔碑銘」에 의거하였다.

丁巳[高宗]四十四年, [只用當該年干支, 江華京二十六年],

[南宋寶祐五年], [蒙古憲宗七年], [西曆1257年]

1257년 1월 17일(Gre1월 24일)에서 1258년 2월 4일(Gre2월 11일)까지, 13개월 384일

春正月丁亥朔^大盡,壬寅^, 放朝賀.

[戊子^2日^, 日珥:天文1轉載].

[某日, 慶尙道按察使宋彦庠, 仍番:慶尙道營主題名記].

丙辰^30日^, 宰樞議, 以蒙國連歲加兵, 竭力事之無益, 停春例進奉.

二月^丁巳朔大盡,癸卯^, 庚午^14日^, 燃燈, 王如^奉^恩寺.[198]

[癸未^27日^, 夜, 赤氣竟天, 光明如晝:五行1轉載].

三月^丁亥朔小盡,甲辰^, [癸巳^7日^, 歲星逆行, 入大微^~~太微~~^:天文2轉載].

[丙申^10日^, 月入軒轅大星:天文2轉載].

丁酉^11日^, 奉賢聖寺.

甲寅^28日^, 幸乾聖寺.

[是月, 恒風:五行3轉載].

夏四月^丙辰朔大盡,乙巳^, 丁巳^2日^, 幸福靈寺.

[癸亥^8日^, 月入軒轅大星:天文2轉載].

乙丑^10日^, 幸妙通寺.

丁卯^12日^, 門下侍郞平章事^~~門下侍郞同中書門下平章事~~^奇允肅卒.[199] [允肅, 性侈靡豪俠, 附權門, 歷踐兩省, 常以喝道, 往來倡家, 行路指笑:節要轉載].[200]

壬申^17日^, 幸王輪寺.

乙亥^20日^, 幸外帝釋院.

---

198) ~~添字~~와 같이 고쳐야 옳게 될 것이다.

199) 이날은 율리우스曆으로 1257년 4월 27일(그레고리曆 5월 4일)에 해당한다.

200) 奇允肅(奇轍, 奇皇后의 高祖)은 幸州人으로 崔忠獻을 추종하였다고 한다.

· 열전44, 奇轍, "高祖允肅, 性侈靡, 事豪俠, 附崔忠獻, 驟拜上將軍, 歷踐兩省. 嘗以黃衣喝道, 往來倡家, 行路指笑. 官至門下侍郞平章事, 謚康靖".

○原州賊安悅等，據古城叛．遣將軍尹君正·郎將權贊，領兵討之．

丙子[21日]，君正與賊三百餘人，戰于興元倉，大敗之．有人斬安悅出降，君正入城，斬其巨魁松庇·敦正·唐老等數人，脅從者，徙置于島．

[○初[先是]，~~前~~學錄鄭瑊~~鄭瑊~~，譖於沆曰，"河東監務盧成，與鄉人李珪·李昌，結爲兄弟，邀陜州副使薛仁儉·南海縣令鄭皐·及第兪汝諧·僧明就等，常置酒爲樂，誹謗國政．題其門曰，'天子之門，諸賓莫入'，~~帖諸門以防外客．~~ 各陳懷唱和．有'賢士搥胸日，倡雛得意秋'之句"．沆怒，斬成·珪·昌[于市]，流[配]仁儉·皐等于海島．~~時人指瑊，爲食人者~~:節要轉載]．[201]

[□□□~~是月頃~~，[中書令崔]沆病，召[少卿宣]仁烈·[柳]能，執手曰，"君等保護此子，吾死無恨矣":列傳42崔竩轉載]．

閏[四]月[丙戌朔小盡，乙巳]，丁亥[2日]，中書令崔沆死，[年四十九，輟朝三日:追加]．[202]

[→[中書令崔]沆病篤，王爲放獄囚．沆扶病，登後園小亭，賦詩云，"桃花香裏幾千家，錦幄氤氳十里斜．無賴狂風吹好事，亂驅紅雨過長河"．吟畢，還寢暴死．沆，初爲僧，通宋愲婢，生竩，適妻無子，以竩爲嗣:列傳42崔沆轉載]．

[→[中書令崔~~沆~~]病篤，王爲放獄囚．沆死，子竩嗣，少卿宣仁烈等，以夜別抄·神義軍及書房三番·都房三十六番，晝夜擁衛:節要轉載]．

[→[中書令崔]沆死，殿前[承旨]崔良白，秘不發喪，按劍叱侍婢勿哭，與[少卿宣]仁烈謀，以沆言，傳于門客．大將軍崔瑛·蔡楨及[柳]能等，會夜別抄·神義軍·書房三番·都房三十六番，擁衛乃發喪:列傳42崔竩轉載]．

[→王卽以竩爲借將軍，又命爲敎定別監，百官皆詣門弔賀．沆嬖妾心鏡，美麗慧黠，竩曾私之，沆死之日，納[之]後房，寵愛日加．沆本倡妓所出，竩母又賤，故時人讀簿書，至倡妓·賤隷之言，則諱而不言，人有所仇怨者，皆誣譖某人訾公所出微賤．輒盡殺之:節要轉載]．[203]

[某日，[借將軍]崔竩發倉賑飢民，又給諸領府，府各三十斛:節要轉載]．[204]

---

201) ~~添字~~는 열전42, 崔忠獻, 沆에 의거하였다. 또 及第 兪汝諧는 杞溪人 兪拓基(116191~1769)의 15代祖라고 한다.

·『知守齋集』권10, 十三世祖考版圖判書兼漢陽府尹墓誌, "… 祖諱汝諧, 司宰主簿同正, … 同正公當高宗朝, 權奸崔沆顓國, 與河東監務盧成等作詩, 譏之, 遂謫海島, 事見麗史".

202) 이는 「崔沆墓誌銘」에 의거하였는데, 이날은 율리우스曆으로 1257년 5월 17일(그레고리曆 5월 24일)에 해당한다.

203) 이와 같은 기사가 열전42, 崔忠獻, 竩에도 수록되어 있으나 字句에 출입이 있다.

[某日, 以借將軍崔竩爲樞密院副使·判吏兵部御史臺事, 讓不受. 竩復歸延安宅及靖平宮于王府, 納其家米二千五百七十餘石于內莊宅, 布帛·油蜜于大太府寺:節要轉載].[205]

甲午9日, 以崔沆死, □權停科擧.[206]

○城中大飢.

○東眞寇東州界.

辛丑16日, 赦二罪以下, [蠲丙辰年高宗43年以上, 逋租:節要·食貨3恩免之制轉載].

[某日, 借將軍崔竩發私廩, 賑禁衛兵士及坊里人:節要轉載].

[→借將軍崔竩, 又以年饑, 發私廩, 賑權務隊正·近仗·左右衛·神虎衛校尉以下及坊里人:列傳42崔竩轉載].

[是月, 尙書右丞崔允愷, □□□□□掌國子監試, 取詩賦林椿壽等十七人, 十韻詩黃公石等二十七人, 明經一人:選擧2國子試額轉載].

五月乙卯朔小盡,丙午, [丁巳3日, 月與太白同舍:天文2轉載].

戊午4日, 遣起居注金守剛·郎將秦世基, 如蒙古.

○東北面兵馬使報, "分司御史安禧設伏於永豊山谷, 挾擊東眞兵, 獲兵仗·鞍馬及所虜男女·牛馬等物".[207]

[己未5日, 月犯大微太微西藩上將:天文2轉載].

[辛酉7日, □月入大微太微:天文2轉載].

乙丑11日, 西北面□□□兵馬使馳報, "蒙兵三十餘騎渡淸川江, 趣龍岡·咸從".

丁卯13日, 東北面兵馬使報, "東眞兵三千餘騎入登州".

[○巽方, 有赤氣衝天:五行1轉載].

甲戌20日, 遣諸城防護別監.

癸未29日晦, 京城戒嚴.

是月, 蒙兵入泰州, 殺副使崔濟, 擒其妻子, 州人多被害.

[→時蒙兵剽掠州郡, 往來不絶. 泰州副使崔濟與其妻子, 俱被殺:節要轉載].

---

204) 이와 같은 기사가 열전42, 崔忠獻, 竩에도 수록되어 있다.

205) 이와 같은 기사가 열전42, 崔忠獻, 竩에도 수록되어 있다.

206) 添字는 『고려사절요』 권17에 의거하였다.

207) 이와 같은 기사가 『고려사절요』 권17에도 수록되어 있으나 자구에 출입이 있다.

六月[甲申朔大盡,丁未], 乙酉[2日], 王如奉恩寺.

[某日, 贈崔沆爲晋平公:節要轉載], [諡光正:追加].[208)]

戊子[5日], 蒙古候兵入開京, 遣將作監李凝, 犒之.

[○太白·歲星, 同舍□[于]大微[太微]右掖門:天文2轉載].

[壬辰[9日], 月犯建閉:天文2轉載].

癸巳[10日], [門下侍郞]平章事致仕金台瑞卒.[209)] [諡文莊:列傳14金台瑞轉載]. [台瑞, 性貪鄙, 豪奪人土田, 每出入, 人遮道呼訴曰, "公何奪吾食耶?". 然其子若先, 爲崔怡壻, 故有司終莫敢劾:節要轉載]. [坐吳承績事, 籍其家:列傳14金台瑞轉載].

○蒙兵至南京, 遣[將作監]李凝請退兵. [元帥]甫波大云, "去留, 在車羅大處分".

[○有赤氣如梨子, 自心大星, 流入尾星:五行1轉載].

[某日, 議分田代祿, 置給田都監:節要轉載].

乙未[12日], 蒙兵至稷山, 遣侍御史金軾, 詣屯所, 請客使三人來.

辛亥[28日], 西北面兵馬使報, "蒙古軍至西京".

壬子[29日], [侍御史]金軾伴客使, 如車羅大屯所.

[甲戌[某日], 黃赤雲周天, 光明如晝:五行3轉載].[210)]

秋七月[甲寅朔小盡,戊申], 丙辰[3日], [處暑]. 車羅大使佐十八人到昇天館,

戊午[5日], 王邀宴于梯浦館.

[戊辰[15日], 月入羽林:天文2轉載].

庚午[17日], 以崔竩爲右副承宣.

[→以崔竩爲樞密院副使·判御史臺事, 竩辭不受, 改授右副承宣:節要轉載].

[→[崔竩,] 尋拜樞密院副使, 又辭不受, 改授右副承宣:列傳42崔竩轉載].

壬申[19日], [侍御史]金軾自車羅大屯所安北府還云, 車羅大曰, "王若親來, 我卽回兵, 又令王子入朝, 永無後患".

癸酉[20日], 流上將軍趙晟于海島. 晟性强暴, 多占人土田, 謗訕國家分田制祿. 妻

---

208) 이는 다음의 자료에 의거하였다.

· 「崔沆墓誌銘」, "罷朝三日, 追釋前詔, 乃册爲晋平郡開國公·食邑三千戶·食實封一千戶, 仍勅有司襄事, 贈諡曰, 光正公, 申命吊誄".

209) 이날은 율리우스曆으로 1257년 7월 22일(그레고리曆 7월 29일)에 해당한다.

210) 이달에는 甲戌이 없다.

兄隊正申巨龍等, 恐禍及已, 陰錄罪惡, 規以自解. 晟知之, 反誣巨龍等謀叛, 右副承宣崔竩訊之, 巨龍等乃上所錄書, 流晟于島, 籍其家.

○宰樞等請遣王子, 講和於蒙古, 不聽. 中書侍郎平章事崔滋·知樞密院事?金寶鼎等力請, 許之. 宰樞更奏, 先遣宗親觀變, 然後可遣也. 乃遣永安公僖, 贈車羅大銀甁一百·酒果等物. 永安公僖自車羅大屯所還云, "車羅大問曰, '何爲來'. 對曰, '大人, 召還南下軍兵, 且禁侵蹂禾穀, 國王喜甚, 遣臣, 奉一觴'. 車羅大曰, '太子到日, 當退屯鳳州'".

[丙子23日, 月入井:天文2轉載].

[某日, 以李□□洪靖爲慶尙道按察使, 任睦爲西海道按察使:慶尙道營主題名記].[211]

[八月癸未朔小盡,己酉],[212] [丁亥5日, 秋分. 流星, 或出柳, 或出井, 俱入弧矢:天文2轉載].

戊子6日, 宰樞奏請遣太子, 以活民命, 王猶豫未決. 宰樞又遣侍御史金軾, 告車羅大曰, "待大軍回歸, 太子親朝帝所". 車羅大許之曰, "回軍後, 王子可與松山等, 偕來". 於是, 禁掠昇天府·甲串江外及諸島人民. 時內外蕭然, 計無所出, 但祈禱佛宇·神祠而已.

壬寅20日, [寒露]. 復遣侍御史金軾, 賫酒果·銀幣·獺皮等物, 如車羅大屯所, 餞之, 以觀其意. [時內外蕭然, 計無所出, 但祈禱佛神而已:節要轉載].

○蒙兵陷神威島, 孟州守胡壽被害. [妻兪氏恐爲賊所汚, 投水而死:節要轉載].[213]

○別將李成義·劉巨, 本自蒙古來投人也. 欲誘松山還蒙古. 及過江斬其首, 以要功於彼. 乃給松山曰, "此國疑汝, 欲殺之, 柰何". 松山頗有懼色, 成義等得間, 約與逃歸. 松山從之, 將與同來王兒郞加大·王度·庭玉·李陽等, 謀偕行. 李陽告于敎定所,[214] 執成義·劉巨斬之, 配松山等于海島. 尋知松山爲成義所陷, 卽召還慰諭.

---

211) 原資料에는 李洪靖의 이름이 탈락되어 있으나 明年(고종45) 5월 13일을 통해 알 수 있다. 또 任睦도 이 기사에 의거하였다.

212) 戊子는 8월(癸未朔) 6일이므로, 戊子의 앞에 八月이 탈락되었다. 『고려사절요』 권17에는 옳게 되어 있다.

213) 胡壽의 夫人인 兪氏에 관한 기사로 다음이 있다. 또 孟州가 郡縣을 옮겨간 곳[僑置郡縣]은 神威島는 淸川江 河口(평안남도 文德郡과 평안북도 博川郡의 接境地域)의 작은 섬[連陸島]으로 추정되고 있다(姜在光 2019년).

· 열전34, 烈女, 胡壽妻兪氏, "… 未詳其世系. 高宗四十四年, 壽出守孟州. 時孟□州避兵, 僑寓海中. 蒙古兵陷神威島, 壽遇害. 兪□氏, 恐爲賊所汚, 投水而死".

[癸卯[21日], 月犯井星:天文2轉載].

九月[壬子朔大盡,庚戌], [甲寅[3日], 史館薔薇, 華:五行1轉載].

丁巳[6日], [霜降]. 幸賢聖寺.

戊午[7日], [侍御史]金軾馳報車羅大收兵, 退屯塩州, 又督還南下[元帥]甫波大軍馬.

辛酉[10日], 賜內侍·少卿宣仁烈紅鞓一腰, [右副承宣]崔竩腹心也.

○京城地震.[215]

己巳[18日], 西海道按察使報, "蒙兵六船侵[瓮津縣]昌麟島, 瓮津縣令李壽松率別抄, 擊却之". 加壽松七品.[216]

[庚午[19日], 大風飛瓦:五行3轉載].

壬申[21日], [立冬]. [起居注]金守剛還自蒙古, [帝[憲宗]方自將伐宋:節要轉載], 守剛[見帝於行營:節要轉載], 懇乞回軍. 帝許之, 仍遣使與守剛偕來.

[→又遣守剛. 帝方自將伐宋, 守剛謁行營, 懇乞罷兵, 帝又許之, 仍遣使, 與守剛偕來:列傳15金守剛轉載].[217]

癸酉[22日], 幸梯浦館迎蒙使.

戊寅[27日], 幸賢聖寺.

[己卯[28日], 大倉[太倉]灾:五行1火災轉載].

[某日, 以江華田二千結, 屬公廩, 三千結屬崔竩家, 又以河陰·鎭江·海寧之田, 分給諸王·宰樞以下有差:節要轉載].[218]

---

214) 敎定所는 敎定都監의 다른 표기일 것이다.

215) 일본의 가마쿠라[鎌倉]에서 8월 23일 M7.0~7.5의 강한 지진이 있었다고 한다(宇佐美龍夫 1986年 102面).

· 『吾妻鏡』제47, 正嘉 1년 8월, 9월, "廿三日乙巳, 晴, 戌剋大地震, 有音. 神社·佛閣一宇而無全, 山岳頽崩, 人屋顚倒, 築地悉破損. 所々地裂, 水涌出, 中下馬橋邊地破裂, 自其中火炎燃出, 色青云々. … 廿五日丁未, 雨降, 地震小動五六度, … [九月]四日乙卯, 小雨降, 申剋地震, 去月廿三日大動以後, 至今小動不休止, …"(高麗曆과 同一).

· 『鎌倉年代記裏書』, "今年[正嘉元], 八月廿三日, 大地震".

216) 昌麟島는 瓮津縣의 서쪽에 위치한 島嶼(현 황해남도 瓮津郡 昌麟島里)로 安北都護府가 入保했던 곳이다(尹京鎭 2015년).

· 지12, 지리3, 安北大都護府寧州, "高宗四十三年, 避蒙兵, 入昌麟島. 後出陸".

217) 金守剛은 中書舍人에 이르러 逝去하였다고 한다.

· 열전15, 金守剛, "守剛, 仕至中書舍人, 卒. 未至大拜, 時論惜之".

218) 이와 같은 기사가 지32, 식화1, 經理에도 수록되어 있으나 그 시기를 1259년(고종46) 9월로 잘

冬十月[壬午朔大盡,辛亥], [癸未[2日], 熒惑犯大微[太微]左執法:天文2轉載].

丁亥[6日], 幸乾聖·福靈二寺.

[○流星, 出土司空, 入天際, 大如缶, 尾長十尺許:天文2轉載].

[癸巳[12日], 熒惑入大微[太微]:天文2轉載].

壬寅[21日], 幸外院[外帝釋院?]·九曜堂.

[某日, [黃驪人]閔偁, 自蒙古逃還, 以所佩金牌獻崔竩, 且曰, "在蒙古時, 聞大臣密議, 今後不復東伐". 竩悅, 給宅一區·米穀·衣服·什器, 拜爲散員:節要轉載].[219)]

十一月[壬子朔小盡,壬子], 癸丑[2日], 令四品以上, 議遣子入朝便否, 及備禦蒙古之策.

[丙辰[5日], 月入羽林:天文2轉載].

[戊午[7日], 冬至. 歲星與熒惑, 相犯:天文2轉載].

[庚申[9日], 亦如之[歲星與熒惑,相犯]:天文2轉載].

乙丑[14日], 設八關會, 幸法王寺.

[己巳[18日], 月入軒轅大星:天文2轉載].

[丙子[25日], □[月]與太白同舍:天文2轉載].

[丁丑[26日], □[月]與太白, 犯氐:天文2轉載].

十二月[辛巳朔大盡,癸丑], [辛卯[11日], 月犯畢星:天文2轉載].

[壬辰[12日], 日暈, 有珥背氣:天文1轉載].

壬寅[22日], 以鄭准△[爲]知門下省事, 李世材爲御史大夫,[220)] 朴洪茂爲樞密院副使, 皇甫琦爲左僕射.

○遣安慶公淐·左僕射崔永, 如蒙古.[221)]

[庚子[20日], 月與歲星同舍:天文2轉載].

못 정리하였다[繫年錯誤].

219) 이와 같은 기사가 열전42, 崔忠獻, 竩에도 수록되어 있으나 字句에 출입이 있다.

220) 李世材는 前年(고종43, 1256) 12월 25일 樞密院副使에 임명되었고, 1258년(고종45) 12월 27일 知門下省事에 임명되었다. 이같이 급격하게 승진한 것은 1258년 3월 崔氏政權이 타도되어 지배층의 변화가 있었던 결과로 이해된다. 그렇다면 이때 李世材는 樞密院副使 이상의 樞密로서 御史大夫를 겸직하게 되었을 것이다.

221) 이들 기사에서 左僕射 皇甫琦와 左僕射 崔永 중의 1人은 右僕射의 잘못일 것이다.

[甲辰[24日], 立春, 雪:五行1雨雪轉載].

[丁未[27日], 熒惑入西南星:天文2轉載].

[是年, 西北面僑寓盟州倂于殷州, 僑寓順州倂于德州. 又改稱利川監務官爲永昌監務官, 楊根監務官爲永化監務官, 黃驪監務官爲永義監務官, 金城監務官爲道寧監務官. 又以翼嶺縣降賊, 爲德寧監務官:地理志轉載].

[○以金承伉爲永州副使:追加].[222)]

[○以金周鼎爲富城縣尉:追加].[223)]

[增補].[224)]

戊午[高宗]四十五年, [只用當該年干支, 江華京二十七年], [南宋寶祐六年], [蒙古憲宗八年], [西曆1258年]

1258년 2월 5일(Gre2월 12일)에서 1259년 1월 24일(Gre1월 31일)까지, 354일

春正月辛亥朔[大盡,甲寅], 放朝賀.

癸丑[3日], 流大將軍宋吉儒于楸子島. [吉儒, 性貪酷[~~便佞.~~ ~~起於卒伍,~~ ~~高宗時,~~] 諂事崔沆. 嘗爲夜別抄□□[~~指論~~], □[~~每~~]鞫囚, □[~~必~~]縛兩手拇指[~~母指~~], 懸于梁架, □[~~又~~]合結兩足拇指[~~母指~~], 縋以重石, 去地[~~不~~]尺餘, 熾炭其下, 使兩人交杖腰膂, 囚不勝毒, 皆誣服. 及爲慶尙州道水路防護別監, 檢察州縣人物入島, 有不從令者, 必撲殺之, 或以長繩連編人頸, 令別抄執兩端曳投大水, 幾絶乃出, 稍蘇復如之. 又奪人土田·財物, 朘削無厭, 按察使宋彦庠劾報都兵馬□[使].[225)] 其黨金仁俊·承俊等, 私謂大司成柳璥·[寶文閣]待制柳

222) 이는『영천선생안』에 의거하였다.

223) 이는「金周鼎墓誌銘」에 의거하였다.

224) 이 시기에 몽골군이 지속적으로 고려에 침입하였을 것으로 추측되는 자료도 다음이 있다.

- 『國朝文類』 권41, 雜著, 정전총서, 정벌, 고려, “憲宗之三年至七年, 伐不已”.
- 『국조문류』 권41, 잡저, 정전총서, 정벌, 고려[注, [憲宗]五·六·七年, 連拔光州·安城等].
- 『원고려기사』, 序, “憲宗之三年至七年, 伐不已”.
- 『원고려기사』本文, 憲宗, “五年·六年·七年, 連歲攻拔光州·安城·忠州·玄鳳[玄風]·珍原·甲向[尙州]·王果

225) 宋彦庠은 1256년(고종43, 丙辰) 秋冬番[秋冬等]慶尙道按察使에 임명되어 다음 해(1257, 고종

能曰, "吉儒吾素所善者, 聞按察□[使]劾書已至都堂, 若遽發, 勢難營救, 吾將乘間善辭令公[右副承宣崔竩], 庶可免矣, 惟公圖之". 瓛等不得已陰戒堂吏停稟, 竩舅巨成·元拔聞之,[226] 以告竩. 竩怒, 流吉儒, 罵瓛·能·仁俊等曰, "吾以爾輩爲腹心不疑, 乃何專擅若是耶?". 皆俯伏待罪:節要轉載].

[○[金]仁俊父允成, 本賤隸也, 背主, 投崔忠獻爲親侍, 生二子曰仁俊·承俊. 仁俊狀貌魁岸, 工射, 務好施, 以得衆心. 日與游俠子, 群飮爲事, 家無所儲. 朴松庇·宋吉儒等, 譽於崔怡, 遂得倚信, 每出入, 必使仁俊扶持, 授殿前承旨. 仁俊通怡嬖妾安心, 配固城縣海島, 數年乃還, 怡欲召沆爲後, 仁俊有力焉. 及沆繼政, [高宗37年頃]拜別將, 弟承俊拜隊正. 至是, 始與竩相疑貳:節要轉載].

[→金俊, 初名仁俊. 父允成本賤隸, 背其主, 投崔忠獻爲奴, 生俊及承俊. 俊狀貌魁岸, 性寬厚, 謙恭下人. 又善射, 好施與, 以得衆心. 日與遊俠子弟群飮, 家無所儲. 有術僧見之曰, "此人, 後必當國". 朴松庇·宋吉儒等, 譽於崔怡, 怡遂倚信, 每出入, 必使俊扶持, 授殿前承旨. 俊通怡嬖妾安心, 配固城, 數年乃還. 怡之召沆爲後, 俊有力焉. 及沆襲權, [高宗37年頃]補別將, 益親信, 沆死, 竩獨任崔良伯·柳能, 而踈俊, 俊心不平. 及吉儒之敗, 益相疑貳:列傳43金俊轉載].

[某日, [右副承宣]崔竩, 以將軍邊軾·郞將安洪敏·散員鄭漢珪, 爲江華收獲使, 攘奪民利[恣其攘奪], 百姓嗷嗷:節要轉載].[227]

己巳[19日], 以崔永△[爲]參知政事.

[某日, 以慶尙道按察使李洪靖仍番, 尋以刑部員外郞金祿延代之, 任睦爲西海道按察使].[228]

---

44) 春夏番을 連任[仍番]하였다(『慶尙道營主題名記』). 그러므로 宋吉儒가 慶尙道에서 자행한 범죄행위는 1256년 7월 이후에서 1257년 6월 사이에 이루어진 것이다(尹龍爀 1982년).

226) 이 기사는 열전35, 酷吏, 宋吉儒에도 수록되어 있는데 字句의 出入이 있다. 또 '[崔]竩舅巨成元拔'은 解讀하기 어려운 구절인데, 崔竩의 母가 원래 宋㥠의 婢였다고 한 점을 보아 姓氏가 記載되지 않은 竩의 '外三寸[舅] 巨成과 元拔'의 2人으로 추측된다(蔡雄錫敎授의 敎示).

· 『자치통감』 권29, 漢紀21, 元帝建昭 3년(BC36) 冬, "… [西域副校尉陳湯,] 復捕得康居貴人具色子男開牟以爲導. 具色子, 卽屠墨母之弟[注, 師古曰, 母之弟, 卽謂舅者], 皆怨[郅支]單于, 由是具知郅支情". 여기에서 '郅支單于'는 '呼屠吾斯'라고도 불린 匈奴의 酋長[單于]을 가리킨다(奴呼韓邪單于의 兄).

227) 添字는 열전42, 崔忠獻, 竩에 의거하였다.

228) 任睦은 5월 13일의 記事에 의거하였다.

二月辛巳朔大盡,乙卯, 壬午2日, 永嘉侯崔瑼死.[229]

[丙戌6日, 雨土:五行3轉載].

[辛卯11日, 亦如之雨土:五行3轉載].

[壬辰12日, 日靑無光:天文1轉載].[230]

甲午14日, 燃燈, 王如奉恩寺.

[丁酉17日, 月掩熒惑:天文2轉載].

己亥19日, 地震.

[某日, 海島入保州縣, 免一年租:節要轉載].

[→免海島移入州縣一年租:食貨3災免之制轉載].

[乙巳25日, 淸明. 雨雹, 大如梅:五行1雨雹轉載].[231]

[某日, 崔竩, 以家奴李公柱爲郞將. 舊制, 奴隷雖有大功, 賞以錢帛, 不授官爵. 崔沆秉政, 欲收人心, 始除公柱及崔良伯爲別將, 聶長壽爲校尉. 至是, 奴等曰, "公柱身事三世, 年老有功, 請加參職". 奴隷拜參, 自此始:節要轉載].[232]

[→某日, □□□□~~右副承宣~~崔竩, 以家奴李公柱爲□~~攝~~郞將. 舊制, 奴隷~~奴婢~~雖有大功, 賞以錢帛, 不授官爵. 崔沆秉政, 欲收人心, ~~高宗37年頃~~始除□□□□□□~~其家殿前承旨~~公柱及崔良伯·□□□~~金仁俊~~爲別將, 聶長壽爲校尉, □□□~~金承俊~~爲隊正. 至是, 奴等□□~~白竩~~曰, "公柱, 身事三世, 年老有功, 請加參職". 奴隷拜參, 自此始:校正].

---

229) 崔瑼은 崔忠獻의 繼室 任氏(任濡의 女)의 아들로서, 熙宗의 壻이며 初名은 珹이다(열전42, 崔忠獻 ; 崔忠獻墓誌銘). 이날은 율리우스曆으로 1258년 3월 8일(그레고리曆 3월 15일)에 해당한다.

230) 이때 일본의 가마쿠라[鎌倉]에서 6일, 11일, 12일의 氣象을 알 수 없으나 13일(癸巳)은 맑다가 흐리다가를 거듭한 것 같다(高麗曆과 同一).

· 『吾妻鏡』제48, 正嘉 2년 2월, "十三日癸巳, 晴陰不定".

231) 이날 일본의 가마쿠라 에서는 비가 개였다고 한다.

· 『吾妻鏡』제48, 正嘉 2년 2월, "卄五日乙巳, 霽".

232) 이와 관련된 기사로 다음이 있는데, 이를 바탕으로 原文을 再構成하면 上記의 [→校正]과 같이 補完될 수 있을 것이다.

· 지29, 선거3, 銓注, 限職, "高宗四十五年二月, 崔竩以家奴李公柱爲郞將. 舊制, 奴婢雖有大功, 賞以錢帛, 不授官爵, 崔沆秉政, 欲收人心, 始除其家殿前公柱·崔良伯·金仁俊爲別將, 聶長壽爲校尉, 金承俊爲隊正. 至是, 奴等曰, '公柱, 身事三世, 年老有功, 請加參職'. 奴隷拜參, 始此".

· 열전42, 崔忠獻, 竩, "舊制, 奴婢雖有大功, 賞以錢帛, 不授官爵. 沆始除其奴李公柱·崔良伯·金仁俊爲別將, 聶長守爲校尉, 金承俊爲隊正. 奴等白竩曰, '公柱, 身事三世, 年老有功, 請加叅職'. 乃授郞將. 奴隷拜叅, 自此始".

是月，蒙兵城義州.

三月辛亥朔小盡,丙辰，［庚申10日，穀雨．月入大微太微右執法．熒惑犯氐:天文2轉載］.
［癸亥13日，月與歲星，同舍于軫:天文2轉載］.
甲子14日，幸乾聖，福靈二寺.
［○月與熒惑，犯氐:天文2轉載］.
［丁卯17日，日色，赤如血:天文1轉載］.
［○月色赤如血:天文2轉載］.
［○京都三十餘戶火:五行1火災轉載］.

丙子26日,[233] 大司成柳璥，別將金仁俊，［郎將朴希實·李延紹，隊正金承俊，將軍朴松庇，□□殿前承旨同正金大才·用才·植才，郎將同正車松祐，郎將林衍·李公柱，中郎將金洪就:追加］等,[234] 誅右副承宣崔竩，復政于王．○以璥爲樞密院右副承宣，朴松庇爲大將軍，仁俊爲將軍，餘皆賜爵有差.[235]

［→大司成柳璥·別將金仁俊等，誅崔竩．竩，年少暗弱，不禮遇賢士，咨訪時政，其所與親信者，如寶文閣待制柳能·崔良伯之輩，皆輕躁庸隷．其舅巨成·元拔與竩寵婢心鏡，外施威福，內行譖訴，黷貨無厭．○時又連歲饑饉，不能發倉賑恤，由是，大失人望．及宋吉儒之貶，又與大司成柳璥·寶文閣待制柳能·別將金仁俊兄弟等，交惡，不與接見．○神義軍都領·郎將朴希實，指諭·攝郎將李延紹，密謂柳璥·金仁俊·金承俊，將軍朴松庇，都領·郎將林衍，攝郎將李公柱，隊正朴天湜，別將同正車松祐，郎將金洪就，及仁俊子殿前承旨同正大材·用材·式材等曰，“竩，親近憸小，信讒多忌，若不早圖，吾曹恐亦不免”．遂定計，約以四月八日，因觀燈擧事．○中郎將李柱聞之，與牽龍行首崔文本·散員庾泰·校尉朴瑄·隊正兪甫等，密爲書通竩.[236] 良伯，大材之妻父也，大材以其謀，告良伯，良伯佯從，而密告竩，竩急召柳能計議．時日已暮，能曰，“暮夜無能爲，請以片簡諭夜別抄指諭韓宗軌，遲明召李日休等，勒兵討仁俊，未晚也”．竩然之．○大材妻在側，聞之，使埃告大材，大材告仁俊曰，“事急矣，不如早圖”．旣昏，

233) 이날은 율리우스曆으로 1258년 5월 1일(그레고리曆 5월 8일)에 해당한다.

234) 이는 1262년(원종3) 6월의 「尙書都官貼」에 의거하였다(『文化柳氏嘉靖譜』所收).

235) 이때 참여했던 인물에 대한 기사로 다음이 있다.
· 열전43, 叛逆, 林衍, “郎將林衍與俊誅竩，爲衛社功臣，累遷樞密副使”.

236) 朴瑄은 朴景亮의 初名이다(→충선왕 복위년 8월 27일 脚注).

仁俊率子弟，趣神義軍，見[朴]希實·[以]延紹云，“事泄，不可猶豫”．乃召集向所與謀者及別將白永貞，隊正徐挺·李悌·林衍，[237] 使衍及指諭趙文柱·吳壽山，捕宗軌殺之．又召指諭徐均漢等，會三別抄于射廳，使人呼於道曰，“令公已死矣”．聞者皆集，[柳]璥與[朴]松庇等亦至，仁俊曰，“如此大事，不可無主者，可推大臣有威望者，以領衆”．即召樞密使崔昷，昷至，又邀致鷹揚軍上將軍朴成梓，議之．仁俊召良伯，未及升堂，別抄兵以炬火燒口，[~~遂~~]斬之．衍又至[李]日休家，給曰，“令公喚子來，可急往”，日休曰，“令公夜何召我?”，衍遂斬之．仁俊又令竩門卒，不報更籌，分隊伍於廣場，燃松明如晝，衆人喧躁，而適大霧，竩家宿衛兵，無一人知者．黎明，夜別抄[等]，壞竩家壁以入．元拔壯士也，宿竩家，聞難驚起，拔劍當小戶，兵不得前，元拔自度不勝，欲擔竩踰垣而走，竩肥重未果，乃扶上竩於屋莾，以身當戶，[吳]壽山突入，擊之[~~元拔~~]中額，踰垣而走，別抄兵追，斬于江岸．又索[右副承宣崔]竩及[寶文閣待制柳]能，皆斬之．○[大司成柳]璥·[別將金]仁俊，與[樞密院使崔]昷詣闕，百官俱會泰定門外．兩府及璥·仁俊，入謁便殿，復政于王:節要轉載]．[238]

[○王謂璥·仁俊曰，“卿等爲寡人，立非常之功”，潸然泣下，仁俊進曰，“竩不恤生民，坐視餓死，而不賑貸，臣等擧義誅之，請發粟賑饑，以慰人望”．是日，以[大司成柳]璥爲樞密院右副承宣，[將軍朴]松庇爲大將軍，[別將金]仁俊爲將軍，餘皆賜爵有差．○[郎將林]衍，初名承柱，~~其父不知何許人~~，~~僑寓鎭州~~，~~娶州吏女~~，~~生衍~~，~~遂以鎭州爲貫~~．~~衍~~，蜂目豺聲，捷而有力，能倒身臂行，或投蓋于屋梁，爲大將軍宋彥庠廝養卒，[239] 後歸其鄕鎭州，蒙□[古]兵適至，衍與鄕人逐之，遂補隊正．嘗奸人妻，有司欲治之，[金]仁俊力請竩曰，“衍，壯士可用，今因疑罪，受刑太甚則，將爲無用也”．竩釋之．又薦爲郎將，故衍常呼仁俊爲父，承俊爲叔父:節要轉載]．[240]

---

237) 隊正 徐挺，李悌는「尙書都官貼」의 隊正 李褆，朴西挺의 다른 표기일 것이다. 또 李悌는 열전42, 崔忠獻, 竩에는 李梯로 되어 있다(盧明鎬 等編 2016년 453面 ; 姜在光 2022년).

238) 이와 같은 기사가 열전42, 崔忠獻, 竩에도 수록되어 있으나 字句에 출입이 있다.

239) 廝養은 다음과 같은 의미가 있다.

· 『자치통감』 권187, 唐紀3, 高祖武德 2년(619), “春正月，壬寅，[皇泰主揮下太尉·尙書令]王世充悉取隋朝顯官·名士爲太尉府官屬，… 下至士卒廝養[胡三省注，析薪爲廝，炊烹爲養]，世充皆以甘言悅之，而實無恩施”. 여기에서 皇泰主는 618년(唐 武德1) 隋의 越王 楊侗이 煬帝가 피살된 후 隋 皇帝로 즉위하여 年號를 皇泰라고 하였다가 明年 4月에 이르러 그의 手下 王世充에 의해 廢位되었고, 5월에 피살되었기에 後世人이 붙인 呼稱이다(諡號는 恭皇帝).

240) 林衍에 관한 기사는 열전43, 林衍에도 수록되어 있는데, ~~添字~~는 이에 의거하였다. 이의 일부는 다음과 같이 보다 구체적으로 서술되어 있으며, 蜂目豺聲의 유래는 다음과 같다.

[→崔沆子右副承宣崔竩, 累世用事擅威福. 時又連歲凶荒, 餓莩相枕, 竩不發倉賑貸. 由是, 大失人心, 大司成柳璥遂與金□仁俊等, 謀誅竩. 一日, 金仁俊等詣璥議, 璥不敢顯言, 令家人進杏子一椀. □仁俊等拜曰, "已諭". 蓋杏與幸, 聲相近也. 是日誅竩, 歸政王室, 王謂璥曰, "卿等爲寡人, 立非常之功". 潸然泣下. 卽拜樞密院右副承宣:列傳18柳璥轉載].[241)]

己卯29日晦, 王御康安殿, 百官陳賀, 如新卽位. 禮畢出, 大將軍朴松庇·將軍金仁俊, 以時服, 率諸功臣·左右別抄·神義軍·都房等, 入殿庭羅拜, 呼萬歲.

○發崔竩家貲, 分給有差.

[是月, 大僕寺事判大僕寺事韓就, □□□□□掌國子監試, 取李源等六十五人:選擧2國子試額轉載].

[○蒙古命洪茶丘率師從箚剌解同征高麗:追加].[242)]

夏四月庚辰朔大盡,丁巳, 賜右副承宣柳璥·將軍金仁俊·朴希實·李延紹·大將軍朴松庇·金承俊·林衍·李公柱等衛社功臣號.[243)] 其中, 有干賤隸者, 至子孫, 皆令許通. 一等賜米二百石·彩叚綵段百匹, 其次米百石·彩叚綵段百匹, 甲第及土田, □各有差.[244)]

· 열전43, 반역3, 林衍, "… 有林孝侯者通衍妻, 衍知之, 誘孝侯妻通焉, 孝侯告有司, 有司欲治衍罪, 金俊金仁俊壯其爲人, 力救得免".

· 『춘추좌씨전』傳, 文公 1년 秋, "初, 楚子成王將以商臣爲太子, 訪諸令尹子上, 子上曰, '君之齒未也. 而又多愛, 黜乃亂也. 楚國之擧, 恒在少者. 且是人也, 蜂目而豺聲, 忍人也, 不可立也'. 弗聽".

241) 이와 관련된 기사로 다음이 있다.

· 열전43, 반역4, 金俊, "高宗四十五年, 與柳璥·朴松庇等, 誅崔竩, 復政于王, 俊仁俊進曰, '竩不恤生民, 坐視餓死, 而不賑貸, 臣等擧義誅之. 請發粟賑饑, 以慰人望'. 卽授將軍".

242) 이는 다음의 자료에 의거하였는데, 洪茶丘(洪察忽, chaqu)는 洪福源의 長子이다. 또 여기에서 箚剌解는 箚剌歹(札剌台) 車羅大의 다른 표기일 것이다(→고종 5년 12월 1일의 脚注).

· 『원사』 권3, 본기3, 헌종 8년, "三月, 命洪茶丘率師從箚剌解同征高麗".

· 『원고려기사』本文, 憲宗, "八年戊午三月, 命洪茶丘領兵, 從箚剌解, 同征高麗".

243) 金仁俊은 1262년(원종3) 12월 25일에서 明年 12월 20일 사이에 金俊으로, 그의 弟 金承俊은 1262년(원종3) 10월 6일에서 다음 해 12월 20일 사이에 金冲으로 改名하였다. 또 李延紹는 다음 해(원종 즉위년) 10월 12일(壬午)에는 李仁恒으로(→원종 즉위년 10월 壬午), 1262년(원종3) 6월에 발급된 「尙書都官貼」에는 李延紹로, 같은 해 10월 6일(己未)에는 李仁桓으로(→원종 3년 10월 己未) 기록되어 있다.

244) 添字는 『고려사절요』 권17에 의거하였다. 또 이때의 褒賞은 1262년(원종3) 6월의 「尙書都官貼」에 구체적으로 언급되어 있다.

壬午[3日], 賜五軍·神騎等銀·穀, 有差, 又賜篤癈疾者.

[癸未[4日], 下制都兵馬使, 褒賞戊午功臣. 左承宣·判閤門·知吏部事·太子左諭德孫挺烈, 右承宣·千牛衛攝上將軍李應烈, 左副承宣·判太府事·翰林侍讀學士·知制誥閔昊等奉聖旨施行:追加].[245]

乙酉[6日], 親醮三界.[246]

[某日, 以[右副承宣]柳璥爲樞密院知奏事·左右衛上將軍. 璥力辭知奏事, 唯以上將軍, 仍爲右副承宣:節要轉載].[247]

[→[柳璥,] 俄遷知奏事·左右衛上將軍. 璥, 以近來爲知奏者率皆權臣, 又恐寵祿盛滿, 力辭. 唯以上將軍, 仍右副承宣. 賜推誠衛社功臣號, 又賜米二百石·彩段百匹·甲第·土田:列傳18柳璥轉載].

[某日, □□□□[救急都監], 以年饑, 發崔竩倉穀, 賜太子府二千斛, 諸王·宰樞各六十斛, 宰樞致仕及顯官三品以上各三十斛, 三品致仕及文武四品各二十斛, 五·六品各十斛, 九品以上七斛. 又賜兩班寡婦及城中居民·軍士·僧徒·諸役人, 有差:節要·食貨3 水旱疫癘賑貸之制轉載].[248]

[→發[崔]竩倉穀, 分賜有差, 太子府二千斛, 諸王·宰樞·文武百官, 以至胥吏·軍卒·皂隷·坊里人, 小不下三斛. 又賜諸王·宰樞, 至權務·隊正, 布帛有差:列傳42崔竩轉載].

辛卯[12日], 幸王輪寺, 各番都房·夜別抄·神義軍·書房·殿前□□[承旨]擁駕而行, 觀者感泣.

丁酉[18日], 別賜夜別抄·神義軍, 人米三斛·銀一斤·布三匹.

---

245) 이는 1262년(원종3) 6월 簽書樞密院事 柳璥에게 발급된 「尙書都官貼」에 의거하였다(盧明鎬 2008년 4面).

246) 이 기사는 지18, 禮5, 雜祀에도 수록되어 있다.

247) 이때 柳璥은 樞密院右副承宣·左右衛上將軍·知制誥에 임명되었던 것 같다(『동문선』 권44, 大司成柳璥讓樞密院右副承宣·左右衛上將軍依前知制誥餘並如故表). 이 시기에 中書注書 元傅, 幞頭店錄事 許珙 등이 政堂에 들어갔다고 하는데, 政堂은 政房의 다른 표기일 것이다(金昌賢 1998년 40面).

- 「元傅墓誌銘」, "戊午四月, 義士聚謀, 掃權門, 復政大內, 選入政堂".
- 「許珙墓誌銘」, "及戊午歲, 權臣掃迹, 復政王室, 簡文士入政堂, 公時猶未第, 以文才吏幹, 無能及者, 得居是選".
- 열전18, 許珙, "高宗末, 登第, 承宣柳璥薦珙及崔寧·元公植[元傅], 並屬內侍, 爲政事點筆員, 時號政房三傑". 이 기사를 통해 볼 때 元傅의 初名은 元公植이었던 것 같다.

248) 添字는 지33, 식화3, 水旱疫癘賑貸之制에 추가되어 있는 것이다. 또 일본에서도 是年(1258, 正嘉2) 6월의 氣候가 2~3월의 그것처럼 寒冷하여 五穀이 익지 아니하여 全國에 걸쳐 餓死者가 헤아릴 수가 없었다고 한다(權藤成卿 1984年 373面).

辛丑[22日], 蒙兵候騎一千入遂安界, 遣夜別抄, 禦之.

[某日, [將軍]金仁俊·[右副承宣]柳璥請誅李柱·崔文本·庾泰·朴瑄·兪甫等. 王曰, "此輩狂惑, 惟圖目前, 何知大義, 赦之可也. 然卿等有請, 可流之". 璥等固請, 王曰, "必欲殺之, 何更聞爲, 卿等可自爲之", 乃起入內. 璥等伏地謝罪, 遂流柱等于島:節要轉載].

己酉[30日], 王聞車羅大遣使來, 覘出陸之狀. 是日, 出文武百官于昇天府, 移市肆, 修宮闕·官僚家戶.

[是月頃, [前大將軍宋]吉儒訴[前慶尙道按察使宋]彥庠於[金仁]俊, 謀害之, 王以彥庠嘗有功, 命赦之:列傳35宋吉儒轉載].[249)]

五月[庚戌朔小盡,戊午], 甲寅[5日], 王以兵衛, 涉海, 御昇天府闕, 引見車羅大客使波養等九人.

壬戌[13日], 以濟州貢馬及崔竩所畜胡馬, 分賜文武四品以上.

[→又以所畜馬, 賜文武四品以上:列傳42崔竩轉載].

○西海道按察使任睦, 荒于酒色, 以員外郞李惟信, 代之. 慶尙州道按察使李洪靖, 公行請謁, 以刑部員外郞金祿延, 代之. 祿延掊克, 倍於洪靖.[250)]

○博州人避兵, 入保葦島, 國家遣都領·郞將崔乂等, 率別抄, 鎭撫之, 州人反[叛]殺乂及指諭尹謙·監倉□[使]李承璡. 又所領兵皆逃匿蘆葦閒, 跡而盡殺之, 遂投蒙古. 唯校尉申輔周, 乘小舟逃來, 告於兵馬使. 卽遣兵追之, 取婦女幼弱而還.

丁卯[18日], 遣將軍朴堅·郞將金君錫, 宣諭葦島.

[某日, 北界知兵馬事洪熙免, 以判秘書省事金之岱, [陞簽書樞密院事:追加].[251)] 代之. 熙耽嗜女色, 不恤國事, 一方離心:節要轉載].[252)]

---

249) 原文에는 "及俊誅竩, 吉儒訴彥庠於俊, 謀害之, 王以彥庠嘗有功, 命赦之. 吉儒, 官至尙書右丞, 暴得足瘡爛, 而死"로 되어 있다.

250) 『경상도영주제명기』에 의하면 李洪靖은 1257년(고종44) 秋冬番[秋冬等]按察使에 임명되어(이름은 탈락되었고, 姓氏만 記載되어 있음) 다음 해 春夏番까지 계속 在職하다가[仍番] 이때 교체되었고, 金祿延은 이때 임명되어 秋冬番으로 재직하다가 다음 해 春夏番을 계속 맡았던 것 같다.

251) 이는 열전15, 金之岱에 의거하였다.

252) 이 시기(고종 45년 5월)에서 1259년(고종46) 3월 이전에 김지대는 席島(豊州管內, 현 황해남도 과일군 席島里)의 西北面兵馬使營에 머물면서 侍御史·西海道按察使 王仲宣에게 詩文을 증정하였다(『동문선』 권14, 贈西海按部王侍御仲宣, 北界營在席島作). 또 王仲宣은 1259년 3월 金剛城 防護別監으로서 州縣民 500餘口를 거느리고 昇天城에 도착하였음을 보아 1258년의 春夏番西海道按察使였을 것이고, 秋冬番은 李惟信일 것으로 추측된다(→고종 46년 3월 某日). 그

[→時, 蒙古兵犯北邊, 知兵馬事洪熙嗜女色, 不恤軍務, 一方離心, 以之岱有才略, 陞簽書樞密院事, 代熙出鎭, 撫以恩信, 西北四十餘城, 賴以安:列傳15金之岱轉載].

庚午[21日], 安北別將康之俊, 自葦島來降, 賜銀九斤·米二十斛, 仍除攝郎將.

[是月, 北界葦島, 有黃蛇, 大如柱, 穴於假山, 有二樵童過歸, 聞有喚聲, 四顧無人, 就視之, 則乃蛇也. 人語謂曰, "此島之人, 近必亂, 歸告監倉□[使], 切須愼之". 監倉使李承璡聞而召問, 童以狀對, 怪之而秘. 至是, 州人果叛, 投蒙古:五行1龍蛇之孽轉載].

六月[己卯朔小盡,己未], 庚辰[2日], 王如奉恩寺.

[甲申[6日], 月與歲星同舍. 鎭星入羽林:天文2轉載].

[丁亥[9日], 月犯房次相:天文2轉載].

己丑[11日], 蒙古[元帥]余愁達·甫波大等, 各率一千騎來, 屯嘉·郭二州.

壬辰[14日], 賜張漢文等及第.[253)]

○賜北界諸城戶長·郎將, 各白銀一斤·皀羅~~皀羅~~二匹.[254)]

癸巳[15日], [中書侍郞?]平章事柳韶卒.[255)] [謚莊定:列傳14柳韶轉載]. [韶, 性剛亢, 不事生產, 子[寶文閣待制]能被誅, 憂憤成疾卒. 人譏之曰, "生而不敎, 死無益":節要轉載].[256)]

乙未[17日], 車羅大遣波乎只等六人來.

丙申[18日], 幸梯浦館, 引見波乎只, 傳車羅大之言曰, "皇帝勑云, 高麗國如實出降,

렇다면 西北面兵馬使 金之岱가 왕중선에게 시문을 증정한 것은 1258년(고종45) 5월~7월 사이일 것이다. 또 이 시문을 통해 그 이전에 昌麟島(현 甕津郡 昌麟島里)에 있던 西北界營이 고종 45년 이전에 席島로 옮겨진 것으로 파악되고 있다(姜在光 2008년).

253) 이와 관련된 기사로 다음이 있다. 이때 張漢文(改悛, 列傳20, 權呾)·[大樂署丞]許珙(第5人, 許珙墓誌銘)·薛公儉 등이 급제하였다(『登科錄』, 『前朝科擧事蹟』, 朴龍雲 1990년 ; 金龍善 2006년 668面).
· 지27, 선거1, 科目1, 選場, "[高宗]四十五年六月, [中書侍郞]平章事崔滋知貢擧, 諫議大夫洪縉同知貢擧, 取進士, □□[壬辰], 賜張漢文等三十三人及第".

254) 여러 판본의 『고려사』에서 皀羅(급라)로 되어 있으나 皀羅(조라)의 오자이고, 『고려사절요』 권17에는 옳게 되어 있다(東亞大學 2008년 6책 725面).

255) 이날은 율리우스曆으로 1258년 7월 17일(그레고리曆 7월 24일)에 해당한다.

256) 柳韶는 門下侍郞平章事 柳光植의 次子이지만, 최종관직이 분명하지 못해 中書侍郞平章事에 比定하였다(열전14, 柳光植 ; 柳光植墓誌銘). 또 이 기사는 열전14, 柳光植, 韶에도 수록되어 있다.

雖雞犬，一無所殺．否則，攻破水內．今國王及太子出降西京，則便可回兵”．王曰，“予旣老病，不可遠行”．乃遣永安公僖·知中樞院事[知樞密院事]金寶鼎，如車羅大屯所.[257]

庚子[22日]，西北面兵馬使報，“蒙兵候騎過西京”.

○京城戒嚴.

癸卯[25日]，流樞密院使崔昷于黑山島.[258] [昷，倜儻敢言，臨事果斷，故仁俊之誅崔竩也，邀致議事．其後，仁俊等籍竩家，得書一通，乃昷子別將文本，告仁俊之謀也．乃流文本于島，昷有怨言．忌者謂仁俊曰，“昷怨公等，恐他日生變”．仁俊遂啓于王曰，“昷恃家世，驕傲，嘗廷叱上將軍趙晟，今又怨臣等，皆不自安，請罪之”．王不許，仁俊等力請，王不得已流之:節要轉載].

[→[崔昷,] 官累樞密院使．[別將]金□[仁]俊謀誅崔竩，邀與計議，昷子牽龍行首文本，與中郎將李柱·散員庾泰·校尉朴瑄·隊正兪甫等，密爲書通于竩．及誅竩，籍其家，得書一通，乃文本洩□[仁]俊謀也．□[仁]俊與柳璥，請殺文本等，王曰，“此輩狂惑，唯啚目前，何知大義．赦之可也，然卿等有請，可流之”．璥等固請，王曰，“必欲殺之，何更聞爲．卿等可自爲之”．乃起入內．璥等伏地謝罪，遂流文本于島．昷有怨言，忌者謂俊曰，“昷怨公等，恐他日生變”．□[仁]俊遂白王曰，“昷恃家世，驕傲，嘗廷叱上將軍趙日成[趙晟]．今又怨臣等，臣等皆不自安，請罪之”．王不許．□[仁]俊等力請，王不得已流黑山島．押行別抄到昷家直入，昷叱曰，此非賊家，乃宰相家也．遂坐聽事，呼別抄謂曰，“吾何罪?”．曰，“不知”．昷曰，“汝不知，吾又何知?”．談笑自若．至江，見所乘船小，且無帳幄，立馬曰，“宰相乘如此小舸邪?”．別抄卽改之，遂乘而去．明年，將軍李仁柱謂□[仁]俊曰，“崔昷大相也，非罪遠竄，朝野嘆惜．宜速召還”．□[仁]俊聞于王，乃還:列傳12崔昷轉載].[259]

甲辰[26日]，蒙兵候騎到塩·白等州，余愁達屯兵平州寶山驛.

○[知樞密院事]金寶鼎與余愁達所遣客使八人來.

丁未[29日晦]，幸梯浦館，[知樞密院事金]寶鼎奏曰，“余愁達語臣云，皇帝以高麗之事，屬

---

257) 知中樞院事는 知樞密院事의 오류이다.

258) 崔昷은 이 시기 이전에 銀靑光祿大夫·樞密院使·吏部尙書·太子賓客에 임명되었던 것 같다. 이는 다음의 자료를 통해 알 수 있다(南禪寺 所藏, 南權熙 2010년).

· 『十二緣生祥瑞經』末尾, 題記, “銀靑光祿大夫·樞密院使·吏□[部]尙書·太子賓客崔□[昷]”. 여기에서 部는 탈락되었고, 昷은 手決로 되어 있다.

259) 이에서 趙日成은 趙晟의 오류로 추측된다.

我與車羅大，汝知之乎．吾以爾國降否，決去留耳．國王雖不出迎，若遣太子，迎降軍前，卽日回軍，否則，縱兵入南界”．對曰，“太子當來見耳”．

秋七月戊申朔大盡,庚申，壬子5日，復遣知樞密院事金寶鼎，如余愁達屯所，請以數騎來，見太子於昇天府白馬山．余愁達曰，“我往見太子乎？太子來見我乎?”，默不言．寶鼎曰，“非敢煩大官人見枉，只畏大兵耳”．余愁達曰，“太子如欲見我，期於猫串江邊”．

乙卯8日，宰樞以余愁達，去昇天府漸遠，而召見太子，恐有不測之變，遣譯語康禧，齎酒果往慰，仍覘變．又遣員外郎李祿綏等，見余愁達曰，“太子有疾，待疾愈往見”．

戊午11日，余愁達遣使來曰，“國王縱不出迎，太子有來見之約，吾欲回兵，然使者往復數四，而太子不至，是侮我也．今欲知一決，又遣使介，惟國王生死之”．王亦不出迎，遣人辭謝．

庚申13日，李祿綏還奏曰，“余愁達言，已知汝國之詐，乃縱兵侵掠”．

[某日，宦者金仁宣，性溫雅，王甚愛重，及衛社後，仁俊啓事，仁宣出入傳旨，互相倚賴．仁宣年六十，官亦極于南班七品，仁俊力請除參職，王亦欲授之，恐後人援以爲例，終不許:節要轉載].[260]

[某日，少卿文璜伏誅．初，有權施者，娶崔瑀妓妾女，得拜僕射致仕，子守鈞，拜將軍．璜爲守鈞女壻，拜少卿，及施父子因事見罷，竩又被誅，璜心常怏怏，欲殺仁俊，爲竩報仇．璜之二子光旦·英旦，與隊正崔注·中部錄事柳宗植·慶平宮錄事李秀之·校尉玄君壽等交結．一日，璜與注及秀之密諭其志，皆許諾，因招君壽議之，君壽猶豫，秀之以告宗植，宗植許之，乃與璜父子會密室，屛左右謀之，將欲各因所親勇士擧事．宗植往前別將金仁問家，見壁上有弓劍，取而撫之曰，“君丈夫也，當此時，可以此物，取卿相，安能效兒女子碌碌乎?”．仁問異其言，而不對．宗植去，仁問恐禍及己，遂往告所親右邊指諭白永貞,[261] 傳告仁俊．逮捕宗植，問之果服．仁

260) 이와 관련된 기사로 다음이 있다.

- 지29, 選擧3, 宦寺, “高宗四十五年七月．宦者金仁宣，有衛社之功，然其官極于南班七品．金仁俊請除參職，王亦欲授之，恐後人援以爲例，終不許”.
- 열전43, 金俊, “宦者金仁宣，性溫雅，王甚愛之．俊啓事，仁宣出入傳旨，相與比附，俊妻又仁宣姪女也．仁宣年六十，官亦極于南班七品，俊力請除叅職．王亦欲授之，恐成後例，竟不許”.

261) 右邊指諭는 右別抄指諭를 指稱하는 것으로 추측된다(姜在光 2013년).

俊以宗植素狂，其言戲耳，嚴責放之，君壽聞宗植被鞫，奔詣夜別抄營，告璜等謀．仁俊聞之，鞫璜·注·光旦·英旦·秀之等，殺之，流守鈞父子·宗植于島，盲僧伯良以卜吉凶，投于海，籍璜守鈞家產，賜仁問君壽，又籍伯良家產:節要轉載].[262)]

[→有柳宗者，初附崔沆，爲江華判官．及金俊謀誅沆子竩，宗與文璜欲殺俊，事洩，流海島:列傳43洪福源轉載].

[某日，蒙古誅東京摠管洪福源．初，永寧公綧之入質也，寓於福源，漸與積不平，及校尉李稠，逃入蒙古，依綧．一日，福源密作木偶人，埋地沈井，以呪咀，稠覘知之，奏于帝．帝遣使驗之，福源謂綧曰，"公受恩於我久矣，何反使讒賊陷我耶，所謂養犬反噬其主也"．綧妻蒙古皇族也，聞其語大怒，奏帝．帝遣使蹴殺福源，以故其子茶丘，謀陷本國，無所不至:節要轉載].[263)]

[→永寧公綧之入質也，寓於福源，福源待之甚厚．久乃生釁，綧積不平．高宗四十五年，福源密令巫，作木偶人，縛手釘頭，埋地或沈井，呪詛．校尉李綢，嘗逃入元，依綧．覘知之以奏，帝遣使驗之．福源曰，"兒子病虐，故用以厭之耳，非有他也"．因謂綧曰，"公受恩於我久矣，何反使讒賊，陷我耶．所謂所養之犬，反噬主也"．綧妻蒙古女也，聞其語聲甚厲不遜，呼譯者具問，大怒呵福源伏於前，切責曰，"汝在爾國，爲何等人?"．曰，"邊城人"．又問，"我公爲何等人?"．曰，"王族"．曰，"然則眞乃主也，汝實爲犬，反以公爲犬噬主，何哉? 我皇族也，帝以公爲高麗王族，而嫁之妾．以是，朝夕恪勤，無貳心．公若犬也，安有人而與犬，同處者乎?．吾當奏帝"，遂詣帝所．福源號泣，叩頭乞罪，綧追止之，不及．福源傾產，備賄貨與綧，倍道追之，中途遇勑使．勑使卽令壯士數十人，蹴殺福源，籍沒家產，械其妻及子茶丘·君祥等以歸．福源諸子，憾父之死，謀陷本國，無所不至:列傳43洪福源轉載].

[→初，綧之入質也，寓於東京總管洪福源，積不平，綧妻奏于帝，殺福源．語在福源傳．後福源子茶丘，訴綧於帝曰，"眞金太子，中書令也，永寧公，高麗尙書令，

262) 이와 같은 기사가 열전43, 金俊에도 수록되어 있으나 자구에 출입이 있다.

263) 『원사』에서는 홍복원의 죽음에 대해 다음과 같이 서술하였다. 또 이 시기에 洪茶丘가 高麗를 謀陷하다가 체포되어 蒙古에 압송되었던 것 같다.
- 『원사』 권154, 열전41, 洪福源, "戊午，福源遣其子茶丘從扎剌台軍．會高麗族子王綧入質，陰欲併統本國歸順人民，譖福源于帝，遂見殺，年五十三".
- 『원사』 권134, 열전21, 撒吉思, "會高麗有異志，帝遣使究治，則委罪於其臣洪察忽，械送京師．道過遼東，撒吉思訪知洪察忽以直諫迕意，卽奏疏爲直其事，帝命釋之". 여기에서 洪察忽[chaqu]은 洪茶丘[chaqu]의 다른 표기이다(張東翼 2016年 223面).

故自謂，秩等於皇太子”．帝大怒，奪綧所領兵馬:列傳3顯宗王子平壤公基轉載]．

乙亥28日，都兵馬□興宰樞所奏，[264] “功臣柳璥·金仁俊·朴希實·李延紹·金承俊·朴松庇·林衍·李公柱等奮擧忠義，再造王家，匡正三韓，帶礪難忘，雖超授爵秩，不足以酬荅箚．依三韓壁上功臣例，柳璥·仁俊，宜爵其子六品，給田一百結·奴婢各十五口．希實·延紹·承俊·松庇·林衍·公柱，爵其子七品，給田五十結·奴婢各五口．無子者，爵其甥姪女壻中一人．圖畵壁上，各陞鄕貫之號．其同力輔佐，車松佑以下十九人，[265] 亦陸陞秩，許一子九品職．若崔忠獻罪盈惡稔，崔怡專橫擅命，宜削去圖畵，罷廟庭配享”，從之．[266]

[→宰樞奏，“崔忠獻罪盈惡積，崔怡專權擅命，宜削去圖形，罷廟庭配享”，從之:列傳42崔竩轉載]．

[某日，以慶尙道按察使金祿延·西海道按察使李惟信，並仍番:慶尙道營主題名記]．[267]

[是月，恒雨:節要轉載]．

[→自六月，至七月，恒雨:五行2轉載]．

[○隕霜于南界:五行1霜轉載]．

[○南海平山縣，僵樹自起:五行2轉載]．

八月戊寅朔小盡,辛酉，癸未6日，永安公僖還自車羅大屯所．

[○月犯熒惑:天文2轉載]．

庚寅13日，車羅大以兵來，屯舊京，遊騎散入昇天府·交河·峰城·守安·童城，掠人民牧羊馬．

癸巳16日，日中□有黑子，大如雞子．

---

264) 이 구절에서 都兵馬宰樞所는 독립된 기관은 아닐 것이고 都兵馬與宰樞所에서 與가 탈락되었을 가능성이 있다. 이는 宰樞所가 宰樞會議를 위한 독립기구로서 帝王에게 上奏하는 사례(지29, 選擧3, 選用監司, 명종 18년 3월), 이를 담당하는 有司인 司存이 임명되었던 사례(충렬왕 8년 3월 1일)를 통해 알 수 있다. 또 毅宗이 都兵馬使와 宰樞에게 饑民을 救恤하는 方策을 마련하라고 命한 사례도 찾아진다(→의종 5년 7월 2일).

265) 車松佑는 車松祐로도 표기되었다.

266) 이때의 공신 책봉에 관한 기사로 다음이 있다.

· 열전18, 柳璥, “後因宰樞奏，爵其子六品，給田一百結，奴婢各十五口．陞其鄕儒州監務，爲文化縣令”．

267) 金祿延의 連任[仍番]은 분명하고, 李惟信(李奎報의 壻로 推測됨)의 경우는 類推이다.

翼日[甲午17日], [日中黑子,] 又如人形.

乙未[18日], 赦.

丙申[19日], 幸賢聖寺.

戊戌[21日], 車羅大遣蒙古大等十五人來.

己亥[22日], 幸梯浦宮, 引見, 客使曰, "太子出則, 兵可退矣". 王曰, "太子有病, 豈能出哉".

乙巳[28日], 蒙兵攻西海道嘉殊窟[佳殊窟]·陽波穴, 皆降之.[268)] 陽波穴有上中下三穴, 蒙兵自山上, 縋下甲士於上穴口, 槍斧皆不得入, 爇草投穴中, 遂安縣令朴林宗, 自縊死, 防護別監周尹率別抄出戰, 民潰, 尹中流矢死. 嘉殊穴別監盧克昌亦被擒.

[○熒惑掩南斗:天文2轉載].

九月[丁未朔小盡,壬戌], 辛亥[5日], 親醮於內殿.

壬子[6日], 蒙兵三百餘騎來, 屯甲串江外.

[某日, 發崔竩家產, 自諸王·宰樞, 以至權務·隊正, 賜布有差:節要轉載].

戊午[12日], [廣州管內永昌縣]廣福山城避難吏民, 殺防護別監柳邦才, 降於蒙兵.[269)]

---

268) 嘉殊窟은 佳殊窟로도 표기되었는데, 後者가 옳을 것이다. 또 이 굴의 全貌는 1489년(성종20) 8월에 이루어진 金時習의 踏查記를 통해 알 수 있다.

- 지12, 지리3, 土山縣, "有佳殊窟".
- 『세종실록』 권154, 지리지, 平壤府 祥原郡, "佳殊窟, 在郡北觀音山, 令所在官春秋行祭".
- 『신증동국여지승람』 권55, 祥原郡, 山川, "觀音山, '大明一統志', '音作門'. 在郡北二十里. 山中有窟, 名曰佳殊. 內有石, 或觀音像, 或鼎形, 甚奇怪".
- 『秋江集』 권4, 遊佳殊窟記, "佳殊窟, 在祥原郡治北距十五里, 窟一口而八穴, 入其內則奇奇怪怪, 有萬其形, 曾聞於妹壻成甫者有年矣. 歲集己酉弘治紀元之二年[成宗20年]秋八月壬寅[17日], 自成川赴郡, 請於守李侯遊佳殊窟, 守許諾, 越二日甲辰[7日], 偕守及訓導金普林·從弟南士曾發郡, 日向午, 到窟前小庵少憩. 時有文殊庵僧陸海者來嚮導, 引余[南孝溫]輩及奴從三十餘人, 齎大炬三十, 從庵北下三四十步許, 有大穴向南開, 當中有佳殊窟神板, 縣官降香所也. 東有石如獅子者一, 西有石如彌勒者一, 獅子之北有一穴, 名曰'獨存觀音窟', 其穴窄甚, 僅容一人, 匍匐行, 炬火不得入, 明燭然後可觀. 陸海曰, '古有一足捷僧, 攀彌勒上入其穴, 明燈視之, 周回可容百餘人, 白石極明澈, 名曰佛足窟'. 獨存窟之北, 有石如觀音者一, 觀音之下, 有石如舟形者一, 仰視其北則如幢幡蓋旒之屬, 無數垂下. … 旣而謝於守曰, '嗚呼, 僕一布衣也, 間關數千里, 樵爨之虞甚艱, 安能一日之間, 立辦火炬數十, 以備窟中之觀乎? 又安能博聞如陸海者自遠從遊, 引我教我乎? 然則茲窟之遊, 李侯之賜也, 李侯諱均, 治郡一周, 文武俱張, 儒釋竝採, 浿江南北, 爲政第一云".
- 『竹下集』 권3, 伽瑞窟[注, 祥原有兩窟, 皆以伽瑞名焉].
- 『海石遺稿』 권2, 嘉瑞窟, 在祥原.

庚申[14日], 幸乾聖·福靈二寺.

庚午[24日], 蒙兵自窄梁來, 屯甲串江外, 籠絡山野.

辛未[25日], 幸王輪寺.

[壬申[26日], 月入大微[太微]端門. 流星, 一貫諸王, 入畢·昴間. 一出文昌, 入天牢:天文2轉載].

甲戌[28日], 安慶公淐偕蒙使, 還到昇天館.

乙亥[29日晦], 幸昇天闕, 迎蒙使.

[秋某月, 以[中書注書]元傅爲權知閤門祇候:追加].[270]

冬十月[丙子朔大盡,癸亥], 己卯[4日], 遣金光宰饗車羅大, 請退兵.

[某日, 高·和·定·長·宜·文等十五州人, 徙居[和州]猪島. 東北面兵馬使愼執平, 以爲猪島城大人少, 守之甚難, 遂以十五州, 徙保[宜州]竹島, 島狹隘, 無井泉, 人皆不欲. 執平强驅而納之, 人多逃散, 徙者十二三:節要轉載].[271]

[甲申[9日], 月入羽林:天文2轉載].

[辛卯[16日], 月食, 旣:天文2轉載].[272]

---

269) 廣福山城은 廣州牧 管內의 利川縣(이 시기에는 永昌縣으로 改稱됨)에 있었던 山城인 것 같다.
· 『신증동국여지승람』 권47, 利川縣, 山川, "廣福山, 在縣北六十里. 山高險, 又有巖石如城, 周十五里, 內有居民".
· 지10, 지리1, 廣州牧, 利川郡, "… 太祖南征, 郡人徐穆, 導之利涉, 故賜號利川郡, 仍屬焉. 仁宗二十一年, 置監務. 高宗四十四年, 稱永昌. 恭讓王四年, 以祖妣申氏之鄕, 陞爲南川郡".

270) 이는 「元傅墓誌銘」에 의거하였다.

271) 이 기사는 열전43, 반역4, 趙暉에도 수록되어 있다. 또 이와 관련된 자료로 다음이 있다.
· 『세종실록』 권155, 지리지, 安邊都護府, 宜川郡[宜州], "… 海島四, 竹島[注, 在郡東, 去陸十里. 高麗時, 定州以南十二城人物, 合入此島, 以避蒙兵. 龍津人趙暉·定平人卓靑與女眞布只員通謀, 殺都兵馬使愼執平·錄事金亮以迎敵. 館舍·民居遺址尙存, 今無居民".
· 『신증동국여지승람』 권49, 德原都護府[宜州], 山川, "竹島, 在府東十五里, 有竹. 高麗時, 定州以南十二城人物合入此島, 以避蒙兵. 趙暉·卓靑與女眞布只員通謀, 殺都兵馬使愼執平, 以迎敵. 館舍·民居遺址尙存".

272) 이날 宋에서도 월식이 있었고(『송사』 권52, 지5, 천문5, 月食), 일본의 가마쿠라[鎌倉]에서도 월식이 있었다. 이날은 율리우스曆의 1258년 11월 12일이고, 월식 현상이 심했던 때의 世界時는 17시 59분, 食分은 1.63이었다(渡邊敏夫 1979年 481面).
· 『吾妻鏡』제48, 正嘉 2년 10월, "十六日辛卯, 朝晴, 四剋以後甚雨洪水, 屋宅流失, 人溺死, 午剋屬晴. 子剋月蝕, 不正見".

[己亥[24日], 西房[西方]有白氣衝天:五行2轉載].[273)]

壬寅[27日], 親設百座道場.

[乙巳[30日], 歲星入氐:天文2轉載].

是月, 忠州別抄設伏朴達峴, 狙擊蒙兵, 奪所擄人物·牛馬·兵仗.

[○史館薔薇, 華:五行1轉載].

[○禪月庵僧天演撰'川老金剛經'序:追加].[274)]

十一月[丙午朔大盡,甲子], 丁未[2日], 令文武四品以上, 陳禦蒙兵策.

丙辰[11日], 蒙古千戶劉於介率九人來投.

戊午[13日], 設八關會, 幸法王寺.

[丁卯[22日], 月犯大微[太微]東藩上相:天文2轉載].

[辛未[26日], 鎭星與熒惑同舍:天文2轉載].

[某日, 以崔竩所畜馬, 分賜文武三品:節要轉載].

[→[以崔竩所畜馬,] 又加賜三品. □□[是時], 遣郞將朴承蓋于慶尙道, 內侍全琮于全羅道, 籍沒竩及萬宗奴婢·田莊·銀帛·米穀:列傳42崔竩轉載].[275)]

癸酉[28日], 以金之岱爲樞密院副使, 柳璥△[爲]簽書樞密院事.

[某日, 金承俊·林衍等諸功臣, 斬將軍禹得圭·指諭金得龍·別將梁和, 流郞將慶元祿于島. 初, [大司成]柳璥誅崔竩, 置政房于便殿之側, 掌銓注, 凡國家機務, 皆決焉. 金承俊自謂功高秩卑, 心常怏怏, 璥聞之, 謂承俊曰, "以公之功, 雖一日九遷, 亦可也. 然循資除授, 國家常典, 卿以隊正, 越四等, 授中郞將,[276)] 不可謂不超資也". 承俊益銜之. 璥多置甲第, 權勢日熾, 門庭如市. 承俊·林衍等諸功臣, 忌之, 譖于金仁俊, 仁俊以聞于王, 王欲奪其權, 罷璥承宣, 除簽書樞密院事, 囚璥所善者得圭·

---

273) 西房은 西方의 오자로 추측된다(東亞大學 2011년 15책 567面).

274) 이는 다음의 자료에 의거하였다(郭丞勳 2021년 224面).

· 『川老金剛經』, 권말간기, "時重光戊午孟冬仲旬 寓禪月庵山人天演跋,」 棟梁道人 惟遷誌,」 道人 正安刻」".

275) 朴承蓋가 파견된 시기를 알 수 없어 잠정적으로 이곳에 배치하였다.

276) 이때 金承俊이 隊正(從9品待遇)에서 4等級을 뛰어 中郞將에 임명되었다고 하지만, 5등급(실제는 攝職과 正職[眞]에 의해 10等級임)을 뛰어야 중낭장이 될 수 있다. 또 그는 이때보다 9년 전인 1249년(고종36) 11월 崔沆이 집권하자 隊正에 임명되었으므로, 擧事 이전에 적어도 4등급 이하인 校尉(정9품)를 띠고 있었을 것이므로 향후 보다 구체적인 檢定이 있어야 할 것이다.

得龍·梁和·元祿. 瓛聞之, 詣闕, 語仁俊曰, "卿始與瓛同心擧義, 復政王室, 有如骨肉之親, 雖善讒者不能間也, 豈圖今日如是耶?". 仁俊愧謝, 諸功臣不言而退, 遂斬得圭等:節要轉載].

[→瓛旣誅竩, 奏置政房于便殿側, 掌銓注, 凡國家機務, 皆決焉. □亻俊弟承俊, 自以爲功高秩卑, 心常怏怏. 瓛聞之, 謂承俊曰, "以公之功, 雖一日九遷可也. 然循資除授, 國家常典. 公以隊正, 越四等, 授中郞將, 不可謂不超遷也". 承俊益銜之. □亻俊每入闕, 必謁瓛直廬, 承俊獨不爾, 瓛與俊戱云, 承俊郞將, 何樣在. 瓛多置甲第, 權勢日熾, 門庭如市. 承俊·林衍等諸功臣忌之, 讒于俊諷王. 王欲奪其權, 罷瓛承宣, 除簽書樞密院事, 囚瓛所善將軍禹得圭·梁和, 指諭金得龍, 郞將慶元祿. 瓛謂□亻俊曰, "公始與瓛, 同心擧義, 復政王室, 親如骨肉, 善讒者不能間. 豈圖今日反如是耶?". □亻俊愧謝, 承俊·林衍等, 不言而退. 遂殺得圭·和·得龍, 流元祿于遠島:列傳18柳瓛轉載].

十二月丙子朔[小盡,乙丑], 以崔允愷爲左副承宣.

○東眞國[~~東眞軍~~], 以舟師來, 圍高城縣之松島, 焚燒戰艦.[277)]

丁丑[2日], 以卒樞密院使閔曦·[樞密院副使]金慶孫·刑部尙書朴暄,[278)] 皆有功於國, 賜妻子各銀一斤·米三石.

己丑[14日], 蒙古散吉[松吉]大王·普只官人等, 領兵來, 屯古和州之地.

[○[東北面兵馬使]愼執平, 自僑寓[宜州]竹島, 糧儲乏少, 分遣別抄, 請粟於朝廷, 僅運他道, 守備稍懈:節要轉載]. 龍津縣人趙暉·定州人卓靑[等, 與朔方道登·文州諸城人合謀, 引蒙兵, 乘虛, 殺執平·登州副使朴仁起·和州副使金宣甫及京別抄等, 遂攻高城, 焚燒廬舍, 殺掠人民, 遂:節要轉載]以和州迆北, 附蒙古. 蒙古置雙城摠管府于和州, 以暉爲摠管, 靑爲千戶.[279)]

---

277) 이와 관련된 기사로 다음이 있다. 여기에서 東眞國은 1233년(고종20) 9월에 蒲鮮萬奴가 몽골군에 의해 被虜되어 멸망하였으므로 ~~添字~~와 같이 고쳐야 옳게 될 것이다.

· 『신증동국여지승람』 권45, 高城郡 山川, "松島, … 高麗高宗四十五年, 東眞國[~~東眞軍~~], 以舟師來, 圍此島, 焚燒戰艦".

278) '卒樞密院使閔曦·金慶孫'은 '卒知樞密院事閔曦·[樞密院副使]金慶孫'의 잘못일 것이다. 金慶孫은 樞密院副使로 1251년(고종38) 3월 崔沆에게 被殺되었고(열전16, 金慶孫 ; 『고려사절요』 권17, 고종 38년 3월), 閔曦는 知樞密院事로 재직하고 있었다(→고종 36년 11월 5일).

279) 이 기사는 열전43, 趙暉에도 수록되어 있고, 이와 관련된 기사로 다음이 있다.

[○是時, 以和州合于登州, 猶稱防禦使. 後併于通州:轉載].[280)]

[又是時, 舊咸州都督府地域沒於元稱哈蘭府, 舊吉州稱海洋[注, 一云三海陽], 舊福州稱禿魯兀:轉載].[281)]

[→□□是丹, 蒙古散吉·普只等官, 收付女眞 之時, 本國叛民趙暉·卓青等, 以其地迎降, 以趙暉爲摠管, 卓青爲千戶, 管轄軍民. 由是, 女眞 人民, 雜處其間, 各以方言, 名其所居, 吉州稱海陽, 福州稱禿魯兀, 英州稱三散, 雄州稱洪肯, 咸州稱哈蘭:追加].[282)]

[壬辰17日, 太白·鎭星, 相犯:天文2轉載].

[甲午19日, 大寒. 東有黃赤氣, 衝天:五行3轉載].

戊戌23日, 西海道谷山?達甫城民執防護別監鄭琪等, 投蒙古兵.[283)]

○賜諸王·宰樞·顯官致仕三品, 租各十斛, 四品八斛, 五品六斛, 六品及合入外官參職員四斛.

· 지12, 지리3, 東界, "高宗四十五年, 蒙古兵來侵, 龍津縣人趙暉·定州人卓青叛, 殺兵馬使愼執平, 以和州迤北, 附蒙古. 蒙古乃置雙城摠管府于和州, 以暉爲總管, 青爲千戶, 以治之".
· 『세종실록』 권155, 지리지, 咸吉道, "高宗四十五年戊午[南宋理宗寶祐六年], 蒙古兵來侵, 龍津縣人趙暉·定州人卓青叛, 以和州迤北附于蒙古, 蒙古乃置雙城摠管府于和州, 以暉爲摠管, 青爲千戶. 自是又屬于大元".

280) 이는 다음의 기사를 전재하였다.
· 지12, 지리3, 和州, "高宗時45年, 沒于蒙古, 爲雙城摠管府. 州因合于登州, 猶稱防禦使. 後併于通州".

281) 이는 다음의 기사를 전재한 것이다.
· 지12, 지리3, 咸州大都督府, "後又沒於元, 稱哈蘭府".
· 지12, 지리3, 吉州, "後沒於元, 稱海洋[注, 一云三海陽]".
· 『신증동국여지승람』 권50, 吉城縣[吉州], 건치연혁, "… 後沒於元, 稱海洋[注, 一云三海洋]. '龍飛御天歌'註, 海洋, 地名, 今在吉州. 自海洋北行五十里, 至泰神, 自泰神東行六十里, 至的遏發. 海洋·泰神·的遏發三處, 各有猛安, 其俗謂之三海洋".
· 지12, 지리3, 福州, "後沒於元, 稱禿魯兀".

282) 이는 다음의 자료에 의거하였는데, 端州는 福州(現, 平安南道 端川市, 磨雲嶺과 磨天嶺이 위치한 곳)로 고쳐야 옳게 될 것이다.
· 『태종실록』 권7, 4년 5월 己未19日, "遣計稟使·藝文館提學金瞻如京師, 瞻與□王可仁偕行. 奏本云, 照得, 本國東北地方, 自公嶮鎭歷孔州·吉州·端州福州·英州·雄州·咸州等州, 俱係本國之地. … 及至元初, 戊午年間, 蒙古散吉·普只等官, 收付女眞 之時, 本國叛民趙暉·卓青等, 以其地迎降, 以趙暉爲摠管, 卓青爲千戶, 管轄軍民. 由是女眞 人民, 雜處其間, 各以方言, 名其所居, 吉州稱海陽, 端州稱禿魯兀, 英州稱三散, 雄州稱洪肯, 咸州稱哈蘭".

283) 達甫城은 『고려사』에서 이 기사 이외에는 찾아지지 않고, 『신증동국여지승람』 권42, 黃海道 谷山郡 古蹟에 達寶山古城이 찾아진다.

[○月犯房上相. 流星出翼西北第三星, 大如梨, 尾長二尺而黃:天文2轉載].

壬寅[27日], 以崔滋△[爲]同中書門下平章事[門下侍郞同中書門下平章事],[284)] 金起孫爲中書侍郎平章事, 鄭准△[爲]參知政事, 李藏用爲政堂文學, 李世材△[爲]知門下省事, 趙珣[趙季珣?]△[爲]守司空,[285)] [知樞密院事]金寶鼎爲樞密院事[樞密院使],[286)] 金之岱△[爲]同知樞密院事, 柳璥·皇甫琦·孫挺烈並爲樞密院副使, 金佺·[上將軍]朴成梓爲左·右僕射, 鄭世材爲右副承宣.

甲辰[29日晦], 遣□[大]將軍朴希實·□□[將軍]趙文柱·散員朴天植,[287)] 如蒙古, 請達魯花赤曰, "本國所以未盡事大之誠, 徒以權臣擅政不樂內屬故爾, 今崔竩已死, 卽欲出水就陸, 以聽上國之命, 而天兵壓境, 譬之穴鼠爲猫所守,[288)] 不敢出耳".[289)]

是歲, 諸道禾穀, 盡爲蒙兵所獲.

[○置救急都監使·副使·判官各二人, 錄事五人:百官2救急都監轉載].

[○先是, 諸事未具, 久廢親醮, 至是年, 取權臣家淨事色器械, 以充其用. 選差內侍參上·參外勤恪者, 稱內侍淨事色, 每政超資除授, 有勢者爭入, 員數漸多:百官

---

284) 이때 崔滋는 守太師·門下侍郞同中書門下平章事·判吏部事에 임명되었다(열전15, 崔滋).

285) 趙珣은 歷官을 통해 볼 때 趙冲의 次子로서 後日 門下侍郞平章事에 오른 趙季珣의 改名 또는 季字가 탈락된 것으로 추측된다(열전16, 趙冲). 이는 1250년(고종37) 7월 29일에 趙季珣이 樞密院副使에 임명될 때 李世材가 그보다 下位職인 右副承宣에 임명된 적이 있는데, 이날 李世材는 守司空(·左僕射)인 趙珣보다 上位職인 知門下省事에 임명된 점을 통해 類推할 수 있다.

286) 金寶鼎은 이해[是年]의 6월 18일(丙申) 知樞密院事로 재직하고 있었다.

287) 趙文柱(羅益禧의 丈人)는 白州人으로 1258년(고종45) 3월 26일(丙子) 柳璥·金仁俊 등이 武臣執政者 崔竩를 제거할 때 牽龍行首로서 참여하여 功臣에 책봉된 인물이다. 1269년(원종10) 7월 11일(乙卯) 林衍에 의해 國王으로 일시 옹립된 淐王에 의해 동지추밀원사에 임명되었는데, 이 무렵에 趙璈로 改名하였던 것 같고, 같은 해 12월에 임연을 제거하려다가 黑山島에 유배되는 도중에 피살되었다. 그는 『고려사』에서 두 이름이 並用되어 일관성을 잃은 사례의 하나가 된다(지12, 지리3, 西海道 白州 ; 열전17, 羅裕 ; 열전37, 嬖幸2, 尹秀 ; 열전37, 金文庇 ; 열전43, 林衍 ; 「尙書都官貼」).

又 朴天植은 열전42, 崔忠獻, 竩에는 朴天湜으로 표기되어 있으나 『고려사』元宗世家와 「尙書都官貼(1262년, 원종2) 등을 통해 볼 때 오자일 것이다.

288) 譬之穴鼠는 『고려사절요』 권17에는 比之穴鼠로 되어 있다(東亞大學 2008년 6책 727面).

289) 이와 같은 기록으로 다음이 있다.

· 『익재난고』 권9상, 忠憲王世家, "初, 權臣崔誼[崔竩]死, 高王[高宗]遣大將軍朴希實·將軍趙文胄[趙文柱]入告曰, 本國君臣, 所以未盡事大之誠, 徒以權臣擅政不樂內屬故爾, 今崔誼[崔竩]已死, 卽欲出水就陸, 以聽上國之命, 而天兵壓境, 譬之穴鼠爲猫所守, 不敢出耳. 憲宗然其言, 命罷兵, 賜二人金符, 遣之".

2淨事色轉載].[290]

[○以金晅爲務安監務:追加].[291]

[○以太子府侍衛趙仁規爲將軍仁揆下隊正:追加].[292]

[○僧彌授赴選佛場, 登上品科:追加].[293]

[是年頃, 前吏部侍郎兪千遇母賂金承俊珍寶, 請召還, 金承俊言于其兄金仁俊曰, 今政房, 左副承宣崔允愷摸稜少分辨, 其餘新進, 無可與論事者, 可召兪千遇. 仁俊聞于王召還. 千遇又厚賂寵宦, 復入政房, 爲兵部侍郎:列傳18兪千遇轉載].

己未[高宗]四十六年, [只用當該年干支],

[南宋開慶元年], [蒙古憲宗九年→7月空位], [西曆1259年]

1259년 1월 25일(Gre2월 1일)에서 1260년 2월 12일(Gre2월 19일)까지, 13개월 384일

春正月乙巳朔大盡,丙寅, 放朝賀.

[丙午2日, 赤氣衝天, 如火光:五行1轉載].

丁未3日, 蒙古攻成州岐巖城, 夜別抄率城中人, 與戰, 大敗之.

[○城中饑, 人相食, 移于昇天府新城, 給糧與田:節要·食貨3水旱疫癘賑貸之制轉載].

[某日, 以大饑, 發倉賑宰樞寡婦·前銜六品以下官及諸衛軍·坊里人:節要·食貨3水旱疫癘賑貸之制轉載].[294]

---

290) 이는 다음의 기사를 전재하여 적절히 變改하였다.
· 지28, 百官2, 淨事色, "高宗時, 諸事未具, 久廢親醮, 至四十五年, 取權臣家淨事色器械, 以充其用. 選差內侍參上參外勤恪者, 稱內侍淨事色, 每政超資除授, 有勢者爭入, 員數漸多".

291) 이는 「金晅墓誌銘」에 의거하였다.

292) 이는 「趙仁規墓誌銘」에 의거하였다. 또 이때 趙仁規의 上官인 將軍 仁揆는 1273년(원종14) 11월 1일 靈興島(仁州)에 유배된 樞密院使 于仁揆(于琔의 父)로 추측된다(열전43, 于琔).

293) 이는 「俗離山法住寺慈淨國尊碑銘」에 의거하였다(金石總覽 486面).

294) 이와 관련된 기사로 지9, 五行3, "大饑"가 있다. 또 이해에 日本에서도 全國에 걸쳐 大饑饉이 있었다고 한다.
· 『鎌倉年代記裏書』, "今年正元元, 天下大饑饉".

○東眞寇金剛城，遣別抄三千人救之.[295)]

[癸丑[9日]，太白·熒惑，相犯:天文2轉載].

戊午[14日]，以鄭芝爲西北面兵馬使，金允候[金允侯]爲東北面兵馬使.[296)] [時東北面已沒於蒙古，故金允侯不赴官:轉載].[297)]

○賜諸寺院僧徒及江華任內諸縣人民租，有差.

[○月有黃暈:天文2轉載].

[甲子[20日]，雨水．流星出天節，入天園．月犯氐星:天文2轉載].

[乙丑[21日]，□[月]與歲星同舍:天文2轉載].

丁卯[23日]，遣刑部侍郎李凝，如西京王萬戶[王榮祖]·沙居只屯所.

[□□[又遣]郎將金器成·別將郭貞有，如東界蒙兵屯所，器成·貞有等，至文州寶龍驛，叛民與蒙兵三十餘人，殺之，弁及傔從十三人，掠其國贐而去:節要轉載].

[→王使郎將金器成·別將郭貞有，齎國贐，如蒙古屯所，慰之．器成等至文州，[雙城摠管趙]暉黨在寶龍驛，與蒙古兵三十餘人，殺器成等弁傔從十三人，掠國贐而去:列傳43趙暉轉載].

○賜合入各官吏民租，有差.

[某日，大倉[太倉]御史奏，“倉廩已匱，無以頒祿．乃以崔竩別庫米一萬五千石，補四品以下祿俸”:節要·食貨3祿俸轉載].

[某日，蒙兵大至，令三品以上，各陳降守之策，衆論紛紜，[門下侍郎同中書門下]平章事[判吏部事]崔滋，樞密院使金寶鼎曰，江都地廣人稀，難以固守，出降便:節要轉載].[298)]

[□□[是時]，一日，[門下侍郎平章事崔]滋邀金仁俊諸子，宴其第．時人譏之:列傳15崔滋轉載].

[某日，慶尙道按察使金祿延，仍番:慶尙道營主題名記].

二月[乙亥朔大盡,丁卯]，[某日，登·和州等諸城叛民，自稱官人，引蒙人來，攻[春州麟蹄縣]寒溪城．防護別監安洪敏率夜別抄，出擊，盡殲之:節要轉載].[299)]

---

295) 三千人은 『고려사절요』 권17에는 三千으로 되어 있는데, 前者의 人은 組版過程에서 잘못 들어간 글자[衍字]일 것이다.

296) 金允候는 金允侯의 오자일 것이다. 열전16, 金允侯와 『고려사절요』에는 金允侯로 되어 있다.

297) 이는 열전16, 金允侯에서 전재하였다.

298) 이 기사는 열전15, 崔滋에도 수록되어 있다.

299) 寒溪城은 현재의 江原道 麟蹄郡 北面 寒溪里에 위치한 寒溪山城을 가리킨다(史蹟 第553號,

[→明年, [雙城摠管趙]暉黨自稱官人, 引蒙古兵來, 攻寒溪城, 防護別監安洪敏率夜別抄, 出擊, 盡殲之:列傳43趙暉轉載].

[某日, 判衛尉□[~~寺~~]事河千旦卒. 千旦, 善屬文, 事大表箋, 多出其手:節要轉載], [晚好釋典. 高宗嘗欲移御大寺洞, 千旦與起居注鄭義白曰, “此洞, 白虎張口勢, 今蒙古兵彌漫, 君臣入虎口, 可乎”. 乃止:列傳15河千旦轉載].

戊子[14日], 燃燈, 王如奉恩寺.

庚寅[16日], 宴諸王·宰樞, 王再擧手, 以示群臣曰, “凡赴宴者, 拍手以助予樂”. 酒闌, 王猶樂甚, 群臣拍手踊躍, 汗流被體, 至暮乃罷.

[史臣曰, “國家自被兵以來, 停燃燈宴, 已六年, 况今東北盡爲賊巢, 西南浮寄海島, 而道殣相望, 倉廩罄竭. 王當小心翼翼, 宵衣旰食, 仁政是施, 武備是修, 猶懼不保, 慮不及此而耽樂之從. 王旣衰老, 視蔭愒日, 固不足責矣. 當時之待宴者, 豈無一二有識者, 而乃與王拍手助樂, 如在<u>大平</u>[~~太平~~]之日, 而無一言諫之, 何哉”:節要轉載].

甲午[20日], 創離宮于<u>摩利山</u>[摩尼山]南. 先是, 校書郞<u>景瑜</u>請於是山, 創闕, 則可延基業, 從之.

[某日, 發新興倉<u>銀</u>[~~白銀~~]十斤, 易穀種, 給貧民:節要·食貨2農桑轉載].[300]

[己亥[25日], 黑氣從南斗魁, 抵河鼓:五行1黑眚黑祥轉載].

庚子[26日], [刑部侍郞]李凝還自西京曰, “王萬戶[~~王榮祖~~]云, 汝國王不愛百姓耶, 何聽尹椿·松山之言, 不出降乎? 降則, 秋毫不犯”. 時, 王萬戶[~~王榮祖~~]率軍十領, 修築西京古城, 又造戰艦, 開屯田, 爲久留計.[301]

癸卯[29日], 幸賢聖寺.

[<u>乙巳</u>[某日], 雨雹:五行1雨雹轉載].[302]

是月, 徙西京·黃州民于德積島.

○盜發厚[康宗]·睿二陵.

金虎俊 2012년 177面).

300) ~~添字~~는 지33, 식화2, 農桑에 의거하였다.

301) 이 시기에 王榮祖와 관련된 기사로 다음이 있다.

· 『원사』 권149, 열전36, 王珣, 榮祖, “… 移鎭高麗平壤, 帝遣使諭之曰, ‘彼小國負險自守, 釜中之魚, 非久自死, 緩急可否, 卿當熟思’. <u>榮祖</u>乃募民屯戍, 闢地千里, 盡得諸島嶼城壘”.

302) 이달에는 乙巳가 없다.

三月乙巳□朔小盡,戊辰，幸乾聖·福靈二寺.[303)]

[丁未3日，歲星入氐:天文2轉載].

壬子8日，別將朴天植，偕車羅大使者溫陽加大等九人還，奏曰，“大將軍朴希實·將軍趙文柱，至車羅大屯所，謂曰，我國但爲權臣所制，違忤帝命者，有年矣. 令已誅崔竩，將復舊都，遣太子朝見”. 車羅大等喜形於色曰，“若太子來，則湏須及四月初吉”.[304)]

癸丑9日，王引見溫陽加大等于康安殿，溫陽加大問太子入朝之期. 王以五月對，溫陽加大怒曰，“我兵進退，在太子行李遲速，若待五月，何其晚也?”. 王不得已，約以四月，仍贈金銀·布帛. 溫陽加大又云，“欲見太子面約”.

丙子某日,[305)] 太子出，宴客使于重房，期以四月二十七日.

○令州縣守令，率避亂民，出陸耕種.[306)]

[○東眞國兵，率登·和州叛民，屯于春州泉谷村.[307)] 有神義軍五人，詐稱車羅大使者，馳入其屯曰，“解爾弓劍，置于一所，咸聽元帥教命. 高麗太子將入朝，汝何殺高麗使者器成而奪國贐乎? 爾罪當死，” 皆伏地股栗. 於是，揮鞭召別抄兵，四面攻之，無一脫者，遂得國贐及器成等衣服，而還:節要轉載].

[→雙城摠管趙暉黨，又引東眞國兵，屯春州泉谷村，有神義軍五人，詐稱蒙古將軍□車羅大使者，馳入其屯曰，“解爾弓劒，聽元帥教命. 高麗太子將入朝，汝何殺高麗使者□而奪國贐乎? 爾罪當死”. 皆伏地股栗. 於是，揮鞭召別抄，四面攻之，無一脫者，遂得國贐及器成等衣物，而還:列傳43趙暉轉載].

○北界艾·葛二島合入各驛人，殺京別抄七人，投蒙古.

---

303) 乙巳에 朔이 탈락되었다.

304) 初吉은 일반적으로 초하루[朔日]을 가리키지만, 朔日에서 初七，八日[上弦]까지를 初吉이라고 하는 견해도 있다.

· 『毛詩注疏』 권20，小雅，谷風之什，小明，“… 明明上天，照臨下土，我征徂西，至于艽野，二月初吉，載離寒暑[毛亨傳，艽野，遠荒之地，初吉，朔日也]”.

· 『觀堂集林』 권1，藝林1，生覇死覇考，“… 余王國維覽古器物銘，而得古之所以名日者凡四，曰初吉，曰旣生覇，曰旣望，曰旣死覇. 因悟古者蓋分一月之日，爲四分，一曰初吉，謂自一日至七八日也，二曰旣生覇，謂自八九日以降，至十四五日也，三曰旣望，爲十五六日以後，至二十二三日，四曰旣死覇，謂自二十三日以後，至于晦也. 八九日以降，月雖未滿，而未盛之明，則生已久，二十三日以降，月雖未晦，然始生之明，固已死矣. …”.

305) 丙子는 이달에 없고, 이 기사가 癸丑(9일)과 辛未(27일) 사이에 있으므로, 이날은 丙辰(12일) 또는 甲子(20일)의 오자일 것인데, 丙辰일 가능성도 있다.

306) 이 기사는 지33，食貨2，農桑에도 수록되어 있다.

307) 春州 泉谷村은 春州道 橫川縣 甘泉驛 隣近으로 추측된다고 한다(姜在光 2002년b).

[某日, 金剛城防護別監王仲宣, 率合入州縣民五百餘口, 到昇天城, 出米三十斛, 賑之. 道死者二百餘人:節要·食貨3水旱疫癘賑貸之制轉載].

[癸亥[19日], 太白犯五車:天文2轉載].

辛未[27日], 王不豫, 赦中外二罪以下囚, 又遣崔寧·[權知閤門祗候]許珙, 沿海放生.[308]

[是月, 禮賓省移牒宋慶元府, 告被擄人送還事:追加].[309]

夏四月[甲戌朔大盡,己巳], 甲申[11日], 王病篤. 分遣近臣, 禱諸神祠·道殿, 赦二罪以下囚, 又放生.

[○月入氐星, 與歲星同舍天文2轉載].

[丁亥[14日], □[月]與歲星入氐:天文2轉載].

---

308) 이때 許珙은 權知閤門祗候였던 것 같고, 그의 함께 柳璥의 추천을 받아 政房에 들어갔다는 崔寧(1264년 國學直講으로 在職)은 어떠한 인물인지를 알 수 없다(許珙墓誌銘 ; 열전18, 許珙→고종 45년 4월 某日의 脚注 ; 원종 5년 是年條의 脚注).

· 『동안거사집』行錄1, 求官詩幷序, "… 崔直講[注, 諱寧], '一顆明珠不受塵, 平生襟韻貯天眞, 講迴絳帳淸風聳, 導霈丹霄湛露均, 風月昏邊吟白雪, 陶鈞手下放靑春, 自憐西院陪遊客, 空作東關蕩迹人, 龍困穴中忙解蟄, 蠖緣枝上要求伸, 蒼顔翠髮疑難識, 莫忘尊前半面親'. …".

309) 이는 다음의 자료에 의거하였다(張東翼 2000년 287~288面). 이때 高麗의 禮賓省牒에서 中原의 年號를 사용하지 아니하고 甲子[己未]로써 年度를 表記한 것은 當時의 사실과 合當한다.

· 『開慶四明續志』 권8, 收刺麗國送還人, "開慶元年四月, 綱首范彦華, 至自高麗, 賫其國禮賓省牒, 發遣被擄人升甫馬兒智就三名回國. 制司引問, 馬兒者, 年二十六, 揚州灣頭岸北裏, 解三也. 十二歲隨父業農, 秋時爲韃掠去, 至韃酋蒙哥叔宴恥達大王所, 撥隸鶻辣海部下, 牧馬, 剃作三搭髮, 取名馬兒. 年十五時, 又見虜至一人, 卽今升甫也. 升甫年二十四, 本姓馮, 名時, 臨安府人, 生七歲, 父以莊田在淮安州鹽城, 往居焉. 淳祐九年, 爲韃所掠, 亦隸鶻辣海. 智就者, 年三十八, 德安府人, 黃二也. 家市縑帛, 有莊在城外之西羅村, 十四歲, 金國投拜人楊太尉仕于德安, 陰結李全妻小姐姐, 貳于韃以叛. 黃遂爲韃所虜, 韃主第三兒使往沙沱河牧羊, 凡三年, 冀州種田, 凡十二年, 咸平府運糧, 凡六年. 寶祐五年七月, 頭目人車辣大, 領二萬人出軍, 馮時·解三, 皆以牧馬從, 凡兩月, 至麗界首東路, 屯于和尙城, 麗師不出. 及十一月, 久雨 馬多凍死, 人且餧. 馮·解 謀逸歸本朝, 匿深山中, 師退, 麗人取以歸竄島上. 六年正月, 入麗京, 拜國主, 月給米, 養之旬餘, 黃二亦至, 皆在漢語都監所宿食, 三月, 發入范彦華船, 又逾年三月. 船始歸制司, 卽備申朝廷, 以各人本貴, 竝無親屬, 欲收刺廂軍, 續準省箚, 從所申收刺. 解三取名解福. 馮時取名馮德, 黃二取名黃恩, 竝收刺崇節指揮, 專充看養省馬著役, 麗國省牒附見于後」".

"高麗國禮賓省牒上, 大宋國慶元府, 當省準貴國人升甫·馬兒·智就等三人, 久被狄人捉拏, 越前年正月, 分逃閃入來, 勤加館養. 今於綱首范彦華·兪昶等, 合綱船放洋還國, 仍給程糧三碩, 付與送還, 請照悉具 如前事, 須牒大宋國慶元府照會施行, 謹牒, 己未三月 日, 謹牒, 注簿·文林郞金之用, 注簿·文林郞李孝悌, 丞·文林郞金光遠, 丞·文林郞潘吉儒, 試少卿·入內侍·文林郞李軾, 卿·朝議大夫任柱, 判事·入內侍·通議大夫·三司使·太子右庶子羅國維, 判事·正議大夫·監門衛攝上將軍奉君用」".

[戊子[15日], 月食, 因雨不見:天文2轉載].[310)]

辛卯[18日], 停今年東堂監試.

○移御[樞密院副使]柳璥第.

甲午[21日], 遣太子倎, 奉表如蒙古, 參知政事李世材·樞密院副使[~~樞密院使~~]金寶鼎等四十人, 從之, 百官餞于郊.[311)]

○文武四品以上, □[~~各~~]出銀各一斤, 五品以下, 出布有差, 以充其費.[312)]

[→文武四品以上, 各出白金一斤, 五品以下, 出布有差, 以充其費:食貨2科斂轉載].

○國贐馱馬三百餘匹, 以馬不足, 抑買路人馬, 以故, 兩班乘馬者少.

○表云, "竊念, 小邦嘗有統兵之權臣, 久專提兵, 於國事落此指揮之內, 不自制焉, 故於應奉之閒, 頗多違者. 蓋皇靈之幸賴, 而凶竪之易除, 將萬世以爲期, 罄一心而盡力, 使比來入竄之遺俗, 皆相率出居於舊墟. 嗟, 小臣老病旣深, 亦皇帝所及知也, 肆今日不得親朝, 令太子姑且往覲. 伏冀陛下, 炤諳此意, 采納其言, 更加字小之恩, 俾效輸忠之職".

丁酉[24日], 流散員閔偁於黑山島.

○命營假闕於三郎城及神泥洞.[313)]

[先是, 王召術士·郎將白勝賢, 問延基之地. 對曰, "幸穴口寺, 談揚法華經, 又創闕于三郎城, 以試其驗". 勑兩府, 令勝賢與校書郎景瑜·判司天□[臺]事安邦悅等, 論難利害, 勝賢以數馬, 駄[馱]道籙·佛書·陰陽·圖讖, 左抽右取, 詭辯不窮, 景瑜等不能折其談鋒, 王皆從之:節要轉載].

---

310) 이날 宋에서는 월식이 이루어졌고(『송사』 권52, 지5, 천문5, 月食), 일본의 교토[京都에]서도 예측이 되었으나 비로 인해 보이지 않았다고 한다. 이날은 율리우스曆의 1259년 5월 8일이고, 월식 현상이 심했던 때의 世界時는 10시 56분, 食分은 1.13이었다(渡邊敏夫 1979年 481面).
· 『東寺長者補任』, 正元 1년, 僧正定親, "四月十五日, 月蝕, 御祈勤之, 効驗, 有賞".

311) 金寶鼎은 1258년(고종45) 12월 27일 樞密院使에 임명되었으므로 添字와 같이 고쳐야 옳게 될 것이다. 이때 隨從한 인물은 參知政事 李世材·樞密院使 金寶鼎·次將軍 金承俊(金仁俊의 弟, 후일 金冲으로 改名)·行首 金大才(金大材, 金仁俊의 3子)·少卿 李凝·謁者 吳軒·李傑·起居舍人[舍人] 鄭均·錄事 李承衍·李君伯 등 40人이었다(『익재난고』 권9상, 忠憲王世家). 이들 사신단은 平壤에 駐屯하고 있던 蒙古元帥 王榮祖의 안내를 받았던 것 같다.
· 『원사』 권149, 열전36, 王珣, 榮祖, "… 高麗遣其世子倎出降, 遂以倎入朝".

312) ~~添字~~는 지33, 食貨2, 科斂에 의거하였다.

313) 이때 조성된 三郎城 假闕은 현재의 仁川廣域市 江華郡 吉祥面 鼎足山 傳燈寺 境內에, 神泥洞假闕은 仙源面 智山里와 錦月里의 중간에 위치하였던 것으로 추정되고 있다(李亨求 2003년 72面).

[→白勝賢, 業風水. 高宗末, 補郞將. 王在江都, 嘗問延基之地, 勝賢曰, "願幸穴口寺, 談揚法華經, 又刱闕于三郞城, 以試其驗". 王命兩府合坐, 令勝賢與景瑜·判司天□[臺]事安邦悅等, 論難利害. 勝賢以數馬, 馱[駄]道籙·佛書·陰陽·圖讖,[314] 左抽右取, 詭辨無窮, 景瑜等, 不能折其談鋒. 兩府曰, "如之何?". 景瑜等不得已曰, "勝賢之言, 雖不可信, 姑試之". 於是, 命營假闕于三郞城及神泥洞:列傳36白勝賢轉載].

○[王不豫,] 移御社堂洞閔脩第. [遣[右副承宣鄭]世臣, 設法席于穴口寺. 世臣還奏其狀, 王曰, "予夢有老比丘, 勸念法華經及大日經頌, 今聞卿言, 實符所夢. 且予在潛邸, 嘗遊穴口, 聞文殊鳥聲, 卿亦聞之乎?". 世臣對曰, "神怪所當諱, 臣未敢先奏. 臣詣法席, 誠如上所夢, 怳有一老比丘, 在側誦經, 更視則不見. 俄而復來, 臣恐其去, 不敢正視". 又有鳥來鳴, 其聲云, 文殊師利摩訶薩:列傳36鄭世臣轉載]. [承宣李應韶·鄭世臣, 皆輕薄人也. 王疾彌留, 國家多故, [二人,] 不以爲慮, 百官奏啓, 皆抑而不納. 每直宿, 與修[脩脫冠帶,] 閉門圍碁, 擁妓酣飮. 時議憤之:節要轉載].[315]

五月[甲辰朔小盡,庚午], 乙巳[2日], 賜十二功臣銀甁各五事·米二十石, 其餘功臣, 亦賜有差, 名爲端午宣賜.

丙午[3日], 北界兵馬使報, "車羅大暴死, 帝遣人來, 執阿豆·仍夫·三弥等三人而去".

庚戌[7日], 親醮三界.

[壬子[9日], 大霧, 咫尺不辨人:五行3轉載].

[甲寅[11日], 以僧混元爲王師:追加].[316]

[乙卯[12日], 慈雲寺右小池, 赤沫如血. 寶文閣校勘姜度云, "新羅虎景王[武烈王]時, 大觀寺[大官寺]池水赤, 其年王薨 今玆王疾, 殆不瘳乎?":五行1·節要轉載].[317]

六月[癸酉朔大盡,辛未], 乙亥[3日], 太白晝見.

[己卯[7日], 流星出室, 入東壁:天文2轉載].

---

314) 여러 판본의 『고려사』에서 馱(견)으로 되어 있으나 駄(태)의 오자일 것이다(東亞大學 2006년 27책 542面).

315) 이 구절은 열전36, 嬖幸1, 鄭世臣에도 수록되어 있는데, 첨자는 이에 의거하였다.

316) 이는 『동문선』 권117, 臥龍山慈雲寺王師贈諡眞明國師塔碑銘(金坵 撰)에 의거하였다.

317) 虎景王은 武烈王의, 大觀寺는 大官寺의 다른 표기인 것 같은데, 武烈王을 武景王[虎景王, 虎는 惠宗의 諱인 武를 避한 것임)으로 표기한 이유는 알 수 없다.
· 『삼국사기』 권5, 신라본기5, 太宗王 8년, "六月, 大官寺井爲血, 金馬郡地流血廣五步, 王薨, 謚曰武烈".

庚辰[8日], 蒙古元帥余愁達·<u>松吉</u>大王,[318] 所遣周者·陶高等, 與參知政事李世材來, 世材奏云, "五月十六日[己未], 太子至虎川, 大雨, 水漲溢. 從者皆請留宿, 以待水落, 太子不聽, 遂行, 越一日至東京. 東京人曰, 明日, 大兵將向高麗". 太子遣臣及[樞密院使]金寶鼎, 各以白銀五十斤·銀尊一·銀缸一·酒果等物, 遺元帥余愁達·松吉大王. 十九日[壬戌] 太子見松吉, 松吉曰, '皇帝親征宋國, 委吾等征爾國, 業已發兵, 爾何來耶?'. 太子答曰, '我國, 惟皇帝及大王之德, 是賴, 僅保餘喘, 將奉觴于大王及諸官人, 然後入覲于帝, 故來耳'. 松吉曰, '汝國已離江都乎?'. 太子曰, '州縣民已出島矣, 王京則待皇帝區處, 以徙都耳'. 松吉曰, '王京則在島中, 何可罷兵?'. 太子曰, '大王嘗言, 太子入朝, 則罷兵, 故今我來爾, 兵若不罷, 小民畏懼逃竄, 後雖敦諭, 誰復聽從, 大王之言, 其可信乎?', 松吉等然之, 駐兵不發, 乃遣周者等來, 爲壞城郭也".

壬午[10日], 王引見客使于時御宮, 周者等諭以壞城之事.

癸未[11日], 始壞江都內城, 客使[周者]督役甚急, 諸領府兵, 不堪其苦, 泣曰, "若知如此, 不如不城".

[○大風以雨:五行3轉載].

乙酉[13日], 城郭摧折, 聲如疾雷, 震動閭里, 街童巷婦, 皆爲之悲泣.

己丑[17日], 命安慶公餞客使, 贈金銀·布帛, 甚多.

庚寅[18日], 客使[周者]聞外城不壞曰, "外城猶在, 可謂誠服乎? 盡壞乃還". 國家賂以重寶, 卽令都房, 壞外城. 時, 都人以謂, 內·外城盡壞, 必有以也, 爭買船, 船價湧貴.

[戊戌[26日], 曙時, 東方有赤氣, 如<u>霞</u>異常:五行1轉載].[319]

[某日, 宰樞會議, 分田代祿, 遂置給田都監:食貨1祿科田轉載].

壬寅[30日], 王薨于[樞密院副使]柳璥第.[320] 大將軍金仁俊欲奉安慶公嗣位. 兩府議曰, "元子繼体, 古今之通義也, 況今太子代王入朝, 而以弟爲君, 可乎?". 遂頒<u>遺詔</u>,[321]

---

318) 松吉大王은 散吉大王의 다른 표기일 것이다(→고종 45년 12월 14일).

319) 霞에 대한 설명으로 다음이 있다.

- 『아언각비』 권3下, "霞者, 赤雲也. 東俗訓之爲霧[注, 方言曰晏開], 宋徽宗詩云'日照晚霞金世界', 謂黃霧盪日, 成此金色, 豈不謬哉? 玉有赤病者謂之瑕, 瑕者霞也. 有黑病者謂之玷, 玷者點也[點從黑]".

320) 이날은 율리우스曆으로 1259년 7월 21일(그레고리曆 7월 28일)에 해당한다.

321) 高宗의 遺詔는 『익재난고』 권9상, 忠憲王世家에도 수록되어 있는데, 字句에 차이가 있다("遺書曰, 敎臣寮衆庶, 予德薄負重, 疾病彌留, 粤惟王位不可虛, 矧予元子, 其德足以升聞于上, 乃命

其略曰，“余德薄負重，疾病彌留，惟王位不可久虛，矧予元子，其德足以升聞于上，乃命以位．凡爾官司，各執爾事，聽受嗣王之令，嗣王奉使未還間，軍國庶務，聽於太孫，山陵制度，務從儉約，易月之服，三日而除”．王在位四十六年~~四十七年~~，[322] 壽六十八，諡曰安孝，廟號高宗，陵曰洪陵，[323] 忠宣王二年，元贈謚諡忠憲．[324]

李齊賢贊曰，“王舊學於兪升旦， 享國垂五十年， 盖學問以畜其德， 畏愼以保其位，民悅之而天佑之也”．

史臣曰，“高宗之世，內有權臣相繼，擅執國命，外有女眞·蒙古，遣兵歲侵，當時國勢，岌岌殆哉．然王小心守法，包羞忍恥，故得全寶位，而終見政歸王室，敵至則堅城固守，退則遣使通好，至遣太子，執贄親朝，故卒使社稷不殞，而傳祚~~傳祚~~有永云”．[325]

[仁同人 張東翼 校注，增補]．

以位．凡爾官司，各執爾事，聽受嗣王之令，嗣王入朝未還，其間軍國庶政，聽於太孫，卜宅之制，務從儉德，易月之服，三日而除，遵行上國喪制，毋以死傷生”）．

322) 高宗의 在位年間은 당시의 計算으로 하면 47년이 되어야 하고，李齊賢도 47년으로 기록하였다(『익재난고』 권9상，忠憲王世家，“高宗四十六年 … 至六月晦，薨，壽六十八，在位四十七”）．

323) 洪陵은 仁川市 江華郡 江華邑 菊花里 山129-2番地 高麗山 동남쪽 山麓에 있다(사적 제224호，李亨求 2003년 73面 ；仁川廣域市立博物館 2003년 ；東亞大學 2008년 6책 517面 ；張慶姬 2013년 ；洪榮義 2018년)．

·『順菴集』 권1，高麗山，[注，山在江華府西北五里，高麗高宗葬此，卽弘陵洪陵是也]．

324) 이때의 制書는 元의 翰林學士承旨 姚燧(1238~1313)가 撰하였고，이는『國朝文類』 권11，高麗國王封曾祖父母·父母制이고，이의 일부는『益齋亂藁』 권9상，忠憲王世家에 수록되어 있다(→충선왕 2년 7월 20일)．

325)『고려사절요』 권17에는 而가 없고，傳祚[帝位相傳]가 바르게 되어 있다．

新編高麗史全文

세가6책 신종-고종

초판 1쇄 인쇄 | 2023년 05월 23일
초판 1쇄 발행 | 2023년 05월 30일

지은이 | 張東翼
발행인 | 한정희
발행처 | 경인문화사
편집부 | 김지선 유지혜 한주연 이다빈 김윤진
마케팅 | 전병관 하재일 유인순
출판번호 | 제406-1973-000003호
주소 | 경기도 파주시 회동길 445-1 경인빌딩 B동 4층
전화 | 031-955-9300 팩스 | 031-955-9310
홈페이지 | http://www.kyunginp.co.kr
이메일 | kyungin@kyunginp.co.kr

ISBN 978-89-499-6711-0 94910
978-89-499-6754-7 (세트)
값 37,000원